KB087125

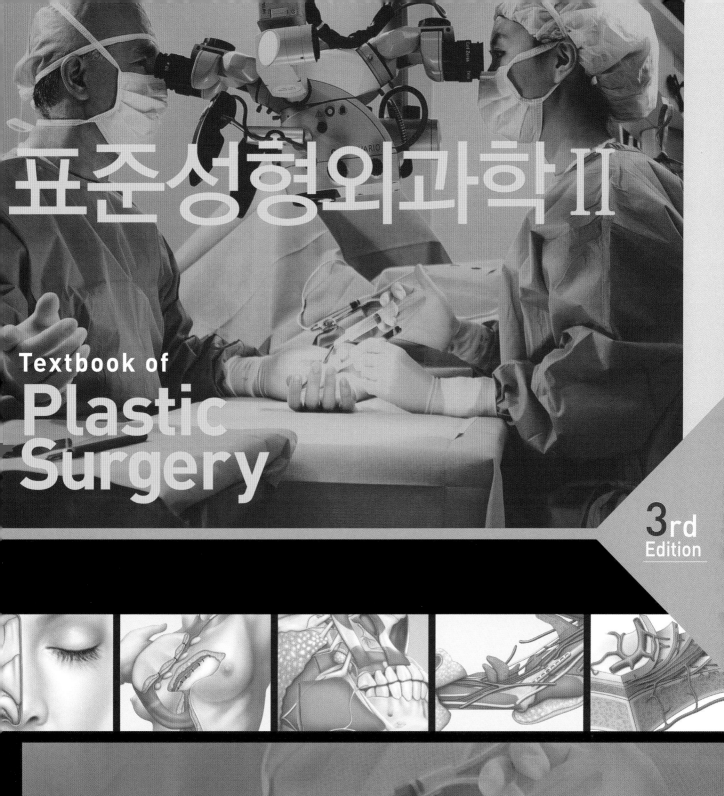

표준성형외과학 II

Textbook of
Plastic
Surgery

3rd
Edition

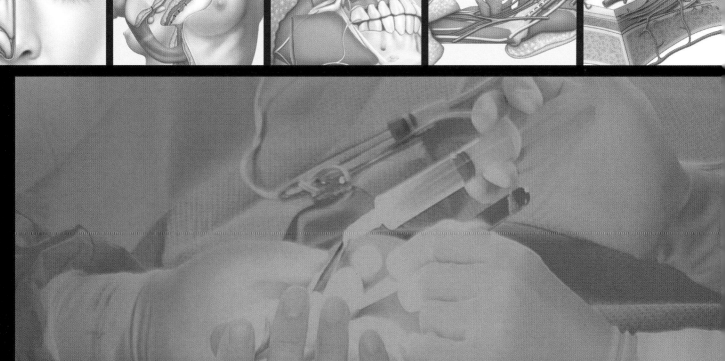

표준성형외과학 (3rd Edition)

첫째판 1 쇄 발행 | 1999 년 3 월 21 일
정정판 1 쇄 발행 | 2000 년 3 월 13 일
둘째판 1 쇄 발행 | 2009 년 3 월 14 일
셋째판 1 쇄 인쇄 | 2019 년 4 월 15 일
셋째판 1 쇄 발행 | 2019 년 5 월 1 일

지 은 이 대한성형외과학회
발 행 인 장주연
출 판 기 획 이성재
책 임 편 집 박미애
편 집 디 자 인 서영국
표 지 디 자 인 김재욱
일 러 스 트 김경열
발 행 처 군자출판사
　　　　　등록 제 4-139 호 (1991. 6. 24)
　　　　　본사 (10881) **파주출판단지** 경기도 파주시 회동길 338(서패동 474-1)
　　　　　전화 (031) 943-1888　　팩스 (031) 955-9545
　　　　　홈페이지 | www.koonja.co.kr

ISBN 979-11-5955-444-5
　　　　979-11-5955-442-1(Set)

정가 50,000 원

서 문

지난 2015년 말 당시 조병채 이사장과 이사회의 요청으로 성형외과학 교과서 편찬을 의뢰받고 새로운 교과서 편찬 작업에 착수하였다. 그동안 대한성형외과학회의 이름으로 만들어진 성형외과학 교과서는 모두 세 권이었다. 1994년 76명의 교수가 집필한 '성형외과학'이 첫 번째이고 1999년 48명의 교수가 집필한 '표준성형외과학'에 이어 10년 후인 2009년에 56명의 집필진이 참여한 '표준성형외과학 제2판'이 세 번째 발간된 교과서이다.

그 이후 이번에 발간된 교과서가 의도한 것은 아니지만 꼭 10년만에 나오게 되었다. 이 기간은 지속적으로 발전하는 의학의 특성을 생각할 때 최신 지견을 반영하는 새 교과서에 대한 절실한 바람이 실현되는 기간이기도 하다.

교과서를 만들기 위해 먼저 14명의 편찬관리위원을 구성하여 3차례의 예비회의와 14번의 정기회의, 그리고 그 사이사이에 많은 의견 교환을 나누면서 78명의 집필진이 동원되는 새로운 교과서를 만들게 되었다. 3년이 넘는 기간 동안 몇 명의 편찬관리위원의 변경, 여러 명의 집필진 교체 등 우여곡절을 겪기도 했다. 여러 집필진이 참여하는 만큼 논의를 거쳐 이번교과서에서는 chapter 저자의 실명제를 도입하여 신뢰를 높이도록 하였고 몇몇의 경우에서만 제한적으로 공동저자를 허용하였다.

이 책은 성형외과학의 최신 지견을 일목요연하게 정리한 것으로 성형외과학을 처음 접하고자 하는 의과대학생 및 저년차 성형외과학 전공의들뿐만 아니라 보다 심도 있는 공부를 하고자 하는 사람들에게까지 큰 도움을 줄 수 있을 것으로 확신한다.

서 문

이 책에서는 전체의 내용을 6개의 큰 대항목으로 분류하고 70개의 Chapter로 나누어 기술하여 지난 2판과 비교했을 때 내용이 크게 늘어 2권으로 나누어 발행을 하게되었다.

총론부분은 기본적이고도 핵심적인 내용들을 기술하여, 성형외과학의 기본을 다지는 데에 도움이 되도록 하였고, 각 각론과도 밀접하게 연관될 수 있도록 기술하였다. 각 각론 분야 역시 전체 모든 일러스트를 최신의 트렌드를 반영하여, 독자들이 각종 술기와 개념을 직관적으로 이해하는 데 도움을 받을 수 있도록 꾀하였다. 아울러, 내용적 측면에 있어서도 최신의 연구 동향 및 연구 결과 등을 반영하도록 하되, 기본적으로 중요한 내용은 놓치지 않도록 하였으며, 우리가 실제 학교와 병원, 의료현장에서 주로 사용하는 용어를 중심으로 기술하여, 그 핵심을 직관적으로 전달할 수 있도록 심혈을 기울였다. 또한 각 Chapter마다 reference를 추가하여 심화해서 공부하고자 하는 이들에게 도움을 주고자 하였다.

이 책이 나오기까지는 많은 분들의 노고와 희생이 있었다. 바쁜 시간을 쪼개어 집필해주신 78명의 집필진들과 교과서 개정방향에서부터 실무 작업까지 많은 기여를 해주신 편찬관리위원 모두에게 그리고 물심양면 후원해주신 대한성형외과학회 안희창, 박승하 전 회장과 배용찬 현 회장, 조병채, 유대현 전 이사장과 김광석 현 이사장에게 깊은 감사의 뜻을 표한다. 또한 이 책이 나오기까지 큰 도움을 주신 군자출판사의 장주연 사장님과 출판기획부 이성재님, 편집부 박미애님, 디자인부 서영국, 김재욱님과 일러스트 김경열님을 비롯한 모든 직원들의 헌신적인 노력에 감사드린다.

아울러 원고 수정에 많은 노력을 아끼지 않은 박호진, 이윤환 선생에게도 감사의 마음을 표하며 마지막으로 이 책이 만들어지기까지 처음부터 끝까지 모든 회의를 준비하고 책이 발간될 수 있도록 기여를 한 남궁식 교수에게도 감사의 마음을 전한다.

부디 '표준성형외과학' 제3판이 의과대학생과 전공의 및 성형외과에 관심을 가지는 모든 사람들에게 유용한 지침서로 거듭나고, 이를 통해 우리 학회의 위상이 더욱 높아지는 계기가 되기를 간절히 바란다.

2019년 5월
대한성형외과학회 교과서편찬관리위원장 **김 우 경**

편찬관리위원회

위원장 **김우경** 고려의대

위 원 **김광석** 전남의대   **동은상** 고려의대
김영석 연세의대   **문구현** 성균관의대
김용하 영남의대   **엄진섭** 울산의대
김진수 광명성애병원   **장 학** 서울의대
나영천 원광의대   **전영준** 가톨릭의대
   정호윤 경북의대
   탁민성 순천향의대

간사 **남궁식** 고려의대

집필진

강상규 순천향의대   **김병준** 서울의대
강상윤 경희의대   **김석권** 동아의대
고경석 울산의대   **김석화** 서울의대
고성훈 한림의대   **김영석** 연세의대
권성택 서울의대   **김용배** 순천향의대
기세휘 인하의대   **김용하** 영남의대
김광석 전남의대   **김우경** 고려의대
김덕우 고려의대   **김우섭** 중앙의대

김준식	경상의대	우상현	W병원
김준혁	순천향의대	유대현	연세의대
김진수	광명성애병원	윤을식	고려의대
김태곤	영남의대	은석찬	서울의대
김한구	중앙의대	이내호	전북의대
나영천	원광의대	이동철	광명성애병원
남수봉	부산의대	이삼용	전남의대
노시영	광명성애병원	이원재	연세의대
노태석	연세의대	이종욱	한림의대
동은상	고려의대	이종원	가톨릭의대
문구현	성균관의대	이준호	영남의대
박대환	대구가톨릭의대	이혜경	을지의대
박동하	아주의대	임소영	성균관의대
박명철	아주의대	장 학	서울의대
박승하	고려의대	전영준	가톨릭의대
박은수	순천향의대	정성노	가톨릭의대
배용찬	부산의대	정성호	고려의대
백롱민	서울의대	정윤규	연세의대
범진식	경희의대	정호윤	경북의대
변재경	성균관의대	조병채	경북의대
서현석	울산의대	최강영	경북의대
손대구	계명의대	최종우	울산의대
신동혁	건국의대	탁민성	순천향의대
안상태	가톨릭의대	하태현	서울의대 정신건강의학과
안희창	한양의대	한기환	계명의대
양정덕	경북의대	한승규	고려의대
어수락	동국의대	허찬영	서울의대
엄진섭	울산의대	홍종원	연세의대
오갑성	성균관의대	홍준표	울산의대
오득영	가톨릭의대	황소민	K 성형외과병원
오태석	울산의대	황종익	두손병원

목 차

제 2 권

목 차

표준 성형외과학

Textbook of Plastic Surgery

III
피부 및 연부조직

1

혈관이상
Vascular Anomalies

정호윤 경북의대

혈관이상은 혈관 구성요소들의 비정상적 발달과 증식으로 인한 광범위 혈관 병리를 포함하는 질환으로, 주로 영아기나 아동기에 진단되고, 서양인에서 4.5% 정도의 유병률을 가진 흔한 선천성 기형이다. 거의 대부분이 양성이지만 손상된 외모에 의한 정신적 문제, 통증, 여러 가지 기능적인 문제를 야기할 수 있고 심한 경우 생명을 위협하는 합병증도 동반될 수 있으므로 이에 대한 정확한 진단과 효과적인 치료가 요구된다. 혈관이상은 여러 가지 유형의 질환들이 포함되어 있으나 각각의 혈관이상 유형이 서로 비슷하게 보일 수 있고 과거 의사들 간에도 부정확하고 통일되지 않은 모호한 용어들을 사용하는 등 혼란이 많았다. 최근 많은 연구와 임상 경험을 바탕으로 합리적인 혈관이상의 분류와 진단, 다각도의 치료가 이루어지고 있는데 한 전문 분야에서는 적절한 치료의 한계가 있을 수 있으므로 종합병원에서는 "혈관이상 치료팀"을 구성하여 여러 분야의 전문가가 서로 의견을 교환하는 협진 체제가 바람직하다고 볼 수 있다.

1. 혈관이상(Vascular anomalies)의 분류

혈관이상은 그 유형에 따라 질환의 임상경과가 매우 다르므로 유형을 구별해야 예후를 짐작하여 적절한 치료방침을 결정할 수 있다. 역사적으로, 옛날서적을 보면 혈관이상은 다분히 묘사적으로 과일, 물고기, 포도주 이름을 따서 명명되었고 그 후에는 모두 혈관종으로 통칭되어 불렸다. 19세기 중후반에 조직학적 분류로 구별하기 시작했지만, 여전히 이전에 대중적으로 사용되던 서술적 병명과 혼재되어 매우 혼란스러웠고 이와 같은 혼돈은 질환의 진단이나 치료에 별 도움이 되지 못했다. 그러던 중 20세기 후반에 합리적인 방법의 분류가 나오면서 과거보다 정확히 유형을 구별할 수 있었는데, 1982년 Mulliken과 Glowaki가 발표한 논문에서 선천성 혈관이상 병변을 혈관종(hemangioma)과 혈관기형(vascular malformation)으로 나누어 분류한 것이 그 대표적인 분류법이다. 이후 이 분류를 기반으로 1996년에 열린 International Society for the Study of Vascular Anomalies (ISSVA) 학회에서 모든 선천성 혈관이상 질환들을 혈관종양(vascular tumor)과 혈관기형(vascular mal-

▷ 표 3-1-1. ISSVA classification for vascular anomalies, 2014 (° defined as two or more vascular malformations found in one lesion, * high-flow lesions). http://www.issva.org/UserFiles/file/Classifications-2014-Final.pdf

	Vascular anomalies			
Vascular tumors	Vascular malformations			
	Simple	Combined°	of major named vessels	associated with other anomalies
Benign Locally aggressive or borderline Malignant	Capillary malformations(CM)	CVM, CLM	See details on ISSVA website (http://www.issva.org)	See list and known genetic associations on ISSVA website (http://www.issva.org)
	Lymphatic malformations(LM)	LVM, CLVM		
	Venous malformations(VM)	CAVM*		
	Arteriovenous malformations*(AVM)	CLAVM*		
	Arteriovenous fistula*(AVF)	others		

formation)으로 나누는 공식적인 ISSVA 분류법을 발표하게 된다. 이 분류법은 임상 양상(clinical behavior)과 세포학적 특성(cellular characteristics)을 근거로 병변을 구성하는 혈관세포의 역동학을 주된 분류의 기준으로 하고 있는데, 혈관이상을 크게 혈관내피세포(vascular endothelial cell)의 증식으로 능동적 성장을 하는 혈관종양과, 내피세포는 안정적이지만 발생과정 중 혈관이 잘못 형성되어 생기는 혈관기형으로 분류하였다. 이외에도 Jackson의 분류법, Hamburg 분류법 등이 있으며 각각의 장단점을 가지고 임상에 이용되어 왔다. 가장 최근에 2014년 ISSVA 학회에서 좀 더 보완되고 확장된 ISSVA 분류법을 내어 놓았고 이는 표 3-1-1과 같다.

2. 혈관종양(Vascular tumor)

혈관종양은 혈관내피세포와 그 주변세포의 증식을 특징으로 하는 종양으로 크게 양성(be-

▷ 표 3-1-2. ISSVA classification of vascular tumors. (* some lesions may be associated with thrombocytopenia and/or consumptive coagulopathy. °many experts believe that these are part of a spectrum rather than distinct entities)

Benign vascular tumors
Infantile hemangioma / Hemangioma of infancy
Congenital hemangioma
Rapidly involuting (RICH) *
Non-involuting (NICH)
Partially involuting (PICH)
Tufted angioma * °
Spindle-cell hemangioma
Epithelioid hemangioma
Pyogenic granuloma (aka lobular capillary hemangioma)
Others

Locally aggressive or borderline vascular tumors
Kaposiform hemangioendothelioma * °
Retiform hemangioendothelioma
Papillary intralymphatic angioendothelioma (PILA), Dabska tumor
Composite hemangioendothelioma
Kaposi sarcoma
Others

Malignant vascular tumors
Angiosarcoma
Epithelioid hemangioendothelioma
Others

nign), 국소 공격성 혹은 경계성(locally aggressive or borderline), 악성(malignant)으로 다시 구분하며, 각각의 질환별 분류는 표 3-1-2와 같다.

1) 영아혈관종(Infantile hemangioma, hemangioma of infancy)

영아혈관종은 증식기(proliferative phase), 퇴행기(involuting phase), 퇴행후기(involuted phase)의 3가지 단계를 거치며, 증식기에는 혈관의 내강이 거의 없이 빠르게 내피세포가 분열 증식하여 통통한 내피세포의 군집(clusters of plump endothelial cells)을 형성하고, 퇴행기에는 내피의 활동성이 점차 감소하면서 세포가 편평해지고 혈관내강이 확장된다. 증식기 후반과 퇴행기 초기에는 비만세포(mast cell)가 특징적으로 증가하고 대식세포, 섬유모세포(fibroblast) 등 다른 세포와의 상호작용이 활발해진다. 증식기의 조직학적 특정인 다중기저막(multilaminated basement membrane)은 퇴행기에 이르기까지 지속된다. 퇴행기가 진행되면서 혈관벽이 정상 모세혈관이나 세정맥(venule)벽 정도의 두께로 얇아진다. 이들 혈관들의 내면은 한 층의 내피 세포로 덮이고 그 주위는 혈관주위세포(pericyte)들로 둘러싸이게 되며, 그 주위에는 지방과 콜라겐(collagen)이 침착한다. 다중기저막을 가진 얇아진 혈관과 대부분의 조직이 섬유질과 지방으로 대체된 소견이 퇴행후기의 특징이다. 영아혈관종의 발병기전(pathogenesis)은 아직 확실하지 않다.

(1) 임상적 양상

영아혈관종은 신생아기(neonatal period)의 첫 1~4주 내에 주로 나타나지만, 심부 피하 혈관종이나 내장 혈관종(visceral hemangioma)은 생후 2~3개월까지도 나타나지 않을 수 있다. 영아혈관종의 약 30~40%는 출생할 때 거의 보이지 않는 희미한 점(anemic nevus)이나 혈관확장(telangiectatic) 또는 붉은색 반점(macular red stain) 또는 피하출혈상 반점(ecchymotic patch)으로 나타나기도 한다. 출생 시 종양이 완전히 발달되어 있을 경우는 선천성 혈관종(congenital hemangioma)을 의심해 보아야 한다. 혈관종의 약 80%는 단독으로 발생하지만 20%에서는 여러 부위에 발생한다. 빈도는 남아에서 보다 여아에서 3~5:1로 많으며 백인에서의 발생률은 10~12%이고 1,000 g 이하의 미숙아에서는 22% 정도 나타난다. 유색인종의 영아에서는 발생률이 낮은 것으로 알려져 있다.

① 증식기(Proliferative phase)

영아혈관종은 첫 6~8개월의 영아기 동안 급속히 성장한다. 종양이 진피상층부를 침범하면 피부가 융기되어 혹처럼 되고 선명한 진홍색을 띄게 되지만, 하부진피, 피하, 또는 근육으로 자라면 피부는 조금 융기되고 푸르스름한 색을 띄게 된다. 오래된 용어로서 심부 혈관종에 대해서는 "해면상(cavernous)", 천부 혈관종에 대해서는 "모세혈관상(capillary)"으로 혼동되고 있는데 이러한 용어는 사용되지 않아야 한다. 사실 해면상 혈관종이라는 진단명은 없으며 그러한 병소는 심부혈관종 또는 잘못 진단된 정맥기형이다.

② 퇴행기(Involuting phase)

영아혈관종은 만 1세에 증식의 최고점에 달하고, 이후에는 환아의 성장과 비례하여

성장하다가 퇴행기의 첫 증상이 나타난다. 퇴행기가 시작되면 진홍색은 흐린 자주색으로 엷어지고 피부도 빛깔이 엷어져서 회색 헝겊으로 덧댄 덮개와 같은 모양이 되며(patch gray mantle form), 종양은 덜 팽팽하게 느껴진다. 퇴행기는 나이가 5~7세가 될 때까지 지속되며 영아혈관종의 퇴행율은 성별, 부위, 크기, 양상과는 관계가 없다. 영아혈관종에 나타나는 특징적인 색깔의 흔적은 5~7세 정도까지 소실되며, 10~12세까지 계속 개선된다.

③ 퇴행후기(Involuted phase)

영아혈관종 환자의 약 절반 정도에서 퇴행기를 거친 후 거의 정상과 가까운 피부로 복원되나 나머지에서는 침범된 피부가 모세혈관 확장증을 보이기도 하고 얇게 구운 팬케이크 모양의 표변에 누런 탄력이 없는 헝겊모양으로 보일 수도 있으며 반흔을 형성하거나 섬유지방성의 잔여흔적을 보이기도 한다.

(2) 진단(Differential diagnosis)

대부분의 영아혈관종은 병력과 이학적 검사로 정확히 진단될 수 있고 생검은 거의 필요하지 않는다. 그러나 비전형적인 병력이나 임상양상이 있는 경우 시행할 수 있다. 면역조직화학적으로는 GLUT-1 (glucose transporter protein-1)의 강한 양성 염색이 특징적인데 이는 다른 질환과의 감별점이 된다. 심부 혈관종은 혈관기형과 혼동될 수 있으며 초음파나 자기공명 영상(MRI)으로 감별할 수 있다.

(3) 동반기형(Association with other lesions)

넓은 부위의 영아혈관종은 여러 가지 합병증(궤양 등)의 위험이 높고 또 한편으로 증후군과 관련이 있을 가능성이 많다. PHACE 증후군(Posterior fossa malformations, Hemangioma, Arterial anomalies, Cardiovascular anomalies, Eye anomalies, sternal clefting and / or supraumbilical raphe) 및 LUMBAR (SACRAL, PELVIS) 증후군(Lower body hemangioma, Urogenital anomalies, Ulceration, Myelopathy, Bony deformities, Anorectal malformations, Arterial anomalies, and Renal anomalies) 등이 대표적 연관 증후군이다. 또한 하악의 턱수염 부위를 따라 넓게 위치한 경우는 기도 병변이 동반되었을 가능성이 높다. 전신에 5개 이상의 병변으로 정의되는 다발성 혈관종은 대부분 크기가 작고(1 cm 미만), 내부 장기의 병변과 연관되는데 가장 흔한 장기는 간이다.

(4) 치료

① 추적관찰

크기가 작고 직접적인 해가 없는 종양은 반드시 혈관기형 전문가가 아니더라도 증식

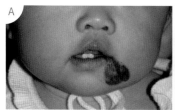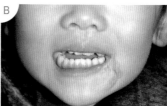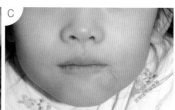

▷ 그림 3-1-1. **혈관종의 임상적 양상.** A. 증식기, B. 퇴행기, C. 퇴행후기

기, 퇴행기를 추적 관찰함으로써 충분히 치료자의 역할을 담당할 수가 있다. 하지만 대부분의 혈관종을 가진 영아는 치료의 적응이 되는지를 결정하기 위해 전문가에게 의뢰되는 경우가 많다. 의사는 혈관종의 증식기와 퇴행기에 대해 보호자를 인식시키고, 주기적으로 추적관찰하는 것이 필수적이다. 만약 혈관종이 크고 궤양을 형성하거나 다발성 또는 해부학적으로 위험한 부위에 있다면 더욱 빈번한 추적 관찰이 필요하다.

② 궤양과 출혈에 대한 국소치료

자연적인 표피의 붕괴와 궤양은 피부혈관종의 5%에서 나타나며 가장 흔한 부위는 입술과 항문, 성기 주위이다. 궤양주위를 청결하게 유지하고 매일 항생제를 국소도포하거나 드레싱을 함으로써 치료될 수 있다. 보통 궤양성 혈관종은 2주 내에 상피화가 일어나지만 변연절제술이 필요한 경우도 있다. 펄스다이레이저(pulsed dye laser) 치료가 궤양성 혈관종의 통증을 완화할 수 있으며 치유를 도울 수 있다. 돌출된 혈관종으로부터 출혈이 발생하는 경우는 드물지만, 출혈이 발생하면 보호자들은 매우 놀라기 마련이다. 당황하지 말고 깨끗한 패드로 출혈부를 10분 정도 압박해 지혈시키는 방법을 가르쳐주는 것이 좋다. 드물게 국소출혈부를 지혈하기 위해 석상 봉합(mattress suture)이 필요하기도 하다.

③ 위험에 직면한 합병증의 약물치료

약 20% 혈관종은 심한 궤양과 조직파괴, 변형 등 위험한 합병증을 야기한다. 특히 눈, 성문하 기도(subglottic airway) 등과 같

이 치명적인 부위의 혈관종은 약 1%에 해당하며, 생명을 위협할 수도 있다. 예를 들면 대단히 크고 확장된 혈관종 내의 혈관을 통해 혈류가 이행되므로 고 박출량심부전을 일으킬 수 있다. 이러한 심부전은 주로 간내 혈관종에서 일어나지만 큰 피부혈관종에서도 일어날 수 있다. 위장관 내의 혈관종도 크고 작은 출혈을 일으킬 수 있다. 조직파괴(destruction), 변형(distortion), 폐쇄(obstruction)는 두경부에 발생한 혈관종에서 볼 수 있는 합병증이다. 안와, 안검에 위치한 혈관종은 시력을 차단하여 약시를 유발하며, 상안검의 작은 혈관종이라도 성장하는 각막을 왜곡시키고 난시성 약시를 일으킬 수 있다. 성문하 혈관종은 6~8주에 양기천명(biphasic stridor)이 나타나지만 항상 그런 것은 아니다. 안면부에 발생한 큰 혈관종은 피부를 확장시킬 뿐 아니라 정상적인 해부학적 구조를 왜곡시키고, 궤양을 유발하여 안검, 구순, 이개와 같은 구조를 부분적으로 소실시킬 수 있다. 비첨부에 발생한 혈관종은 작고 기도를 위태롭게 하지도 않지만 부모에게는 큰 근심이 된다. 의사는 이러한 사회적 환경과 관련된 부모의 어려움에 대처할 수 있어야 한다.

i) 베타차단제(β-blocker) 치료

베타 아드레날린 수용체 길항제인 프로프라놀롤(propranolol)은 2008년 심폐질환을 앓고 있던 환자의 치료를 위해 경구베타차단제를 사용하던 중 동반된 영아혈관종 병변이 급격한 호전을 보여 영아혈관종 치료에 처음 적용하기 시작했다. 현재는 합병증과 관련된 영아혈관종의 1차 치료제이며 일반적으로 생명의 위협, 외모의 심한 변

형, 궤양, 다른 치료의 불응, 기능 장애 등이 예상되는 경우 환자에게 투여된다. 경구프로프라놀롤은 전형적으로 1 mg/kg/day 이하의 용량에서 시작하여 2~3 mg/kg/day로 단계적으로 증량하고 하루 2~3회에 나누어 투여한다. 일반적으로 큰 부작용 없이 효과를 나타내는 것으로 알려져 있으나 저혈당(hypoglycemia), 서맥(bradycardia), 저혈압(hypotension) 등의 부작용이 나타날 수 있어 점진적인 용량 증대, 세심한 모니터링 및 사전 예방 조치가 필요하다. 경구프로프라놀롤은 마취나 금식 이전에는 피해야 한다. 프로프라놀롤 이외의 다른 경구베타차단제도 안전하고 효과적인 것처럼 보이지만 사용 효과에 대한 증거는 부족하다. 최근에는 베타차단제의 경구요법뿐만 아니라 베타차단제를 병변부에 직접 도포하는 방법이 있는데, 녹내장 치료제로 개발된 안과용 베타차단제용액인 말레인산 티몰롤(timolol maleate)을 표면에 위치한 증식기 영아혈관종에 적용하여 색깔과 부피의 감소에 효과가 있음이 보고되고 있다.

ii) 스테로이드(corticosteroid) 치료
더이상 1차 치료 약물은 아니지만 경구스테로이드는 여전히 효과적인 치료 방법이며 신속한 초기 반응을 달성하기 위해 경구프로프라놀롤과 함께 사용할 수 있다. 또한 경구스테로이드는 베타 차단제가 금기인 경우나 부작용 또는 효과가 없는 경우 사용할 수 있다. 비첨부, 협부, 구순 등 국한된 부위의 영아혈관종은 병소 내 스테로이드 주사치료를 시도해 볼 수 있다.
한편, 과거 위험한 합병증의 치료 목적으로 사용되었던 인터페론(interferon)이나 빈크리스틴(vincristine)과 같은 독성이 강한 전신성 약물은 여러 가지 부작용 등의 이유로 최근에는 거의 사

용되지 않는다.

④ **레이저 치료(Laser therapy)**
레이저 치료는 영아혈관종의 증식기에는 그 역할이 미비하다. 펄스다이레이저(pulsed dye laser)는 피부의 0.75~1.0 mm만을 투과하는데, 이렇게 투과된 레이저는 피부의 색깔을 엷게 만들 수는 있지만 용적을 줄이거나 혈관종 심부의 퇴행을 가속화시킨다는 증거는 없다. 그러나 퇴행기 이후의 모세혈관확장증(telangiectasia)은 치료의 적응증이 된다. 과도하게 레이저를 사용할 경우, 궤양을 일으킬 수 있고 부분층 피부소실과 이에 따른 반흔을 남기며 저색소증도 발생할 수 있다.

⑤ **수술적 치료(Surgical therapy)**
i) 증식기
약물치료가 금기(contraindication)되거나 약물치료에 실패한 경우, 국소화되고 경을 가진(pedunculated) 혈관종, 특히 궤양을 형성하였거나 반복된 출혈이 있다면 조기 영아기에 절제를 고려해야 한다. 혈관종을 절제할 때는 출혈이 문제가 될 수 있으므로 세심한 지혈 조작이 필요하다. 국소적으로 존재하는 성문하 혈관종으로 기도폐쇄의 위험이 있을 때는 탄산가스(CO_2) 레이저를 사용하여 절제할 수 있으나, 기도를 둥글게 감싸고 있는 병소는 약물치료가 최선이다. 만일 약물치료에 반응이 없다면 기관절개술이 필요하다.

ii) 퇴행기
해부학적인 구조가 혈관종에서 야기된 궤양 때문에 이차적으로 소실됐다면 조기 소아기 때 재건을 시작해야 한다. 크고 융기된 혈관종을 단계

적으로 또는 완전히 절제하는 것은 취학전 아동에 적응이 될 수 있다. 혈관종에 궤양이 발생하여 생긴 반흔이 있고 피부가 확장되어 있으며 섬유지방 잔류물이 있을 때나, 완전히 퇴행된 후에 피부병변을 교정하더라도 그때 예상되는 반흔이 퇴행 전에 절제할 경우에 생길 반흔에 비해 차이가 없다고 판단될 때, 수술 반흔이 쉽게 감추어질 수 있을 때는 적극적으로 절제를 고려해야 한다. 비첨부 혈관종은 정신적으로 예민한 부위이므로 조기 소아기에 편측 또는 양측 변연절개를 통해 종양의 용적을 줄여주는 것이 좋다. 하지만 피부와 섬유지방조직을 과도하게 제거하면 비첨부가 뭉툭해지거나 비공과 첨부가 부조화를 보일 수 있다. 구순부의 혈관종에 대해서도 단계적으로 절제하여 융기된 종괴를 줄여주는 것이 좋다.

iii) 퇴행후기

반흔이 형성되었거나 느슨한 피부, 퇴행기에 생긴 섬유지방 잔류물들은 수술반흔을 최소화하기 위해 퇴행이 완전히 일어난 후에 제거하는 것이 최선이다. 절제는 이완피부 긴장선을 따라 시행해야 하며 안면 미용단위에 기준을 두고 절제 계획을 세워야 한다.

2) 기타 혈관종양

선천혈관종(congenital hemangioma)은 출생 시 종양이 완전히 발달되어 있는데 전형적으로 융기되어 있고 홍색-자주색이며 모세 혈관 확장증, 중심 창백, 옅은 주변 운륜(halo) 등을 가지기도 한다. RICH (rapidly involuting congenital hemangioma), NICH (non-involuting congenital hemangioma), PICH (partially involuting con-genital hemangioma)로 나눌 수 있고 이는 각각의 임상 경과에 따라 구분된다. RICH의 경우 출생 직후부터 퇴행되어 7~14개월에 완전히 퇴행한다. 대조적으로, NICH는 출생 후 퇴행되지 않고 그대로 유지된다. 그 중간 정도의 임상양상을 보이는 것이 PICH이다. 선천혈관종은 현재까지 경과관찰이 그 주된 치료방법이며 아직 약물치료에 대한 효과가 없는 것으로 알려져 있다. 퇴행후 위축된 조직에 대해 수술적 치료가 필요할 수 있고, 병변의 색깔은 펄스다이레이저(pulsed dye laser), 경화 요법(sclerotherapy) 등으로 개선시킬 수 있다.

화농육아종(pyogenic granuloma)은 혈관종과 혼동되는 과일 같은 피부 혈관 병소로서 두경부, 손가락, 발가락에 많이 발생한다. 대부분 직경이 1 cm 이하로 적고 생후 6개월 이전에 나타나는 경우는 드물며, 평균 6~7세경에 나타난다. 화농성 육아종은 대부분 기존의 피부질환 없이 발생하지만 포도주색 반점(port-wine stain)위에서 나타나기도 하고, 피부에 돌출되어 줄기(stalk)나 경(pedicle)을 만들며, 표피가 파괴되고 가피가 형성되어 반복되는 출혈로 병원을 방문하게 된다. 치료는 소파술 (curettage), 면도절제(shave excision), 레이저 치료 등이 있으나 외과적으로 완전히 절제하는 것이 가장 확실하다.

얼기혈관종(tufted angioma)은 드문 혈관종양으로, 아래에 나오는 카포시모양 혈관내피종(kaposiform hemangioendothelioma, KHE)과 임상적 및 병리학적으로 공유되는 부분이 많아 최근에는 하나의 질환 스펙트럼으로 간주하는 경향이 있다. 이 병소는 여러 가지 모양으로 나타날 수 있는데 자주색판(violaceous plaque), 단발 종양(solitary tumor), 또는 넓은 피부 착색으로 나타날 수 있다. 압통(tenderness)이 있고 크기는 수 cm이며 때로는 적자주색이다. 카포시모양 혈관내피종과 유사하므로 카사바하-메리트 현상(kasabach-merritt phenomenon, KMP)이 발생할 수 있다. 상체와 견갑부, 경부에 호발하고 현미경소견은 진피의 중간이나 하부에 모세혈관 결절이 뭉친 세포성 소엽(tufts)이 대포자국(cannonballs) 모양으로 흩어져 보이는데 이는 카포시모양 혈관내피종와 구별되는 병리조직소견이다. 증상이 있는 국소화된 종양은 절제하여 치료할 수 있다. 그러나 넓게 퍼져 있거나 카사바하-메리트 현상이 유발되는 경우는 시롤리무스(sirolimus) 또는 빈크리스틴(vincristine) 등의 전신 약물요법을 필요로 하다.

카포시모양 혈관내피종(kaposiform hemangioendothelioma, KHE)은 전이는 없지만 국소적으로 공격적인 양성 혈관 종양이다. 서양에서는 1/100,000 정도의 유병률로 보고되고, 60% 정도가 신생아 시기에 발견되며, 성인에서 발병되는 경우도 있다. 카포시모양 혈관내피종는 남녀의 발생빈도는 같고 대부분 단발성(solitary) 붉은 보라색 병변으로 나타나며 두경부(40%), 사지(30%), 체간(30%)에 발병된다. MRI는 질환의 정도를 결정하는 데 도움이 될 수 있는데 T2 강조 영상에서 강하게 조영증강된 침윤성 병변을 관찰할 수 있다. 카포시모양 혈관내피종을 가진 어린이의 절반 이상에서 생명을 위협하는 합병증으로 낮은 피브리노겐(fibrinogen)과 상승된 섬유소 분해 성분인 D-이합체(D-dimers), 심한 혈소판 감소증($25,000/mm^3$ 미만)을 보이는 카사바하-메리트 현상(kasabach-merritt phenomenon, KMP)이 나타난다. 침범된 피부는 심적색-자주색을 띠고 단단하며 빛이 나는 부종성 모양이고 점상출혈과 반상출혈이 종양주위의 인접피부에 나타나고 두개 내, 늑막, 복강 내, 위장

간 출혈의 위험성이 있다. 카사바하-메리트 현상의 사망률은 12~24%이다. 특히 직경이 8 cm 이상인 경우, 유아기에 나타나는 경우, 근육이나 내장 장기에 침범한 경우 카사바하-메리트 현상이 더 흔히 나타난다. 성인에서 발병된 경우 카사바하-메리트 현상은 유발되지 않는다. 초기에 증식하다가 2세가 되면 부분적으로 병변의 퇴행을 경험하지만 종양은 지속되며 만성 통증이나 구축 등을 일으킬 수 있다. 병변이 크기가 크고 여러 조직과 중요한 구조물이 포함되어 있는 경우가 많아 절제술은 일반적으로 적절하지 못하며 생명을 위협하는 합병증 예방을 위한 약물치료가 요구된다. 시롤리무스(sirolimus) 또는 빈크리스틴(vincristine) 등이 치료 약물로 쓰인다. 카사바하-메리트 현상이 없는 환자들은 대개 섬유증, 만성 통증, 구축의 위험을 최소화하기 위해 치료를 한다.

3. 혈관기형 (Vascular malformation)

1) 단순 혈관기형

(1) 모세혈관기형(Capillary malformations)

모세혈관기형은 출생 시에 나타나서 평생 지속되는 붉은 반점상의 혈관 색소병변으로, 얼굴, 체간, 사지에 국소적 또는 광범위하게 생기며, 자연소실되는 반점(신생아 화염상모반, nevus flammeus neonatorum)과 감별해야 하는데, 신생아 화염상모반은 백인 신생아의 50%에서 발생하며 미간, 안검, 코, 상구순(angel kiss), 목덜미(stroke bite)에 생긴다. 대부분의 모세혈관기형은 해롭지 않은 피부 태생반점(birthmark)이지

만, 때때로 잘 발견되지 않은 다른 질환이 내재되어 있는 경우가 있으므로 주의해야 한다.

모세혈관기형의 발생 기전에 대해서는 정확하게 알려진 바가 없지만, 혈관생성과정에 관여하는 GNAQ, RASA1 등의 체세포돌연변이(somatic mutation)에서 원인을 찾으려는 연구가 활발히 진행되고 있다. 조직학적으로 초기에는 유두진피 내의 모세혈관이 정상적인 구성을 보이지만, 경과가 진행함에 따라 유두진피와 경우에 따라서는 망상진피 내의 혈관까지 확장된 모습을 관찰할 수 있다.

안면부에 발생하는 경우가 가장 많으며(90%), 출생 직후에는 편평하고 옅은 분홍색 또는 붉은색으로 관찰되기도 하지만, 시간이 지남에 따라 색깔이 점점 짙어지면서 병변 주변의 연부조직과 골조직의 비후, 피부의 결절 형성 등이 성인기 이후에 관찰되기도 한다. 이로 인해 시력, 말하기, 음식 섭취의 제약과 같은 기능적인 문제와 심리적 고통을 초래하기도 한다. 모세혈관색소병변 부위의 구순과 잇몸도 비대되며 상악과 하악의 과성장은 골격의 비대칭을 초래한다. 사지의 모세혈관기형은 클리펠트레노니증후군(Klippel-Trenaunay syndrome)이나 팍스웨버증후군(Parkes-Weber syndrome)과 같은 복합 혈관 이상의 한 증상으로 나타나기도 한다. 국소적으로 동반되는 화농성 육아종은 반복적인 출혈로 인해 수술적인 치료가 필요할 수 있다.

치료는 펄스다이레이저(pulsed dye laser)가 가장 효과적이며, 영아와 어린이에서 결과가 더 좋다. 70~80%의 환자에서 현저하게 색소가 엷어지며 체간부와 사지보다는 안면부에서 결과가 더욱 좋다. 그러나, 동반된 연부조직과 골조직의 비후에는 제한적인 효과를 나타내며, 수술적인 치료를 통해 미용적으로 만족스러운 결과를 기

대할 수 있다. 거대구순에 대해 윤곽절제술이 필요하고, 비대칭적인 상악과 하악 변형에 대해서는 턱교정술이 필요하다. 모세혈관기형 결절의 절제는 비교적 쉽게 적용할 수 있다. 병변이 넓게 분포하는 경우에는 안면부의 미용 단위절제 후 피부이식술, 국소피판술, 유리피판술, 조직확장술이 효과적일 수 있다.

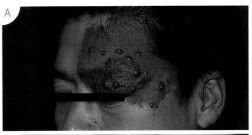
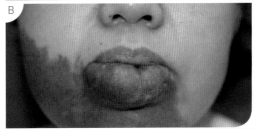

▷그림 3-1-2. **모세혈관기형의 임상적 양상.** A. 피부의 결절 형성, B. 연부조직의 비후

스터지웨버증후군(Sturge-Weber syndrome)은 안면부, 특히 삼차신경의 안분지(V1) 영역에 분포하는 모세혈관기형과 함께 동측 연막(pia)과 안구혈관에 혈관기형을 동반한 질환이다. 연수막(leptomeninges)에 발생한 혈관기형은 발작(seizure), 반대측 반신불수, 그리고 운동과 인식 기능의 발육지연을 야기한다. 안구혈관의 혈관기형은 녹내장(glaucoma), 망막박리, 실명 등을 야기할 수 있다. 삼차신경의 상악(V2) 또는 하악(V3) 분지에만 모세혈관기형을 가진 환자는 뇌 이상을 가질 위험이 매우 낮다. 연막 혈관기형, 대뇌위축, 피질구(cortical sulci)의 돌출 등 스터

지웨버증후군 진단에는 MRI가 현재 가장 유용하다. 병리소견은 연수막 혈관기형과 대뇌피질의 퇴행변성이다. 연수막 혈관기형은 후두엽에서 가장 흔히 발생하고 혈관기형이 있는 연수막 아래의 대뇌피질 및 백색질은 상당히 진행된 퇴행변성, 즉 신경세포의 소실과 교세포증식을 보이는데 환자의 나이가 증가함에 따라 심해진다. 이러한 교세포 증식에 의해 정신박약 및 발작 등이 발생할 수 있다. 치료는 임상양상에 따라 여러 전문분야에서 다각도로 이루어져야 한다.

(2) 림프기형(Lymphatic malformations)

림프기형은 피부 연부조직에 있는 림프관에서 발생하는 선천성 혈관기형 중 하나이다. 림프액으로 채워진 이형성소포(dysplastic vesicle)와 낭(pouch)으로 구성되며 거대낭(macrocystic), 미세낭(microcystic), 그리고 두 형태가 혼재하는 혼합낭(mixed cystic) 형태로 분류할 수 있다. 과거에는 미세낭 림프기형은 림프관종(lymphangioma), 거대낭 림프기형은 낭성 수활액낭종(cystic hygroma)이라고 하였다. 최근 연구에 의하면 산발적 림프기형은 PIK3CA에 체세포변이가

(somatic mutation)와 관련이 있으며, VEGFR3, FOXC2, SOX18, CCBE1 등의 유전자가 사지에 발생하는 림프부종과 관련이 있는 것으로 밝혀졌다.

발생학적인 요소로 인해 림프기형은 정맥기형과 같은 다른 혈관기형과 동반되어 나타나는 경우가 많아 림프기형의 발병률을 정확히 알기는 어려우나 대략 10만 명 중 2.5~5명 정도로 보고 있다. 대부분의 림프기형은 출생 시 또는 2세 이전에 나타나지만 소아기에 나타날 수도 있으며 경우에 따라서는 사춘기나 성인에서 나타나기도 한다. 림프기형은 림프계가 존재하는 모든 곳에서 발생 가능하나 특히 두개안면 부위(혀, 입술, 볼, 목 등)에서 약 75% 정도 발생한다.

피부는 정상적으로 보일 수 있으며, 표재성일 경우 피부와 점막에서 이상 팽대된 림프관은 소포(vesicle)처럼 관찰되기도 하며, 가끔 소포 내 출혈로 작은 암적색의 돔모양의 결절로 보인다. 따라서 문진, 신체검진으로도 진단이 가능하나 크기가 크거나 깊은 위치에 있는 경우 MRI와 같은 영상학적 진단이 필요하다. 또한 출생 전이라도 초음파 촬영술을 시행하면 임신 3개

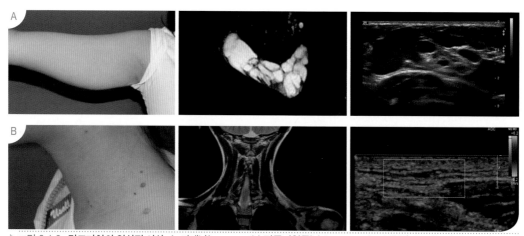

▷그림 3-1-3. **림프기형의 임상적 양상.** A. 거대낭(macrocystic) 림프기형(T2 fat suppression MRI와 doppler ultrasound), B. 미세낭(microcystic) 림프기형(T2 fat suppression MRI와 doppler ultrasound)

월 정도에도 거대낭 림프기형은 판별이 가능하다. 순수한 두개안면 림프기형은 정맥기형과 혼동될 수 있는데, 이것은 림프기형 내에서 자연적인 병소 내 출혈이 있거나 또는 림프기형이 완전히 절제되지 않은 채로 남아 있어 림프관통로로 정맥혈이 흐르기 때문이며 일차성 림프정맥기형 (LVM)과도 혼동될 수 있다.

림프기형의 치료로 미세낭(microcystic) 림프기형은 수술로 제거할 수 있으며 거대낭(macrocystic) 및 혼합형은 수술 또는 경화요법(sclerotherapy)으로 치료할 수 있다. 수술적 치료의 지침은 1) 한정된 해부학적 영역에 초점을 두고 2) 수술시간을 한정하고 3) 출혈을 제한하며 4) 가능한 절제를 철저히 할 것 등이다. 절단된 림프관은 불완전하게 절제된 후 재생될 수 있으며, 수술 반흔위에 사마귀 같은 소포로 돌출되기도 하며, 연조직 종괴로 재발될 수도 있다. 술 후 합병증으로는 장액배출이 장시간 지속되거나 혈종, 봉소염이 발생할 수 있다. 피부 림프기형 (lymphangioma circumscriptum)은 완전히 절제하고 결손부에는 식피술을 시행한다. 중안면부 림프기형과 관련된 비정상적 상악과 하악의 관계는 절골술이나 골절제를 시행한다. 경화치료 (sclerotherapy)는 거대낭성 병소가 미세낭성 병소보다 반응이 더 좋고, 경화제는 doxycycline, ethanol, sodium tetradecyl surfate (STS), bleomycin, OK-432 등 다양하며, 림프낭종 내의 림프액을 흡인한 뒤 경화제를 주입하여 낭종벽 (cystic wall)의 경화(scarring)를 유발한다.

림프기형에서 합병증 중 가장 흔한 것은 출혈과 감염이다. 림프기형은 결코 퇴행되지 않으며 림프액의 유입과 유출에 따라 확장 또는 수축되며 염증과 병소 내 출혈이 일어날 수 있다. 병소 내 출혈이니 봉소염이 생기면 크기가 갑자기 증가하는데, 출혈 시에는 진통제를 사용하고 휴식을 취하면 지혈된다. 바이러스나 세균성 감염은 림프기형을 부풀게 하며(flare up) 항생제와 비스테로이드성 소염제로 효과를 기대할 수 있고, 봉소염으로 의심되면 즉시 항생제를 장기간 혈관으로 투여하여 생명을 위협하는 패혈증을 예방하여야 한다. 림프기형으로 인한 또다른 합병증으로 인근 조직에 변형이 생길 수 있는데 협부, 전두부, 안와에 발생할 경우 안면 비대칭, 외모의 왜곡, 연조직 및 골비대를 야기하여 입술, 혀, 코의 비대가 일어날 수 있다. 하악의 과성장은 3급 부정교합, 전개방교합을 야기하며, 소포로 덮인 두꺼운 혀는 언어장애를 유발하고, 반복되는 감염, 종창, 출혈, 열악한 치아 위생, 우식(caries) 등이 합병된다. 특히 경안면부에 발생하는 미세거대낭성 림프기형은 기도폐쇄로 인한 생명에 치명적인 상황이 발생할 수 있으며 때때로 기관 절개술이 필요할 수도 있다. 경액와부 림프기형은 주로 흉곽과 심낭을 침범하며 늑막염과 심낭염을 야기한다. 한편 사지의 광범위한 림프기형은 림프부종과 관계가 있으며 골격의 왜곡과 비대 또한 사지 림프기형의 흔한 증상이다. 골반 림프기형은 림프관 확장증(lymphangiectasia)을 보이며 내장 림프기형은 단백 소실형 장염을 야기하여 저알부민증을 보이기도 한다.

(3) 정맥기형(Venous malformation)

정맥기형은 출생 때 주로 나타나지만 항상 그런 것은 아니다. 일반적으로 정맥기형은 단독병변으로 나타나지만, 피부 또는 내장 병소에 다발성으로 발생할 수도 있으며, 유전성일 때도 있다. 육안소견으로는 옅은 푸른색 반점 또는 연한 푸른색 압축성(compressible)있는 혈관종괴로 나타나며 석회화된 혈전이 있는 경우 촉지될 수 있다. 조직소견으로는 경계가 분명하지만 피막이 없고, 혈관 내강은 혈액으로 차 있는데 혈전을 형성하기도 한다. 이 느린 혈류의 혈관기형은 전형적으로 안면, 사지 또는 체간부에 발생하나, 구강비인후부, 방광, 뇌 척수, 간, 췌장, 폐, 골격근, 뼈와 같은 내부 장기에도 나타날 수 있다. 과거 해면상 혈관종(cavernous hemangioma)이란 명칭으로 불리던 병변의 많은 경우가 정맥기형이다.

사구정맥기형(glomuvenous malformation)은 푸른색의 결절성 피부 정맥병변으로 상염색체 우성으로 유전하는 가족성 병변이다. 조직학적으로 확장성 정맥 통로로 내막을 형성한 수많은 사구세포로 일반적인 정맥기형과 구별된다. 드물게 발생하는 가족성 피부점막정맥기형(familial cutaneous mucosal venous malformation) 역시 상염색체 우성으로 유전된다. 청색고무거품모반 증후군(blue rubber bleb nevus syndrome, Bean syndrome)은 범발성 피부정맥기형과 내장 정맥기형의 혼합형이다. 피부병소는 연하고 푸른 결

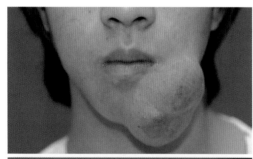

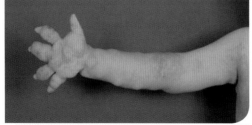

▷ 그림 3-1-4. **정맥기형의 임상적 양상**

절로 나타나게 되며, 어디에서나 생기지만 전형적으로 손과 발에 발생한다. 위장관 병소는 무경(sessile) 혹은 용형(polypoid)으로 식도, 위, 소장, 대장과 장간막에 나타난다. 이들은 MRI나 동위원소촬영(radionuclide scan) 또는 동맥촬영술보다는 오히려 내시경으로 더 잘 보인다. 재발된 내장 출혈이 심할 수가 있어 반복수혈이 필요하다.

정맥기형은 쉽게 눌러지며 신체 하부에서 중력을 받을 경우 종창이 증가된다. 환자는 정맥기형부위에 통증이나 경직을 호소하는데 특히 아침에 깨어났을 때 심하다. 정맥기형은 환아의 성장에 비례하여 서서히 확장되며 때때로 사춘기 때 더 커질 수 있다. 두개안면에 발생한 정맥기형은 일반적으로 편측성이며, 종괴는 보통 안면 비대칭을 야기하고 점차 얼굴 형태를 왜곡시킨다. 구강 내의 정맥기형은 개구교합(open bite)변형을 초래하며 안와 내에 발생할 경우 안와를 확대시키고 환자가 일어서면 안구 함몰, 머리를 숙이면 안구 돌출이 될 수 있다. 안와 내의 정맥기형은 접형상악열(sphenomaxillary fissure)을 통해 측두하와(infratemporal fossa)와 협부의 정맥기형과 교통할 수 있다. 협부의 정맥기형은 전형적으로 혀, 구개, 구강인후를 포함하지만, 언어장애를 유발하는 경우는 드물다. 인두와 후두 정맥기형은 보통 폐쇄성 수면무호흡(sleep apnea)으로 진행된다. 사지의 정맥기형은 양측 다리나 팔의 길이 차이가 유발될 수 있고, 다리에 발생할 경우 불사용위축(disuse atrophy)으로 인한 약간의 저성장이 발생할 수 있으며, 가끔 뼈대가 약해지므로 인한 병적골절을 야기하기도 한다. 무릎의 활액막에 발생한 정맥기형은 출혈에 의한 갑작스러운 통증을 야기하기도 하며, 이러한 관절혈종은 정맥기형과 관련된 응고장애

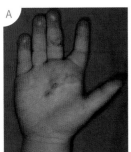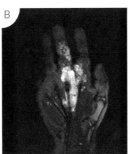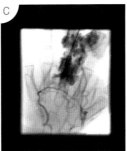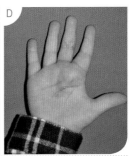

▷그림 3-1-5. **정맥기형의 경화치료.** A. 술 전, B. T2 fat suppression MRI, C. 경화치료, D. 술 후

를 가진 어린이에서 문제가 된다. 정맥기형의 약 50%에서 국소혈관내응고장애(localized intra-vascular coagulopathy)가 나타나는데 증가된 D-이합체(D-dimers)와 정상 혹은 감소된 피브리노겐(fibrinogen)이 특징적 검사소견이다. 심한 국소혈관내응고장애는 외상이나 수술 등에 의해 파종혈관내응고장애(disseminated intravascular coagulopathy)를 유발할 가능성이 있으므로 주의를 요한다.

정맥기형은 기능적인 측면과 미용적인 측면을 모두 고려하여 치료를 결정하여야 한다. 크기가 작은 피부 정맥기형은 1% sodium tetradecyl sulfate (STS)와 같은 경화제를 주사할 수 있으며, 크기가 큰 피부 또는 근육 내 정맥 기형은 전신마취 후 방사선 투시검사 하에서 경화치료를 시행하여야 한다. 큰 정맥기형의 경화치료는 숙련되고 경험 있는 영상의학과 의사에 의해 시행되어야 하며, 증상이 경감되거나 경화제를 넣을 vascular space가 없어질 때까지 여러 번의 경화치료가 수개월 간격으로 필요한 경우도 있다. 경화제로 STS, ethanol, bleomycin 등을 사용할 수 있다. Ethanol의 경우 STS보다 더 효과적이기는 하나 많은 부작용을 보일 수 있다. 경화치료의 국소합병증으로는 수포, 피부전층괴사, 신경손상이 있으며, 전신합병증으로는 신독성과 심

장마비가 있다. 수술적 절제는 경화치료가 끝난 후 기능과 미용적 측면에서 종괴의 크기를 감소시키기 위해 고려할 수 있다. 대퇴나 종아리의 근육 내 정맥기형의 경우에는 통증이나 구축 등 기능을 감소시키므로 절제가 필요하다. 탄력스타킹은 사지의 정맥기형치료에 절대 필요하며, 저용량 아스피린(80 mg, qd)은 갑작스럽게 통증을 유발하는 정맥 혈전증의 발생을 최소화할 수 있다.

(4) 동정맥기형(Arteriovenous malformation)

동정맥기형에서 혈류는 모세혈관계(capillary bed)의 부재로 인해 누공(fistula) 또는 핵(nidus)을 통해 동맥에서 정맥으로 직접적으로 단락(shunting)된다. 어린이에서 보이는 대부분의 빠른 혈류기형은 동정맥기형(arteriovenous malfor-mation)이며, 동맥류, 확장증, 협착 등의 순수한 동맥기형은 독립적으로 발생하는 경우가 드물지만 이들은 동정맥기형과 관련이 있을 수 있다. 동정맥기형은 출생 시에 나타나고 영아기 혹은 더 늦게 나타날 수도 있다. 동정맥 기형은 영아기나 소아기에 가끔 놓치고 지나가는 수가 있는데 이는 동정맥기형이 겉으로 보기에 혈관종 및 "포도주색 반점"과 비슷하여 오인되기 쉽기 때문이다. 강한 혈류 자체가 혈관신생을 촉진하여 동

정맥기형이 확장되기도 하고 사춘기에 들어서면서 호르몬의 영향으로 병변이 악화될 수 있으며 외상으로 인해 혈관신생이 활성화되어 급격히 확산되는 경향도 보인다. 동정맥기형은 두개내(intracranial)에서 가장 흔하며 두개외(extracranial)는 머리안면 및 경부, 그 다음이 사지, 몸통, 내장의 순이다.

빠른 혈류를 동반하여 병변 주위의 피부가 붉거나 자주색이 되는 등 피부병변이 생길 수 있으며 혈관색소 아래에 종괴가 나타나고 국소적인 온기(warmth)와 진동(thrill), 잡음(bruit)이 발생한다. 동정맥기형으로 인한 단락(shunt) 때문에 모세혈관에 산소운반이 원활치 않게 될 경우 허혈성 피부변화, 궤양이 발생할 수 있으며, 강한 혈류로 인한 압력이 지속되어 동맥류와 같은 약해진 혈관벽이 터지면서 출혈이 발생한다. 하지의 동정맥기형에서는 가성카포시(pseudo-Kaposi)육종양 피부변화, 인설에 덮인 반점 등의 소견을 보인다. 광범위한 동정맥기형은 사지의 전체나 골반을 포함하며 심박출량을 증가하게 한다.

동정맥 기형은 Schrödinger에 의해 다음과 같이 분류되고 있다.

Stage I (Quiescence) : 푸른색소, 온기, 도플러로 동정맥 단락(shunting) 확인

Stage II (Expansion) : Stage I+ 커지고 박동, 진통과 잡음 구불구불하며 긴장된 정맥,

Stage III (Destruction) : Stage II+ 이형성 변화, 궤양, 출혈, 지속적인 통증 또는 조직파괴

Stage IV (Decompensation) : Stage III+ 심부전

대부분의 동정맥기형은 문진과 신체검진으로 진단 가능하며 색도플러 초음파(color doppler ultrasound) 촬영술과 CT 혈관조영술(CT angiography) 검사로 확진할 수 있다. 색도플러 초음파는 동맥박출량을 정량할 수 있으며, 동정맥기형의 진행을 추적하는 데 이용되기도 한다. CT 혈관조영술는 혈관의 해부학적 형태와 주변조직과의 관계를 객관적이고 명확하게 보여줄 수 있다. MRI는 조직의 특성을 알 수 있어 혈관 및 주변조직의 구성성분을 파악하는 데 도움을 줄 수 있고 병변의 범위를 결정하고 수술 등의 치료계획 수립을 위해 필요하다. 동정맥기형을 진단하기 위한 검사를 실시한 후에도 면밀한 추적관찰이 필요하다.

치료는 경화치료, 절제술, 색전술과 절제 또는 색전술과 경화치료를 병행하는 방법이 있다. 증상이 없는 동정맥기형에 대해 조기 색전술과 수술적 치료를 시행하는 데는 논쟁의 여지가 있으

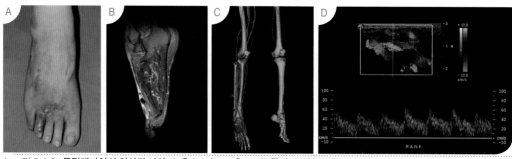

▷그림 3-1-6. **동정맥기형의 임상적 양상**. A. Schrödinger Stage III 동정맥기형, B. T2 fat suppression MRI, C. CT angiography, D. Color doppler ultrasound

나 환자의 나이, 병기, 병변의 위치 등을 고려하여 결정한다. 전통적으로 동정맥기형은 위험 징후와 증상, 즉 허혈성 통증, 치료되지 않는 피부궤양, 출혈, 심박출량증가 등이 있을 때 치료를 시작한다(Schrödinger stage III-IV). 완치는 어려우며 치료의 목적은 동정맥기형에 의한 증상을 완화시키는 데에 있다. 주동맥을 결찰하거나 주동맥의 근위부를 색전술로 폐쇄시키기 위한 조작은 결코 해서는 안 된다. 이것은 인근 동맥혈관으로부터 병소(nidus)로 혈류를 보충시키는 결과를 야기한다. 더구나 동맥 결찰은 동맥색전술을 시도해야 할 때 접근할 수 있는 통로를 봉쇄하는 행위이다. 혈관 조영술은 방사선학적 또는 수술적 중재에 앞서 시행하며 초선택적 동맥색전술은 통증, 출혈, 심부전을 완화시키고, 특히 수술적 절제로 발생하는 외과적 훼손을 최소화할 수 있다. 동정맥기형을 치료하는 데 있어서 증상완화 목적으로 색전술을 시행하기도 하지만, 대부분의 경우 동맥색전술은 수술적 절제를 위한 전처치로서 병소의 일시적 폐쇄를 위해 시행되며 수술 전 24~72시간에 시행한다. 색전술이나 경화치료는 술 중 출혈을 최소화시키지만 절제범위를 감소시키지는 못한다. 절제범위를 결정하기 위해서는 먼저 혈관조영술이나 CT 혈관조영술과 자기영상조영술(MRI) 검사를 하고 술 중에도 도플러를 사용하여 절제범위를 확인한다. 하지만 절제변연이 확실히 깨끗한지에 대한 가장 확실한 대답은 창상으로부터 출혈하는 양상을 확인하는 것이다. 색전술과 외과적 절제술을 함께 시행한 후 환자는 임상검사, 초음파촬영술, CT 혈관조영술, 자기공명영상술(MRI)로 몇 년 동안 추적관찰해야 한다.

2) 복합 혈관기형

복합 혈관기형은 모세혈관 정맥기형(CVM), 모세혈관 림프관기형(CLM), 모세혈관 림프관 정맥기형(CLVM)과 모세혈관 림프관 동정맥 기형(CLAVM)이 있으며 연조직과 골격의 비대와 연관이 있다.

3) 다른 이상과 관련된 혈관 기형

Klippel-Trenaunay 증후군은 사지비대와 관계가 있는 느린 혈류의 복합 혈관기형(CLVM)의 형태이다. 이 중 모세혈관기형은 다발성이고, 대퇴, 둔부, 몸통의 전측면에 지도형으로 위치하며, 많은 경우 모세혈관 림프관기형 유형으로 있다. 천부 정맥은 판막이 없거나 부족하기 때문에 돌출되고 심부정맥 역시 이상을 일으킨다. 림프관 역시 형성부전을 보이며 사지비대가 나타날 수 있고 일부에서는 사지가 짧거나 발육부전을 보이기도 한다.

Parkes Weber 증후군은 비대한 사지에 빠른 혈류의 광범위한 동정맥 기형과 모세혈관기형이 동반된 형태이다. 드물게 보이며, 하지에서 상지보다 2배 정도 더 많이 발병된다. 피부의 온기, 잡음, 그리고 통증이 질병특유의 증상이다. 자기공명영상조영술 또는 동맥조영술 소견은 사지의 미만성 혈관과다이며 다발성 단락이 영향을 받은 사지에서 관찰된다.

그 외 골의 외골증(exostosis)과 연골종증(enchondromatosis)을 가진 외장성(exophytic) 혈관 기형인 Maffucci 증후군, 비대칭 성장을 특정으로 하며, 범발성 혈관장애와 골격과 연조직 장애가 있는 Proteus 증후군, 선천성 지방종 과증식(lipomatosis overgrowth), 혈관 기형

(vascular malformations), 표피 모반(epidermal nevi) 및 척추 측만증(scoliosis)을 특징으로 하는 CLOVES 증후군 등이 있다.

다른 이상과 관련된 혈관기형을 가진 환자의 경우 주된 치료는 보존적 치료이다. 매년 경과관찰을 하고 임상적으로 하지의 과성장이 있을 경우 방사선학적으로 다리의 길이를 측정하여 다리 길이가 차이가 나면 신발을 높여서 2차성 척추 만곡을 예방할 필요가 있다. 그 외에는 증상에 따른 대증적인 치료가 필요하다.

References

1. 강진성. 성형외과학. 3rd ed. 서울: 군자출판사. p. 2631-2690, 2004.
2. 대한성형외과학회. 표준성형외과학. 2nd ed. 서울: 군자출판사. p. 463-479, 2009.
3. Mulliken JB, Burrows PE, Fishman SJ. Mulliken and Young's Vascular Anomalies: Hemangiomas and Malformations. 2nd ed. Oxford: Oxford University Press. 2013.
4. Kim YW, Lee BB, Yakes WF, Do YS. Congenital Vascular Malformations: A Comprehensive Review of Current Management. 1st ed. Berlin: Springer. 2017.
5. North PE, Sander T. Vascular Tumors and Developmental Malformations: Pathogenic Mechanisms and Molecular Diagnosis (Molecular and Translational Medicine) 1st ed. New York: Humana Press. 2016.
6. Greene AK, Perlyn CA. Vascular Anomalies. Clin Plast Surg 2011;38(1):1-164.
7. O TM, Waner M. Congenital Vascular Lesions of the Head and Neck. Otolaryngol Clin North Am. 2018;51(1):1-274.

2

비색소세포성 악성 및 양성 종양
Benign and Malignant Non-melanocytic Tumors

박동하 아주의대

1. 비색소세포성 피부종양

피부는 크게 배아발생에서 외배엽 기원의 표피와 간엽(mesenchyme) 기원의 진피로 구분된다. 발생 3~4주경 신경릉(neural crest)으로부터 표피로 이동해 온 세포들은 색소세포(melanocyte)와 슈반세포(Schwann cell)로 분화되어 색소세포와 말초신경세포를 이룬다. 이후 피부부속기(cutaneous appendages)들이 발생하여 모발, 모낭, 손발톱, 말초신경종말(peripheral nerve ending), 피지분비샘, 땀샘, 아포크린샘 등을 이룬다. 또 피부와 연관된 연조직으로 피하지방층, 혈관, 근육조직 등이 있으므로 피부와 피부연관 연부조직 종양은 표피, 피부부속기, 신경릉 그리고 간엽조직 기원으로 분류할 수 있다.

2. 피부 및 피부연관 연부조직 종양의 진단

종양의 진찰은 시진과 촉진으로 시작된다. 환자 진찰 시 다음과 같은 항목을 관찰하고 기록해야 한다.

1) 병변의 시작 시점, 부위와 크기 및 개수
2) 병변의 모양과 분포양상
3) 병변의 돌출 양상
4) 표면의 감촉과 변형 여부
5) 단단한 정도와 유착 여부
6) 병변의 색
7) 주관적 증상: 통증, 압통, 구축에 의한 운동 제한 등
8) 상기 증상의 시간에 따른 변화

3. 진단 기기의 이용

1) 피부경(Dermoscope)

피부 표면 변화를 관찰할 수 있는 양안현미경으로 색소세포성 병변과 피지선각화증, 기저세포암 및 혈관성 병변의 구분진단에 유용하다.

2) 초음파와 도플러 영상

(1) 피부 표면의 병변을 위해서는 20~50 MHz, 표면에서 20 mm 이상 깊이의 병변을 위해서는 일반적인 3~10 MHz 영역의 초음파기기가 사용되며 병변의 깊이, 주변 조직과의 연관, 림프절 등의 관찰에 이용된다.

(2) 도플러 영상은 혈류 변화를 찾아내기에 용이하므로 염증성 변화, 악성 종양 발생 시 혈류의 증가, 혈관성 병변의 진단에 이용된다.

3) X-선, CT, MRI, 혈관조영술 그리고 PET

(1) X-선 검사는 모기질종(pilomatricoma)이나 석회화를 동반한 악성종양, 그리고 악성종양의 골전이에 의한 변화에 대한 검사에 이용된다.

(2) CT 그리고 CT혈관조영술은 악성종양과 혈관성 병변, 그리고 주변 혈관조직 검사에 유용하며 폐, 림프절, 골 원격전이에 대한 진단에서는 MRI보다 우월하다.

(3) MRI는 연조직 종양의 진단에 CT보다 우수하며 T1W 영상과 T2W 영상 간의 차이로 악성조직의 구분에 유용하다.

(4) 혈관조영술은 혈관성 병변의 진단 및 검사에 유용하여 혈관종이나 혈관기형의 진단에 이용되나 침습적인 검사방법이므로 소아 환자에 이용 시 전신마취를 필요로 한다.

(5) PET은 악성피부종양이나 원격 전이를 찾아내는 데 유용하므로 악성피부종양, 고형암종, 병기결정 등에 널리 이용할 수 있으

나 염증성 병변과 임상적인 구분을 필요로 한다.

4. 피부 및 피부연관 연부조직의 악성종양

1) 악성 표피 기원 종양

(1) 광선각화증(Actinic keratosis)

표피내 초기 편평상피암암 병변으로 자외선 노출을 많이 받은 노년층에 호발한다. 노출부에 호발하며 시간이 경과하며 침습성 편평상피암으로 진전된다. 수술적 절제가 권장되나 증례에 따라 냉동요법, CO_2 레이저, 5-FU 연고, 화학적 박피 등도 이용된다.

(2) 보웬씨 병(Bowen's disease)

표피내암으로 침습성 편평상피암으로 진전될 수 있다. 초기에 진균증, 습진, 피지선 각화증, 천포창, 파젯씨 병, 기저세포암, 광선각화증 등과 혼동될 수 있다. 수술적 절제가 권장되나 증례에 따라 냉동요법, CO_2 레이저, 5-FU 연고 등도 이용될 수 있다.

(3) 편평상피세포암(Squamous cell carcinoma)

피부의 흔한 악성종양으로 대개 다양한 단계의 궤양이나 가피를 동반하여 솟아오른 경결(induration)로 나타난다. 어느 부위에서나 발생할 수 있지만 광 노출 부위, 화상 후 흉터(Marjolin 종양의 경우), 외상 후 흉터, 울혈성 궤양(stasis ulcer), 만성 방사선 피부염, 홍반성 낭창(lupus erythematosus), 구강 점막의 편평 태선(lichen planus) 그리고 인유두종 바이러스 병변에서 호

발한다. 치료에는 수술적 절제가 주로 이용되며, Mohs 절제술, 방사선 치료를 시행할 수 있다(그림 3-2-1).

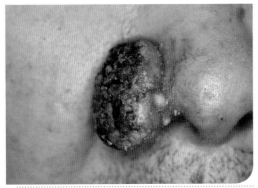

▷ 그림 3-2-1. **편평상피세포암**

(4) 기저세포암(Basal cell carcinoma)

가장 흔한 피부암 병변이며 원격전이나 이로 인한 사망을 거의 보이지 않지만 주변 조직으로 침습되어 조직 손상과 변형을 유발하므로 악성 종양으로 여긴다. 주로 두경부에 발생하여 미관상 문제를 야기한다. 주로 수술적 절제, 또는 Mohs 절제술로 치료하나 CO_2 레이저나 냉동요법을 사용할 수 있다(그림 3-2-2).

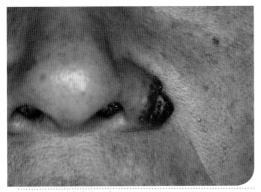

▷ 그림 3-2-2. **기저세포암**

2) 악성 피부 부속기 기원 종양

(1) 피지선암(Sebaceous carcinoma)

마이보미안 샘 암종(Meibomian gland carcinoma), 자이스 샘 암종(Zeis gland carcinoma) 등이 이에 속하며 주로 미란과 궤양으로 나타난다. 5 mm 이상의 광역절제술을 요하며 T4 병기에서 림프절 침습을 많이 보이므로 이에 대한 절제가 필요하다. 화학요법과 방사선 치료도 유용하다.

(2) 모종암(Trichilemmomal carcinoma)

모근의 바깥층을 싸고 있는 체포에서 발생하며 악성모종암(malignant trichilemmoma), 악성모기질종(malignant pilomatricoma), 악성증식털낭(malignant proliferating trichilemmal cyst) 등이 여기에 속한다. 광역 절제술(Wide excision)로 제거한다.

(3) 땀샘 암(Sweat gland carcinoma)

많은 종류의 에크라인 또는 아포크린 암종으로 발생하며 땀샘의 분비샘이나 관 조직에서 모두 발생할 수 있다. 치료는 편평상피암의 경우에 따른다.

(4) 유방외 파제트병
 (Extramammary Paget's disease)

유방의 파젯병의 경우 침습성 유방암과 연관된 피부내 선암종(adenocarcinoma)으로 여겨지지만 유방 외 파젯병의 경우 내부 암종과 연관된 경우는 드물다. Moh 절제술이나 광역절제술(Wide excision)로 제거하며 침습 속도가 빠르므로 필요시 림프절 제거를 시행한다.

(5) Merkel 세포암(Merkel cell carcinoma)

드물지만 매우 공격적인 악성 종양으로 피부와 모낭 주변에서 발생한다. 대부분의 경우 Merkel cell polyomavirus에 의하여 발생하는 것이 밝혀졌다. 통증이 없는 결절로 대부분 안면부와 두경부에 발생한다. 1~2 cm 경계의 광역절제를 시행하며 림프절 침습이 흔하므로 림프절 제거와 수술 후 방사선 치료를 시행한다. 전이에 의한 재발의 경우 화학치료를 필요로 한다.

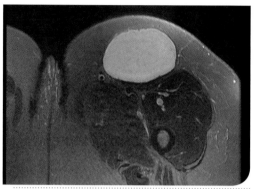

▷그림 3-2-3. 지방육종

3) 악성 간엽 기원 종양

(1) 돌출성 피부섬유육종

(Dermatofibrosarcoma protuberance)

거대세포 섬유모세포종(giant cell fibroblastoma)으로도 불린다. 90%의 경우 PDGF gene과 접합된 collagen gene COL1A1의 t(17;22) 염색체 전위를 보인다. 켈로이드처럼 보이는 둥글게 돌출된 붉은 결절 모양으로 나타나며 이로 인해 잘못된 진단과 치료를 받게 되는 경우도 있다. 원격전이를 잘 하지 않으나 폐로의 전이로 인한 재발을 일으킬 수 있다. 5 cm 이상의 광역절제로 제거하며 보조적 화학요법이나 방사선 치료도 유용하다.

(2) 지방육종(Liposarcoma)

대퇴부나 후복막부 등 심부 지방층의 지방세포에서 유래한다. 주로 위성 병변을 동반한 거대한 종괴 양상으로 나타나며 광역절제와 보조적인 화학치료 및 방사선 치료를 시행한다(그림 3-2-3).

(3) 평활근육종(Leiomyosarcoma)

중년 이상 연령 환자의 사지 부위에 호발하는 드문 악성종양이다. 치료 후 수년간의 휴면기 후에 재발하기도 하므로 예측하기 어려운 종양이다. 화학치료나 방사선 치료에 잘 반응하지 않는다.

(4) 혈관육종(Angiosarcoma)

혈관 내피세포에서 발생한 악성종양이다. 원격전이를 잘하므로 이에 대한 검사를 필요로 한다. 수술적 절제, 방사선 치료, 화학치료 그리고 면역치료도 사용할 수 있으나 예후는 좋지 않다(그림 3-2-4).

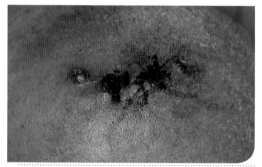

▷그림 3-2-4. 혈관육종

5. 악성 피부병변의 진단과 병기 설정

1) 조직검사

임상적 진찰과 영상검사 이후 양성종양과의 구분이나 확진, 병기 설정을 위하여 조직검사를 필요로 하게 된다. 조직검사는 펀치생검, 절개생검(incisional biopsy) 그리고 절제생검(excisional biopsy) 등 병변의 성격과 필요에 따른 방법을 택하여 진행하며 절개생검 시에는 병변의 특징을 잘 드러낼 수 있는 부위와 정상 피부조직이 모두 포함되도록 절개하여야 하며 임상적으로 악성 병변이 강하게 의심되는 경우 악성 세포의 혈관 내 파종(dissemination)을 방지하기 위하여 절제 생검을 시행한다. 양성종양이 의심되는 경우의 절개생검 시 정상 피부는 최소한으로 포함되도록 하여야 하나 악성종양이 강하게 의심되는 경우에는 충분한 정도의 여유를 두고 절제생검을 시행하는 것이 바람직하다.

2) 악성피부종양의 TNM 및 pTNM 병기

TNM 병기는 악성종양의 병기 설정에 이용되며 종양의 크기(T), 주변 림프절 침범 여부(N), 원격전이 여부(M)로 병기를 결정한다. TNM 병기는 악성종양의 치료 방법 결정을 위하여 임상적 증거에 의하여 결정되며 조직학적 검사에 의하여 뒷받침될 경우 pTNM으로 이용된다. 그러나 pN이 적용되기 위해서는 충분한 개수의 림프절 생검이 필요하며 대개 6개 이상의 림프절에 대한 검사 이후 적용하도록 한다.

일반적인 TNM 병기는 위와 같으나 특수한 부위(안검, 생식기 등), 표피 이외의 기원 조직

▷ 표 3-2-1. TNM 병기

T - 원발 종양	
Tx	원발 종양이 검사되지 아니함
T0	원발 종양의 증거가 없음
Tis	피내 종양 (carcinoma in situ)
T1	종양의 최대 직경이 2 cm 이하
T2	종양의 최대 직경이 2~5 cm
T3	종양의 최대 직경이 5 cm 초과
T4	종양이 연골, 근육 또는 골조직 등 심부 조직을 침범
N - 국소 림프절	
Nx	국소 림프절이 검사되지 아니함
N0	국소 림프절 전이가 없음
N1	국소 림프절 전이가 있음
M - 원격 전이	
M0	원격 전이가 없음
M1	원격 전이가 있음

(Merkel 세포 암 등) 또는 연부조직 육종(soft tissue sarcoma)에서는 각각의 경우에 따른 세분된 TNM 병기를 적용하여야 한다.

6. 피부 악성종양의 치료

1) 광역절제(Wide excision)

피부면의 절제 너비와 수직방향의 절제 깊이는 기존의 조직병리적 연구에 의하여 점차 감소해 가는 추세이며 각 병변에 대한 절제 너비와 깊이는 병변의 임상적, 조직학적 특성에 따라 증례별로 달리 적용된다. 현재 연부조직 악성종양의 경우 병변 반응부위(tumor-reactive area)로부터 1~2 cm 가량 절제하는 광역절제가 유효한 것으로 여겨지고 있다.

광역절제의 범위는 일반적으로 위를 따르나 특수한 부위(안검이나 생식기 등)의 경우 증례별로 절제 범위를 고려하도록 한다.

▷ 표 3-2-2. 피부와 연부조직의 악성 종양의 광역절제에 권장되는 절제 너비

피부면 경계
기저세포암(Basal cell carcinoma)
· 저위험: 4 mm
· 고위험: 5~10 mm
편평상피세포암(Squamous cell carcinoma)
· 저위험: 4~6 mm
· 고위험: 10 mm
Merkel 세포암
· 10~20mm
육종(Sarcoma)
· 저위험: 10 mm
· 고위험: 20 mm

수직경계
· 종양이 진피내 국한됨: 피하지방층까지 절제
· 종양이 피하지방층에 국한됨: 심부근막(deep fascia)까지 절제
· 종양이 심부근막층을 침범: 근육층까지 절제
· 종양이 근육층 이상 침범: 심부 연골 및 근육층까지 절제

2) 림프절 절제

주로 sentinel 림프절 절제생검이 시행되나 진전된 편평상피세포암의 경우 액와 림프절 절제의 적응증이 되며 원격전이를 보이는 편평상피세포암 또는 유방외 파제트병(extramammary Paget's disease)의 경우 서혜림프절 절제의 적응증이 되기도 한다.

3) 재건술

병기, 제거된 병소의 상태, 재발의 위험성, 사회적 요인, 미용적 요인 등 여러 고려사항에 따라 증례별로 결정되어져야 하며 대개 피부이식과 피판술이 이용된다.

4) 방사선 치료

악성 흑색종의 경우 방사선 치료에 잘 반응하지 않으므로 치료가 잘 이루어지지 않지만 기저세포암, 편평상피세포암, Merkel 세포암의 경우 방사선 치료의 적응증이 될 수 있다. 방사선 치료시 7~10일 이내에 발적, 착색, 탈모, 표피박탈 등의 급성기 반응이 나타날 수 있으며 수주일에 걸쳐 반흔 형성, 영구적 착색이나 탈색, 위축, 혈관 확장증이나 조직 괴사 등의 아급성기 반응이 나타날 수 있으므로 이에 대한 처치가 필요하다.

5) 화학 요법(Chemotherapy)

병변의 종류에 따라 주된 치료 혹은 보조적 치료로 이용할 수 있으며 전신적으로 혹은 국소적으로 사용될 수 있다. 악성흑색종의 경우 보조적 치료로 주로 사용하며 편평상피세포암, 혈관육종(angiosarcoma), 유방외 파제트병의 경우 일차적 치료로 이용되기도 한다. 근치적 화학요법의 경우 대개 수술 전 neoadjuvant chemotherapy로 사용하는 경우가 많다.

6) 레이저 치료

주로 양성종양이나 혈관성 병변, 그리고 색소성 병변의 치료에 이용된다. 혈관종, 혈관기형이나 비후성 반흔의 치료에 색소레이저나 Nd:YAG 레이저가 주로 이용되며 표피의 색소성 병변에는 루비 레이저나 알렉산드라이트가 레이저가 이용된다. 피내의 색소성 병변에는 Q-switched 레이저나 알렉산드라이트가 이용되며 지루성각화증(seborrheic keratosis), 육아종, 황색종, 섬유종처럼 수분 함량이 높은 병변에는 CO_2 레이저나 Er:YAG레이저가 이용된다.

7. 양성 피부 및 연부조직 종양

1) 양성 표피세포 기원 종양

(1) 표피모반(Epidermal nevus)

병변 주변의 피부조직에서 기원하며 과각화증 (hyperkeratosis)과 유두종양상(papillomatosis)을 보이며 병변 밑의 진피는 대개 정상이다. 전신적 분포를 보이는 표피모반증의 경우 다른 장기의 이상을 동반할 수 있다. 병변의 상태에 따라 레이저, 냉동치료, 전기소작술, 기계적 박피술 또는 절제술 등으로 제거한다.

(2) 지루성 각화증

(Seborrheic keratosis, senile wart)

피부 기저층과 편평상피에서 기원한 양성 피부병변이며 색소세포성 모반, 노인성 각화증(senile keratosis), 기저세포암, 악성 흑색종 등과 감별 진단되어야 한다. 이 병변이 전신적으로 갑작스럽게 다발적으로 발생하며 기존 병변도 같이 커지는 Leser-Trelat sign을 보일 때 내부 장기의 악성 병변을 의심하여야 한다. 단순 병변의 경우 병변의 상태에 따라 레이저, 냉동치료, 전기소작술, 기계적 박피술, 절제술 등으로 제거한다.

(3) 각질가시세포종(Keratoacanthoma)

임상적 특징과 조직학적 양상이 편평상피세포암과 유사하여 구별하기 곤란할 수 있으며 매우 빠른 발생과 성장 후 자가 치유되는 경우도 있다. 따라서 이 병변이 의심되는 경우 절제적 생검을 하는 것이 필요하며 Mohs 현미경 수술은 최소한의 조직제거로 경계제거에 도움이 된다(그림 3-2-5).

▷그림 3-2-5. **각질가시세포종**

(4) 표피낭종

(Epidermoid cyst, epidermal cyst, atheroma)

부드러운 돔 모양으로 피부 밑에서 움직이는 덩어리로 만져지며 때로 표피에 부착된 중앙 모공이 보이기도 한다. 케라틴이 함유된 내용물을 가진 낭종으로 이루어져 있으며 외력이나 염증 등에 의해 파열될 수 있다. 내피 전체가 적절하게 제거되지 않는 경우 재발하기 매우 쉬우므로 수술적 절제가 필요하다. 큰 병변의 경우 내용물 제거 후 작은 절개를 통해 낭종의 내피를 제거할 수도 있다. 드물게 거대 낭종의 경우 악성 변화하기도 하므로 조직검사를 필요로 할 수 있다(그림 3-2-6).

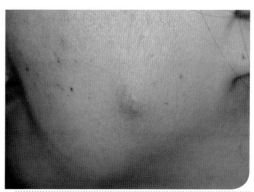

▷그림 3-2-6. **표피낭종**

(5) 비립종(Milia)

4 mm 미만의 표피낭종으로 원발성 혹은 외상이나 질병 후의 이차적 원인으로 발생할 수 있다. 표피에 작은 천공을 만들어서 치료가 가능하며 주사바늘, CO_2 레이저, 혹은 압출로 제거한다.

(6) 유피낭종(Dermoid cyst)

선천성 피하 낭종으로 배아봉합선(embryonic closure line)을 따라 나타나며 주로 상안와연, 눈썹 외측, 미간, 두피에 호발한다. 수술적 제거가 쉬우나 안면신경(특히 측두분지) 손상에 주의하여야 한다. 드물게 악성 변화를 보인 보고가 있으므로 완전한 수술적 절제를 하도록 한다(그림 3-2-7).

▷그림 3-2-7. 유피낭종

2) 양성 피부 부속기 기원 종양

(1) 피지선 모반(Nevus sebaceus)

피지선 모반은 종양이라기 보다는 과오종(harmatoma)이라 할 수 있으며 피지선뿐 아니라 표피, 진피, 모근, 땀샘 등에서 발생할 수 있다. 두경부에 호발하며 표피 모반과 유사한 외관을 보인다. 이후 기저세포암 등의 악성 변화를 보일

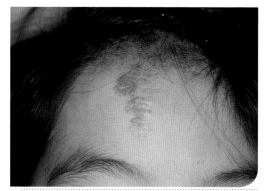

▷그림 3-2-8. 피지선 모반

수 있으므로 완전한 수술적 절제가 필요하다(그림 3-2-8).

(2) 모기질종

(Pilomatricoma, calcifying epithelioma)

소아기에 주로 발생하는 낭성 결절성 병변으로 초음파, X-선 검사, CT상 석회화 병변으로 관찰된다. 매우 얇고 손상되기 쉬운 낭종으로 이루어져 있으므로 재발 방지를 위해 조심스러운 완전 절제가 필요하다.

3) 양성 신경릉 기원 종양

(1) 신경종(Neuroma)

슈반 세포(Schwann cell), 섬유세포, 축색돌기세포(axon)로 이루어진 과오종으로 조절되지 못한 신경섬유 재생 시 발생된다. 손상 후 회복 과정에서 발생될 수 있으며 수술 역시 원인이 될 수 있다. 통증을 동반하는 경우가 많으며 수술적 절제로 제거한다.

(2) 신경집종(Neurilemmoma, Schwannoma)

진피 혹은 피하조직의 슈반 세포가 증식한 양성종양으로 주변의 말초신경섬유에 둘러싸여 있

는 경우가 많으며 오래된 병변의 경우 출혈, 만성 염증, 섬유화 등의 퇴행성 변화를 보이기도 한다. 이 경우 악성 변화를 감별하여야 한다. 수술적 절제로 제거한다.

(3) 신경섬유종(Neurofibroma)

말초신경초의 양성종양이며 유전성 질환(NF1, NF2)의 경우 심한 다발성 병변, 변형, 통증 그리고 인지장애 등을 동반할 수 있다. 수술적 절제로 제거하나 크기에 따라 CO_2 레이저를 이용할 수 있다. 망상 신경섬유종(plexiform neurofibroma)의 경우 악성변화를 일으킬 수 있다.

4) 양성 간엽 기원 종양
(Benign mesenchymal origin tumor)

(1) 피부섬유종(Dermatofibroma)

주로 사지에 호발하는 흔한 피부 종양으로 대개 증상이 없으나 가려움증 또는 압통이 동반되기도 한다. 진피내의 섬유모세포와 조직구(histiocyte), 혈관 내피세포 등이 동반되어 증식한 종괴로 우세한 세포 종류에 따라 분류가 가능하다. 증상이 없고 일상 생활에 방해가 되지 않는 경우 수술적 제거는 필요치 않다(그림 3-2-9).

(2) 황색종(Xanthoma)

식작용(phagocytosis)된 지방을 함유한 조직구로 이루어진 종양으로 주로 상안검부에 호발하며 고지혈증과 관련이 있는 경우가 많다. 따라서 진단 시 고지혈증에 대한 치료는 황색종의 감소와 함께 죽상동맥경화증의 위험을 감소시킬 수 있다. 고지혈증과 관련되지 않은 황색종의 경우 절제술 또는 레이저 치료로 제거한다.

(3) 섬유종(Fibroma)

섬유종은 1) 쥐젖(skin tag, acrochordon), 2) 10 mm 이상 크기에 좁은 육경을 보이는 추형 섬유종(fibroma pendulum), 3) 위 두 가지가 아닌 섬유종의 세 가지 양상으로 나타나며 다양한 색상을 보인다. 병변의 상태에 따라 절제술, 전기 소작술, 냉동요법 등 여러 가지 방법으로 제거할 수 있다.

(4) 켈로이드와 비후성 반흔
(Keloid & hypertrophic scar)

비정상적으로 연장된 피부 창상치유과정으로 인해 과량 생성된 콜라겐 섬유 증식이 원인이며 이는 피부의 외적 인장력 그리고 mechanotransduction signaling pathway와 관계된다. 켈로이드

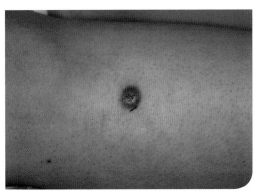

▷ 그림 3-2-9. **피부섬유종**

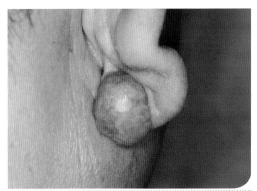

▷ 그림 3-2-10. **켈로이드**

와 비후성 반흔을 명확하게 감별진단 하는 것은 매우 어렵지만 임상적으로 이용되고 있으며 이는 비후성 반흔이 2~5년 가량의 반흔 숙성기간을 거쳐 안정되는 반면 켈로이드는 자연적으로 이런 숙성과 안정을 보이지 않는 등의 차이가 있기 때문이다. 두 병변의 치료에는 여러 가지 방법이 동시에 사용될 수 있다 흔히 스테로이드 연고나 병변내 주사요법, 테이프 고정, 실리콘 겔 시트, 절제술, 방사선 치료, 냉동요법, 레이저 그리고 5-FU 등이 이용된다(그림 3-2-10).

(5) 지방종(Lipoma)

가장 흔한 간엽조직 기원 종양이며 지방모세포종(lipoblastoma), 혈관지방종(angiolipoma), 방추세포 지방종(spindle cell lipoma), 다형성 지방종(pleomorphic lipoma), 갈색지방종(hibernoma) 등 여러 아형으로 분류된다. 또 발생 위치에 따라 근육 내 지방종 또는 근육간 지방종 등으로 불리기도 하며 전신성인 경우 지방종증(lipomatosis)으로 지칭된다. 미만성 지방종의 경우 사지, 두경부, 장관 부위에 발생하기도 하며 다발성 대칭성 지방종증(multiple symmetric lipomatosis)은 주로 상체에 발생한다. 코티코스테로이드 사용 후 부작용으로 발생하기도 하며 빠른 성장을 보이는 지방종의 경우 지방육종(liposarcoma)와 반드시 감별진단이 필요하다. 재발을 방지하기 위하여 외막을 포함한 완전한 절제를 시행하여야 한다.

(6) 육아종(Granuloma)

육아종은 크게 감염성과 비감염성으로 나눌 수 있으며 비감염성의 경우 대부분 IV형 알러지 반응의 일종으로 이물질 육아종에 속한다. 이물의 원인 중 내재성 원인으로는 요산 결정, 콜레스테롤 그리고 피지 분비물 등이 관찰되며 외인성인 경우 미용 시술 주사물질, 백신, 봉합사 그리고 손상에 의한 이물질 등이 흔하다. 작은 단일병소인 경우 절제술로 제거하기 쉬우나 크고 다발성인 경우 절제가 불가능할 때에는 염증반응 감소를 위해 국소 또는 전신 스테로이드 투여를 고려하여야 한다(그림 3-2-11).

(7) 사구종양(Glomus tumor)

글로무스 종양은 진피의 체온 조절에 관여하는 글로무스체의 혈관부분, 혹은 동정맥 연결부인 Sucquet-Hoyer canal에서 발생하며, 단일 글로무스 종양 환자는 압력이나 갑작스런 온도변화(주로 냉각)에 심한 통증을 느끼게 된다. 드물지만 다발성인 경우에는 통증의 정도는 단일 병변인 경우보다 심하지 않다. 단일 병소의 진단에는 상완부에 지혈대를 조일 경우 통증이 사라지는 Hildreth 사인이 유용하며 다발성 병소의 경우 종양 표면의 피부를 연필 끝으로 눌렀을 때 통증이 유발되는 Love 테스트가 이용된다. 단일 병소의 경우 절제술로 제거가 용이하나 다발성인 경우 종양의 경계가 명확하지 않고 너무 많아 절제가 어려우므로 증상이 있는 병소에만 절제를 시행하는 것이 권장된다.

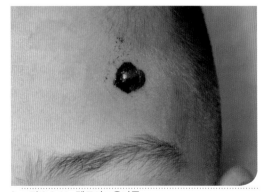

▷ 그림 3-2-11. **켈로이드육아종**

References

1. Peter C. Neligan, Geoffrey C. Gurtner Benign and Malignant nonmelanocytic tumors of skin and soft tissue, Plastic Surgery, 4th ed. Elsevier, 2018

2. Jemec GB, Gniadecka M, Ulrich J: Ultrasound in dermatology. Part I. High frequency ultrasound. Eur J Dermatol. 10:492-497 2000

3. Blumer SL, Scalcione LR, Ring BN, et al.: Cutaneous and subcutaneous imaging on FDG-PET: benign and malignant findings. Clin Nucl Med. 34:675-683 2009

4. Wilson LL: Sentinel lymph node biopsy from the vantage point of an oncologic surgeon. Clin Dermatol. 27:594-596 2009

5. Sobin LH Gospodarowicz MK Wittekind C TNM Classification of Malignant Tumours (UICC: International Union Against Cancer). 7th ed 2009 Wiley-Blackwell New Jersey

6. Wittekind CF, Greene FL, Hutter RVP, et al.: TNM Atlas: Illustrated Guide to the TNM/pTNM Classification of Malignant Tumours. 5th edn 2004 Springer Berlin

7. Tierney EP, Hanke CW: Cost effectiveness of Mohs micrographic surgery: review of the literature. J Drugs Dermatol. 8:914-922 2009 Oct

8. Erba P, Ogawa R, Vyas R, et al.: The Reconstructive Matrix – A New Paradigm in Reconstructive Plastic Surgery. Plast Reconstr Surg. 126:492-498 2010

9. Bath FJ, Bong J, Perkins W, et al.: Interventions for basal cell carcinoma of the skin.Cochrane Database Syst Rev. 2 2003 CD003412

10. Lansbury L, Leonardi-Bee J, Perkins W, et al.: Interventions for non-metastatic squamous cell carcinoma of the skin. Cochrane Database Syst Rev. 4 2010 CD007869

11. Rockville Merkel Cell Carcinoma Group: Merkel cell carcinoma: recent progress and current priorities on etiology, pathogenesis, and clinical management. J Clin Oncol. 27(24):4021-4026 2009

12. Weinberg AS, Ogle CA, Shim EK: Metastatic cutaneous squamous cell carcinoma: an update. Dermatol Surg. 33:885-899 2007

13. Mendenhall WM, Mendenhall CM, Werning JW, et al.: Cutaneous angiosarcoma. Am J Clin Oncol. 29:524-528 2006

14. Ogawa R: The most current algorithms for the treatment and prevention of hypertrophic scars and keloids. Plast Reconstr Surg. 125:557-568 2010

15. Sugarman JL: Epidermal nevus syndromes. Semin Cutan Med Surg. 26:221-230 2007

16. Noiles K, Vender R: Are all seborrheic keratoses benign? Review of the typical lesion and its variants. J Cutan Med Surg. 12:203-210 2008

17. Schwartz RA: Keratoacanthoma: a clinico-pathologic enigma. Dermatol Surg. 30:326-333 2004 discussion 333

18. Chiu MY, Ho ST: Squamous cell carcinoma arising from an epidermal cyst. Hong Kong Med J. 13:482-484 2007

19. Stephenson GC, Ironside JW: Squamous cell carcinoma arising in a subcutaneous dermoid cyst. Postgrad Med J. 67:84-86 1991

20. Turner CD, Shea CR, Rosoff PM: Basal cell carcinoma originating from a nevus sebaceus on the scalp of a 7-year-old boy. J Pediatr Hematol Oncol. 23:247-249 2001

21. Gerber PA, Antal AS, Neumann NJ, et al.: Neurofibromatosis. Eur J Med Res. 14:102-105 2009

22. Subhashraj K, Balanand S, Pajaniammalle S: Ancient schwannoma arising from mental nerve. A case report and review. Med Oral Patol Oral Cir Bucal. 14:E12-E142009

23. Packer RJ, Gutmann DH, Rubenstein A, et al.: Plexiform neurofibromas in NF1: toward biologic-based therapy. Neurology. 58:1461-1470 2002

24. Kuo TT, Hu S, Chan HL: Keloidal dermatofibroma: report of 10 cases of a new variant.Am J Surg Pathol. 22:564-568 1998

25. Karsai S, Schmitt L, Raulin C: Is Q-switched neodymium-doped yttrium aluminium garnet laser an effective approach to treat xanthelasma palpebrarum? Results from a clinical study of 76 cases. Dermatol Surg. 35:1962-1969 2009

26. Duggan N: Fibroma pendulum. Br J Surg. 34:321 1947

27. Akaishi S, Ogawa R, Hyakusoku H: Visual and pathologic analyses of keloid growth patterns. Ann Plast Surg. 64:80-82 2010

28. Tredget ED: The molecular biology of fibroproliferative disorders of the skin: potential cytokine therapeutics. Ann Plast Surg. 33:152-154 1994

29. Meningaud JP, Pitak-Arnnop P, Bertrand JC: Multiple symmetric lipomatosis: case report and review of the literature. J Oral Maxillofac Surg. 65:1365-1369 2007

30. D'Acri AM, Ramos-e-Silva M, Basílio-de-Oliveira C, et al.: Multiple glomus tumors: recognition and diagnosis. Skinmed. 1:94-98 2002

31. van Egmond S, Hoedemaker C, Sinclair R: Successful treatment of perianal Bowen's disease with imiquimod. Int J Dermatol. 46:318-319 2007

32. Wildemore JK, Lee JB, Humphreys TR: Mohs surgery for malignant eccrine neoplasms. Dermatol Surg. 30:1574-1579 2004

33. Zhan FQ, Packianathan VS, Zeitouni NC: Merkel cell carcinoma: a review of current advances. J Natl Compr Canc Netw. 7:333-339 2009

34. Lemm D, Mügge LO, Mentzel T, et al.: Current treatment options in dermatofibrosarcoma protuberans. J Cancer Res Clin Oncol. 135:653-665 2009

35. Jain A, Sajeevan KV, Babu KG, et al.: Chemotherapy in adult soft tissue sarcoma.Indian J Cancer. 46:274-287 2009

36. Pellitteri PK, Ferlito A, Bradley PJ, et al.: Management of sarcomas of the head and neck in adults. Oral Oncol. 39:2-12 2003

37. Fukushima K, Dejima K, Koike S, et al.: A case of angiosarcoma of the nasal cavity successfully treated with recombinant interleukin-2. Otolaryngol Head Neck Surg.134:886-887 2006

멜라닌세포성 종양
Benign and Malignant Melanocytic Tumors

배용찬 부산의대

1. 양성 모반

1) 후천성멜라닌세포성모반

모든 신생아는 모반을 가지고 태어나지만 색소를 생성하지 않아 병변이 뚜렷하지 않다. 몇 주에서 몇 개월이 지나면 호르몬의 영향으로 멜라닌세포가 색소를 생성하기 시작한다. 모반의 성숙 과정에 따라 다음의 여러 유형으로 분류할 수 있다.

(1) 경계모반(Junctional nevus)
출생 후 처음 나타나는 작고 편평한 모반이다. 부드럽고 만져지지 않으며, 밝은 갈색에서 검은색을 띤다. 표피와 진피의 경계에 모반 세포가 위치하고 있다. 성장함에 따라 모반세포가 성숙하고 진피 속으로 들어가서 흔히 보이는 성인의 진피내모반으로 발달한다.

(2) 복합모반(Compound nevus)
모반이 성숙하면서 중앙부에서는 모반세포가 진피 내로 밀려들어가서 이 부분이 올라오고 두껍게 보인다. 중앙부는 모반세포가 진피 내에 있어 두껍고 주변부는 모반세포가 아직 경계부에 있으면서 편평하기에 복합모반이라 부른다. 흔히 청소년기에 보인다.

(3) 진피내모반(Intradermal nevus)
안면부와 체간부에서 흔히 보는 성인의 융기된 점이다. 진피에서 모반이 성숙하고 증식하면서 위의 표피를 밀어 올린다. 색깔은 연하거나 진할 수 있고 종종 융기되어 있다(그림 3-3-1).

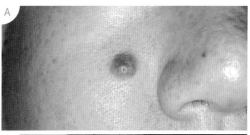

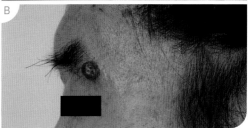

▷그림 3-3-1. **진피 내 모반**

2) 청색모반(Blue nevus)

대부분의 모반은 멜라닌이 표층에 있고 빛을

흡수하기 때문에 갈색이나 검은색으로 보인다. 그러나, 멜라닌이 더 깊은 곳에 있으면 빛의 푸른색 파장이 색소침착이 덜한 표피를 통과해서 우리 눈에 들어오기 때문에 청색의 모반으로 보인다(그림 3-3-2).

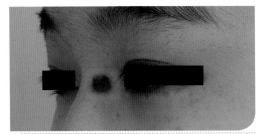

▷그림 3-3-2. **청색모반**

3) 선천성멜라닌세포성모반(Congenital melanocytic nevus, CMN)

선천성모반(Congenital nevus)이라고 흔히 사용한다. Nevomelanocytes의 군집으로 구성되어 있으며, 일반적으로 출생 시에 존재하지만 수 년 후에 나타나기도 한다. 이 질환의 원인은 잘 모르며, 임신 5~24주 사이에 결정되는 것으로 알려져 있다. 멜라닌모세포(Melanoblast)가 연수막(leptomeninges)을 따라서 신경능선(neural crest)에서 배아 진피로 이동하고 여기서 progenitor melanocytic cells이 표피로 이동하여 dendritic melanocytes로 분화한다는 설이 있다. 피

부와 연수막에서 멜라닌세포의 이상 이동, 증식, 분화가 병인이 된다.

대개는 작고 양성이지만 때로는 아주 크거나 눈에 쉽게 띄어서 미용적으로나 심리적으로 문제가 되기도 한다. 악성화 가능성이 문제가 될 수도 있다. 1.5 cm 미만는 소형 모반, 1.5 cm 이상에서 20 cm 미만의 크기는 중형 모반, 20 cm 이상은 대형 모반으로 흔히 분류하며, 50 cm 이상은 거대 모반이라 부른다(그림 3-3-3). 거대모반은 다수의 작은 위성 모반을 동반하기도 한다. 소형 모반은 100명 중 한 명에게 존재하고 대형 모반은 2만 명에 한 명 꼴로 발생한다.

(1) 악성의 위험도

선천성모반에서 흑색종 발병의 위험도는 정확히는 모른다. 일반인에 비해 대형 모반을 가진 환자에서 흑색종의 발병 위험이 크다고 알려져 있는데 그 확률은 1.25~10%이다. 소형 모반과 중형 모반에서는 악성화가 거의 없거나 5% 이내이다. 위성 모반에서 악성화가 보고된 적은 없다. 신경피부흑색증(Neurocutaneous melanosis)에서 악성의 위험도가 더 높은 것으로 추정한다. 신경피부흑색증은 연수막을 따라 멜라닌세포가 과도하게 침착된 것으로 모반의 크기에 관계없이 생길 수 있다. 다수의 위성 모반이 있는 대형 모반에서 가능성이 높은데, 20개 이상의 위

▷그림 3-3-3. **선천성멜라닌세포성모반.** A. 소형 B. 중형 C. 거대 모반

성 모반이 있으면 신경피부흑색증의 위험도가 5.1배 증가한다. 증상을 가진 신경피부흑색증은 대형 모반 환자의 6~11%에서 나타나며, 예후가 나쁘다. 증상은 소아기 초반에 나타나며, 신경학적 증상으로는 발작, 발육 저하, 수두증, 운동발달 저하 등을 보인다. 신경피부흑색증의 가능성이 의심스러울 때는 뇌 MRI 촬영이 필요하다.

(2) 임상 양상

중형 모반까지의 선천성모반은 둥글거나 난형의 균질한 색소성 병변으로 밝거나 짙은 갈색을 보이며, 경계가 확실하고 털이 많다. 대형 선천성모반의 일부는 비대칭적이고 불규칙한 경계를 가지며 모반 안에서 다양한 색을 가지거나 주름 같은 질감이나 결절모양의 표면을 보이기도 한다. 종종 많은 작은 위성 모반을 가지기도 한다. 환아가 자라면서 특히 사춘기에 색깔이 변하기도 하고 털이 자라기도 한다. 때로는 자연적으로 퇴화하기도 하고 백반증이 생기기도 한다. 대개는 증상이 없지만 소양증, 건조증, 미란과 궤양이 생기기도 한다. 진단을 위해 Dermoscopy가 도움 된다. 후천성 모반과는 다른 조직학적 특징을 보인다.

(3) 치료 방침

대형 모반의 치료는 논란이 있다. 비록 선천성 모반의 악성화의 가능성은 잘 알려져 있지만 치료 후에 따르는 보기 싫은 반흔이나 이식의 결과에 비하면 흑색종의 발생 빈도가 너무 낮기 때문이다. 대형 모반의 절제 후에 흑색종의 발생이 감소 한다는 보고도 없다. 소형 모반이나 중형 모반에서 일생동안 흑색종이 발생할 가능성에 대하여는 논란이 있으나, 작은 모반에서 사춘기 전에 흑색종이 발생할 가능성은 거의 없으므로

국소 마취가 가능할 나이까지 기다려도 좋다. 반면 어릴 때 수술하면 피부의 탄력이 좋아 유리하기도 하다(그림 3-3-4). 대형 모반에서 악성화는 첫 몇 년 안에 주로 발생한다는 면에서 유아기에 수술을 시작할 수도 있다. 한편, 신경피부흑색증 환자에서는 중추신경계의 위험이 훨씬 크므로 피부 병변의 절제는 별 이득이 없어 수술하지 않는 것이 좋다.

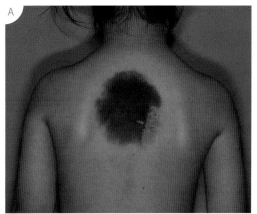

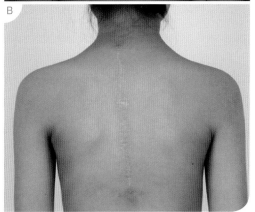

▷ 그림 3-3-4. A. B. 피부의 탄력이 좋아 일회의 수술로 제거한 경우

(4) 수술 방법

① 부분층 제거술

선천성모반에서 모반 세포는 피하 지방층이나 때로는 더 깊이까지 존재하기 때문에 표층만 제거하는 박피술, 소파술, 화학적

박피술, 레이저 등으로 치료하면 재발하며, 악성화 될 경우, 반흔으로 인해 병변을 발견하기 어려운 문제가 있어 좋은 방법이 아니다.

② 연속절제법(Serial excision)

피부가 지닌 점도탄력으로 인하여 시간이 지나면서 피부가 늘어나는 것을 활용해 여러 번에 걸쳐 병변을 절제하는 방법이다(그림 3-3-5,6). 한 번에 절제할 때보다 짧은 반흔을 남길 수 있다는 장점이 있다. 모반이 클 때는 이 방법으로 병변을 많이 줄일 수는 있지만 완전한 제거가 어려운 경우도 많

다.

③ 절제 후 식피술

선천성모반 절제 후 피부 이식은 기능과 미용 면에서 결과가 좋지 못할 수가 있다. 선천성모반은 근막 깊이까지 제거해야 하는 경우가 있어 식피술을 사용하면 나중에 변형이 올 수도 있고 자라면서 기능에 문제가 발생할 수도 있다. 얕게 제거하면 모반이 다시 올라 오기도 한다. 그러나, 얼굴에 전층식피술을 사용하면 색깔과 두께를 잘 조화시킬 수 있다. 미리 확장시킨 피부로 손등, 발등, 하퇴 등에 전층식피술을 하는 것도

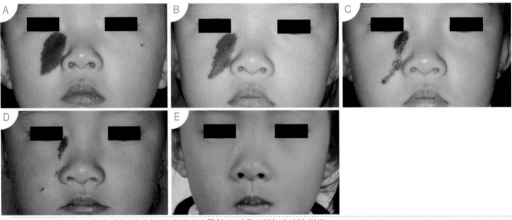

▷그림 3-3-5. A~E. 4회의 연속 절제술로 안면부의 중형 모반을 완전 제거한 경우

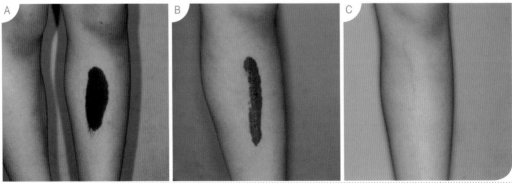

▷그림 3-3-6. A~C. 하퇴의 중형 모반을 2회의 연속절제로 제거한 경우.

유용하다. 체간부에 부분층 식피술을 사용하면 자라면서 변형을 유발할 수 있지만, 등에서는 비교적 결과가 좋다. 깊게 절제한 뒤에 생기는 윤곽 변형을 최소화하기 위해 피하지방은 남기고 부분층으로 제거한 후 인공진피와 아주 얇은 부분층 식피술을 시행하거나 배양 피부로 덮을 수도 있다. 전체적인 모반 세포 수를 줄이기는 하지만 자라면서 모반이 다시 자라 올라오고 향후의 치료에 방해가 되기도 한다. 조직확장술을 사용할 수 없는 경우에는 고려해 볼 수 있다.

④ 조직확장술

선천성모반의 제거에 조직확장술이 유용한 경우가 많아서 전층피부이식술, 유리피판술과 함께 사용할 수 있다. 여러 번 되풀이해서 시술할 수도 있다.

두피에서는 조직확장기를 골막 상방, 모상건막하에 위치시키고, 주입구는 귀 앞에 두면 편리하다. 수술 계획을 세울 때 두피의 주요 혈관의 주행을 고려해야 한다.

안면부는 미용상 중요하기에 미적아단위(aesthetic subunit)를 고려해서 계획을 세운다. 마지막 반흔이 코입술주름 등의 원래 있는 주름에 위치하도록 하는 것이 좋다. 특히 안검, 눈썹, 입 등이 수술 후에 뒤틀리지 않도록 주의하여야 한다(그림 3-3-7). 안와 주변부에는 쇄골 상부의 피부를 늘려서 얻은 전층식피술이 더 유용할 수 있다.

체간부에서도 조직확장술은 유용하지만 수술 후에 배꼽, 유두-유륜의 위치를 잘 계산하여야 한다.

사지에서는 피부 탄력이 적고 한정된 둘레의 피부로 인해 조직확장술의 사용에 제한이 많고 합병증도 많이 발생한다. 미리 확장시킨 조직을 유경피판(expanded pedicle flap)이나 유리피판술(expanded free flap)로 이용할 수도 있다.

4) 비정형모반(Atypical nevus)

표피와 진피를 포함하여 악성이 의심되는 모양을 나타내는 멜라닌세포를 가진 모반을 지칭하는 임상적 진단이다. 크기(6 mm 이상), 반상의 표면, 불규칙한 경계, 다채로운 색깔을 지닌다(그림 3-3-8). 바탕에 홍반이 동반되기도 한다. 비정상적인 조직학적 모양을 가진 양성 병변이다. 이형성모반(Dysplastic nevi)으로 불리기도 하였다. 정확한 진단을 위해 조직 검사가 필요하고 흑색종으로 전환되는 위험도가 더 크다고 여겨진다.

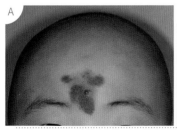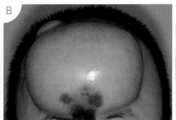

▷그림 3-3-7. **조직확장술을 이용한 서천성멜라닌세포성모반의 제거.** A, 수술 전. B, 조직확장기를 이용하여 피부를 확장한 모습. C, 수술 후 모습. 눈썹이 대칭성을 유지하고 모발선도 적절히 유지하고 있다.

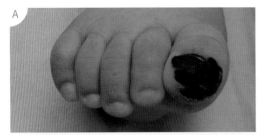

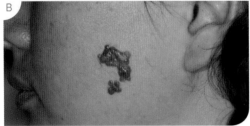

▷그림 3-3-8. A. B. 비정형모반

2. 흑색종

흑색종은 성형외과 분야에서 보기 드물게 사망률이 높은 위험한 질환이다. 80%의 환자는 치유되지만 때로는 아주 빨리 진행하여 사망에 이르는 병이다. 미국에서는 다른 암보다 발병 증가 속도가 빠르며 한국에서도 계속 증가하고 있다. 모든 피부암의 4% 정도지만 피부암으로 인한 사망 원인의 77%를 차지한다. 백인 남성 37명 중한 명, 백인 여성 56명 중 한 명이 일생에 한 번은 발병한다고 한다.

1) 진단

병변은 편평하거나 결절로 보일 수 있다. 심하게 짙고 홍반 혹은 출혈을 보이기도 한다. 조직 검사에서 초기 병변은 모낭과 에크린관(eccrine ducts) 상부 내에 존재하고 진피와 표피 경계 위로 이동하는 비정형 멜라닌세포를 보인다. 이런 변화는 전형적인 in situ 흑색종이다. 형상이 애매한 경우에는 S100과 HMB45 등으로 특수 염색해서 진단을 확정한다. 단 한 개의 비정형 멜라닌세포라도 표피와 진피 경계부에서 진피로 침범한 경우에는 흑색종으로 진단한다. 다음은 미국암협회에서 제시한 ABCD Guidelines 이다.

- A (Asymmetry) 병변이 비대칭적이다.
- B (Border irregularity) 병변의 부위마다 성장 속도가 달라서 경계가 불규칙적이다.
- C (Color change) 침습의 속도에 따라 진피 내에 색소 침착의 깊이가 달라서 병변의 부위에 따라 색깔이 다르다.
- D (Diameter) 병변의 직경이 6 mm 이상이다.

여기에 더해서 E (Evolution)를 첨가하기도 한다. 흑색종이 성장하면서 변화한다는 걸 강조하는 것이다.

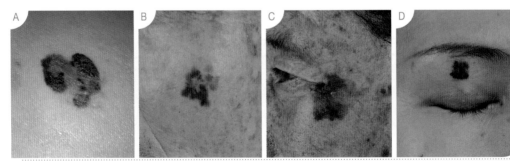

▷그림 3-3-9. 흑색종. A. 비대칭적인 병변(Asymmetry), 불규칙한 경계(Border), 다양한 색깔(Color), 큰 직경(Diameter)을 보이고 있으며, 전형적인 병변 내 탈색소 현상을 보이고 있다. B, C, D. 안면부의 다양한 흑색종 병변

의심되는 색소 병변이 있으면, 색깔의 명암, 표면, 증상(소양증, 압통), 모양, 크기의 변화를 주의 깊게 관찰하여야 한다. 병변의 전체적인 패턴, 환자의 다른 모반에 비해 독특한 형태를 가진 "ugly duckling sign", 최근의 변화가 중요하다. 대개는 주관적인 증상이 없다. 병변내 탈색소(Intralesional depigmentation)가 때로는 진단에 아주 유용하다(그림 3-3-9). 면역 반응에 의해 흑색종 세포가 파괴된 결과로서 종양의 면역학적 퇴행을 나타내는 것이다.

지루각화증(Seborrheic keratosis), 화농성육아종(pyogenic granuloma), 색소성기저세포암(pigmented basal cell carcinoma) 등과 잘 구분하여야 한다. 특히 최근에 크기가 커지거나 출혈을 하거나 주위에 염증이 있는 경우에는 구분이 어려울 수 있다. 조직학적 검사로만 감별 가능하므로 수술 전에 반드시 조직학적 검사가 필수다.

Hutchinson freckle은 편평하고 갈색의 반상 병변인데, 다양한 속도로 자랄 수도 있고 색소침착의 정도도 다양하다. 흔히 중년이나 그 이후의 나이에 안면부, 경부나 태양 노출부에 흔히 발생한다. 조직학적으로 표피와 진피 경계부에 멜라닌세포의 과다 증식이 보인다. 악성흑색점(lentigo maligna)은 in situ 흑색종이지만 침습적 흑색종이 Hutchinson freckle 내에서 발생하는 수가 있고 이 경우를 악성흑색점흑색종(Lentigo maligna melanoma)이라고 한다.

다발성 원발성 흑색종(Multiple primary melanomas)은 흑색종 환자의 3%이다. 하나의 흑색종 병변을 가진 환자에서 두 번째 흑색종이 생기는 확률은 4~5%이다. 가족력이 있다면 그 위험도는 10% 이상이다.

2) 조직학적 분류

악성흑색점흑색종(Lentigo maligna melanoma), 표재확산흑색종(superficial spreading), 결절흑색종(nodular), 말단흑색점흑색종(acral lentiginous)으로 구분한다.

악성흑색점흑색종은 태양 노출면에 위치하거나 이미 있던 악성흑색점(Hutchinson freckle) 내에서 발생한다. 거의 방사상으로만 성장하기 때문에 병변이 얇은 경우가 많아 예후가 상대적으로 좋다.

표재확산흑색종은 서양에서는 50~80%를 차지하나 동아시아에서는 10~20% 정도이며, 수직 성장하기 전에 수년간 옆으로 방사상으로 자란다.

결절흑색종은 초기에 수직 성장을 하며 20~30%를 차지한다.

말단흑색점흑색종은 손바닥, 발바닥, 손발톱하, 수족지 사이에 나타난다. 진균 감염으로 알고 진단적 생검이 늦어지는 경우도 있다. 서양에서는 10~20%를 차지하며 가장 예후가 좋지 않다고 하나 동아시아에서는 약 50%를 차지한다.

결합조직형성흑색종(Desmoplastic melanoma)은 피부 표면에 색소를 생성하지 않고 자란다. 외상이 없었던 부위에 비후성 반흔처럼 보이기도 한다. 피부섬유종(Dermatofibroma)이나 진피의 다른 양성 혹은 악성 종양과 감별해야 한다. 반면, amelanotic melanoma는 색소병변으로 보이게 하는 색소 과립을 충분히 생성하지 않는 결절흑색종이나 표재확산흑색종의 한 형태이다.

3) 예후에 관련된 조직학적 소견

원발 병소만으로 분석한다면 흑색종이 진피

내로 침범한 깊이가 예후를 결정하는 가장 중요한 요소이다. 다음은 Clark 의 분류이다.

- Level I: in situ melanoma; 표피-진피 경계부에 국한된 경우
- Level II: 유두진피를 침범했지만 팽창은 없는 경우
- Level III: 유두진피를 침범하고 팽창이 있지만 망상진피의 침범은 없는 경우
- Level IV: 망상진피를 침범하였지만 피하지방의 침범은 없는 경우
- Level V: 피하지방이나 망상진피 이하의 조직을 침범한 경우

이 분류 체계의 어려움은 침범 깊이의 결정이 다소 주관적이고 질적이라는 것이다. 그래서 Breslow는 표피에 있는 종양의 표면에서 가장 깊은 곳의 종양까지의 거리를 mm로 표시하는 양적인 측정법을 주장했다(그림 3-3-10). 이 방법은 원발 병소에 한정된 초기 흑색종에서 가장 예후를 잘 예측할 수 있다. 당연히 종양의 두께가 두꺼울수록 예후가 좋지 않다. 0.5 mm 이하의 병변을 가진 환자의 10년 생존률이 96%인 데 비해 4.01~6 mm 병변을 가진 환자에서는 54%이다.

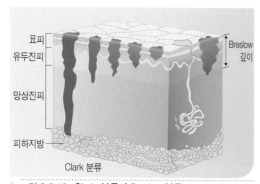

▷그림 3-3-10. Clark 분류와 Breslow 분류

예후와 재발과 관련된 다른 요소들로는 병변의 궤양, 유사분열률(mitotic rate), 환자의 나이와 성별, 원발 병소의 부위, 형태학적 분류이다. 궤양의 유무에 따라 "a" 혹은 "b"로 세분한다. 궤양이란 흑색종 위에 완전한 표피가 없는 경우로 정의한다. 궤양이 있는 병변을 가진 환자는 같은 두께의 궤양이 없는 병변을 가진 환자보다 예후가 나쁘다(표 3-3-1).

유사분열률은 예후를 예측하는 두 번째 중요한 지표다. 1.0 mm 이하의 흑색종에서 mm^2 당 한 개 이하의 유사분열이 있는 환자의 10년 생존률은 93%이지만, 20개 이상의 유사분열이 있는 환자에서는 48%이다.

흑색종 1기는 전이가 없는 저위험 흑색종(T1a-T2a)을 가진 상태이며, 원발 종양의 특징에 따라 1A와 1B로 세분한다. 2기는 전이는 없으나 재발과 전이의 위험이 더 큰 병변(T2b-T4b)을 가진 경우이며, 역시 원발 종양의 특징에 따라 IIA, IIB, IIC로 세분한다(표 3-3-2).

4) In-transit metastasis와 국소림프절 질환

피부 흑색종에서 국소 전이의 90%는 림프관을 통해 일어난다. 피부에서 흑색종의 림프 내 전파는 미세위성증(microscopic satellitosis)으로 알려진 위성 병변이나 원발 병변에서 2 cm 이상 떨어진 피부나 피하에 전이되는 in-transit metastases로 나타난다.

미세위성증은 3 mm 이상의 두께를 가진 병변의 1/3에서 보이지만, 더 얇은 병변에서는 5% 이하이다.

국소림프절 전이는 나쁜 예후 인자이다. 임상적인 조사로 림프절 침범 여부를 알기가 어려워

▷ 표 3-3-1. 피부 흑색종의 TNM 분류(AJCC 8th Edition)

T 분류	두께(mm)	궤양유무(+/-)
T1	≤1.0	a: 〈0.8 mm 궤양 (-) b: 0.8-1.0 mm궤양 (-) 혹은 1.0 mm 이하 궤양 (+)
T2	1.1~2.0	a: (-) b: (+)
T3	2.1~4.0	a: (-) b: (+)
T4	〉4.0	a: (-) b: (+)
N 분류	전이 림프절 수	미세위성전이 유무 (+/-)
N1	0~1 개	a: 임상적으로 숨어있는 경우 (-) b: 임상적으로 발견되는 경우 (-) c: 0 개 (+)
N2	1~3 개	a: 2-3개 임상적으로 숨어있는 경우 (-) b: 2-3개 임상적으로 발견되는 경우 (-) c: 1 개 (+)
N3	2 개 이상	a: 4 개 이상 임상적으로 숨어있는 경우 (-) b: 4 개 이상이면서 한 개 이상은 임상적으로 발견되는 경우 혹은 matted nodes (-) c: 2 개 이상 (+)
M 분류	부위	Serum lactate dehydrogenase
M1a-d	원격 피부, 피하 혹은 림프절(a), 폐(b), 다른 장기(c), 뇌(d)	측정 안됨
M1a-d(0)	동일	정상
M1a-d(1)	동일	증가

lymphoscintigraphy가 필요하고 많은 도움이 된다.

5) 전신 질환

일반적으로 흑색종이 의심되면 신체검사, 흉부 방사선 촬영, 간기능 검사를 시행하고 원발병소가 1 mm 이상이면 lymphoscintigraphy를 촬영한다. 의심스러운 경우에는 폐와 간을 확인하기 위해 흉부, 복부 CT를 찍고, 병변이 하지에 있을 때는 골반 CT를, 두경부인 경우에는 경부 CT를 찍는다. 연부 조직 침범의 정도를 파악하기 위해 MR이 필요한 경우도 있고, PET을 활용할 수도 있다. Serum lactate dehydrogenase (LDH) 수치는 예후를 예측할 수 있는 중요한 지표이다.

▷ 표 3-3-2. 피부 흑색종 임상 병기(AJCC 8th Edition)

Stage 0	Tis	N0	M0
Stage IA	T1a	N0	M0
Stage IB	T1b	N0	M0
	T2a	N0	M0
Stage IIA	T2b	N0	M0
	T3a	N0	M0
Stage IIB	T3b	N0	M0
	T4a	N0	M0
Stage IIC	T4b	N0	M0
Stage III	Any T	N1 이상	M0
Stage IV	Any T	Any N	M1

6) 수술적 치료

(1) 조직 생검

진단을 확인하고 치료 계획을 세우기 위해서 먼저 생검을 시행한다. 생검으로 인해 예후의 차이가 생기지는 않는다. 병변이 작으면 정상 조직을 1~2 mm 포함하여 절제 생검을 시행한다. 기능적이나 미용적으로 병변 전체를 절제하기 곤란하면 절개생검이나 펀치생검(punch biopsy)을 시행한다. 면도생검(shave biopsy)은 권하지 않는다. 다만 넓은 병변의 경우나 손발톱하 흑색종이 의심스러울 경우에는 진단 목적으로 해 볼 수 있다.

조직 결과에는 Breslow 두께, 조직학적 궤양,

mm^2 당 유사분열률, 주변 및 하부 경계의 상태, Clark level(깊이가 1 mm 이하의 병변인 경우)이 포함되어야 하고, 미세위성증, 퇴행, 종양 침범 림프구, 신경친화성(neurotropism), 조직학적 분류 등의 결과도 필요하다.

(2) 광역국소절제(Wide local excision)

광역국소절제술은 원발 병변의 치료의 가장 기본이다. 병변의 광역국소절제는 국소 재발의 빈도를 줄인다. 이 수술만으로 얇은 흑색종은 거의 완치된다고 한다. 육안적으로 정상으로 보이는 조직을 얼마나 함께 제거하는 것이 좋은지에 대하여는 논란이 많다. 절제 경계를 얼마나 두는지가 결과에 영향이 별로 없다라는 주장도 있

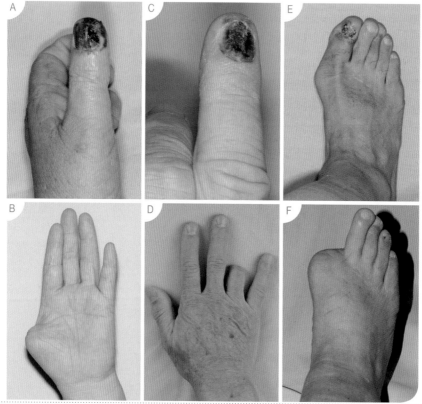

▷그림 3-3-11. A, B. 무지의 흑색종과 수술 후 사진 C, D. 약지의 흑색종과 수술 후 사진 E, F. 족무지의 흑색종과 수술 후 사진

고, 3 cm 이상 절제해도 재발률은 차이가 없다는 연구도 있다. NCCN (national comprehensive cancer network)에서는 다음과 같이 추천하고 있다. 절제 범위는 Breslow 깊이에 따라 결정하는데 in situ melanoma는 정상으로 보이는 피부를 0.5 cm 포함하여 절제하고, 깊이 1 mm 이하의 병변은 1 cm를 포함하여 절제하고, 깊이 1.01~2.0 mm 사이의 병변은 기능과 미용을 고려해서 1~2 cm의 정상 조직을 포함하여 절제하고, 깊이가 2.0 mm 이상의 병변은 최소 2 cm의 경계를 포함하여 절제한다.

안면부에서는 경우에 따라 MMS (mohs micrographic surgery)를 고려해 볼 수 있고, imiquimod로 lentigo maligna를 치료한 결과도 보

고되고 있다.

손가락 끝의 얇은 흑색종은 제거하고 장측전진피판(volar advancement flap)으로 재건하면 감각 유지가 가능하다. 그러나 1 mm 이상의 두께를 가진 병변은 지절간 관절에서 절단하거나 ray amputaion 하는 것이 안전하다. 일반적으로 손톱하 흑색종은 원위 지관절에서 절단하고 발톱하 흑색종은 발허리발가락관절(metatarsophalangeal joint)에서 절단한다(그림 3-3-11). 손등, 전완부, 다리의 흑색종은 광범위 절제가 가능하며, 피부이식이나 피판술로 재건한다. 발과 발가락의 흑색종은 말단흑자성 흑색종이 많아서 전파가 공격적이고 국소재발이나 부위 재발이 많다. 따라서 과감한 절제가 필요하고 피판술이 유

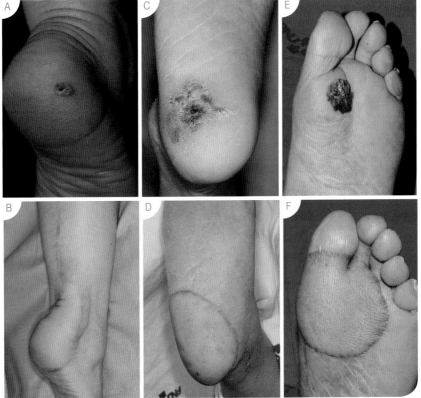

▷ 그림 3-3-12. 발의 흑색종. A, B. 발 뒤꿈치에 발생한 흑색종가 광범위 절제후 작은지지피판으로 재건한 사진 C, D. 발바닥 뒷부분에 발생한 흑색종과 유리피판술로 재건한 사진 E, F. 발바닥 앞쪽에 발생한 흑색종과 유리피판술로 재건한 사진

용한 경우가 많다(그림 3-3-12).

체간부에서는 충분한 경계를 확보하여 절제할 수 있고 쉽게 재건이 된다. 넓게 박리하여 큰 전진피판으로 덮을 수도 있고, 한 개나 그 이상의 국소피판술로 덮을 수도 있다. 종양이 침범하지 않은 심부근막과 근육은 보존할 수 있다.

(3) 림프절 절제

만져지는 림프절 병변이 있으면 커진 림프절에 대하여 미세침흡인생검술을 하거나 직접 열어서 조직 검사를 시행하여 진단을 확정한다. 원거리 전이가 없으면 원발 병소의 광범위 절제와 침범된 림프절 부위의 완전 절제가 필요하다. 조사한 림프절의 전체 수, 양성인 림프절의 수, extranodal tumor extension을 기록해야 한다.

PET 이나 골반 CT에서 엉덩림프절(iliac LN) 폐쇄림프절(obturator LN) 병변이 보이거나 Cloquet's LN가 양성이면 deep groin dissection을 고려해야 한다.

그러나, 대부분의 환자는 림프절 침범의 임상 증상이 없기 때문에 감시림프절생검(sentinel lymph node biopsy)이 필요한 경우가 있다. 두께가 0.8 mm 이상의 병변, 그 이하라도 궤양이 있는 경우, 궤양이 없어도 유사분열률이 매우 높거나 lymphovascular invasion이 있는 경우에는 감시림프절생검을 고려한다.

감시림프절생검은 원발 병소의 광범위 절제 시에 함께 시행해야 한다. 원발 병변 주위의 진피에 vital blue dyes를 주입하는 방법도 있고, radio-colloids 주입하고 gamma probe detector를 이용하면 비교적 쉽게 감시림프절을 찾을 수 있다.

감시림프절이 음성이면 부위림프절 절제는 불필요하다. 감시림프절이 침범 당하지 않았으면 그 유역은 96%에서는 종양이 없다고 한다. 양성

이면 침범된 림프절 구역을 완전히 절제해야 한다. 이 경우, 15~20%에서 감시림프절 이외의 림프절에서 양성이 나온다. 이런 3기 환자에서는 보조요법이 필요하다.

간혹 원발 병소를 찾을 수 없는 림프절 흑색종 환자가 있는데 이 경우에는 국소림프절 절제가 필요하다.

안면부와 두피 앞쪽에 흑색종이 있다면 동측의 표재귀밑샘절제술를 고려한다. 전귀밑샘림프절(preparotid LN)이 림프절 배액의 첫 자리이기 때문이다. 경부임파곽청술을 시행할 수도 있다.

7) 보조요법

흑색종 환자의 많은 수가 1기에서 2A기이므로 광역국소절제술이 치료의 표준이다. 2B기에서 3기까지의 고위험 환자는 예후가 나쁘고 보조요법이 필요하다.

Interferon-α는 고위험 환자군에서 어느 정도의 효과를 나타내지만, 재발 없는 생존 기간은 증가하나 전체적인 생존률에는 차이가 없다고도 한다. 최근에는 면역치료제, 표적치료제의 사용으로 좋은 결과가 보고되고 있다.

방사선 치료는 피부흑색종의 일차 치료는 아니지만 적절한 절제가 불가능한 경우에는 보조적 치료로 고려해 볼 수 있다. 치료의 효과에 대해 논란은 있지만, 경우에 따라 국소 림프절에 보조요법으로 사용하거나 점막에 발생한 흑색종 등의 특수한 상황에서는 고려될 만하다.

국소재발은 광역절제술로 치료할 수 있으나 광범위한 국소재발이나 in-transit metastasis는 치료가 어렵다. 사지의 In-transit metastasis는 dacarbazine (DTIC), cisplatin으로 isolation perfusion 하거나 carboplatin으로 hypo-osmolar perfusion 방법으로 치료 될 수도 있다. 그러나, isolated limb perfusion의 주요 역할은 수술할 수 없는 사지 흑색종의 일시적 억제이다.

8) 전이 흑색종의 치료

전이 흑색종을 가진 환자의 예후는 나쁘다. 작은 한 곳의 전이암은 수술적 절제를 고려해 볼 수 있고, 뇌의 전이암에는 감마나이프로 효과를 볼 수 있으나, 다수의 전이는 전신적인 화학요법이 필요하다. 아직 표준적인 치료 방법은 없으나 최근 들어 긍정적인 결과들이 보고되고 있다. 이전에는 4기 흑색종 환자의 평균 생존 기간은 6~9개월에 불과했지만 표적치료제 및 면역치료제의 개발로 평균 생존 기간이 24개월을 넘기며 빠른 속도로 연장되고 있다.

이전의 항암제인 Dacarbazine 등을 사용했을 때는 그 효과가 불충분했으나 최근 다수의 신약이 개발되면서 그 생존율이 괄목할 만하다. 특히 면역항암제(ipilimumab, nivolumab, pembrolizumab)의 경우, 치료 반응이 좋은 환자에 대해 장기간 치료를 유지할 수 있으며, 최근에는 치료 효과를 높이기 위해 면역치료제의 병용요법 연구도 활발하게 진행되고 있다. V600E변이를 가진 BRAF억제제인 Vemurafenib, Dabrafenib을 사용하거나 MEK억제제를 동시에 투여해 볼 수 있다.

9) 주기적 관찰

흑색종으로 수술 받은 환자에게는 충분한 교육이 필요하며, 주기적으로 잘 관찰하는 것이 중요하다. 흑색종의 재발은 병변의 두께에 비례하는데, 재발의 60~70%는 수술 후 18~24개월에 나타난다. 국소재발이나 국소임파절 재발이 가장 먼저 일어나고 in-transit metastasis, 원격 재발이 나타난다.

외래 방문 시마다 신체 검진을 철저히 하고 간 기능 검사, 흉부 방사선 촬영을 한다. 두경부, 흉부, 복부 CT는 임상적 의심이 높지 않다면 추천되지 않는다. 상황에 따라서는 PET-CT를 찍어서 확인한다.

가족력이 없고 비정형모반이 없는 대부분의 환자는 첫 2년간은 3~6개월 간격으로 추적 관찰하고 그 이후에는 일년에 한 번씩 관찰한다. 가족력이 있거나 비정형 모반이 있으면 매 3개월마다 관찰한다.

앞에서도 언급되었지만, Serum lactate dehydrogenase의 증가는 나쁜 예후를 암시한다.

References

1. Abbasi NR, Shaw HM, Rigel DS, et al. Early diagnosis of cutaneous melanoma. JAMA 2004;292:2771–2776.
2. Ariyan S, Berger A. Melanoma. In: Neligan PC, eds. Plastic surgery: Elsevier Saunder; 743-85
3. Balch C, Soong S-j, Ross M, et al. Long-term results of a multi-institutional randomized trial comparing prognostic factors and surgical results for intermediate thickness melanomas (1.0 to 4.0 mm). Ann Surg Oncol 2000;7:87–97.
4. Balch CM, Gershenwald JE, Soong SJ, et al. Final version of 2009 AJCC melanoma staging and classification. J Clin Oncol 2009;27:6199–6206.
5. Bauer BS, Adler N. Congenital melanocytic nevus. In: Neligan PC, eds. Plastic surgery: Elsevier Saunder; 837-54

6. Bauer BS, Corcoran J. Pediatric tissue expansion. In: Bentz ML, Bauer BS, Zuker RM, eds. Principles and practice of pediatric plastic surgery. St Louis, Missouri: Quality Medical Publishing; 2008:309–337.

7. Breslow A. Thickness, cross-sectional areas and depth of invasion in the prognosis of cutaneous melanoma. Ann Surg 1970;172:902–908.

8. Cascinelli N, Bombardieri E, Bufalino R, et al. Sentinel and nonsentinel node status in stage IB and II melanoma patients: two-step prognostic indicators of survival. J Clin Oncol 2006;24:4464–4471

9. Clark Jr WH, From L, Bernardino EA, et al. The histogenesis and biologic behavior of primary human malignant melanomas of the skin. Cancer Res 1969;29:705–727.

10. Flaherty KT, Puzanov I, Kim KB, et al. Inhibition of mutated, activated BRAF in metastatic melanoma. N Engl J Med 2010;363:809–819.

11. Gachon J, Beaulieu P, Sei JF, et al. First prospective study of the recognition process of melanoma in dermatological practice. Arch Dermatol 2005;141:434–438.

12. Kovalyshyn I, Braun R, Marghoob A. Congenital melanocytic naevi. Australas J Dermatol 2009;50: 231–240.

13. Krengel S, Hauschild A, Schafer T. Melanoma risk in congenital melanocytic naevi: a systematic review. Br J Dermatol 2006;155:1–8.

14. Melanoma of the Skin. AJCC Cancer Staging Manual. New York: Springer; 2010:325.

15. Nam KW, Bae YC, Bae SH, et al. Analysis of the clinical and histopathological patterns of 100 consecutive cases of primary cutaneous melanoma and correlation with staging. Arch Palst Surg 2015;42:746-52.

16. NCCN Clinical Practice Guidelines in Oncology: Melanoma. Version 1.2018 -October 11, 2017 National Comprehensive cancer Network; Available from: http://www.nccn.org/

4

레이저 치료
Laser Treatment

박승하 고려의대

1. 레이저 치료의 기본 원리 (Basics of laser)

1) 레이저의 정의

레이저는 빛 에너지를 이용하는 것으로 Light Amplification by Stimulated Emission of Radiation을 줄여서 LASER라 명칭하게 되었으며, 인위적으로 에너지를 증폭시켜 발생하는 빛을 이용하는 것이다. Albert Einstein (stimulated emission of energy)이 새롭게 유도된 에너지를 만들 수 있다는 원리를 제시한 이후 Schawlow와 Townes가 레이저의 전 단계인 MASER (microwave amplification by stimulated emission of radiation)를 개발하였다. Maiman은 1960년에 루비 크리스탈을 매체로 한 루비레이저를 개발하였으며 이때부터 본격적인 레이저(LASER)라 부르게 되었다.

1960년대 아르곤과 이산화탄소레이저가 개발되어 인체에 사용되기 시작하였으며 이후 다양한 매체를 이용한 각종 레이저가 개발되었다.

레이저는 각종 과학분야와 산업분야에 사용하고 있으며 의료용으로는 조직의 파괴, 절제 및 절개, 실병 빛 종양의 치료, 안과적 굴질 교정 등 널리 사용되고 있다. 레이저 파장별 특성에 따라 피부에서는 레이저 박피(laser resurfacing), 혈관성 병변, 색소성 병변의 치료에 주로 사용되며, 최근 비박피성(non-albative) 레이저로는 피부의 탄력증대와 저출력레이저(low power laser) 및 광역학요법(photodynamic therapy)를 이용한 질환의 치료에도 사용되고 있다. 초기 레이저는 치료의 보조 역할을 하였지만 현재는 수술용 메스를 대신하기도 하며 특히 피부성형에는 레이저로만 치료할 수 있는 영역이 점차 넓어지고 있으며, 치료 효과 또한 탁월한 결과를 보이고 있다.

2) 레이저의 특성

레이저 기계는 외부 에너지원, 매질을 담고 있는 튜브, 레이저 전달 장치와 그리고 냉각장치로 구성되어 있다.

레이저 에너지원(energy source)은 외부로부터 전류, 화학적, 기계적, 또는 다른 레이저가 에너지원이 될 수 있으며 높은 출력의 전류를 가장 많이 사용하고 있다.

레이저 기기에는 매질(medium)을 담고 있는 통 모양의 레이저튜브(resonator tube)가 있으며,

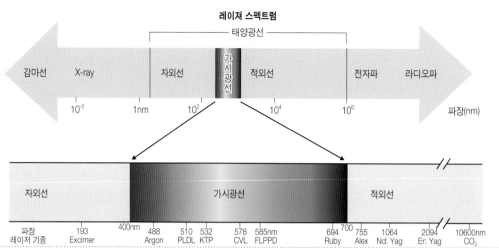

▷그림 3-4-1. 레이저 스펙트럼과 파장

이 레이저튜브에 외부로부터 높은 에너지원을 가하여 레이저 광선을 발생하게 된다.

매질은 레이저 광선을 만드는 재원으로 이것은 기체, 고체, 액체, 반도체 등 여러 가지 물질이 될 수 있으며 레이저 광선의 파장은 매질의 종류에 따라 결정되어 각 레이저 광선의 고유한 특성을 나타내게 된다. 또한 각 레이저 매질의 종류에 따라 그 레이저의 이름이 붙여진다.

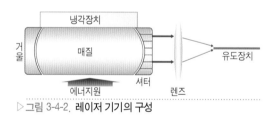

▷그림 3-4-2. 레이저 기기의 구성

레이저 광선과 자연 광선의 차이는 레이저 광선은 단일한 파장을 지니는 단색성(monochromatic)이며 프리즘을 통과하여도 분산되지 않고 일정한 방향으로 진행한다. 레이저 광선은 일정한 방향으로 분산되지 않는 평행성(collimated)을 나타내며, 또한 시간적으로 공간적으로 일정하게 뭉쳐나가는 응집성(coherent)을 지니고 있다.

3) 레이저 치료 변수(Parameters)

레이저 파장과 출력, 조사 시간, 조사되는 조직에 따라 레이저 효과가 달리 나타난다. 의료용 레이저 사용 초기에는 레이저와 조직 반응의 이해가 부족하고 하나의 레이저로 여러 가지 용도로 사용하여 치료효과가 떨어지고 부작용이 많이 발생하였다.

레이저는 이용하는 매체에 따라 레이저 파장이 결정된다. 의료용 레이저의 파장은 자외선 영역인 안과용 엑시머 레이저(193 nm)를 제외하면 대부분 가시광선 영역(400~700 nm)이거나 적외선 중 파장이 짧은 근적외선(near infrared)영역에 속하게 된다.

피부 성형에 사용하는 레이저 중 가시광선 영역의 파장을 가진 레이저는 아르곤레이저(488 nm, 514 nm) KTP레이저(doubled Nd:YAG 532 nm), FLPPD레이저(flashlamped pumped pulse dye, 585 nm), 루비레이저(694 nm), 알렉산드라이트(755 nm) 등이 있다. 근적외선 영역으로는 Diode레이저(800 nm), Nd:YAG레이저(1,064 nm) 어븀야그레이저(Er:YAG, 2,940 nm), CO2

레이저(10,600 nm) 등이 대표적으로 쓰이는 레이저이다.

레이저의 조사 시간(exposure duration)은 처음에는 연속파(continuous wave, CW)이었지만 짧은 시간 노출하는 펄스파(pulsed), 더 나아가 초단파(superpulse), 극초단파(ultrapulse)로 천분의 일초 이하로 사용하여 목표조직만 선택적으로 파괴하고 주변 조직은 보호하게 되었다. 최근에는 Q-스위치 레이저는 nanosecond (10^{-9} sec) 단위이며 이보다 짧은 시간은 picosecond로 피코레이저라 하며 주로 색소의 파괴에 사용하고 있다.

4) 레이저에 대한 조직의 반응

레이저 빛이 조직에 도달하면 일부는 반사되고 일부는 조직을 통과하며 대부분은 조사된 부위에 흡수되거나 주변으로 분산된다.

레이저가 조직에 닿으면 이에 대한 반응으로 광열효과(photothermal effect)가 주된 작용을 하며 레이저 종류에 따라 광화학적효과(photochemical effect)와 광물리적효과(photodynamic effect)를 나타낼 수 있다.

현재까지 의료용 레이저는 조직을 파괴하는 고출력 레이저가 대부분이었지만 앞으로는 조직의 대사와 세포 내 미세 조직과 물질을 활성화하는 저출력 레이저(low level laser treatment, LLLT)가 많이 개발되어 창상치유와 각종 질병의 치료에 이용될 것으로 생각된다.

레이저에 대한 조직의 반응은 레이저 파장과 목표 조직에 대한 레이저의 친화력 및 흡수력에 의해 결정된다. 레이저 빛의 흡수와 분산은 특히 레이저 파장에 의해 좌우되며 일반적으로 파장이 긴 레이서가 피부 깊이 흡수되며 피징이 짧

은 레이저가 얕게 흡수된다. 파장이 긴 알렉산드라이트레이저(755 nm), Nd:YAG레이저(1,064 nm)는 피부에 3~4 mm까지 깊이 침투하지만 파장이 짧은 색소레이저(FLPPD:510 nm)와 아르곤레이저(514 nm)는 침투 깊이가 1.0 mm와 1.2 mm로 침투력이 낮다.

레이저 빛에 친화력이 있어 레이저 빛을 잘 흡수하는 것을 발색단(chromophore)이라 하며 피부의 주된 발색단은 헤모글로빈과 멜라닌색소이다. 이산화탄소레이저(10,600 nm)와 어븀야그레이저(2,940 nm)는 파장은 길지만 수분에 친화력이 강하여 에너지가 피부 표면에서 흡수되어 피부 침투력은 0.1 mm와 0.01 mm로 매우 낮다.

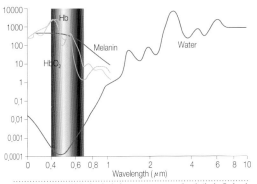

▷그림 3-4-3. **피부의 발색단(chromphore)과 선택적 흡수되는 레이저 파장**

5) 선택적 광열분해
(Selective photothermolysis, SPTL)

선택적 광열분해는 Anderson과 Parrish가 1983년 처음 도입한 레이저 치료 개념으로서 목표조직에 흡수력이 강한 파장의 레이저를 짧은 시간에 조사하면 목표조직의 온도가 올라가고 주변의 열 확산이 적어 주변 조직의 열손상 없이 목표 조직만을 선택적으로 파괴할 수 있다는 이론이다. 이전에는 조직에 레이저 열에너지를

가함으로써 목표 조직뿐만 아니라 주변 조직도 열 손상을 입어 치료 목적 이외에 부작용이 동반되었다.

선택적 광열분해를 이루기 위한 조건으로서 가) 레이저 파장, 나) 레이저 조사시간, 다) 레이저 출력이 중요하다. 레이저 파장은 목표조직에 잘 흡수되는 파장이어야 하며 목표 조직의 깊이까지 이르는 파장을 사용해야 한다. 레이저 조사시간은 목표 조직의 열이완시간(TRT)과 비슷하거나 적어야 주변 조직으로의 열확산이 적게 된다. 레이저 출력 즉 에너지 밀도(fluence)가 목표 조직을 파괴할 만큼 충분히 커야 한다.

피부에서 레이저를 흡수하는 물질을 발색단이라 하며 주요 발색단은 혈색소와 멜라닌색소이며 혈관성병변은 oxyhemoglobin에 잘 흡수되는 500 nm 대 레이저를 이용하며, 색소성질환의 치료는 멜라닌색소의 흡수곡선에 맞게 얕은 색소는 500~600 nm 파장의 레이저를 사용하며 깊은 색소는 700~1,000 nm의 레이저를 사용하여야 효과를 얻을 수 있다.

6) 레이저 치료와 안전

레이저는 고출력 에너지로 잘못 사용할 경우 심각한 부작용을 초래할 수 있기 때문에 반드시 레이저 안전 교육을 받고 레이저 시술에 임해야 한다. 레이저가 피부가 닿을 경우 화상을 초래하고 원하지 않는 비후성 반흔이나 탈색, 색소침착 등의 후유증을 남기게 된다. 또한 레이저는 피부가 기화되면서 유해물질이 발생하여 이로 인한 호흡기 질환, 감염, 발암성 등의 위험성이 있어 환자나 의료인이 노출되지 않게 적합한 필터 마스크를 착용하고 발생하는 가스는 흡입기를 가까이 하여 배출가스에 노출되지 않도록 하여야

한다. 화재 발생의 위험성을 항상 생각하고 대비해야 하며 레이저 치료중이라는 표시와 함께 출입을 제한하여야 한다.

2. 레이저 박피와 화학적 박피 (Laser resurfacing, chemical peeling)

1) 박피와 피부 재생

박피는 피부를 얇게 벗긴다는 것으로 피부의 겉 층인 상부인 표피(epidermis)와 진피의 상부인 유두상 진피(papillary dermis) 까지 제거하여도 피부가 상피화(epithelization) 과정을 거쳐 재생하게 된다. 피부의 창상 치유는 상피세포가 있는 표피와 피부부속기관이 많은 상부에서는 피부 창상치유가 잘 이루어지기 때문에 피부를 얇게 벗겨도 정상적으로 피부가 아물게 된다. 그러므로 박피를 양파에 비유하는데 이는 양파껍질을 벗겨도 똑같은 층이 있기 때문이다.

박피는 오래전부터 일부 시행되어 왔지만 과학적인 기록은 1905년 Kromayer가 피부를 얇게 벗겨내어도 정상 피부로 치유된다는 이론적 근거를 제시하였다. 박피를 이용하는 수술을 "scarless surgery"라 하여 각광을 받게 되었고 피부병변이나 흉터치료에 널리 쓰이게 되었다. 박피는 처음에 기계박피(dermabrader) 형태로 피부를 표면이 거친 사포로 문지르거나 회전하는 기계에 사포를 부착하여 표재성 피부 병변이나 흉터, 피부의 요철부위에 사용되었고 화학박피나 레이저 박피가 도입되기 전에 여드름 흉터나 천연두 반흔(small pox scar)에 널리 사용되었다.

2) 화학적 박피(Chemical peeling)

피부를 젊고 깨끗하게 보이기 위한 인간의 욕망은 오래 전부터 있었다. 피부 관리의 일종으로 과일이 산화한 약한 산성 물질로 피부에 발라 피부를 깨끗하게 유지하기도 하였으며, 민방요법으로 기원전부터 약물을 발라 피부를 태워내기도 하였다. 민간 비방으로 화학박피가 주름을 펴고 젊은 피부가 된다고 하여 시술되었으나 깊이 조절에 실패한 경우 끔찍한 안면 흉터를 만들었기 때문에 의학적으로는 사용되지 않았다. 1960년대 화학박피를 좀 더 안전하게 하기 위한 중화제 첨가와 프로토콜을 개발하면서 성형외과 의사들(Brown, Caplan, Baker)은 깊은 박피인 페놀박피를 도입하였고, 피부과 의사들은(Aryes 등) 얕은 박피인 TCA (25~30%) 박피를 도입하여 일부 의사들에서 시행되어 왔다. 박피는 깊이 조절이 가장 중요한데 화학박피는 화학물질을 바르는 회수, 시간, 농도, 환자의 피부 두께 및 상태 등에 따라 달리 효과가 나타나며 예상치 못한 결과를 얻을 수 있다. 레이저박피가 도입되어 깊이 조절이 쉽고 안전하며 효과적이어서 화학박피를 대신하게 되었다. 페놀박피는 잘된 경우 깊은 레이저 박피 못지않게 주름을 펴고 젊게하는 효과가 뛰어나지만 수개월 후에 페놀의 멜라닌 세포의 독성으로 피부의 탈색이라는 심각한 후유증이 나타날 수 있으며 화학박피 경계선이 뚜렷하게 남을 수 있다. 페놀박피는 시술 시 심장부정맥 및 심박정지 등 급성중독증이 나타날 수 있어 일부 용감하고 경험있는 의사만이 시행하고 있는데 안전하고 효과적인 레이저를 마다하고 굳이 화학박피를 사용할 필요성에 대하여는 의문시 된다. 단 화학박피는 레이저 박피와 달리 고가의 상비가 필요 없는 상점은 있겠다. 페놀 등 화학박피의 여러 프로그램이 있는데 이에 대한 안정성과 식약청의 인허가 사항을 반드시 알고 시행하여야 하겠다.

페놀이나 TCA를 이용한 깊은 화학박피는 위험성이 많은 반면 약한 화학 성분인 탈피제(ex-foliant)로 비타민-A (retinoic acid)연고나 AHA (alpha hydroxy acid; 젖산, glycolic acid)는 스킨케어용으로 사용하면 주름을 펼 수는 없지만 표피층을 재생시켜 피부를 깨끗하게 하는 효과는 볼 수 있겠다.

3) 레이저 박피(Laser resurfacing)

레이저박피는 레이저로 피부 표면을 제거하고 피부를 재생시키는 방법으로 1990년대 중반부터 널리 사용되고 있다. 레이저박피는 단지 피부 표면을 제거할 뿐만 아니라 열 효과를 이용하여 피부 재생을 유도하고 피부 탄력을 증가시키는 효과가 있다. 레이저박피는 깊이 조절이 쉬워 안전하며 박피효과가 우수하여 피부 병변의 제거, 노화된 피부 재생, 흉터의 요철 현상 치료, 피부 탄력증가, 피부의 젊음 회복(rejuvenation) 등 다양한 목적으로 사용하고 있다.

박피용 레이저는 멜라닌이나 혈색소와 관계없으며 수분에 잘 흡수되는 이산화탄소레이저(CO_2, 10,600 nm)나 어븀야그레이저(Er:YAG, 2,940 nm)를 사용한다. 피부에는 수분이 약 85%를 차지하고 있기 때문에 수분에 친화력이 있는 레이저를 사용하면 레이저 조사 부위에 수분이 에너지를 흡수하고 열이 상승하여 조직의 기화와 응고를 일으켜 박피 효과를 보게 된다. 일반적으로 파장이 긴 레이저는 피부 깊이 침투할 수 있지만 이산화탄소레이저나 어븀야그레이저는 수분에 친화력이 높이 피부 표면에서 레이

Ⅲ. 피부 및 연부조직

저 에너지를 흡수하기 때문에 깊이 침투할 수 없다. 이산화탄소레이저는 어븀야그레이저보다 주변의 열효과로 수축 현상이 더 일어나며 어븀야그레이저는 이산화탄소레이저보다 수분에 친화력은 높지만 주변의 열효과가 적어 계속 조사 시 출혈을 멈출 수 없으며 깊은 박피를 할 수 없다. 어븀야그레이저는 재생이 빠르며 홍반과 색소침착이 적은 장점이 있다. 어븀야그레이저도 조사 시간을 늘리면 피부수축을 유도하고 깊게 박피할 수도 있다.

다른 박피에 비하여 레이저박피의 장점은 깊이 조절이 용이하여 적당한 깊이로 박피할 경우 원하는 피부 병변의 제거와 피부 수축과 탄력 증가 효과를 얻을 수 있다. 박피로 인한 부작용을 피할 수 있어 안전하며, 레이저박피는 피부의 모세혈관, 임파선, 신경말단을 차단하여 시술 후 출혈, 체액분비가 적고 통증이 적은 장점이 있으며, 환자와 의사가 창상처치가 편리한 장점이 있다.

4) 피부온도와 레이저 반응

레이저를 조사하여 피부 온도가 올라가며 온도에 따라 다른 반응을 나타내게 된다.

고출력레이저로 피부 온도가 100℃ 이상 되면 수분이 기화(vaporization)되면서 주변 조직도 증발하게 된다. 피부 온도가 60~70℃ 이상 되면 비가역적 반응으로 조직이 괴사하게 된다.

60℃ 정도 되면 피부가 가역적인 반응으로 조직이 수축하게 된다. 이를 이용하여 피부 병변을 제거하기 위해서는 기화(vaporzation) 모드로 짧은 시간에 고출력 레이저를 사용하며, 피부 수축을 유도하기 위해서는 수축(coagulation) 모드로 저출력으로 다소 긴 조사시간으로 레이저

를 사용하여 피부 탄력을 증가시키게 된다.

5) 레이저 박피의 적응증과 금기사항

레이저 박피는 피부 병변의 제거하기 위한 기화 목적(vaporization 또는 ablation)과 피부 수축이나 탄력 증대를 위한 목적(contraction 또는 elasticity)으로 나눌 수 있으며 병행 목적으로 이용되기도 한다.

피부 병변으로 표피에 국한된 경우는 쉽게 레이저 박피로 제거된다. 대표적으로는 죽은깨(freckle), 검버섯-노인성 반점(senile lentigene), 지루성 각화증(seborrheic keratosis) 표피성 모반(epidermal nevus) 등 레이저 박피로 쉽게 제거된다. 병변이 진피까지 있지만 크기가 작은 것으로 비립종(milia), 한관종(땀샘종, syringoma) 등도 쉽게 제거되며 흉을 남기지 않는다. 진피성으로 조금 큰 것으로 황색종(xanthelasma), 피지선모반(nevus sebaceous), 주사코(rhinophyma) 등에서는 레이저 박피로 완전제거는 안 되지만 상당한 치료효과를 보인다.

피부암의 전구 단계인 광선각화증(actinic keratosis), 보웬 병(Bowen's disease) 각질가시세포증(keratoacanthoma), 유방외 파제트병(extramammary Paget's disease), 광선 구순염(actinic cheilitis), 백반증(leukoplakia) 에서는 레이저 박피로 효과적인 제거가 되며, 이런 암 전구 병변(precancerous lesion)에서는 주기적으로 재발 여부에 대한 관찰을 하여야 하겠다.

피부 수축을 위하여 흉터에 레이저 박피를 사용할 경우 즉시 흉터의 수축이 나타날 뿐만 아니라 추가적으로 피부 탄력이 증가하여 흉터로 인한 요철 현상이 편편해진다. 외상성 반흔, 비후성 반흔, 수술 후 흉터, 여드름이나 천연두 반

흔 같은 함몰 반흔에 레이저 박피를 하여 상당한 효과를 보며 흉터 교정성형술로 호전이 안 되는 경우도 레이저 박피로 상당한 효과를 볼 수 있다. 함몰 흉터에서는 추가적으로 함몰부위 흉터를 제거하여 더 좋은 효과를 볼 수 있다.

노화된 안면피부에서도 레이저 박피를 시행하면 변성된 표피와 진피의 탄력섬유변성(elastosis)를 제거하고 새로운 표지가 재생되고 진피가 수축하며 새로 형성된 진피 층에 콜라겐섬유층이 증가하여 피부가 젊은 사람처럼 색과 윤기가 회복되며 피부 탄력이 증가하여 주름의 개선 효과를 보이게 된다.

레이저 박피의 금기사항으로는 박피 후 창상 치유가 정상적으로 이루어지지 않는 경우로 화상과 같은 깊고 넓은 흉터와 비타민-A를 장기 복용하여 피부가 위축된 경우에 금기사항이 된다. 이런 경우 박피 후 창상 치유가 지연되거나

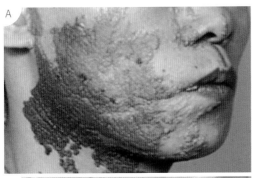
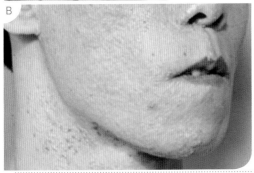

▷ 그림 3-4-4. **피부의 표재성 모반(nevus)을 레이저 박피로 치료함. A. 수술 전 B. 수술 후**

완전히 상피화가 이루어지지 않아 더 큰 반흔을 초래할 수 있다. 레이저 박피 후 색소 침착이 많이 나타나는데 이를 치료하기 위한 스킨케어에도 민감한 환자는 레이저 박피를 할 수 없겠다. 레이저 박피에 대하여 비현실적인 기대감을 갖고 있거나 정신질환자, 약물중독자로 레이저 박피를 피해야 한다. 레이저 박피 후 홍반과 색소침착이 1~2개월 지속될 수 있으며 이로 인하여 사회활동에 지장을 초래할 수 있는데 수술 전 환자에게 설명하여 환자가 이해하지 못하거나 사회생활에 지장(long downtime)이 있다고 하는 경우는 박피를 하지 말아야 하겠다.

3. 레이저 리쥬베네이션 (Laser rejuvenation)

1) 레이저의 리쥬베네이션 효과

노화된 피부에 레이저 치료를 하면 노인성 반점이 제거되고 밝고 투명해지고 거칠고 주름진 피부가 탄력이 증가한 젊은 피부가 된다.

CO_2레이저는 대표적인 박피성 레이저이며 또한 침습성(invasive) 레이저이다. CO_2레이저는 햇빛에 의한 피부 변화 및 노화된 피부를 가장 효과적으로 치료하며, 광노화된 피부를 젊게 하며 피부의 수축과 탄력을 증가시키는 효과가 뛰어나 주름의 개선에도 가장 효과적이다. CO_2레이저 박피의 단점은 박피 상처의 치유 기간이 필요하며 박피 후 홍반이나 색소침착으로 인하여 환자가 불편한 기간이 있다는 것이다.

Er:YAG 레이저는 박피성이지만 박피 깊이가 얕고 창상 치유 회복이 빨라 침습성이 적은 레이저이다. Er:YAG레이저도 박피를 하여 광노화

▷ 표 3-4-1. 노화된 피부와 레이저 박피 후의 변화

	노화된 피부	레이저 박피 후 피부
육안 소견	피부색이 탁하고 누런 얼룩반점이 증가함. 거칠고 주름이 증가하며 탄력이 감소함	밝고 투명한 고른 분홍색을 나타냄 부드럽고 탄력이 증가하며 주름이 감소함
각질층	두꺼워지고 변성됨(keratosis) 일광손상됨(actinic change)	변성되고 손상된 각질이 제거되고 얇아짐
표피세포; keratinocyte	크기가 작아지고 모양이 서로 다르며 불규칙적으로 배열함 표피 세포층이 얇아짐	크기와 모양이 일정하며 규칙적으로 배열하고 표피 세포층이 두꺼워져 재생성하는 모습을 보임
멜라닌 세포, 멜라닌 색소	불규칙적으로 배열하며, 색소가 증가하며 표피층에 넓게 분포함	규칙적으로 배열하며, 색소가 감소하고 주로 기저세포층에 분포함
탄력섬유	탄력섬유가 변성하여 굵고 거치며 매우 불규칙적으로 배열함(탄력섬유증: elastosis)	elastosis가 제거되고 두껍고 규칙적인 배열의 탄력섬유로 대치됨
콜라겐섬유	표피바로 밑에 얇게 존재함; thin supepidermal Grenze zone	진피에 전반적으로 고르고 두껍게 위치, 길이가 짧아지고 밀도가 증가
기질: gylco-saminoglycan	증가함	감소함

된 피부를 깨끗하게 하고 진피의 콜라겐 수축을 일으킨다. Er:YAG레이저가 CO_2레이저보다 홍반과 색소침착이 적은 장점은 있지만 피부의 수축과 탄력 증대는 CO_2보다 적은 단점이 있다.

레이저 박피의 단점인 사회생활에 불편(long downtime)을 피하기 위해서 박피를 하지 않고 진피의 수축을 유도하는 비박피성 적외선 레이저(non-ablative rejuvenation, NAR)가 개발되었다. 진피에 적절한 열(60℃내외)을 가하여 콜라겐의 수축을 유도하기 위하여 파장이 비교적 긴 중간적외선(mid-infrared)영역의 레이저를 사용하고 있다. 이는 적외선 영역의 레이저로 1,320 nm Nd:YAG, 1,450 nm diode, 1,540 nm erbium:glass 등이 있다. 이 레이저들은 냉각 장치가 있어 표피를 보호하고 파장이 비교적 긴 레이저로 진피의 깊이까지 투과하는 장점이 있다. 진피의 콜라겐을 수축시키는 데 효과가 한 번 시술에 기대하기는 어려우며 수회 치료하여도 박피성 레이저 만큼 피부 재생효과는 뛰어나지 못하여 사용이 점차 줄어 들었다.

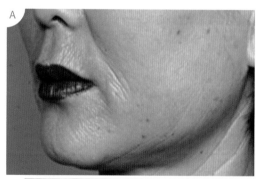

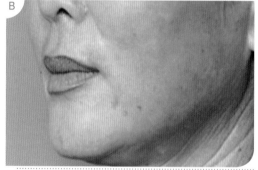

▷ 그림 3-4-5. 노화된 안면 주름을 레이저 박피로 개선함. 리프팅 수술이나 다른 방법으로 펴기 힘든 입가 주름을 레이저 박피로 안전하고 효과적으로 젊게 함. A. 수술 전 B. 수술 후

2) 프랙셔널레이저

비박피성 리쥬베네이션 레이저보다 강한 효과를 원하게 되었고, 2004년 Manstein이 프랙셔널 광열효과(fractional photothermolysis) 개념을 발표하고 이에 따른 프랙셔널레이저(Fraxel)가 개발되어 사용하고 있다. 처음 프랙셔널 레이저는 1,550nm 파장의 Erbium Glass 레이저이며 직경이 매우 작은 마이크로 빔(직경 100μm 이내)으로 조사하여 표피와 진피에 열을 전달하는 것이다. 프랙셔널 레이저 빔의 열 효과로 표피가 재생되고 진피는 탄력이 증가하며 치료 후에는 수 시간 동안 홍반이 있다가 없어지기 때문에 사회생활에 지장이 거의 없고 편리한 장점이 있다.

프랙셔널 레이저가 비박피성 리쥬베네이션 레이저보다 효과는 좋지만 박피레이저와 같은 좀

더 강한 효과를 보기 위해서는 박피 기능을 가진 프랙셔널 레이저가 개발되었다. 이를 박피성 프랙셔널 레이저(ablative fractional laser, AFL)라 부르며 이전의 프랙셔널 레이저는 비박피성 프랙셔널 레이저(non ablative fractional laser, NAFL)로 구분하게 되었다.

박피성 프랙셔널은 미세한 기둥모양으로 피부를 기화시키고 주변은 열효과로 수축을 일으켜 비박피성 프랙셔널보다 강한 효과를 나타낸다.

박피레이저인 CO_2레이저와 어븀야그레이저가 프랙셔널 기능을 가진 CO_2 프랙셔널과 어븀프랙셔널 레이저로 개발되어 사용하고 있다.

박피성 프랙셔널레이저를 조사하면 1 cm^2에 수백 개의 미세한 구멍을 내며 이는 1~2일 만에 창상치유가 이루어진다. 부분적 박피로 박피레이저의 불편함이 없으며 바로 다음날 세안과 화장

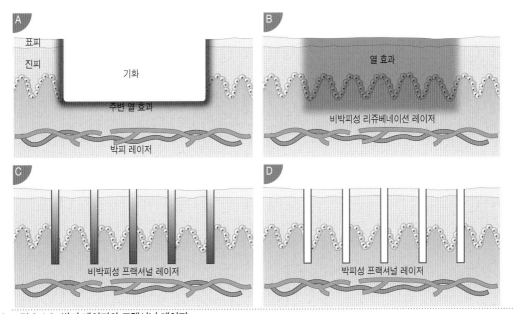

▷그림 3-4-6. **박피 레이저와 프랙셔널 레이저**
A. 박피 레이저(resurfacing laser): 표피와 진피 상부를 기화시키고 잔류 열효과로 피부를 재생시키고 탄력을 증가시킨다.
B. 비박피성 리주버네이션 레이저(non ablative rejuvenation, NAR): 피부의 탈피 없이 저출력으로 진피의 탄력증가를 유도한다.
C. 비박피성 프랙셔널 레이저(non ablative tractional laser, NAFL): 피부 깊이 신피까지 좁고 깊게 열효과를 전달한다.
D. 박피성 프랙셔널 레이저(ablative fractional laser, AFL): 좁고 깊게 피부를 기화시키고 주변의 열효과도 얻는다.

이 가능하여 사회생활에 지장을 초래하지 않는다. 광노화된 안면 피부의 개선 효과는 박피성레이저보다는 못하며, 수회 반복 치료하면 진피의 수축을 초래하므로 피부 탄력이 증대하고 주름과 반흔도 개선효과를 보인다.

3) IPL (Intense Pulse Light) 및 레이저 유사 리쥬베네이션

IPL은 보통 레이저와 달리 한 기구에서 여러 파장이 나오며, 500 nm에서 1,200 nm 사이의 빛이 같이 나오게 된다. 그러므로 노화된 안면 피부에 특징적인 모세혈관 확장과 멜라닌 색소 침착을 같이 개선하는 효과를 보인다. 진피에 투과하는 빛도 있어 진피의 재생을 돕기는 하지만 비박피성, 비침습성 레이저와 같이 피부 수축과 탄력 증대 효과는 미미하다.

박피를 하지 않고 안면 피부의 탄력을 증가시키는 방법을 sub-ablative rejuvenation이라하며 레이저와 유사한 기기로 최근에는 고주파(radio-frequenc, RF), 초음파(high intensify focused ultrasound, HIFU)도 많이 사용하고 있으며, 레이저, 고주파, 프랙셔널 기능을 복합한 기기도 개발되고 있다.

4. 스킨케어(Skin care)

레이저 치료 전후에도 스킨케어가 필요하며, 일반적으로도 피부를 깨끗하게 하기 위해서도 스킨케어를 사용한다. 스킨케어의 주요 크림은 미백크림과 박피크림이다. 미백크림은 멜라닌색소 형성을 억제하며 박피크림은 각질을 벗기고 탈피작용으로 표피재생을 촉진한다.

이외에 보조 크림으로는 피부 자극을 줄이기 위한 진정크림과 자외선 차단제를 사용하며 건조한 피부에는 보습제 등을 추가로 사용한다.

레이저 박피 후에 피부가 홍반(erythema)을 나타내는데 이는 박피 과정에서 항상 나타나는 증상으로 점차 홍반이 감소하다 없어지게 된다.

레이저 박피 후에 피부를 깨끗하게 유지하기 위하여 스킨케어가 중요하다. 특히 동양인에서는 박피 후 과색소침착(post inflammatory hyper-pigmentation, PIH)이 흔하기 때문에 박피 전후 스킨케어가 필수적이다. 박피후 색소침착을 예방하기 위하여는 멜라닌 색소 형성을 억제하는 미백제(bleaching agent; 4% hydroquinone, kojic acid)를 6주 이상 사용하여야 예방 효과가 있다. 기미가 있거나 얼굴색이 짙은 경우는 2개월 이상 사용하는 것이 좋다. 색소침착의 치료에는 Kligman formula가 대표적이며 이는 hydroquinone (4%), retinoic acid (0.1%), Hydrocortisone (1%, 또는 dexamathasone)로 구성하여 미백제, 탈피제, 염증완화제를 혼합한 것이 되겠다. 스킨케어 프로그램에 많은 종류가 있으나 이와 비슷하게 미백제, 탈피제, 자극완화제(soother), 자외선 차단제를 포함하는 것이 기본적이다.

hydroquinone은 tyrosinase를 억제하여 멜라닌 색소 형성을 막게 된다. retinoic acid는 각질을 벗기고 표피 재생을 촉진하며 피부의 혈액 순환을 증가시키게 되며 박피 후 창상 치유를 고르고 빨리 이루어지도록 한다. 0.1% retinoic acid는 자극이 심하여 0.05%나 0.025%를 사용하는 것이 좋다. 스테로이드 연고는 탈피제와 미백제의 자극을 완화시키며 창상치유를 촉진하고 진정작용으로 홍반과 가려움을 감소시킨다.

5. 흉터의 레이저 치료
(Laser treatment of scar)

흉터(반흔)는 주로 안면이나 노출부위에 있으며 흉터로 인한 추형을 남에게 보이기 싫어서 흉터 성형을 하게 된다. 이전에는 반흔교정 성형술 (scar revison)로 흉터를 제거하고 봉합하는 수술만 생각하였다. 그러나 레이저가 개발되면서 레이저의 특성을 이용하여 흉터를 획기적으로 개선하게 되었다. 수술로 호전되기 어려운 것을 레이저치료로 효과를 보며 여드름흉터, 천연두흉터 같은 경우는 수술이 불가하고 레이저박피가 좋은 효과를 보인다.

흉터가 눈에 띄는 이유는 피부 표면이 요철현상으로 편편하지 않거나 홍반, 착색, 탈색으로 피부색상이 변하여 흉터가 보이므로 피부를 평편하게 하고 피부 색상을 개선하는 레이저로 흉터에 대한 치료 효과를 보게 되었다. 레이저박피는 피부를 수축시키고 탄력을 증가시켜 흉터의 요철현상을 개선하며, 홍반을 동반한 비후성반흔에는 혈관치료 레이저로 효과를 보이며, 색소침착이 있는 흉터는 Q-스위치 색소치료레이저로 치료효과를 보게 된다.

흉터의 과정은 창상치유(wound healing)과정과 같이 염증기(inflammation period), 증식기(proliferation period), 성숙기(maturation period)의 순서를 거친다. 상처가 붉고 튀어나오며 가려운 경우는 급성기로 염증기와 증식기의 특성을 보이며 만성기로 접어들면 별 변화가 없는 성숙기나 안정기에 이르게 된다.

흉터의 급성기에는 흉터가 붉고 튀어 오르며 소양증이 있는데 이는 증식기에 모세혈관과 섬유소

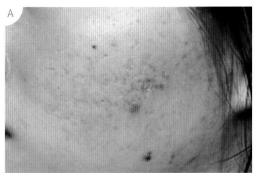

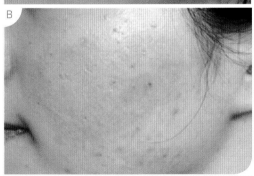

▷그림 3-4-7. **여드름 흉터의 레이저 박피.** 다른 방법으로 흉터의 요철 현상을 개신하기 어려우나 레이저 박피도 평편하고 깨끗하게 치료한다. A. 수술 전 B. 수술 후

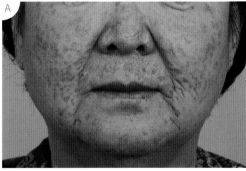

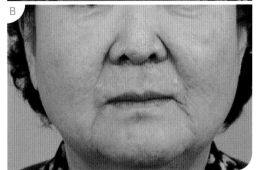

▷그림 3-4-8. 치료가 힘든 천연두 반흔(small pox scar)도 레이저 박피도 효과직인 지료를 할 수 있으며 동시에 안먼의 리쥬베네이션 효과도 얻게 된다. A. 수술 전 B. 수술 후

Ⅲ. 피부 및 연부조직

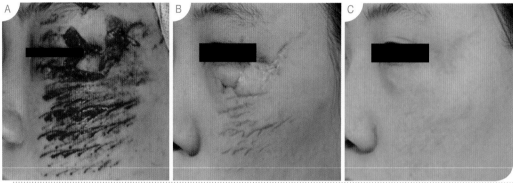

▷ 그림 3-4-9. A-C. 외상성 반흔도 레이저로 일찍 치료할수록 효과가 좋으며, 나중 결과도 반흔교정성형 수술을 필요하지 않은 경우가 많게 된다. 레이저 치료 도입이후에 흉터 치료도 빨리 할수록 좋아서 흉터 치료 방침도 바뀌게 되었다.

의 증가, 섬유모세포 및 각종 사이토카인 등의 증가를 나타나는데 급성기 흉터의 레이저 치료는 이런 조직의 조직을 억제하고 흉터를 가라앉히는 목적으로 사용한다. 비후성반흔의 예방과 치료에 혈관치료 레이저가 효과적이며 FLPPD, long pulse dye laser 등이 사용되어 왔다.

최근 프랙셔널 레이저가 흉터의 급성기에 더욱 효과적인 것은 프랙셔널 레이저 자체가 피부 표면적의 대부분을 보존하면서 좁고 깊게 조사하는 방법을 사용하는 것이기 때문이다. 흉터에 레이저를 조사하면 흉터가 악화될까 걱정할 수 있으나 상피화된 흉터 피부의 대부분은 보존하기 때문에 이런 부작용은 피할 수 있다. 레이저 빔으로 흉터의 증식된 모세혈관과 섬유모세포는 억제하며 또한 레이저 열에너지로 흉터의 섬유소를 수축시키게 된다. 급성기 흉터에 프랙셔널 레이저를 사용하면 흉터의 혈류를 감소시키고 콜라겐 섬유소를 억제하여 흉이 커지는 것을 예방하고 이미 형성된 흉터도 줄이는 효과를 보이게 된다. 결과적으로는 프랙셔널 레이저는 흉터의 증식기를 억제하고 성숙시로 전환을 촉진하여 흉터 발생을 억제하고 일찍 안정기에 이르게 한다. 흉터가 홍반이 없어지고 만성기로 들어서면 박피나 박피성 프랙셔널 레이저(ablative frac-

tional laser, AFL)가 흉터 치료에 좋다. 피부를 얇게 벗겨 피부재생으로 호전이 되는 경우는 박피 레이저가 좋으며, 피부 재생 즉 상피화에 지장이 있는 경우 박피를 피해야 하며 안전한 부분박피인 박피성 프랙셔널 레이저가 안전하고 효과적이다.

흉터는 피부색상과 달라 눈에 띄게 되는데 프랙셔널 레이저는 근처의 멜라닌 세포의 이동을 촉진하여 치료가 힘든 변색된(discoloration) 흉터가 정상 피부의 색상에 좀 더 가깝게 된다.

프랙셔널 레이저는 상피화된 피부에 영향을 주지 않기 때문에 상처나 수술 후 2주 후부터 바로 시행할 수 있으며, 보통 2~4주 간격을 두고 시행하지만 홍반이 심한 경우 자주 치료해주는 것이 좋다. 안면과 몸의 외상 후 흉터, 수술부위 흉터, 피부 염증 후 생기는 흉터 등 각종 모든 흉터는 발생 후 레이저로 일찍 치료할수록 흉이 적게 남게 된다. 레이저가 흉터에 사용되기 전에는 흉터가 반흔교정성형술에 적합하도록 부드럽고 성숙되게 6개월에서 1년 이상 기다린 후 흉터 성형을 하였지만 레이저가 도입된 이후 흉터의 치료개념이 바뀌어 일찍 레이저 시술할수록 흉터가 적게 남는 것으로 흉터 치료의 개념이 바뀌게 되었다.

▷ 표 3-4-2. 혈관종과 혈관기형의 분류

Hemangioma	Vascular Malformation
Infantile H	Slow-flow malformation
Congenital	CH CM; capillary
RICH; rapid involuting	VM; venous
NICH; non involuting	LM; lymphatic
Other	Fast-flow malformation
tufted angioma	AM; arterial
(Kasabach Merritt Synd)	AVF; fistula
hemangioendothelioma	AVM; malformation
(Kaposiform)	Combined; CVM, CLM,LVM,
pyogenic granuloma	CLVM, AVM-LM, CM-AVM

*H: hemangioma, M: malformation, A: arterial, C: capillary, V: venous, L: lymphatic
(ISSVA; International Society of Study of Vascular Anomaly 참조)

6. 혈관성 병변의 레이저 치료 (Laser treatment of vascular lesion)

1) 혈관종과 혈관 기형

많은 의사들이 혈관종(hemangioma)과 혈관 기형(vascular malformation)을 구분하지 못하고 혈관에서 발생한 것은 혈관종이라 부르지만 이름에서와 같이 종양과 기형은 발생과 예후가 판이하게 다르게 된다. 혈관 기형을 혈관종이라 생각하여 무조건 기다리면 대부분 퇴행된다고 생각하면 안 되겠다.

혈관기형 중에서 압력이 높은 동맥류, 동정맥기형과 같은 것을 혈류가 빠른 기형(high flow malformation)이라 하며 압력이 낮은 모세혈관, 정맥, 임파로 구성된 것을 혈류가 느린 기형(low flow malformation)이라 분류하게 된다.

2) 혈관성 병변의 레이저 치료 조건

레이저파장과 투과 깊이: 혈관성 병변을 레이저 치료하기 위해서는 헤모글로빈에 흡수가 잘되는 파장을 선택해야 하며 헤모글로빈 흡수파장의 피크는 418 nm와 577 nm이다. 418 nm 파장은 멜라닌도 흡수가 높아 577 nm가 레이저 치료에 더 선택적으로 효과가 좋다. 577 nm파장의 색소 레이저(PDL)는 투과 깊이가 1 mm 이하여서 좀 더 깊은 투과를 위해서는 595 nm 파장이 1.2 mm까지 투과되어 더욱 효과적이다.

일반적으로 레이저는 파장이 길수록 투과가 깊으며 1,064 nm 엔디야그 레이저는 피부 3~4 mm깊이까지 투과되지만 헤모글로빈에 선택적 흡수가 적고 주변 조직의 열손상이 있으며 표피손상을 동반하게 된다.

레이저 조사 시간: 레이저는 연속 조사할 수도 있으며 단 시간 내에 펄스파로 조사할 수도 있다. 레이저 조사시 주변의 열손상을 피하기 위해서는 조직의 열이완시간(thermal relaxation time, TRT)보다 짧은 시간에 조사히어야 한다.

소아에서 모세혈관의 직경은 10 μm에서 100 μm로 TRT는 1.2 msec이며 성인에서 모세혈관의 직경은 300 μm 이상이어서 TRT는 10 ms 이상으로 증가되어 혈관이 굵을수록 레이저 조사 시간이 증가하여야 한다. 짧은 펄스파(PDL)는 200~450 μsec를 사용하며 긴 펄스파에서는 10 msec에서 40 msec까지 사용한다.

레이저 빔의 직경: 혈관치료 레이저의 빔은 직경 3 mm에서 12 mm까지를 사용하며 보통 안면부에서는 7 mm에서 10 mm 직경을 많이 사용한다. 혈관성 병변은 혈관이 주위로 연결이 많이 되어 있기 때문에 레이저로 혈관치료를 위해서는 직경이 작은 것보다는 큰 것이 더 효과적이다. 피부 혈관의 레이저치료 시에는 레이저 빔을 붙여서 중복하는 것보다는 1~2 mm 정도 약간 간격을 두고 치료하는 것이 더욱 안전하다.

레이저 출력: 혈관 병변의 레이저 치료를 위해서는 혈관 내피세포의 온도가 70℃ 이상 되어야 하며 혈관이 굵을수록 높을 출력을 요하게 된다. 그러나 출력이 높으면 표피나 주변조직의 손상을 초래하기 때문에 연속파가 아닌 펄스파를 사용하거나 냉각장치로 표피를 보호해야 한다. 혈관을 파괴하여 자색반(purpura)를 만드는 에너지 밀도(fluence)는 3.5~4.25 J/cm² 이상 되어야 한다.

냉각장치: 피부의 모세혈관은 대부분 진피 바로 밑에 있기에 피부 혈관 병변의 치료를 위해서는 깊이 투과하는 높은 출력의 레이저를 필요로 한다. 그러나 이럴 경우 표피 손상과 멜라닌 세포 손상으로 흉터와 탈색 부작용을 초래하기 때문에 표피와 멜라닌 세포를 보호하기 위해 표면의 냉각장치를 사용하여야 한다.

냉각장치는 수랭식과 공랭식이 있으며 수랭식은 접촉하여 온도를 낮추어야 하며 공랭식은 냉매(cryogen)을 분사하고 바로 레이저를 조사하는 방식이다. 표피를 보존하기 때문에 진피 깊이 높은 출력의 레이저를 조사하여 혈관병변의 레이저치료 효과를 높이게 되었다.

3) 혈관성병변의 레이저 치료 효과

혈관종이 있는 경우 위험부위가 아니면 자연 퇴행이 많이 되는 학동기 전까지 기다리는 것이 대부분 치료 방침이겠다. 유소아에서 피부에 흔히 포도주색 반점(port wine stain)이라고 부르는 표재성 모세혈관 기형은 일찍 치료할수록 완치율이 높다. 이는 혈관 직경이 작고 피부 가까이 있어 치료효과가 좋다. 나이가 들수록 모세혈관이 굵어지므로 표재성 모세혈관의 치료 효과는 점차 떨어지게 된다. 유소아에서는 레이저 치

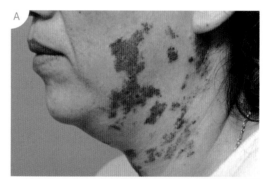

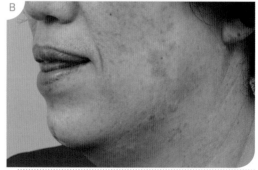

▷그림 3-4-10. **표재성 모세혈관 기형(port wine stain)을 롱펄스 색소레이저(595 nm)로 치료**

료 시 통증 관리를 위해 마취의사의 도움을 받아 시행하기도 한다.

모세혈관 확장증(telangiectasia)처럼 피부 가까이 있는 혈류가 느린 혈관기형은 레이저 치료가 잘 된다. 그러나 피부 깊이 심부에 있는 혈관성 병변은 피부에 레이저를 조사하여 효과를 볼

수 없으며, 최근에는 피부를 통과하는 유연한 광섬유 유도 레이저를 병변에 직접 삽입하여 혈관종과 혈관기형의 치료에 이용되고 있다. 이를 interstitial laser라 하며 근적외선 영역인 1,064 nm, 1,440 nm 레이저를 사용하고 있다.

▷ 표 3-4-3. 혈관성 병변의 레이저 치료효과

레이저	혈관종 (hemangioma)	모세혈관기형 (PWS)	얼굴모세혈관확장 (telangiectasia)	다리혈관 (leg vein)
Argon tunable dye*(577nm)	++	+	+	-
KTP, Krypton, Copper vapor (532, 567, 578nm)	+/-	+	+	-
Nd:YAG * (1,064nm)	++	+	+	++
PDL (585nm)	+	++	++	+/-
FD-Nd:YAG (532nm)	+	+++	+++	+
Long pulse dye (595nm)	+	+++	+++	
IPL (500-1,200nm)	+/-	+	++	-

* 열손상 가능성있음

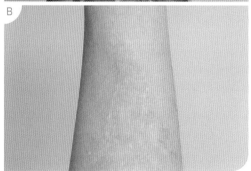

▷ 그림 3-4-11. **문신(tattoo)의 레이저 치료**

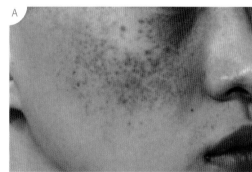
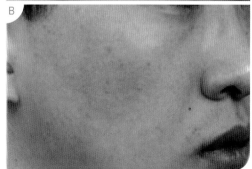

▷ 그림 3-4-12. **오타 모반의 Q-스위치 레이저(755 nm) 치료.** 진피의 색소성 질환인 오타모반도 레이저로 흉터 없이 깨끗이 치료되었다.

7. 색소성 병변의 레이저 치료 (Laser treatment of pigmented lesion)

멜라닌색소는 레이저 파장이 400~600 nm에서 잘 흡수되며 파장이 길어지면 점차 감소한다.

색소성 병변을 선택적으로 치료하기 위하여 멜라닌색소에 선택적으로 잘 흡수되는 파장을 선택하며 색소가 표재성인 경우는 투과력이 얇은 짧은 파장을 사용하며, 색소가 깊게 위치하는 병변에서는 투과력이 깊은 비교적 긴 파장을 사용하여야 한다.

표재성 색소 병변의 치료는 침투가 얇은 비교적 짧은 파장의 레이저로 532 nm Nd:YAG레이저, 아르곤 레이저(577 nm) 등을 사용한다.

색소 병변이 진피 하부까지 깊게 위치하는 색소성 병변의 경우 파장이 긴 레이저를 사용하며 루비(694 nm)레이저, 알렉산드라이트(755 nm)레이저, 다이오드(800 nm)레이저, Nd:YAG (1,064 nm)레이저를 사용하면 피부 3~4 mm 깊이까지 투과하여 깊은 색소성 병변을 치료할 수 있다.

레이저 파장에 따라 흡수하는 색이 다르며 붉은 색인 경우 짧은 파장인 532 nm Nd:YAG레이저가 흡수가 잘되며, 갈색인 경우 694 nm(루비레이저), 청색 및 검은색인 경우 755 nm(알렉산드라이트레이저), 800 nm(Diode 레이저), 1,064 nm(Nd:YAG레이저)가 흡수가 잘 된다. 그러므로 붉은 색의 혈관성 병변이나 붉은 색 문신은 532 nm, 585 nm 등 짧은 파장의 레이저를 사용하여야 치료 효과가 좋다. 기미 등 표재성 색소 병변 같이 갈색의 치료에는 루비레이저(694 nm) 등 500~700 nm 파장이 효과적이다. 색소가 진피에 깊이 있는 경우 짙은 갈색이나 푸른색을 띄게 된다. 푸른색의 Ota 모반 같은 진피성 색소 병변이나 파란색-검정색등 문신의 치료, 또한 제모레이저(laser hair removal)에는 알렉산드라이트레이저(755 nm)나 Diode레이저(800 nm), Nd:YAG레이저(1,064 nm) 등 비교적 긴 파장의 레이저가 효과적이다.

References

1. 박승하, 여운철; 레이저 피부 성형, 군자출판사, 2014년
2. Anderson RR, Parrish JA : Selective photothermolysis precise microsurgery by selective absorption of pulsed radiation, Science 220: 525, 1883.
3. 식품의약품안전청: 의료용 레이저 안전지침서, 행정간 행물등록 11-147000-000897-01, 2005.
4. Alexiades-Armenakas MR, Dover JS, Arndt KA: The spectrum of laser skin resurfacing: nonablative, fractional, and ablative laser resurfacing. J Am Acad Dermatol 2008; 58(5):719-37
5. Fitzpatrick RE, Rostan EF, Marchell N: Collagen tightening induced by carbon dioxide laser versus erbium: YAG laser. Lasers Surg Med 2000;27(5):395-403
6. Fulton JE, Jr. Complications of laser resurfacing. Methods of prevention and management. Dermatol Surg. 1998;24: 91-9.
7. Alster TS, Lupton JR: Prevention and treatment of side effects and complications of cutaneous laser resurfacing. Plast Reconstr Surg, 109:308, 2002
8. Fitzpatrick RE, Tope WD, Goldman MP, Satur NM: Pulsed carbon dioxide laser, trichloroacetic acid, Baker-Gordon phenol, and dermabrasion: a comparative clinical and histologic study of cutaneous resurfacing in a porcine model. Arch Dermatol 132:469-471, 1996.

9. Stuzin JM, Baker TJ, Baker TM, Kligman AM: Histologic effects of the high-energy pulsed CO2 laser on photoaged facial skin. Plast Reconstr Surg 99: 2036, 1997.

10. 위성윤, 구상환, 박승하, 안덕선: 극초단파 이산화탄소 레이저를 이용한 레이저 박피의 피부 조직학적 변화에 대한 실험적 연구. 대한 성형외과 학회지 24: 1464, 1997

11. 김형준, 구상환, 박승하, 안덕선: TCA 화학 박피술의 피부 조직학적 변화와 Retinoic Acid의 효과에 대한 실험적 연구. 대한성형외과 학회지 24: 1261, 1997

12. 임형우, 신승한, 구상환, 박승하: CO2레이저박피의 합병증과 대책. 대한의학레이저학회지, 9:33, 2005

13. Alster TS, Garg S: Treatment of facial rhytides with a high energy pulsed carbon dioxide laser. Plast Reconstr Surg 98: 791, 1996

14. Manstein D, Herron GS, Sink RK, Tanner H, Anderson RR. Fractional photothermolysis: a new concept for cutaneous remodeling using microscopic patterns of thermal injury. Laser Surg Med 34: 426, 2004

15. Park SH, Kim DW, Jeong TW: Skin tightening effect of fractional lasers; comparison of non-ablative and ablative fractional lasers in animal models. J Plast Reconstr Aesth Surg 2012; 65 1305-1311

16. Cohen SR, Henssler C, Hohnstom J: Fractional photothermolsys for skin rejuvenation. Plast Reconstr Surg 2009;124, 281-290

17. Geromenus R: Fractional photothermolysis; current and future applications. Lasers Surg Med 2006; 38 169-76

18. TB Fitzpatrick; The validity and practicality of sun-reactive skin type I through VI. Arch Dermatol, 124, 869, 1988

19. Kang DH, Park SH, Koo SH. Laser resurfacing of smallpox scars. Plast Reconstr Surg 116: 259, 2005

20. Koo SH, Yoon ES, Ahn DS, Park SH. Laser punchout for acne scars. Aesthetic Plast Surg 25: 46, 2001

21. Rokhsar CK, Tse Y, Fitzpatric R. Fractional photothermolysis on the treatment of scars. Lasers Surg Med 36: 30, 2005

22. You HJ, Kim DW, Yoon ES, Park SH: Comparison of four different lasers for acne scars; resurfacing and fractional lasers. J Plast Reconst Aesth Plast Surg, 69; e87-95, 2016

23. Kim DW, Hwang NH, Yoon ES, Dhong ES, Park SH: Outcomes of ablative fractional laser scar treatment. J Plast Surg Hang Surg, 49; 88-94, 2015

24. 박승하: 혈관종과 혈관기형 대한의학레이저학회지 15:1 1-11, 2011

25. Enjolas O, Wassef M, Chapot R: Color atlas of vascular tumors and vascular malformation. Cambridge university press, New York, 2007

26. Mulliken JB : Diagnosis and natural history of hemangiomas. In Vascular Birthmarks: Hemangiomas and Vascular Malformations. Philadelphia, W.B. Saunders, 1988.

27. Railan D, Parlette EC, Uebelhoer NS, Rohrer TE: Laser treatment of vascular lesions. Clin Dermatol 24; 8-15, 2006

28. Tan OT, Sherwood K, Gilchrest BA: Treatment of children with port-wine stains using flashlamppulsed tunable dye laser. N Eng J Med 320; 426-421, 1989

29. Park SH, Koo SH, Choi EO: Combined laser therapy for difficult dermal pigmentation: resurfacing and selective photothermolysis. Ann Plast Surg, 47:31, 2001

30. Adrian RM, Griffin L : Laser tattoo removal. Clin Plast Surg 27:181, 2000

31. Kim JH, Kim H, Park HC, Kim IH; Subcellular selective photothermolysis of melanosomes in adult zebrafish skin following 1064-nm Q-switched Nd:YAG laser irradiation. J Invest Dermatol 130;2333-2335, 2010

32. Wheeland RG. Laser assisted hair removal. Dermatol Clin, 15:469, 1997

Ⅲ. 피부 및 연부조직

5

피부 및 연부조직 중 보툴리눔독소
Botulinum Toxin (BoNT-A)

박은수 순천향의대

1. 보툴리눔독소의 역사

Dr. Alan Scott이 영장류의 사시 치료에 적용한 후 인간에 대한 최초 임상실험으로 사시교정에 시행되었고, 이어서 1989년 FDA는 12살 이상의 환자에 대해 사시, 안검경련, 7번째 뇌신경질환, 반안면경련을 포함한 국소 경련에 대해 적응증을 허가하였다. 또한 1980년대 말에 Carruthers부부가 미간, 이마, 눈가의 주름에 대해 보툴리눔 독소를 이용한 미용 목적의 치료를 시작하고 1992년에 미간 주름 치료에 적용한 논문을 최초 보고 후 다양한 미용 적응증이 급격하게 증가하였다.

2. 신경약리학

1) 보툴리눔독소의 종류와 구조

보툴리눔독소는 Gram(+), 혐기균인 Clostridium botulinum 균주에서 생산하는 단백질로 A~G형의 7가지 항원형이 있다. 이 중 C형은 C1과 C2의 아형이 있고, A형에도 다섯 가지의 아형(A1~A5)이 있음이 밝혀졌다. 보툴리눔독소는 각 타입에 따라 1,251~1,296개의 아미노산으로 구성되며 E형 독소가 가장 짧고 A형 독소가 가장 길다. A형은 100-kDA의 heavy chain과 50-kDa의 light chain이 이황화 결합으로 연결되어 있다.

일반적으로 150KDa의 순수한 독소단백질을 보툴리눔 신경독소(botulinum neurotoxin, BoNT)라 부르고 비독소단백질이 결합된 대형 분자는 보툴리눔독소(botulinum toxin or botulinum neurotoxin complex, BTX)로 부르는 것이 보통이다. 그리고 각 항원형을 표시할 때는 보툴리눔독소 A형은 BTX-A로, 보툴리눔 신경독소 A형은 BoNT/A와 같이 표시한다. 비독소단백질은 보눌리눔독소가 위장관 내에서 흡수과정에서 중요한 매개체 역할을 할 것으로 보기도 한다. Clostridial neurotoxins (CNTs)로는 BoNT 외에도 Clostridium tetani 균주에서 생산되는 tetanus neurotoxin (TeNT)이 알려져 있다

보툴리눔독소의 단백 구조는 beta sheet 형태가 많은 편인데 이런 구조들은 ph의 영향을 많이 받는다. A형 독소의 경우 엔도솜(endosome) 내 ph 5.5 상태에서 29%의 alpha-helix 구조를 가지나 세포 기질 내 ph 7.2 상태에서는 21% 정도의 alpha-helix 구조를 나타낸다는 보고가 있다. 즉,

일반적으로 보툴리눔독소는 ph 5~7 정도에서 가장 안정적이고 7을 넘어가면 구성 단백질들이 분리된다.

2) 보툴리눔독소의 작용기전과 SNARE complex

모든 타입의 보툴리눔독소는 콜린성신경(cho-linergic nerve)에 대단히 선택적으로 작용한다. 즉, 보툴리눔독소의 C-terminal 부위는 신경근접합부(neuromuscular junction)의 시냅스전 운동신경말단(presynaptic motor nerve ending)의 외부 수용체(ecto-acceptor)에 강한 친화성(affinity)을 가지고 있다.

정상적으로 시냅스전 신경 말단에서 25-kDa 수용성 N-ethylmaleinmide-sensitive factor attachment protein (SNAP-25)의 작용을 통해 아세틸콜린을 함유한 소포가 세포막에 부착하게 된다. 이를 통해 아세틸콜린이 시냅스로 유리되고, 시냅스 후 신경의 nicotinic 수용체에 결합하여 나트륨-칼륨 이온 채널을 활성화시킴으로써 근육의 수축을 야기하게 된다.

신경근접합부에 도달한 독소단백질의 heavy chain은 운동신경 말단에 존재하는 수용체(acceptor)와 결합한다. 이 수용체는 낮은 친화성(low affinity)을 보이는 강글리오시드(ganglioside)와 높은 친화성을 보이는 단백질부분으로 구성된다. B형 독소에 대해서는 1994년에 이 단백질부분이 synaptotagmin I과 II라는 사실이 밝혀졌는데, A형 독소 수용체의 단백질부분이 SV2 (synaptic vesicle protein 2)라는 사실이 밝혀진 것은 2006년이었다. 결합 후에는 수용체 연관 내포작용에 의해 보툴리눔독소 단백질이 신경말단으로 들어가게 된다.

일단 신경말단으로 들어온 보툴리눔독소는 엔도솜 내의 ph 변화 등으로 인해 heavy chain과 light chain이 분리된다. light chain은 세포질로 분비되어 나오는데 이 light chain은 zinc-dependent 단백분해효소의 활성을 갖고 있어서 신경말단에서 SNAP-25를 변성시켜 아세틸콜린-함유 소포의 세포막 부착을 방해하고, 세포외배출을 저지해 아세틸콜린의 분비를 차단한다. 보툴리눔독소와 테타누스독소의 light chain은 지금까지 알려진 가장 강력한 선택적 단백분해효소인 셈이다. 보툴리눔독소 투여 후 며칠 내로 관련 근육의 이완 마비(flaccid paralysis)가 발생하게 된다. Type B의 경우 SNAP-25와 유사한 synaptobrevin의 작용을 방해함으로써 이완 마비를 유발시킨다.

보통 보툴리눔독소 투여된 몇 주후부터 회복이 되며, 이 과정은 완전히 밝혀지지는 않았다. 초기에 작용된 신경으로부터 새로운 말단이 자라나와 새로운 기능적 시냅스를 형성하여 아세틸콜린을 분비하게 된다. 하지만 작용된 신경이 제 기능을 되찾으면 이러한 새로운 말단은 수축되고, 사라지게 된다. 보툴리눔독소의 영향은 일반적으로 3~4개월 정도 관찰되며, 6~7개월은 지나야 완전히 회복되게 된다. 미용 목적으로 사용시 BoNT-B가 확연히 BoNT-A 보다 지속 시간이 짧으며, 초기 2~3개월 정도만 효과가 나타난다.

보툴리눔독소의 주입 뒤 효과가 3~6개월 지속되다가 사라지는 이유는 마비된 신경의 말단에서 신경이 재분지(nerve sprouting)되고 새로운 운동종말판(motor endplates)이 생성되는 것이 중요한 기전이라고 알려져 있다. 근육생검 조직소견상 장기간 반복적으로 보툴리눔독소를 투여받은 신경말단이나 근육조직에서 영구적인 비가역적 변화는 관찰되지 않는다.

3. 제품 비교(표 3-5-1)

4. 희석과 보관방법

1) 희석방법과 보툴리눔독소의 안정성

일반적으로 동결건조된 분말제제를 용해시키기 위해 제조사에서 권장하는 방법은 무방부제

를 멸균 생리식염수(0.9% 염화나트륨 주사 권장)를 주사기에 담은 뒤 바이알(vial)에 바늘을 꽂고 거품이 생기지 않도록 서서히 넣는 것이다. 이 때 바늘을 바이알의 벽에 대어 식염수가 벽을 타고 흘러 들어가게 하는 방법이 추천되어 왔다. 이는 바이알이 진공상태로 제공되므로 갑자기 확 빨려 들어가 거품이 생기는 등 그 충격에 의해 독소단백질들이 파괴되는 것을 막기 위해서이다. 생리식염수 주입 전에 미리 바늘만 꽂아서 공기를 들여보낸 뒤 식염수 주사기를 꽂는 것도 좋은 방법이다. 하지만 희석할 때 거품이 많이 일어나도 약효와 효과 유지기간에 유의한 차이가 없었다는 논문이 2003년 발표된 이후 독

▷표 3-5-1. 톡신 제품 비교

상품명	대체이름	회사	Type of strain	Receptor	target	form	보관
Botox®	Onabotulinum-toxin A	Allergan (US)	Type A -Hall strain	SV2	SNAP-25	powder	2~8℃, 36 mo.
Meditoxin® (Neuronox®)		Medytox Inc. (Kr)	Type A- Hall hyper strain	SV2	SNAP-25	Powder	-15~-5℃ or 2~8℃, 36 mo.
Innotox®		Medytox Inc. (Kr)	Type A- Hall hyper strain	SV2	SNAP-25	Liquid	2~8℃, 36 mo.
Coretox®		Medytox Inc. (Kr)	Type A- Hall hyper strain	SV2	SNAP-25	Powder	2~8℃, 36 mo.
Nabota®	Prabotulinum-toxin A	Daewoong Pharmaceutical Co., (Kr)	Type A	SV2	SNAP-25	powder	2~8℃, 36 mo.
Botulax®	Letibotulinum-toxin A	Hugel (Kr)	CBFC26	SV2	SNAP-25	Powder	2~8℃, 36 mo
BTXA®	CBTX-A, Prosigne, Lantox, Redux	Lanzhou Institute of Biological Product (CN)	Type A - Hall strain	SV2	SNAP-25	powder	-20~-5℃, 36mo.
Dysport®	Reloxin, Azzalure, abobotulinum-toxinA	Ipsen (UK) /Medicis (US)	Type A - Hall 174 strain	SV2	SNAP-25	powder	2~8℃, 24 mo.
Xeomin®	Bocouture, incobotulinum-toxin A	Merz Pharmaceuticals (DE)	Type A -Hall strain	SV2	SNAP-25	powder	-20~25℃, 36mo.
Myobloc®	Neurobloc, rimabotulinum-toxin B	Solstice Neurosciences (US)/Eisai (JP)	Type B - Bean strain	Synapto-tagmin	VAMP	Solution	2~8℃, 36 mo.

소단백질의 구조가 생각보다는 물리적인 외부의 충격에 좀 더 강하다는 인식이 확산되었다. 그러나 거품이 많으면 주사기로 정확한 양을 뽑아내기가 어렵기 때문에 아무래도 거품이 없는 편이 좋다.

2) 희석용액

현재 모든 보툴리눔독소 제조사들은 무방부제 멸균 생리식염수(0.9%)를 표준적인 희석용액으로 권장하고 있다. 일부 병원에서 보존제/방부제(0.9% benzyl alcohol)가 들어 있는 생리식염수를 사용하는 경우가 있는데, 보존제가 세균오염을 막고 주사시의 통증을 감소시킬지 혹은 오히려 독소단백질을 파괴하는 역효과에 대해서는 명확하지 않다.

생리식염수 외의 희석액으로 가장 오래전부터 언급되어 온 것은 증류수다. 하지만 주사 시 통증이 심해지는 단점이 있어 추천되지는 않는다. 최근에 라도카인으로 일부 또는 전량을 희석해서 쓰는 방법이 점점 널리 시도되고 있다. 효과에는 별 차이가 없으면서 통증이 줄어드는 장점이 있다고 알려져 있다. 그런데 실제로 리도카인으로 희석한 뒤 주사해보면 환자의 통증이 꽤 남아 있는 것을 볼 수 있다. 이것은 리도카인(Iidocaine HCL 2%) 용액의 ph가 일반적으로 6 근처(5~7)이므로 약산성이어서 주사 시 통증이 있는 것이다. 따라서 리도카인(2%) 4 cc에 8.4% sodium bicarbonate (NaHCO$_3$) 1cc를 섞어서 ph를 7.2 근처로 만들어서 주사하면 통증이 적다.

에피네프린 - 리도카인을 섞는 방법도 시도되고 있다. 에피네프린이 혈관을 수축시켜 보툴리눔독소가 혈액을 통해 근처 근육들로 퍼지는 것을 막을 수 있는 것이 우선 장점으로 꼽힌다. 그리고 주입한 뒤 5~10분 내에 피부가 허혈되는 것을 관찰할 수 있는데 그 범위를 통해 보툴리눔독소가 어디까지 퍼졌는지를 대략적으로 알 수 있어 좋으나 리도카인의 신경 독성에 대해 주의하여야 한다. 에프네프린이나 리도카인을 섞을 때는 환자의 알레르기 병력과 기타 심혈관계 질환 여부 등을 잘 파악하고 시도하는 것이 안전하다.

또한 결체조직 속의 히알루론산을 녹여 약제의 조직 내 침투력을 증가시키는 제제로 잘 알려진 히알루로니다아제를 보툴리눔독소 희석액에 섞어 넓은 부위에 균일하게 잘 펴지는 것이 중요한 겨드랑이 다한증에 적용한 보고도 있다.

3) 희석배율

보툴리눔 독소를 미용적 목적으로 최초 적용한 카루터스 부부가 Botox®를 100, 33.3, 40, 10 U/cc의 네 가지 농도로 희석해서 각각 20명씩의 환자 미간주름에 30 U를 주사하고 결과를 비교 연구에 따르면 부작용, 효과, 효과 유지기간 등에 있어서 유의한 차이가 없었다.

일반적으로 보툴리눔독소의 농도가 진해지면 원하는 포인트를 정확하게 마비시키는 것은 가능하지만 퍼짐이 적어 자입점 사이에 마비되지 않는 부분이 생길 가능성이 있다. 따라서 주사와 주사의 간격을 가깝게 붙일 필요가 있다. 그리고 제품의 vial과 주사기에 남은 보툴리눔독소가 많아져 경제적인 면에서도 단점이 있다고 볼 수 있다. 그에 비해 농도가 묽어지면 넓은 부위에 잘 퍼지는 특징을 보여 다한증에는 유리하고 섬세한 주름시술에는 부적합할 수 있다. 현재 대부분의 시술자들은 1~5 cc의 생리식염수를 섞어서 사용하는데, 가장 많이 사용되는 희석배율은

2.0 cc 또는 2.5 cc로 희석해서 50 U/cc 또는 40 U/cc로 만들어 쓰는 것이다.

4) 보관방법

희석하기 전의 보툴리눔독소는 제조사의 권장에 따라 냉장 또는 냉장 보관을 한다. Botox®의 경우, 개봉 전에는 -5℃ 이하에서 냉동보관 하다가 개봉해서 희석한 뒤에는 4시간 이내에 써야 하고 그 4시간 동안에는 2~8℃에서 냉장 보관해야 한다는 내용이 제품 설명서에 있었으나 2010년 제품설명서에는 개봉 전에 냉동과 냉장 보관이 모두 가능하다고 변경되었다.

우선, 희석 후 4시간 이내에만 써야 한다는 문구는 이제는 사문화되었다. 88명의 미간주름 환자에 대한 다기관 이중맹검연구에서 희석 후 6주가 지난 Botox®를 섰을 때 신선한 희석액과 비교해서 임상효과와 그 유지기간에 유의한 차이가 없었다는 결정적인 논문(2003)이 그 사문화 문구에 대한 종지부를 찍었다고 할 수 있다. 또한 2010년 4월에 개정되어 나온 Botox® 제품 설명서에 따르면 용해 후 냉장상태(2~8℃)에서 24시간 보관할 수 있다는 것으로 변경되었다.

보툴리눔독소 희석액을 냉장이건 냉동이건 어떤 상태로든 너무 오랫동안 보관하면 역가가 떨어질 것이 예상은 되지만 그 것이 8주 이내라면 역가가 많이 떨어질 수 있으므로 한번 해동한 제품은 다시 냉동하지 않는 것이 좋다. 다만 많은 연구들은 보툴리눔독소의 장기간 보관 후의 임상효과에 대해서만 언급하고 세균오염 문제에 대해선 객관적인 검사를 거의 실행하지 않은 것으로 보이므로 시술자들은 보툴리눔독소의 희석 후 장기보관 시 냉장고 실내를 수시로 소독하고 vial의 청결보관을 위해 노력해야 할 것이다.

결론적으로 여러 자료들과 그동안의 경험을 토대로 보았을 때, 희석 후 1달 정도는 역가가 거의 유지되는 것으로 생각된다.

5. 확산 및 진피 내 주사

성공적인 보툴리눔독소 시술을 위해서는 첫째, 기술적으로 정확하고 정밀한 주입을 할 수 있어야 하고 둘째, 그 확산(diffusion) 정도를 시술자가 어느 정도 가늠하고 조절할 수 있어야 한다. 우선, 정확도의 문제를 해결하기 위해서는 환자에게 주름을 만들어보게 한 뒤 정확한 위치를 펜으로 표시해두는 것이 좋다. 단 나중에 펜 자국에 그대로 주사바늘을 꽂으면 인공적인 문신이 될 수 있으므로 살짝 피해서 주사한다. 그리고 근육이 깊게 위치했거나 다른 근육들과 접해 있을 경우에는 EMG, 내시경, 초음파 등의 기계적인 도움을 받을 수 있다. 얼굴의 표정근이나 교근(masseter), 장딴지근(gastrocnemius) 등 미용시술의 주대상이 되는 근육들은 숙련된 시술자의 경우 특별한 기계적인 가이드는 필요 없는 것이 보통이다.

그 다음으로, 보툴리눔독소의 확산에 영향을 줄 수 있다고 알려진 요인들로는 용량(dose), 농도, 주사량(volume), 주사횟수, 주사부위, 주사속도, 주사바늘 크기, 주사바늘 사면의 방향, 근육의 크기, 근막, 바늘끝에서 신경근접합부까지의 거리 등이 있다. 그리고 피부에 손상을 더 많이 입히는 주입을 할수록 보툴리눔독소의 확산이 더 늘어날 수 있다. 하지만 실제 임상에서 주사액의 확산을 조절하기 위해서는 보툴리눔독소의 희석농도를 조절하는 것이 가장 중요하다. 그리고 주사기를 들고 있지 않은 다른 손의 (두 번째 또는 첫 번째와 두 번째) 손가락을 잘 사용하는 것 (finger maneuver)이 유용하다. 예를 들어 눈가에 주사할 때 손가락으로 주사바늘보다 내측, 즉 안와쪽을 가리고 피부에 수직으로 압박하면서(짓누르면서) 벽을 만들어주면 보툴리눔독소가 다른 방향으로 균등하게 확산되더라도 안와쪽으로는 들어가지 않게 만들 수 있다.

그리고 논문을 읽다보면 퍼짐(spread)과 확산(diffusion)을 다른 의미로 사용하는 저자들이 있으므로 그 차이를 알고 있으면 좋다. 우리말로는 각각 퍼짐과 확산 정도로 번역할 수 있겠다. 퍼짐(spread)은 주사하는 순간 주사행위 자체에 의해 시술자의 기술 등에 의존적으로 주사액이 자입점으로부터 퍼지는 형상을 말하고, 확산(diffusion)은 주사행위가 끝난 뒤 농도 평형 등의 여러 요인에 의해 주사액이 주위로 번져나가는 현상을 말한다. 즉 퍼짐은 빠르고, 능동적인 것이고, 확산은 느리며, 수동적인 것이라고 볼 수 있다. 독소단백질은 확산과정에서 비독소단백질과 분리되어 신경근접합부의 목표지점을 향해 흩어져 투하된다. 하지만 퍼짐과 확산을 구분하는 것이 실제 임상적으로 무슨 의미가 있겠는가 하는 의견도 많다. 그리고 보툴리눔독소의 자입점에서 비정상적으로 멀리 떨어진 곳에 근육마비의 증거가 발견된다면 이는 주로 순환계를 통한 이동(migration)으로 볼 수 있다.

SNARE-complex를 손상시킨 보툴리눔독소의 light chain이 최종적으로 세포질 내에서 비활성화되는지 또는 제거되는지의 여부가 아직 불분명하다. 일반적으로 light chain의 확산과 단백분해가 모두 일어나는 것으로 추정하고는 있다. 하지만 아직까지 light chain이 세포막을 뚫고 이동하거나 신경말단에 남아 있는 것을 정확하게 보여주는 증거는 없다.

보툴리눔독소의 타입, 즉 항원형에 따라서도 확산에 차이가 있다. 예를 들어 B형 독소는 A형 독소에 비해 일반적으로 좀 더 넓게 확산되는 특징을 보인다. 확산은 장점도 있다. 즉 다한증, 치열(anal fissure), 정확한 자입점을 잡기 어려운 근육, 정확한 근육위치를 찾을 때 발생하는 통증을 참기 힘들어하는 소아의 경직(spasticity) 등을 치료할 때는 보툴리눔독소의 확산을 이용하여 접근할 수 있다. 하지만 적어도 얼굴의 미용시술의 경우 주사액의 확산은 적절한 범위 내로 제한시킬 필요가 있다. 그렇지 않으면 미용적으로 원치 않는 부작용이 발생할 수 있다.

주사 시의 통증을 해결하기 위해 주사기 이외의 다른 방법으로 보툴리눔독소를 주입하는 방법이 연구되고 있다. 소위 말하는 '바르는 보툴리눔독소(RT001, Revance Therapeutics, Newark, CA)'가 시중에 소개되기도 하였다. 새로운 약물전달체계(drug delivery system, DDS)에 대한 연구가 매우 활발히 진행되고 있으며, 나노기술이나 리포솜(liposome)과 같은 것이 활용될 것으로 보인다.

6. 부작용

보툴리눔 신경독소(BoNT)의 인간 치사량은 근육 또는 혈관주사 시 1 ng/kg으로 알려져 있다. 동물연구를 통해 인간 치사량을 추정한 어떤 논문에선 70 kg 성인의 경우 근육 또는 혈관주사시 0.09~0.15 μg이고 경구투여 시 70 μg으로 제시하기도 한다. 보툴리눔독소 주입 후 확산을 통해 발생가능한 증상으로 무력증(asthenia), 근무력증, 복시, 시야 흐림, 안검하수, 삼킴곤란, 발성장애, 말더듬증, 요실금, 호흡부전 등을 포함하고 있다. 이러한 증상은 주입 후 수일에서 수 주 후에도 발생가능하며, 삼킴 장애나 호흡곤란의 경우 사망에 이를 정도로 심각한 문제를 초래할 수도 있다.

그 외에도 발생가능한 부작용으로 코인두염, 두통, 주사 부위 통증, 출혈, 멍, 부종, 발적, 감염, 염증, 부비동염, 점상 출혈, 메스꺼움 등이 있을 수 있다. 주변 근육의 약화 역시 독소의 확산에 의해 발생 가능하다. 멍을 최소화하기 위해 환자에게 아스피린이나 NSAID의 사용을 2주 전에 중단하도록 하는 것이 좋다.

다른 약물이나 질환과 상호작용으로 부작용을 일으킬 수도 있다. 아미노클리코사이드 계통 항생제는 보툴리눔 독소의 효과를 증가시킬 수 있으며, 아미노퀴놀린계통 항생제는 보툴리눔 독소에 의한 작용의 시작을 더디게 한다. 그 외에도 Cyclosporin, D-penicillamine, succinylcholine 등의 약물을 사용 중인 경우 주의를 요한다. 중증근무력증, Lambert-Eaton 증후군 환자에서는 보툴리눔 독소 주입이 금기이다.

7. 내성과 항체검사

미용 목적으로 보툴리눔독소를 사용하는 경우 항체가 생기는 경우는 흔치 않지만, 신경학적 목적으로 고용량으로 사용하는 경우 종종 관찰되기도 한다. 특히, 경부근긴장이상의 경우 고용량의 독소가 반복적으로 투여되어 이로 인한 항체발생률이 5~10% 이상으로 보고되고 있다.

항체 생성과 관련된 중요한 인자는 용량과 투여간격으로 알려져 있다. 흔히 고용량, 짧은 간격으로 투여 시 항체 발생률이 높다. 일회 시술량이 100 U을 넘지 않는 미용 시술의 경우 항체생성의 문제가 크지 않다. 하지만 반복적인 미용 시술로 인해 항체 발생을 확인한 사례도 있어 반복적인 투여가 필요한 환자의 경우 주의가 필요하다.

항체 발생이 의심될 때 우선 임상검사를 시행해 볼 수 있다. 보툴리눔독소를 주사한 쪽과 그렇지 않은 쪽을 비교하여 임상적인 결과에 아무런 차이가 없음을 확인하는 것이다. 현재 보툴리눔독소 항체 검출법으로 가장 많이 사용되는 것은 MPA (mouse protection assay)로 환자의 혈청에 Botox® 5 U을 섞은 것을 4마리의 쥐 복강에 주입한 뒤 4일간 생사 유무를 관찰하는 것이다. 3마리 이상 생존한 경우 중화항체가 있다고 판정할 수 있다. 2마리만 죽는 경우엔 재시험을 한다. MPA로 검출되는 항체는 중화항체(neutralizing antibody)이므로 비독소단백질에 대한 항체는 제외되는 것이 장점이다. 하지만 시간이 오래걸리며, 사용되는 동물 개체수가 많으며, 반정량적인 검사라는 단점이 존재한다. 최근 HAD (in vitro nonlethal mouse phrenic nerve hemidiaphragm assay)가 새로운 검사로 등장하였으며, 그 민감도는 0.5 mIU/ml 미만이다.

항체 발생을 예방하기 위해서 시술자는 첫째로 3개월 이상의 치료간격을 두는 것이 좋으며, 둘째 최소 유효용량을 주사하여, 고용량에 의한 항체 발생을 예방할 수 있고, 셋째로 보충주사를 최소화해야 한다. 제조회사들 역시 항체 발생을 최소화하기 위해 여러 노력을 기울이고 있으며, 체내에 들어가는 단백질의 양을 줄이기 위해 비활성화된 단백질 양을 줄인 제품을 개발하고 있다.

8. 미용적응증 (Cosmetic indications)

성형외과 영역에서 보툴리눔 독소는 콜린성 신경에 적용하여 다한증, 침흘림, 침샘 비대, 침샘샛길의 치료로 사용되기도 하나 전통적으로는 근육의 일시적 마비를 기전으로하는 얼굴 표정근을 목표로 주름(wrinkles)의 개선 치료와 사각턱, 알통다리와 같이 근육의 볼륨을 축소시켜 형태를 개선하는 윤곽형성(contouring)으로 나눌수 있다.

1) 이마주름

수평의 이마 주름의 경우 이마근에 보툴리눔 독소를 주입하여 효과를 볼 수 있다. Botox® 약 2.5~20 U 정도를 주로 주입하게 되며 보통 눈썹에서 2~3 cm 상부에 주사하는 것을 권장한다. 이마근은 기능적인 구조 변이가 많기 때문에 이마근이 눈꺼풀 올림 기능으로서 부수적인 작용을 하고 있는 환자의 경우 잘못된 주입 시 눈썹처짐이나 안검하수가 발생할 수 있어 주의를 기울여야 한다.

2) 미간주름

미간 주름은 보툴리눔 독소를 처음으로 미용적으로 주입한 부위이다. 주로 양쪽관상절개술을 통한 눈썹거상술 후 미간 근육에 주입함으로써 눈썹을 아래로 당기는 데 작용하는 미간 근육들의 약화를 유도하여 수술 효과를 향상시킬 수 있다.

이 부위에 주입하는 보툴리눔 독소 A의 평균 용량은 15~17.5 U이다. 환자에게 미간 주름을 지어보게 하여 수평 혹은 수직 주름 중 어느 주름이 더 우세한지 평가해 볼 수 있다. 보통 수평 주름은 눈살근(procerus)이, 수직 주름은 추미근(corrugator)의 작용으로 생기게 된다.

주입 시에는 이마와 눈썹을 위로 당기면서, 주사기를 잡지 않은 반대 손으로 상안와연을 지긋이 눌러줌으로써 원치 않은 확산으로 인해 발생할 수 있는 부작용을 예방할 수 있다.

3) 눈가주름, 눈 밑주름

Crow's feet 패턴의 분류는 이 부위의 기능적 해부학에 기반을 두고 있다. 전체적인 팬 패턴을 갖는 환자에서 가측 안륜근의 수축은 아래 눈꺼풀/상부 뺨 교차 부위까지의 피부에 주름을 형성하게 된다. 이러한 환자에 따른 여러 패턴을 구분하는 것 외에도 비대칭 정도를 평가하는 것도 중요하다.

이 부위에서 지나치게 보툴리눔 독소를 주입하면 "놀란 사슴" 모양이나 뺨 하수에 이르기까지 불쾌한 결과를 초래할 수 있다. 대부분의 성형 외과의사는 윗 가쪽 안륜근이 눈썹을 내리는 작용을 하는 것을 알고 있지만, 의의로 많은 경우에서 근육의 아래쪽 부분이 뺨 올림근으로 중요한 보조 기능을 하는 것을 알지 못한다. 하부 가쪽 부분에서 과도하게 주입하는 경우 광대의 편평해짐뿐만 아니라 아랫 눈꺼풀과 뺨 사이에 피부의 여분 "roll"이 발생할 수 있다.

아랫 눈꺼풀에 대해 과도한 주입은 눈꺼풀겉말림, 눈꺼풀뒤당김 등을 야기할 수 있다. 아랫 눈꺼풀로 심하지 않은 지방돌출이 관찰되는 환자에서 보툴리눔 독소의 주입은 안와격막 앞(preseptal) 안륜근의 약화를 통해 지방이 더 튀어나와 보이게 될 수 있다. 또한 안륜근의 펌프로써 가능 때문에 림프부종이 발생할 수도 있다.

그러므로 이 부위에서는 좀 더 주의를 기울여 보툴리눔 독소 주입을 해야하는데, 일반적으로 일측 당 3.75~5 U의 톡신 주입을 권한다.

4) 눈썹올리기

보툴리눔 독소를 눈썹을 올리기 위해 사용하기도 한다. 단지 내측 눈썹을 떨어뜨림으로써 그 효과를 가져온다 여기지만, 눈썹을 들어 올리는 유일한 근육을 약화시키면서 눈썹올리기를 할 수 있다는 역설적인 개념 역시 제시되고 있다. 이는 이마올림근의 약화되지 않는 부분이 보상적으로 당김을 증가시키며 반응하는 것으로 설명할 수 있다. 이는 중앙 부위 이마올림근에만 높은 용량의 보툴리눔 독소를 주입할 때 외측 눈썹 위의 주름이 악화되는 것과 함께 영화 스타 트렉의 미스터 스포크(Mr. Spock)의 눈썹 모양을 갖게 되는 것도 설명 가능하다. 즉, 한 부분의 이마올림근 약화는 다른 부분이 이를 보상적으로 하여 더 강하게 역할하게 된다.

보통 눈썹 위와 내측 부분, 이마올림근의 가운데 부분에 좀 더 강하게 독소를 주입하여 얻을 수 있다. 눈썹 외측 부분의 이마올림근에도 역시 주입할 수 있는데, 눈썹 바로 위의 이마올림근이 좀 더 강하게 작용하게 하는 것이다.

5) 콧잔등 주름

크게 웃거나 인상을 쓰는 경우 눈의 내안각에서 45도 방향으로 뻗는 여러 개의 주름을 콧잔등 주름(bunny line)이라고 부르게 된다. 눈살근(procerus)이나 횡코근(transverse nasalis)의 양측 및 주름부분에 직접 독소를 주입한다. 이 때 너무 깊게 주사하거나 많은 용량을 주입하여 다른 근육에 주입되는 것을 조심하도록 한다.

6) 잇몸노출증

웃을 때 잇몸이 과다하게 노출되는 경우를 잇몸노출증이라고 한다. 이 경우 위입술콧방울올림근(levator labii superioris aleque nasi)에 독소를 주입하여 효과를 얻을 수 있다. 보통 잇몸노출증 환자의 경우 비대칭인 경우가 많기 때문에, 이럴 때에는 주입되는 양을 다르게 해야 한다. 일반적으로 콧방울 외측 1 cm에 주입하게 되며, 과다하게 주입할 경우 웃을 때 어색함을 초래하거나, 음식 먹을 때 불편을 야기할 수 있기 때문에 조심한다. 독소 주입 시 검지 손가락으로 콧뼈 외측 하방, 이상구(pyriform aperture) 부근을 강하게 눌러주며 환자에게 강하게 미소 지어 보게 시키면 근육을 느낄 수 있다.

7) 윗입술주름

넓게 분포되있는 윗입술 주름은 피부의 노화 과정(피부의 얇아짐, 햇볕 노출)이나 연조직 부피의 감소, 흡연자의 경우 반복적으로 과도하게 입술을 오므리는 과정을 통해 입둘레근이 발달하며 주름이 발생하게 된다.

인중(philtrum)에는 거의 대부분 주사하지 않으며, 인중 주변으로 입술 경계를 따라 한 곳에 2~4 U의 독소를 얇게 주사하게 된다. 과다한 주입은 발음이 부정확해지거나, 음식을 먹을 때 불편해질 수 있어 주의를 기울여야 한다.

8) 처진입꼬리주름

입꼬리내림근(depressor anguli oris)의 과다한 작용으로 주로 발생하며, 노화에 의해 연부 조직량의 감소로 피부 탄력성이 떨어지는 것도 하나의 원인이다. 입꼬리내림근은 삼각형 모양 근육으로 이에 의해 발생하는 주름을 "marionette line" 이라 부르기도 한다.

아래턱뼈 가장자리로부터 2~3 mm 위쪽 또는 입술 외측으로 1 cm, 아래로 1 cm 부위에 주사하는데, 양측을 대칭적으로 주사하는 것이 중요하다. 너무 상방에 주사하거나 과다한 양을 주사하는 경우 음식을 흘리는 부작용이 생길 수 있으므로 주의한다.

9) 자갈모양 턱과 턱 끝 주름

이근(mentalis)이 진피의 치밀한 섬유 구조로 연결되어 있기 때문에 웃거나 말할 때 턱부분이 자갈모양처럼 변형될 수 있다. 턱 정중앙선에서 외측 0.5 cm, 아래턱뼈 가장자리에서 2 mm 상방에 5 U을 주입한다. 이근은 아랫입술을 올리는 작용을 함으로써 구강 기능에 중요한 역할을 하므로 너무 과도한 양이 주입되지 않도록 주의한다.

10) 사각턱

사각턱은 아래턱뼈의 과도한 발달로 발생하기도 하지만, 저작근의 발달로 부피가 증가할 경우 발생할 수 있다. 환자에게 이를 꽉 깨물어보게 하여, 귓볼 아래와 아래턱뼈 모서리 상방에 위치한 저작근이 수축하는 것을 느껴볼 수 있다.

귀구슬(tragus)과 입술 구각(oral commissure)를 잇는 가상의 선보다 하방에 주입하며, 이를 꽉 깨물어보게 하여 저작근의 앞, 뒤 경계를 확인하여 근육에 독소가 제대로 주입될 수 있도록 한다. 아래턱뼈 하연보다는 상방에 주입하도록 하며, 5 U씩 4~5군데 주입할 수 있다. 양 측에 대칭적으로 주입하여 비대칭을 초래하지 않도록 조심한다.

11) 목 주름, 넓은 목근띠

노화가 되며 피부가 얇아지면서 넓은목근(platysma)이 수축할 때 수직 밴드를 형성하게 된다. 보툴리눔 독소에 가장 적합한 환자는 피부 처짐이 적으며, 비교적 강한 밴드를 형성한 경우이다.

환자에게 이를 문채로 아랫니를 보이도록 아랫 입술을 내려보라 하면 목 밴드를 관찰할 수 있다. 아래턱뼈 아래부터 시작하여 점차 아래로 밴드가 정상적으로 보이는 곳까지 근육에 주입하게 된다.

수평의 "necklace" 주름 역시 독소를 주입하여 미미하지만 효과를 볼 수 있다.

이 부위에 너무 과도한 양을 주입하게 되면 후두 근육계에 영향을 주어 목이 쉬거나 연하장애가 올 수 있어 주의해야 한다.

12) 종아리윤곽술

종아리 비대는 아시아 여성들의 흔한 고민거리 중 하나이다. 비대해진 종아리를 좀 더 아름다운 굴곡으로 교정하는 시술을 하는 빈도가 증가하고 있다. 보툴리눔 독소를 이용하여 종아리 비대를 치료하는 것은 수술적 치료에 비해 효과는 비슷하지만 덜 침습적이기 때문에 회복기간이 빠르고, 외래에서 시술이 가능하다는 장점이 있다.

보툴리눔 독소로 종아리 비대를 교정하는 방법은 근육의 비후를 줄이는 것으로 지방이 많은 경우에는 효과가 없다. 발을 발등 방향으로 굽혀보게 하거나 까치발을 하여 근육이 수축하고 알통처럼 튀어나오는 것을 쉽게 확인할 수 있다.

보통 종아리 비대는 안면 주름 개선에 사용되는 것보다 훨씬 많은 양이 사용된다. 하지만 과도한 주사는 합병증 발생이 증가할 수 있으므로, 뒷꿈치를 들었을 때 가장 튀어나오는 부위 근육에 주사하여 외형 교정에 치료 목적을 두어야 한다. 이와 같이 큰 근육을 대상으로 비교적 넓은 범위에 보툴리눔 독소를 사용하는 경우 묽게 희석한 후 적절한 양을 여러 포인트에 주사하는 것이 유리하다.

부작용은 흔치 않지만 장딴지근(gastrocne-mius)보다 가자미근(soleus)에 주입되는 경우 서 있기 힘들거나 조기에 피로감을 호소하는 경우도 있다. 또한 양쪽에 시술하는 경우 외측부의 기능은 약간 남겨두어 보행에 지장을 초래하지 않도록 한다.

13) 국소다한증

최근 손바닥, 발바닥, 얼굴, 겨드랑이의 다한증에 보툴리눔 독소를 사용하여 효과를 나타내고 있다. 다만, 손이나 발의 근육에 주입되지 않도록 주의를 해야 한다. 주입 시 효과는 6개월 정도 지속되는 것으로 보고된다.

References

1. Carruthers A. History of the clinical use of botulinum toxin A and B. Clin Dermatol 2003;21(6):469-72.
2. Carruthers JD et al. Treatment of glabellar frown lines with C. botulinum-A exotoxin. J Dermatol Surg Oncol 1992;18(1):17-21.
3. Nishiki T, et al. Identification of protein receptor for Clostridium botulinum type B neurotoxin in rat brain synaptosomes. J Biol Chem 1994;269(14):10498-503
4. Goodman G. Diffusion and short-term efficacy of botulinum toxin A after the addition of hyaluronidase and its possible application for the treatment of axillary hyperhidrosis. Dermatol Surg 2003;29(5):533-8
5. Trindade de almeida et al. Handling botulinum toxins: an updated literature review. Dermatol Surg 2011;37:1553-1565.
6. Hexsel DM, et al. Multicenter, Double-blind study of the efficacy of injections with botulinum toxin type a reconstituted up to six consecutive weeks before application. Dermatol Surg 2003;29:523-9.
7. 한국엘러간: Botox® 제품설명서, April 2010.
8. Lee SK. Antibody-induced failure of botulinum toxin type a therapy in a patient with masseteric hypertrophy. Dermatol Surg 2007;33(1 Spec No):S105-10.
9. Jankovic J, et al. Comparison of efficacy and immunogenicity of original versus current botulinum toxin in cervical dystonia. Neurology 2003;60:1186-8.
10. 이수근. 보톡스와 필러의 정석: 더 효과적이고 더 안전하게 주사하기. 도서출판 한미의학. 2014.

연부조직 필러
Soft-tissue Fillers

오득영 가톨릭의대

1. 개요

미용성형 필러(filler)는 안면을 포함하여 기타 신체의 다양한 부분의 부족하고 결핍된 연부조직을 보충, 보완하여 줌으로써 미용적 개선의 효과를 얻는 방법으로 과거에서부터 꾸준히 시행되어 왔고 최근에는 필러 성분의 발달과 주입기술의 발전으로 간편성과 편리성과 함께 급격히 시장 규모가 커지고 있는 추세이다.

수많은 제품의 필러 제품이 공급되고 있어 이들에 대한 과거 역사와 종류, 성분 및 제품별 특성에 대한 정확한 지식을 가지고 임상에 임해야 하는 것이 중요해졌다.

1980년부터 우수한 생체적합성을 가져 안전성이 입증된 콜라젠(collagen) 성분 필러의 도입으로 미용성형의 한 분야로 중요한 위치를 잡아가기 시작했으며, 이후 1990년대에는 콜라젠 성분의 단점으로 지적되는 과민반응(hypersensitivity reaction)이 없고 우수한 지속성과 조작성을 가지는 히알루론산(hyaluronic acid, HA) 성분의 필러들이 공급되어 점차로 필러의 주요 성분으로 자리를 잡아갔다. 이후에는 과민반응이 없고 보다 지속성이 우수한 주입 물질에 대한 연구가 지속되어 PLLA (poly-L-lactic acid), cal-cium hydroxyl apatitie, polymethylmethacrylate (PMMA), polyacrylamide 등의 다양한 성분의 합성필러들이 추가로 개발되었다.

역사적으로 필러는 주사기가 사용되기 시작한 100년 전부터 연부조직의 부피보완을 위해 시행된 지방의 주입이나, 합성물질인 바셀린(vaseline) 혹은 파라핀(paraffin)의 주입을 시행하면서 시작되었다고 알려져 있다. 물론 기술적인 많은 문제점이 있었고, 특히 주입성분의 유해성으로 인한 육아종성 염증반응, 색전증, 종괴 형성 등의 심각한 합병증이 빈번하게 발생하였다. 1940년대 후반부터 의료용으로 제작된 실리콘(silicone)의 주입이 시작되었으며, 잘못된 안전성에 대한 인식과 그 편리성으로 상당기간 폭넓게 사용되었다. 그 결과 수많은 합병증이 발생하였으나 미국 FDA에 의해 사용 금지된 것은 1990년대에 이르러서야 비로소 이루어졌다.

국내 미용성형용도의 필러는 과거 대부분 수입에 의존하였으나 국내 제조업체수가 2012년 4개에서 2016년 29개로 증가하는 폭발적 증가 추세에 있어 필러를 이용한 미용성형 시장의 중요성을 미루어 알 수 있다. 현재 필러는 대부분 히알루론산 성분이 주류를 이루고 있으며, 제품마나 원료 및 제조과정의 차이로 순도, 겸도, 지속성 등에 장단점 있어 수많은 필러 제품 중에서 이를 고려한 적절한 선택이 좋은 임상결과의 중요한 부분을 차지하고 있다. 또한 각각의 제품별로 식품의약품안전처에서 허가된 사용목적과 용량 등이 명시되어 있는데, 최근에 이를 넘어서는 사용(off-lable use)에 의한 합병증 증가 보고가 있어 식품의약품안전처에서는 허가사항 준수 협조와 부작용 발생과 그 우려가 있는 경우 이를 보고해 줄 것을 요구하고 있다. 따라서, 국가별 허가사항 준수를 따르는 것이 필요하며, 부득이 이를 넘어서는 사용을 선택한 경우 환자에게 이에 대한 정확한 정보를 전달하고 동의를 받는 것이 필수적이며, 부작용 발생 시 관련기관에 이를 보고하여야 한다.

각각의 임상적용에 있어서는 각 주입목적과 부위마다 추천되는 필러 성분(혹은 제품), 주입 깊이, 용량 등에 대한 다양한 보고와 주장들이 있어 이에 대한 학습과 경험 축적이 이루어져야 좋은 임상결과를 얻을 수 있을 것이다.

과거에는 필러로 안전하지 못한 물질들을 사용하여 많은 치명적인 합병증들이 많이 발생하였다. 최근에는 안전성이 검증된 물질이 개발되고 사용되고 있어 이러한 문제들은 거의 없어졌으나, 사용빈도가 매우 많아짐에 따라 혹은 허가사항을 과도하게 넘어서는 사용으로 인한 크고 작은 합병증의 보고가 늘고 있다. 이들 중에는 매우 드물지만 색전증으로 인한 실명, 조직 괴사, 뇌경색의 치명적인 합병증들의 보고도 있으며, 이러한 합병증들은 초기 지방이식의 예에서 주로 보고되었으나 현재에는 거의 모든 필러 성분에서 보고되고 있다. 2015년 초반까지 전세계적으로 98예의 색전증에 의한 실명(23예에서 뇌경색 등의 증상 동반)의 보고가 있었으며 이 중 반수가 한국이었다. 여러 의료환경에 의한 영향에 의한 결과이겠지만, 한국에서의 가장 많이 시행되는 필러주입 위치인 미간, 코, 뺨 중간, 비구순주름 부위가 모두 안동맥(ophthalmic artery)의 분지가 위치하는 위험부위라는 것과 관련이 있어 이에 대한 각별한 주의가 필요하다.

2. 분류

1) 자가조직 필러(Autologous fillers)

환자 본인으로부터 추출한 조직으로 준비하여 바로 주입되는 것으로 가장 이상적인 생물학적 안전성을 가지지만, 추출과정으로 인한 불편성의 단점이 크다. 일반적으로 필러라고 분류되지는 않는다. 가장 많이 시행되는 것이 지방이식술이며 그 외에도 진피, 근막, 연골, 배양 섬유아세포(fibroblast), plate-rich fibrin matrix 등이 여기에 분류될 수 있다. 면역학적으로 문제가 없지만 감염, 염증반응의 가능성이 있으며, 지속성의 문제가 있다.

2) 생물학적 필러(Biologic fillers)

인체, 동물, 박테리아 등 다양한 생물에게서 추출한 생물학적 물질로 제조한 필러들이 여기에 속한다. 인체와 동물에서 추출한 필러들은 공통적으로 면역반응과 전염의 문제를 내포하고 있으며, 지속성에도 한계가 있었다. 1980년대부터 인체유래 근막, 인체유래 진피 혹은 콜라겐, 소혈청 추출 콜라겐 등의 성분으로 이루어진 필러들이 공급되면서 많이 사용되었으며, 이후 면역학적 문제와 전염의 문제가 없는 히알루론산 성분의 필러들로 점차 대치되었다. 히알루론산은 유기체의 공통된 결합조직 성분인 글리코스아미노글리칸(glycosaminoglycan)으로 박테리아로부터 합성하여 제조함으로써 면역학적 문제와 전염의 문제가 없고, 제조 시 점성과 농도 등을 달리 함으로써 사용편이성, 지속성, 특정 임상용도 등의 특성을 가지는 여러 가지 제품군을 공급하게 되어 현재까지 가장 폭넓게 사용되는 필러의 성분으로 자리 잡고 있다. 국내 제조사를 포함하여 미국, 유럽 등에서 많은 상품들이 현재에도 계속 개발되고 있고, 사용허가 및 허가범위가 국가별로 다를 수 있으므로, 정식으로 수입되어 국내 식품의약품안전처에 의해 안정성이 검증되었는지, 허가된 범위는 어떠한지 반드시 확인 후 임상에 적용하여야 한다.

3) 합성 필러(Synthetic fillers)

히알루론산 필러들이 지속성의 면에서 개선되어 왔지만 영구성의 면에서는 한계가 있다. 이를 보완하고자 개발되어 온 것들이 합성필러들로 실리콘, PLLA (poly-L-lactic acid), calcium hydroxyl apatitie, polymethylmethacrylate (PMMA), polyacrylamide, carboxymethylcelluose/polyethylene, tricalcium phosphate, DEAE sephadex, polyvinyl alcohol 등이 있다. 이러한 합성필러들은 항구적 안전성 문제, 육아종형성, 지연감염, 합병증 발생 시 제거가 어렵고 영구적 변형을 야기할 수 있다는 문제를 가지고 있다. 이러한 문제로 사용허가 및 허가범위를 정하는 국가나 지역의 기준이 상이하여 가장 엄격한 것으로 알려진 미국 FDA를 통과한 제품은 4개 성분의 5개 제품 정도이다. 유럽이나 아시아에서 허가된 것은 7개 성분의 20여 종으로 알려져 있다. 국내에서 사용 시 국내 허가사항을 반

드시 확인하고 영구성이 가지는 장점과 단점을 환자와 충분히 상의한 뒤 적절하게 사용하는 것이 예기치 않는 부작용과 합병증을 미연에 줄일 수 있는 방법이라 할 수 있다.

3. 임상적용

필러 주입을 원하는 환자와 현실적인 호전에 대해서 충분히 상의하여야 한다. 주름은 완전히 없어지지 않으며, 지속성이 예상되는 기간, 수술과의 효과 차이, 영구적 필러의 장점과 문제점 등에 대해서 동의를 얻어야 향후 환자와의 논쟁을 피할 수 있다.

각 부위별로 용도에 맞게 필러를 선택하여야 하며, 용량, 투여 범위 및 깊이 등에 대한 지식을 사전 습득 후 시행하여야 한다. 일반적으로 리도케인에 의한 국소마취보다는 신경블록(nerve block)이 권장되며, 투여 깊이가 얕은 경우 마취크림이 도움이 될 수 있다. 사용주사 바늘은 가늘수록 통증과 출혈의 위험이 줄어들지만 필러마다 점성도에 차이가 있어 이를 확인하여야 한다. 점성도가 적은 경우 31G의 사용도 가능하나 점성도가 큰 제품은 26G를 써야 주입 가능한 경우도 있다.

필러의 투여는 한 곳에 많은 양을 뭉쳐서 주입해서는 안 되며, 주입 시 적합한 깊이에서 주사기를 뒤로 후퇴하면서 그 자리를 메운다는 개념으로 한 줄씩 혹은 한 방울씩 목표 깊이의 층을 면으로 채우고, 필요하다면 층별로 쌓는 방식이 권장된다.

일반적으로 얕은 주름에 얕게 필러를 주입하여야 하는 경우 점성도가 크거나 영구성이 긴 특성의 필러들을 사용하는 경우 만져지거나 붉

룩 올라와 보일 수 있어 피해야 한다. 일반적으로 얕게 주입하는 경우에는 점성도가 적은 필러가 추천된다.

4. 주의사항

① 사용 필러의 국내 허가여부를 반드시 확인하고 허가사항 내에서 사용한다.
② 허가사항을 넘어서는 사용(off-label use)은 권장되지 않으며, 부득이한 경우 환자에게 충분히 설명하고 동의를 받아야 한다.
③ 영구적으로 지속하는 필러를 사용 시에는 비영구적인 필러의 충분한 경험이 있는 상태에서 시행한다.
④ 시장에 나오는 필러들의 성분별, 제품별 특성을 잘 이해하고 이에 따라 적용하여야 좋은 임상결과를 얻을 수 있다.
⑤ 감염이 존재하거나 이물반응이 있는 부위에의 주입은 하지 않는다.
⑥ 일부 생물학적 필러들(예, 소혈청 추출 콜라겐 등)의 경우 제품에 따라 콜라겐에 대한 과민반응 여부를 반드시 확인하여야 한다.
⑦ 와파린, 헤파린, NSAIDs 투여 중이거나 비슷한 효과의 건강보조식품을 복용하는 경우 지혈의 문제가 사라질 때까지 적당기간 끊어야 출혈에 의한 문제를 방지할 수 있다.

5. 합병증

1) 일반적인 경증의 합병증

멍이나 출혈, 과보정, 만져짐, 울퉁불퉁하게 보인다는 등의 합병증은 대부분 한달 전후로 자연적으로 사라지는 것이 대부분이다. 심하게 붓는 경우 스테로이드 약제가 도움이 될 수 있다.

2) 감염, 면역반응

급성 혹은 만성으로 붓고 발적과 함께 열감 등이 발생하는 경우 감염에 의한 것인지 감별이 필요하다. 이에 대한 적절한 항생제를 투여하고 균주를 확인하여 치료를 진행하며, 필요한 경우 주입된 필러의 제거가 필요할 수도 있다. 적절한 항생제의 투여와 치료에도 발적 등이 지속되는 경우 비특이적인 균주에 의한 감염 혹은 면역반응의 가능성이 있어 이에 대한 감별진단이 필요할 수 있다.

3) 종괴 형성

다양한 형태의 종괴가 발생하여 만져지거나 보일 수 있으며, 국소적으로 과량의 필러를 주입하는 경우 발생할 수 있는 무균성 농양(sterile abscess)의 경우 절개와 배농, 세척이 증상의 호전에 도움이 된다. 영구성이 큰 합성필러를 피부에 얕게 주입하여 염증성 혹은 육아종성 종괴가 만져지는 경우 스테로이드 주입과 마사지로 치료를 기대해 볼 수 있으며, 심한 경우 절제가 필요할 수도 있다.

4) 색전증(Embolization)

주입된 필러가 동맥으로 흘러 들어가 혈관을 막음으로써 발생하는 색전증은 매우 드물게 발생하는 것으로 알려져 있으며 국소적인 피부괴사, 실명, 뇌경색 등의 매우 중대한 합병증의 형태로 나타나고, 학계에 보고된 실명의 경우 약 반수 이상이 국내에서 보고된 것으로 이에 대한 각별한 주의가 필요하다. 필러의 종류와 상관없이 사용량에 비례하여 보고되는 것으로 보이며,

미간, 콧등, 비구순부주름 부위에 주입 시 호발하여 안와동맥의 분지 주행경로와 관련이 깊다. 이를 예방하기 위해서는 안와동맥 분지의 주행경로와 깊이 등을 숙지하여 이를 피하도록 노력해야 하며, 가능한 천천히 시간을 가지고 0.1 mL 이하로 소량씩 가는 바늘을 사용하여 주입하고, 주입 전 aspiration을 해보는 것이 권유되어진다. 주사바늘 대신 끝이 뾰족하지 않은 cannula나 에피네프린과 같은 혈관수축제의 국소주입이 도움이 된다는 주장도 있다.

References

1. Lee JC, Lorenc ZP. Synthetic Fillers for Facial Rejuvenation. Clin Plast Surg. 2016 Jul;43(3):497-503.
2. Basta SL. Cosmetic Fillers: Perspectives on the Industry. Facial Plast Surg Clin North Am. 2015 Nov;23(4):417-21.
3. Moradi A, Watson J. Current Concepts in Filler Injection. Facial Plast Surg Clin North Am. 2015 Nov;23(4):489-94.
4. Rzany B, DeLorenzi C. Understanding, Avoiding, and Managing Severe Filler Complications. Plast Reconstr Surg. 2015 Nov;136(5 Suppl):196S-203S.
5. Beleznay K, Carruthers JD, Humphrey S, et al. Avoiding and Treating Blindness From Fillers: A Review of the World Literature. Dermatol Surg. 2015 Oct;41(10):1097-117.
6. 식품의약품안전평가원. 이식형 성형용 의료기기 안전사용 안내서. 2015.4
7. Born TM, Airan LE, Suissa D. Injectable and Resurfacing techniqes: Soft-tissue fillers. In: Niligan P, Rubin JP. Plastic Surgery: Volume 2: Aesthetic Surgery. 4th ed. Elservier Inc.; 2018:5.2,39-54.e3

7 모발 복위수술과 액취증
Hair Replacement Surgery and Osmidrosis

나영천 원광의대

I. Hair restoration

사람의 머리카락은 자외선으로부터 두피를 보호하고 외부의 충격을 완화시키는 등의 기능적 역할도 수행하지만 젊음, 건강, 정력과 연관되어 외부로 보여지는 이미지의 한 부분으로서도 중요한 역할을 하고 있다.

탈모란 정상적으로 자란 모발이 모낭(hair follicle)으로부터 빠지는 것뿐만 아니라 정상적으로 모발이 있어야 될 부위에 존재하지 않는 것도 포함된다. 아직까지 탈모를 완벽하게 해결할 수 있는 하나의 이상적인 방법은 없으나, 수술기법의 발전으로 인하여 단순히 탈모부위에 머리카락을 채워주는 방법에서 벗어나 자연스런 모발선, 모발의 방향, 반흔까지 고려하게 되었다. 따라서 수차례의 수술이 필요하고, 오랜 기간이 걸리기는 하지만 탈모로 인한 외관상 문제의 상당부분은 수술적인 방법에 의해 극복될 수 있게 되었다.

1. 두피의 구조와 모발의 생리

1) 두피의 구조와 혈관

두피(scalp)는 다섯 층으로 구성되어 있다(그림 3-7-1). 먼저 두피의 피부는 아주 두껍고 아래쪽의 머리덮개널힘줄(galea aponeurotica)과 근육에 단단히 부착되어 있는데, 조밀하고 많은 모발을 가지고 있으며 수많은 한선과 피지선을 포함하고 있다. 피하조직은 단단한 섬유성 지방층이며, 혈관과 신경이 이 층으로 지나간다. 그 아래 층은 넓은 근육섬유성 조직으로 이루어진 층으로 후방으로는 후두골의 상항선(superior nuchal line)에, 외측으로는 측두근막(temporal fascia)

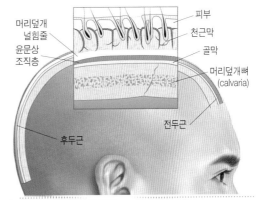

머리덮개
널힘줄
윤문상
조직층

피부
천근막
골막
머리덮개뼈
(calvaria)

후두근
전두근

▷ 그림 3-7-1. **두피의 구조**

에 붙어 있으며 전방에서는 안륜근(orbicularis oculi muscle)으로 연결된다. 이층은 후두근(occipitalis muscle)과 전두근(frontalis muscle)으로 구성되며 그 사이에 머리덮개널힘줄(galea aponeurotica)이 있어 두 근육을 연결하며 두정부를 덮고 있다. 그 아래로는 느슨한 윤문상조직(loose areolar tissue)이 있는데, 피판을 일으킬 때는 이 층으로 박리하면 출혈도 적고 박리가 용이하다. 그 아래에는 두개골을 덮고 있는 골막(periosteum)이 있다.

두피의 혈액은 외경동맥(external carotid artery)에서 분지되는 천측두동맥(superficial temporal artery), 후두동맥(occipital artery), 내상악동맥(internal maxillary artery), 후이개동맥(posterior auricular artery)을 통해서 주로 공급되며, 전두부의 두피는 내경동맥(internal carotid artery)에서 나오는 안동맥(ophthalmic artery)의 분지인 활차상동맥(supratrochlear artery)과

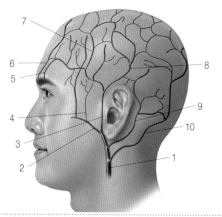

▷ 그림 3-7-2. **두피의 동맥 분포.** (1) 외경동맥(external carotid artery) (2) 내상악동맥(internal maxillary artery) (3) 천측두동맥(superficial temporal artery) (4) 심측두동맥(deep temporal artery) (5) 안와상동맥(supraorbital artery) (6) 활차상동맥(supratrochlear artery) (7) 천측두동맥의 전두분지 (frontal branch of superficial temporal artery) (8) 천측두동맥의 두정분지(parietal branch of superficial temporal artery) (9) 후이개동맥(posterior auricular artery) (10) 후두동맥(occipital artery)

안와상동맥(supraorbital artery)을 통해서도 혈액 공급을 받는다(그림 3-7-2).

2) 모발의 생리

모낭(hair follicle)의 기저부에 있는 활성 세포들은 활발한 유사분열을 보이며 조밀한 기둥을 형성하여 피부 표면 쪽으로 뻗어나가다가 탈수되어 결국은 세포가 죽고 케라틴의 덩어리로 변하게 되면서 시스틴(cystine)이 풍부한 기질(matrix)과 함께 굳어져 모발이 된다. 평균적으로 두피의 모발은 약 11만 개에서 15만 개 정도이며 모발의 성장 속도는 나이, 기후, 건강상태에 따라 다르지만 하루에 약 0.35 mm, 한 달에 1 cm 정도 자란다. 하루에 약 50~100개의 모발이 빠지며 같은 수의 모발이 새로 난다. 하루에 100개 이상 빠지면 일단 탈모증으로 진단할 수도 있지만 단지 숫자로만 정확하게 판단하기는 어렵다. 탈모증의 시작과 진행에 대해서는 이마의 모발선이나 두정부에 있는 모발들이 연해지면서 짧고 가는 솜털로 대치되는 현상을 눈으로 직접 확인하는 것이 임상적으로 중요하다. 모낭의 활발하게 분열하는 세포들의 직하방에 위치하는 진피유두(dermal papilla)가 실질적으로 모발의 성장주기를 조절하는 결정적인 역할을 하는데, 모낭은 다음의 세 가지 주기로 나눌 수 있으며 이런 주기를 반복한다(그림 3-7-3).

(1) 성장기(Anagen phase)

모발이 활발하게 자라는 시기이며 두발의 90%가 이 기간에 있으며, 약 3년간 지속된다.

(2) 퇴행기(Catagen phase)

모발이 퇴행기에 접어들면 모발의 기저부가 케

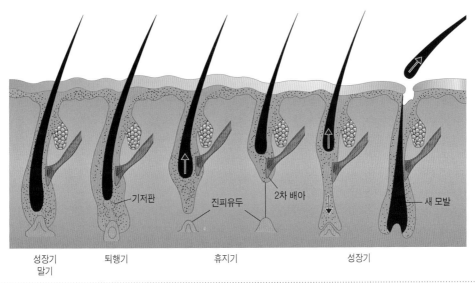

성장기 말기 　퇴행기 　휴지기 　성장기

▷ 그림 3-7-3. **모발의 성장 주기**

라틴화되어 곤봉 모양이 되고 진피유두와 점차 단절되면서 피부 표면으로 이동하게 되고, 멜라닌세포는 멜라닌의 생산을 중지하게 되는데 약 1~2주간의 기간에 걸쳐 일어난다.

(3) 휴지기(Telogen phase)

이 기간은 약 3~4개월 가량 지속되는데, 모낭은 비활동성으로 모발의 성장이 중지되며 모발과 모낭의 기저부와의 부착이 약해지면 모발이 빠지게 된다. 이차배아(secondary germ)로 알려진 미분화 조직이 조금 튀어나와서 남아있다. 전체 모발의 약 10%가 휴지기에 들어 있다.

3) 한국인 두피와 모발의 특성

(1) 두상, 헤어라인의 특성

동양인은 단두형의 brachycephalic skeleton을 가지며, 서양인은 장두형의 dolichocephalic skeleton을 가진다. 한국인은 흔히 flat한 헤어라인을 가지는데, 서양인은 oval shape의 특징적인 헤어라인을 가진다.

(2) 두피의 특성

서양인에 비해 흉터가 더 잘생기며 두피탄력도 더 낮다. 모낭의 길이도 서양인의 경우 약 4~5 mm인 반면, 한국인은 5~6 mm로 더 길다. IOF(idiopathic occipital fibrosis, 특발성 후두부 섬유증)의 빈도도 더 높다.

(3) 모발의 특성

한국인의 평균 모발 밀도는 약 120~135 hairs/㎠, 서양인은 약 190~200 hairs/㎠ 정도라고 보고되고 있다. 모낭단위 당 평균 모발갯수(Follicular density, FD)는 서양인은 평균 2.2~2.3 정도, 한국인은 1.65~1.85 정도로 보고되고 있다. 모발의 굵기는 서양인은 약 50~60 ㎛, 한국인은 약 70~80 ㎛로 알려져 있다. 한국인은 주로 직모와 반곱슬이 많으며, 서양인은 곱슬이 많다. 즉, 한국인은 단일모(1 hair F.U.)의 비율이 높고, 굵고 밀도가 낮은 특성을 보인다.

2. 탈모증의 원인

탈모증은 반흔성과 비반흔성 탈모증으로 나눌 수 있고, 반흔성 탈모증은 모낭이 파괴되고 섬유조직으로 대치되어 영구적인 탈모상태가 되는 것으로, 외상, 화상, 감염, 편평태선(lichen planus), 홍반성 루푸스(lupus erythematosus) 등이 원인이 되며, 비반흔성 탈모증은 조직이 섬유화되지 않고 모낭도 그대로 보존되면서 모낭의 기능적 이상으로 발생되는 탈모증으로, 남성형 탈모증(male pattern baldness), 원형탈모증(alopecia areata), 휴지기탈모증(telogen effluvium), 성장기탈모증(anagen effluvium) 등이 여기에 속하는데, 남성과 여성 모두에서 가장 흔한 형태

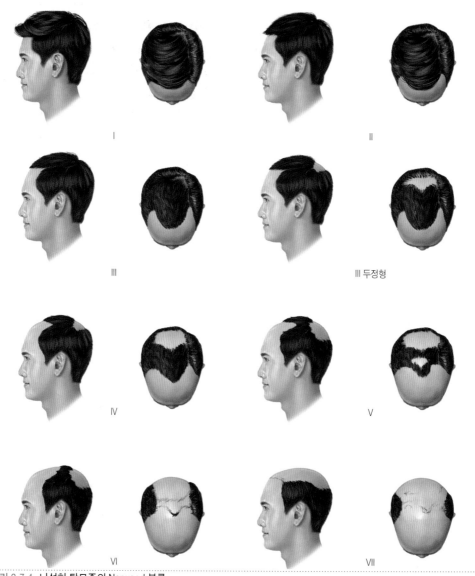

▷ 그림 3-7-4. **남성형 탈모증의 Norwood 분류**

는 남성형 탈모증 혹은 남성호르몬형 탈모증(an-drogenic alopecia)이다. 남성형 탈모증의 정확한 원인은 아직 확실하게 규명되지는 않았지만 호르몬의 영향이 절대적인 역할을 하는 것으로 알려져 있고, 국소적인 두피의 혈류도 탈모에 영향이 있을 것으로 추측된다. 테스토스테론(testos-terone)의 대사물인 디하이드로테스토스테론(di-hydrotestosterone)이 유전적으로 예민한 모낭에서 탈모를 유발시키는 중개 물질로 알려져 있으며, 80% 이상이 불완전한 상염색체 우성유전을 한다. 또한 탈모가 임상적으로 이마 및 두정부에 주로 발생되는 이유도 이 부위에 존재하는 모낭에는 남성호르몬 수용체가 많지만 측두부나 후두부하부의 모낭에는 없기 때문이다.

우리가 흔히 대머리라고 하는 것은 주로 20대 후반에서 30대의 남성에서 나타나는 남성형 탈모증을 말하며, 인종과 지역에 따라 정도가 다른데, 한국 남성에서는 약 20%, 미국 남성에서는 약 40%가 남성형 탈모증이라고 하며, 열대지방에는 드물다고 한다. 남성형 탈모증의 분류 방법에 대해서 주로 사용되는 것은 Hamilton의 분류법을 7가지 유형으로 수정 보완한 Norwood 분류법이다(그림 3-7-4).

3. 탈모증의 교정

1) 약물치료

탈모의 진행에 대해서 환자의 병력을 청취하거나 모발을 직접 관찰하여 현재 탈모가 진행 중이라고 판단이 될 때는 일단 약물 치료로 탈모의 진행속도를 늦춰 보고 수술하는 것이 안전하다. 그러나 샴푸, 린스, 로션, 비타민(E, C), 의약품 등이 탈모증을 치료하는 데 사용되고 있지만 만족할 만한 결과를 보여주지는 않는다. 현재 사용중인 치료약으로는 경구제제인 Finasteride와 도포용인 Minoxidil 두 가지가 있다.

2) 수술적 교정

수술을 시행하기에 앞서 환자의 나이, 현재와 과거 병력, 검사실 소견, 피부과적병변 유무, 정신과적 문제, 공여부의 정도 등에 대해서 살펴보아야 한다. 그리고 술 전 면담을 통하여 환자의 기대치와 대머리의 유형, 앞으로의 탈모 진행정도, 어떠한 방법을 선택해서 몇 회의 시술을 할 것인지 등을 환자의 상태에 따라 충분히 의논하여 전체적인 계획을 면밀히 세우는 것이 아주 중요하다. 그리고 술 전에 복용 중인 비타민 등의 약물은 수술 1~2주 전에 금지시키고, 흡연도 금지시킨다.

(1) 안전한 공여부(Safe donor area, SDA)

안전한 공여부란 남성형탈모에서 모발이 영구적으로 남아 있을 것으로 예측되어 모발을 안전하게 채취할 수 있는 것으로 예측되는 공여부 부위를 말한다. 1994년 Unger는 남성탈모 환자 352명을 관찰한 후 전 세계적으로 보편적인 평균수명으로 여겨지는 80세까지 80%의 환자에서 남성 탈모의 가장 심한 단계인 Norwood 7단계까지 진행하지 않는다 하였고, 따라서 노우드 분류 7단계에서 남아있는 부위를 모발이식 수술의 안전한 공여부(Safe donor area, SDA)라고 하였다. 현재까지는 Unger의 이 이론이 가장 보편적인 안전한 공여부의 기준으로 받아들여지고 있다.

현재까지 노우드 7단계로 진행할 가능성을 예

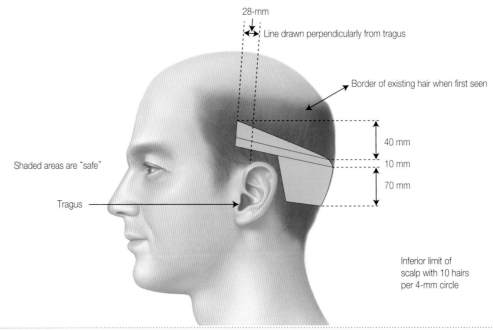

28-mm

Line drawn perpendicularly from tragus

Border of existing hair when first seen

40 mm

10 mm

70 mm

Shaded areas are "safe"

Tragus

Inferior limit of
scalp with 10 hairs
per 4-mm circle

▷그림 3-7-5. Unger의 안전한 공여부 정의

측하는 과학적인 인자는 밝혀진 바가 거의 없
다. 현재까지 발표된 유일한 예측인자는 2014년
Park 등에 의해 처음 제시된 이론으로 이는 뒷
가마(Parietal whorl, PW)가 일반적인 경우보다
뒤쪽에 위치하는 경우 노우드 7단계로 진행할
가능성이 높다는 것이다. 그 외에는 안전한 공여
부의 범위, 또는 탈모가 얼마나 진행할지를 정확
히 예측할 수 있는 인자는 현재까지 알려진 바
가 없으므로, 가족력, 현재 탈모 상태, 약물 복
용력, 공여부 모발의 두께 및 밀도, 환자의 선호
도, 헤어스타일 등을 다양하게 고려하여 치료 방
침 및 수술방법을 결정하는 것이 좋다(그림 3-7-
5).

(2) 수술적 교정 방법

수술적 교정 방법의 선택은 탈모 부위의 면적
과 위치에 따라서 정하게 되는데, 최근에는 대부

분 모발 이식술을 시행하고 있으며 경우에 따라
서 다른 시술 방법을 섞어 사용하기도 한다.

① 두피축소술(Scalp reduction)

두피축소술은 탈모부가 두정부에 있고 두
피에 여유가 있는 환자에게서 적절한 방법
이며, 모발 이식의 수를 줄이는 데 유용한
방법이다.

② 두피-피판술(Scalp flaps)

두피는 혈관 사이의 연결성이 아주 좋기 때
문에 다양한 피판을 만들어 탈모부를 교정
해 줄 수 있다. 측두-두정-후두부 피판술
(temporo-parieto-occipital flaps), 측두-두
정부 피판술(temporo-parietal flaps, lateral
scalp flaps), 유리피판술 등이 사용된다.

(3) 모발이식술(Hair transplantation)

모발이식이란 남성호르몬의 영향을 거의 받지 않는 영구 영역에서 모발을 포함한 두피 절편을 채취하여 탈모가 있거나 진행 중인 부위로 옮겨 놓는 과정으로, 새로운 모발을 만드는 것이 아니고 단순히 모발의 위치를 재조정하는 것이다. 모발이식은 전문적인 의학적 지식과 술기가 어울려진 과정으로 이식된 모발이 보다 자연스럽고 풍성하게 보이도록 하는 것이 중요하다. 최근에는 생착률이 뛰어나고 결과가 우수한 미세이식이나 모낭단위이식이 가장 많이 사용되고 있다.

① 모낭의 채취방법

i) 절편채취술(follicular unit strip surgery, FUSS)

후두부에서 가로로 가늘고 긴 띠 모양의 절편(strip)을 떼어내고 양측에서 당겨서 봉합을 하는 방법이다. 대개 폭은 1~1.8 cm 사이, 길이는 최대 28 cm까지 채취하나 환자 고유의 두피탄력에 따라 디자인 크기는 달라진다. 따라서 정확한 두피탄력의 측정은 절편채취술에서 가장 중요한 요소라고 할 수 있다. 두피탄력(scalp laxity)은 절편(strip)을 떼어내고 양측에서 당겨지는 최대 폭을 말하는데, 두피탄성력(elasticity)과 두피활강력(glidability)의 합으로 이루어진다. 두피탄성력은 진피층의 elastin 성분에 의해 두피가 늘어나는(stretching, extension) 정도를 말하며, 두피활강력은 두피의 fibroareolar layer로 인해 pericranium 위로 두피가 활강(sliding, gliding)하는 정도를 말한다.

ii) 펀치채취술(follicular unit extraction, FUE)

펀치채취술은 두피내의 모낭이 어느 각도, 모양, 방향으로 위치하는지 모르는 상태로 매우 작은 크기의 펀치를 삽입하여 모낭을 채취하는 방법으로 높은 숙련도를 요한다. 직경 0.8~1.2 mm의 매우 작은 펀치를 이용하여 모낭을 채취하는 방법으로 이때 사용되는 펀치는 수동식과 전동식, 날카로운 펀치(sharp punch)와 뭉툭한 펀치(dull punch), 그리고 최근에는 둘 사이의 장점을 결합한 하이브리드 펀치(hybrid punch) 등이 있다. 일반적으로 공여부의 전체 혹은 부분 삭발을 요하는 단점이 있다. 이를 보완한 방법이 무삭발 펀치채취술이다(Non-Shaven FUE).

② 모낭의 분리, 보관, 생존

모낭생착율 저하의 가장 큰 원인은 건조이므로 분리나 이식 과정에서 모낭이 건조되지 않도록 주의해야 한다. 모낭의 보존액은 일반적으로는 생리식염수를 가장 많이 사용한다. 최근에는 대량이식 등이 많아지면서 모낭 생착율의 증가를 위해 hypothermosol® 또는 Custodiol® 등의 세포내액 유사용액(intracellular-like solution)의 사용도 증가하고 있다.

일반적인 모낭의 체외체류시간(Time out-of-body, TOB)의 골든타임은 6시간 정도이다.

③ 모낭의 이식

모낭을 이식하는 방법은 크게 슬릿 방식과 식모기 방식으로 나눌 수 있다.

슬릿 방식은 절개를 먼저하고 모낭 삽입을 2차적으로 하는 2단계 방식으로 슬릿을 낼 때에는 주로 피하이식침(hypodermic needle)이나 블레이드가 사용된다. 모낭 삽입 시에는 고식적인 포셉을 이용하여 모낭을 삽입하는 방법 외에도 DNI (dull needle implanter) 등의 새로운 방법이 최근 각광

▷그림 3-7-6. 다양한 크기의 식모기

을 많이 받고 있다.

식모기 방식은 절개와 동시에 모낭 삽입을 동시에 할 수 있는 기구인 식모기를 이용한 1단계 방식으로 수술 시간이 짧고, 모낭 손상이 적으면서 모발의 방향, 각도, curl을 맞추기가 용이한 방법이다. 모낭을 삽입하기 위한 슬릿 구멍을 미리 내지 않고 날카로운 식모기 이식침에 모낭을 장착하여 두피를 찌르면서 동시에 모낭을 삽입하게 된다(그림 3-7-6).

④ **술 후 관리 및 이식편의 생착**

수술 직후에는 항생제 연고만 바르고 개방해 두는 것이 좋으며, 통증이나 부종에 대한 경구 약제를 처방한다. 수술 후 약 10일 동안이 생착과정에서 중요한데, 이식된 모발은 약 48시간이 지나면 단단히 생착되므로 이틀째부터 일주일 동안은 부드럽게 머리를 감도록 하고 심한 운동을 하거나 이식한 부위를 문지르지 않도록 교육을 시킨다. 이식된 모발은 수술 후 첫 3주 동안 대부분 빠지며, 이후 3개월간 휴지기 상태를 유지하게 된다. 그리고 수술 후 약 3~4개월이 지나면서 모발이 다시 자라는 것을 관찰할 수 있고 미용적인 효과를 보기 위해서는 9~12개월 정도 기다려야 된다. 따라서 이차적인 모발 이식술은 일차 수술 후 약 1년이 경과된 뒤에 시행하는 것이 좋겠다.

4. 모발이식 부작용

공여부 합병증으로는 통증, 감각저하, 상처 열개(wound dehiscence), 넓은 공여부 흉터, 켈로이드, 비후성 반흔, 공여부 동반탈락(acute donor hair effluvium) 등이 있다.

수여부 합병증으로는 모낭염, 함몰반흔 (pitting scar), 섬유성 반흔(hyperfibrotic, hypertrophic scar), 돼지털 곱슬 (postoperative kinky hair) 등이 있다.

5. 두피 외 부위의 모발이식술

흉터, 눈썹, 음모 이식 등도 시행되고 있다.

II. 액취증

1. 정의(Definition)

액취증이란 땀샘(sweat gland) 중에서 아포크린땀샘(apocrine gland)의 과다 혹은 이상 분비로 인해 '암내'라고 불리는 불쾌감을 주는 냄새가 발생하는 질환을 말한다. 대체적으로 액취증은 아포크린땀샘에서 나오는 땀에 피지선의 분비물과 피부표면의 세균이 섞여서 불쾌감을 주는 냄새가 난다고 알려져 있다.

일반적으로 동양인에 비해 백인과 흑인의 대다수는 어느 정도의 액취증을 가지고 있다고 알려져 있으나, 냄새에 익숙하지 않은 동양인이 백인이나 흑인에 비해 그 불편함을 더 많이 호소하는 질환이다.

액취증과 같이 땀샘에 의해 발생되는 질환으로는 취한증과 다한증을 들 수 있다. 취한증(bromidrosis, bromhidrosis)이란 몸 전체에서 나는 땀 자체의 냄새에 의해 불쾌감을 주는 것을 뜻하며, 다한증(hyperhidrosis)은 땀이 많이 나는 상태를 일컫는 것으로서 흔히 액취증과 동반된다. 서구인들은 액취증보다는 취한증으로 인한 불편을 더 많이 호소하는 반면 동양인들은 액취증에 의한 불편으로 의료기관을 찾는 경우가 흔하다.

2. 해부 및 조직병리(Anatomy and histopathology)

1) 땀샘(Sweat gland)

땀샘은 체표면 전체에 분포한다. 이 땀샘에는 대부분의 땀을 생성하는 에크린땀샘(eccrine gland)과 액취증에서의 불쾌한 냄새의 원인이 되는 땀을 분비하는 아포크린땀샘(apocrine gland)이 있다.

(1) 에크린땀샘(Eccrine gland)

입술이나 음경귀두, 음경포피, 음핵 및 소음순등의 외부성기 등의 부분을 제외하고 몸 전체에 분표하며 해부학적 위치는 진피층의 심부에 존재한다. 신체에 분포하는 에크린땀샘은 두 종류로 나뉘는데 하나는 손바닥이나 발바닥에 존재하는 것으로 콜린성신경(cholinergic nerve) 지배를 받으며, 정서 자극이나 스트레스에 반응한다. 다른 하나는 체표면 전체에 고루 분포하면서 온도 조절에 관여한다. 에크린땀샘에서 분비되는 땀은 모공과는 상관없이 직접 피부면으로 배출되며 무색, 무취의 액체성이다.

(2) 아포크린땀샘(Apocrine gland)

진피층 파부에서부터 피하 지방층까지 모낭 주위에 존재하며 신체의 일정부위 즉, 액와부, 안검부, 외이도, 치골부, 회음부, 유두, 유륜부, 음경포피, 음낭, 배꼽 주위 등에 분포한다. 두피와 안면주위에도 소수 존재하나, 대부분 모발이 있는 액와부에 분포하여 액와부 냄새의 주원인이 된다. 아포크린땀샘의 활동은 사춘기이후에 왕성해지며, 에크린땀샘과 다르게 아드레날린성신경(adrenergic nerve) 지배를 받고 감정이나 호르몬 변화에 영향을 받는 것으로 알려져 있다. 아포크린땀샘의 분비는 자극과 분비가 동시에 이루어지지 않고, 긴 불응기(refractory period)가 있는 것이 특징이며, 대부분은 피지선(sebaceous gland)의 배출관을 통하여 모공으로 배출되며 아주 드물게는 모공과는 상관없이 직접 피부면으로 배출되기도 한다. 아포크린땀샘에서 분비되는 땀은 분비 당시에는 무균성, 무취성 액체로 분비되지만, 1시간 이내에 피부표면의 세균(그람양성균)에 의해 분해되어 흔히 암내라고 불리는 특징적인 불쾌한 냄새가 발생하며 주된 악취의 원인은 지방산(short chain fatty acid)과 암모니아이며 액와부 털이 악취를 더욱 증가 시킬 수 있다.

2) 조직병리

땀샘은 진피층의 심부와 피하 지방층에서 코일모양의 원통형 샘(tubular gland)으로 존재하며 아포크린땀샘은 에크린땀샘보다 그 크기가 10배 정도 크고, 수는 거의 1:1의 비율로 고르게 분포하고 있다. 액와부의 아포크린땀샘의 분포는 액와부의 중심 부위에 많고 가장자리로 갈수록 적어진다. 액취증에서는 아포크린땀샘의 수가 증가되어 있거나 크기가 커져 있으며, 폐경기 이후에는 아포크린땀샘은 위축되고 땀의 분비가 줄어들게 된다. 신체에 분포하는 아포크린땀샘과 에크린땀샘의 수는 일생 동안 변동 없이 거의 그대로 유지되어 더 이상 생기거나 없어지지 않는다.

3. 발생빈도

아포크린땀샘은 흑인이 백인에 비해 3배가 많고 동양인은 크기가 작고 기능도 활발하지 못하다. 남자보다 여자가 더 많은 아포크린땀샘을 가지고 있으며 여자에서는 월경 직전에 가장 기능이 왕성하고 월경 기간 중에는 분비 기능이 감소하며, 폐경기 이후에는 거의 기능이 소실된다.

액취는 97~98%의 높은 비율로 습윤형 귀지가 합병되고 습윤형 귀지인 사람은 79~87%에서 액취가 합병된다. 액취증은 상염색체 우성으로 유전되며, 부모 중 한 사람이 액취증이 있는 경우, 자녀 중 50%에서 액취증이 발생하며, 양친 모두 액취증을 가진 경우에는 자녀의 80%에서 보고되었다. 액취증 환자의 약 20%에서는 전혀 가족력이 없다고 보고되었다.

4. 진단

일반적으로 냄새에 의한 진단, 발한검사, 조직 생검, 시험 절개, atropine-oxytocin 진단법, 귀지에 의한 진단 등이 사용된다. 냄새에 의한 진단은 목욕 후 약 2시간 정도에 주로 사용하는 팔의 겨드랑이 밑을 거즈로 문지른 다음 전방 30 cm 거리에서 거즈의 액취를 맡을 수 있으면, 수술적 또는 비수술적 치료가 요구되는 액취증이라 진단할 수 있다. 보다 정확히 땀이 나는 범위와 정도를 진단하기 위하여 시행하는 발한 검사(iodine-starch test, Minor test)는 겨드랑이에 Minor용액(iodine 1.5 g + caster oil 10 ml + 95% alcohol 100 ml)을 바르고 약 5분간 건조한 다음 전분을 얇게 바른 후 양편 겨드랑이에 백열 전구 2개를 50 cm 거리에서 3분간 비추어 땀이 나게 하면 땀이 난 부위는 하얀 전분이 흑갈색으로 변하게 되며 이 변색된 피부 경계를 표시함으로써 정확한 수술 범위를 결정할 수 있다. 최근에는 전자코를 이용한 진단법 등도 연구되고 있다.

5. 치료

1) 비수술적 요법

국소약물요법으로는 흘린 땀을 빨리 흡수하게 하거나 제거하는 방법으로, 잦은 목욕 등으로 액와부를 청결하게 하고 국소항생제 도포로 세균증식을 억제하거나, vitamine E 등의 국소 산화방지제로 아포크린땀샘의 분비물이 지방산을 형성하는 것을 방지하는 방법, aluminum chloride hexahydrate 20% in anhydrouseyhyl alcohol (Drysol) 등의 발한을 억제하는 제한제, 탈취제 등이 있다. 그러나 대개 장기간 치료를 요하며 효과가 지속적이지 못하다는 단점이 있고, 자외선 조사법, 국소약물요법, 이온해리법, 방사선 요법 등도 일시적인 효과밖에 주지 못하거나 심각한 부작용이 있는 것으로 알려져 있다. 또한 개개의 모낭에 전기적으로 손상을 주어 주변의 아포크린땀샘에 손상을 주는 치료법도 시행되었으나 지속적인 효과를 보지 못하였다. Laser를 이용한 탈모술의 경우 심한 액취증의 경우에는 효과가 없고 여러 번 시술 받아야 하는 등의 단점이 있으며, 최근에는 이를 개선하기 위하여 액와부에 작은 구멍을 내어 고출력 laser의 광섬유관을 넣어 시술하여 효과를 보기도 한다.

2) 수술적 치료법

보존적 치료법의 거의 대부분이 일시적 효과밖에 보이지 못하거나, 다시 재발함에 따라 현재 대부분의 액취증에서는 수술적 치료법을 시행하고 있다.

수술적 치료법으로 가장 좋은 방법은 액취증의 원인이 되는 액와부의 아포크린땀샘을 최소한의 반흔을 남기면서 최대한 제거하는 것이다. 현재 사용되는 방법으로는 피부 절제에 의한 방법, 직시하피하조직 제거법, 피하조직 삭제법, 혼합법, 기타 방법 등이 있다.

(1) 피부 절제에 의한 방법

액취증의 수술적 치료가 시작된 초기에는 아포크린땀샘이 존재하는 액와부의 피부 전층을 절제하고 피부 결손부를 일차 봉합하였다. 이 방법은 일차봉합부의 반흔이 늘어져 넓은 반흔이 남는 점과 피부 결손부위를 일차봉합하기 위하여서는 피부를 넓게 절제할 수 없어 액취증의 재발 위험이 있는 점 등의 단점이 있다.

1952년에 Conway 등은 아포크린땀샘이 존재한다고 생각되는 넓은 부위의 피부를 절제한 후 부분층 피부이식술을 시행하였으나 환자가 장기간 입원하여야 하고 넓은 반흔과 반흔구축이 초래되는 단점이 있었다.

일차봉합하기 힘들만큼 광범위 액와부 피부 절제후 피부 결손을 재건하기 위하여 z-성형술, Limberg 피판술, 전진피하경 피판술(sliding subcutaneous pedicle flap) 등이 시행되었으나 장시간의 수술을 요하면서도 절제범위에 한계가 있고 수술 후 남는 다양한 반흔 때문에 관심을 끌지 못했다.

(2) 직시하피하조직 제거법

액와 피부를 절개한 후 뒤집어서 직접 눈으로 보면서 가위로 한선층을 제거하는 방법으로 피부를 잘라내지 않고 피하 조직만을 제거하게 된다.

① Skoog 방법

Skoog 등은 1962년 액와부 다한증 환자에서 분지형 십자절개(off-set crucial incision)를 시행하여 액와 부위에 4개의 삼각피판을 들어올리어 피판 밑에 있는 땀샘을 가능한 많이 제거한 후 피부는 원상태로 일차봉합하였다. 이 수술의 장점은 넓은 부위의 땀샘을 많이 제거할 수 있어 재발의 가능성이 적고 봉합부위에 장력이 없어 반흔이 넓지 않으며 분지형 십자절개로 한 방향으로 반흔구축이 없어 액취증이 재발하였거나 심한 환자에 매우 효과적인 방법이다. 그러나 분지형 십자반흔이 남으며 광범위하게 절제하였을 경우는 입원하여 액와부의 움직임을 피하여야 하는 등의 단점이 있다.

② 양측유경피판 방법(Bipedicled flap method)

1980년 최 등이 양측 유경피판 방법으로 액취증을 치료 보고한 후 이 방법이 널리 이용되고 있다. 수술방법은 발한 검사나 모발의 분포에 의해 수술 범위로 정해진 부위를 G-V (gentian violet)로 도안한 후 도안한 부위를 1:200,000 에피네프린을 함유한 리도카인 용액으로 국소 마취를 한다. 이때 액와의 피부 절개선 사이는 최소한 3 cm 이상의 간격을 둔다. 액취증의 정도가 심하지 않으면 한 개의 절개선을 가할 수도 있다. 처음 도안한 경계 부위까지 절개선 양

쪽으로 피부층을 피하지방으로부터 박리하고, 박리된 피판 피부층을 뒤집어 아포크린 땀샘이 들어 있는 조직층을 모낭이 잘려 나갈 정도로 지방과 진피의 일부를 절제한다. 땀샘을 충분히 절제한 후 생리식염수로 수술 부위를 세척하고, 출혈이 있으면 지혈한다. 피판은 원래의 위치로 두고 절개선을 비흡수성 봉합사로 봉합한 후 피부이식술에서와 같이 피판을 피하지방층에 3~4곳에 고정시키고 그 위로 솜이나 거즈를 이용하여 tie-over dressing을 시행한다. 혈종이 고이는 것을 방지하고 움직임을 막기위하여 탄력붕대로 다시 한번 수술 부위와 견갑부를 압박한다.

이 수술 방법의 장점은 재발률이 낮으며 절개선이 피부선에 평행하기 때문에 반흔이 현저하지 않고 반흔구축이 없다. 단점으로는 Inaba 방법보다 수술 시간이 길고 Skoog 방법이나 Inaba 방법과 같이 약 7일간 액와부의 움직임을 최소화하여야 하는 것이다.

(3) 피하조직 삭제법

① Inaba법

1977년 inaba는 한쪽에는 칼날을 부착시키고 다른 쪽에는 롤러를 부착한 forcep 모양의 기기를 이용하여 액와부의 반흔을 최소화하고 짧은 절개선을 통해 땀샘을 포함한 피하조직을 제거하는 방법을 발표하였다. 수술은 2~3 cm의 짧은 절개선을 통해 액와부의 피부층을 피하조직으로부터 박리한 다음 Inaba 기기의 칼날이 부착된 부분을 박리된 피부층 밑으로 넣어 기기 사이에 피부를 넣고 피하조직을 깎아냄으로써(shaving) 모낭과 함께 땀샘을 제거하였다. 이 방법은 반흔을 최소화하여 미용적으로 뛰어난 결과를 주었고, 수술 시간이 짧았으며 필요에 따라서 넓은 부위의 피부로부터 땀샘을 제거할 수 있는 장점이 있다. 단점으로는 피하조직이 제거된 피부는 피부이식술 때와 같이 생착되어야 하므로 약 7일간 입원하여 액와부의 움직임을 피해야 한다.

최근에는 Inaba 기기 대신 정형외과에서 관절수술에 이용하는 내시경을 통한 뼈 깎는 기기(endo-scopic bone shaver)를 이용하여 땀샘을 선택적으로 제거하는 방법도 이용되고 있다.

② **소파 흡인법**

아포크린땀샘을 유효하게 소파할 수 있는 액취증 치료 전용 cannula를 지방흡인용 펌프에 연결하여 치료하는 방법으로 최근에는 내시경을 같이 사용하여 효과를 높이기도 한다. 수술 반흔이 작고, 수술시간이 짧은 점, 수술 후 관리가 쉬운 점, 혈관이나 신경, 근육 등은 거의 손상을 주지 않는다는 장점은 있지만 경험을 필요로 하고 진피 하층에 존재하는 아포크라인땀샘은 남는 경우가 많아 재발의 가능성이 높은 단점이 있다.

③ **초음파 파쇄 흡인법 및 고주파 파쇄 흡인법**

20 KHz 이상의 초음파 영역의 고주파로 전후로 진동시켜서 물리적 충격을 주어서 조직을 파쇄하거나 고주파 에너지로 피하지 방층을 골고루 파괴한 후 지방 흡인기로 흡인하는 방법이다. 출혈이 거의 없어 심한 압박이 필요없고 피부괴사나 반흔구축 등의

합병증이 적고 재수술이 가능한 장점 등이 있지만 숙련이 필요하고, 열상을 일으킬 수 있으며 수술기자재가 고가인 단점 등이 있다.

(4) **혼합법**

피부의 제거와 삭제를 혼합하는 Rigg법, Inaba법과 양측 유경피판 혼합법, 일반 액취증 수술 방법을 시행 후 CO_2 laser 등을 이용하여 남아있는 아포크린땀샘을 태우는 방법 등이 있다.

(5) **수술 후 합병증**

수술 후 합병증으로는 혈종, 피부괴사, 감염, 상처의 파열, 재발, 미립종(milia) 등이 있으나 세심한 치료와 적절한 처치로 예방할 수 있다.

(6) **수술 후 재발율**

피부를 광범위하게 제거하고 부분층 피부이식술을 시행하지 않는 한 어떤 수술을 하여도 아포크린땀샘을 100% 제거하기는 거의 불가능하다. 왜냐하면 아포크린땀샘의 분포부위가 일정하지 않고 피하 및 진피 내 존재하는 위치도 사람에 따라 차이가 있기 때문이다. 따라서 액취증의 수술적 치료목적은 냄새를 100% 없애는 것이 아니라 일상생활에서 남이나 자기에게 지장이 없도록 하는 데 있다.

현재 자주 시행하고 방법을 사용하면 대부분의 환자에서 만족할 만큼의 효과를 볼 수 있으나 간혹 술자의 미숙이나 다른 원인으로 불완전하게 제거되어 재발하는 경우도 있으며 때로는 남이 느낄 수 있는 액취는 없지만 본인이 액취를 강력히 호소하는 정신과적 환자도 있다.

References

1. Okuda S. Clinical and experimental studies of transplantation of living hairs. Jpn J Dermatol Urol 1939;46:135-8(In Japanese)

2. Unger W. Delineating the safe donor area for hair transplanting. The American J Cosmet Surg 1994;11:239-43

3. Orentreich N. Autografts in alopecias and other selected dermatological conditions. Ann New York Acad Sciences 1959;83:463-79

4. Norwood OT. Male pattern baldness: classification and incidence, South Med J 1975;68:1359-65

5. Bernstein WR, Rassman WR. Follicular transplantation: Patient evaluation and Surgical planning. Dermatol Surg 1997;23:771-84

6. Jimirez F, Ruifernandez J. Distribution of Human hair in follicular units: A mathematical model for estimating the donor size in follicular unit transplantation. Dermatol Surg 1999;25:294-98

7. Cole JP. An analysis of follicular punches, mechanics, and dynamics in follicular unit extraction. Facial Plast Surg Clin North Am. 2013 Aug;21(3):437-47

8. Park JH, You SH. Pre-trimmed versus direct non-shaven follicular unit extraction. Plast Reconstr Surg Glob Open 2017;5:e1261

9. Park JH. Association between scalp laxity, elasticity, and glidability and donor strip scar width in hair transplantation and a new elasticity measuring method. Dermatol Surg 2017;43:574–81

10. Park JH, Na YC, Moh JS, Lee SY, You SH. Predicting the Permanent Safe Donor Area for Hair Transplantation in Koreans with Male Pattern Baldness according to the Position of the Parietal Whorl. Arch Plast Surg. 2014;41(3):277-84

11. Park JH, Moh JS, Lee SY, You SH. Micropigmentation: camouflaging scalp alopecia and scars in Korean patients. Aesth Plast Surg 2014;38:199–204

12. Park JH. Novel principles and techniques to create a natural design in female hairline correction surgery. Plast Reconstr Surg Glob Open 2015;3:e589

13. Park JH. Side-hairline correction in Korean female patients. Plast Reconstr Surg Glob Open 2015;3:e336

14. Jung JH, Rah DK, Yun IS. Classification of the female hairline and refined hairline correction techniques for Asian women. Dermatol Surg 2011;37:495–500.

15. Lee YR, Lee SJ, Kim JC, Ogawa H. Hair restoration surgery in patients with pubic atrichosis or hypotrichosis: review of technique and clinical consideration of 507 cases. Dermatol Surg 2006;32:1327–35

16. 강원형, 이승헌, 허원. Skin surface hudrometer를 이용한 땀분비량의 측정. 대한의학협회지. 34:383, 1991. P499.

17. 김덕영, 강진성. 한선절제에 의한 액취증의 근치술. 대한성형외과학회지. 10:1, 1983. P125. 박대환. 액취증과 다한증의 치료. 군자출판사. 2001.

18. 박윤규, 정섬, 유원민, 박병윤. 내시경 및 지방흡입술을 이용한 액취증의 치료. 대한성형외과학회지. 26:5, 1999. P822.

19. 변준희, 위성신, 임풍. 액취증 환자에서 액와부 Apocrine 한선의 조직학적 위치, 크기 및 분포. 대한성형외과학회지. 15:4, 1988. P419.

20. 양완석, 손윤호, 변진석, 백봉수. Inaba씨 변법을 이용한 액취증 치료. 대한성형외과학회지.

21. 유상욱, 박영진, 신명수. 지방흡입술과 작은 중앙절개창을 통한 피하조직 절삭법. 대한미용성형외과학회지. 7:3, 2001. P22 17, 1990. P484.

22. 전종완, 한기환, 이동훈, 강진성. 액취증 수술중 한선절제술에 대한 장기추적조사. 대한성형외과학회지. 14:4, 1987. P513.

23. 김정도, 장성진, 임승주, 박성대, 김동진, 김정주. 전자코를 이용한 액취증의 진단센서학회지. 22:4 2013.

24. Bushara K. O., Park D. M., Jones J. C., Schutta H. S.. Botulinum toxina possible new treatment for axillary hyperhidrosis. Clin Exp Dermatol. 21:4, 1996. P276.

25. Cullen S. J.. Topical methenamine therapy for hyperhidrosis. Arch Dermatol. 111, 1975. P1158.

26. Inaba M., Antohny J., Ezaki T.. Radical operation to stop axillary oder and hyperhidrosis. Plast. Reconstr. Surg. 62:3, 1978. P355

27. Kim I. H., S대 S. L., Oh C. H.. Minimally Invasive Surgery for Axillary Osmidrosis : Comnbined operation with CO_2 Laser and Subcutaneous Tissue Remover. Dermatol. Surg. 25, 1999. P875.

28. Lai Y. T., Yang L. H., Chio C. C., Chen H. H.. Complications in patients with palmar hyperhidrosis treated with trans-thoracic endocopic sympathectomy   Neurosurgery. 41, 1997. P110.

29. Lillis P. J., Coleman W.. Liposuction for treatment of axillary hyperhidrosis. Dermatol Clin. 8, 1990 P479.

30. Minabe T., Ogo K., Nakajima H.. Application of an endoscopy assisted ultrasonic surgical aspirator for the teatment of axillary osmidrosis and or hyperhidrosis. ASPRS plastic Surgical forum, 66th annual scientific meeting, San Francisco. 1997.

31. Ou L. F.. Treatment of axillary bromhidrosis with superficial liposuction. Plast. Reconstr. Surg. 102:5, 1998. P1479.

32. Park D. H., Kim T. M., Han D. G., Ahn K. Y.. A comparative study of the surgical treatment of axillary osmidrosis by instrument, manual, and combined subcutaneous shaving procedures. Ann. Plast. Surg. 41:5, 1998. P488.

33. Park J. H., Cha S. H., Park S. D.. Carbon dioxide laser treatment versus subcutaneous resection of axillary osmidrosis. Dermatol. Surg. 23, 1997. P247.

34. Shenaq S. M., Spira M.. Treatment of bilateral axillary hyperhidrosis by suction-assisted lipolysis technique. Ann Plast. Surg. 19, 1987. P548.

35. Skoog T., Thyresson N.. Hyperhidrosis of the axillae ; A method of surgical treatment. Acta Chin. Scad., 124, 1962. P531.

Ⅲ. 피부 및 연부조직

8

급성 화상 치료
Acute Management of Thermal, Chemical & Electrical Injury

김한구 중앙의대

인간이 불을 사용하기 시작한 고대부터 화상은 늘 상존해 온 주요 외상 원인 중 하나로 과거 치료의 개념이 완성되기 전에는 경미한 국소 화상인 경우 저절로 혹은 민간요법으로 치유될 수 있었으나 화상이 깊거나 범위가 넓을 경우 흔히 생명을 앗아가기도 하였다. 현대에 이르러 화상 창상에 대한 치료 개념 이외, 화상의 범위가 클 경우 전신 변화가 생기며 이에 따른 수액 및 영양치료와 전신 모니터링의 개념이 생긴 후에도 중증화상의 경우 여전히 높은 사망률을 보인다.

화상의 발생빈도 및 사망률에 대한 정확한 국내 기록은 찾아볼 수 없으나, 최근 세계보건기구(World Health Organization)와 세계화재통계센터(World Fire Statistics Center)의 보고에 따르면 세계적으로 화재로 인한 중증화상(major burn injury) 환자의 발생빈도는 연간 6,600,000명이며 이중 매년 400,000명 이상의 환자가 사망에 이른다고 한다. 미국에서는 연간 500,000명 이상의 환자가 발생하며 이중 40,000~60,000명의 환자가 입원을 요하는 중증화상 환자라고 하며, 이에 미루어 단순한 인구비례로 계산하면 우리나라도 연간 10,000여 명 이상의 중증화상 환자가 발생하며 적어도 1,000명 이상의 사망환자

가 발생할 것으로 추정할 수 있다.

화상은 열전도에 의한 단백질 변성 및 세포손상의 발생으로 조직의 구조변화가 생기는 질환으로 과거에는 불과 뜨거운 물에 의한 화상이 주였으나 현대에는 다양한 종류의 화상이 발생한다. 불꽃이나 화염 및 섬광(flame, flash), 뜨거운 물에 의한 열탕(scald), 달구어진 물체에 의한 접촉(contact), 화학물질에 의한 화학(chemical), 전류(electric stream)나 방전(arc)에 의한 전기(electrical)화상 등이 있으며 이중 가장 흔한 화상은 화염화상과 열탕화상이며, 5세 이하의 유아에서는 열탕화상이 가장 호발한다. 소아화상은 전체 화상환자의 30% 정도를 차지하며 화상을 입을 경우 성장기에 기능장애를 초래할 수 있어 초기 화상치료 이후에도 성장에 따른 단계적인 치료가 필요하다.

화상의 깊이와 범위 및 부위에 따라서는 치료가 끝난 후에도 외모의 추형은 물론 기능장애까지 발생할 수 있어 화상 초기부터 세심하고도 계획된 치료가 필요하며 사망률이 높은 중증화상의 경우 환자의 생존율을 높이기 위해 여러 임상과의 협업이 필요하다.

1. 열화상(Thermal burns)

1) 화상 후 병태생리

일반적으로 온도에 의한 피부의 손상은 심각한 국소적 변화와 손상을 초래하며, 그 범위가 넓은 경우는 전신적인 변화까지 동반하게 되므로 범위가 넓은 화상의 경우 국소적인 창상의 병태생리 뿐 아니라 전신적인 혈역학적(hemodynamic), 대사적(metabolic), 영양학적(nutritional), 면역학적(immunologic) 병태생리의 변화를 함께 알고 이해하여야 화상에 의한 합병증과 사망률을 낮출 수 있다.

(1) 전신변화

중증화상일 경우 대사항진, 염증, 스트레스 반응 등이 일어나 순환기 항진, 체온증가, 당분해, 단백분해, 지방분해 등 전신변화가 발생한다. 이러한 반응은 외상이나 수술환자에서도 동일하게 생기지만 화상환자에서 강도나 지속기간이 훨씬 심하고 길다.

① 대사항진(Hypermetabolic response)

대사항진을 유발하는 catecholamine, glucocorticoid, glucagon, dopamine 등의 물질이 급격히 증가하여 전신이 이화(catabolic)상태에 빠지게 된다. 지방이 분해되고 간에서 글리세롤이 분해되어 포도당이 생성되며 근육으로부터 아미노산이 분해된다. 안정기 대사율(resting metabolic rate)이 정상의 140%를 초과하며 근육 내 단백질 합성보다 분해가 증가하고 심한 근육감소가 생겨 평균 25%의 체질량(lean body mass) 감소가 동반되며 체내 단백질 감소로 면역기능이 저하되고 창상치유가 느려지게 된다.

② 염증과 부종(Inflammation & edema)

다량의 염증매개물(inflammatory mediator)이 분비되어 혈관수축 및 확장, 모세혈관 투과성 증가로 국소적 및 전신적 부종이 발생한다.

③ 순환기 변화(Effects on cardiovascular system)

미세혈관 변화로 혈장손실(loss of plasma volume), 혈액량 감소, 말초혈관 저항증가로 중증화상 초기에는 early shock에서와 같이 심박출량이 감소하며 화상 3~4일 후에는 정상의 1.5배까지 심박출량이 증가한다.

④ 신장계 변화(Effects on renal system)

화상 초기 혈액량과 심박출량 감소로 신장혈류와 사구체 여과율이 감소하며, 스트레스 호르몬과 매개체인 angiotensin, aldosterone, vasopressin 분비로 신장혈류량이 더욱 감소하게 된다. 이의 결과로 소변 감소(oliguria)가 발생하며 제대로 된 치료가 이루어지지 않으면 급성신부전에 빠지게 되며 사망률을 높인다. 특히 전기화상 후에는 적혈구와 근육세포 파괴로 인해 많은 혈철소(hemosiderin)와 마이오글로빈(myoglobin)이 신세뇨관에 침전되기 때문에 신부전이 발생할 수 있다. 초기 수액요법으로 신부전의 위험과 사망률을 감소시킬 수 있다.

⑤ **소화기계 변화(Effects on gastrointestinal system)**

점막위축 및 장투과성 증가로 소화흡수 기능 변화가 나타나며 포도당, 아미노산과 지방산의 흡수가 감소하게 된다. 이러한 변화는 화상 수 시간 후 나타나며 화상 48~72시간 내 정상으로 회복된다.

⑥ **면역계 변화(Effects on immune system)**

중증화상 환자는 미생물, 바이러스 및 곰팡이 감염뿐 아니라 폐렴의 위험성이 높아진다. 이는 호중구, 대식세포, T림프구, B림프구 등 면역세포 전반의 기능 감소에 기인한다. 대식세포 생성이 줄어들며 초기에 호중구의 숫자가 증가하나 식작용 기능이 감소되어 있으며 48~72시간 후에는 세포 수가 감소한다. T세포 기능의 감소로 특히 곰팡이나 바이러스에 의한 감염 위험이 높아지는데, 조기에 화상 창상의 변연절제술을 시행하면 세포독성 T세포의 기능을 높일 수 있다. 전신체표면적의 20% 이상의 화상일 때 이러한 면역기능의 감소는 화상크기에 비례한다.

(2) 국소 피부 변화

화염, 열탕 및 접촉에 의한 국소적인 열손상은 피부나 조직에 응고괴사(coagulation necrosis)를 일으키며, 조직파괴와 손상의 깊이는 온도와 노출된 시간에 비례한다. 화학 및 전기화상은 직접적으로 세포막 손상을 일으키며 부가적으로 발생하는 열에 의해 추가로 응고괴사를 일으키게 된다.

피부는 열손상을 심부조직으로 파급되는 것을 막고 손상이 피부에 국한되도록 하는 상

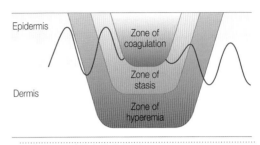

▷ 그림 3-8-1. **화상 손상의 3구역**

벽 역할을 한다. 그럼에도 불구하고 일단 열손상이 발생하면 피부 표면의 열손상이 심부조직으로 파급되게 되며 손상 정도에 따라 세 구역(응고대, 정체대, 울혈대)으로 나뉘게 된다(그림 3-8-1).

- 응고대(zone of coagulation): 비가역적으로 세포가 손상된 부분이며, 조직이 괴사된 지역을 말한다.
- 정체대(zone of stasis): 괴사된 응고대의 바로 근처에 조직 관류(tissue perfusion)가 감소된 지역으로 창상환경에 따라 생존할 수도 있고 경우에 따라 응고괴사로 빠질 수도 있다. 혈관손상과 여러 염증 매개체의 혈관 외 누출 (leakage)로 혈관수축 및 허혈을 초래하여 세포가 파괴된다.
- 충혈대(zone of hyperemia): 화상상처 주위에 염증에 의한 혈관확장으로 울혈이 보이는 지역으로 괴사의 위험 없이 창상치유가 시작되는 부위이다.

① **화상 깊이(Burn depth)**

화상의 깊이는 손상의 침범 정도가 표피, 진피, 피하지방, 근육 등 심부조직으로 얼마나 침습되었는지에 따라 결정된다. 그러나 화상은 시간이 지남에 따라 깊어지는 경우가 있어 초기에 관찰되는 임상 **특**

▷ 표 3-8-1. 화상 깊이에 따른 임상특징

화상의 깊이	화상 표면 모양	색깔	감각
1도	수포 없음 정상 피부 혹은 약간의 부종	붉은색	통증
2도(표재성)	수포, 부종	짙은 붉은색(선홍색) 빠른 모세혈관 재충전	심한통증
2도(심부)	수포 정상피부면 혹은 약간 위축	옅은 붉은색 혹은 분홍색 느린 모세혈관 재충전	덜한 통증
3도	수포 없음 마른가죽 혹은 밀납 같은 가피 정상 피부면보다 낮고 위축	흰색, 갈색, 때로 흑색 모세혈관 재충전 없음	무통

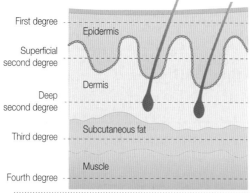
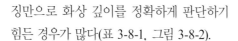

▷ 그림 3-8-2. **화상 깊이의 조직학적 모식도.** 1도 화상은 표피에 국한된 화상. 2도 화상은 진피층으로 침범된 화상. 3도 화상은 표피와 진피 전층을 침범한 화상. 4도 화상은 피하지방층 하부 근육, 건, 뼈까지 침범된 화상

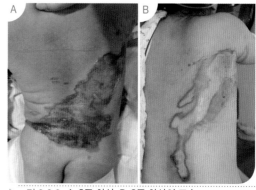

▷ 그림 3-8-3. A. 2도 화상. B. 3도 화상의 모습

징만으로 화상 깊이를 정확하게 판단하기 힘든 경우가 많다(표 3-8-1, 그림 3-8-2).

i) 1도 화상(1st degree burn, superficial): 손상이 표피에 국한된 경우로 홍반과 통증이 동반되며 흔히 일광화상(sunburn)이 여기에 해당된다. 대게 일주일 내에 자연치유 되며 반흔이 남지 않는다.

ii) 2도 화상(2nd degree burn or partial thickness burn): 손상이 진피를 침범한 경우로 진피를 침범한 깊이에 따라 표재성과 심부 2도 화상으로 나뉜다(그림 3-8-3A).

ㄱ) 표재성 2도 화상(superficial second degree burn): 표피와 진피의 상부 1/3 이내

인 유두층(papillary dermis)에 화상이 침범한 경우로 선홍색의 홍반과 종종 수포가 동반되며 상처를 건드리면 하얗게 되었다가 선홍빛으로 돌아오며, 상처를 살짝 건드리기만 해도 통증이 심하고 감염이 일어나지 않으면 2주 내 자연치유 된다. 치유 후에는 반흔이 남지 않거나 피부의 변색을 동반한 최소한의 색소성 반흔이 남을 수 있으나 대개 수개월에서 경우에 따라 수년에 걸쳐 서서히 정상으로 돌아온다.

ㄴ) 심부 2도 화상(deep second degree burn): 진피의 망상층(reticular dermis)까지 화상이 침범(진피의 약 3/4까지)한 경우로,

표재성 2도 화상보다 창백하고 얼룩덜룩(mottled)하며 건드려도 하얗게 되지 않으며(do not blanch to touch), 통증이 표재성 2도 화상보다 상대적으로 덜하나 가는 핀으로 찌르면 여전히 통증을 느낀다. 대게 2~4주 내로 재상피화가 일어나지만 종종 심한 흉터를 남기게 된다. 감염이 동반되면 흔히 3도 화상으로 전환된다.

iii) 3도 화상(3rd degree burn or full thickness burn): 표피에서 진피 전층까지 화상이 침범한 경우로, 흰색, 갈색, 흑색, 드물게 붉은색(cherry red) 등의 단단한 가죽 혹은 밀납 같은 가피(eschar)가 생성되며 외부자극에 통증 등 감각이 없다. 피부 전층의 손상으로 진피의 피부부속기(dermal appendage)가 없어 창상 하부로 부터 상피화가 진행되지 않아 창상치유에 피부이식이 필요하며, 좁은 창상은 창상주변으로부터 느린 상피화에 의해 치유될 수 있으나, 대개 가피절제술(escharectomy) 후 피부이식술이 필요하다(그림 3-8-3B).

iv) 4도 화상(4th degree burn): 피부 하부의 근육, 건, 뼈 등까지 화상이 침범한 경우를 말하며 피판술로 피복하거나 경우에 따라서는 절단이 고려된다.

② **화상 크기(Burn size)**

2도 이상의 화상을 입은 부위를 전신 체표면적(total body surface area, TBSA)의 %로 표시한다. 일반적으로 9의 법칙(rule of nines)으로 대략의 화상 크기를 측정하나, 소아의 경우 상대적으로 두경부의 표면적이 넓고, 하지의 표면적이 좁아 나이에 따라 좀 더 정확한 화상 크기를 측정하기 위

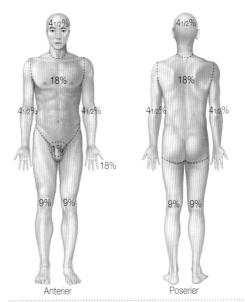

▷ 그림 3-8-4. 9의 법칙(Rule of nines)을 이용한 화상 체표면적

해 Lund and Browder 챠트를 이용하는 방법이 있다.

i) Rule of nines(그림 3-8-4): 두안면부 9%, 한쪽 상지 9%, 한쪽 하지 18%, 체간 전,후면부 각 각 18%, 회음부 1%로 성인에서 대략의 화상 넓이를 빨리 계산할 수 있는 장점이 있지만, 유아와 어린아이에서는 연령별로 신체 각 부위의 전신체표면적에 대한 %가 성인과는 달라 보정이 필요하다.

ii) Lund and Browder chart(그림 3-8-5): 연령에 따라 달라지는 체표면적을 고려하여 화상 크기를 연령별로 계산하며, rule of nines보다 정확하다.

2) 치료

(1) 기본치료

① 초기평가(Initial assessment)

화상환자를 평가할 때는 흡입화상에 의한

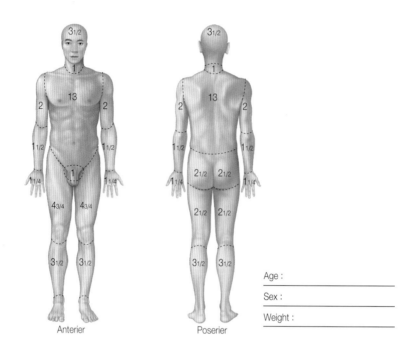

Anterier   Poserier

Age :

Sex :

Weight :

Area	Birth-1 yr	1-4 yr	5-9 yr	10-14 yr	15 yr	Adult	Paritial thickness 2°	Full thickness 3°	Total
Head	19	17	13	11	9	7			
Neck	2	2	2	2	2	2			
Anterior trunk	13	13	13	13	13	13			
Posterior trunk	13	13	13	13	13	13			
Right buttock	$2\frac{1}{2}$	$2\frac{1}{2}$	$2\frac{1}{2}$	$2\frac{1}{2}$	$2\frac{1}{2}$	$2\frac{1}{2}$			
Left buttock	$2\frac{1}{2}$	$2\frac{1}{2}$	$2\frac{1}{2}$	$2\frac{1}{2}$	$2\frac{1}{2}$	$2\frac{1}{2}$			
Genitalia	1	1	1	1	1	1			
Right upper arm	4	4	4	4	4	4			
Left upper arm	4	4	4	4	4	4			
Right lower arm	3	3	3	3	3	3			
Left lower arm	3	3	3	3	3	3			
Right hand	$2\frac{1}{2}$	$2\frac{1}{2}$	$2\frac{1}{2}$	$2\frac{1}{2}$	$2\frac{1}{2}$	$2\frac{1}{2}$			
Left hand	$2\frac{1}{2}$	$2\frac{1}{2}$	$2\frac{1}{2}$	$2\frac{1}{2}$	$2\frac{1}{2}$	$2\frac{1}{2}$			
Right thigh	$5\frac{1}{2}$	$6\frac{1}{2}$	8	$8\frac{1}{2}$	9	$9\frac{1}{2}$			
Left thigh	$5\frac{1}{2}$	$6\frac{1}{2}$	8	$8\frac{1}{2}$	9	$9\frac{1}{2}$			
Right leg	5	5	$5\frac{1}{2}$	6	$6\frac{1}{2}$	7			
Left leg	5	5	$5\frac{1}{2}$	6	$6\frac{1}{2}$	8			
Right foot	$3\frac{1}{2}$	$3\frac{1}{2}$	$3\frac{1}{2}$	$3\frac{1}{2}$	$3\frac{1}{2}$	$3\frac{1}{2}$			
Left foot	$3\frac{1}{2}$	$3\frac{1}{2}$	$3\frac{1}{2}$	$3\frac{1}{2}$	$3\frac{1}{2}$	$3\frac{1}{2}$			
Total									

▷ 그림 3-8-5. Lund and Browder 챠트

기도나 호흡기 손상뿐 아니라 두부손상, 기흉, 척수손상 등의 외상 여부와 과도한 출혈이 동반되는 혈복강, 골반골이나 장골 골절 등 우선 생명을 위협할 만한 상황에 대한 일차 평가 후 피부 화상에 대한 전신 관찰 및 평가를 시행하여야 한다.

흡입화상의 경우 가열된 가스와 연기가 상기도에 직접 손상을 주어 점막부종을 일으키며 흡입화상과 중증 피부화상이 동반될 경우 전신부종이 동반되어 기도폐쇄의 발생 가능성이 커진다. 상기도 폐쇄는 생각보다 빨리 진행하므로 안면화상이나 코털이 그을린 흔적(singed nasal hair), 탄소질의 객담(carbonaceous sputum), 빈호흡(tachypnea) 등의 소견이 있을 경우 세심하게 호흡기 모니터링을 하여야 한다. 쉰목소리가 진행하면 기도폐쇄가 임박한 소견이므로 기관삽관을 하여야 하며, 중증화상의 경우 초기에 호흡 문제가 없더라도 다량의 수액요법을 시행하면 기도 부종이 발생할 수 있으므로 이를 염두에 두어야 한다. 기도를 확보하였다고 적절한 환기(ventilation)가 되고 있다고 생각하면 안 된다. 가슴을 노출시켜 흉곽이 정상적으로 팽창하고 호흡음이 일정한 지 확인하여 정상적인 호흡을 하고 있는지 확인하여야 한다.

사지 화상환자의 경우 부종과 가피형성으로 정상적인 혈압측정이 힘들 경우가 있으며, 맥박을 측정하여 간접적으로 혈액순환을 추측해 볼 수 있다. 그러나 대부분의 화상환자는 적절한 수액치료에도 빈맥을 나타낸다. 침습적 동맥압 측정이나 소변량 측정 등의 모니터링 전까지는 사지의 맥박이나 도플러 검사로 적절한 혈액순환을 평가

해 볼 수 있다.

② **초기처치(Initial care)**

화상 초기에는 삼출액이 많으므로 건조드레싱(dry dressing)을 하여야 하며 습윤드레싱(wet dressing)은 하지 말아야 한다. 드레싱 후 통증완화를 위해 진통제를 사용 시 주의할 점은 근육 내 혹은 피하로 마약성 진통제를 주사하지 말아야 한다는 점이다. 왜냐하면 화상초기 혈관수축으로 근육과 피하에 주사되었던 약의 흡수가 감소되어 과다 사용의 가능성이 있으며 추후 수액치료를 시행하면 체내 근육과 피하에 있던 마약성 진통제가 혈관확장으로 혈액 내로 약의 흡수가 증가하게 되면 무호흡을 유발할 가능성이 있기 때문이다. 진통제가 꼭 필요하다고 판단될 경우 소량의 모르핀을 정맥 내에 주사 하도록 하며, 환자 이송이 필요할 경우 담요로 덮어 체온소실을 막아주어야 한다.

③ **수액치료(Resuscitation)**

성인에서는 전신체표면적의 20% 이상, 소아에서는 10% 이상의 화상에서 수액치료를 시행하게 되며 가능한 말초정맥을 확보하여 주입하되 말초정맥의 확보가 힘든 6세 이하 소아의 경우는 경골 근위부의 골내로(intraosseous) 수액을 주입해야 할 경우도 있으며, 말초정맥의 확보가 불가능할 경우 대복재정맥(greater saphenous vein) 컷다운(cut down)이나 중심정맥을 사용해야 할 수도 있다. Lactated Ringer's solution without dextrose가 가장 흔히 사용되는 수액제이며, 소변 배출량이 적절한 수액치료 여부

를 가늠할 수 있는 지표로 사용된다. 성인에서는 최소한 시간당, 체중(kg)당 0.5~1.0 mL(0.5~1.0 mL/kg/hr)의 소변 배출량이 유지되어야 하며, 중증화상 환자에서 수액치료를 시행할 때는 도뇨관(foley catheter)을 삽입하여 소변량을 측정토록 한다. 중증 화염화상이나 전기화상 환자에서는 소변의 색깔을 관찰하여야 하는데, 소변색이 검으면 헤모글로빈뇨(hemoglobinuria)나 마이오글로빈뇨(myoglobinuria)를 의미하며 향후 신기능의 예후를 가늠하는 데 있어 중요하다.

수액치료는 과거부터 여러 방법이 소개되고 여러 화상센터에서 다양한 치료법이 사용되고 있으나 최근 합의되고 있는 화상초기 수액치료는 화상 첫 24시간 내에는 결정질용액(crystalloid solution)을 선택하여 투여토록 하고 있으며, 콜로이드 용액(colloid solution)은 첫 24시간에 사용하지 않도록 권유되고 있다. 이유는 화상 초기 모세혈관 투과성이 증가되어 있어 교질용액을 투여할 경우 오히려 간질로 수분이 빠져나가 부종을 조장하기 때문이며 모세혈관 투과성이 정상화된 후부터 사용하도록 권장되고 있다. 특히 최근 보고에 의하면 첫 24시간째 알부민을 사용하면 세포내외의 체액분포에 영향을 주지 못할 뿐 아니라 정질용액을 사용한 경우보다 상대적으로 사망률을 두 배 이상 높인다고 알려지고 있어 화상 첫 24시간 내 알부민 주사는 금기로 되어있다.

결정질용액 중 Lactated Ringer's solution은 정상 체액(세포외액)과 가장 유사하여 (정상 체액보다 약간 저장성(hypotonic, Na 130 mEq/L)) 화상 첫 24시간의 수액치료

에 선택된다. 고장성 생리식염수(hypertonic saline)는 이론적으로 부종을 감소시키며 림프순환을 촉진시키는 장점이 있지만 고나트륨혈증의 위험이 있고 신부전을 4배가량 증가시키고 사망률을 2배 증가시킨다는 보고가 있어 일반적으로 사용되지 않는다. 생리식염수(normal saline)는 등장성(isotonic)이지만 세포외액보다 염소이온의 농도가 높아 과량 투여 시 대사성산증(metabolic acidosis)의 위험이 높아진다.

이상을 종합하면, 현재 이상적으로 합의가 된 수액치료 공식은 Parkland formula이며, 첫 24시간의 총주입량은 화상체표면적(%)당, 체중(kg)당, 4 mL의 Lactated Ringer's solution (4 mL/kg/% TBSA burn)을 주입하여야 하며, 이중 1/2을 첫 8시간에 주사하고 나머지 1/2은 다음 16시간 동안 나누어 주사하도록 권고되고 있다. 예를 들어 체표 면적의 40%에 2도 이상의 화상이 있는 체중 60 kg의 환자가 왔을 때, 첫 24시간 내 주어야 할 총 수액량은 4 mL × 60 (kg) × 40 (%) = 9,600 mL이고, 첫 8시간에 이의 1/2인 4,800 mL를 주사하고, 이후 16시간 동안 나머지 4,800 mL를 주사하도록 한다. 소아의 경우 체질량 대 체표면적의 비의 변화를 고려하여 변형된 공식을 사용하는데, 이와 같이 하는 이유는 소아의 경우 성인에 비해 체중(kg)당 더 많은 수액량이 요구되기 때문이다. 소아에서 사용하는 Galveston formula는 화상면적(m²)당 5,000 mL에 더하여 환아의 전체 체표면적(m²)당 1,500 mL의 정질용액을 첫 24시간에 주도록 한다(표 3-8-2).

주입량은 절대치가 아니라 권고치이며, 폐

▷ 표 3-8-2. **수액치료 지침**. 화상 후 초기 수액치료 권장 공식. 수액치료의 반응을 지속적으로 모니터링 해야 하며 소변배출량 등을 참조하여 수액 투여 속도를 가감토록 한다. TBSA, total body surface area.

FORMULA	CRYSTALLOID VOLUME	COLLOID VOLUME	FREE WATER
Parkland	4 mL/kg per % TBSA burn	None	None
Brooke	1.5 mL/kg per % TBSA burn	0.5 mL/kg per % TBSA burn	2.0 L
Galveston (pediatric)	5,000 mL/m² burned area + 1,500 mL/m² total area	None	None

부종 가능성 여부를 염두에 두고 최소 소변배출량(성인 0.5 mL/kg/hr, 약 30~40 cc/hr, 소아 1.0 mL/kg/hr)에 따라 적절히 가감토록 한다. 단, 2세 미만의 소아에서는 예외적으로 Lactated Ringer's solution에 5% 포도당(dextrose solution)을 섞어 주도록 한다.

④ **모니터링(Monitoring)**

중증화상 환자에서 일차 모니터링 방법은 맥박과 소변 배출량 측정이다. 이중 수액치료가 적절히 시행되고 있는지를 알아보는 유일한 지표는 시간당 소변 배출량이며 권고되는 이상적인 배출량은 성인에서 0.5~1.0 mL/kg/hr, 소아인 경우 1.0~2.0 mL/kg/hr 이다. 만약 화상 후 첫 48시간 내 소변 배출량이 이보다 적으면 수액치료가 부적절하다는 의미이다. 한편 성인에서 맥박이 분당 120회 이상이면 저혈량증(hypovolemia)을 의미하며, 110회 미만이면 정상혈량(normovolemia)을 의미한다. 일상적으로 사용하는 비침습적 혈압측정계는 조직부종으로 실제 혈압보다 낮게 측정되는 경향이 있어 요골동맥 내 관혈적 동맥압 측정이 가장 이상적이다. 이외, 다른 관혈적 혈역학적 감시장치(invasive hemodynamic monitoring)인 폐동맥압, Swan-Ganz cath-eter를 이용한 중심정맥압(CVP) 측정 등은 큰 이득은 없으면서 감염, 혈전증 정맥염 등의 합병증 가능성이 있어 조심스럽게 고려하여야 한다.

⑤ **영양(Nutrition)**

화상환자는 대사항진으로 전신이 이화상태(catabolic state)에 빠지게 되어 체질량 감소, 면역기능 저하 및 창상치유 지연 등이 발생하게 되므로 수액치료뿐 아니라 영양 공급도 상당히 중요하다. 중증 화상환자에서 요구되는 영양을 충족하기 위해서는 많은 양의 영양분이 필요한데, 대략 체표면적의 40% 화상의 경우 정상(안정상태)의 두 배에 해당하는 기초대사 에너지가 필요하다.

성인의 매일 칼로리 요구량은 Curreri 공식에 의하면 25 kcal/kg+40 kcal/% burn이고, 소아(<12세)의 경우 Davies 공식에 의하면 60 kcal/kg+35 kcal/% burn이다. 그러나, 단순한 칼로리만을 보충하기보다는 화상환자에서 단백질 손실이 많은 점을 고려하여 칼로리 양과 질소(1 g nitrogen=6.25 g protein)의 비율을 100~150:1로 하여 정상인의 비율인 300:1보다 더 단백질을 보충해 주도록 한다. 또한 영양분에 25~40%의 지방이 필요하며 필수지방산이 들어가야

하고 이외 비타민과 무기질의 공급도 동시에 한다.

대부분 중증 화상환자는 화상 후 3~5일에 위장관 기능이 돌아오므로 그때부터 정상적인 경구적 급식을 시행하고, 먹지 못하는 환자에게는 비강영양튜브(nasogastric tube)를 이용한 소화관 내 급식(enteral feeding)을 시행한다. 그러나 종종 영양공급은 경구식이보다 영양관을 이용한 투여가 권장되는데, 화상환자는 식욕이 떨어져 있고 빈번한 드레싱 교체와 수술 및 재활치료 때문에 효과적인 경구식이가 힘들 수 있기 때문이다. 특정한 중증 화상환자에서는 전 비경구적 식사(total parenteral nutrition)를 시행할 수 있으나 위장관을 통한 흡수가 가장 효과적이고 정맥을 통한 장기간의 투여는 감염의 위험이 있으므로 가능한 일찍 경구

투여로 전환할 것을 고려한다. 영양공급 중 혈당은 인슐린 주사를 사용(intensive insulin therapy protocol)하여 80~110 mg/dL로 엄격하게 관리하여야 감염의 합병증과 사망률을 낮출 수 있다.

⑥ **가피절개술(Escharotomy)**

심부 2도 화상과 3도 화상이 사지를 둘러싸고 있으면 딱딱한 가피 아래로 부종이 발생하여 정맥유출을 막고 조직 압력이 높아지면 말단부위의 동맥유입에 영향을 주게 된다. 이 경우 사지가 저리거나 수지부나 발가락부에 통증이 발생하며 감각이 소실되기도 한다. 말초 혈류가 의심스러운 경우 모세혈관 재충전을 평가하고 도플러를 이용한 동맥혈류 평가를 해야 하며 조직압이 30~40 mmHg 이상일 경우 가피절개술

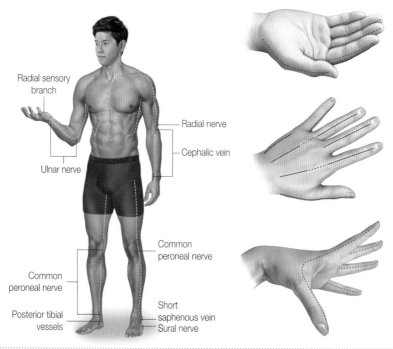

▷그림 3-8-6. **가피절개술 위치와 조심하여야 할 신경 및 혈관.** 가피절개는 사지의 내측 및 외측선을 따라 시행하고, 수부의 경우 수지의 내, 외측에서 시행한 절개선을 그림과 같이 수배부(손등)를 따라 절개선을 연장한다.

이 필요하다. 가피절개술은 칼이나 전기소작기를 이용하여 사지의 내측과 외측에 종축(longitudinal) 방향으로 절개를 하며 무지구와 소지구를 지나 수지의 배측외측면(dorsolateral)을 따라 완전히 절개하여 혈류를 원활하게 해준다(그림 3-8-6). 만약 근육 구획압력이 증가되면 근막절개술을 시행한다. 사지와 마찬가지로 체간에도 가피가 둘러싸고 있으면 흉곽운동이 제한되어 호흡 환기가 줄어들게 되므로 역시 가피절개술을 시행하여야 한다. 가피절개술의 적응증은 청색증, 느린 모세혈관 재충전, 점진적인 신경학적 변화, 촉지할 수 있는 맥박의 소실, 도플러 맥박의 소실, 구획압력이 30~40 mmHg 이상인 경우이다. 가피절개술 후에는 원위부의 혈액순환을 확인하여야하며, 충분한 가피절개술 후에도 혈액순환이 개선되지 않으면 불충분한 수액요법 등 그 원인을 찾아야 한다.

⑦ 흡입손상 치료(Treatment of inhalation injury)

중증 화상환자의 사망률이 과거 20년간 눈에 띄게 감소하였지만 높은 사망률과 연관되는 흡입손상은 여전히 가장 중요한 동반손상이며 화염화상과 연관된 사망환자의 50% 이상이 흡입손상에 기인한다. 일반적으로 화상과 흡입화상이 동반되면 사망률은 두 배가 된다. 따라서 밀폐된 공간에서의 화상, 안면 화상의 병력과 구강, 인두나 가래에서 탄소질의 잔해(carbonaceous debris)가 관찰되면 조기에 흡입손상을 의심하고 진단하여 빠른 치료를 시작할 수 있도록 한다.

i) 흡입화상의 종류

ㄱ) 불완전 연소 물질의 흡입에 의한 smoke burn: 흡입화상의 가장 흔한 원인으로 열에 의한 직접 손상이라기보다 불완전 연소에 의해 발생한 알데히드(aldehydes), 케톤(ketone), 유기산(organic acids)과 같은 여러 유해물질에 의해 발생하는 일종의 화학손상이다. 심부하기도에 화학적 기관지염, 기관지 경련 등을 일으키며 PCO_2가 상승된다. 폐포세포의 섬모기능이 저하되어 분비물 청소(secretion clearance)기능이 저하되고 모세혈관 투과성의 변화 등으로 폐부종과 호흡부전증후군에 빠지게 되며 폐실질이나 기관지에 이차 감염이 발생하게 되면 높은 사망률을 보이게 된다.

ㄴ) 상기도에 직접 열화상(direct thermal injury to upper airway): 뜨거운 공기는 열전도율이 낮아 비강과 후두를 통과하면서 쉽게 식게되므로 열에 의한 직접 손상은 주로 상기도(supraglottic)에 손상을 주게 되며 열에 의한 성문하(subglottic) 손상은 드물다. 이로 인한 상기도 부종은 수상 18~24시간에 최고조에 이르며 수상 후 4~5일에 가라앉게 된다.

ㄷ) 일산화탄소 중독(carbon monoxide poisoning): 무색, 무취인 일산화탄소는 세포외에서 산소보다 헤모글로빈에 210배의 친화성(affinity)을 가지고, 세포내에서 cytochrome oxidase에 결합하여 산화경로를 방해하여 세포내외의 저산소증을 유발한다. 흡입화상에 의한 사망의 80%가 기도폐쇄와 일산화탄소 중독으로 사망한다.

Ⅲ. 피부 및 연부조직

ii) 흡입화상의 진단

밀폐된 공간에서의 화상병력, 안면 및 구개인 두강의 화상, 그을리거나 탄 코털, 탄소가루가 섞인 가래, 쉰 목소리, 협착음(stridor), 천명(wheezing), 공기부족(air hunger) 등의 증상을 보이기도 한다. 증상이 심하지 않은 경우라도 흡입화상이 의심될 때는 COHb (carboxyhemoglobin)을 측정하여 10% (heavy smoker의 일반측정치) 이상이면 강력히 의심하고 치료를 고려해야 한다. 만약 COHb 수치가 50%를 넘으면 사망에 이르게 된다(표 3-8-3). 흉부 방사선 사진(chest X-ray)은 감염과 같은 합병증이 발생하기 전까지는 대개 정상소견을 보이며, 동맥혈가스검사(blood gas analysis)와 맥박산소측정기(pulse oximeter)도 부정확하며(oxyhemoglobin과 carboxyhemoglobin은 구분이 힘듦) 산소포화도가 높게 측정될 수 있으나 실제 조직 내의 산소 운반 능력은 낮은 경우가 있어 데이터 분석에 주의가 필요하다. 흡입화상의 표준진단법 (standard diagnostic method)은 기관지 내시경(bronchoscopy)이며 따라서 의심되는 모든 환자는 기관지내시경 검사를 시행토록 한다. 이외 폐기능 검사, Tc99m uptake검사 및 Xenon lung scan도 유용하다.

iii) 흡입화상의 치료

흡입화상이 의심될 때는 즉각 치료를 시행하여야 한다. facial mask나 nasal cannula로 100% 산소를 투여하고 상기도 부종과 같은 기관삽관의 적응증이 관찰되면 조기에 기관삽관을 하여 기도유지를 하여야 한다(표 3-8-4). 단, 뚜렷한 적응증 없이 예방목적의 기관삽관은 하지 않도록 한다. 고탄산혈증이 있으면 호기말양압(positive end respiratory pressure, PEEP)의 호흡기 사용이 도움이 된다. 예방목적의 항생제 치료는 필요 없지만 폐렴의 증거가 있을 때는 지체 없이 항생제를 사용하여야 한다. 균 배양 검사 결과가 나오기 전에 경험적으로 사용하여야 하는 항생제는 methicillin-resistant Staphylococcus aureus와 Pseudomonas 및 Klebsiella와 같은 그람음성균을 잡을 수 있는 항생제를 사용하여야 한다.

(2) 상처치료

① 화상상처 드레싱(Burn wound dressing)

화상의 넓이와 깊이를 평가한 후 우선 열로 인한 조직 손상이 진행되지 못하도록 심한 동통이 멎을 때까지 냉수로 화상부위를 식혀 주어야 한다. 만약 화상 범위가 넓을 경우에는 저체온증을 방지하기 위해 냉각을

▷ 표 3-8-3. 일산화탄소혈색소(Carboxyhemoglobin)의 증상

Carboxyhemoglobin	Symptoms
0-10%	Minimal (normal level in heavy smokers)
10-20%	Nausea, headache
20-30%	Drowsiness, lethargy
30-40%	Confusion, agitation
40-50%	Coma, respiratory, depression
>50%	Death

▷ 표 3-8-4. 흡입화상 시 기관삽관의 적응증

Indications for intubation
• Erythema or swelling of oropharynx on direct visualization
• Change in voice, with hoarseness or harsh cough
• Stridor, tachypnea or dyspnea
• Carbonaceous particles staining a patient's face after a burn in an enclosed space.

30분 이내로 한다. 큰 수포가 있을 경우 수포의 일부에 구멍을 내어 채액을 배출시키고 껍질인 표피는 환부에 보존 유착시켜 생물학적 드레싱과 같은 효과를 얻도록 한다. 화상 창상에 이물질이 있거나 감염의 우려가 있을 경우에는 수포를 제거하여 감염을 예방토록 한다. 화상상처 드레싱의 목적은 미생물이나 진균(곰팡이)의 감염을 최소화할 수 있도록 손상된 피부를 보호, 수부를 포함한 사지의 경우 원하는 관절의 위치를 유지하기 위한 부목효과(splinting effect), 열 소실방지, 통증 완화 등이 있다. 1도 화상의 경우 드레싱은 필요 없으나 통증완화와 보습을 위해 연고 도포가 도움이 된다. 2도 화상의 경우 삼출액이 많은 초기 항생제 연고 도포와 바세린 거즈 및 화상거즈를 사용한 고식적인 드레싱을 매일 시행하며 삼출액이 줄어듦에 따라 드레싱 간격을 늘려가도록 한다. 최근에는 여러 상품화 된 드레싱제재(하이드로콜로이드, 폼, 은 제재 등)를 이용하여 효율적이고 편리한 치료가 가능하게 되었고, 창상치유를 촉진시키기 위하여 일시적인 생물학적 드레싱이나 합성 피복제(OpSite, Biobrane, Integra 등) 등을 사용하기도 한다. 심부 2도와 3도 화상의 경우 2도 화상의 치료와 대동소이하나 초기 드레싱의 목적은 변연절제술과 피부이식술 때까지 미생물 증식을 막고 수술 때까지 창상을 보호함에 있다.

② **화상연고(Antibacterial ointment)**

치료되지 않은 화상창상은 정상 피부 장벽이 소실된 상태이므로 미생물과 진균이 급격히 감염을 일으키며 방치할 경우 조직을 침투하여 혈류로 침입하게 되면 전신감염을 유발하며 생명을 위협할 수 있다. 화상 초기엔 주로 그람양성균주가 발견되고, 일주일 가량 후엔 그람음성균, 장내균, 진균 등이 검출되며 서로 동반되기도 한다. 국소항균제는 창상의 균주(flora) 수를 감소시키며, 연고(크림)와 액상제재(용액)의 두 가지 형태가 있다.

i) 연고(salve or cream)

ㄱ) Silver sulfadiazine (Silvadene®)

가장 많이 사용되며 은(silver)성분과 황(sulfa)성분으로 그람양성균, 대부분의 그람음성균 및 일부 진균(Candida)을 포함하는 광범위 국소항균제이다. 도포 시 통증이 없어 사용하기 편한 장점이 있으나 가피를 통과하는 투과력이 낮으며 일부의 경우 사용 3~5일 후 일시적인 백혈구 감소증이 발생할 수 있다. 임신, 설파제 과민증 환자 및 glucose-6-phosphate 결핍 영아는 사용 금기다.

ㄴ) Mafenide acetate (Sulfamylon®)

황성분이 있어 역시 광범위 항균효과를 가지며 특히 항생제 저항 녹농균 (pseudomonas)과 장구균(enterococcus)에 유용하다. 가피 투과력이 좋으나 도포 시 통증이 심하며, 탄산탈수효소억제 효과로 넓은 범위에 사용 시 대사성 산증(metabolic acidosis)을 유발하며 5%에서 과민반응(알러지성 발진)의 합병증을 보여 좁은 범위의 전층화상 환자에서만 제한적으로 사용한다.

ㄷ) Petroleum-based antimicrobial ointments

Polymyxin B, neomycin, bacitracin 연고 등이 흔히 사용되며 도포 시 통증이

없으며 도포 후에도 화상 창상을 잘 관찰할 수 있는 장점이 있어 주로 안면화상, 피부이식 수혜부, 상피화 중인 피부 공여부나 작은 표재성 2도 화상에 쓰인다. Mupirocin은 그람양성균 특히 메티실린 내성 포도상구균(methicillin-resistant S. aureus)에 효과가 있다고 알려져 있으며, 진균 감염 예방 목적으로 사용되는 Nystatin은 다른 항균제와 복합하여 사용 가능하며 진균과 미생물의 감염을 동시에 억제할 수 있으나 mafenide acetate와 병용 사용 시 서로의 작용을 억제하여 같이 사용하지 않도록 한다.

ⅱ) 용액(soak or solution)

ㄱ) 0.5% silver nitrate solution: 도포 시 통증이 없고 항균효과가 탁월한 장점이 있지만 도포 후 용액이 마르면서 화상 창상을 검게 착색시켜 화상 깊이를 판단하기 어려워지며 이에 따라 효과적인 변연절제술을 어렵게 한다. 또 다른 단점으로는 저장성 용액으로 지속적으로 사용 시 저나트륨혈증, 저칼륨혈증을 일으키며, 드물게 methemoglobinuria을 일으킨다. 최근에 개발된 Acticoat®는 물에 적시면 은이온이 활성화되는 드레싱 제재로 silver nitrate용액의 단점 없이 항균효과를 발휘하는 것으로 알려져 있다.

ㄴ) Dakin solution (0.025% sodium hypochlorite): 거의 모든 미생물에 효과적으로 알려져 있으나 화상 창상 세포에 독성 효과가 있어 저농도로 사용하도록 한다. hypochlorite 이온은 단백질과 접촉 시 비활성화되므로 용액을 지속적으로 바꿔주어야 한다.

③ 생물학적 드레싱(Biologic dressing)

화상 창상을 일시적으로 피복하여 체액 및 전해질 소실 감소, 오염방지, 상피화 촉진, 통증감소, 조기 운동촉진 등의 목적으로 시행되는 드레싱 방법으로 돼지에서 채취한 식피편(pig skin graft, xenograft), 사망한 인체의 피부에서 채취한 신선한 피부(homograft), 글리세롤로 처리하여 냉장시킨 피부, 냉동건조(lyophilization)시킨 피부(artificial dermis), 양막(amniotic membrane) 등이 사용된다.

④ 화상창상 변연절제술(Burn wound excision)

화상창상에서 처음으로 조기 변연절제술과 피부이식술을 시도한 것은 1970년 Janzekovic이며 이 개념이 현대의 조기 접선절제술(tangential excision)과 조기 피부이식술 개념의 초석이 되었다.

심부 2도 화상 중 3주 내에 치유를 예상하기 어려운 경우와 3도 이상의 화상의 경우 조기(화상 후 2~7일 사이) 변연절제술 혹은 접선절제술(tangential excision)과 조기 피부이식술이 환자의 사망률을 낮추고 빨리 회복시킬 수 있다. 또한 조기 화상 피복술이 과반흔의 발생을 낮추며, 조기 재활치료를 가능케 하여 관절구축 및 강직의 발생 또한 낮춘다. 변연절제 시 우선하여 시행하여야 할 부위는 손이나 발의 배부(dorsum)와 관절을 포함하는 곳 등 기능과 미용에 중요한 부위가 우선이다. 얼굴은 혈액순환이 좋아 화상이 조금 깊어 보여도 치유가 잘 되며 미용인 면을 고려하여 화상 후 7일에서 14일 이상 기다려 본 후 변연절제술을 고려해 본다. 변연절제술은 화상의 부위와 깊이에 따라 수술용 칼(mes or scalpel), Humby knife, power dermatome 등을 이용하여 시행하며 최근에는 초음파나 워터젯(Versajet®)을 이용한 새로운 장비가 사용되고 있다.

i) 접선절제(tangential excision): Dermatome을 이용하여 0.005~0.010 inch 깊이로 심부 2도 부분층 화상의 죽은 조직을 절제하며 창상바닥에서 점상출혈(punctate bleeding)이 보일 때까지 진피의 건강한 부위 바로 위까지 또는 3도 화상의 경우 손상되지 않은 피하지방층까지 시행한다.

ii) 피부 전층 절제(full thickness excision): 수술용 칼(hand knife)을 이용하여 단번에, 혹은 dermatome을 0.015~0.030 inch 깊이로 세팅하여 연속적으로 출혈이 보일 때까지 가피를 절제하며, 지방층이 노출된다.

iii) 근막 하 절제(fascial excision): 이 술식은 화상이 지방층을 넘어 더 깊이 침범한 경우, 감염된 광범위 화상 창상, 생명을 위협할 정도의 진균감염이 있을 경우를 제외하고는 잘 시행되지 않는다. 지방층을 포함한 외피(integument) 전체를 절제하는 방법으로 추후 피복 후에도 윤곽의 변형이 남으며, 림프선을 절제하게 되어 림프부종이 생길 수 있다.

화상창상의 변연절제술은 필연적으로 많은 출혈을 동반하게 된다. 대개 1%의 체표면적을 변연절제 할 때 100 ml 이상의 출혈을 동반하게 된다. 따라서 출혈을 줄이는 술식이 중요하며 보통 1회 수술 시 체표면적의 15~20% 이상을 넘지 않도록 한다. 출혈을 줄이기 위한 방법으로 변연절제 시 사지의 경우 지혈대(tourniquet)를 사용하고, 절세술 후 전기소작기를 이용한 철저한 지혈을

한 후 1:10,000 에피네프린 거즈를 덮어 이차 지혈을 하고 추가로 피브린(fibrin) 스프레이를 도포한 후 압박드레싱을 한다.

⑤ **창상피복(Burn wound coverage)**

변연절제술 후에는 미용적인 면을 고려한 판상이식편(sheet graft)을 이용한 부분층 자가 피부이식(split thickness skin autograft)이 표준 치료이다. 피부 공여부는 손, 발을 제외한 사지가 우선 선택되며, 사지에 화상이 있거나 화상의 범위가 넓어 공여부가 모자랄 경우 체간이 사용될 수 있다. 이외 피부를 사용할 수 있는 곳은 두피와 음낭이다. 두피는 피부가 두껍고 모낭의 밀도가 풍부한 관계로 빨리 상피화되어 여러 차례 피부를 채취할 수 있으며 조직확장기를 사용할 경우 보다 넓은 피부를 채취할 수 있다. 음낭의 경우도 조직확장기를 사용하여 비교적 용이하게 피부를 채취할 수 있다. 그러나 체표면적의 40% 이상의 전층화상이 있을 경우 일반적인 자가 피부 이식이 힘들 수 있으며 이 경우 망상이식편(mesh graft)으로 피부를 확장하여 자가 피부이식술을 시행할 수 있다. 화상이 광범위하여 변연절제술 후 자가 피부이식술로 창상피복이 힘들 경우 다른 사람으로부터 채취한 동종이식편(allograft)이나 동물(주로 돼지)로부터 얻은 이종이식편(xenograft)을 이용하여 피부이식술을 시행하기도 하나 이는 일시적인 생물학적 드레싱 효과를 얻기 위한 방편이며 거부반응 때문에 계속 피부를 교체해 주어야 한다. 종국적으로는 소량의 피부편을 채취하여 배양한 후 만들어진 배양 상피세포(cultured epithelial cell)를 이용하

여 피부이식술을 시도할 수 있으나 비싸고, 이식 후 50~60%로 생착력이 낮고 강도가 약하며, 정상피부에 비해 피부의 질이 좋지 않고, 생착부위의 심한 반흔구축이 생기는 단점이 있다. 배양상피세포는 배양 3주 후 판상이식으로 사용하기도 하지만 배양 1주 후 스프레이 형태로 망상이식 후 함께 사용할 수도 있다.

전층피부결손을 피복하면 피부의 질이 좋지 못하므로 인공진피(artificial dermis)를 함께 사용하여 진피를 보강하기도 한다. 사체로부터 얻은 피부를 처리하여 세포성분을 뺀 후 면역 거절 현상을 제거한 제품인 Alloderm®이 있고, 소의 인대에서 추출한 교원질(bovine tendon collagen)과 glycosaminoglycan을 교차 시킨(cross linked) Integra®와 돼지에서 추출한 교원질의 일종인 아텔로콜라겐(atelocollgen) 성분으로 구성된 Terudermis®와 같은 인공진피가 있다. Alledorm®은 창상을 피복하면서 동시에 자가피부이식을 시행할 수 있지만, Integra®와 Terudermis®는 일시적 보호막인 실리콘층과 다공(multiporous)의 3차원 스폰지 형태인 2층으로 구성되어 있어 이식 후 이들 다공 터널을 통하여 섬유모세포와 혈관이 자라 들어오면 실리콘보호막을 제거하고 2단계로 그 위에 얇은 자가 피부이식술을 시행한다.

일반적으로 전체표면의 15% 미만의 전층화상은 조기절제와 동시에 자가 피부이식을 우선적으로 고려하고, 더 넓은 부위의 화상은 단계적인 괴사조직 제거와 자가 피부이식을 시행하고, 광범위한 전층화상의 경우 배양상피세포를 이용한 피부이식술

을 계획하여야 한다. 창상피복으로 상처가 치유되고 나면 비후성 반흔을 최소화하기 위해 압박스타킹으로 최소 6개월에서 1년간 지속적인 압박요법이 필요하며, 동시에 관절구축이나 운동 제한을 예방 혹은 치료하기 위해 지속적인 물리치료를 시행하는 것이 매우 중요하다.

3) 합병증

(1) 국소 창상 합병증

① 구획증후군(Compartment syndrome)

구획증후군은 둘러싸여진 폐쇄된 공간에서 조직압력이 증가(30~40 mmHg 이상)하여 조직 내 혈류 및 산소공급이 감소하여 즉각적인 조치가 없으면 조직이 괴사하게 되는 현상을 말한다. 일반적으로 사지, 목, 흉곽이나 복부를 포함한 몸통을 둘러싸는 피부 전층화상이 있을 경우 발생할 수 있다. 사지의 구획증후군일 경우 모세혈관 재충전(capillary refill) 시간이 느려지며 손과 발이 저리거나 감각감퇴 혹은 통증이 생기며 종국적으로 맥박이 감소하게 된다. 구획증후군 발생을 간과하게 되면 최악의 경우 조직괴사가 발생하게 되므로 사지 둘레에 전층화상이 있을 경우 이의 발생 가능성을 항상 염두에 두고 필요시 언제든지 혹은 예방목적의 가피절개술이나 근막절개술을 시행할 수 있어야 한다. 복부 구획증후군은 몸통 둘레화상이 있는 환자에서 수액치료 중 체액의 혈관외 누출과 부종으로 복압이 20 mmHg 이상 증가할 때 발생하며 복부 긴장감, 폐탄성 감소, 과탄산혈증 및 핍뇨의 증상이 있으면 의심하여야 하며 이들 증

상이 간과되면 신손상(renal impairment), 장허혈, 심폐관류부전으로 이어져 사망에까지 이를 수 있다.

② 피부이식편 소실(Skin graft loss)

피부이식편의 소실은 화상 피복술 후 가장 흔한 합병증으로 혈종이나 감염, 이식편의 밀림(graft shear) 등의 원인으로 발생한다. 화상 피복술 후에는 조기(술 후 3일째)에 피부이식 상태를 점검하기가 권장되는데 술 후 3일째가 되면 이식편에 이미 모세혈관 성장이 일어나 생착된 피부와 앞에서 언급한 원인에 의한 생착되지 못한 피부가 뚜렷이 구분되기 때문이다. 만약 혈종이 있으며 배액토록 하고, 피부 밀림이있을 경우 이식 피부편을 다시 잘 펴주고, 국소 감염의 증상이 보이면 배농이나 국소항균제를 사용토록 한다.

③ 화상 창상감염(Infected burn)

통증이 발생하거나 냄새가 나는 등의 화상 창상의 변화와 전신 발열이 생기면 화상창상 감염을 의심하여야 한다. 균 배양검사를 시행하고 감염된 조직을 광범위 변연절제 한 후 전신 항생제 투여를 시작한다. 우선 경험적 항생제 투여(empirical antibiotic treatment)를 먼저 시작하고 균 배양검사가 나오면 감수성 있는 항생제를 투여한다. 전층화상이 있을 경우 조기에 변연절제술이 권장되며 화상 창상감염의 위험성을 낮출 수 있다.

④ 반흔 구축과 비후성 반흔(Scar contracture & hypertrophic scar)

심부 2도 이상의 화상이 치유된 후, 특히 피부이식 없이 오랜 기간에 걸쳐 치유된 경우, 창상치유의 염증 기간이 길어져 섬유화가 심해지고 비후성 반흔이 발생한다. 비후성 반흔이 관절 주위에 생길 경우 반흔 구축이 진행될 수 있기 때문에 관절부 반흔 구축 예방을 위해서는 초기 부목(splint) 사용이 필요하다. 수술 후의 부목과 실리콘판 및 압박요법은 비후성 반흔의 예방에 도움이 된다. 또한 조기 피부이식은 비후성 반흔을 줄일 수 있을 뿐 아니라 반흔 구축으로 인한 운동장애를 줄이는 데 도움이 된다. 구축성 반흔의 교정 시기는 대체로 반흔 성숙이 어느 정도 진행된 화상 후 1년 정도 경과한 후 시행할 수 있으나 성장기 환아의 경우 빠른 성장으로 반흔구축이 조기에 관절 강직을 유발할 수 있으므로 반흔 발생 3개월부터 조기 수술을 시행하기도 한다.

(2) 장기부전(Organ failure)

① 신부전(Renal failure)

신부전의 원인은 첫째, 화상 초기 급격한 순환혈액량의 감소 혹은 쇼크로 인한 신혈류의 감소 둘째, 전기화상 후 적혈구와 근육세포의 파괴로 인하여 많은 혈철소(hemosiderin)와 마이오글로빈(myoglo-bin)이 신세뇨관에 침전되기 때문에 발생한다. 체내 수분 과부하(volume overload)와 과칼륨혈증 및 대사성산증 등의 전해질 이상이 동반되면 혈액 투석을 시작한다.

III. 피부 및 연부조직

② 폐부전(Pulmonary failure)

폐부전의 첫 증후는 체내 산소화의 감소이며 맥박 산소측정으로 모니터링하며 산소포화도를 지속적으로 측정하여야 하며 포화도 92% 이하가 되고 호흡횟수 증가하며 과탄산혈증 소견을 보이면 기관삽관 및 인공호흡이 필요하다. 그러나 폐부전의 회복기에는 기관 삽관과 인공호흡기를 가능한 빨리(화상 첫 수일 내) 제거하도록 한다.

③ 간부전(Hepatic failure)

간부전이 발생할 경우 간기능이 회복될 때까지 알부민과 혈액응고인자 II, VII, IX, X을 보충해주고, 무결석 담낭염(acalculous cholecystitis)과 같은 폐쇄성 고빌리루빈혈증이 동반될 경우 경피하 담즙 배액술(percutaneous bile drainage)을 시행토록 한다.

④ 혈액 응고부전(Hematologic failure)

화상 환자에서 혈액 응고부전은 두 가지 기전으로 발생할 수 있다. 첫째로 패혈증과 연관된 범발성 혈관내 응고(disseminated intravascular coagulation)에 의한 응고인자 고갈(depletion)과 합성장애에 의해 발생하며, 이 경우 혈액응고인자를 유지하기 위해 신선동결혈장(fresh frozen plasma)과 저온 침강물(cryoprecipitate)을 주사한다. 둘째로 화상 창상 변연절제술에 의한 출혈과 연관된 혈소판감소증(thrombocytopenia)에 의해 발생하며 치료가 필요한 경우는 드물다. 역설적으로 심한 화상환자에서는 부동화(immobilization)에 의한 혈전이나 색전증의 위험이 있으며, 심부정맥 혈전증의 위험은 나이, 체중, 화상 체표면적에 비례한다. 출혈의 합병증이 없는 경우 고령, 비만, 화상 체표면적이 넓은 환자에서는 심부정맥 혈전증의 예방도 염두에 두어야 한다.

⑤ 스트레스 위궤양(Curling ulcer)

화상 후 발생되는 스트레스성 위장관 궤양을 말하며 위점막 물질(gastric mucosal substance) 생성저하, 위점막 보호막(gastric mucosal barrier)의 파괴, 위산분비 증가, 저나트륨증, 경비위장관튜브(nasogastric tube), 흡입화상 등이 발생의 원인 인자이며, 궤양이 있어도 심한 위통은 없는 경우가 많다. 입원 치료를 요하는 모든 화상 환자에게 예방목적으로 제산제와 H2 차단제를 사용하는 것이 좋다.

⑥ 패혈증(Sepsis)

패혈증의 가장 흔한 원인은 호흡기 감염과 창상감염이며, 이외 몸속 내 도관(indwelling catheter) 감염과 소화기 감염 등이 원인이 된다. 따라서 창상감염 소견없이 패혈증이 의심된다면 우선 원인 병소를 호흡기 감염에서부터 찾도록 한다. 광범위 화상 환자에서 폐렴이 발생하면 사망에 이를 수 있기 때문에 조심하여야 하며 특히 흡입화상이 있을 경우에는 가능성을 항상 염두에 두고 조금의 의심 증상이라도 있으면 공격적으로 치료를 시작하여야 한다. 인공호흡기에 의한 병원 감염이 흔하므로 가능하면 빨리 인공호흡기를 떼고 충분한 진통제를 사용하여 통증을 완화하면서 조기 보행을 시작해야 호흡기계 합병증을 낮출 수 있다. 몸속 내 도관에 의한 감염 예방을 위해 수액 주사 장소는 5일마다 다른 곳으로 교체해 주어야 하며 가능하면 중심정맥보다는 말초정맥에서 수액 주사 장소를 찾도록 한다.

그 외 잠재적인 감염원으로 미생물 저장소이기도 한 소화기 감염을 염두에 두어야 한다. 금식과 혈량저하증(hypovolemia)은 소화기 혈액단락(blood shunt)을 유발하여 장점막위축과 장 장벽(gut barrier) 손상을 일으켜 패혈증의 원인이 될 수 있으므로 조기 경구식이가 패혈증에 의한 사망률을 낮출 수 있다.

현재 화상 환자에서 예방목적의 전신 항생제 사용은 효과의 근거가 약하고 항생제 내성을 유발(정상 균주는 제거하고 내성 균주의 성장 유발)할 수 있어 권고되고 있지 않으나 최근 논문의 체계적 분석과 메타분석에 의하면 예방목적의 전신 항생제 사용이 화상 첫 2주 동안의 사망률을 반으로 줄이며 수술 기간 중 제한적 항생제 사용이 창상 감염을 감소시킨다고 보고가 되고 있어 논쟁이 있다.

2. 화학화상(Chemical burns)

산업사회의 발달로 가정, 학교, 직장 및 산업현장 등 도처에서 화학물질에 어렵지 않게 노출되고 있으며, 실수로 혹은 사고로 화학화상이 드물지 않게 발생하고 있다. 가정에서 매일 사용하고 있는 표백제나 가성소다에서부터 최근 산업현장에서 누출되거나 폭발사고로 문제가 되고 있는 불산이나 탄화수소에 이르기까지 여러 화학물질이 원인이 될 수 있으며 이들 유독물질들은 크게 알칼리, 산, 유기화합물(organic com-

pound), 무기물질(inorganic agent) 등으로 나눌 수 있다.

1) 특징 및 병태생리

화학화상은 일반 열화상과는 달리 원인 인자에 노출되는 시간이 훨씬 길어 유독물질의 제거나 중화가 늦어지고 적절한 치료가 시행되지 않으면 지속적인 조직손상을 유발하게 된다. 조직손상의 정도에 영향을 미치는 요인으로 화학물질의 종류, 화학물질의 농도, 피부와의 접촉시간, 화학물질의 조직 침투 능력 등이 있으며, 이들 요인에 따라 조직손상의 정도가 달라지게 된다. 화학화상에서 전체적인 손상의 기전은 아마이드 결합(amide linkage)의 환원(reduction)에 의한 단백질 변성, 산화작용(oxidation), 단백질 에스테르 형성(formation of protein esters), 조직의 건조(desiccation), 발열 화학반응 등이 있다. 일반적으로 알칼리(alkalies)에 의한 화상은 액화괴사(liquefactive necrosis)를, 산(acids)에 의한 화상은 응고괴사(coagulative necrosis) 일으키며, 조직 손상의 정도와 범위는 알칼리화상이 산에 의한 화상보다 깊고 넓다.

(1) 알칼리 화상(Alkali burns)

가성칼리로 불리는 수산화칼륨(KOH, potassium hydroxide), 가성소다나 양잿물로 불리는 수산화나트륨(NaOH, sodium hydroxide), 석회(CaO, lime), 염소나 과산화수소 성분을 함유한 표백제(bleach) 등이 알칼리 화상을 유발하는 주된 물질이다.

조직손상을 일으키는 기전은 첫째 지방조직의 비누화(saponification)로 인해 화학반응으로 인한 발열 현상을 절연하지 못하게 되고, 둘째 알칼리의 흡습성(hydroscopic nature)에 따른 세포의 막대한 수분손실, 셋째 알칼리가 조직단백을 녹여 단백화합물(alkaline proteinates)을 형성하고 이 화합물에 포함된 수산화이온(hydroxide ion)이 조직을 더 깊게 침투하여 화상이 더욱 깊어지게 된다.

(2) 산 화상(Acid burns)

발열반응에 의한 열 손상이 일어나며, 가수분해(hydrolysis)에 의한 단백질 분해로 단단한 가피가 형성되며 이로 인해 알칼리 화상에 비해 조직손상이 깊지 않다.

몇몇 화학물질들은 전신독성을 일으키며 대표적으로 불산(hydrofluoric acid)은 생명을 위협하는 부정맥을 일으키는 저칼슘혈증을 유발하며 포름산(formic acid)은 신부전, 대사성 산증(metabolic acidosis) 및 급성호흡곤란증후군(acute respiratory distress syndrome)을, 탄화수소(hydrocarbons)는 호흡억제와 간독성을 일으킨다.

2) 치료

(1) 초기 치료

화상의 손상을 줄이는 가장 중요한 초기 치료는 즉각적이고 지속적인 창상세척이다. 의복이나 장갑을 입고 있을 경우 세척 전에 먼저 이를 즉시 벗고 세척을 하며, 파우더 형태의 화합물일 경우 솔을 사용하여 털어낸 후 세척을 하도록 한다. 소독된 생리식염수가 없으면 수돗물로 세척하여도 무방하며 대개 15~20 L 이상 통증이 사라질 때까지 세척하도록 한다. 산이나 알칼리에 의한 화학화상일 경우 세척한 용액의 산도(pH)를 측정하여 세척의 효과를 알아볼 수 있으며 세척한 용액이 pH 7~7.5 정도가 되면 종결 시점을 결정할 수 있다. 초기세척 시에는 창상을 세척한 배출액이 주위 정상 피부에 흐르지 않도록 조심한다. 알칼리 화상에서 중화(neutralization)를 목적으로 약산(weak acid)을 사용하여서는 안 되며, 중화반응에 의한 발열로 조직손상이 더 심해지므로 조심하여야 한다. 특히 강알칼리에 의한 화상일 경우 수술실에서 창상세척과 더불어 조직의 변연절제술을 시행토록 하며 정상 산도를 가진 조직이 나올 때까지 접선절제술을 시행한다(그림 3-8-7).

화학화상이 심한 경우에는 혈액을 채취하여 대사성 산증이나 알칼리증을 지속적으로 모니터링하며 호흡곤란이 있을 경우 산소치료나 기계호흡을 시행토록 한다. 수액치료는 열화상에서와 같이 화상 체표면적에 따른 방법을 기준으로 하나, 산에 의한 화학화상은 보이는 것보다 화상이 깊지 않아 수액량을 줄이고, 알칼리에 의한 화학화상은 육안적으로 보이는 것보다 화상이 깊게 침투하므로 수액량을 늘리되 소변 배출량을 보아가며 가감토록 한다.

(2) 수술적 치료

수액치료가 시작되고 환자가 안정화되면 괴사조직을 변연절제하고 국소항생제를 도포하고 이후 치료는 열화상과 동일하게 치료한다. 이후 손상조직 피복을 위해 피부이식이나 피판술을 고려한다.

3. 전기화상(Electrical burns)

전기화상은 전기가 흘러들어간 부분과 빠져나온 부분이 주된 피부 손상 부위로 나타나며,

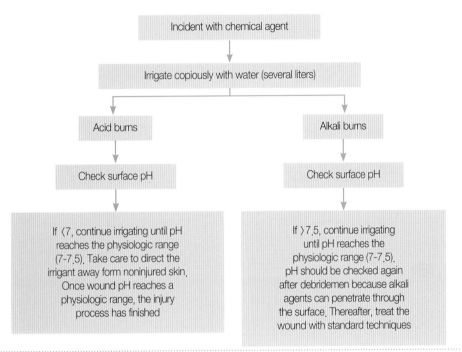

▷그림 3-8-7. 산과 알칼리 화상에 있어 이상적 초기 치료 원칙 및 평가

다른 화상과는 달리 눈에 보이는 피부 손상 부위는 아주 작은 대신 전류가 저항이 낮은 심부 조직으로 흘러들어가 손상을 일으키기 때문에 일반 열화상이나 화학화상과 차이가 난다.

1) 병태생리

전류가 흐를 때 발생하는 전기에너지는 전자들이 전도체를 통과할 때 발생하며 전류는 저항이 가장 작은 경로를 따라 흘러 전자들과 전도체 입자들과의 충돌이 전기에너지를 열에너지로 변화시킨다. 전기화상은 전도체가 인체일 경우 전기에너지가 열에너지로 바뀌면서 조직 손상이 발생하며, 손상이 발생하는 부위는 전기가 들어간 입구(entry)와 빠져나온 출구(exit)의 피부 및 전기저항이 적은 심부 조직에 주로 손상이 발생한다. 대개 전류가 손가락이나 손으로 흘

러들어간 다음에는 전류에 대한 저항이 가장 낮은 부위를 따라 몸으로 퍼져나가며 지면과 맞닿은 발을 통해 빠져 나온다. 우리 몸에서 전류에 대해 저항이 낮은 조직은 신경, 혈관, 근육 등이며 피부는 상대적으로 저항이 높아 입구와 출구를 제외하고 피부 손상은 잘 일어나지 않으며 저항이 낮은 근육으로 전류가 흘러 근육이 주된 손상 부위가 된다. 저항이 낮은 혈관으로도 전류가 많이 흐르며 시간이 지남에 따라 혈전이 형성되어 허혈에 따른 조직 손상을 일으키게 된다.

(1) 저전압 손상(Low-voltage injury)

1,000V 이하의 전압으로 인한 화상을 저전압 손상이라 하며 낮은 전압에서는 교류(alternating current)가 직류(direct current)보다 위험하다. 피부는 직류보다 교류에 저항이 낮으며, 교류는 근육에 경련을 일으키는 효과(tetanizing effect)가 있기 때문이다(15 mA 이상의 전류가 통하는 전선을 손으로 잡았을 때 그 전선에서 떨어지지 못하는 것은 근육의 경련성 수축 때문이다). 그러나 고압전류에서는 직류나 교류에 따라 조직 손상의 차이는 없다. 대부분 가정에서 발생하는 전기(110~220 V)화상이 여기에 해당하며 전류가 심부조직으로 전파되기보다 피부에 국한되기 때문에 전기가 맞닿은 부위에 국소 조직 손상을 일으키며 열화상 형태의 피부 손상을 일으킨다.

(2) 고전압 손상(High-voltage injury)

1,000V 이상의 전압으로 인한 손상을 말하며 전류의 들어가고 나오는 피부의 손상과 더불어 심부조직 손상을 동반하게 된다. 초기 심전도에서 이상 소견이 있거나 전기화상으로 인한 심정지가 있었다면 지속적인 심장모니터링과 부정맥 약 치료가 필요하며, 이 경우 대개 첫 24시간 내에 심장 이상이 재발할 수 있다. 만약 심정지가 없었고 초기 심전도에서 부정맥 소견이 없었다면 심장모니터링은 필요치 않다. 고압전류에서는 아크방전(arc discharge)이 일어날 수 있으며 인체가 아크 범위 내에 도달하면 폭발하면서 전선에 닿기 전에 튕겨나는 경우가 많다. 아크로 폭발할 당시 온도는 2,000~4,000℃까지 오를 수 있으며 아크 때 높은 온도 때문에 옷에 불이 붙어 화염화상을 입을 수도 있다.

2) 진단

특징적인 병력을 청취하면 전기에 의한 화상임을 쉽게 진단할 수 있으며, 전류가 체내를 통과하였을 경우 반드시 피부에 입구상처(entry wound)와 출구상처(exit wound)를 동반하게 된다. 육안관찰 시 입구와 출구상처는 3도 이상의 깊은 손상을 받게 되는데 그 이유는 입구와 출구에서 전류가 한 부위에 모이며 피부의 저항이 높아 많은 열을 발생하기 때문이다. 전류가 체내를 흐를 때는 저항이 적은 신경, 혈관, 근육 등으로 분산되어 흐르기 때문에 상대적으로 체내 조직의 손상이 적다. 만약 아크화상(arc burn)이나 섬광화상(flash burn)만 있을 경우는 입구나 출구상처가 없다.

3) 치료

전기화상의 특성상 비록 피부(체표)에 화상 크기가 작더라도 심부 조직손상이 동반되므로 육안적으로 보이는 화상으로만 평가해서 수액치료를 간과하면 안 된다. 근육 손상으로 유리되는 마이오글로빈(myoglobin)과 적혈구의 파괴로 생성되는 헤모글로빈(hemoglobin)이 신사구체(glomerulus)에 여과되어 색소침착(pigment precipitation)이 되면 폐쇄성 신병증(obstructive nephropathy)에 발생할 수 있기 때문에 전기화상 환자의 경우 급성신부전의 가능성을 항상 염두에 두어야 하며, 이를 예방하기 위하여 일반 열화상과는 다른 수액치료의 원칙을 숙지하고 있어야 한다. 첫째 소변량을 높게 유지하여야 하며, 둘째 마이오글로빈과 헤모글로빈이 용해될 수 있도록 소변을 알칼리화 시키고, 셋째 삼투성 이뇨제(osmotic diuretics)를 같이 사용토록 한다.

(1) 기도유지 및 심폐소생술

호흡중추의 손상으로 인한 무호흡이나 심실세동이 있을 경우 기도유지 및 기관삽관과 심폐소생술을 시행한다.

(2) 수액치료(Fluid resuscitation)

외견상 피부손상 정도로 예측할 수 있는 것보다 더 광범위한 손상이 일어나기 때문에 보통의 수액공식을 적용하는 것은 적절하지 못하다. 투여하여야 할 수액의 양은 첫 24시간에 7 mL/kg/% TBSA로 권고되기도 하지만 예측(체표 및 심부조직)할 수 있는 화상범위가 부정확하기 때문에 이것보다는 소변양이 중요하며 성인에서 적게는 소변량을 75~100 mL/hr, 많게는 2 mL/kg/hr가 배출될 수 있도록 수액양을 조절하도록 한다. 또한 소변양과 더불어 소변색을 관찰하여 육안적으로 색소침착이 없는 맑은 소변이 나올 수 있도록 수액량을 증가시키도록 한다. 또한 신관류(renal perfusion)를 증가시키기 위하여 mannitol을 주사(25 g every 6 hours for adult)하고 소변을 알칼리화 시키기 위하여 sodium bicarbonate를 같이 주사(5% continuous infusion)하도록 한다.

(3) 가피절개술이나 근막절개술(Escharotomy or fasciotomy)

전기화상 환자는 심부조직에 손상이 발생하며 혈관손상도 동반할 수 있기 때문에 시간경과에 따라 순차적인 부종과 혈전증으로 인한 조직괴사가 발생할 수 있어 사지 말단의 혈액순환을 지속적으로 관찰하여야 하며 필요시 즉각적인 가피절개술이나 근막절개술을 시행할 수 있도록 한다. 필요한 경우 신경 감압(decompression)을 위해 carpal tunnel과 Guyon canal release를 시행토록 한다.

(4) 사지절단

근막절개술과 동시에 초기 괴사 근육의 변연절제술 후 혈관의 지연손상으로 근육괴사가 진행될 수 있으며, 초기에 근육의 생존여부가 불명확할 경우 48시간 후 재판정하여 이차 변연절제술을 시행토록 한다. 만약 근육구획의 광범위한 손상으로 추후 기능을 기대할 수 없을 경우 조기 사지절단이 필요할 수 있다.

(5) 창상치료

조직 침투력이 좋은 국소 도포제(sulfamylon cream)가 도움이 된다. 괴사조직은 조기에 제거하여 패혈증을 예방하며, 처음에는 괴사된 조직의 범위가 불명확하기 때문에 괴사조직 제거는 단계적으로 실시하도록 한다.

창상의 피복은 피부이식술을 시행하나 경우에 따라 뼈와 건(tendon)이 노출된 경우 피판술이 필요할 수 있다.

4) 지연 합병증(Delayed complication)

조기 혹은 지연성 신경학적 손상(neurologic deficit)이 발생할 수 있어 정기적 신경검사가 필요하다. 뇌병증(encephalopathy), 반신마비, 실어증 등이 전기화상 후 9개월까지 발생할 수 있다고 보고되고 있으며, 백내장이 수개월에서 수년에 걸쳐 지연성으로 발생할 수 있다. 이와 같은 합병증은 고전압 손상 환자에서 주로 나타나기 때문에 이에 대한 설명이 필요하다.

Ⅲ. 피부 및 연부조직

References

1. 대한성형외과학회. 표준성형외과학 2nd ed. 군자출판사. 2009

2. Al-Benna S, Willert J, Seinau HU, et al. Secondary sclerosing cholangitis, following major burn injury. Burns 2010;36(6):e106-e110

3. American Burn Association/American College of Surgeons. Guidelines for the operation of burn centers. J Burn Care Res 2007;28:134-141

4. Avni T, Levcovich A, Ad-El DD, et al. Prophylactic antibiotics for burns patients: systematic review and meta-analysis. Br Med J 2010;340:c241

5. Baxter CR. Fluid volume and electrolyte changes of the early postburn period. Clin Plast Surg 1974;1:693-703

6. Centers for Disease Control and Prevention. Fire deaths and injuries: Fact sheer. Available at: <http://www.cdc.gov/HomeandRecreationalSafety/Fire-prevention/fires-factsheet.html>

7. Greenhalgh DG, Saffle JR, Holmes JH, 4th, et al. American Burn Association consensus conference to define sepsis and infection in burns. J Burn Care Res 2007;28:776-790

8. Hemmila MR, Taddonio MA, Arbabi S, et al. Intensive insulin therapy is associated with reduced infectious complications in burn patients. Surgery 2008;144:629-637

9. Herndon DN, Tompkins RG. Support of the metabolic response to burn injury. Lancet 2004;363:1895-1902

10. Janzekovic Z. A new concept in the early excision and immediate grafting of burns. J Trauma 1970 Dec;10(12):1103-1108

11. Jeschke MG, Chinkes DL, Finnerty CC, et al. Pathophysiologic response to severe burn injury. Ann Surg 248:387-401, 2008.

12. Jeschke MG, and Herndon DN. Burns in children: Standard and new treatments. Lancet 2014;383:1168-1178

13. Jeschke MG and Herndon DN. Burns. Sabiston Textbook of Surgery. In: Townsend, CM JR., Evers BM, Beauchamp RD, Mattox KL eds. ELSVIER Inc. p505-531, 2017.

14. Luce EA. Electrical injury. Plastic Surgery. In: McCarthy JG, ed. W. B. SAUNDERS COMPANY. p. 814-830, 1990

15. Luce EA and Gottlieb SE. "True high-tension electrical injuries. Ann Plast Surg 14:321, 1984.

16. Nugent N, Herndon DN. Diagnosis and treatment of inhalation injury. In Herndon DN, editor: Total burn care, ed 3, Philadelphia, 2007, Saunders Elsevier, pp 262-272

17. Pidcoke HF, Wanek SM, Rohleder LS, e al. Glucose variability is associated with high mortality after severe burn. J Trauma 2009;67:990-995

18. Steinstraesser L and Al-Benna S. Acute management of burn/electrical injuries. In: Neligan PC, Song DH eds. Plastic Surgery. 3rd ed. ELSVIER SAUNDERS. p 393-434, 2013

19. Venter M, Rode H, Sive A, et al. Enteral resuscitation and early enteral feeding in children with major burns: Effect on McFarlane response to stress. Burns 2007;33:464-471

20. Williams FN, Jeschke MG, Chinkes D, et al. Modulation of the hypermetabolic response to trauma: Temperature, nutrition, and drugs. J Am Coll Surg 2009;208:489-502

21. Wolf SE, Rose JK, Desai MH, et al. Mortality determinants in massive pediatric burns. An analysis of 103 children with > or = 80% TBSA burns (> or = 70% full-thickness). Ann Surg 1997;225:554-567

화상 재건
Burn Reconstruction

9

이종욱 한림의대

심부 화상으로 인한 손상은 초기 치료 후 경과에 따라 재건 수술을 하게 되며 특히 중화상의 경우 회복 후 보다 다양하고 많은 재건을 필요로 한다. 화상 재건의 목적은 기능과 용모를 개선하는 것으로 화상으로 손상된 부분을 복원하는 것이다.

화상 재건은 체계화된 접근이 필요하고 환자 상태에 대한 정확한 진단과 계획이 필요하다. 화상 환자는 손상 받은 비정상 조직이 많아 최적의 결과를 얻기 위해 재건 시 수술 방법의 선택과 제한된 공여부 제거 등의 고려가 필요하다.

요 구조물이 노출된 경우 등은 예외이다.

재건을 시작할 때 필요한 몇 가지 요소가 있다. 우선 환자 스스로 재건을 원하고 정신적으로 준비되어야 한다. 최상의 결과를 얻기 위해 여러 차례의 수술을 감당하고 수술 후 압박 옷 착용, 부목 부착, 능동적인 운동 및 재활 등의 부가적 치료에 협조할 수 있어야 한다. 이에 소아나 학동기 환자의 경우도 예외는 아니다. 다음으로 환자가 현실적인 인식을 가져야 한다. 수술 후 반흔은 없어지는 것이 아니고 회복에 시간이 소요되며 장기적으로 수 차례의 교정이 필요하고 호전되지 않는 부분도 있다는 것을 주지시켜야 한다.

1. 재건 시기

화상 재건은 수상 초기 몇 주부터 수년 또는 수십 년에 걸쳐 시행되나, 일반적으로 화상 반흔의 재건은 반흔 성숙(scar maturation)이 진행된 후에 시행하며 이는 보통 1년 이상 소요되는 것으로 알려져 있다. 인체는 시간이 경과됨에 따라 자체의 향상 기능을 통해 반흔을 약화시키므로 완전한 반흔 성숙이 이루어질 때까지 기다리는 것이 중요하다. 하지만 심한 기능 장애를 동반한 구축, 안검부 구축, 만성적인 불안정한 창상, 중

2. 비후성반흔과 구축 (Hypertrophic scar and contracture)

비후성 반흔은 가장 대표적인 화상 후유증으로 통증과 소양감을 동반한 고통을 주며 원인은 치료의 지연, 감염, 체질(유전, 종족 등) 등으로 알려져 있다(그림 3-9-1). 이를 방지하기 위한 치료법으로 스테로이드 주사, 실리콘 도포 또는 부착, 압박 옷 착용 등이 있다. 실리콘 주사와 압박

옷의 병용 치료는 비교적 효과적으로 알려져 있으나 소아나 넓은 부위의 적용에는 어려움이 있다.

Wound contraction은 창상 치유의 기본으로 관절 또는 안면부에 발생하면 구축(contracture)이 일어나고 기능적 문제를 일으킨다(그림 3-9-1). 부목이나 재활 운동으로 호전되지 않으면 교정 수술이 필요하며 수술 후에도 장기간 부가적인 보조치료가 필요하다.

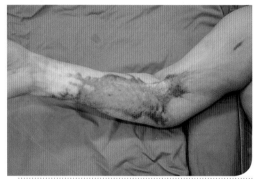

▷그림 3-9-1. **전박 및 주관절에 발생한 비후성반흔과 구축**

3. 재건 수술의 방법

1) 반흔의 이완(Scar release)

구축의 이완에서 구축 띠(scar band)의 절개는 기본이며 긴장을 유발하는 주위의 모든 반흔을 제거해야 한다. 이완 시 절개는 정상 조직까지 연장이 필요할 수 있으며 심부 구축의 경우 피하 또는 근막의 절제가 필요하며, 오래 된 손가락 구축의 이완은 건 또는 관절의 이완, 박리, 절제가 필요할 수 있다. 이 경우 피부이식으로 피복이 어려워 주의를 요한다.

2)결손의 피복(Wound closure)

(1)피부 이식(Skin grafts)

피부 이식은 화상 재건에서 가장 많이 사용되고 중요한 수술 방법이며 가능한 진피를 많이 포함하는 피부로 보충하는 것이 구축을 최소화한다. 전층 피부이식은 수부 또는 얼굴, 목 등의 재건에서 공여부의 일차 봉합이 가능한 경우 주로 시행한다. 넓은 부위의 피복은 부분층 피부이식이 주로 사용되고 안면부는 경우에 따라 두피의 공여부 사용이 고려된다.

(2)피부 대체재(Skin substitutes)

진피 대체재(dermal substitute)는 특히 공여부가 부족한 화상 재건에 널리 사용되며 진피를 보충하여 피부의 수축과 구축을 최소화한다. 수술 시 감염과 혈종에 더욱 취약하므로 세심한 술기와 처치를 필요로 한다.

(3)국소 피판(Local flaps)

Z-plasty가 가장 많이 사용되고(그림 3-9-2), 그 밖에 W-plasty, V-Y plasty, Y-V plasty 등, 다양한 종류의 수술 방법이 있다. 이들 방법은 반흔 연장(scar lengthening)으로 교정하며 넓은 조직 결손은 사용의 제한이 있어 술식의 선택에 신중을 기해야 한다.

(4)기타 피판(Other flaps)

유리 피판과 유경 피판(pedicled flap)으로 피부, 또는 근육이 사용될 수 있으며 결손부의 특징에 따라 다양한 피판의 선택이 가능하다.

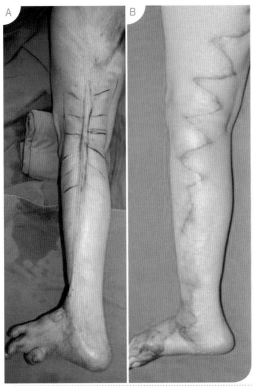

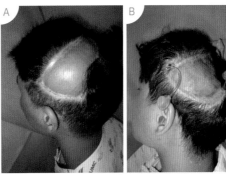

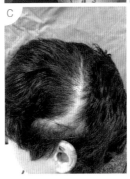

▷그림 3-9-3. **A.** 두피 결손. **B.** 확장기 삽입 후. **C.** 확장기 제거 후 재건 모습

▷그림 3-9-2. **A.** 하지의 Z-plasty design. **B.** 구축재건 후 상태

(5)조직 확장(Tissue expansion)

조직 확장은 일차 봉합 또는 국소피판이 어려운 두경부 재건에 주로 사용된다. 두피 재건에 가장 유용하고 주위에 확장에 적합한 건강한 조직이 있어야 하며 지속적이며 연속적인 진료를 필요로 하여 환자의 협조가 아주 중요하다.

3) 재건 시 문제점과 절차
(Specific reconstructive problems and procedures)

(1)두피(Scalp)

화상으로 인한 두피 탈모(alopecia)의 재건은 serial excision 또는 조직 확장(그림 3-9-3)으로 이루어지며 serial excision은 2~3회의 수술로

가능한 비교적 작은 부위에 사용하며, 광범위한 두피 결손의 경우 수차례의 조직 확장을 필요로 한다. 조직 확장을 이용한 재선은 수 주에서 수 개월의 기간을 필요로 하고 확장기 삽입 및 제거로 2회의 수술을 요한다. 또한 감염과 확장기 노출의 위험이 있어 세심한 관리와 환자의 협조가 매우 중요하다.

(2) 안면부(Face)

안면 화상의 재건은 가장 까다롭고 완벽한 교정이 어려운 분야로 그 결과는 환자의 용모와 정신적 상태에 지대한 영향을 끼치며 삶의 질에 많은 영향을 준다.

① 안검과 눈썹(Eyelid and eyebrow)

안면부 화상 후 안검의 변형은 비교적 흔하며 안검 자체의 손상뿐 아니라 뺨 또는 전두부의 반흔 구축에 의해 발생한다. 눈을 감아 안구를 보호할 수 있는지 신찰하여

부적절한 경우 조기에 재건을 시행하며 경미한 경우 마사지 등을 시행하면서 반흔 성숙(scar maturation)을 기다린다. 안검외반(ectropion)의 교정(그림 3-9-4) 시 구축을 최대한 이완하는 것이 중요하고 안검근육 손상에 주의해야 한다. 약간의 과교정이 필요할 수 있다. 이식편은 일반적으로 전층피부이식을 시행하며 다른 부위보다는 얇게 이식하는 것이 뻣뻣한 느낌을 줄일 수 있다. 수술 후 며칠 동안(4~5일) 안검운동을 제한하며 일반적으로 tie-over bolster를 사용한다.

내안각 구축(medial canthal web)도 흔히 볼 수 있는 변형으로 Z-plasty 또는 V-Y plasty, double opposing Z-plasty 등으로 교정한다.

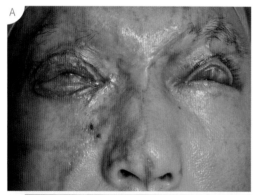

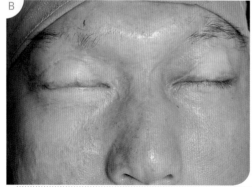

▷ 그림 3-9-4. A. 안검 외반. B. 전층피부이식술 후 상태

눈썹의 재건은 scalp strip graft, island flap 등으로 하나 부자연스러운 단점이 있다. single hair transplantation은 생착율이 떨어지거나 밀도가 낮아 2~3회의 시술이 필요할 수 있으나 미용적 결과는 보다 우수하다. 교정 시 모발의 방향을 잘 고려하여 시행하여야 한다. 그 밖에 영구적 문신도 사용되고 있다.

② 코 와 입술(Nose and lips)

가장 흔한 코의 변형은 콧 날개 구축(alar retraction)(그림 3-9-5)으로 교정을 위해 피부와 연골 또는 지방을 포함한 복합 조직이식(composite graft)이 사용된다. 수술 시 이완된 비부 피부는 코의 안 쪽 피복(nasal lining)으로 사용되고 그 위에 채취한 조직을 이식한다. 심하고 복합적인 코의 변형은 더 복잡한 수술이 필요하며 경우에 따라 비골 교정이 시행될 수 있다. 코의 내부(lining)를 포함한 큰 결손의 경우 피판이 사용되며 일반적인 코의 재건 원칙에 따른다.

입술의 변형은 입술의 외반, 소구증(micro-stomia), 인중(philtrum)과 턱주름(mental crease)의 변형 또는 소실이다. 입술 외반의 교정은 구축의 충분한 이완 후 전층피부이식을 시행한다. 심한 목의 구축이 동반 된 경우 하구순의 교정은 목의 교정 후 시행하는 것이 좋다.

입술 구각(oral commisure)의 구축으로 인한 소구증(micostomia)은 구강 점막을 이용한 국소 피판으로 교정하며 이 때 구각의 위치는 내측 각막 윤부(medial limbus)에 위치시킨다.

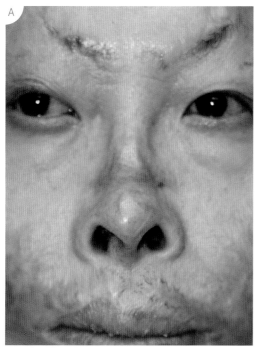

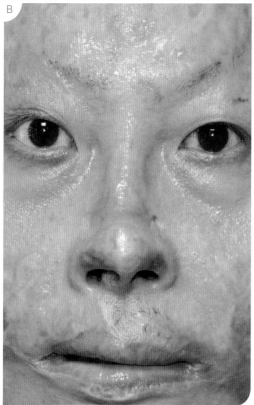

▷그림 3-9-5. A. 콧 날개 구축. B. 복합 조직 이식 후 상태.

③ 귀(Ears)

귀의 변형은 귀 후면으로의 유착에 의한 비교적 간단한 것부터 귀연골의 결손에 의한 복잡한 경우까지 다양하다. 유착된 귀는 이완 후 전층피부이식으로 적당한 귀의 돌출 (projection)을 복원한다. 연골을 포함한 결손은 일반적인 귀 재건의 원칙으로 교정한다. 이때 귀 주위의 손상으로 형성된 반흔은 재건에 어려움을 준다.

④ 목(Neck)

목의 구축은 아주 흔한 대표적인 화상 후유증으로 목 운동과 입 기능에 문제를 일으키며 외모에도 큰 손상을 초래한다. 목의 교정은 충분한 구축의 이완과 과신전 (hyperextension) 상태의 위치 유지가 중요하다. 충부한 이완을 위해 넓은목근(platysma)의 분리(division)가 흔히 필요하다. 결손의 피복은 피부이식 및 피부대체재 (skin substitute) 등이 많이 사용되며 구축의 재발 방지를 위해 유리 피판이 사용되기도 한다. 피판의 사용 시 두께 때문에 턱목각(cervical mental angle)의 소실과 윤곽의 변형을 초래하므로 주의를 요한다. 하구순의 구축이 동반된 경우 목의 재건을 먼저 시행하여 안정된 후 시행한다.

(3) 유방재건(Breast reconstruction)

유방 변형의 교정은 상당히 어렵고 여러 차례의 수술을 필요로 한다.

소아의 경우 유방 조직의 성장 장애를 방지하기 위해 최대한의 반흔 이완과 피부 보충이 중요하며, 편측의 국한 된 변형의 교정은 정상 쪽의 성장의 끝난 후 대칭을 고려하여 재선한다. 새선은 보형물(implant), 확장기(expander), 자가 조직으로 피판을 이용할 수 있고 충분한 피부 보충이 우선되어야 한다.

4) 상지(Upper extremity)

(1) 액와(Axilla)

수술 전에 최대한으로 어깨 관절 운동 범위를 확보하여 기능 향상이 더 이상 기대되지 않을 때 재건하는 것이 보다 좋은 결과를 얻을 수 있다. 교정방법은 결손 정도에 따라 Z-plasty 또는 Y-V plasty, 피부이식술을 사용한다. 피부이식의 경우 함몰된 결손부에 bolster dressing이 필요하고 수술 후(1주일 정도) 부목고정이 필수이다. 피부 착상 후 수개월 동안 지속적인 관절운동과 경우에 따라 night splinting이 필요하다.

(2) 팔꿈치(Elbow)

팔꿈치 관절 자체의 구축 외에 상박 또는 전박(forearm)의 구축에 의해 발생하며 치료 원칙은 같다. 심한 굴곡 구축은 근육의 구축이 동반됨으로 비교적 빠른 시기에 교정이 필요할 수 있다.

(3) 손목 및 수부(Wrist and hand)

① 손목(Wrist)

배측(dorsum)이 흔하고 대부분 피부이식으로 교정한다. 오래된 심한 흉터에서 경우에 따라 건 성형술과 피판술이 필요할 수 있다.

② 수지(Digits)

수지의 굴곡은 구축의 제거 및 전층 피부이식으로 교정한다(그림 3-9-6). 구축의 정

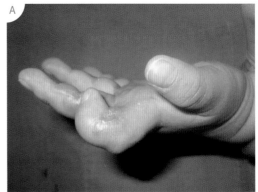

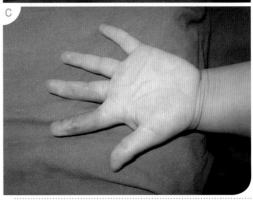

▷그림 3-9-6. A. 소아 수지의 굴곡 구축. B. 전층 피부 이식 및 K-강선의 유지. C. 2년 후 상태.

도와 기간에 따라 수술 시 삽입한 K-강선을 2~3주간 유지한다. 결손의 정도는 예상보다 넓어 대부분 국소 피판으로 교정이 안되며 구축 제거 시 혈관과 신경 손상에 주의하고 절개선이 수부 굴곡면(flexor crease)에 수직이 되는 것을 피한다.

5) 하지(Lower extremity)

다리오금(Popliteal fossa)의 구축이 흔하며 이 부위의 구축은 비교적 쉽게 교정된다. 발목과 발의 교정에서 발가락 구축은 재발이 빈번하며 손가락 구축과 유사한 원칙으로 교정한다.

6) 수술 후 관리
   (Postoperative management)

화상 재건 후 최적의 결과를 얻기 위해 재활을 포함한 수술 후 관리가 매우 중요하다. 수술 후 약 1주일이면 피부 생착이 일어나고 이 기간 동안 불편한 위치로 고정이 불가피하다. 목은 과신전(hyperextension), 어깨는 100도 이상의 외전(abduction), 안검의 고정 등이 시행된다. 구축의 재발을 막기 위해 수개월 동안 관절 운동과 부목 착용이 필요한 재활이 필요하다. 또한 비후성반흔의 방지를 위해 압박 옷 착용이 필요하다.

7) 결론

화상 재건은 정확한 진단과 체계화된 재건 절차가 필요하고 재건 방법과 절차는 위치, 크기, 기능과 미용의 고려 등, 상태에 따라 다양하며 좋은 결과를 얻기 위해 많은 경험이 필요하다. 환자는 오랜 기간에 걸친 재활과 관리를 할 수 있고 재건의 결과를 수용할 수 있는 마음과 자세가 필요하다.

III. 피부 및 연부조직

IV

수부 및 사지

수부외과
Hand Surgery

고성훈 한림의대

1. 해부와 운동기전

사람이 동물과 달리 문화를 이룰 수 있었던 중요한 이유 중 하나는 손을 가지고 있고, 또 그것을 자유롭고 능숙하게 사용할 수 있다는 점일 것이다.

손의 해부학적 구조를 보면 상당히 발달된 구조와 정밀하게 이루어진 조직을 가지고 있으며, 운동이 이루어지는 과정이 매우 정교하다. 이러한 수부의 손상이나 변형을 복원하는 데는 수부의 해부와 기능을 잘 이해하며, 정확하고 미세한 수술술기를 가지는 것이 절실하게 요구된다.

손은 사용하면서 항상 노출되므로 얼굴 못지 않게 모양이 중요하다. 따라서 손의 모양과 기능은 어느 한편도 무시할 수 없는 불가분의 관계에 있다. 그래서 현대의학의 수부외과에서는 미세수술 능력을 갖춘 성형외과 의사들의 참여가 많아지게 되었다. 해부와 운동기능을 충분히 이해하는 것이 수부의 진단과 치료에 필수적이지만 한정된 분량때문에 기본적인 것만 간략히 소개하기로 한다(그림 4-1-1).

1) 피부

손바닥과 손등의 피부는 차이가 있다. 손바닥의 피부는 두껍고 심부근막과 지방조직 사이에 수직 섬유가 연결되어 있어 이동성이 부족하나, 손등의 피부는 심부구조와 엉성하게 연결되어 있어 탄성이 풍부하다. 따라서 피부 결손부를

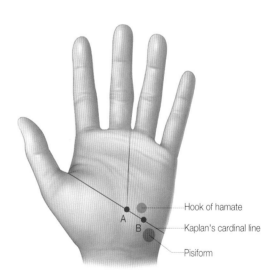

Hook of hamate
Kaplan's cardinal line
Pisiform

▷그림 4-1-1. Kaplan의 주요선(cardinal line)은 제1 지간의 정점(apex of the first web space)에서 두상골의 원위부 (distal edge of the pisiform bone)쪽으로 그은 선으로 중지와 약지의 척골측에서 세로선을 그어 만나는 부위 A에서 정중신경의 운동가지(motor branch of the median nerve), B에서 척골신경의 운동가지(motor branch of the ulnar nerve)를 찾을 수 있다.

재건할 때 각각의 특성을 고려해야 한다. 수부의 피부를 관찰할 때는 부종의 유무, 주름의 정도, 색깔, 습기, 반흔과 표면이 불규칙한지를 살펴야 한다. 손등은 부종이 흔히 발생하는 곳으로 부종이 오래 지속되면 섬유화가 되어 굴곡운동을 제한하는 등 수부 운동장애를 일으키는 원인이 될 수 있으므로 세밀한 관찰이 요구된다.

2) 뼈와 관절

수부는 14개의 수지골, 5개의 수장골, 8개의 수근골 등으로 이루어져 있고, 이들은 관절로 연결되어 있는데 작고 정교하고 때로는 강한 힘을 내는 운동을 할 수 있도록 횡궁(transverse arch)과 종궁(longitudinal arch)을 이루며(그림 4-1-2), 인대와 함께관절을 형성한다.

횡궁은 수근골들로 만들어진 수근골궁이 있는데 이는 고정되어 있으며, 중수골에 의한수장골궁은 이동성(mobile)이 있다.

종궁은 3개의 지골과 중수골에 의해 이루어지며 총 5개가 있다.

손의 뼈대는 다음과 같은 4가지 기능적 요소로 나눌 수 있다.

1. 손의 고정단위(fixed unit): 수근골의 먼쪽 열(distal row of carpal bones)과 제2 및 제3 수장골(metacarpal bone)로 구성

2. 무지(thumb)와 제1 중수골(metacarpal bone): 손목손허리관절(carpometacarpal joint)에서 넓은 운동범위를 가진다. 다섯 개의 내재근육근(intrinsic muscle)과 네 개의 외재근육근(extrinsic muscle)이 무지의 위치와 운동에 관여한다.

3. 시지(The index digit): 집게손가락(index finger)은 관절과 인대가 허락하는 범위 내에서 독립적으로 운동한다. 세 개의 내재근육근과 네 개의 외재근육근에 의해 운동한다.

4. 가운데손가락, 반지손가락, 새끼손가락 제4, 5 중수골(the third, fourth, and fifth

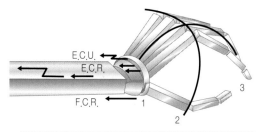

▷그림 4-1-2. **손의 기능적 뼈대요소와 힘의 전달** (1) 고정된 transverse arch (2) 운동성 있는 transverse arch (3) longitudinal arch

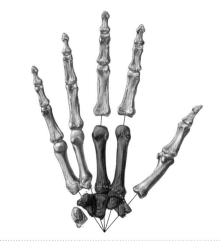

▷그림 4-1-3. **손의 고정단위**(Fixed unit)

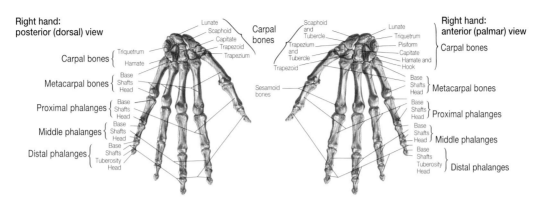

▷그림 4-1-4. **손목 및 손의 뼈**

digits with the fourth and fifth metacarpals): 무지와 시지로 물건을 조작할 때 물건을 안정되게 잡아 주는 역할을 하고, 손의 다른구성단위와 협력하여 물건을 세게 잡아 주는 역할을 한다(그림 4-1-3).

3) 근육 및 건

크게 두 개의 그룹으로 외재근육군(extrinsic muscles)과 내재근육군(intrinsic muscles)이 있는 데, 외재근육은 전박부에서 시작하여 수부에 건으로 부착하는 것들이고, 내재근육은 수부 내에서 기시하여 수부에 부착하는 근육들이다.

외재근육에는 굴곡근과 신전근이 있는데 굴곡근은 요골전연부를 차지하고 있고 손목과 수지의 굴곡작용을 하게 한다 신전건은 요골등배부를 차지하고 있고 손목과 수지의 신전작용을 하게 한다.

굴곡근에는 장무지굴곡근(flexor pollicis longus), 심수지굴곡근(flexor digitorum profundus), 천수지굴곡근(flexor digitorum superficialis), 척측수근굴근(flexor carpi ulnaris), 요측수근굴곡근(flexor carpi radialis), 장수상근(pal-

▷그림 4-1-5. **장무지굴곡근 FPL의 검사방법**

maris longus) 등이 있다.

장무지굴곡근은 환자에게 무지 끝마디를 구부리게 하여 그 기능 정도와 강도를 알 수 있다. 만일 근육이나 건이 손상되었다면 검사자가 신전시킬 때 저항없이 신전된다(그림 4-1-5).

심수지굴곡근은 수지의 원위지골을 굴곡시키는 작용을 하는데 이것의 검사방법은 환자의 근

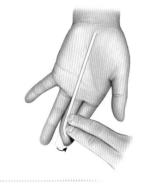

▷그림 4-1-6. **심수지굴곡건 FDP의 검사방법**

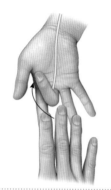

▷그림 4-1-7. **천수지굴곡건 FDS의 검사방법**

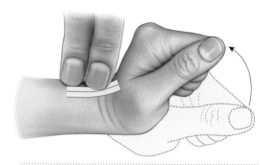

▷그림 4-1-9. **장요측수근신전근 ECRL의 검사방법**

위지골간관절을 구부릴 수 없도록 검사자가 잡고 신전상태에서 원위지골을 구부리게 해보면 알 수 있다(그림 4-1-6).

천수지굴곡근은 근위지골간관절의 굴곡작용을 담당하는데 검사자가 근위지골간관절(중간관절)을 구부리도록 하면서 다른 손가락의 심수지굴곡근의 작용을 하지 못하도록 검사자의 손으로 피검자의 다른 수지를 신전상태로 유지한 상태에서 시행하며, 천수지굴곡근이 손상받은 사람은 중간 관절을 구부릴 수 없다(그림 4-1-7).

신전건은 근육들이 손목등 부위에서 건으로 이행되면서 6개의 구획으로 나뉘어지며 요골측에서부터 6구획(dorsal wrist compartment)으로 배

열되어 있다.

제1 구획군은 장무지외전근(abductor pollicis longus)과 단무지신전근(extensor pollicis brevis)인데 Snuff와의 외측 경계를 형성하고, 무지를 요골측으로 벌리거나 신전시키면 단단한 건을 만질 수 있다(그림 4-1-8).

제2 구획군은 장요측수근신전근(extensor carpi radialis longus)과 단요측수근신전근(extensor carpi radialis brevis)인데 환자에게 주먹을 쥐고 손목을 손등쪽으로 신전하도록 하면 완관절의 요골배부측에서 굵고 단단한 건을 만질 수 있다(그림 4-1-9).

제3 구획군은 장무지신전근(extensor pollicis longus)인데 환자의 손을 테이블에 평평하게 붙인후 무지를 들어보라고 하면 손상이 있는 사람은 할 수 없다(그림 4-1-10).

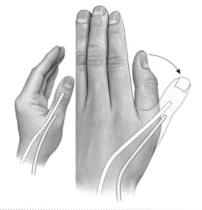

▷그림 4-1-8. **장무지신전건과 단무지신전건 EPB의 검사방법**

▷그림 4-1-10. **장무지신전건 EPL의 검사방법**

제4 구획군은 총수지신전건(extensor digitorum communis)과 시지신전건(extensor indicis

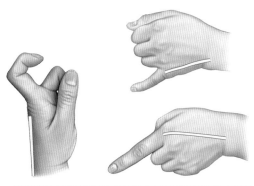

▷그림 4-1-11. **총수지신전건,시지신전건,소지신전건의 검사 방법**

proprius)인데, 총수지신전건의 경우 환자에게 중수지관절을 펴보라고 하든지, 다섯 손가락을 모두 펴보라 하면 알 수 있다(그림 4-1-11).

시지신전건은 다른 손가락은 주먹을 쥐고 시지의 중수지관절을 펴라고 하면 알 수 있다(그림 4-1-11).

제5 구획군은 소지신전건인데 다른 손가락은

주먹을 쥐고 새끼손가락의 중수지관절을 펴보라 하면 알 수 있다(그림 4-1-11).

제6 구획군은 척측수근신전근(extensor carpi ulnaris)인데 손목을 신전시킨 후 바깥쪽으로(척측으로) 틀도록 하면 알 수 있다.

내재근(intrinsic muscles)은 무지구근(thenar muscles), 충양근(lumbrical muscles), 골간근 (interosseous muscles), 소지구근(hypothenar muscles) 등으로 나눌 수 있다. 무지구근에는 단무지외전근(abductor pollicis brevis), 무지대립근(opponens pollicis), 단무지굴곡근(flexor pollicis brevis), 무지내전근(adductor pollicis) 등이 있는데, 이들은 정중신경과 척골신경에 의해서 신경 지배를 받는다. 이들은 손바닥을 위로하고 손을 펴서 테이블위에 놓고 무지를 손바닥과 90도가 되게 하면 무지구근들이 수축해서 단단한 것을 느낄 수 있다. 무지내전근은 무지와 시지사

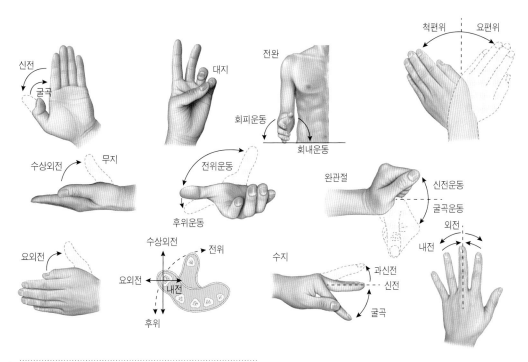

▷그림 4-1-12. **수부운동**

이에 종이를 끼워서 잡도록 하면 알 수 있고, 이 것은 척골신경에 의해서 지배를 받는데, 이때 이 근육이 약하면 무지의 지골간관절을 굴곡시켜 종이를 잡는다(Froment's sign). 골간근은 손바 닥쪽 4개, 손등쪽 3개가 있는데 척골신경에 의 해서 지배를 받고 이것들은 충양근과 함께 측삭 (lateral band)으로 이행하고 팽창후드(expansion hood)의 형성에 관여한다. 배골간근은 수지의 외 전에, 장골간근은 내전에 관여한다. 충양근(lum- brical muscles) 중 요골측의 제1, 2 충양근은 정 중신경에 의해, 척골측 제3, 4 충양근은 척골신 경의 지배를 받는다. 측골간근과 충양근은 중수 지관절을 굴곡시키고 지골간관절을 신전시킨다. 소지구군에는 소지외전근(abductor digiti mini- mi),소지굴곡근(flexor digiti minimi), 소지대립 근(opponens digiti minimi), 단수장근(palmaris brevis) 등이 있다.

관절은 건에 의해서 운동이 이루어지며 굴곡 (flexor), 신전(extension), 내전(adduction), 외전 (abduction),회외전(supination),회내전(pronation), 대지(opposition)등의 움직임이 있다(그림 4-1- 12).

수부의 각 구조에 대한 이학적 검사는 다음 단원에서 더 자세히 다루도록 한다(IV-2 '수부의 이학적 검사' 참조).

4) 혈관과 림프관
(Blood and lymphatic vessel)

요골동맥과 척골동맥이 손바닥에 이르러서 두 개의 궁을 형성하는데 표피에 가까운 천부수장 동맥궁과 심부수장동맥궁을 이루어서 천부동맥 궁에서 공통수지동맥분지를 내고 다시 수지동 맥으로 각각의 수지에 혈액을 공급한다. 말초혈

관을 돌아온 혈액은 각각의 수지정맥을 통해 손 등에 와서는 성긴 피하지방층내에 잘 발달된 수 배부정맥을 통해서 두정맥과 기저정맥을 흘러서 심장으로 돌아간다. 림프관도 정맥계처럼 손바 닥에서는 발달이 빈약하고 손등에서 잘 발달되 어 있다. 따라서 주먹을 쥐었다 폈다 하는 운동 은 혈액과 림프액을 손바닥에서 손등쪽으로 밀 어내는 펌프작용을 하여 부종을 감소시키는 데 중요한 역할을 한다. 따라서 수술이나 외상 후에 운동이 중요하다.

5) 신경지배

수부는 정중, 척골, 요골신경에 의해서 감각과 운동의 지배를 받는다.

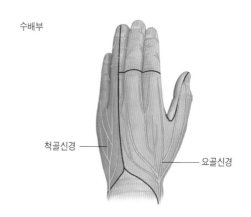

수배부

척골신경

요골신경

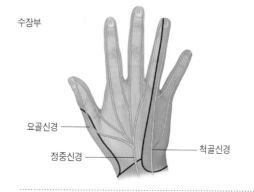

수장부

요골신경

정중신경

척골신경

▷ 그림 4-1-13. **감각신경지배**

(1) 감각지배

손의 감각은 아주 발달되어 있어 시지첨부는 심지어 2 mm 거리의 두 점을 구별할 수 있을 정도인데, 이것은 신경말단소체의 밀집도가 다른 부위보다 훨씬 많기 때문이다. 그래서 손끝은 제2의 눈이라고도 한다. 손바닥의 감각은 환지 (ring finger)의 정중선을 가상해서 요골측은 정중신경이, 척측은 척골신경이 담당하고 손등에서는 요골측은 요골신경이, 척측은 척골신경이 지배한다(그림 4-1-13).

(2) 운동지배

완관절과 수지의 신전건 및 장무지외전근과 회외근(supinator)은 요골신경의 지배를 받는다. 정중신경은 완관절과 수지의 굴곡근의 대부분을 지배하고, 무지구근과 시지, 중지의 충양근을 지배한다.

척골신경은 척측완굴곡근, 환,소지의 심수지굴곡근, 무지내전근, 환지의 충양근, 소지구근, 각 골간근을지배한다.

6) 건, 건초 및 인근구조

수부의 외재근(extrinsic musdes)은 수부에 이르면 건(tendon)이 되어 손바닥에서는 굴곡건으로, 손등에서는 신전건으로 수지골이나 수장골에 부착하는데 이들이 당겨지면서 관절운동을 일으킨다. 굴곡건은 수장지골간관절부에서 수지첨부의 건부착부까지 인대성 건초(tendon sheath)에 의해 피복되어 있는데 이것을 활차 (pulley)라 한다. 이것은 건이 움직일 때 손가락

에서 건이 떨어져 활처럼 휘어지는 것을 막아준다.

수지배부에서 수장골관절을 지난 총수지신전건 (extensor digiti communis)은 시상인대(sagittal band), 횡수장인대(tranverse metacarpal ligament), 신전근덮개(extensor hood) 등과 연결되면서 건이 미끄러지지 않게 부착되어진다. 총지신전건은 근위지골 기저부에서 중앙지대(central band), 2개의 외측지대(lateral band) 3개로 나누어지고 중앙지대는 근위지골간관절을 지나서 중지골기저부에 붙어서 근위지골간관절을 신전시키고, 신전외측지대는 골간근과 충양근에서 오는 골간외측지대와 합쳐져서 외측신전건(lateral extensor tendon)이 되고 결국에는 좌우 양측이 합쳐져 총수지신전건으로 원위지골의 기저부에 붙는다(그림 4-1-14).

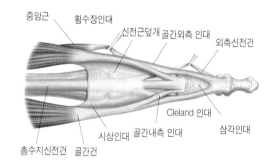

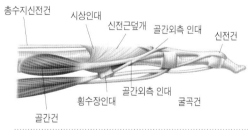

▷그림 4-1-14. **수지배 건막의 구조**

References

1. Caplan HS, Hunter JM, Merklin RJ:The intrinsic vascularization of flexor tendons in the human J Bone Joint Surg 57A:726, 1975.

2. Chang J, Valero-Cuevas F, Hentz VR, Chase RA: Anatomy and Biomechanics of the Hand, In Mathes SJ(Eds) Plastic Surgery WB Saunders Co,2006: voI VII

3. Hooper G, Davies R, Tuthill P : Blood flow and clearance in tendons. J Bone Joint Surg 66B:441, 1984

4. Hunter JM: The vincular system and its variations. In Hunter JM, Schneider LH, Mackin EJ(Eds): Tendon Surgery in the Hand. St. Louis, The CVMosby Co., 1998, p24

5. Bell C. The Hand – Its Mechanism and Vital Endowments as Evincing Design. London: William Pickering; 1834. This treatise by Sir Charles Bell is a literary classic that should be read by any student of hand surgery and anatomy.

6. Kaplan EB. Functional and Surgical Anatomy of the Hand. Philadelphia: J. B. Lippincott; 1953.

7. Landsmeer JM. Anatomy of the dorsal aponeurosis of the human finger and its functional significance. Anat Rec. 1949;104:31–44.

8. Landsmeer JM. Anatomical and functional investigations on the articulation of the human fingers. Acta Anat. 1955;25:1–69.

9. Eyler DL, Markee JE. The anatomy of the intrinsic musculature of the fingers. J Bone Joint Surg. 1954;36A:1–9.

10. Brand P, Hollister A. Clinical Mechanics of the Hand. St. Louis: Mosby-Year Book; 1999.

11. Hollister A, Giurintano DJ, Buford WL, et al. The axes of rotation of the thumb interphalangeal and metacarpophalangeal joints. Clin Orthop Relat Res. 1995;320:188–193.

12. Tubiana R. The Hand. Vol. II. Philadelphia: W. B. Saunders; 1985.

수부의 이학적 검사

Hand Examination

홍종원 연세의대

의학의 발전과 더불어 다양한 진단 장비와 방법이 사용되고 있지만, 수부에서 진찰 및 이학적 검사의 중요성은 절대로 간과되어서는 안 된다. 가령 수지의 굴곡제한이 있다면 굴곡근뿐만 아니라 신전근, 내재근의 문제부터 신경손상, 관절, 뼈의 문제 등 다양한 원인이 가능하다. 따라서 이학적 검사에 의하여 많은 정보와 원인을 밝혀낼 수 있고 대략적인 치료계획의 틀이 이뤄질 수 있다. 이후에 확진이나 감별진단, 추가 원인규명 및 세부 치료계획을 위하여 영상의학 검사가 이뤄질 수 있다.

따라서 진찰 시 가능한 많은 정보를 환자로부터 얻는 것이 진단과 치료에 상당한 도움이 된다. 이러한 진찰 및 이학적 검사를 위해서는 수부의 기능과 해부학, 이학적 검사의 원리와 방법에 대해서 숙지하고 체계적으로 접근을 해야 한다.

1. 병력청취

환자 이학적 검사에 앞서 환자의 병력을 청취하는 것은 가장 기본이면서도 중요한 부분이다. 왜냐하면 환자가 호소하는 증상은 상당히 주관적일 수 있다. 손은 기능의 단위이기도 하지만 미적 단위이기도 하다. 수상에 의한 변형이나 대칭이 없어졌을 때 환자들은 손을 숨기고 다니기도 한다. 환자 자신의 질환임에도 증상이 발생한 시기나 치료, 수술의 시기와 종류도 잘 모르는 경우도 많다. 심지어 어떤 부분은 일부러 숨기는 경우도 있다. 따라서 환자가 호소하는 주 증상뿐만 아니라 현재 증상과 관련된 과거력까지 최대한 많은 정보를 얻도록 노력해야 한다. 환자나이, 직업, 취미, 우세수부, 육체활동, 음주 및 흡연, 질병이환 등 전반적인 건강 상태는 기본이고, 외상이 있을 경우 언제, 어디서, 어떻게 다쳤는지, 이후 의학적 처치의 과정과 순서, 시기 및 간격은 어떻게 되었는지 소상히 문진해야 한다.

주 증상과 관련해서는 일상생활에서 불편한 것인지, 특정 동작에서 불편한 것인지, 혹은 하는 업무와 관련된 것인지, 통증이 있다면 양상은 어떠한 것인지 명확히 문진해야 한다. 감각에 대해서도 명확히 구별하도록 해야한다. 감각저하 혹은 무감각, 이상 감각 모두를 저리다고 표현할 수도 있다. 감각저하 모두를 혈액순환이 안 되는 것으로 표현하기도 한다. 이러한 주관적인 증상을 우선 객관적으로 구별하여 다시 확인한다. 과거 치료에서 수술적 치료뿐만 아니라 약물치료,

▷ 표 4-2-1. DASH 설문지를 이용한 환자 상태 평가

지난 주의 상태를 기준으로 해당하는 번호에 동그라미(O)를 하여 당신의 동작 수행 능력을 평가하여 주시기 바랍니다.					
	어려움이 없음	약간 어려움	어느정도 어려움	아주 어려움	전혀 할 수 없음
1. 밀폐된 용기나 새 단지 뚜껑 열기	1	2	3	4	5
2. 글씨쓰기	1	2	3	4	5
3. 열쇠를 돌려 문 열기	1	2	3	4	5
4. 식사 준비하기	1	2	3	4	5
5. 무거운 문을 밀어서 열기	1	2	3	4	5
6. 머리보다 높은 선반에 물건 놓기	1	2	3	4	5
7. 힘든 집안일 하기 (벽 청소, 바닥 청소 등)	1	2	3	4	5
8. 정원 가꾸기 (실내 포함)	1	2	3	4	5
9. 잠자리 준비하기 (이부자리 깔기)	1	2	3	4	5
10. 쇼핑백이나 서류 가방 들고 가기	1	2	3	4	5
11. 무거운 물건 나르기 (5 kg 이상)	1	2	3	4	5
12. 머리보다 높은 곳의 전등 교체하기	1	2	3	4	5
13. 머리 감기 또는 머리 말리기	1	2	3	4	5
14. 등 닦기 (샤워할 때)	1	2	3	4	5
15. 스웨터를 머리부터 뒤집어 써 입기	1	2	3	4	5
16. 칼로 음식 자르기	1	2	3	4	5
17. 힘들지 않은 여가 활동 (카드 놀이, 뜨개질 등)	1	2	3	4	5
18. 팔, 어깨, 손에 어느 정도의 힘이나 충격이 가는 여가 활동 (골프, 망치질, 테니스 등)	1	2	3	4	5
19. 팔을 자유롭게 움직이는 여가 활동 (원반 던지기, 배드민턴 등)	1	2	3	4	5
20. 교통수단 이용하기 (운전하기 등)	1	2	3	4	5
21. 성관계 갖기	1	2	3	4	5
	전혀 없었음	약간 없었음	중간정도 없었음	상당히 없었음	극히 지장 받았음
22. 지난 주 동안, 당신의 팔, 어깨, 혹은 손의 문제로 인하여 당신의 가족, 친구, 이웃 또는 다른 모임과의 사회 활동에 어느 정도 지장이 있었습니까?	1	2	3	4	5
	전혀 제한받지 않았음	약간 제한 받았음	중간정도 제한 받았음	매우 제한 받았음	할 수 없었음
23. 지난 주 동안, 당신의 팔, 어깨, 혹은 손의 문제로 인하여 당신의 일이나 일상 활동에 어느 정도 제한을 받았습니까?	1	2	3	4	5

지난 주의 상태를 기준으로 해당하는 번호에 동그라미(O)를 하여 다음 증상들의 정도를 평가하여 주시기 바랍니다.					
	없음	약간 느낌	중간정도 느낌	상당히 느낌	극심하게 느낌
24. 팔, 어깨 손의 통증	1	2	3	4	5
25. 특정한 동작이나 행동을 할 때 발생하는 팔, 어깨 손의 통증	1	2	3	4	5
26. 팔, 어깨, 손의 저린감	1	2	3	4	5
27. 팔, 어깨, 손의 근력 약화	1	2	3	4	
28. 팔, 어깨, 손의 뻣뻣함	1	2	3	4	5
	어려움이 없었음	약간 어려웠음	중간정도 어려웠음	매우 어려웠음	잠을 잘 수 없었음
29. 지난 주 동안 팔, 어깨, 손의 통증으로 인하여 잠을 자는 데 얼마나 어려움을 겪었습니까?	1	2	3	4	5
	전혀 그렇지 않다	그렇지 않다	잘 모르겠다	그렇다	매우 그렇다
30. 나는 팔, 어깨, 손의 문제로 인하여 능력 감퇴, 자신감 감퇴 및 쓸모 없음을 느낀다.	1	2	3	4	5

DASH 장애/증상점수 $= \dfrac{(\text{답변된 점수의 합})}{\alpha} - 1$ α는 문항의 수를 의미합니다.

세 문항 이상에 답변이 없다면 DASH 장애/증상 점수를 계산 할 수 없습니다.

혹은 민간요법을 포함한 모든 경우를 확인하여야 한다. 특히 치료 간격에 대해서도 명확히 문진해둔다.

환자가 원하는 치료 목적과 기대치에 대해서도 명확히 문진을 한다. 간혹 비현실적인 목표나 기대치가 너무 높은 환자의 경우는 현실적인 목표로 수정할 필요도 있으며, 또 가능한 방법을 설명함으로써 환자에게 득이 되는 방향으로 치료목표를 설정할 수도 있다.

수부 및 상지의 활동능력을 평가하는 방법으로는 DASH (disabilities of the arm, shouluder and hand) 점수를 이용할 수 있다(표 4-2-1). 환자의 일상생활을 기준으로 불편함 정도를 점수화하여 보여주는 것으로, 환자의 증상을 좀더 쉽게 이해하고 환자도 설명하기 어려운 부분에 대해서 비교적 쉽게 표현할 수 있는 장점이 있다. DASH 설문지는 신뢰도, 타당도가 어느 정도 인정되어 널리 사용되는 방법으로 수술 전후의 향상 정도를 비교할 때 사용하기도 한다.

2. 시진/촉진

손은 전완부(forearm)에서 시작된 외재근(extrinsic muscle)과 수부 자체의 내재근(intrinsic muscle)의 조화, 나아가 지간관절에서부터 수근관절(wrist), 주관절(elbow)까지 모두가 유기적으로 연결되어 유기적으로 움직인다. 따라서 한쪽의 이상이 있을 때 다른 부위에서 보상이 일어나기 때문에, 시진을 통해서 전체적인 상태를 직접 확인해야 한다. 시진으로 보아야 할 부분은 피부 및 외부에서 관찰되는 부분, 근육 위축 등 내부적인 부분, 특정 조건에서의 수부의 모양 및 위치로 나눠볼 수 있다.

시진으로 외부에서 나타나는 모습을 상세히 관찰한다. 먼저 외상여부이다. 단순하게는 창상여부이다. 창상의 위치, 길이, 면적, 연부조직 결손의 경우는 창상바닥의 상태, 분비물, 주변의 발적 여부를 확인한다. 외상이 있지 않을 경우는 과거 외상의 흔적, 수술여부 등을 확인한다. 변형이나 종괴, 근위축이 있는지도 확인한다. 근위축이 있는 경우 말초신경에 관련된 진찰도 시행한다. 아울러 형태에 변형이나 이상 여부도 확인한다.

피부의 색과 주름, 피부탄력, 부종 여부도 관찰한다. 부종이 있을 경우도 정상적인 주름이 없거나 피부탄력이 저하된다. 관절강직, 만성창상이었거나 치료기간이 길었다면 전반적인 연부조직의 위축과 피부주름이 소실될 수 있다. 이러한 경우 추가적인 수술에서 연부조직의 위축이 더 생길 수 있음을 알고 있어야 한다.

힘을 주지 않았을 때 중립적인 상태에서의 손의 모양과 자세도 확인하여야 한다. 각 수지를 모두 굽혔을 때 손가락의 끝은 주상골(scaphoid)을 향하게 된다(그림 4-2-1). 수지골(phalangeal bone), 중수골(metacarpal bone)의 골절이나 부정유합에 의한 변형을 예측할 수 있다. 손목관절

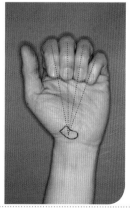

▷ 그림 4-2-1. 모든 손가락은 정상적인 정렬에서 주상골을 향한다.

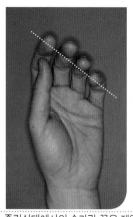

▷그림 4-2-2. 중립상태에서의 손가락 끝은 제2수지부터 5수지까지 일정한 정렬을 보인다.

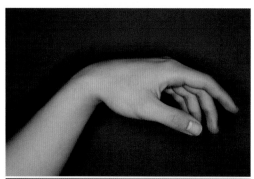

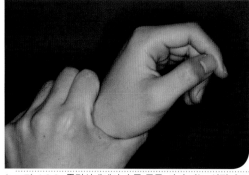

▷그림 4-2-3. 중립상태에서 손목 굴곡 시 수지는 신전되고, 손목 신전 시 수지는 굴곡된다.

(수근관절)을 중립상태에 두면 손가락은 제2 수지에서 제5 수지로 갈수록 더 굴곡된 상태를 보여준다(finger cascade)(그림 4-2-2). 정상위치가 아닌 경우 근 이상을 예측할 수 있고, 굴곡근 이식이나 근치환술에서 기준이 될 수 있다. 손목 관절을 굽히고 폄에 따른 손가락의 자세를 확인

함으로써 건고정효과(tenodesis effect)를 확인한다. 손목을 신전했을 때는 제2-5수지는 굴곡, 무지는 굴곡 및 내전된다(그림 4-2-3). 손목을 굴곡했을 때는 제2-5수지는 신전, 무지는 신전 및 외전된다. 여기에 이상이 있을 경우 건이나 신경이상, 관절강직을 의심할 수 있다.

3. 감각

손에 대한 신경은 운동신경과 감각신경으로 나눠진다. 운동신경은 근육의 문제인 경우도 있기에 운동검사에서 다루기로 하고 감각신경에 대해서만 다루겠다. 손에서 운동신경 및 근육이 정상이라고 하더라도 감각이 저하되거나 통증이 심한 경우에는 운동신경도 일부 제한을 받는다. 손에서의 감각을 단순히 신경의 대략적인 위치로 추정해서는 안 된다. 각 신경의 주행방향이 끝나는 부분까지 해부학 위치를 확인하여 감각을 확인하여야 한다. 가령 손등의 요측 넓은 부분은 정중신경이 지배하지만, 척측은 손바닥, 손등 모두 척골신경이 지배한다. 1, 2, 3수지 근위지, 중위지골 1/2 등쪽(dorsal side) 감각은 요골신경이 담당하지만, 원위지골 등쪽 감각은 정중신경이 담당한다. 또한 말초신경의 주행을 척수로부터 나오는 위치와의 관계도 알아두면 도움이 된다. 정중신경, 척골신경은 C7, C8, T1의 분지이며, 요골신경은 C6, C7의 분지이다. 각 신경의 해부학적 변이가 심하지만 단일 신경에 의해서 감각이 지배되는 지각고유역(autonomous zone)을 알아두면 많은 도움이 된다(그림 4-2-4). 수부 감각 기능 평가에서 가장 흔하게 사용하는 것은 이점 식별력(two point discrimination)을 사용한다.

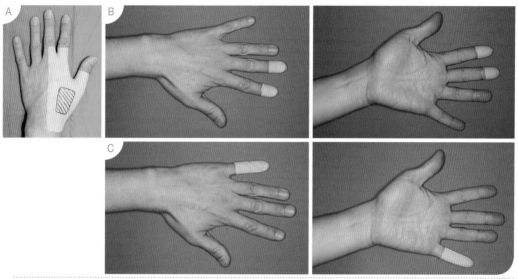

▷ 그림 4-2-4. A. 요골신경, B. 정중신경, C. 척골신경의 지각고유역. 해당 부분을 확인하여 각 신경의 감각신경을 확인한다.

4. 운동검사

손의 근육은 전완부, 상완골에서 기원하여 손에 부착하는 외재근(extrinsic muscle), 손에서 기원하여 부착하는 내재근(intrinsic muscle)으로 이뤄진다. 운동검사는 운동신경의 이상유무나 외상 등에 의한 해당 근육이나 인대 손상을 알아보기 위해 시행된다. 하지만 운동신경 이상에 따른 근육 진찰 시행 시 모든 근육을 검사하는 것은 어렵다. 대표적인 근육에 대해서 검사를 하고 이상이 있는 경우 해당 신경이 지배하는

근육에 대해서 개별적으로 검사를 시행한다(표 4-2-2).

운동검사에 능동적(active) 운동범위가 수동적(active) 운동범위가 다를 수 있음을 명심해야 한다. 따라서 능동적 운동범위와 수동적 운동범위를 반드시 측정해 보아야 한다.

1) 외재근

굴곡근에 이학적 검사로 확인할 대표적인 것은 장무지굴곡근(flexor pollicis longus, FPL), 심수지굴곡근(flexor digitorium profundus, FDP), 천수지굴곡근(flexor digitorium superficialis, FDS), 척측수근굴근(flexor carpi ulnaris, FCU), 요측수근굴곡근(flexor carpi radialis, FCR), 장수장근(palmairs longus, PL)이 있다. FPL은 환자가 무지 지간관절을 능동적으로 굴곡시킬 수 있는지 확인한다(그림 4-2-5). FDP는 손을 평편한 바닥에서 중수지관절(MP joint), 근위지관절(PIP joint)를 신전한 사세에서 시작한

▷ 표 4-2-2. 말초 신경 위치별 대표 근육

신경	위치	근육
요골 신경	근위부	장/단 요수근신근
	원위부	총수지신전건, 장무지신근
정중 신경	근위부	요수근굴근, 천수지굴근
	원위부	무지굴곡근
척골 신경	근위부	척수근굴근, 심수지굴근(제 4, 5 수지)
	원위부	골간근

IV. 수부 및 상지

다. 이때 검사자는 중수지관절, 근위지관절이 굴곡되지 않게 고정한다. 환자에게 검사하는 수지를 굴곡하게 함으로써 원위지관절(DIP joint)의 굴곡을 확인한다(그림 4-2-6). 2-5수지까지 시행한다. FDS는 검사자가 모든 손가락을 신전자세로 움직이지 못하게 유지한 상태에서 근위지관절을 굴곡시킬 수 있는지 확인한다(그림 4-2-7). 제5 수지의 경우 FDS가 없는 경우도 있기 때

문에 외상에 의한 것과 구별하여야 한다. FCU, FCR은 손목을 굽히는 데 가장 큰 역할을 한다. 따라서 검사자가 저항을 준 상태에서 환자가 수근관절(손목)을 굴곡하게 하고 이때 건을 촉지하여 확인한다.

신전근에는 6개의 구획으로 나눠진다. 제1구획군은 장무지외전근(abductor pollicis longus, APL), 단무지신전근(extensor pollicis brevis, EPB)으로 제1 중수골을 외전시킨다. EPB는 무지의 중수지관절을 신전시키는 기능도 있다. Snuff box의 외측 경계를 형성한다. 환자가 손바닥을 평편한 곳에 내려놓은 상태에서 무지를 외전하여 snuff box 외측의 건을 촉진한다(그림 4-2-8). 손목(수근관절)을 신전시키는 근육은 제2 구획군과 제6 구획군에서 확인할 수 있다. 제2 구획군의 장, 단요측수근신전근(ECRL: exten-

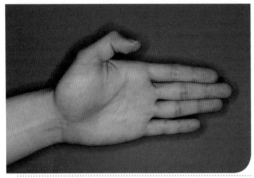
▷그림 4-2-5. FPL 검사

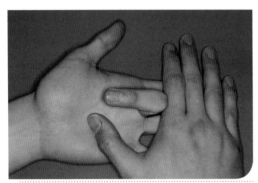
▷그림 4-2-6. FDP 검사

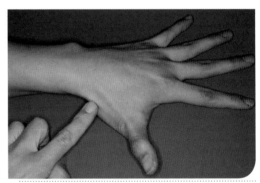
▷그림 4-2-8. APL, EPB 검사

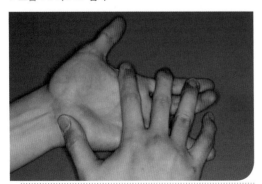
▷그림 4-2-7. FDS 검사

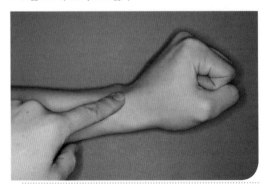
▷그림 4-2-9. ECRL 검사

sor carpi radialis longus, ECRB: extensor carpi radialis brevis)가 있으며, 제6 구획군에는 척측 수근신전근(Extensor carpi ulnaris, ECU)이 있다. 환자가 주먹을 세게 쥔 상태에서 손목을 신전시켰을 때 촉지할 수 있다. 특히 ECU는 손목 신전상태에서 바깥쪽(척측)으로 외전시키면 확인하기 쉽다(그림 4-2-9). 제3 구획군의 장무지신전근(extensor pollicis longus, EPL)는 손을 평

평하게 붙인 후 무지를 위로 올려보게 한다. 이때 EPL을 확인할 수 있으며, snuff box의 내측의 건을 형성한다. 제4 구획군의 총수지신전건(extensor digitorum communis, EDC), 시지신전건(extensor incidis proprius, EIP)가 있다. 제5 구획군은 소지신전건(extensor digiti minimi, EDM)이 있다. EDC는 주먹을 쥔 상태에서 중수지관절을 신전시킬 수 있는지 확인한다. 지간관절을 굴곡시킨 상태에서 시행하는 이유는 내재근만으로도 수지를 어느 정도 신전시킬 수 있기 때문이다(그림4-2-10). EIP와 EDM은 주먹을 쥔 상태에서 제2수지와 제5수지를 펴보게 함으로써 확인할 수 있다(그림 4-2-11).

2) 내재근

내재근에는 무지구근(thenar muscle), 소지구근(hypothenar muscle), 충양근(lumbrical muscle), 골간근(interosseous muscle)이 있다. 무지구근은 무지의 대립(opposition), 내전(adduction)에 관여한다. 대립은 정중신경 지배를 받는 단엄지외전근(abduction pollicis brevis, APB)이 주로 역할을 하고, 무지와 제5 수지 첨부에 대립을 할 수 있는지 여부로 확인한다. 무지 내전은 척골신경 지배를 받는 무지내전근(adductor pollicis, AdP)가 주된 역할을 하고 제1 배측 골간근(1st dorsal interosseous m.)과 함께 집기(pinch) 동작에 관여한다. 무지내전근은 무지구근 중에서 가장 넓다. 척골신경의 마비로 무지내전근과 제1 배측 골간근의 기능이 저하되면 종이를 무지와 검지로 잡아 당길 때 무지내전근을 이용한 내전이 아닌 무지의 굴곡을 이용한 힘으로 잡게 된다. 이러한 현상을 Froment's sign이라고 하고, 수부의 척골신경 손상 혹은 마비에서 수도 확인

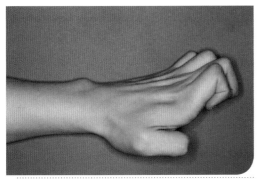
▷그림 4-2-10. **EDC 검사**

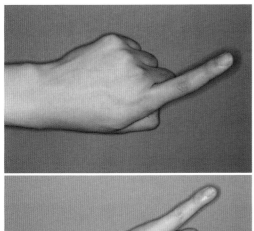

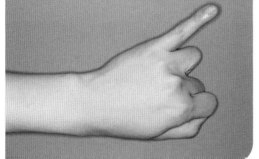
▷그림 4-2-11. **EIP, EDM 검사**

▷그림 4-2-12. Froment's sign

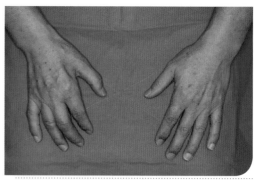

▷그림 4-2-13. 우측 제1 배측 골간근 위축

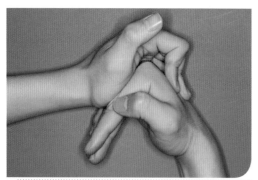

▷그림 4-2-14. 내재근에 의한 신전검사

하는 검사이다(그림 4-2-12). 또한 척골신경이 마비되었을 때 무지내전근과 제1 배측 골간근 위축이 일어나고, 손의 배측(dorsal side)에서 관찰하기 쉽다(그림 4-2-13). 소지구근은 제5 수지를 외전시킨 상태에서 소지구를 촉지하여 검사한다.

골간근의 검사는 환자의 손바닥을 평평한 곳에 바닥을 향해 두고, 수지신건의 작용을 배제한 채 시행한다. 손가락을 벌리고 오므리게 하여 확인한다. 충양근은 굴곡근에서 시작해서 측삭(lateral band)을 형성하고 골간근육과 함께 신전건에 부착한다. 이들은 중수지관절은 굴곡시키고 지골간관절은 신전시킨다. 손과 수지를 구부려 주먹을 쥐거나 물건을 잡을 때 중수지관절이 먼저 굴곡되게 하며, 반대로 주먹을 쥔 손을 펼 때 근위지관절부터 퍼지게 함으로써 주먹을

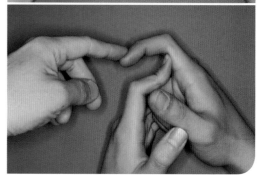

▷그림 4-2-15. 내재근 긴장검사

쥐거나 펼 때 자연스럽게 하는 역할을 한다. 아울러 신전근, 굴곡근과 충양근, 골간근의 적절한 장력을 유지함으로써 수지의 안정성을 이루게 한다. 충양근과 골간근에 의한 지간관절신전검사는 중수지관절을 굴곡시킨 상태에서 능동적으로 신전시킬 수 있는지 확인한다(그림 4-2-14). 내재근이 구축이 있는 경우 내재근 긴장검사(intrinsic tightening test)를 시행한다. 중수지관절

을 신전 혹은 굴곡시킨 상태에서 근위지관절의 수동적 굴곡범위를 확인한다(그림 4-2-15).

5. 혈관 및 임파선계

수부는 단위부피에 비하여 신체에서 비교적 많은 혈류가 이동하는 곳이다. 요골동맥, 척골동맥 같은 비교적 큰 동맥 2개가 있고 손등의 정맥도 상당히 큰 편에 속한다. 이러한 큰 동맥과 정맥은 손의 온도 유지에도 영향을 준다. 이러한 큰 혈관을 바탕으로 혈액순환이 이뤄지기에 혈액공급장애는 흔하지는 않다. 교감신경의 영향으로 스트레스 등에 의해 수지혈관 수축으로 손이 차다는 증상을 호소하기도 한다. 레이노이드현상이 있는 환자의 경우는 혈관내경이 많이 좁아져 있다. 또한 중환자중에 혈압상승제를 사용한 환자 중에 수지로 분지하는 혈관의 수축으로 괴사까지 초래되는 경우도 있다.

요측전완피판(radial forearm flap)을 하기 위해서는 피판 거상 후 남게 될 척골동맥의 상태를 확인해야 한다. 척골동맥을 사용할 피판이라면 요골동맥을 확인한다. Allen 검사법은 먼저 환자의 요골동맥과 척골동맥의 맥박(pulse)을 확인한다. 환자에게 주먹을 세게 쥐라고 하고 검사자가 요골동맥과 척골동맥을 모두 누른다. 환자에게 주먹을 펴게 하고 이때 검사자가 손바닥이 창백(blanching)해진 것을 확인한다. 척골동맥을 누르던 것을 풀어준다. 손바닥으로 홍조(flush)가 바로 돌아오거나 속도가 느려도 지연없이 회복되어야 한다. 이후 요골동맥을 누르던 것을 풀어줘서 회복되는 것을 확인한다. 동일한 방법으로 누르는 동맥 순서를 바꿔서 시행한다(그림 4-2-16).

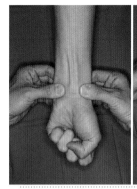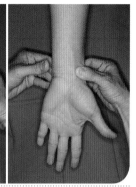

▷ 그림 4-2-16. Allen test

6. 수부 운동범위

수부 운동범위(range of motion, ROM) 측정은 관절의 움직임 및 강직관절(stiff joint) 진단과도 연관된다. 정상적인 운동범위는 굴곡에서는 중수관절 85도, 근위지관절 110도, 원위지관절 65도이다. 신전에서는 원칙적으로는 0도로 본다. 원위지관절은 약간 과신전을 보이기도 하고, 나이가 많을수록 전반적인 ROM은 약간 감소할 수도 있으나 연부조직상태, 움직임 등 전반적인 상태를 종합적으로 판단해야 한다.

관절움직임(joint moition)은 뼈, 관절면, 관절을 둘러싼 인대, 굴곡 및 신전근, 관절 주변의 피부 및 연부조직의 균형에 의해 결정된다. 관절움직임을 저하시키는 영향을 주는 원인으로는 외상, 감염, 수술 등에 의한 손상과 퇴행성관절염, 류마티스관절염 등에 의한 질환이 있다. 운동범위의 감소는 특정 기능의 수행뿐만 아니라 일상 생활에도 영향을 준다.

수부 운동범위는 환자가 앉은 상태에서 테이블에 팔을 올려 놓고서 측정한다. 팔꿈치는 굴곡(flexion)시킨 상태에서 측정한다. 각도를 측정하는 방법은 검사자 외부힘 없이 온전히 환자의 의지로만 관절을 움직여 측정하는 능동운동범위(active motion), 검사자가 외부힘을 가해 측정하는 수동운동범위(passive motion)로 나눠진다. 측정하려는 관절 주변의 피부, 연부조직에 흉터(scar)나 흉터구축(scar contracture)이 없다면, 능동운동, 수동운동범위 차이 유무를 확인하고 원인을 분석해야 한다. 만약 수동운동범위가 능동운동범위보다 더 크다면 적어도 관절 자체에는 큰 문제가 없을 수 있다. 즉, 움직임에 관여하는 근인대(musculotendinous)가 원인이고 인대의 움직임이 관절의 움직임에 충분히 영향을 못준다. 수동운동범위, 능동운동범위 모두가 저하되었지만 동일하다면, 최소한 인대의 움직임이 관절에는 효과적으로 전달되었다고 볼 수 있다. 따라서 원인은 관절이나 관절을 둘러싼 주변 인대가 원인일 수 있다. 능동운동범위이건 수동운동범위이건 관절 움직임 자체가 없다면 여러 가지 복합적인 요소가 원인이 될 수 있다. 아울러 수부 운동범위 측정에 앞서 관절 자체의 위치도 파악하여 운동범위에 영향을 미치는지도 확인해야 한다.

7. 영상의학검사/근전도

영상의학검사는 이학적 검사 이후 확진, 감별진단, 치료계획, 치료결과 및 경과관찰을 위하여 시행한다. 단순방사선촬영은 연부조직에만 국한된 문제가 확실한 것이 아니라면 기본적으로 시행하는 것이 좋다. 외상의 경우 간혹 이물질이 발견되기도 하고 관절자체의 문제가 발견되기도 한다. 영유아, 소아의 경우는 반드시 양쪽을 같이 촬영하는 것이 좋다.

컴퓨터단층촬영(CT)은 손바닥골의 골절 진단에 도움이 된다. 미세골절의 진단에도 유용하다.

최근에는 3D 영상으로 합성해서 볼 수도 있다. 거시적으로 이해할 때 3D 합성된 영상이 도움이 되지만, 골절 부분을 확실히 진단 및 분석하기 위해서는 각 세션별로 촬영된 영상을 반드시 확인해야 한다. 초음파는 수부의 종괴나 인대의 움직임에 따른 감별진단, 작은 유리조각이나 나무가시 등 작은 이물질의 위치를 파악하는 데 도움을 준다.

MRI는 연부조직을 확인하는 데 도움을 준다. 혈관기형을 주소로 내원한 경우는 MRI가 가장 도움이 된다. 간혹 CT나 초음파를 시행하기도 하지만 얻는 정보가 지극히 제한적이다. 수술 등 적극적인 치료계획까지 고려한다면 MRI 촬영이 더욱 유용하다.

혈관조영술은 레이노이드 질환, 말초혈관질환, 외상 후 혈관상태, 혈관기형에서 시행할 수 있다. 최근 MR angiography, CT angiography를 이용하여 비교적 간편하게 확인하는 방법도 있다. 그러나 아직까지는 수지까지의 혈관과 측부동맥(collateral artery)까지 명확하게 보여주는 데는 한계가 있다. 따라서 전반적인 혈관 상태를 보기에는 전통적인 혈관조영술이 많은 도움이 된다.

신경압박증후근(Nerve compression syndrome)이나 운동신경 손상 및 이상 여부는 근전도를 시행함으로써 손상 신경 종류, 위치까지도 정확히 알 수 있다.

References

1. 서유준. 수부외과학. 1판 : 3장 상지의 진찰; 서울, 범문에듀케이션; 21-36
2. Kakinoki R. Chap 2 Examination of the upper extremity. Peter C. Neligan, Plastic Surgery 3rd ed. London; Vol 6, 47-67
3. Chang J, Valero-cuevas F, Hentz V, Chase R. Chap 163 Anatomy and biomechanisc of the hand. Stephen J. Mathes, Plastic Surgery 1st ed. London; Vol 7, 13-43
4. Laub D. Chap 164 Examination of the upper extremity. Stephen J. Mathes, Plastic Surgery 1st ed. London; Vol 7, 45-54

3

수지첨부 손상
Fingertip Injury

김광석 전남의대

1. 서론

수지첨부는 상지의 말단부위로 체간부로부터 떨어진 위치에서 작업을 하게 되므로 손상이 호발하는 신체부위 중 하나이다. 수지첨부는 촉각이 예민하여 수부의 세밀한 운동을 가능하게 하고 항상 외부에 노출되어 있으므로 기능적으로뿐만 아니라 미용적으로도 매우 중요하다. 따라서 수지첨부를 온전하게 재건하려는 노력이 필요하며 수지첨부 손상을 성공적으로 치료하기 위해서는 수지첨부의 해부학적 구조에 대한 충분한 지식, 다양한 치료 방법 숙달 및 환자의 요구에 대한 적절한 고려가 필요하다.

2. 수지첨부의 구조

수지첨부를 구성하는 주요 구조물은 조갑주변조직(perionychium), 원위지골 및 수지수질(finger pulp)과 피부이다. 조갑(nail)이라는 용어는 조갑판(nail plate) 또는 조갑주변조직을 가리키는 용도로 사용된다. 조갑주변조직은 조갑판과 그 주변의 모든 조직을 통칭하는 용어이며 조갑추벽(nail fold), 조갑상피(eponychium), 조갑

주위(paronychium), 조갑하피(hyponychium), 조상(nail bed)과 조갑판(nail plate) 등을 포함한다. 조갑추벽은 조갑판의 근위부인 조갑근(nail root)을 감싸고 있으며 조갑근을 기준으로 표층부를 후방덮개(dorsal roof), 심층부를 전방바닥(ventral floor)이라고 한다. 조갑상피는 조갑추벽 후방덮개의 표층에 있는 피부인 조벽(nail wall)의 원위부로 조갑각피(cuticle)라고도 하며 조갑판에 밀착되어 있어서 외부로부터 조갑근을 보호한다. 조갑주위는 조갑판과 조상의 양쪽 측면을 둘러싸고 있는 피부이며 조갑하피는 조갑판과 조상 원위부 끝의 피부이다. 조상은 조갑판의 심부에 위치하는 피부이며 근위부의 배아기질(germinal matrix)과 원위부의 무균기질(sterile matrix)로 구성된다. 배아기질은 조갑추벽 전방바닥 부위에 해당되며 조갑판의 생성과 성장에 가장 중요한 역할을 하고 무균기질은 조갑판의 심층에 조갑판의 구성 물질을 공급하여 조갑판을 두껍게 만드는 역할을 한다. 조갑추벽을 근위부로 밀어 젖히면 조상이 반달 모양의 불투명한 흰색을 띠는데 이 부위를 조반월(lunula)이라고 하며 배아기질의 원위부에 해당한다. 조갑추벽 후방덮개는 조갑판의 표면을 매끄럽고 윤기가 나도록 하는 역할을 한다. 조갑판은 반투명한

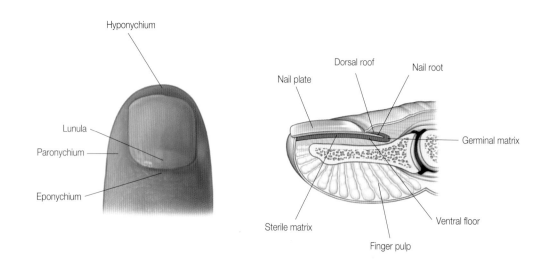

▷그림 4-3-1. **수지첨부의 구조.**

각질(keratin)로 구성되며 발가락의 조갑판보다 4
배 정도 빠른 하루 0.1 mm 정도의 속도로 자란
다(그림 4-3-1). 그러나 조갑에 관한 용어는 정의
에 대한 이견이 있어서 저자에 따라 다르게 기술
되고 있다.

3. 치료원칙

수지첨부 치료의 원칙은 손상 이전의 기능을
회복하도록 최선을 다하고, 수부의 운동 및 감
각 능력 저하를 최소화하며, 손상된 부위를 내
구성 있는 유사 조직으로 대체하고, 수지의 길이
를 최대한 유지하며, 공여부의 이환을 최소화하
고, 반흔, 통증 및 과민 감각을 최소화하며, 환
자의 요구에 부응하는 간단하면서도 신뢰성이
높고 경제적인 방법을 이용하고, 치료 및 재활
기간을 최소화하는 것이다.

수지첨부 손상에 대한 분류는 다양하고 이견
도 있으나 수지첨부 절단손상의 경우 절단선에

따라 그림 4-3-2와 같이 네 가지로 분류하는 방
법이 여러 교과서에 소개되어져 왔다. 그 치료로
A는 피부이식이나 비수술적 치료가 가능하고 B
는 교차수지피판술과 같은 지역피판술을 시행하
며, C는 원위지골을 단축한 뒤 일차봉합하거나
국소전진피판술을 시행하고 D는 남아 있는 조
갑판과 조상을 제거하고 일차봉합하는 것이 좋

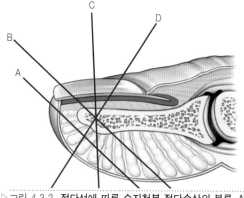

▷그림 4-3-2. **절단선에 따른 수지첨부 절단손상의 분류. A.**
소량의 피부와 연부조직만이 절단되어 골조직의 노출이 없
는 절단손상 B. 원위지골이 노출되고 절단면이 수장부를 향
한 절단손상 C. 조상이 손상되고 절단면이 수지의 장축에
직각 방향인 절단손상 D. 조상의 대부분이 손상되고 절단
면이 수지배부를 향한 절단손상

다고 권장되어 왔다. D에서 조갑판과 조상을 제거하는 이유는 원위지골이 지지하지 않는 조그만 조갑판은 오히려 불편을 초래하기 쉽고 모양도 좋지 않아서 남겨 놓는다 하더라도 제거를 위해 추가적으로 조상의 기질을 모두 절제하게 되기 때문이다. 상기한 수지첨부 손상 유형에 따른 치료 방법은 간단하면서도 신뢰성이 높고 경제적인 방법을 우선적으로 선택해야 한다는 원칙에 중점을 둔 것이므로 술기가 발달된 현재에는 다른 치료 방법에 대해서도 고려할 필요가 있다.

4. 수지첨부 절단손상의 치료방법

수지첨부 절단손상의 치료방법으로는 ① 자연치유가 되도록 기다리는 방법(spontaneous healing), ② 단단성형술(stump revision)을 시행하는 방법, ③ 재접합술(replantation)을 시행하는 방법, ④ 복합이식술(composite graft)을 시행하는 방법, ⑤ 부분층 또는 전층 피부이식술(split or full thickness skin graft)을 시행하는 방법, ⑥ 손상된 수지 내에서 국소피판술(local flap)을 시행하는 방법, ⑦ 수부 내의 다른 부위에서 지역피판술(regional flap)을 시행하는 방법, ⑧ 수부 이외의 부위에서 원위피판술(distant flap)을 시행하는 방법, ⑨ 유리피판술(free flap)을 시행하는 방법 등이 있다.

1) 자연치유

그림 4-3-2의 A처럼 소량의 수지첨부 피부와 연부조직만이 절단되어 골조직의 노출이 없는 손상의 경우에 주기적인 소독을 통해 상피화와 창상수축으로 상처를 치유하는 방법으로 성인보다 소아에게서 효과가 좋다.

2) 단단성형술

수지첨부에 남아 있는 수지수질과 피부의 양이 부족하여 절단면을 피복하기 어려운 경우에 노출된 골의 일부를 제거함으로써 얻은 수지수질과 피부의 여유분을 이용하여 봉합하는 방법이다. 비교적 술식이 간단하고 실패율이 낮지만 수지의 길이가 단축되는 것이 단점이다.

3) 재접합술

재접합술은 혈행화 재접합술과 비혈행화 재접합술로 구분할 수 있다. 혈행화 재접합술은 절단되어 혈류가 단절됨으로써 생명력을 잃은 신체 부위를 혈관문합을 통해 혈류를 복원하고 신체에 다시 접착시키는 방법이다. 비혈행화 접합술은 절단된 신체 부위를 혈관문합을 하지 않고 신체에 접착시키는 방법으로 일종의 단순이식술이다. 비혈행화 재접합술로는 큰 절단부를 생착시키는 것이 불가능하며 생착되더라도 절단부가 위축된다. 재접합술이라는 용어는 통상적으로 혈행화 재접합술을 의미한다.

수부는 절단 위치와 상관없이 가능한 상황에서는 혈행화 재접합술을 통해 가장 좋은 결과를 얻을 수 있다. 따라서 수지첨부 절단의 경우에도 혈행화 재접합술이 최우선적으로 고려되어야 한다. 그러나 수지첨부의 혈관은 그 근위부에 비해 가늘고 약해서 수지첨부의 혈행화 재접합술은 술자의 높은 숙련도가 요구된다. 환자의 전신, 국소 또는 절단 원위부 상태, 환자의 요구사항 등이 혈행화 재접합술을 시행하기에 적절

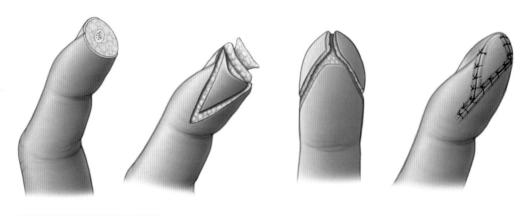

▷그림 4-3-3. Kutler의 측부V-Y전진피판.

하지 않은 경우에는 다른 치료 방법을 선택한다.

4) 복합이식술

복합이식술은 두 개 이상의 조직으로 구성된 신체의 어느 부위를 비혈행화 재접합하는 방법이다. 혈관을 문합하지 않고 절단된 수지첨부를 절단 부위에 봉합하므로 조반월보다 원위부에서 완전절단된 경우가 적응증이며 이식편의 크기가 작고 접촉면의 면적이 넓을수록 성공할 가능성이 높다. 그러나 성공한 경우에도 혈행화 재접합술에 의한 경우보다 위축의 정도가 심하다.

5) 피부이식술

그림 4-3-2의 A처럼 소량의 수지첨부 피부와 연부조직만이 절단되어 골조직의 노출이 없는 손상의 경우에 부분층 또는 전층 피부이식술을 시행할 수 있다. 공여부로는 신체 여러 부위가 가능하지만 수지첨부의 수장부와 유사한 구조를 가진 수장부 또는 족저부 중 소지구 척측처럼 피부 긴장도가 낮고 공여부 이환이 적은 부위가 선호된다.

6) 국소피판술

그림 4-3-2의 C처럼 원위지골의 상당한 부위가 노출되어 있을 때는 피부이식술이 적합하지 않으므로 피판으로 재건한다. 척측 3개의 수지는 길이가 필수적인 것이 아니므로 골을 단축하고 일차봉합해 줄 수 있으나 무지와 인지는 물체를 잘 잡기 위해 길이가 중요하므로 부득이한 경우가 아니면 단축시키지 않고 길이를 유지한 상태에서 피판으로 재건해야 한다.

(1) Kutler의 측부V-Y전진피판(Kutler lateral V-Y advancement flap)

손상된 수지의 양쪽 측면에서 두 개의 삼각형 모양 피판을 거상하고 그것을 수지첨부로 이동시켜서 피판의 양쪽 끝을 수지첨단에서 봉합하는 방법이다(그림 4-3-3).

(2) 수장부V-Y전진피판(Volar V-Y advancement flap)

하나의 삼각형 모양 피판을 Kutler 피판과 같은 방법으로 수장부에서 만들고 이를 수지첨부로 이동시키는 방법이다. 피판의 거상 시 피판과

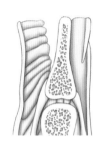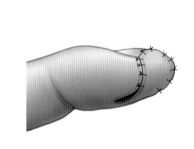

▷그림 4-3-4. **수장부V-Y전진피판.**

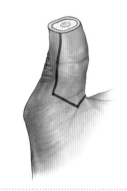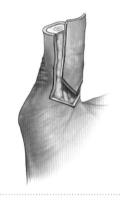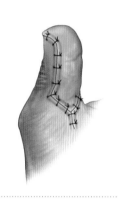

▷그림 4-3-5. **수장부신경혈관전진피판.**

그 심부를 연결하는 섬유성 격막을 절단해야 피판을 긴장 없이 전진시킬 수 있다(그림 4-3-4).

(3) 수장부신경혈관전진피판(Volar neurovascular advancement flap, Moberg flap)

무지의 양쪽 측면을 절개하여 수장부의 피부 전체를 원위부로 전진시키는 방법으로 피판에 무지의 양측 신경혈관 모두가 포함되기 때문에 거의 정상적인 감각을 유지할 수 있으며 피판괴 사의 발생 가능성이 적다(그림 4-3-5).

(4) 동수지신경혈관도서형피판(Homodigital neurovascular island flap)

절단된 수지 말단부와 인접한 근위부에서 피판의 혈관경이 근위부에 기저하도록(based) 도

서형피판을 거상한 후 결손부위로 피판을 전진 시켜 재건하는 방법이다(그림 4-3-6). 이때 피판 의 혈류는 정상 방향으로 흐른다.

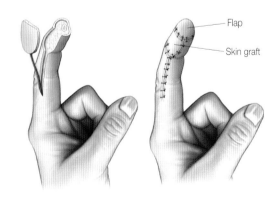

▷그림 4-3-6. **동수지신경혈관도서형피판.**

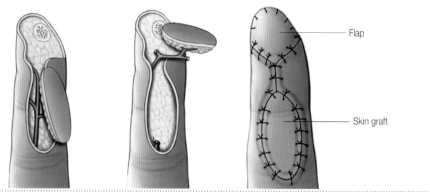

▷그림 4-3-7. 동수지역혈류도서형피판.

(5) 동수지역혈류도서형피판(Homodigital reverse flow neurovascular island flap)

절단된 수지의 한 측면에서 피판의 혈관경이 원위부에 기저하도록 도서형피판을 거상한 후 결손부위로 피판을 이동시켜 재건하는 방법이다(그림 4-3-7). 이때 피판 혈류의 방향은 정상과 반대이이며 피판은 반대 측에 있는 수지동맥과 연결된 교통지(interconnecting branch)를 통해 동맥혈을 공급 받는다.

(6) 배부지방근막반전피판(Dorsal adipofascial turn-over flap)

수지 배부의 피부를 절개한 후 지방근막피판을 거상하고 피판을 절단 방향으로 뒤집어 절단면을 덮은 후 그 표면에 피부이식을 하는 방법이다.

7) 지역피판술

수지첨부 손상의 재건에서 사용되는 지역피판이라는 용어는 동일한 수지가 아니면서 그 공여부가 수부 내에 있는 경우에 사용되지만 지역피판을 국소피판에 포함시키기도 한다. 그림 4-3-2의 B처럼 수장부 수질이 절단된 수지첨부의 손상이나 비교적 심한 연부조직 손상 시는 주변의 손상 받지 않은 수지나 수장부로부터 지역피판을 거상하여 건, 골, 관절 등이 노출된 연부조직 결손부위를 피복할 수 있다.

(1) 피부유경피판(Skin pedicled flap)

박리한 피판을 수지첨부 결손부위에 봉합하여 피판의 수혜부와 피판 사이에 혈류가 개통되도록 한 후에 피판의 공여부와 피판을 분리하면 피판이 수혜부에서 생존하는 원리를 이용한 재건 방법이다. 피판을 공여부로부터 분리하는 시기는 피판을 수혜부에 봉합한 후 2~3주이다.

① 교차수지피판(cross finger flap)

인접한 수지의 배부 또는 측부에서 피판을 거상하여 수지첨부의 결손부위를 피복하는 방법이다(그림 4-3-8).

② 무지구피판(thenar flap)

무지구에서 피판을 거상하여 수지첨부의 결손부위를 피복하는 방법이다(그림 4-3-9).

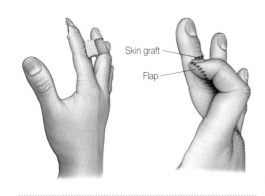

Skin graft
Flap

▷그림 4-3-8. **교차수지피판.**

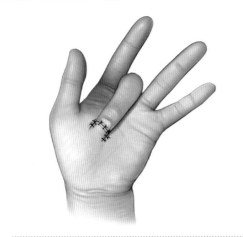

▷그림 4-3-9. **무지구피판.**

(2) 도서형피판

① **이수지신경혈관도서형피판(heterodigital neurovascular island flap)**

이수지신경혈관도서형피판은 어느 수지에서나 가능하지만 무지의 수장부에 비교적 넓은 결손이 발생하였을 때에 감각이 있는 피판으로 피복하기 위해 중지 또는 환지에서 수지신경과 동맥이 포함된 도서형피판을 공통수지동맥 부위까지 거상하여 무지의 결손부위를 피복하고 피판 공여부에는 전층피부이식술을 시행하는 방법이 널리 알려져 있다(그림 4-3-10). 그러나 이 방법의

최대 장점이라고 여겨져 온 무지로 전이된 피판의 지각력에 대해서 상당한 이견이 있다.

② **제1배부중수지동맥피판(first dorsal metacarpal artery flap)**

피판 공여부는 인지의 근위지골 배부이고 중수지동맥을 혈관경으로하는 피판을 거상한 후 주로 무지 수장부의 결손을 재건하는 데 이용된다(그림 4-3-11).

8) 원거리피판술

지역피판술 중 피부유경피판과 동일한 원리를 이용한 수지첨부 재건 방법이지만 피판의 공여부가 흉부나 복부, 서혜부 등 수부가 아닌 다른 신체 부위라는 것이 차이점이다. 수술이 비교적 간단하고 피판 공여부에 충분한 피부가 있어서 공여부를 봉합할 수 있다는 장점이 있으나 피판이 두껍고 감각 회복이 좋지 않으며 수지를 장기간 수혜부에 고정해야 하므로 수부 및 상지 관절의 강직이 발생할 수 있고 수부의 부종을 개선하기 어려운 것이 단점이다.

9) 유리피판술

수지첨부 재건을 위한 유리피판의 공여부는 신체의 어느 부위나 가능하지만 수지첨부와 피판의 조직 유사성이 수술 후의 결과에 미치는 영향이 크므로 대개의 경우 수부 또는 족부를 공여부로 이용한다. 수지첨부 수질과 피부의 재건을 위한 피판은 수부는 수근관절부, 무지구 및 소지구, 족부는 내측 족저부, 족무지 및 족인지가 주요 공여부이다. 조감판이 재건을 위해서

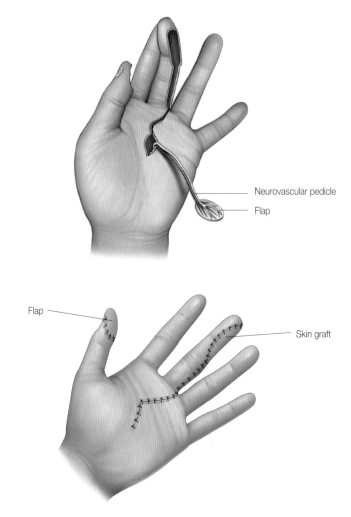

▷ 그림 4-3-10. 무지재건을 위한 이수지신경혈관도서형피판.

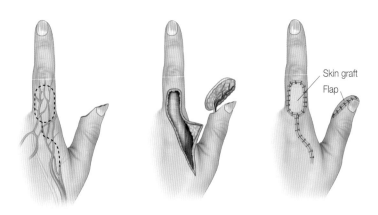

▷ 그림 4-3-11. 제1배부중수지동맥피판.

는 족지의 조상을, 조갑판과 수지첨부 수질 및 피부의 동시 재건을 위해서는 족지 전체 또는 상당 부분을 전이하는 방법이 이용된다.

5. 조갑손상

1) 조갑하혈종(Subungal hematoma)

조갑하혈종은 조갑판 변형의 원인이 될 수 있다. 혈종의 크기가 작다면 조갑판에 구멍을 뚫어 배혈시키는 것이 충분한 조치가 될 수 있으나 혈종의 크기가 조갑판 면적의 1/2 이상이면 조갑판을 제거하고 손상된 부위를 복원시키는 방법이 고려되어야 한다.

2) 조상의 열상

조상의 열상은 확대된 시야에서 가는 흡수성 봉합사로 봉합하여 반흔을 최소화해야 조갑판의 변형을 방지할 수 있다. 다발성 열상의 경우에도 열상의 변연 부위를 세밀하게 봉합하여 최대한 원형에 가깝게 복원하도록 노력해야 한다. 조갑판은 구멍을 뚫어 조갑추벽에 다시 삽입하는데 이는 골절된 원위지골에 대한 부목 역할을 하며, 조상의 형태를 정상적인 해부학적 위치로 만들어주고, 술 후 통증을 감소시켜 주며, 치유 도중 수지첨부 감각을 증진시키고, 완전히 치유될 때까지 조갑추벽이 유착되지 않도록 하는 장점이 있다.

3) 조상의 압궤 손상

조상의 압궤 손상은 남아 있는 조상을 최대한

보존하고 조상에서 분리된 조각은 원래의 위치에 봉합한다. 이후 조갑판 또는 그 대체물을 조갑추벽에 삽입하여 조상을 보호해야 한다.

4) 조갑 손상의 합병증

조상이 손상되거나 소실되면 이에 따른 합병증이 발생하는데 환자는 이를 쉽게 교정될 수 있는 것이라고 믿는 경향이 있으나 실제로는 수술의 결과가 기대치에 미치지 못하는 경우가 많다. 따라서 의사는 수술 전에 환자에게 수술의 목표가 원상회복이 아니라 개선이라는 것을 충분히 설명해야 하며 가장 신뢰성 있고 익숙한 수술방법을 선택해야 한다.

(1) 조갑판의 변형
① 유형
조갑분열(split nail)은 조갑기질의 장축 방향 반흔, 조갑추벽 유착 등이 원인이며 이 부위에서 조갑판이 형성되지 않아 조갑판이 갈라지는 것이다. 조갑능선(nail ridge)은 장축 또는 횡축 방향의 원위지골 부정유합, 조상 내의 반흔 등이 원인이며 조상 표면이 편평하지 않기 때문에 조갑판의 표면도 편평하지 않게 되는 것이다. 조갑박리(onycholysis)는 횡축 방향의 조상 반흔이 주요 원인이며 그 원위부의 조갑판과 조상이 유착되지 않고 분리되는 것이다.

② 치료
원위지골의 부정유합에 의한 경우는 원위지골의 돌출 부위를 제거하고 표면을 편평하게 만들어 준다. 조상의 반흔은 절제 후 크기가 작으면 봉합하고 크기가 커서 봉합

IV. 수부 및 사지

이 불가능하면 수지 또는 족지로부터 조상을 채취하여 이식한다. 조갑추벽의 유착은 박리하여 후방덮개와 전방바닥을 분리한 후 재유착을 방지하기 위해 조갑판 또는 그 대체물을 사이에 끼워둔다.

(2) 조갑 결손

조상이 손상되면 조갑판이 생성되지 않게 된다. 치료 방법은 피부이식술, 비혈행화 조상이식술, 혈행화 조상이식술 등이 있다. 피부이식술은 조갑판의 생성은 포기하고 손상된 조상에 피부를 이식하여 조갑판과 모양이 유사하도록 하는 것이 목적이다. 이식된 피부에 인조 조갑판을 부착하는 방법은 접착제를 이용하는 방법과 골유착(osseointegration) 방법이 있다. 비혈행화 조상이식술은 손상된 조상으로 발가락의 조상을 혈관문합 없이 전이하는 방법인데 결과를 예측하기 어렵고 공여부에 변형이 발생한다. 혈행화 조상이식술은 손상된 조상을 제거하고 이 부위에 족지의 조상을 혈관문합을 통해 전이하는 일종의 유리피판술이다. 이 방법은 가장 신뢰도가 높고 정상에 가까운 결과를 얻을 수 있지만 수술의 난이도가 높고 공여부 이환이 크다.

(3) 갈고리형 조갑(Hooked nail)

조갑판은 조상의 표면을 따라 성장하는데 조상이 수장부 방향으로 구부러져서 조갑판이 갈고리 모양으로 변형되는 것이다. 수지첨부 절단 시에 연부조직이 부족하여 조상이 수장부 방향으로 견인되어 봉합된 것이 원인이면 피부이식술, 복합이식술, 피판술 등의 방법으로 수지첨부에 연부조직을 보충하고 조상을 원래의 위치로 환원시킨다. 조상의 지지 구조물인 원위지골의 원위부 결손이 원인이면 구부러진 조상을 제거하고 수지의 길이를 단축하거나 골이식술을 시행하여 수지의 길이를 보존할 수 있다. 그러나 골이식술은 이식된 골편이 흡수되어 조상의 지지 구조물로서의 역할을 하지 못하므로 장기적인 교정 효과를 기대하기 어렵다. 혈행화 발가락 전이술은 수지의 길이를 유지하고 지속적인 교정 효과를 기대할 수 있는 방법이다.

(4) 조갑상피 변형

조갑상피에 절흔, 결손 등의 변형이 발생하면 조갑판의 근위부가 노출되어 외관상 좋지 않고 조갑판의 윤기가 소실된다. 국소피판술, 발가락으로부터의 조갑추벽이식술 등의 방법이 재건에 이용될 수 있으나 조갑추벽은 복잡하면서도 손상되기 쉬운 구조로 되어 있기 때문에 재건이 용이하지 않다.

6. 원위지골 골절

조상 손상은 흔히 원위지골 골절상을 동반하고 이는 조갑의 이차변형을 유발하므로 조상 손상 시 방사선 검사가 필요하다. 전위가 없거나 골절편이 작고 안정적인 원위지골 골절상인 경우는 조상을 봉합하고 조갑판 또는 그 대체물을 원래의 자리에 끼워둔다. 이때 조갑판은 골절편의 전위를 방지하는 부목으로서의 역할을 한다. 골절편이 크고 전위되거나 불안정한 원위지골 골절상인 경우는 골절편을 K-강선으로 고정한다.

References

1. Atasoy E, Ioakimidis E, Kasdan ML, et al. Reconstruction of the amputated finger tip with a triangular volar flap: a new surgical procedure. J Bone Joint Surg (Am) 1970;52:921-6.

2. Cronin TD. The cross finger flap: a new method of repair. Am Surg 1951;17:419-25.

3. Flatt AE. The thenar flap. J Bone Joint Surg (Br) 1957;39B:80-5.

4. Kamei K, Ide Y, Kimura T. A new free thenar flap. Plast Reconstr Surg 1993;92:1380-4.

5. Kim KS, Kim ES, Hwang JH. Fingertip reconstruction using the hypothenar perforator free flap. J Plast Reconstr Aesthet Surg 2013;66:1263-70.

6. Kojima T, Tsuchida Y, Hirase Y, et al. Reverse vascular pedicle digital island flap. Br J Plast Surg 1990;43:290-5.

7. Koshima I, Soeda S, Takase T. Free vascularized nail grafts. J Hand Surg (Am) 1988;13:29-32.

8. Kutler W. A new method for finger tip amputation. JAMA 1947;133:29-30.

9. Lai CS, Lin SD, Yang CC. The reverse digital artery flap for fingertip reconstruction. Ann Plast Surg 1989;22:495-500.

10. Littler JW. Principles of reconstructive surgery of the hand. In: Converse JM, McCarthy JG, eds. Reconstructive Plastic Surgery: Principles and Procedures in Correction, Reconstruction and Transplantation. Vol. 6, 2nd ed. Philadelphia: Saunders; 1977: 3137–3142.

11. Lee DC, Kim JS, Ki SH, et al. Partial second toe pulp free flap for fingertip reconstruction. Plast Reconstr Surg 2008;121:899-907.

12. Mailey B, Newmeister MW. The fingertip, nail plate and nail bed: anatomy, repair, and reconstruction. In: Neligan PC ed. Plastic Surgery 4th ed, Vol 6. New York: Elsevier; 2017;122-145.

13. Newmeister MW, Zook EG, Sommer NZ, et al. Nail and fingertip reconstruction. In: Neligan PC, ed. Plastic Surgery 3rd ed, Vol 6. New York: Elsevier; 2012;117-137.

14. Russel RC. Fingertip injuries. In: McCarthy JG, ed. Plastic Surgery. 1st ed, Vol 7. Philadelphia: WB Saunders; 1990:4479-4498.

15. Venkataswami R, Subramanian N. Oblique triangular flap: a new method of repair for oblique amputations of the fingertip and thumb. Plast Reconstr Surg 1980;66:296–300.

16. Zook EG. Surgically treatable problems of the perionychium. In: McCarthy JG ed. Plastic Surgery. 1st ed, Vol 7. Philadelphia: WB Saunders; 1990:4499-4510.

17. Zook EG, Van Beek AL, Russell RC, et al. Anatomy and physiology of the perionychium: a review of the literature and anatomic study. J Hand Surg (Am) 1980;5:528–36.

18. Ganchi PA, Lee WPA. Fingertip Reconstruction. In: Mathes SJ, ed. Plastic Surgery. 2nd ed. Vol 7. Philadelphia: WB Saunders; 2005:153-170.

수부의 골절과 탈구
Hand Fractures and Dislocations

4

정성노 가톨릭의대

수부의 골절과 탈구는 작용하는 힘의 양상에 따라 다양한 형태의 골절 및 탈구가 발생한다. 골절의 위치, 형태, 변형, 분쇄유무, 관절 침범 정도, 개방성인지 폐쇄성인지, 연부조직 손상 동반 여부 등이 치료의 방향을 결정하는 데 중요하다. 치료의 목표는 술 후 완벽하게 맞춰진 방사선 사진이 아니라 정상적 기능을 갖는 수부로의 회복이다.

수부의 골절과 탈구가 의심되는 경우 변형이나 부종, 압통에 대해 주목하여 신체검사를 시행해야 하며, 손상부위의 신경, 혈관 상태 및 인대의 기능도 함께 평가되어야 한다. 기본적으로 방사선 촬영(X-ray: 후-전방, 측방, 경사방)을 시행하는데 필요에 따라 손상의 양상을 충분히 보여 줄 수 있는 다양한 각도에서도 시행될 수 있다.

진단이 내려지면, 치료는 장기간의 기능 회복에 중점을 맞춰 시행해야 한다. 비관혈적 치료 및 관혈적 치료를 포함하는 다양한 치료 방법을 숙지해야 하고, 가능한 수상 후 일주일 내 정복을 요한다. 3주가 지나면 골절편의 이동이 어려워 정복을 위해 절골술이 필요하고 부정 유합의 가능성이 크다. 치료 이후 기대되는 결과가 언제나 명확하고 예측 가능하지 않기에 치료 방향을 결정 시 환자에게 충분한 설명이 이루어져야 한다.

수부 골절 및 탈구로 인한 불편함은 6~12개월까지도 지속될 수 있고, 통증, 부종 그리고 관절강직이 수상 후 수 주 이내에 없어지지 않을 수 있음을 설명해야 한다. 또한 손상으로 인해 발생된 반흔이 6개월 이상 지속될 것이고, 특히 관절 주위의 손상 같은 경우는 영구적으로 관절 부위가 비대해 질 수 있음을 알려주어야 한다. 대부분의 경우에 수상 후 8~12주 이내에 통상 활동이 가능하다.

1. 원위지골 골절(Distal phalangeal fracture)

수부에 발생하는 가장 흔한 골절로 중지에 가장 빈번히 발생한다. 원위지골의 폐쇄성 골절은 대부분 부목을 이용해 치료되며, 골편 사이의 접촉면이 없는 횡골절의 경우 정복술이 필요하다. 저린감, 한냉 불용성 감각이상(cold intolerance), 원위지관절 운동제한, 조갑 변형 등의 합병증이 발생하기도 한다. 청소년기 전에 발생하는 원위지골의 골단 손상은 개방성 추지 손상이나 원위지관절 탈구로 오진할 수 있고, 이를 방치 시 원위지관절의 관절운동 제한 및 수지단축을 초래할 수 있기에 주의해야 한다.

1) 원위지골 소방골절(Tuft fractures)

원위지골의 가장 흔한 골절로 대부분 압궤 손상에 의해 발생한다. 손가락 끝에 심한 통증을 호소하며 이는 수상 후 수 주 동안 지속된다. 이러한 손상은 통상 조상(nail bed)을 관통하는 열상을 동반하는 경우가 있기에 조갑 및 조갑하 혈종의 정도에 대한 전체적인 평가가 시행되어야

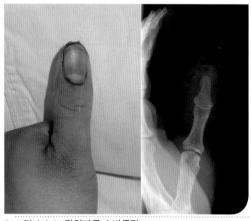

▷그림 4-4-1. **원위지골 소방골절**

한다(그림 4-4-1). 소방 골절(tuft fracture)의 치료는 조갑판의 손상 정도에 따라 달라진다. 심각한 조갑판 손상이 없는 경우, 손상으로 인한 불편함을 조절하기 위해 부목이나 손가락 보호대를 이용한 보존적 치료만으로 충분하다. 심각한 조갑판 손상이 있는 골절의 경우, 조갑을 제거하고 손상된 부위를 섬세하게 봉합하여야 하며, 조갑판 복원술 이후 이를 유지시키기 위해 조갑을 다시 삽입하는 것이 추천된다. 또한 이는 조갑상피 주름(eponychial fold)을 계속 열려있게 하여 유착을 방지하는 역할을 한다. 약 2~3주 내에 손상된 수지의 사용이 가능해지고, 6주 안에 심각한 불편함 없이 완전한 움직임이 가능해진다. 환자에게 완전한 회복과 불편감 소실은 수개월이 소요될 수 있고, 수상 후에 조갑이 한동안 자라지 않고, 다시 자라나는 조갑은 굴곡이 생기는데 시간이 지나야 평편해지고, 일부에서는 영구적인 조갑 변형이 발생할 수 있다.

2) 원위지골 간부골절(Shaft fractures of the distal phalanx)

원위지골의 간부골절은 대개 부목이나 손가락

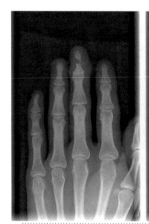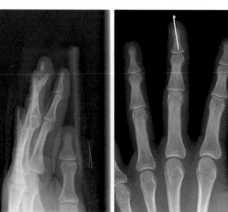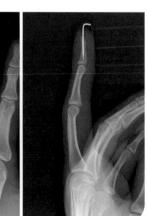

▷그림 4-4-2. **원위지골 간부골절**

보호대를 이용한 보존적 치료를 시행하는 것만으로도 충분하다. 전위가 있거나 근위부의 간부골절은 정복된 상태로 유지시키기가 힘들기 때문에 때때로 종방향의 K-강선 고정이 필요할 수도 있다(그림 4-4-2). 손가락의 제한적 운동은 2~3주 내에, 완전한 운동은 6~8주 내에 이뤄질 수 있다.

3) 원위지골의 근위부견열골절(Proximal avulsion fractures of the distal phalanx)

원위지골의 근위부 견열골절은 대부분의 경우

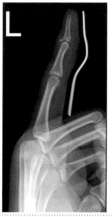

▷그림 4-4-3. **추지골절**. 신전상태로 부목

운동 경기 중 공에 손가락 끝을 맞으며 발생하는 경우가 대부분이다. 신전건 부착부위에서 파열되거나 신전건 부착 부위에서 골절이 발생하게 되고, 이로 인해 굴곡변형이 생기게 되는데, 이를 망치손가락(mallet finger)라 부른다(그림 4-4-3). 수술적 적응증으로 골편의 관절면이 1/3 이상 차지하거나 전방 아탈구가 있는 경우 비관혈적 정복술인 신전제한법을 사용할 수 있다(그림 4-4-4).

보존적 치료는 약 6~8주 동안 원위지관절을 신전상태로 부목을 적용하는데, 만약 원위지관절의 신전이 다시 불가능하게 되면 부목을 다시 적용해야 하고, 이러한 과정은 12주까지 지속할 수 있다. 치료가 지연될 경우 근위지간 관절의 신전 모멘트가 증가하고 이로 인해 백조목변형(swan neck deformity)이 발생한다(그림 4-4-5). 약 20~30% 환자들에서 원위지관절의 신전제한을 호소하나, 대부분 15도 미만의 신전제한은 어떠한 기능적 문제를 남기지 않는다. 신전제한이 크거나 통증이 심한 경우 관절유합술이 도움이 된다.

원위지골의 전방기저부 견열골절(volar avulsion fracture)은 수장판 혹은 굴곡건 손상을 의

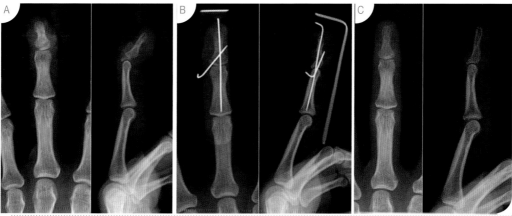

▷그림 4-4-4. **원위지골 근위부 견열골절**. A. 술 전, B. 수술 직후, C. 술 후 3개월

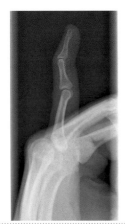

▷그림 4-4-5. **백조목변형**. 원위지관절 굴곡, 근위지관절 과
신전

미할 수 있다. X-ray상 저명하지 않으나, 때때로
떨어져 나온 골편이 보이기도 한다. 골절편이 큰
경우 나사못(screw) 고정을 시행하고, 불가능 시
pull-out suture를 시행할 수 있다. 환자는 6~8
주 사이에 손상된 수지를 제한적으로 움직일 수
있으며 완전히 회복되는 데는 3~4개월이 걸린다.

4) 원위지관절의 탈구
(Dislocation of the distal
interphalangeal joint)

원위지관절의 탈구는 드물다. X-ray상 관절의
아탈구 혹은 완전 탈구를 확인할 수 있으며, 치
료는 탈구된 관절을 도수정복 시키는 것이다. 정
복 후 관절의 운동을 확인하여 신전건 혹은 굴
곡건의 손상의 유무를 확인해야 한다. 건 손상
받지 않음을 확인한 뒤에는 조기 운동(early ex-
ercise)이 도움이 된다. 조기 운동이 시행되지 않
을 경우, 원위지관절 강직이 일어나는 경향이 있
기 때문이다.

5) 원위지관절의 압궤손상
(Comminuted fractures of the distal
interphalangeal joint)

원위지관절의 압궤 손상은 주로 일터에서 기
계에 의한 손상으로 일어나며, X-ray상 원위지
관절의 분쇄골절을 보인다. 환자에게 영구적인
움직임 제한이 뒤따를 수 있음을 고지해야 한
다. 치료는 분쇄골절의 정도에 따라 달라지는데
분쇄 골절이 심하지 않은 경우 외고정 장치나 나
사못(screws), K-강선을 이용하여 관절을 고정시
키는 것이 원위지관절의 움직임을 회복하는 데

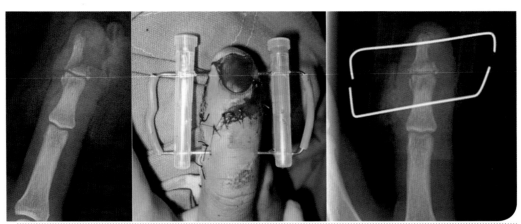

▷그림 4-4-6. **원위지관절 분쇄골절**. 외고정기를 이용한 관혈적 정복술

도움이 될 수 있다(그림 4-4-6). 심한 분쇄 골절의 경우, 부목을 대고 관절이 자연적으로 유합되거나, 가성관절을 형성하도록 유도한다.

2. 중위지골의 골절(Middle phalangeal fractures)

중위지골의 골절은 굴곡건과 신전건이 골에 부착하고 있어, 중위지골 골절의 경과에 영향을 준다. 중위지골과 접해있는 두 개의 관절(원위지간 관절 및 근위지간 관절)이 중위지골 골절 이후 부종과 섬유화에 의해 관절 강직을 유발할 수 있다.

1) 중위지골 원위부 골절(Distal middle phalangeal fractures)

가장 흔한 중위지골의 골절은 원위부 횡골절이다. 이 골절은 천수지 굴곡건 작용으로 근위골편이 전방굴곡되어 전방 각형성을 이루게 되고, 비관헐적 정복술로 정복하기 어려운 경우가 많다. 이러한 골절은 특히 원위지간 관절의 강직을 남기게 되는데 관절낭의 섬유화와 인대 유착 때문이다. 만약 골절이 비관헐적정복술을 통해 정복되고, 안정하게 유지된다면, 지속적인 X-ray 경과 관찰을 통하여 정복된 상태가 유지됨을 확인하여야 한다. 불안정하거나 혹은 정복되지 않은 골절의 경우 K-강선, 장력대강선 고정(tension band wiring) 등을 이용해 고정술을 시행하여야 한다(그림 4-4-7). K-강선은 통상 4~6주에 제거되고, 이후 집중적인 수부 재활치료를 약 3~4주간 시행해야 한다.

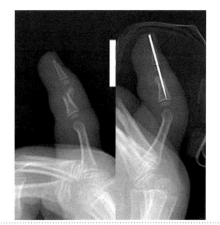

▷그림 4-4-7. 중위지골 원위부 횡골절

2) 중위지골 간부 골절(Shaft fractures of the middle phalanx)

중간지골 간부 골절은 사형(oblique) 골절 이나 나선형(spiral) 골절이 일반적으로 골절의 변위가 적고 안정적이다. 동반 테이핑(buddy tapping)만으로도 유지할 수 있으나 초기에 반복적인 X-ray를 시행하여 골절이 정복된 상태로 적절하게 유지되는지 확인해야 한다(그림 4-4-8). 골절의 정복된 정도가 방사선 사진상 완벽할 필요는 없으며, 가위질 효과(scissoring)가 없는 손가락의 움직임이 방사선 사진에서 보여지는 골편의 정렬보다 더 중요하다.

골절이 불안정하거나 비관헐적 정복이 안 되는 경우 나사못(screw)이나 K-강선, 원형 강선 고정(cerclage wiring) 또는 장력대강선 고정을 사용하여 적절한 고정이 이루어질 수 있다(그림 4-4-9). 경피적 교차된 K-강선 고정술 시 반복적인 K-강선 삽입으로 측부 인대 시스템(collateral ligament system)을 손상시키게 되면 원위지관절의 영구적 강직을 유발할 수 있기에 주의해야 한다. 관절 운동의 제한을 보이는 경우 2차적 치료로 건박리술(tenolysis) 및 피막절게술(capsuloto

IV. 수부 및 사지

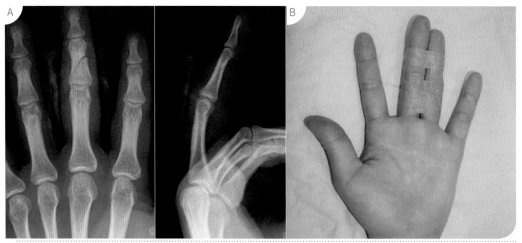

▷그림 4-4-8. A. 중위지골 간부 사형골절. B. 동반 테이핑(buddy tapping)

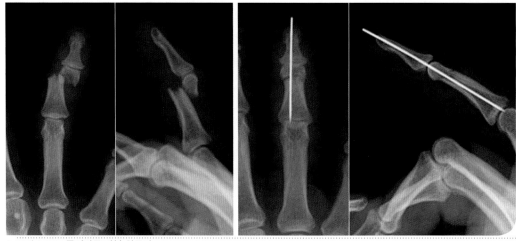

▷그림 4-4-9. 중위지골 간부 횡골절

my)을 통해 기능 회복에 도움을 줄 수 있다.

3) 중위지골 근위부 골절
(Proximal fractures of the middle phalanx)

중위지골 근위부 골절은 수장부 골절(volar fracture)과 수배부 골절(dorsal fracture)에 따라 치료를 달리 한다. 수배부 골절은 신전 메커니즘의 중앙 슬립(central slip)이 삽입되는 부분에 발생하는 골절로 방사선상 떨어진 골절편이 보일 경우에는 중앙 슬립 손상을 의미한다(그림 4-4-10). 신전부목(extension splinting)을 6주간 유지해야 이후 집중적인 수부 재활치료가 필요하다. 수장부 골절은 신전방지 부목(extension block splinting)으로 치료할 수 있다. 능동 굴곡 운동과 제한된 신전 운동을 즉시 시작하고, 부목은 3주 동안 점차적으로 손 전체가 펴질 수 있도록 변형시켜야 한다. 방사선 사진을 반복적으로 촬영하여 탈구 현상을 배제하는 것이 중요하다(그

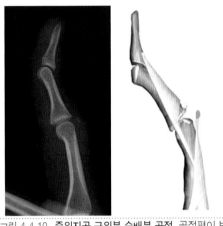

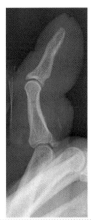

▷그림 4-4-10. **중위지골 근위부 수배부 골절.** 골절편이 보이면 신전건의 중앙 슬립 손상을 의미

▷그림 4-4-11. **중위지골 근위부 수장부 골절**

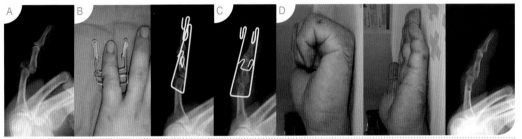

▷그림 4-4-12. **동적 외고정 장치를 이용한 Pilon 골절의 치료.** A. 술 전, B. 수술 직후, C. 술 후 6주, D. 술 후 12주

림 4-4-11).

탈구가 동반된 수장부 골절은 관혈적 정복술이 요구되고, Eaton과 Malerich가 기술한 수장판 관절성형술(volar plate arthroplasty)을 시행할 수 있다.

중위지골 기저부를 포함하는 근위지골간 심한 분쇄 골절은 축성압박력(axial load)에 의해 발생하는데, 이를 pilon 골절이라 부른다. 이러한 완전 관절골절(complete articular fracture)은 견인술 이나 동적 외고정 장치가 비교적 좋은 결과를 나타낸다 (그림 4-4-12).

4) 근위지관절 탈구 (Proximal interphalangeal joint dislocations)

근위지관절의 탈구는 비교적 자주 일어난다. 대부분의 경우 농구와 같은 운동을 할 때 발생하게 되며, 대부분 후방탈구가 발생하고 쉽게 정복된다. 전방탈구의 경우 비관혈적 정복술이 어렵거나 불가능 할 수 있다. 흔하지는 않지만, 탈구에 의해 근위지 골두(head of proximal phalanx)가 신전건을 손상시키고 뚫고 나오면, 근위지 골두는 신전건에 의해 붙잡혀 있기 때문에 비관혈적 정복술을 더욱 어렵게 만든다. 관혈적 정복술은 수배부 절개를 통해 근위지 골두를 집고 있는 측부 밴드(lateral band)를 들어 올리

Ⅳ. 수부 및 사지

고, 손상된 신전건을 복원함으로써 쉽게 정복할 수 있다. 후방탈구도 신전건의 중앙 슬립(central slip)의 파열을 유발할 수 있다. 만약 관혈적 정복술이 필요하다면, 중앙슬립(central slip)을 매우 주의 깊게 복원하여야 한다. 비관혈적 정복술 이후 중수지 관절을 완전 굴곡한 상태로 근위지간 관절이 신전되는지 확인해야 한다. 근위지간 관절이 신전될 수 없다면, 중앙슬립(central slip) 손상을 의심해 봐야 한다.

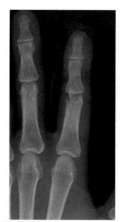

▷그림 4-4-13. **근위지골 원위부 골절**. 1 mm 이상 골편 전위

3. 근위지골 골절(Proximal fractures of the proximal phalanx)

근위지골 골절은 회전(rotation)변형이 골절 후 장애 또는 기능 상실에서 중요한 역할을 하기 시작하는 영역이다. 또한 근위지골 골절 이후 건 유착과 관절낭(근위지 관절낭, 중수지 관절낭)의 섬유화가 일어날 수 있기에 수부 재활치료를 조기에 적극적으로 시행하여야 한다.

1) 근위지골 원위부 골절 (Distal proximal phalangeal fractures)

근위지골 원위부 골절은 종종 관절내 골절 형태로 나타나며, 이후 관절 내에 변위를 일으키면서 외상성 관절염을 일으킬 수 있는 원인이 된다. 변위가 없는 관절내 골절은 보존적으로 치료할 수 있다. 조기 운동이 관절 강직을 최소화하고 연골 표면을 재구성하는 데 도움을 주기 때문에 골절된 손가락은 인접한 손가락에 붙여 동반 테이핑(buddy tapping)하고, 조기 운동을 시작한다. 전위가 1 mm 이상 된 골절은 대부분 관

혈적 정복술이 필요하다 (그림 4-4-13). 비관혈적 정복술이 실패한 경우나 특히 종 방향으로 전위된 경우는 관혈적 정복술 및 내고정을 고려해야 한다.

2) 근위지골 간부 골절 (Shaft fractures of the proximal phalanx)

근위지골 간부 골절은 대개 사형(oblique)이거나 나선형(spiral)이다. 사형, 나선형 골절 및 나비형(butterfly)골절은 비교적 안정적으로 유지될 수 있다. 안정적인 골절은 6주간의 동반 테이핑으로 관리할 수 있으나, 전위가 일어날 수 있으므로 약 1주일 후 방사선 촬영이 필요하다.

분쇄골절의 경우 골 길이의 단축이 발생하기도 하는데, 치료 시 10도 이내 각 형성, 2~6 mm 이내의 단축은 허용되나 회전 변형은 허용되지 않는다. 분쇄가 심해 내고정이 불가능 시 외고정술을 시행하기도 한다. 약 10도 이상의 각 형성이 있을 경우 관혈적 정복술 및 내고정을 권장한다. 사형, 나선형 및 나비형 조각은 일반적

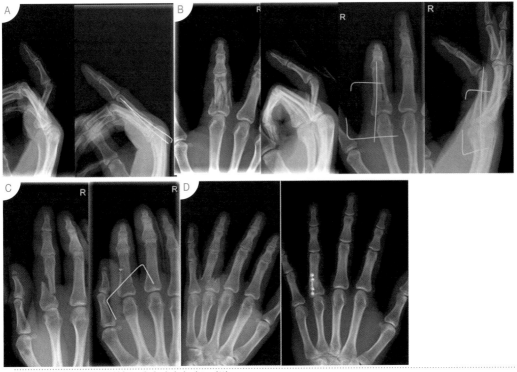

▷그림 4-4-14. 근위지골 간부 골절의 다양한 치료 방법

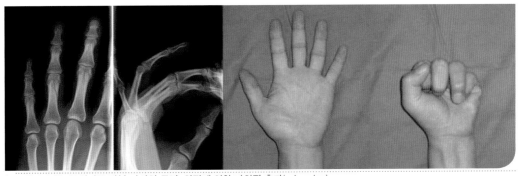

▷그림 4-4-15. 근위지골 간부 나선형 골절. 회전에 의한 가위질 효과(scissoring)

으로 나사못(screws)고정술을 시행하고 나사못으로 만족스러운 고정을 얻기 어려운 경우는 금속판 고정술을 시행할 수 있다. 그 외 장력대 강선(tension band wiring), 교차 K-강선 고정술을 시행 할 수 있다(그림 4-4-14). 고정하기 전에 근위지간 관절을 굴곡하여 가위질 효과(scissoring)가 없는지 확인해야 한다(그림 4-4-15).

3) 근위지골 근위부 골절
(Proximal fractures of the proximal phalanx)

근위지골 근위부 골절은 X-ray상 쉽게 확인할 수 있으나, 전후, 측면 촬영만으로 골절의 양상을 모두 보여주지 못할 수도 있기 때문에 다

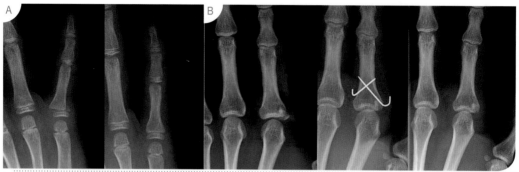

▷ 그림 4-4-16. **근위지골 근위부 골절.** A. 비관혈적 정복술 후 동반 테이핑 B. 관혈적 정복술 및 K-강선 고정술

양한 각도에서 확인해야 한다. 근위지골 근위부의 횡골절은 심한 각형성을 유발할 수 있다. 소아에서 횡골절은 일단 정복되면 비교적 안정적이지만 성인에서는 종종 불안정한 경우가 있다. 전위가 없는 안정적 골절은 버디 테이핑이나 부목으로 치료할 수 있다. 10도 이상의 각형성이나 2 mm 이상 전위된 골절은 비관혈적 정복술을 우선 시행하고, 실패 시 관혈적 정복술 및 내고정술이 필요하다(그림 4-4-16).

4) 중수지 관절 내 골절 (Intra-articular fractures of the metacarpophalangeal joint)

근위지골 기저부의 관절내 골절은 주위 연부조직의 부착으로 안정적으로 유지되기 때문에 대부분 동반 테이핑을 이용한 보존적 치료를 시행하지만 전위가 종축으로 1 mm 이상일 경우 관혈적 정복 및 내고정술이 필요하다. 이러한 관절내 골절의 경우 골편의 위치를 파악하기 위해 X-ray를 면밀히 관찰해야 한다. 대부분의 근위지골 기저부의 관절내 골절은 수장부쪽에 위치한다. 따라서 배부 절개를 통해 접근하기 힘들기 때문에 수장부쪽 절개를 통한 전방 접근법(volar approach)을 권장한다. 수장판을 노출시키고 세

로 방향으로 절개를 가하면 골절 부위를 노출시킬 수 있다. 이를 통해 골절편을 K-강선이나 나사못을 이용해 정복할 수 있다.

5) 중수지 관절 탈구 (Metacarpophalangeal joint dislocation)

중수지 관절 탈구는 대개 과신전으로 인한 후방 탈구가 흔하다. 대부분 자연적으로 정복되나 정복되지 않는다면, 이러한 탈구는 근위지골간 관절의 전방 탈구(volar dislocation)와 비슷한 관점에서 접근되어야 한다. 측부인대가 파열되면서 탈구된 중수지 관절내 수장판이 끼여 비관혈적 정복술을 불가능하게 한다. 관혈적 정복술은 전방접근법을 통해 시행되며, A1 활차를 절개하면 굴곡건이 중수골두를 넘어 들어 올려질 수 있어 쉽게 정복이 가능하다.

4. 중수골 골절 (Metacarpal fractures)

중수골 골절은 제5 중수골 골절이 가장 흔하고, 주로 주먹으로 벽이나 문을 치면서 발생하며, 권투선수 골절(boxer's fracture)로 불리기도

한다. 또한 손의 압궤 손상으로 중수골의 골절을 유발할 수 있으나 수지골의 각변형 만큼 각변형이 수부 기능에 심각한 문제를 야기하지 않는다. 중수골 골절의 부적절한 정복술에 의해 유발될 수 있는 가장 심각한 기능적 문제는 회전변형이다. 중수골의 회전변형은 작은 회전변형에도 수지 끝의 심각한 변위를 유발할 수 있다. 이는 결과적으로 가위질 효과 및 기능적 제한을 유발할 수 있다.

1) 중수골 원위부 골절
(Distal metacarpal fractures)

중수골두 근처의 골절은 중수수지간 관절의 심각한 강직을 유발할 수 있고, 특히 신전 시에 더욱 심각한 운동제한을 남기기도 한다. 또한 중수골의 말단부가 정복되지 않은 상태로 유지되면 손등의 중수수지간 관절의 윤곽이 줄어 미용적으로 변형을 유발할 수 있다.

전위가 없거나 1 mm 미만의 중수골두의 골절은 3~4주간 척측 구형성 부목(ulnar gutter splint) 혹은 전후방 이중부목 시행 후 재활치료를 적극적으로 시행하여 강직을 최소화해야 한다. 골편이 크거나 전위가 있는 경우 중수골두 골절은 K-강선 고정이나 흡수성 핀(absorbable pin)고정을 시행할 수 있다. 중수골 경부 골절의 치료는 어느 중수골인가, 전위된 각도의 정도, 회전 변형의 발생 여부에 따라 치료 방법을 결정한다. 제2, 3 중수골 경부 골절은 15도 이상의 각변형 시 정복을 요하며, 제4, 5 중수골 경부에서는 30도(20~40도) 이상 각변형 시 정복이 요구된다. 비관혈적 정복술(Jahss maneurver)은 중수지 관절을 90도 굴곡한 후 근위지 관절을 90도 굴곡시킨 후 근위지골은 위로 밀고, 중수골

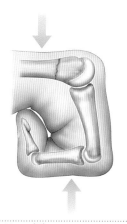

▷ 그림 4-4-17. **Jahss 방법**

은 아래로 밀어 정복한다(그림 4-4-17). 해부학적 정복 이후 부목요법이나 경피적 K-강선을 교차해서 혹은 종방향으로 삽입한다. 비관혈적 정복술이 가능하지 않다면 드물게 관혈적 정복술 및 내고정술을 시행하기도 한다.

2) 중수골 간부 골절
(Shaft fractures of the metacarpal)

중수골 간부 골절은 대부분 횡골절 또는 사선골절의 형태로 나타난다. 횡골절은 불안정한 경향이 있고, 두 형태 모두 회전 변형을 보일 수 있다. 회전 변형은 평가에 주의를 기울여야 한다. 손을 펴고 손톱이 평행한지 주의 깊게 관찰 해야 한다. 1도의 중수골 간부 회전변형은 수지 첨부에서 약 5도의 회전 변형으로 나타나 가위질 효과를 발생시켜 인접 수지의 굴곡 장애를 유발할 수 있다. 치료는 전위가 거의 없는 경우 중수수지간 관절 60~90도 굴곡, 수지간 관절 신전 상태로 3~4주간 부목요법(척측 구형성 부목 혹은 전후방 이중부목)을 시행한다. 불안정하거나 회전변형을 보이는 경우 경피적 K-강선 고정 또는 관혈적 정복술 및 내고정술이 필요하다.

IV. 수부 및 상지

3) 중수골 근위부 골절 및 탈구 (Proximal metacarpal fractures)

중수골 근위부 골절 및 탈구은 드물지만, 주로 제4, 5 중수골에서 발생한다. 이 골절은 관절내 골절일 수도 관절밖 골절일 수도 있지만, X-ray상 골절이 관절을 포함하거나 관절내 골절이 의심되는 경우 컴퓨터단층촬영(CT)을 통해 동반된 수근골 골절 및 수근중수관절 탈구의 여부를 보다 정확히 평가해야 한다. 대부분 비관혈적 정복술과 경피적 K-강선 고정술로 만족스러운 결과를 얻을 수 있지만, 수지 신전건 등의 삽입으로 인한 불만족스러운 정복, 수근골 골절을 동반한 다발성 수근 중수관절 탈구에서는 관혈적 정복술 및 내고정술이 필요하다.

5. 무지의 중수골 골절 (Thumb metacarpal fractures)

무지 중수골의 기저부는 간부에 비해 피질골이 얇아 주로 기저부에서 골절 및 탈구가 일어난다. 중수골 기저부 골절은 관절내 골절인 Bennett 골절, Rolando 골절, 관절외 골절, 소아의 성장판 손상으로 분류한다.

중수수근관절내 2분절 골절인 Bennett 골절 (Bennett's fracture)은 척측 골편이 전방사형인대(anterior or oblique ligament)에 의해 정상적인 해부학적 위치에 남고, 중수골의 대부분은 요골 배측으로 탈구되어 안정성을 잃게 된다(그림 4-4-18). 중수골의 대부분은 장무지외전근에 의해 근위부 쪽으로, 무지내전근과 무지구를 형성하는 근육에 의해 내측으로 당겨져 원위부가

굴곡 내전되고, 요골 배측으로 아탈구되어 길이의 단축이 발생한다. 전위된 정도가 심하지 않은 경우 한 개 내지 두 개의 경피적 K-강선을 고정을 시행하고, 무지 수상 부목이나 석고 붕대(thumb spica cast or splint)를 시행한다. 4주간 부목을 유지하고, K-강선은 6주 후 제거한다. 비관혈적 정복술은 신전과 외전을 하면서 축방향으로 견인하고, 동시에 기저부를 압박하여 정복한다. 정복을 유지하기 위해서는 K-강선 고정을 시행하여야 한다(그림 4-4-19). 비관혈적 정복술로 만족스러운 정복을 얻지 못하는 경우 관혈적 정복술을 시행할 수 있다. 중수골 기저의 요골측 절개를 통해 무지구근을 젖혀서 골절부를 노출

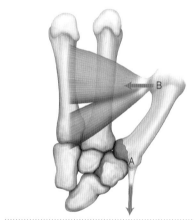

▷그림 4-4-18. Bennett 골절의 전위. A. 장무지외전근, B. 엄지 내전근

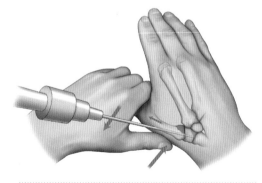

▷그림 4-4-19. Bennett 골절의 비관혈적 정복술

시킨 후 직접시야하에 골절편을 정복한다. 골절편의 크기에 따라 나사못이나 K-강선을 통해 내고정한다.

Bennett 골절과 매우 유사한 골절인 Rolando 골절(Rolando's fracture)은 중수골 기저부의 관절내 분쇄골절을 말한다. 치료는 분쇄골절의 정도에 따라 달라진다. 3~4개의 비교적 큰 골편만 있으면 관혈적 정복과 K-강선을 이용한 내고정술을 시행할 수 있다. 심하게 분쇄된 골절의 경우, 무지에 견인력을 가한 다음 무지의 길이를 유지한 후 경피적 K-강선을 무지와 두 번째 중수골에 횡으로 삽입하여 고정한다. K-강선은 4주 정도 뒤에 제거하고, 재활치료를 시행한다. 심하게 분쇄 된 골절은 추후 통증을 동반한 관절염을 유발할 수 있어 결국 관절유합술이나 관절성형술이 필요할 수 있다.

6. 무지의 중수수지간 관절 손상 (Thumb metacarpal joint injuries)

사냥터지기 무지(gamekeeper's thumb)로 알려진 무지의 중수지 관절의 척측 측부인대 손상은 스키나 운동 시 무지의 요측으로 가해지는 외력에 의해 발생한다. 외상 후 무지의 중수지 관절부의 통증은 조심스럽게 평가해야 한다. X-ray는 외반 스트레스 검사(valgus stress test) 전 촬영해야 한다. 이렇게 해야 비수술적인 방법으로 치료가 가능한 손상을 수술적 치료가 필요한 상태로 만드는 것을 방지할 수 있다.

X-ray상 견열골절의 골편이 2 mm 이하로 전위된 정도가 적은 경우, 4~6주간 무지수상 부목을 시행한나. X-ray싱 골편이 보이지 않으면

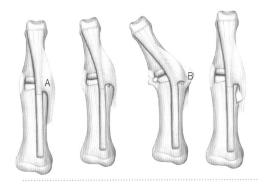

▷ 그림 4-4-20. Stener 병변. A. 내전근 건막, B. 척측 측부인대

중수수지간 관절의 안정성을 확인하기 위해 외반 스트레스 검사를 시행한다. Stenner는 무지의 중수수지간 관절의 척측 측부인대 손상 후 무지내전근건막(apponeurosis of adductor pollicis)이 파열된 인대 사이에 끼어 인대 치유를 방해하는 상태에 대해 기술했는데, 이것을 Stener 병변(Stenner's lesion) 이라 부른다(그림 4-4-20). Stener 병변이 있거나 2 mm 이상의 골편 전위, 외반 스트레스 검사상 30도 이상 벌어지거나, 건측과 비교해서 15도 이상 차이가 보이면 완전파열로 진단할 수 있고, 수술적 치료의 적응증이 된다.

7. 고정술(Fixation methods)

수부 골절 재활의 가장 중요한 요소는 조기운동이다. 불안정한 골절을 정복 후 견고하게 고정시키고 가능한 조기에 관절운동을 하는 것이 관절 강직을 최소화할 수 있다. 고정식 고정법으로 K-강선 고정, 나사못 고정, 금속판 고정, 강선 고정 및 외부장치 고정 등이 있다. 또한, 일부 수부 골절은 견인술로 골절을 정복하기도 한다.

K-강선 고정술은 가장 간단한 고정법 중 하나

▷그림 4-4-21. K-강선 금속피로

이다. 수부 골절을 치료하기 위해 가장 많이 사용되는 직경은 보통 0.028에서 0.065인치이다. K-강선 고정의 가장 일반적인 방법은 교차된 K-강선 고정이나 하나 이상의 관절을 종방향으로 통과하는 방식이다. 고정이 완전히 단단하지는 않지만 골절이 전위를 방지하고 골절이 유합되는 동안 정복을 유지한다. 관절을 가로지르는 하나의 K-강선 고정만 시행 시 관절의 작은 움직임으로 발생되는 금속 피로의 위험성이 있기에 추가적으로 부목요법을 시행하는 게 좋다(그림 4-4-21). K-강선은 일반적으로 4~6주 사이에 제거한다.

나사못 고정술은 골절을 고정시키는 데 매우 효과적이다. 우선 골 클램프(bone clamps)를 이용하여 골절선을 완벽하게 맞춘 후 나사못 고정을 시행한다. 드릴 구멍이 비스듬한 골절에 수직으로 배치되게 시행하는 게 중요하며, 나사못 머리와 골절 부위에서 골막 봉합을 시도할 수 있다.

금속판 고정은 조기에 운동을 허용하는 매우 강한 고정력을 제공하여 관절 강직을 최소화할 수 있다. 골절이 정복된 후, 골 클램프를 사용해 정복을 유지하고, 금속판을 골의 윤곽에 따라 편평하게 위치시켜야 한다. 금속판 나사못 고정 시 나사못이 골절선을 관통하는 것은 피해야 한다. 나사못 고정 시 골절 부위를 밀어 골편 전위를 유발할 수 있기 때문이다.

강선 고정술은 주로 24~25 게이지 강선을 이용하여 수부 골절을 고정한다. 강선은 원형(cerclage) 또는 장력 밴드(tension band) 방식으로 적용할 수 있다. 특히 원형 강선고정(cerclage wiring)은 심한 분쇄 골절에 유용하게 적용되는데 굴곡건과 신전건이 강선에 붙들리지 않도록 고정하는 게 중요하다. 또한 K-강선 고정술 시 정복된 골절의 안정성을 부여하기 위해 추가적으로 사용되기도 한다.

외부장치 고정술은 골 결손을 동반한 골절에서 골 길이를 유지하고 연부 조직 손상으로 인해

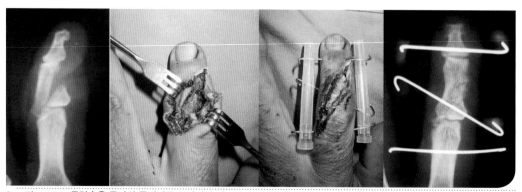
▷그림 4-4-22. 골결손을 동반한 중위지골 골절에서 외고정기를 이용한 치료

금속판 고정술이 어려울 때 주로 사용한다(그림 4-4-22). 두 개의 K-강선을 골절의 근위부와 원위부에 횡으로 위치시킴으로써 적절한 고정력을 제공할 수 있다.

견인술은 견고한 고정 방법이 아닐지라도 관절의 심한 분쇄골절에 매우 유용하며, 주로 근위지간 관절부의 분쇄골절(pilon fracture)에 시행한다.

References

1. 김우경, 김형민. 수부손상과 미세수술. 제 1판: 최신의학사. P. 107-122, 2005.
2. 정덕환, 정윤규. 수부외과학. 제 1판: 범문에듀케이션. P. 119-154, 2014.
3. Schenck RR. Intra-articular fractures of the phalanges. Hand clinics 10(2): p. 169-339, 1994.
4. Stern PJ. Management of fractures of the hand over the last 25 years. J Hand Surg Am. 2000;25:817-823.
5. Livesley PJ. The conservative management of Bennett's fracture-dislocation: A 26-year follow up. J Hand Surg Br.1990;15:291-294.
6. Ruland RT, Hogan CJ, Cannon DL, et al. Use of dynamic distraction external fixation for unstable fracture-dislocations of the proximal interphalangeal joint. J Hand Surg Am.2008;33:19-25.
7. Eaton RG, Malerich MM. Volar plate arthroplasty of the proximal interphalangeal joint: A review of ten years' experience. J Hand Surg Am.1980;5:260-268.
8. Stener B. Displacement of the ruptured ulnar collateral ligament of the metacarpophalangeal joint of the thumb: A clinical and anatomical study. J Bone Joint Surg Br. 1962;44:869-879.
9. Foster RJ, Hastings H. Treatment of Bennett, Rolando, and vertical intra-articular trapezial fractures. Clin Orthop Relat Res. 1987;214:121-129.
10. Freeland AE, Geissler WB, Weiss AP. Operative treatment of common displaced and unstable fractures of the hand. J Bone Joint Surg Am. 2001;83:928-945.
11. Dabezies EJ, Schutte JP. Fixation of metacarpal and phalangeal fractures with miniature plates and screws. J Hand Surg Am. 1986;11:283-288.
12. Ashmead D, Rothkopf DM, Walton RL, et al. Treatment of hand injuries by external fixation. J Hand Surg Am. 1992;17:956-964.

5

굴건의 손상
Flexor Tendon

이동철 광명성애병원

굴건의 해부와 이의 손상에 대한 평가, 치료 및 병태 생리에 대해 이해한다.

1. 서론

2세기경 Gallen은 힘줄 봉합의 경험에 대해 기술하였다. 신경과 힘줄을 구분하지 못한 그는 손목에서 힘줄의 봉합 후 환자의 발작을 경험하고 이를 기록하였다. 이후 그의 기록에 의거하여 힘줄의 봉합이 금기되었다.

근대에 이르러 힘줄의 봉합을 시도한 기록이 나타나고 Bunnel이 제1차 세계 대전에 종군하여 시도하였던 힘줄 봉합의 경험을 묶어서 1944년 Surgery of the hand에서 구체적인 기술을 하였다. 힘줄의 일차 봉합 수술에서 성공적 결과를 얻지 못하였었고, 특히 제2 구역에서 좋은 결과를 얻지 못하여 이에 대해 그는 no man's land 라는 표현으로 일차적 힘줄 봉합을 하지 않도록 권고하였다. 이로서 굴곡 힘줄은 일차 봉합 보다는 이차적 재건이 올바른 치료법으로서 정립되었다.

1967년 전미 수부외과학회에서 Kleinert 등이 일차 힘술 봉합에 대한 성공적 치료 경험을 보고하였다. 이는 Bunnel의 주장과 달라서 논란이 일어나게 되었다. 결국 가능함이 증명되었고, 이어서 힘줄의 봉합법과 이에 대한 병태 생리 연구가 이어진다. 힘줄의 치유 과정에 대한 Lundborg와 Manske 등의 연구가 힘줄 치유의 전 과정을 설명하게 되었다.

2. 해부

전완부에서 굴곡 근육은 원위부로 주행하면서 분화되어 갈라지고 각각의 기능에 따라 다른 층에 분포한다.

손목에서는 장무지굴근, 4개의 심수지굴근 그리고 천수지굴근 4개 등 9개의 힘줄이 정중신경과 함께 수근관을 통과한다. 손목을 구부리는 요측 과 척측 수근굴근(flexor carpi radialis & ulnaris)과 상완요골근 (brachioradialis) 등은 손목에서 수근관 바깥에서 주행하고 수근골에 부착한다. 장수장근(palmaris longus)은 가장 얕은 층에서 관찰된다(그림 4-5-1).

심수지굴근의 경우는 힘줄이 나란히 배열되어 있고 근육에서 각 손가락으로 가는 힘줄이 구분되지 않고 경계가 불분명하다. 이로서 심수지굴

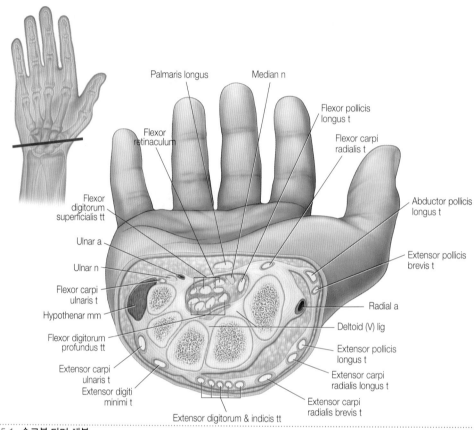

▷그림 4-5-1. **수근부 단면 해부**

근의 기능이 독립적이지 않고 상호 연관되어 이루어지는 이유이다. 그러나 시지는 완전하지 않지만 상당히 독립적으로 기능한다.

중지, 약지 및 소지의 심수지굴근은 마치 한 무더기의 근육처럼 작용하고 강한 악력을 만들어 내며 주행 중 서로 섬유를 교환하면서 진행되다 수근관을 지나면서 각 손가락으로 이행하는 힘줄로 분리된다. 이들 힘줄의 요측에서 장무지굴근 힘줄이 주행한다.

심수지굴근보다 얇은 층에서 새끼 손가락과 검지로 이행하는 천수지굴근 힘줄이 주행하고 이들과 겹쳐서, 보다 얇은층에서 가운데 손가락 및 반지 손가락의 천수지굴근이 위치 한다. 천수지 굴근은 각각의 근육이 독립적인 경계를 가지

고 있어서 독립적 운동이 가능하다.

수근관을 지나 손바닥에서는 힘줄이 심수지굴근과 천수지굴근이 각 손가락으로 주행하면서 짝을 이룬다.

손바닥 근위부에서 심수지굴건의 표면에서 충양근(lumbricalis muscle)이 시작되어 중수지관절을 지나서 손가락의 측부인대로 연결된다.

활차는 힘줄을 수지골에 단단히 부착시켜서 역학적 이득을 얻게 하며 이의 구조는 그림 4-5-2에서와 같이 관절 근처에서는 활차가 접힐 수 있도록 십자 형태이며 중간 마디에서는 치밀한 구조의 환형이다. 환형 활차를 A (annular)활차 하고 십자 형태를 C (cruciate)활차라 한다.

A1 활차 주변에서부터 천수지굴근 힘줄이 두

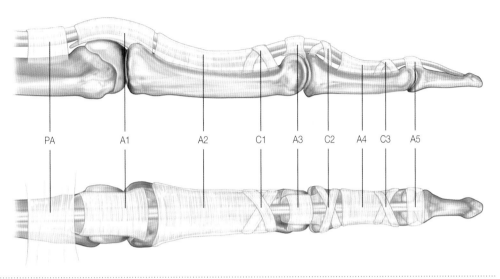

▷ 그림 4-5-2. **수지의 활차구조**

갈래로 갈라지면서 심수지굴근 힘줄을 에워 싸며 돌아서 중지골의 기저부에 부착된다. 이때 천수지굴근 힘줄이 부착하는 부위 바로 근위부에서 갈라진 두 힘줄 간에 섬유를 서로 교차하여 그 부위를 Camper's chiasma라 한다.

A 활차가 C 활차보다 강하게 힘줄을 지골에 부착 한다. 그 중에 A2와 A4가 역학적으로 중요하다.

무지에서는 다른 손가락과 다른 활차 구조를 갖는다. 무지구의 근육에서 이행하는 힘줄 섬유가 중수수지 관절 및 근위지골에서 형성되는 활차로 이행하면서 이들 섬유가 서로 뒤섞이게 된다. FPL은 무지구근육 사이를 지나 중수수지 관절의 A1 활차를 지나게 된다. 활차를 만드는 본래의 섬유와 무지구의 힘줄이 섞여서 만들어지는 것으로서 A1 보다 원위부에서는 Oblique pulley가 만들어져서 무지에서 가장 중요한 역학적 이득을 얻는다(그림 4-5-3).

힘줄의 혈류는 근육에서 힘줄로 이행하는

myotendinous juction에서 혈관이 진입하고, 손가락에서 양측을 따라 주행하는 손가락 동맥에서 나온 가지가 두개의 vincular (long and short)

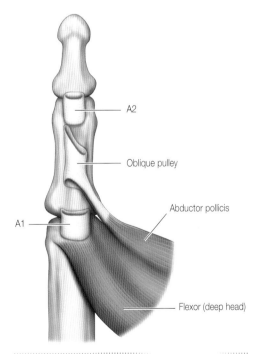

A2

Oblique pulley

Abductor pollicis

A1

Flexor (deep head)

▷ 그림 4-5-3. 무지의 굴곡힘줄 활차의 해부

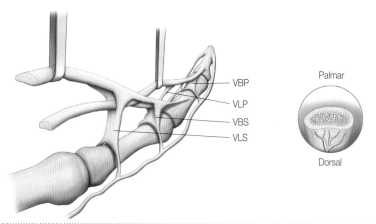

▷그림 4-5-4. **굴곡 힘줄의 혈관 연결부로서 vinculum 의 해부 및 힘줄내부의 혈관 분포**

를 통해서 힘줄 내부의 혈관으로 이어진다. 마지막으로 힘줄이 손가락 뼈에 부착되는 Tendon insertion에서 혈관이 힘줄로 이행한다. 혈관은 주로 힘줄의 배측(dorsal side)에 분포하며 전체 힘줄 두께에서 복측(volar side)절반 가량은 혈관의 분포가 적다. 각 혈관 진입 구역 사이 구간에서 무혈성 구역(avascular portion)이 만들어지고 이 부위는 주로 영양과 산소 교환이 피동적 확산에 의해 이루어진다. FDP와 FDS 모두 근위

지골주변 즉 zone 2에서 무혈성 구간을 보인다 (그림 4-5-4).

힘줄의 미세 구조는 인장력이 가해지는 길이 방향으로 섬유가 배열된다. collagen type 1이 주 성분으로서 건조된 힘줄의 약 75%의 무게를 갖는다. 이 섬유가 다발을 구성하고 이것이 삼중나선구조로 서로 꼬여 배열한다.

Type 1 collagen이 주 성분이고 type III는 endotenon과 epitenon에서 보이고 type V는 섬유

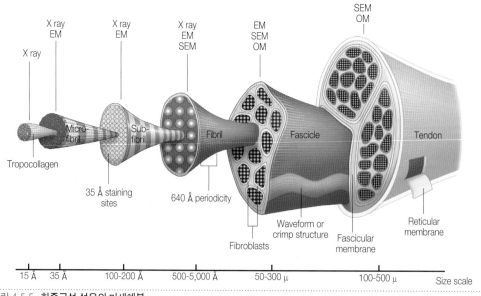

▷그림 4-5-5. **힘줄구성 섬유의 미세해부**

다발들을 교차 연결한다.

힘줄 내 섬유다발 사이에서 endotenon이 에워싼 후 힘줄의 표면으로 이행되어 힘줄의 표면을 감싸는 힘줄주위조직(paratenon)이 된다. Paratenon은 힘줄의 활주를 돕고 동시에 영양을 공급하는 역할을 한다. Tenocyte (fibro-blast-like cell)는 이러한 힘줄 다발 사이에서 발견되는데 힘줄 손상이 일어나면 재활성화되어 힘줄의 치유과정을 수행한다.

Synovial sheath에서 형성되는 활액이 힘줄에 영향을 공급한다. 손가락 힘줄의 움직임으로 활액막 내부에서 발생한 압력변화에 의해 활액이 힘줄 사이로 확산되어 들어간다(그림 4-5-5).

3. 힘줄의 치유

20세기 초 현미경으로 조직 손상의 치유를 일으키는 과정을 관찰하다 세포의 증식이 중요하다는 것을 알게 되었다. 그러나 힘줄 내부에서 드물게 분포된 세포를 발견하지 못하였으며 이로서 내재적인 힘줄 치유 능력이 없는 것으로 판단 하였다. collagen fiber의 생산을 위해 외부에서 침투하는 섬유모세포의 역할에 주목하였다. 이는 봉합 후 힘줄을 움직이지 않도록 하여야

치유가 될 것이라는 생각의 근거가 되었다.

1967년에 Kleinert에 의한 조기 운동방식에 의한 성공적인 치유와 재활에 대한 보고는 힘줄의 치유 과정에 대한 병태 생리적 이해에 앞서 임상술기가 개발된 것이다. 위의 발표는 70년대 힘줄의 치유 과정에 대한 연구를 촉발시켰고 내적 힘줄 치유에 주목하게 되었다.

힘줄의 치유 과정은 외부에서 침투하는 세포에 의한 것과 힘줄 내부에서 활성화되는 세포가 모두 관여한다. 봉합 후 매우 초기에는 extrinsic healing이 작용을 하다 점차 intrinsic healing으로 바뀌게 된다.

그림 4-5-6에서 같은 힘줄은 봉합 후 48시간에서 72시간까지 급성염증 단계(inflammatory phase)가 시작되어 주변에서 염증세포가 침입하고 이들에 의한 괴사조직 또는 손상조직의 제거가 일어난다. 이어 염증세포에서 분비되는 국소물질에 의해 섬유모세포의 활성화가 endotenon과 epitenon에서 일어나며 5일에서 4주까지 fibroblastic phase가 진행되면서 collagen 섬유의 생성과 침착이 일어난다. 세포 주변에서 collagen III 섬유가 주로 침착된다.

다음 remodeling phase는 6~8주 경부터 시작되어 세포의 밀도가 감소 하고 type III collagen이 type I으로 치환되면서 길이 방향으로 섬유의

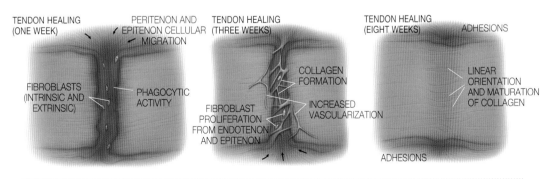

▷그림 4-5-6. 힘줄 치유 과정에서의 섬유 생성 및 변천과정

재배열이 이루어지고 인장강도가 증강된다.

힘줄 치유에 관여하는 cytokine으로는 Transforming growth factor-β (TGF-β)가 초기 염증 세포 이동을 증강시키고 collagen type I과 type III의 생성에 관여한다.

다음으로 insulin-like growuth factor-1 (IGF-1)가 fibroblast와 염증세포의 이동과 분화를 자극한다. 이는 염증세포 내에 저장되어 있다가 힘줄의 손상에 의해 자극되어 분비되고 힘줄 치유 후기의 remodeling 과정에 관여된다.

Platelet derived growth factor (PDGF)는 초기에 IGF-1 등의 생성이 되도록 자극하는 역할을 한다. basic fibroblast growth factor (bFGF)에 의해 세포의 이동과 혈관 생성이 촉진되고 Vascular endothelial growth factor (VEGF) 역시 혈관 생성에 관여한다.

Gelberman 등의 연구에서 힘줄 움직임에 의해 발생한 봉합부의 인장 자극에 의해 치유가 증강되고 유착을 방지하는 효과를 증명하였다. Hitchcock과 Aoki 등의 연구에서도 조기 능동 운동이 봉합부 강도의 증가 효과가 더 뛰어나다는 것을 증명하였다. 그러나 운동에 의해 봉합부의 간극이 너무 커지면 섬유 간 연결이 되지 않게 되므로 재활 기간에 봉합부의 간극이 발생하지 않도록 하는 단단한 봉합 방법에 대한 연구로 이어졌다.

4. 힘줄의 손상에 대한 평가

노출된 좌멸창이나 압착 손상에서는 직접적으로 힘줄을 확인할 수 있다. 그러나 날카로운 칼날이나 유리에 의한 손상은 작은 크기의 상처에서도 힘줄의 파열이 일어나는 경우가 흔하고 혈관과 신경의 손상이 동반되는 경우가 많다.

이학적 점검에서는 힘을 뺀 정상적인 손가락의 자세에 의한 cascade가 정상측과 달리 더 펴져 있거나 구부리는 정도가 달라져 있으면 의심을 한다. 상처 부위를 벌려서 손상 구조물을 확인한다.

손상 유무를 확인하기 어려운 경우 간접적으로는 굴곡 힘줄의 움직임 등을 확인하여 판단할 수 있다.

심수지굴곡근과 장무지굴곡근은 손가락의 근위지관절을 움직이지 못하게 편 후 원위지관절을 구부리도록 하여 판단할 수 있으며 천수지굴근의 경우는 다른 손가락을 모두 펴서 해당 손가락을 구부리지 못하게 한 후 손상된 손가락의 근위지관절만을 구부리도록 하여 힘줄의 손상 유무를 판단 할 수 있다. 그러나 이러한 시험은 힘줄의 부분 파열에서는 잘못된 점검 결과를 보여주므로 손상부위를 직접 확인하는 것이 정확하다.

영상 자료로서 초음파나 CT, MRI 등을 통해서 간접적으로 확인이 가능하다.

심수지 굴근이 원위지골에서 파열되어 끊어지는 경우는(jersey finger) 순간적으로 강한 인장력이 집중되면서 발생하며 골편이 동반되는 경우 단순 방사선 소견으로써 확인이 가능하다. 골편이 포함되지 않은 파열의 경우 초음파나 CT 등의 도움을 받아 판단할 수 있다.

힘줄의 손상부에 따라서 구획을 1에서 5까지 나눈다. 이것은 실제 수술과정에서 접근하는 힘줄의 구조에 따른 분류이며, 구획 1, 즉 zone 1은 근위지관절에서 원위지골에 부착하는 심수지 굴건의 끝까지를 일컬으며 이 부분에서 힘줄은 심수지 굴근 한개만이 pulley 내를 주행한다. 이곳에서 힘줄이 끊어지면 끝쪽에서 중심봉합을 하기가 기술적으로 어렵고 초기에는 Bunnel의 방식, 즉 pull-out suture wire 방식으로 원위지골에 힘줄을 부착하였기에 구획을 나누어서 지칭한다.

최근에는 anchor를 이용하거나 고리 봉합법을 사용한다.

제2 구획은 과거 Bunnel에 의해 no man's land로 불리워지는 부분으로서 활차에 의해 힘줄이 단단히 지골에 부착되어 역학적 이익을 얻으며 두 힘줄은 서로 교차하며 꼬인다. 힘줄을 봉합하기 위해 절개 후 활차를 개방하게 되는데 어느 정도까지 개방하여도 되는가가 중요하다. 활차 및 건초가 힘줄의 치유에 어떤 기여를 하는지 회복 시 힘줄과 유착을 어떻게 방지할 것인지가 중요한 고려점이다. 이곳에서 또 다른 특징으로 힘줄에서 혈액 순환이 보이지 않는 무혈성 구간이 관찰된다. 힘줄의 봉합에서 이러한 많은 고려점이 있어서 구획이 나누어져 있다.

손바닥에서는 심지 굴건에서 충양근(lumbricalis)이 기원하고 주변에서 힘줄의 활주를 물리적으로 간섭하는 구조물이 없는 부위로서 zone3로 나누어진다. 그 다음으로 zone4 구역에서는 수근부에서 수근관을 지나면서 9개의 힘줄이 정중신경과 함께 수근관을 지나가는 구역이다.

제5 구역은 수근관을 지난 부분에서 근육에 부착하는 곳까지를 일컫는다(그림 4-5-7).

5. 힘줄의 봉합

힘줄 봉합 수술의 목적은 힘줄이 완전히 치유될 때까지 인장력을 유지하면서 유착이 없이 힘줄의 치유를 얻는 것이다.

힘줄을 노출하기 위해 절개를 하는데 절개는 손상된 상처에 이어 연장하는데 최종적으로 형성된 흉터가 관절에서 구축을 발생시키거나 관절운동을 방해하지 않도록 하기 위해 Brunner's zigzag 또는 중앙가측(mid-lateral)절개를 한다. 관절 주변에서는 수지 신경과 동맥이 얕게 위치하므로 주의한다.

손가락의 중앙부에서 활액막(synovial sheath)에 접근 활차를 개방하여 끊어진 힘줄을 노출한다.

관절의 중앙 회전축과 활주 힘줄의 중심축까지 거리가 클수록 moment arm이 커지지만 상대

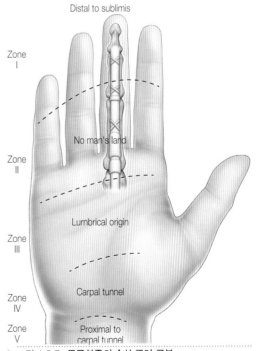

▷그림 4-5-7. **굴곡힘줄의 손상 구역 구분**

적으로 관절 운동 각도는 줄어들게 되고 반대로 거리가 짧을수록 moment arm은 작아지면서 관절 운동 각도는 커진다. 활차 중에 A2와 A4의 개방 범위가 중요하다. 이들 활차는 가장 두터우면서 역학적으로 중요하다. Tang은 A4의 경우 전체를 다 개방하여도 수지 운동범위의 손실이 적다고 하고 A2의 경우 2/3까지 개방하여도 된다고 주장한다.

zone 2에서 FDP의 활주 거리는 평균 32 mm, FDS는 약 24 mm이고 만약 손목의 움직임이 포함되는 경우 이는 46 mm와 38 mm로 늘어난다. 끊어진 부위 주변 약 2 cm의 활주 범위까지 활차를 개방하는 것이 힘줄봉합부위가 활차에 끼어 운동범위가 제한되는 것을 방지하고 힘줄봉합을 수월하게 할 수 있다. Tang 등에 의하면 이러한 개방이 최종 관절운동범위에는 지장이 없다고 하였다. 그러나 저자의 경험에서는 과도한 A2와 A4의 개방은 악력이 감소하는 현상을 일으킨다.

손가락에 저항이 없는 상태로 손가락을 구부릴 때 발생하는 인장력은 1~35 N (newton)이다. 그러므로 봉합사에 의해 유지되는 힘이 최소한 이를 넘어서는 인장 강도를 가져야 하는데 2 strand는 약 20~30 N의 인장강도를 갖고 4 stand의 경우 약 40 N을 갖는다(그림 4-5-8).

Zone II에서 FDP와 FDS가 동시에 끊어진 경우 FDP만 봉합하는 것보다 두 힘줄 모두를 봉합하는 것이 최종적인 기능은 더 좋다.

힘줄의 봉합법에서 중심봉합사(core suture)가 주된 인장 스트레스에 저항하는 봉합이다 이것에 대해 Strickland 는 다음과 같은 조건을 제시하고 있다.

- 쉽게 봉합할 수 있어야 하고
- 봉합 매듭이 단단히 유지되어야 하며
- 봉합 부위가 매끄러워 주변과의 마찰이 없어야 하며
- 봉합 후 봉합 부위의 간극이 생기지 않아야 하고
- 주변에서 자라는 신생 혈관을 방해하지 않으며
- 치유 기간 동안 충분한 인장강도를 가져야 한다.

위의 조건들은 힘줄 봉합법의 조건이 된다. 힘줄의 봉합 후 재활기간 동안 피동적 또는 능동적 운동을 통해 힘줄의 유착을 방지한다. 이때 봉합부에 가해지는 인장력을 견디면서 봉합부가 벌어지지 않게 하여 재활기간 동안 힘줄이 끊어지지 않게 하는 조건이라 할 수 있다.

위의 조건들을 충족시키기 위한 봉합법으로서
- 어떤 봉합 방법을 사용할 것인가?
- 어떤 봉합사를 이용할 것인가?
- 몇 가닥의 중심봉합사(core suture strand)를 할 것인가?
- 봉합 매듭의 위치는 어디에 둘 것인가?
- 중심봉합사(core suture)의 위치는 복측

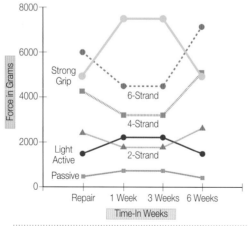

▷ 그림 4-5-8. **중심봉합사의 갯수와 회복기간 동안의 인장강도의 변화**

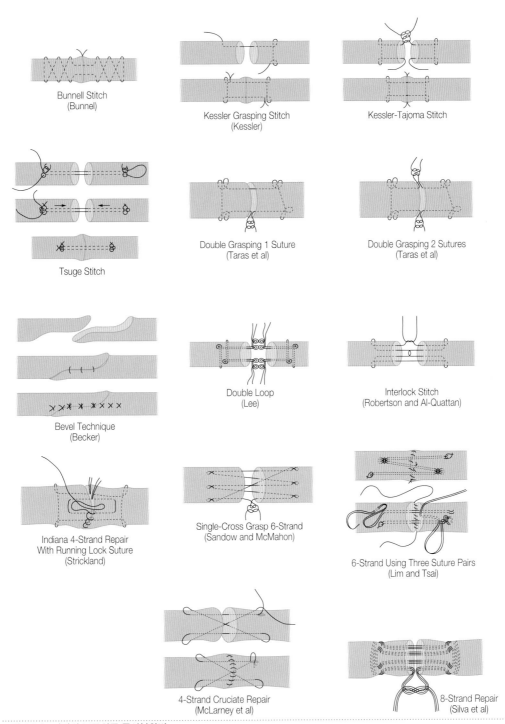

Bunnell Stitch
(Bunnel)

Kessler Grasping Stitch
(Kessler)

Kessler-Tajoma Stitch

Tsuge Stitch

Double Grasping 1 Suture
(Taras et al)

Double Grasping 2 Sutures
(Taras et al)

Bevel Technique
(Becker)

Double Loop
(Lee)

Interlock Stitch
(Robertson and Al-Quattan)

Indiana 4-Strand Repair
With Running Lock Suture
(Strickland)

Single-Cross Grasp 6-Strand
(Sandow and McMahon)

6-Strand Using Three Suture Pairs
(Lim and Tsai)

4-Strand Cruciate Repair
(McLarney et al)

8-Strand Repair
(Silva et al)

▷ 그림 4-5-9. **다양한 굴곡힘줄 중심봉합법**

(ventral) 또는 배측(dorsal side)어느 쪽이 더 좋은가?

- 봉합 시 purchase 는 어느 정도 하여야 하는 가?
- 봉합에서 양측에서 tension은 어떻게 하는 것이 좋은가?

등의 질문이 발생하였다.

우선 봉합 방법은 grasping과 locking 방법으로 나뉜다. 이중 Kessler 방법과 Tsuge의 loop suture 방법이 흔히 사용되며 이들 방법의 변형들이 소개된다(그림 4-5-9).

봉합의 강도는 끊어진 힘줄 사이를 지나가는 중심봉합사(core suture)의 가닥 갯수에 비례한다. 따라서 2가닥, 4개 및 6개의 경우가 있는데 4가닥으로 봉합하는 방식이 가장 많이 이용된다. 이는 봉합사가 많아질수록 봉합 부위가 굵어지고 필요 없는 노력이 소모되기 때문이다. 봉합가

닥이 적은 2가닥의 경우는 수술 후 18일째 가장 많은 파열이 일어나지만 6가닥의 경우는 48일째에 파열이 일어나는 경우가 있다. 이는 2가닥의 경우는 봉합사의 파열인 경우이지만 6가닥의 경우는 과도한 봉합사에 의한 의존성으로 힘줄 자체의 치유가 지연되는 효과가 발생한 것으로 알려져 있다(그림 4-5-8).

봉합사로 비흡수성 봉합사와 흡수성 봉합사 그리고 꼬여진(braided) 섬유로 만들어진 것과 단섬유(monofilament) 봉합사 등이 있다. 꼬여진 봉합사는 매듭을 유지하는 능력이 좋으나 섬유표면적이 넓어지므로 감염위험이 높고 조직반응이 강화되는 경향을 가진다. 두 가지의 봉합사 모두 힘줄 봉합에 많이 사용되며 이는 수술자의 경험과 술기에 따라 선택한다. 단섬유(monofilament) 봉합사의 경우는 흡수성과 비흡수성 봉합사를 비교한 결과 둘 사이의 차이는 없다고 하며 저자는 흡수성 봉합사인 PDS 4-0를 주로 사용한다.

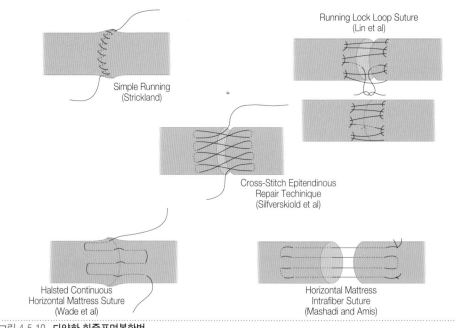

▷ 그림 4-5-10. **다양한 힘줄표면봉합법**

봉합부위에 중심봉합사가 이완되거나 또 힘줄의 부종 감소로 봉합이 느슨해져 간극이 넓어지는 경우 치유가 지연되거나 파열될 수 있다. 이를 대비하여 충실하게 봉합한다. 그러나 너무 강하게 당겨 봉합하면 힘줄 섬유가 봉합부 사이로 비어져 나와 두터워지고 윤활막 내 활주를 방해하여 유착으로 인한 운동소실이 발생할 수 있다. 수술자의 경험과 술기에 따라 회복기에 다른 경과를 보이므로 매듭의 강도와 충실함은 수술자의 경험을 통해서 완성되어야 한다.

봉합 매듭이 연결부에 위치 하면 매듭에 의해 힘줄의 치유가 방해된다는 생각에 매듭을 끊어진 부분에서 떨어진 곳의 봉합사 사입구에 두는 경우가 있다. 매듭이 봉합부에 두거나 외측에 두었을 때 치유된 힘줄의 강도는 차이가 없다. 그러나 봉합 매듭이 힘줄의 표면에 노출되는 경우 힘줄의 활주 중에 활액막을 자극하여 염증성 방아쇠수지현상이 발생할 수 있으므로 봉합매듭이 힘줄 표면에 노출되지 않도록 한다.

힘줄중심 봉합 이후 힘줄 섬유가 비어져 나와 재활운동을 할 때 주변의 활액낭과의 간섭을 줄이기 위해 표면봉합(epitendinous suture)을 한다. 방법으로는 여러 가지 방법이 소개되고 있으며 봉합사로는 단섬유 흡수성 또는 비흡수성의 5-0나 6-0 봉합사를 이용하여 표면을 매끄럽게 한다. 이 봉합도 역시 인장력을 가지게 되며 수술자의 선호도에 따라 봉합법을 선택한다(그림 4-5-10).

흡수성 봉합사의 경우 봉합사의 흡수 속도가 너무 빠르면 힘줄의 재활 기간에 봉합부의 인장저항력이 약화되어 끊어질 우려가 있다.

굴곡 힘줄은 손가락이 구부려지면서 힘줄내부에서 복측에서는 압축력이 발생하고 배측에서는 상대적인 인장력이 발생하게 된다. 봉합사의

중심봉합을 배측에 위치시키는 경우 힘줄이 벌어지지 않게 되어 봉합 후 인장저항력이 약 60% 증가한다는 것을 Soejima 등이 주장하였다. 이때 힘줄의 혈관 분포가 주로 배측에 위치하여 봉합사에 의해 간섭되어 힘줄의 치유를 저해 할 것으로 생각되었으나 이러한 영향은 미미한 것으로 판단되었다. 실제 수술술기에서 배측에 중심봉합사를 위치하기 위해 봉합하는 경우 접근이 어려운 단점이 있다.

양 끝에서 봉합사가 물게 되는 힘줄의 길이를 purchase라 하며 어느 정도가 적절한가에 대해 Tang 등이 연구한 결과 약 7~10 mm 정도를 가지는 것이 적당하다고 주장하였다.

zone 1에서 힘줄의 파열은 개방성 창상이 없이 강하게 물체를 당기거나 고리 형태로 손가락 끝마디가 걸리면서 힘줄이 파열되는 경우가 많다. 끝마디뼈가 동반 골절되는 경우가 많다.

골절이 있는 경우는 골절의 정복과 고정을 K-강선이나 나사, wire 등으로 고정을 한다. 파열된 뼈가 작고 조각을 통과하기에는 작아서 드릴에 의해 골편이 파쇄가 우려되는 경우 골절의 고정

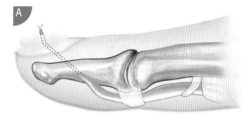

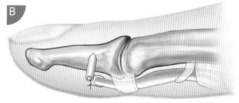

▷ 그림 4-5-11. Zone 1 힘줄의 파열에 따른 복합법으로서 Bunnel의 단추 봉합법과 anker 봉합사를 이용한 봉합법

이나 정복이 어려워지므로 주의한다.

창상으로 힘줄이 zone 1에서 끊어진 경우 봉합은 힘줄이 뼈에 부착하는 부위의 길이가 부족하여 봉합할 길이가 짧아서 어렵다. 근위부 힘줄을 이끌어 내어서 원위지골 기저부에 와이어나 나사 또는 앵커에 연결된 봉합사를 이용하여 봉합을 하거나 Bunnell의 pull out suture tech-nique을 이용하여 손톱으로 끌어낸 봉합사를 고정하는 방식이 있다.

Bunnell의 pull-out 방법은 그림 4-5-11에서 보듯이 봉합사를 distal phalanx를 통과하여 nail plate 위에서 button으로 고정을 하는 방법으로서 그 tension을 적절하게 조절하고 술 후 button 주변을 잘 관리한다. 그러나 이 방법은 약 60% 이상의 경우에서 통증, 감염, 손톱의 변형, 탈락 등의 병발증이 발생하며 이는 압력에 의한 국소적 괴사등이 원인이다. 또한 봉합사의 이완이 발생하는 경우 힘줄 사이에 2 mm 이상의 간극이 발생하여 힘줄의 치유과정이 전개되지 않아 끊어지는 경우가 발생할 수 있다.

Anchor를 이용한 경우 anchor를 원위지골의 중간부에서 proximodorsal 방향이나 순방향으로 삽입을 하여 anchor를 고정한다. 이후 근위부 굴곡건을 봉합한다. 이때 anchor가 dorsal cortex를 뚫어서 nail bed를 손상하지 않도록 주의 하여야 한다(그림 4-5-11).

6. 수술 후 재활

힘줄을 봉합한 후 재활과정에서 능동적으로 또는 피동적으로 봉합부위를 움직이는 것의 궁극적인 목적은 주변과의 유착 발생을 방지하기 위해서다. 또한 지속되는 인장자극에 의해 힘줄

의 치유가 빨라지는 것이 증명된 후 최대한 합병증이 발생하지 않고 환자의 불편함을 줄이는 방향으로 이를 개선해 왔다.

힘줄 봉합 후 재활에서 주의점은 봉합부가 과도하게 당겨져서 끊어지는 상황을 방지하면서 유착이 일어나지 않도록 활주하면서 봉합부위의 치유를 도모한다.

굴곡 힘줄의 봉합 이후에 재활운동 계획은 세 가지인데 첫 번째로 고정하여 운동하지 않는 방법으로 소아 등 힘줄 재활 과정에 대한 이해가 되지 않는 경우가 있고 두 번째로 피동적 운동 방식으로 초기 Kleinert와 Duran modification protocol이 있다. 손목을 0도에 두고 MPJ는 60도 굴곡하여 배측 부목을 한 후 PIPJ와 DIPJ를 피동적으로 신전을 시키는데 DIPJ를 펼 경우 PIPJ를 구부린 채 펴고 PIPJ를 펴는 경우는 반대로 이행한다. 처음 제안된 방법은 고무줄을 이용하였으나 이후 수정되어 고무줄을 이용하지 않은 방법으로 손가락의 굴곡은 피동적으로 최대한 구부리게 한다.

고무줄의 사용은 손톱에서 손목으로 고무밴드에 의해 손가락을 펼 때 능동적으로 편 후 고무줄에 의해 손가락이 구부러지도록 하는 방법이다. 이는 고무 밴드에 의해 손가락을 지속적으로 펴지 못하여 구축을 일으키거나 손톱의 통증이 발생하는 경우가 있다.

세 번째로 1989년 Small은 조기에 능동적 운동에 의한 재활을 제안하였다. 이는 손등에 과도한 신전으로 인한 파열을 보호하도록 부목을 장착하고 능동적으로 손가락을 굴곡 신전 운동을 하도록 한다.

초기에는 손목을 약 30도 정도 구부리고 중수수지 관절은 70도 정도 구부리도록 하는 자세로 손의 배측에 부목을 댄다.

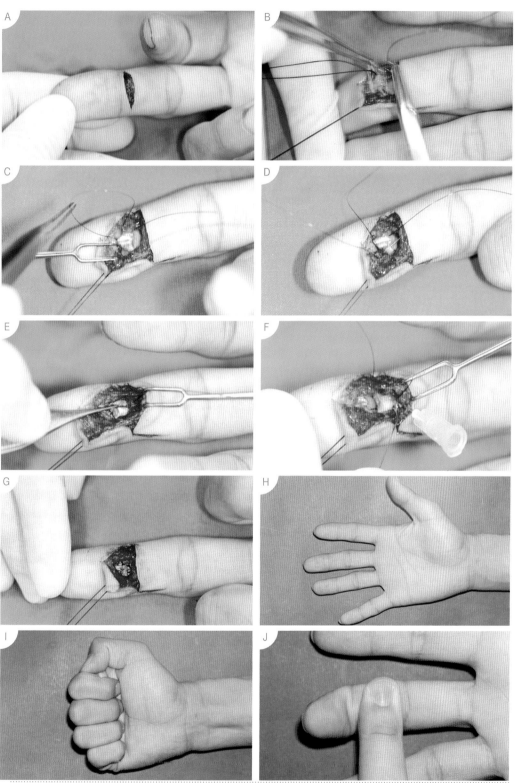

▷그림 4-5-12. FDP힘줄의 종지부(terminal tendon)에서의 손상에 대한 봉합. G. 종지부에 중심봉합을 고리 봉합법으로 봉합한다.

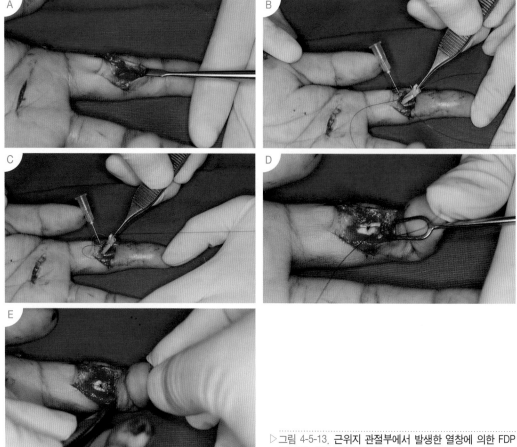

▷ 그림 4-5-13. 근위지 관절부에서 발생한 열창에 의한 FDP 힘줄의 파열과 이의 봉합

봉합된 힘줄이 움직이면서 봉합부에 인장력에 의한 자극이 발생하는 것이 힘줄의 치유에 더 도움이 된다는 것을 알게 된 후 현재 가장 흔히 채용되는 힘줄 봉합 재활 운동법은 능동적 운동에 의한 조기 재활법이다. Strickland는 고무밴드가 없이 손상 손가락을 피동적으로 완전하게 구부리게 한 다음 손을 떼고 해당 손가락을 환자에게 자세를 유지하도록 구부리게 하는 방법으로 제안하였다.

관절 운동에 따른 힘줄의 활주 범위는 정상에서 중수 수지 관절이 움직이는 것은 주변 힘줄의 활주를 일으키지 않고 원위지관절이 10도 움직일 때에 zone II에서 FDP와 FDS 모두 약 1.3 mm 정도 활주를 하며 약 3 mm 정도의 활주로 유착을 방지할 수 있다고 한다.

부목고정기간은 약 4주에서 5주 정도 고정을 하고 이후 부목을 풀은 후부터 약한 정도의 일상적 스트레스가 가해지는 활동은 가능하나 강화된 운동 스트레스가 가는 것을 하지 않도록 지도한다.

References

1. Manske, P.R., History of flexor tendon repair. Hand Clin, 2005. 21(2): p. 123-7.
2. Kleinert, H.E., S. Špokevičius, and N.H. Papas, History of flexor tendon repair. The Journal of hand surgery, 1995. 20(3): p. S46-S52.
3. Allan, C.H., Flexor tendons: anatomy and surgical approaches. Hand Clin, 2005. 21(2): p. 151-7.
4. Doyle, J.R., Anatomy of the finger flexor tendon sheath and pulley system. The Journal of hand surgery, 1988. 13(4): p. 473-484.
5. Doyle, J.R. and W.F. Blythe, Anatomy of the flexor tendon sheath and pulleys of the thumb. The Journal of Hand Surgery, 1977. 2(2): p. 149-151.
6. Allan, C.H., Flexor tendons: anatomy and surgical approaches. Hand clinics, 2005. 21(2): p. 151-157.
7. Leversedge, F.J., et al., Vascular anatomy of the human flexor digitorum profundus tendon insertion. The Journal of Hand Surgery, 2002. 27(5): p. 806-812.
8. Goodman, H.J. and J. Choueka, Biomechanics of the flexor tendons. Hand Clin, 2005. 21(2): p. 129-49.
9. Boyer, M.I., Flexor tendon biology. Hand Clin, 2005. 21(2): p. 159-66.
10. Boyer, M.I., C.A. Goldfarb, and R.H. Gelberman, Recent Progress in Flexor Tendon Healing. Journal of Hand Therapy, 2005. 18(2): p. 80-85.
11. Strickland, J.W., The scientific basis for advances in flexor tendon surgery. Journal of Hand Therapy, 2005. 18(2): p. 94-110.
12. Branford, O., et al., The growth factors involved in flexor tendon repair and adhesion formation. Journal of Hand Surgery (European Volume), 2014. 39(1): p. 60-70.
13. Gelberman, R.H., et al., The effect of gap formation at the repair site on the strength and excursion of intrasynovial flexor tendons. An experimental study on the early stages of tendon-healing in dogs. JBJS, 1999. 81(7): p. 975-82.
14. Moiemen, N. and D. Elliot, Primary flexor tendon repair in zone 1. The Journal of Hand Surgery: British & European Volume, 2000. 25(1): p. 78-84.
15. Tang, J.B., Clinical outcomes associated with flexor tendon repair. Hand Clin, 2005. 21(2): p. 199-210.
16. Tang, J.B., Indications, methods, postoperative motion and outcome evaluation of primary flexor tendon repairs in Zone 2. The Journal of Hand Surgery: British & European Volume, 2007. 32(2): p. 118-129.
17. Strickland, J.W., 25th-Anniversary Presentation Development of Flexor Tendon. 2000.
18. Pruitt, D.L., P.R. Manske, and B. Fink, Cyclic stress analysis of flexor tendon repair. The Journal of hand surgery, 1991. 16(4): p. 701-707.
19. Soejima, O., et al., Comparative mechanical analysis of dorsal versus palmar placement of core suture for flexor tendon repairs. Journal of hand Surgery, 1995. 20(5): p. 801-807.
20. Lee, S.K., Tendon Repair: Zone I and II Flexor Tendons and Extensor Tendons. Operative Techniques in Orthopaedics, 2012. 22(3): p. 106-111.
21. Small, J., M. Brennen, and J. Colville, Early active mobilisation following flexor tendon repair in zone 2. Journal of Hand Surgery, 1989. 14(4): p. 383-391.
22. Wong, J.K. and F. Peck, Improving results of flexor tendon repair and rehabilitation. Plast Reconstr Surg, 2014. 134(6): p. 913e-25e.
23. Khor, W.S., et al., Improving Outcomes in Tendon Repair: A Critical Look at the Evidence for Flexor Tendon Repair and Rehabilitation. Plast Reconstr Surg, 2016. 138(6): p. 1045e-1058e.

상지의 급성 신경손상의
치료와 2차적 재건(건전이술)

6

Acute Nerve Injury and Treatment of
The Upper Extremity and Secondary
Reconstruction of The Peripheral Nerve Injury
(Tendon Transfer)

기세휘 인하의대

1. 상지의 급성신경손상

1) 총론

손의 급성 신경손상은 둔상(blunt trauma), 열상(laceration) 같은 사고나 갑작스러운 신경의 눌림에 의해 발생한다. 신경손상의 종류와 회복에 따라 감각, 운동기능의 저하는 일시적, 영구적일 수 있다. 개방성 창상이 있고 신경절단이 확인되는 경우에는 가능한 빠른 신경봉합술이 좋은 결과를 나타내는 것으로 알려져 있다. 하지만 몇 시간에서 며칠 후 자연적인 회복이 오는 neuropraxia에 수술적 치료는 오히려 신경재생에 방해가 되기도 한다. 따라서 신경손상의 종류, 회복가능성, 치료법에 대한 적절한 이해가 신경손상의 치료에 많은 영향을 주게 된다.

2) 임상증상 및 진단

상지의 신경 손상은 감각이상, 근육마비 같은 특징적인 현상이 나타나므로 손상을 예측하는 것이 어려운 일은 아니다. 하지만 손가락의 긴직

은 주신경과 주위신경이 감각을 공유하는 부분이 있고 신경손상 시 고유감각(proprioception)이 남아 있어 신체검사 시 한쪽 손만 검사하는 경우 신경손상을 놓치는 경우가 있다. 따라서 손에서 신체검사 시 다치지 않은 반대손의 같은 손가락, 같은 부위를 비교 검사하여야 한다. 감각이상 부위는 각 신경에 따라 그림과 같이 다르므로 신체검사로 어느 신경이 손상되었는지 예측 가능하다(그림 4-6-1).

둔상에 의한 신경손상의 부위를 알기 위해 전기생리학적 검사가 도움이 된다. 신경전도검사

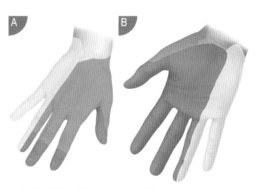

▷그림 4-6-1. Radial nerve (blue), Median nerve (red), Ulnar nerve (yellow). A. Dorsal side of the hand B. Volar side of the hand

(nerve conduction study)는 말초신경이 주행하는 길에 두 점을 선택하여 한 부위에 전기자극을 주고 다른 부분에서 전기 자극을 확인하여 신경의 전도와 속도를 측정하는 검사다. 이 방법은 신경손상부위 예측에 도움이 된다. 근전도검사(electromyography)는 근육이 수축할 때 발생하는 미세전위(electric potential)를 침전극(needle electrode)을 이용하여 연속적으로 측정하는 방법으로 신경의 퇴축(degeneration)이 일어나는 손상 후 3주에서 6주 이후에 세동(fibrillation)과 양성예파(positive sharp wave)가 나타난다.

3) 급성신경손상의 치료

손상된 신경은 수술현미경하에 손상된 부분을 완전히 제거 후 양 끝을 연결한다. 신경봉합은 연결부에 긴장이 없고, 마르지 않고, 신경섬유다발끼리 정확히 맞추어야 한다. 신경봉합의 과도한 긴장은 연결부에 결합조직이 증식해 신경의 재생을 방해할 수 있다. 따라서 긴장없는 신경봉합이 어려운 경우 신경이식술(nerve graft)을 시행한다. 말초신경봉합은 신경외막봉합법(epineurial repair), 신경섬유그룹다발봉합법(group fascicular repair) 등의 방법이 있지만 말초 부위에는 혈관손상이 적은 신경외막봉합법이 더 효과적이다. 손목부위의 척골신경(unlar nerve) 손상은 신경다발막봉합법이 선호되며, 감각신경과 운동신경을 주의 깊게 각각 연결해 준다(그림 4-6-2.).

심하게 오염되어 감염이 우려되는 경우에 괴사조직절제술(debridement)을 시행한 후 상처를 열어 놓은 채로 드레싱하며 3~4일간 기다렸다가 신경봉합을 시행할 수 있다. 신경손상이 압궤손상으로 생존부위를 확인하기 힘들 경우에는 일

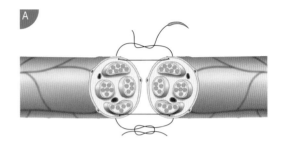

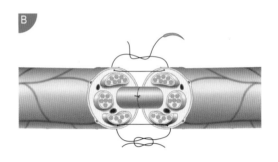

▷그림 4-6-2. **신경봉합술 방법**. A. 신경외막봉합술 B. 신경다발그룹봉합술

단 상처를 깨끗이 하고 골 고정이나 건봉합술을 시행한 후 이차신경봉합을 계획할 수 있다. 지연봉합술은 수상 당시에는 확인하기 힘든 신경 끝의 상태를 확인하여 살아있는 신경끝(viable nerve ends) 봉합이 가능하다.

신경이식술에 자주 사용되는 공여신경은 비복신경(sural nerve), 내측전완부 피부신경(medial antebrachial cutaneous nerve), 외측전완부 피부신경(lateral antebrachial cutaneous nerve), 표재요골신경(superficial radial nerve) 등이 있다. 공여신경은 신경의 굵기와 길이를 고려하여 선택한다. 공여신경의 길이측정은 사지의 관절을 신전상태에서 측정하고 필요한 길이보다 10~15% 더 길게 채취하여 자세변화나 창상치유 과정에서 생기는 수축에 따른 신경긴장(tension)을 줄여준다.

4) 요골신경의 손상

요골신경의 손상은 그림 1의 blue영역의 감각이상이 나타나게 된다. 운동신경의 마비는 신경손상위치에 따라 다르게 나타난다. 전완상부의 회외전근(supinator) 상연에서 주로 운동신경인 후방골간신경(posterior interosseous nerve)과 감각신경인 표재요골신경(superficial radial nerve)이 분리되므로 이 이하 부위에서는 두 가지 신경의 단독손상이 가능하다. 후방골간신경의 단독손상시 손의 감각은 정상이나 손가락의 모든 신전건과 단요측수근신전근(extensor carpi radialis brevis)이 마비된다(그림 4-6-3). 반대로 표재요골신경의 단독 손상은 손가락의 운동은 정상이나 그림 4-6-1의 blue영역의 감각이상만 나타나게 된다. 이보다 상부인 주관절 부위에서 손상 시에는 후방골간신경(posterior interosseous nerve)와 표재요골신경(superficial radial nerve)의 마비가 동시에 온다. 상완골 원위부에서의 신경손상은 후방골간신경(posterior interosseous nerve)와 표재요골신경(superficial radial nerve)의 마비와 상완요골근(brachioradialis)과 장요측수근신전근(extensor carpi radialis longus)의 마비가 온다.

5) 정중신경의 손상(그림 4-6-4)

정중신경은 손상 부위에 따라 운동신경과 감각신경의 마비가 다르게 나타난다. 수근터널의 원위부 손상 시에 정중신경 회귀신경의 지배영역인 수장부근육(abductor pollicis brevis, opponens pollicis, superficial head of the flexor pollicis brevis)의 마비가 나타난다. 감각은 무지, 시지, 중지, 그리고 환지의 척측 부위 마비가 나타난다. 손목 상부에서 수장부감각신경(palmar cutaneous nerve)의 손상 시 손바닥의 감각저하가 더해진다. 따라서 그림 4-6-1의 red영역의 감각이상이 나타나게 된다. 전방골간신경(anterior interosseous nerve)은 전완부 상부에서 천수지굴곡근과 원형회내근(pronator teres)사이에서 분지되며 이 신경이 손상되면 장무지굴곡건과 회내근(pronator quadratus), 시지, 중지의 심수지굴곡건의 마비가 오나 중지는 척골신경과 동시지배를 받아 증상이 미미하다. 원형회내근 상부에서의 정중신경이 손상은 상기 증상에 회내근, 요측수근굴곡근, 장수장근(palmaris longus), 천수지굴곡근의 근육마비가 추가된다.

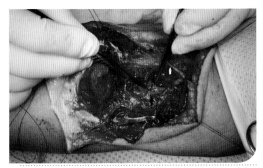

▷그림 4-6-3. **Radial nerve injury.** Deep laceration of the dorsum of the proximal forearm. Black arrowhead: posterior interosseous nerve complete injury. White arrowhead: superficial radial nerve

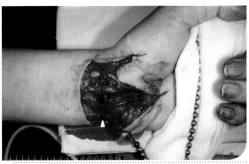

▷그림 4-6-4. **Median, ulnar nerve injury.** Deep laceration of the wrist. Black arrowhead: complete injury of the median nerve. White arrowhead: complete laceration of the ulnar nerve.

6) 척골신경의 손상(그림 4-6-4)

척골신경은 손상 부위에 따라 운동, 감각신경의 마비가 다르게 나타난다. Pisohamate and opponens tunnel 아래에서 운동신경 분지만 손상되는 경우에는 손가락의 감각이상 없이 소지구(hypothenar)근육(abductor digiti minimi, opponens digiti minimi, flexor digiti minimi brevis, and palmaris brevis)과 모든 골간근, 환지, 소지 두 개의 충양근, 단무지내전근(adductor pollicis brevis)과 단무지굴곡건의 심부(deep head of the flexor pollicis brevis)의 마비가 발생한다. Guyon s canal 상부에서 전완부 원위부의 열상은 위 근육의 마비와 환지의 척측과 소지 전체의 감각이상이 발생한다. 척측신경의 수장부 분지와(palmar branch), 전완부 배부분지(dorsal branch)는 전완부 원위부에 위치하나 일정하지 않다. 주관절 부위의 열상은 위의 근육들과 척측수근굴근(flexor carpi ulnaris)과 환지와 소지의 심수지굴곡건의 마비, 그리고 그림 4-6-1의 yellow 영역의 감각이상이 발생한다.

2. 말초신경의 2차적 재건

1) 총론

말초 신경의 2차적 재건술은 급성 신경 손상의 치료를 못한 경우, 급성손상의 치료를 하였지만 기능적 장애가 남은 경우, 그리고 지속적인 신경압박에 의하여 적절한 신경재생이 되지 않아 기능적 문제가 발생한 경우에 필요하다. 말초신경의 2차 재건 시기에 대한 절대적인 기준이 존재하는 것은 아니다. 재건 시기를 결정할 때는 신경 손상의 원인과 정도, 위치, 환자의 나이, 신경의 종류, 신경손상 기간, 동반손상 등을 고려해야 한다.

신경손상의 즉시치료가 이상적이지만 여러 원인에 의해 1차 신경손상의 치료가 1개월 이상 지연된 경우 손상된 부위의 신경은 주위조직과 반흔에 의해 유착되어 찾기가 힘들고 봉합 시 과도한 긴장 상태가 유발될 수 있어 신경 이식술이 필요한 경우가 많다. 신경이 완전히 절단된 상태로 2~3년이 경과되어 근육이 위축되고 근섬유 사이에 섬유화와 지방 침착이 진행된 경우도 생길 수 있다. 이런 경우에는 인접한 정상적인 근육, 피부를 이전하여, 잃어버린 신경의 운동 및 감각 기능의 재건을 고려하게 된다. 이처럼 신경손상의 시기에 따라 치료방법 선택이 달라질 수 있으므로 2차 신경재건술에 대한 적절한 이해가 필요하다.

2) 임상증상 및 진단

말초 신경에 이상이 발생한 경우 증세로는 운동마비, 감각이상 그리고 반사소실 및 자율 신경계의 증상이 있을 수 있다. 피부의 감각에는 통각, 촉각, 온도감각, 압박감, 진동 감각, 위치 감각 및 두점식별능력(two-point discrimination) 등이 있다. 신경에 장애가 오면 모든 감각 검사를 시행하여야 하나, 말초 신경의 손상 시에는 주로 통각과 두점식별능력이 많이 사용된다. 반사 소실의 경우에 말초신경이 완전 차단되면 그 신경이 관여되는 반사작용이 소실된다. 예를 들어 근육피부신경(musculocutaneous nerve)이 손상 받으면 이두박근 반사(biceps reflex)가 소실된다. 자율신경 손상의 경우 교감신경이 손상 받으면 땀이 잘나지 않고 혈관은 확장된다. 말초

신경의 운동 섬유가 완전히 차단되면, 차단된 신경이 지배하는 모든 근육에 이완성마비(flaccid paralysis)가 발생한다.

어떤 말초 신경에 어떤 질환이나 손상이 발생하였는지를 정확히 진단하는 것은 매우 복잡하고 어려운 일이다. 말초 신경에 병리적 변화가 있는 부위를 알아보기 위해 티넬 징후(Tinel's sign)를 확인해 볼 수 있다. 신경 손상이 의심되는 부위를 고무망치 등으로 가볍게 타진하거나, 손가락으로 지그시 눌러보면 신경의 주행을 따라 순간적으로 저린감각(tingling sensation)이 발생하게 된다. 손상된 신경의 끝과 같이 병리적 변화가 발생한 부위 그리고 재생되고 있는 말초 신경이 존재하는 부위에서 반응 양성을 나타낸다. 손상된 말초 신경의 기능을 알아보고 회복의 가능성을 확인해 보기 위한 또 다른 검사로 전기적 검사(electrical test)를 시행해 볼 수 있다. 이 방법들을 이용하면 신경이 손상된 부위를 예측하는 데 도움을 얻을 수 있다.

3) 치료법 및 수술 술기

(1) 신경재건의 원칙

2차적인 신경재건의 성공적인 신경회복을 위한 조건으로 첫째 봉합부위에 과도한 긴장이 없어야 하며, 둘째 수혜부의 연부조직(soft tissue)에 혈류가 풍부하고 반흔조직(scar tissue)이 없어야 한다. 신경재건을 시행할 경우 운동신경을 우선으로 재건한다. 또한 신경이 잘린 끝 부위에 형성된 신경종(neuroma), 반흔조직을 제거하여 정상적인 신경 부위에서 봉합하여야 한다. 신경결손의 크기가 두려워 신경의 잘린 끝 부위를 불충분하게 처리하면 신경재생에 좋지 않은 결과를 얻게 된다.

(2) 수술시기

신경이 손상된 후 2차 재건술을 시행하는 경우 신경을 주위조직과 더 쉽게 분간할 수 있어 반흔조직을 정확히 절제할 수 있고 신경 바깥막이 두꺼워져 강한 봉합이 가능하다. 하지만 신경은 손상된 후 너무 많은 시간이 지나면 신경재생, 재분포가 어려워진다. 신경이 손상된 지 1년이 지나면 신경말단위축, 근막비대가 발생하고 신경세포의 단백질 합성능력의 회복이 어려워진다. 시간이 지나 신경회복을 기대할 수 없는 경우에는 인접 정상근육을 이전하거나 피부를 이전하여 운동 및 감각 기능을 재건하는 것을 고려하여야 한다.

(3) 수술술기

신경재건을 위한 여러 방법 중 신경이식술(nerve graft)은 직접봉합이 불가능하거나, 또는 직접봉합 시 봉합부의 긴장(tension)이 심한 경우 자가신경(autologous nerve)을 이용하여 시행한다. 하지만 자가신경이식술은 신경채취를 위해 추가적인 절개선(extra surgical incision)이 필요하며 자가신경이 담당하던 기능이 소실된다는 단점이 있다. 따라서 신경간격이 작은 경우 신경이식술 대신 신경 축삭(axon)이 자랄 수 있는 유도체(guide)를 이식하는 방법을 사용할 수 있다. 주변의 반흔조직 등에 의한 구축이나 비정상조직에 의한 압박이 있는 경우 신경박리(neurolysis)를 시행하여 증상 호전을 기대할 수 있다. 다른 방법으로 신경전이술(nerve transfer)이 있다.

(4) 신경전이술

신경전이술은 손상된 신경의 근위부가 기능하지 못하는 경우 근위부에 다른 신경을 손상된 신경에 연결하여 신경의 기능을 회복시키는 방법이다. 이 방법은 신경봉합이나 신경이식술을 시행할 수 없을 때도 사용할 수 있다. 병변 부위가 너무 멀면 신경이식술 후 신경 축삭(axon)의 재생속도가 오래 걸려 운동종말판(motor endplate)이 퇴화되어 신경의 기능회복이 어렵다. 예를 들어 상완신경총(brachial plexus)손상 시 손까지의 거리가 너무 멀어 신경이식술로 좋은 결과를 기대하기 힘든 경우 등이 해당된다. 그 밖에 척수부위에서 신경결출(nerve avulsion), 신경조직 손상이 동반된 사지 외상, 신경이식을 하기에 시간이 너무 많이 경과한 경우, 신경 손상범위가 명확하지 않은 경우, 신경손상에 의한 기능손실이 명확한 경우 등에도 시행 할 수 있다.

신경전이술은 공여신경을 손상받은 신경의 원위절단단에 봉합하는 간접신경화(indirect neurotization)방법과 손상된 신경이 지배하는 근육 속이나 피부의 수용기 근처에 넣어주는 직접 신경화(direct neurotization)방법이 있다. 근위부 공여신경은 중요도가 적은 신경을 희생하고 주로 늑간신경(intercostal nerve), 횡격막신경(phrenic nerve), 척추 부신경(spinal accessory nerve), 경신경총(cervical plexus)의 운동신경 등이 사용된다. 신경이 연결된 후 뇌의 재교육 과정이 필요하다. 늑간 신경(intercostal nerve)을 근육피부신경(musculocutaneous nerve)으로 연결할 경우 늑간 신경이 팔꿈치 관절을 굽힐 수 있을 것인가에 대한 의문이 있을 수 있다. 따라서 이러한 수술은 청년기 이하에서 시행하는 것이 좋고 고령환자, 재교육 능력이 낮은 경우에는 시행하지 않는 것이 좋다. 신경전이술에 사용되는 공여신경(donor nerve)이 매우 제한되어 있기 때문에 여러 부위의 신경손상 시 모든 신경을 재생할 수는 없다. 손상된 신경들 중 가장 중요한 기능을 선택적으로 선택하고, 손상된 신경

의 길이가 짧아 회복까지의 시간이 비교적 짧은 것을 재생하는 것이 효과적인 방법이다.

4) 수술 후 치료와 결과

2차적 신경수술 후 운동은 앞에서 서술한 일반적인 신경봉합술 후 원칙과 같다. 수부의 장기간 고정은 반흔조직의 발생을 증가시키고 유착발생은 통증을 유발시킬 수도 있기 때문에 피하는 것이 좋다. 일반적으로 손가락의 능동운동(active exercise)은 수술 후 3주째부터 시작되며 수술 후 6주째까지는 손목을 과도하게 펴는(extensive extension) 자세는 피하는 것이 좋다. 3개월마다 근전도 검사, 신경 전도 속도 검사, 감각검사, 근육용량 및 근력을 측정한다. 만약 신경이 재생되는 소견이 없으면 6개월 내에 탐색술(exploration)을 다시 시행한다. 탐색술 결과 신경의 연결부위가 흉터 조직이나 신경종으로 차단된 것이 확인되면 이것을 절제하고 다시 연결한다. 흉터나 다른 원인에 의해 신경 재생 부위에 압박이 가해지고 신경재생이 방해 받고 있다면 속신경박리술(internal neurolysis)를 시행하고 재생 가능한 신경섬유다발을 찾아 다시 신경봉합술을 시행한다. 신경이식 방법으로 재건한 신경이 섬유화되어 있다면 섬유화된 부위를 절제하고 다시 신경이식술을 시행하거나 건전이술(tendon transfer)을 고려할 수 있다. 따라서 정기적이고 지속적으로 감각 신경과 운동 능력의 회복을 확인하여 적절하게 탐색술을 시행할 수 있도록 하는 것이 중요하다.

신경재건의 회복은 순수한 감각 신경, 운동 신경의 회복이 혼합신경(mixed nerve)의 회복보다 양호한 것으로 알려져 있다. 근위부에서 발생한 신경의 손상이나 손상된 지 1~2년이 경과된 경

우 예후가 좋지 않다. 2차적 재건을 시행하게 되는 경우 이전 수술 부위에 반흔이 많이 생겨 수술이 힘들고, 신경의 단순 봉합이 어려워 신경이식술 등의 방법이 사용될 가능성이 높다. 따라서 초기에 적절하게 시행된 1차 수술보다는 신경 회복의 결과가 좋지 않은 경우가 일반적이다.

3. 건전이술

1) 총론

신경손상 후 2~3년이 지나면 근육위축, 근섬유에 지방 침착, 근섬유의 섬유화가 진행되고 운동종판(motor endplate)의 비가역적인 변화가 일어난다. 이 경우 신경봉합술(neurorrhaphy)을 시행하더라도 손상된 신경의 회복을 기대하기가 어렵다. 근육 또는 건전이술(muscle, tendon transfer)은 특정한 근육이나 근육군의 기능이 영구적 소실된 경우, 주위의 정상 근육, 건을 기능이 소실된 근육으로 이동시켜 기능 재건을 시도하는 방법이다. 근육을 옮겨서 봉합되는 부분이 건성조직(tendon tissue)인 경우 건전이술이라고 부른다. 이러한 방법으로 상지와 수부근육 중 일부가 회복될 수 없게 손상되거나 마비되었을 때 남은 근육들을 이용하여 중요한 수부의 기능을 복원한다면 상지와 수부를 사용하는데 도움이 될 수 있다.

건 전이술은 얻으려는 한 가지 기능만을 생각해서는 좋은 결과를 얻기 힘들다. 환자의 상태와 수부의 기능을 종합적으로 평가하고 환자에게 반드시 필요한 기능이 무엇인지 검토해 보아야 한다. 그리고 마비된 근육이 어떤 것이며 그 근육의 길이, 운동양상, 난변성을 분석해야 한

다. 수용근육이나 건이 결정되면 공여부 근육에서 유사한 크기와 운동 양상을 가지는 것 중 수부기능의 소실이 적은 것을 선택하여 계획을 세우게 된다. 그러나 근육이나 건을 이동시키면 공여부에 기능적 결함이 남고, 이전된 근육이나 건의 힘은 약화되는 것이 일반적이다. 따라서 이러한 전이술은 손의 기능을 향상시키기 위한 것이지, 정상적인 손을 만들어 주는 것은 아니다.

2) 건전이술의 원칙

(1) 공여 근육, 건의 선택

건 전이술을 시행 전 술자는 마비되지 않은 근육이 어떤 게 있는지, 그 근육의 근력이 어떤지, 그리고 그 근육의 중요도를 정확히 알아야 공여부(donor) 근육을 결정할 수 있다. 공여부 근육은 몇 가지 조건이 요구된다. 공여근육이 없어도 기능의 소실이 많이 발생하지 않는 소모성 근육(expendable muscle)이어야 한다. 즉, 인접 부위에 비슷한 기능을 하는 다른 근육이 있거나, 그 근육의 기능이 원래 중요치 않은 근육이 좋다. 다음으로 새로운 위치에서 충분히 작용할 수 있을 적당한 근력, 충분한 근육의 진폭(amplitude), 그리고 이동거리(excursion)가 가능하여야 한다. 근육의 강도는 최대 단면적에 비례하고, 운동의 진폭은 근섬유의 길이에 비례한다는 점을 고려하면 근력과 진폭을 예측하는 데 도움이 된다. 마지막으로 건 전이술 후 새로운 위치에서 근육, 건의 기능을 위한 재교육의 필요성이 적어야 한다.

건전이술의 적절한 적용으로 정중신경(median nerve) 마비에서 고유시지신전건(extensor indicis proprius)를 이용한 대립성형술(opponensplasty), 요골신경(radial nerve) 마비에서 원형회

내근(pronator teres)을 단요측수근신전근(extensor carpi radialis brevis)에 전이, 척골신경(ulnar nerve) 마비에서 제4 수지 천수지굴곡근(flexor digitorum superficialis), 상완요골근(brachioradialis), 또는 장요측수근신전근(extensor carpi radialis longus)을 이용한 내전 성형술과 제4,5 수지의 갈퀴변형(claw hand deformity)의 교정 등이 있다.

(2) 수술시기

건 전이술을 시행하는 시기는 손상된 조직의 재생과정이 거의 완성되어 더 이상의 회복이 일어나지 않는 시점, 즉 반흔이 완성되는 시기(tissue equilibrium)여야 한다. 일반적으로 전이술은 충분히 지연시켜 시행하는 것이 좋다. 전이술의 결과는 성공하더라도 신경재생에 의한 회복에 비해 결과가 좋지 못하기 때문이다. 근육의 기능회복이 원위부로 진행하거나, 특정 근육의 근력이 향상되고 있는 경우, 그리고 감각이나 자율신경이 향상되고 있다면, 신경이 회복되고 있다는 증거가 될 수 있다. 만약 티넬징후가 원위부로 이동하고 있다면 신경의 재생이 원위부로 이동되고 있다는 증거이다. 전기적 검사는 임상적 소견에 비해 회복의 여부를 1~2개월 빨리 알아볼 수 있다. 기다리는 동안 회복되는 징후가 전혀 없고 더 이상 신경의 재생이 불가능한 것으로 판단되면 건 전이술을 시행할 수 있다.

(3) 수술술기

건 전이술을 시행하여 만족스러운 결과를 얻기 위해서는 몇 가지 조건이 필요하다. 우선 공여 근육(donor muscle)은 손상 받지 않은 정상 상태여야 하며 근육에는 하나의 기능만이 부여되어야 한다. 하나의 근육을 둘로 나누어 일부

는 팔꿈치의 굴곡건을 만들고 다른 일부로 팔꿈치 신전근을 만든다면 팔꿈치 관절은 굴곡도 신전도 할 수 없는 상태가 된다. 따라서 한 개의 건에는 하나의 기능만을 부여하여야 한다. 다음 중요한 조건은 유착의 방지이다. 옮겨진 근육이나 건은 마찰이 적고 유착이 잘 안되는 조직 속을 통과하여야 한다. 심한 흉터 조직이나 뼈 위로 바로 지나가게 되면 마찰과 유착을 피할 수 없게 된다. 이처럼 이전된 근육이나 건은 마찰이 적은 지방 조직이나 활액 막 속을 통과하도록 만들어야 한다. 인대나 건(tendon) 등을 이용하여 인공적으로 활차(pulley)를 만들게 되면 마찰이 심해지게 된다. 이처럼 이전된 근육이나 건은 도르래를 지나지 않는 것이 가장 좋기 때문에 견인선(line of pull)은 가능한 일직선이 되도록 한다. 봉합 방법은 근육이나 건의 봉합 시 사용되는 여러 방법이 모두 사용될 수 있지만 건 전이술에서는 건의 길이가 충분한 경우가 많기 때문에 고리봉합(loop suture)이 많이 시행된다. 이 방법은 이음새가 매우 강하여 수술 직후부터 능동적인 운동을 부분적으로 시행할 수 있기 때문에 술후 유착 방지에 도움이 된다.

3) 요골신경마비

요골신경 손상은 상완골 골절과 동반되어 나타나는 것이 가장 흔하다. 시작부위(origin) 부근에서 요골신경의 완전손상은 팔꿈치 관절의 신전소실, 손목이나 무지 및 손가락의 신전기능의 소실, 전완의 회외전(supination)과 무지의 외전(abduction)이 약화된다.

신경의 손상이나 신경봉합술 후 1~2년 이상이 경과되고 신경회복이 없다면 건 전이술을 이용한 재건을 생각해야 한다. 손목의 신전과 수

지의 신전 및 무지의 신전에 대한 재건이 필요하다. 손목의 신전을 위해 장요측수근신전근, 단요측수근신근, 또는 척측수근신전근(extensor carpi ulnaris) 중 순수한 손목신전근인 단요측수근신전근을 주로 재건하며 때로는 손목의 후방굴곡의 각도가 큰 장요측수근신전근을 재건하기도 한다. 손목신전을 위한 공여근으로는 원형회내근이 가장 많이 이용된다. 수지의 중수지관절 신전을 위한 총수지신전건(extensor digitorum communis)의 재건은 주로 요측수근굴곡근(flexor carpi radialis)이 많이 사용되고 있으며 사용이 불가능한 경우에는 천수지굴곡근, 위팔노근, 척측수근굴근 등을 사용한다. 무지의 신전 기능을 위한 장무지신전근(extensor pollicis longus)의 재건은 일반적으로는 고유시지신근이 가장 좋은 것으로 알려져 있으나 요골 신경 마비에서는 이 근육도 마비되기 때문에 흔히 장수장근(palmaris longus)을 사용한다.

4) 정중신경마비(그림 4-6-5)

정중신경은 손상 위치가 전방골간신경(anterior interosseous nerve)보다 근위부는 고위 정중신경손상, 원위부는 저위 정중신경손상으로 분류하고 신경 손상부위에 따라 근육의 마비 양상이 다르다. 저위 손상에서는 무지구의 내재근 중 정중신경의 지배를 받는 단무지외전근(abductor pollicis brevis), 무지대립근(opponens pollicis), 단무지굴곡근의 천두근(superficial head of flexor pollicis brevis)이 마비된다. 고위 손상에서는 저위손상의 근육과 원형회내근, 요측수근굴근, 천수지굴곡건, 인지 및 중지의 심수지굴곡건, 방형회내근(pronator quadratus)도 함께 마비된다.

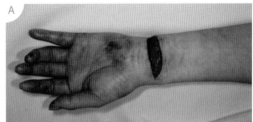
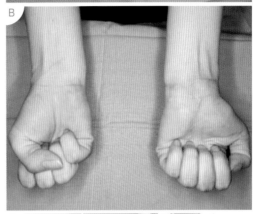
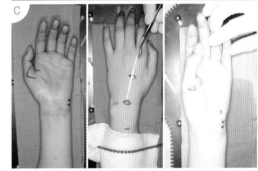
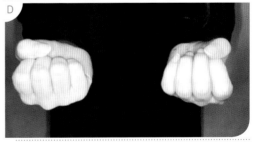

▷그림 4-6-5. 정중신경손상과 치료 및 재건. A. 좌 수근부 심부열상(정중신경 완전절단) B. 6 개월 후 좌측 무지 대립 불능 C. 고유시지신근을 이용한 무지대립성형술 D. 수술 후 2 개월째 무지 대립기능

환자들은 무지의 굴곡 및 대립(opposition)과 제2,3 수지의 굴곡기능의 재건이 필요하다. 사용

IV. 수부 및 사지

할 수 있는 공여근육은 요골신경이나 척골신경에 의해 지배받는 근육이다. 요골신경에 의해 지배되며 사용 가능한 근육은 위팔노근와 손목의 신전근인 장요측수근굴근, 단요측수근굴근 및 척측수근신전근(extensor carpi ulnaris), 그리고 수지의 고유 신전근인 고유시지신근와 소지신전건(extensor digiti minimi) 등이 있다. 이중 장요측수근신근은 손목의 신전에 가장 효율적인 근육으로 사용하지 않는 것이 좋다. 척골 신경에 의해 지배되며 사용가능한 근육은 척측수근굴근와 제4,5 수지의 심수지굴곡건 및 소지외전근(abductor digiti minimi)이 있다. 척측수근굴근는 손목의 굴곡에 중요하기 때문에 사용하기 어렵다. 4, 5수지의 심수지굴곡건 역시 사용하기 어렵지만 본래의 기능이 소실되지 않는다면 2,3 심수지굴곡건 측면 봉합을 시행하여 재건에 사용될 수 있다.

정중신경마비에서 소실된 무지의 대립기능은 대립근성형술(opponensplasty)로 재건한다. 대립근성형술은 다양한 방법으로 시행될 수 있다. 4수지의 천수지굴곡건을 이용한 무지대립성형술(Royle-Thompson), 고유시지신전건(extensor indicis proprius) 무지대립성형술, 소지외전근(abductor digiti minimi brevis) 무지대립성형술(huber), 장수장근(palmaris longus) 무지대립성형술(Camitz) 등이 있다.

5) 척골신경마비

척골 신경의 마비때는 척측 갈퀴 손 변형(ulnar claw hand deformity), Froment sign, 횡 중수 궁(transverse metacarpal arch) 소실, Wartenberg sign 등이 나타나게 된다. 척골 신경의 마비는 크게 상위 마비와 하위 마비로 구분된다. 전완 근위부에서 척측수근굴근(flexor carpi unlaris)과 제4, 5 심수지굴곡건으로 가는 신경 분지가 나오는데 이를 기준으로 이 부위 근위부 마비는 상위마비, 원위부 마비는 하위 마비라고 한다. 척골 신경은 손에서 소지구근(hypothenar muscles), 모든 골간근(interossei), 척측충양근(ulnar lumbricalis), 무지내전근(adductor pollicis) 그리고 단무지굴곡근(flexor pollicis brevis)의 심부를 지배하고, 소지와 환지의 척측 감각을 담당하기 때문에 하위 마비 시에는 이 근육들의 기능 마비와 감각의 소실이 생기게 된다.

척골신경 마비 시 무지의 내전 기능과 환지와 소지의 굴신 운동 조화를 위한 골간근의 기능재건이 필요하다. 환지와 소지의 원위지간 관절의 굴곡이 불가능한 상위 마비에서는 이에 대한 재건도 고려되어야 한다. 무지 내전의 재건을 위해서는 내전근 성형술(adductoplasty)이 시행된다. 시지신전건(extensor indicis), 소지신전건(extensor digiti minimi), 단무지신전근(extensor pollicis brevis), 단요측수근신전근(extensor carpi radialis brevis), 상완요골근(brachioradialis) 등이 이용될 수 있으나, 이 중 고유시지신전건(extensor indicis proprius) 이전술이 술기가 간편하여 가장 많이 사용된다. 하지만 회내력(pronation)이 약하다는 단점이 있다. 갈퀴손(claw hand deformity)을 교정하기 위해서는 천수지굴곡건(stiles-Bunnell), 장요측수근신전근(brand), 시지신전건(extensor indicis), 소지신전건(extensor digiti minimi)이 이용될 수 있다.

척골신경이나 정중신경이 마비되더라도 마비되는 근육의 양상에 차이가 생기는데 이는 척골 및 정중신경 사이에 비정상적인 다양한 교통이 있는 것으로 설명되고 있다. 그 중 대표적인 것이

전완부에서 나타나는 마틴-그루버 교통(Martin-Gruber communication)으로 약 15%에서 발견되는 것으로 보고되고 있다. 이것은 전완의 근위부에서 전방 골간신경의 운동 분지가 척골 신경과 교통되는 것으로 척골 신경이 마비되더라도 환자는 환지와 소지의 능동적인 원위 지간 관절 굴곡이 가능하다. 손바닥 부위에서는 리치-카니우 교통(Riche-Cannieu communication)이 발견될 수 있다. 이것은 정중신경의 회귀분지(recurrent branch of median nerve)와 척골 신경의 깊은 분지(deep branch of ulnar nerve) 사이에서 생기는 교통이다. 이 교통 때문에 척골 신경의 완전 마비에도 수지 내재근의 일부 기능이 가능하고 정중신경의 마비 시 무지굴곡건도 같은 현상이 나타난다.

References

1. Neligan, Peter. Plastic Surgery. London: Elsevier Saunders, 2013

2. 강진성, 말초신경 봉합술 및 신경이식술, 성형외과학, 3th ed. 서울: 군자출판사; 337-360, 2004

3. Wolfe SW, Hotchkiss RN, Pederson WC, Kozin SH, Nerve repair. In: Rolfe Birch, editor. Green's Operative Hand Surgery. 6thed, Philadelphia: Churchill Livingstone; 1051-1074, 2010

4. 정문상, 백구현, 손외과학. 770-779, 2005

5. Brand PW. Tendon transfer for median and ulnar nerve paralysis. OtrhopClin North Am, 1:447-454, 1970

6. Tung TH, Mackinnon SE. Nerve transfers: indications, techniques, and outcomes. J Hand Surg Am. 2010;35:332–341.

7. Ray WZ, Mackinnon SE. Management of nerve gaps: autografts, allografts, nerve transfers, and end-to-side neurorrhaphy. Exp Neurol. 2010;223:77–85.

8. Mackinnon SE, Novak CB. Nerve transfers. Hand Clin. 2008;24:319–490

9. Steindler A. Tendon transplantation in the upper extremity. Am J Surg. 1939;44:260

10. Omer JE. The technique and timing of tendon transfers. OrthopClin North Am. 1974;4:243.

11. Ozkan T, Ozer K, Gulgonen A. Three tendon transfer methods in reconstruction of ulnar nerve palsy. J Hand Surg Am. 2003;28:34–43.

12. Hastings 2nd H, Davidson S. Tendon transfers for ulnar nerve palsy. Evaluation of results and practical treatment considerations. Hand Clin. 1988;4:167–178.

13. Curtis RM. Opposition of the thumb. OrthopClin North Am. 1974;5:305–321.

14. Tsuge K, Hashizume C. Reconstruction of opposition in the paralyzed thumb. In: McDowell F, Enna CD, eds. Surgical rehabilitation in leprosy. Baltimore: Williams & Wilkins; 1974:185–199.

15. Schwarz RJ, Macdonald M. Assessment of results of opponensplasty. J Hand Surg Br. 2003;28:593–596.

16. Brand PW. Tendon transfers for median and ulnar nerve paralysis. OrthopClin North Am. 1970;1:447–454.

17. DeFranco MJ, Lawton JN. Radial nerve injuries associated with humeral fractures. J Hand Surg Am. 2006;31:655–663.

18. Campbell WW. Evaluation and management of peripheral nerve injury. ClinNeurophysiol. 2008;119:1951–1965.

19. Dahlin LB. Techniques of peripheral nerve repair. Scand J Surg. 2008;97:310–316.

20. Birch R. Nerve repair. In: Green H, Pederson RN, Wolfe WC, eds. Green's operative Hand Surgery, vol 1. Philadelphia: Elsevier; 2005:1075–1112

21. Birch R. Nerve repair. In: Green H, Pederson RN, Wolfe WC, eds. Green's operative Hand Surgery, vol 1. Philadelphia: Elsevier; 2005:1075–1112

IV. 수부 및 사지

재접합술
Replantation

황종익 · 노시영 두손병원 · 광명성애병원

7

1968년 Komatasu와 Tamai는 수술 현미경을 이용하여 절단된 무지 재접합을 성공하고 최초로 보고하였다. 이후 미세현미경술의 술기, 기구, 재료, 의료진의 교육의 혁신적인 발달로 최근 절단된 수지의 재접합술은 괄목할 만한 수술 성공률을 보이고 있다.

일반적으로 손목의 근위부에서는 근육을 포함하고 있어 6시간 이하로 짧은 편이고, 손가락에서는 12시간 정도까지 시도해 볼 수 있다. 반면 cold ischemic time은 24시간까지 재접합술을 시도해 볼 수 있고 보관상태에 따라 그 이상까지도 가능하다.

1. 적응증과 금기증

모든 절단된 사지의 재접합을 고려하기 위해서는 적응증과 금기증에 대한 이해가 필요하다. 그 적응증 범위가 차츰 넓어지고 있지만 무지 절단, 다발성 수지 절단, 수부 불완전 절단, 소아 절단, 손목과 전완부 절단, 압궤가 심하진 않은 상완부 절단은 재접합술을 반드시 고려해야 한다.

한편 압궤상이 심한 절단, 절단면이 다발성, 환자의 상태가 재접합술을 시행하지 못할 정도의 전신상태, 정신적 협조가 되지 않거나, 심한 혈관질환이 있는 경우와 warm ischemic time이 긴 경우는 수술의 금기증이 된다. 고령의 환자에서 재접합술의 경우 관절 강직과 기저질환에 의한 혈관 변성에 의해 성공률이 떨어지지만, 부적응으로 볼 수는 없다. Warm ischemic time은

2. 절단 수지의 보관과 이송

절단된 사지는 수술이 지체가 되는 상황의 경우 그 보관과 운송의 방법이 수술 결과에 영향

▷그림 4-7-1. **절단된 수지의 보관방법** A. 수지를 깨끗이 씻어 젖은 거즈에 싼다. B. 이것을 비닐이나 플라스틱 용기에 밀봉하고, C. 얼음을 담은 물그릇에 보관한다.

을 미치게 된다. 먼저 절단된 사지를 생리식염수나 깨끗한 물로 씻고 생리식염수나 링거액에 적셔서 싼 다음 용기에 넣어 밀봉한다. 이를 섭씨 4°의 얼음물에 다시 담가 온도를 낮춘다. 이때 절단 사지가 얼음에 직접 닿지 않도록 하여 한냉 손상이 발생하지 않도록 해야 한다. 절단된 근위부는 급성 출혈이 멈출 정도로만 압박하여 환자를 이송하도록 해야 한다(그림 4-7-1).

3. 수술 술기

수술은 pneumatic tourniquet(지혈대)하에서 이루어지는데, 지혈시간이 1시간 30분이 넘지 않는 것이 좋으며, 만약 넘게 되면 지혈대를 풀어 혈류를 수십 분간 통하게 한 후 다시 수술을 진행해야 한다. 재접합술은 먼저 변연절제술, 내고정술을 시행한다. 이어서 수장부의 구조인 굴곡건 봉합술, 동맥문합술, 신경문합술을 시행한 후 수배부 구조인 신전건 봉합술, 정맥문합술, 창상 봉합의 순서로 시행하게 된다. 하지만, 술자에 따라서 수배부와 수장부의 순서를 바꾸기도 한다.

1) 변연절제술

절단된 사지와 절단면 및 절단 근위부의 평가와 함께 이물질의 제거를 시행하는 술기이다. 이때는 양측 절개 또는 Bruner zig-zag 절개선을 넣어서 시야를 확보한다.

Loupe 확대경 또는 현미경의 확대에서 시행하는 것이 좋으며, 오염이 있는 모든 조직을 제거하게 된다. 특히 뼈의 일부를 절제할 때는 일부를 잘라내어 골고정을 시행할 때 골과 골의 접촉이

되도록 한다. 이는 건, 혈관, 신경의 문합을 시행할 때 긴장을 줄이는 효과도 있다. 이때 기본적인 박리를 시행하여 혈관과 신경의 손상을 파악하도록 한다. 수술시간을 줄이기 위해 혈관과 신경에 인식표를 달아 놓기도 한다.

2) 내고정술

재접합시 시행하는 골 고정은 안정적 정복이 되어야 한다. 이는 골절의 빠른 유합을 이루어 조기 창상 회복과 재활에도 중요한 역할을 한다.

골절 정복 시간은 가능한 줄여서 절단부 허혈시간이 적게 되도록 하여야 하고 정복 고정물이 이후 수술에 방해가 되지 않도록 하여야 한다.

골절부가 심하게 복합되었거나 주변 조직이 심한 손상을 입은 경우 수지단축술을 고려할 수 있다. 이는 혈관, 신경, 건 및 피부 등의 연조직이 여유가 있게 하여 추가적인 이식술을 피할 수 있도록 한다.

손가락의 뼈는 철선, K-강선, screw 또는 금속판고정(mini-plate와 screw)을 이용하여 고정이 가능하나, 수술시간을 줄이기 위해 K-wire (Kirschner wire)를 주로 이용하나, 골절편을 단

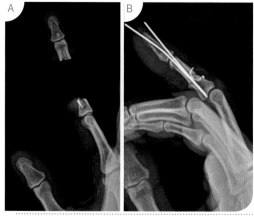

▷그림 4-7-2. **방사선 사진 A. 수술 전. B. 수술 후**

단하게 고정하기 어렵고, 관절을 고정하는 경우가 많아 빠른 재활이 어려운 경우가 많다. 금속판 고정 시에는 그 자체의 부피로 인해 피부봉합이 어려울 수도 있고, 골절정복 후 조정이 어렵고 부정유합의 가능성이 높다. 정복 시 골막은 최소한의 박리를 시행하여 골절의 유합이 잘 되도록 한다. 절단이 관절면에 가까운 경우는 관절유합술을 시행할 수도 있다(그림 4-7-2).

3) 굴곡건 봉합술

다양한 굴곡건의 문합 방법과 봉합사의 적용이 가능하다. 술자에 익숙한 문합 방법과 적절한 중심봉합사(core suture)의 수가 있지만, 재접합 이후 시행하는 재활운동을 견디기 위해서는 봉합사가 굴곡건의 중심을 4회 이상 지나가는 것이 권장되고 추가적으로 주위봉합(peripheral running suture)을 시행하는 것이 좋다.

근위지관절 근위부에서 절단된 경우는 필요에 따라서 심굴곡건만을 봉합하기도 한다(그림 4-7-3). 수술을 위해 열었던 활차는 봉합하는 것이 좋다.

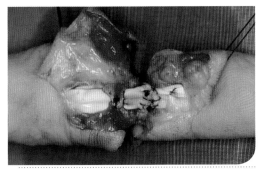

▷그림 4-7-3. 중심 봉합과 주위 봉합 후 활차를 봉합.
(Nelgan vol 6, 189p 성형외과책)

4) 동맥문합

수지 재접합에서 가능하다면 2개의 동맥 모두를 문합해야 한다. 혈관의 상태는 수술의 결과에 중요한 영향을 미치므로, 혈관내막의 손상 여부를 현미경하에 확인하여야 한다. 동맥 혈관이 corkscrew의 형태를 보이는 Ribbon sign이 있는 경우 제거하지 않고 그대로 문합하면 추후 혈관이 막히게 될 수 있다. 또한 혈전이 있거나(그림 4-7-4), 혈관 손상이 있어 직접 문합이 불가능한 경우는 상지 또는 하지에서 정맥을 채취하여 결손부를 보충하고 혈관 문합을 실시한다. 이때 혈관의 굵기에 따라 nylon 10-0 또는 nylon 9-0 봉합사를 이용하는데 혈관의 adventitia가 혈관 내로 들어가지 않게 하여 혈전의 원인이 되지 않도록 하여 한다. 시술 중 발생하는 혈전을 예방하기 위해 heparin 용액을 분사한다. 또한, 혈관 연축(spasm)을 예방하기 위해 lidocaine을 뿌려준다.

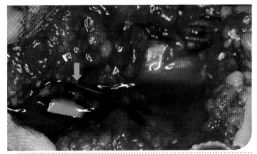

▷그림 4-7-4. 다른 환자에서 발생한 혈전, 화살표는 common digital artery에 발생한 혈전

5) 신경문합

신경문합은 가능하면 신경속(fascisle)의 형태가 온전한 신경속들끼리 문합을 시행하도록 한다. 재접합한 수지 감각은 상태는 재활에 영향을 미치세 된다. 신경손상부를 절제하고 신경 단

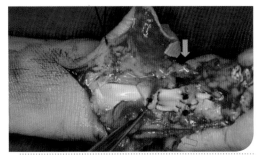
▷그림 4-7-5. 화살표는 양측에서 신경 및 동맥문합

면의 fascicular 양상을 양측에서 확인하여 긴장이 없도록 봉합한다(그림 4-7-5). 신경결손이 있어 단순 봉합이 어려운 경우에는 신경이식술 또는 nerve conduit method (Synthetic tube, 동맥, 정맥)를 사용할 수 있다.

6) 신전건 봉합술

신전건 위치가 골에 가까워 정맥문합전에 신전건 문합을 시행한다(그림 4-7-6). 신전건 봉합은 오염이 심한 부위를 잘라내고 시행하는데, 굴곡건 봉합에 비해 가해지는 힘이 적으므로 중심봉합 수를 적게 하거나 주위봉합(peripheral running suture)만 단독으로 시행하기도 한다.

7) 정맥문합

가능하면 수장부와 수배부 정맥을 모두 문합하는 것이 좋다. 최소 2개 이상의 정맥을 문합하여 울혈을 예방하여야 한다. 정맥은 동맥처럼 일정한 주행경로를 갖지는 않으나, 양측의 출혈의 흔적이 주변을 관찰하여 찾거나, 피부절개를 하여 찾도록 한다. 수장부 정맥은 수배부 정맥에 비해 직경이 작지만 부종에 더 잘 견딘다. 정맥 혈관은 절단부 피하지방층에서 찾은 뒤 거울이미지를 이용하면 상대측 절단면에서 연결할 정맥을 찾을 수 있다. 정맥은 동맥에 비해 탄력이

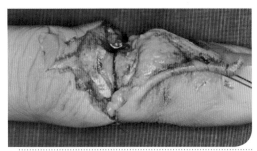
▷그림 4-7-6. 신전건 봉합 전

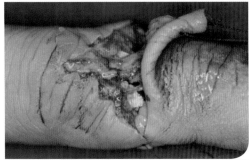
▷그림 4-7-7. 정맥 문합 후

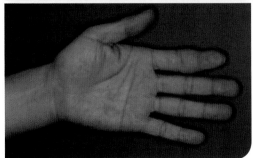
▷그림 4-7-8. 수술 후 2년 경과 사진

▷그림 4-7-9. **실혈요법**

▷그림 4-7-10. **의료용 거머리**

적어 문합하기 어려우나 문합부에 장력(tension)이 가해지지 않도록 봉합한다(그림 4-7-7). 정맥을 찾지 못하거나, 수지첨부와 같이 정맥문합이 불가능한 경우에는 인위적으로 혈액을 배출시키거나, 의료용 거머리(hirudo medicinalis)를 사용하는 실혈요법(salvage procedure)을 시행할 수도 있다. 의료용 거머리는 hirudine이라 불리는 complex protein anticogulant을 분비하여 항응고 작용을 하지만, 감염의 위험이 있어 예방적 항생제의 처방이 필요하다. 또한 실혈이 지속되는 경우, 혈색소 수치의 추적 관찰이 필요하다.

8) 피부 봉합

피부봉합법은 일반적 봉합과 같은 방법으로 시행하나, 수술 후 부종에 의해 동맥 및 정맥 문합부에 압박이 가해지면, 혈류 장애를 일으킬 수 있으므로 가능한 느슨하게 봉합하도록 한다.

피부봉합으로 압박이 우려되는 경우에는 일부를 봉합하지 않거나, 피부이식 또는 z-plasty 등을 시행할 수 있다.

9) 그 밖에 요소들

(1) 소아

소아는 모든 구조물들이 작아 수술이 상대적으로 어렵지만 성인에 비해 감각회복과 수지 기능 회복이 우수하다. 심한 압궤상이 있는 재접합은 성장을 예측하기 어렵지만, 환아가 적응을 하므로 적극적으로 시도하도록 한다.

(2) 손가락 외 상지절단

손목 근위부에서 상지절단은 높은 에너지에 의해 발생하고 다발성 손상을 동반하여 생명을 위태롭게 하는 경우가 많아 주의를 요한다. 재접합 여부는 절단의 위치, 허혈 시간, 환자의 연령, 재접합 의지 등을 신중하게 고려해야 한다. 술후 oxidized free radical이 발생으로 인한 전신 대사 변화, 폐혈증, 근육 융해(rhabdomyolysis), 신부전이 발생할 수 있다. 기능적 결과는 musculo-tendinous unit 상태와 연부조직의 재건, 감각회복에 달려 있다.

(3) 손가락 첨부 절단

손가락 원위지관절의 원위부에서 재접합술은 혈관과 신경의 크기가 작아 문합이 어렵다. 재접합이 시도되기 전에는 단단성형술, 국소피판술, 수지교차 피판술 등으로 치료하여 왔다. 골고정은 K-강선 고정하고, 동맥 문합, 신경 문합, 정맥 문합 순으로 시행한다. 이때 동맥은 손가락 척측과 요측에서 올라와 중앙에서 궁형(arch)을 원위지골 아래 만들게 된다. 정맥 문합을 못하는 경우는 실혈요법을 시행하거나 의료용 거머리를 5~7일 내외로 사용하여 울혈이 생기지 않도록 한다. 과도한 실혈요법은 수혈이 필요할 수도 있다. 첨부의 재접합 성공하면 수지의 미용적, 심리적, 기능적으로 우수하므로 적극적으로 시도하여야 한다.

(4) 항응고제

재접합술 후 발생하는 혈전형성은 초기 합병증 중 가장 위험하다. 혈관에서 혈전의 발생은 늦은 혈류속도에 기인한다. 혈전 발생을 예방하기 위해 asprin, intraveonous heparin, dextran, prostaglandin derivatives(유도체) 등의 anti-platelet와 antithrombotic agent 등을 사용할 수 있다.

(5) 흡연

흡연은 미세혈류 장애의 발생 원인으로 잘 알려져 있다. 흡연군에서 성공률이 61%, 비흡연군에서 96%의 성공률을 보인다는 연구도 있다.

반면, 흡연력이 생존률 자체에는 영향이 없지만, 접합수술의 결과에는 좋지 않은 영향을 준다는 보고도 있다.

(6) 모니터링(Monitoring)

수술 후 수일간은 면밀하게 재접합한 수지의 혈류 상태를 관찰하여야 한다. 손가락의 끝이나 손톱을 눌러보아서 말초혈관의 재충만 시간(refilling time)을 측정하거나, 혈류를 감시하는 체온감지장치, 레이저 초음파 혈류감식, 경피 산소분압 측정기를 등을 이용하여 문합한 혈관의 수축이나 혈전의 발생여부를 감시하여야 한다. 하지만, 가장 중요한 방법은 숙련된 인력에 의한 빈번한 모니터링이다.

(7) 물리치료

초기 능동 운동은 제한된 상태에서 재접합술 후 7~10일 사이에 시작할 수 있다. 이는 재접합한 손가락과 그 이웃한 손상이 없는 손가락에 강직 예방에 중요하다. 골 유합과 건 봉합이 안정된 정도를 주기적으로 관찰하고, 환자가 통증을 느끼는 정도에 따라 강한 능동 및 수동적 운동을 점진적으로 시행을 한다. 물리치료 전 마사지와 온열요법 통해 부종의 완화시키고, 상처조직을 부드럽게 하도록 한다. 물리치료는 2차 수술이 필요한 경우 그 시기, 방법, 결과에 중요한 영향을 미치게 된다. 전 과정은 수술 전 상태, 수술의 방법, 현재의 상태에 대해 정확히 알고 있는 시술자의 감독하에 시행하여야 좋은 결과를 얻을 수 있다

(8) 그 밖에 온열요법, 고압산소 요법 등을 추가적으로 시행할 수도 있다.

고압산소 요법이 재접합술의 성공률을 높인다는 동물실험 발표도 있다.

References

1. Komatsu S, Tamai S: Successful replantation of a completely cut-off thumb: case report. Plast Reconstr Surg 1968;42:374–77

2. Roni B. Prucz, Jeffrey B. Friedrich: upper extremity replantation: current concepts Plast Reconstr Surg 2014;Vol 133,No 2;333—42

3. Lin CH, Aydyn N, Lin YT, et al: Hand and finger replantation after protracted ischemia (more than 24 hours). Ann Plast Surg 2010;64:286–90

4. Van Beek, A.L., Kutz, J.E., and Zook, E.G. Importance of the ribbon sign, indicating unsuitablilty of the vessel,in replanting a finger. Plast Reconstr Surg. 1978 Vol.61,No1 32-5

5. Hanasono MM, Butler CE. Prevention and treatment of thrombosis in microvascular surgery. J Reconstr Microsurg. 2008;24:305–314.

6. G. Mattiassich, F. Rittenschober, L. Dorninger, J. Rois, R. Mittermayr, R. Ortmaier, M. Ponschab,,K. Katzensteiner,L. Larcher Long-term outcome following upper extremity replantation after major traumatic amputation BMC Musculoskeletal Disorders (2017) 18:77

7. Deok Hyeon Ryu, Si Young Roh, Jin Soo Kim, Dong Chul Lee, Kyung Jin Lee Multiple venous anastomoses decrease the need for intensive postoperative management in tamai zone I replantations Arch Plast Surg 2018;45:58-61

8. Waikakul S, Sakkarnkosol S, Vanadurongwan V, Un-nanuntana A. Results of 1018 digital replantations in 552 patients. Injury 2000;31:33–40.

9. Li J, Guo Z, Zhu Q, et al. Fingertip replantation: Determinants of survival. Plast Reconstr Surg. 2008;122:833–39.

10. H.I.F.Friedman, M.Fizmaurice, J.F. Lefaivre, T.Vecchiolla, D. Clarke An Evidence-based Appraisal of the use of Hyperbaric oxygen on flaps and grafts Plast Reconstr Surg. 2006;Vol.117,No.7S: 175–90.

IV. 수부 및 사지

8

무지 재건
Thumb Reconstruction

이내호 전북의대

절단된 수지를 재접합하는 것은 이제 보편적인 수술로 되었으며, 특히 무지(thumb)의 경우 재접합술로 원래 기능과 형태의 많은 부분을 회복시킬 수 있기 때문에 반드시 재접합술(replantation)을 시행하여야 한다. 무지는 수부 전체 기능의 약 40~50%를 차지하며 무지가 없는 경우 심각한 수부기능의 손실뿐만 아니라 경제적인 활동과 정신적인 어려움도 상당하기 때문에 만일 재접합이 불가능하다면 아주 유사한 조직을 이용하여 거의 비슷한 형태나 기능을 회복시켜주는 것이 중요하다.

무지 전체가 없는 경우 물건을 잡거나 미세한 작업 등을 할 수 없어 기능상실이 심하기 때문에 무지 재건의 목표는 강하고 안정적이며 감각이 있고 운동 가능한 충분한 길이의 이상적인 모양을 가진 무지를 재건하여 물건을 쥐고(grasping) 조작할 수 있게(pinching) 하는 데 있다.

1. 무지의 재건방법(Methods for thumb reconstruction)

무지의 재건 방법에는 골연장술에 의한 무지재건술(thumb reconstruction by lengthening), 지양단단형성술(phalangization), 무지형성술(pollicization), 골성형재건술(osteoplastic reconstruction), 발가락전이술(toe transfer), wraparound법 등이 있다.

재건방법의 선택에 있어서는 무지의 절단 위치, 수부의 동반된 손상이나 기형, 공여족지와 정상적인 반대손가락 간의 크기 차이, 환자의 기능적 요구, 환자의 선호 등이며 그 외 환자의 나이, 직업, 우선수부, 수술동기, 남아 있는 수지의 수와 기능, 혈관의 상태 등을 살펴보아야 한다.

2. 골연장술에 의한 무지재건술 (Thumb reconstruction by lengthening)

무지 길이 재건의 방법으로는 역사적으로 Nicoladoni가 19세기 말에 처음으로 시도한 바가 있으며, 20세기 초에 Noesske, 1950년에 Gillies 등에 의해 골이식에 의한 연장술이 시행되었다. Matev에 의하면 상기 방법으로 연장하기 위해 이식된 골은 5~8년이 지나면 흡수되어 30~60%의 길이를 소실한다는 문제가 있다고 한다. Matev는 이식골의 혈행이 난극성(monopolar)으로 공급되기 때문에 이식골의 용해가 일어난다고 보았으며, 이를 방지하기 위해서는 양극성(bipolar) 혈행 공급이 되어야 한다고 주장하고 절골술 후 골을 양측으로 신연시키고 개재성(intercalary) 골이식을 함으로써 이식골의 소실을 막을 수 있다는 것을 입증해보였다.

1967년 Matev는 Wagner의 하지 상골(long bone) 연장술의 방법을 수부에 적용하여 처음으로 무지의 신연 연장술(thumb distraction-lengthening) 3례를 보고하였는데 무지 중수지골 간부를 절골술 후 5 mm 이격한 채 1주일간 휴지기(latency)를 보낸 후 하루 1 mm씩 점진적인 신연을 하여 신생 골 형성에 의한 결손부의 골재건에 성공하였다. 그 이후에 Ilizarov에 의해 개발된 가골신연술(callotasis)이 적용되면서 수기의 많은 발전이 있었다.

1) 적응증

무지의 골결손이 있는 경우에 적용된다.

(1) 외상 후 무지결손(Posttraumatic thumb loss)

Matev는 무지의 어느 부위의 절단에서든 가능하기는 하지만 무지 중수지관절부근의 절단이 신연연장술의 가정 좋은 적응증이라고 하였다. 그러나 좋은 결과를 얻기 위해서는 다음과 같은 전제조건이 충족되어야 한다.

① 적어도 무지 중수지골 간부의 2/3 또는 엄지 중수지골의 70%의 길이가 남아 있어야 한다.

② 절단단(stump)은 적절한 연부조직으로 피복이 되어 있어야 하고 최소한의 보호 감각(protective sensation)이 있어야 한다.

③ 제1 수근 중수지 관절의 운동성과 안정성

이 있어야 한다.

④ 무지구군(thumb muscle)과 내전근(adductor pollicis)이 기능적이어야 한다.

⑤ 절단단(stump tip)은 반흔이나 구축이 없어야 한다. 만일 단단이 반흔으로 덮여있고 제1 지간(1st web space)이 구축(contracture)되어 있다면 먼저 풀어주고 피복(release and resurfacing)하는 것이 필요하다.

(2) 선천성 무지 저형성증 (Congenital hypoplasia of the thumb)

적어도 무지의 장관골 3개 중 2개는 있어야 하고 비골(fibula)나 족지골(toe phalanx)이 먼저 이식되어 있어야 한다. 골이식 후 최소한 1~2년이 지나야 신연연장술을 시행할 수 있다. 술 후 기능적 재건을 위해서 지간 완해술(web deepening), 건 전이술(tendon transfer), 대립성형술(opponensplasty) 등이 필요할 수 있다.

2) 신연방법

무지의 골연장의 방법에는 다음 3가지가 있다.

(1) 일회적 연장(One stage lengthening technique)

중수지골을 절골하고 바로 골이식을 한 후 핀이나 판으로 고정하는 방법이다. 최대 1.5 cm까지의 연장이 가능하다. 주로 선천성 중수골 단축증(congenital brachymetacarpia)에서 적용된다.

(2) 이단계 연장술(Staged lengthening technique)

Wagner의 방식과 같은 것으로서 절골술 후 환형(circular) 또는 단축형(unilateral) 연장기를 고정한 후 하루 1~2 mm씩 신연시킨다. Wagner

는 연장에 대한 저항을 없애기 위해서 골막을 완전히 절개해야 한다고 하였다.

연장이 끝나면 2차수술로서 개재적 골이식술(intercalary bone graft)을 시행한다. 골유합이 완전히 되면 금속 내고정물을 제거하는 3차수술이 필요하다.

이 방법으로 연장 시 통증(pain)과 연부조직의 관용(tolerance)의 제한으로 인해 연장속도를 늦춰야 하는 경우가 흔하다. 외고정기구의 착용기간이 짧아서 핀으로 인한 문제가 적다는 장점이 있지만, 통증, 감염, 여러 번의 수술, 이식골 흡수, 외고정기구의 실패, 연부조직 괴사, 관절의 아탈구 및 구축 등의 합병증이 많아서 지금은 잘 쓰이지 않는다.

(3) 가골신연술(Callotasis)

가골신연술이란 절골술 후 생기는 치유과정의 골절 가골(fracture callus)을 신연(distraction)시켜서 'tension-stress principle'에 의하여 신연부에 새로운 뼈를 유도하는 방법이다(그림 4-8-1). 이 방법은 이단계 연장술에 비해 합병증이 적고, 한 번의 수술로써 골연장이 가능하고 주위 연부조직이 쉽게 연장술에 적응되어 연부조직의 생존을 가능케 하면서도 더 많이 연장할 수 있는 장점이 있다.

3. 지양단단형성술 (Phalangization)

여러 개의 수지가 절단되었을 때, 수지 길이가 몹시 짧아져서 수지로서의 기능을 하지 못하는 경우에 중수골(metacarpal bone) 사이를 분리하여 수지의 길이를 연장함으로써 움켜잡기(grasp), 집기(pinching) 등 지골(phalanx)이 해야 할 기능을 중수골로 하여금 대행하도록 하는 것이다.

수술방법 중 가장 단순한 방법은 무지와 제2수지 사이를 깊게 하고 제1 중수골의 가동범위를 넓게 하여 물건을 잡거나 집을 수 있도록 해주는 것이다(그림 4-8-2). 두 수지 사이를 깊게 하기 위해서는 Z- 성형술이나 합지중 수술방법을 이용한다. 수배부 피판 또는 수장부 피판을 두 수지 사이로 만들어 피판의 공여부는 전층식 피술로 덮어준다.

중수지관절부에서 절단되어 양질의 피부가 무지 절단면을 덮고 있다면, 실제 길이를 연장시키거나 제1 수지간을 깊게 만들어 줌으로써 길이가 길어 보이게 하는 것이므로 지양단단형성술은 cocked hat방식과 함께 시행하는 경우가 많다.

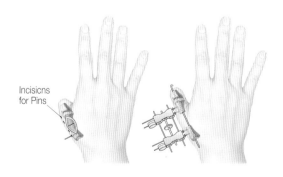

Incisions for Pins

▷그림 4-8-1. **골연장술에 의한 무지재건**

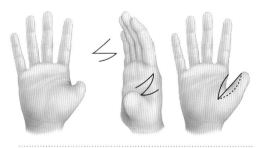

▷그림 4-8-2. **골지양단단형성술을 이용한 무지재건**

4. 무지성형술(Pollicization)

무지 결손의 재건 방법은 그 원인이 선천성 기형인지 또는 외상인지에 따라 달라질 수 있다. 선천성 무지 저형성증(congenital hypoplasia of the thumb)의 경우, 무지에 대한 대뇌 피질의 지각영역(sensory cerebral cortex)도 덜 발달된 경우가 많다.

즉, 무지 저형성증이 심하여 아예 무지가 없거나 있더라도 저형성이 심하면 해당 대뇌 피질의 지각 영역도 없거나 미발달된다고 한다. 선청성 무지 저형성증이 심한 경우에는 환자의 인지(index finger)가 내전(pronation)되고 인지와 중지 사이의 지간 공간이 다소 넓어져서 이 두 손가락으로 불완전한 pinch를 하게 된다. 이 경우에는 인지의 무지성형술(pollicization)이 필요하다(그림 4-8-3).

만일 발가락 이식술이나 골성형재건술 등의 방법으로 무지를 재건하면 수술 후에도 환자는 무지와 인지 사이가 아닌 인지와 중지 사이로 pinch를 하게 된다. 왜냐하면 대뇌 피질에 새로 형성된 무지에 대한 지각이 없기 때문이다.

한편, 외상에 의한 무지 결손의 경우에는 무지에 대한 대뇌 피질의 지각 영역이 정상이므로 여하한 방법의 무지 재건술도 효과적일 수 있다. 외상에 의한 무지 및 다른 수지의 절단에서 무지 등의 재접합술이 불가능한 경우 비교적 절단단(stump)이 긴 수지를 무지성형술한 보고가 있다. 그러나 외상성 무지 절단의 경우, 무지성형술이 흔히 사용되지는 않는다.

무지를 재건하기 위해 인접해 있는 수지를 사용하는 방법으로 제2 수지에서 제5 수지까지 모두 무지화가 가능하나, 신경, 혈관, 건의 교차가 없고, 넓은 수지간이 재건되며, 외형상으로도 우수하여 제2 수지인 인지가 보편적으로 이용된다.

무지성형술은 무지의 중수지관절 상방에서 절단된 경우 재접합술이 불가능하며, 특히 나머지 네 개의 수지가 남아 있는 경우에 좋은 적응증이 된다. 무지성형술은 수술시간이 짧고 안전하며 회복기간이 짧은 장점이 있다.

골성형재건술에 비해서는 혈행과 감각이 우수하고, 운동성이 좋으며, 한 번의 수술로 끝난다는 장점이 있으나, 한 개의 정상 수지를 잃게 되고, 수장부의 폭이 좁아지며, 무지의 모양이 좋지 않고, 운동과 힘쓰기에 제한이 있다는 점 등이 발가락전이술에 비해 단점이다.

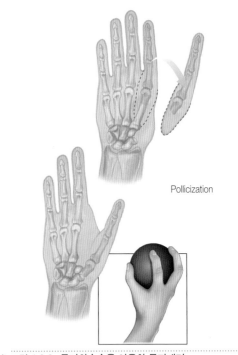

Pollicization

▷ 그림 4-8-3. **무지화수술을 이용한 무지재건**

5. 골성형재건술(Osteoplastic reconstruction)

골성형재건술은 골이식과 피부 피판을 이용

하여 무지를 재건하는 방법이다. 골성형 재건은 Nicoladoni가 처음으로 시도하였으나 환자들이 골이식을 거부함으로써 성공하지 못했고 Noesske가 복부피판과 경골이식을 이용하여 처음으로 성공리에 재건하였다. 그러나 이러한 방법은 적절한 감각을 얻지 못하고 피판의 혈행이 좋지 못해 골이식이 흡수되는 단점이 있어 골성형재건술의 한 단계로 신경 혈관 섬 판(neuro-vascular island flap)이 Littler에 의해 시행됨으로써 이러한 단점을 보완하게 되었고 무지재건을 위한 골성형재건술의 전형적인 방법으로 정착되었다.

전통적인 무지의 골성형 재건은 피부 판, 골이식 그리고 신경 혈관 섬 판의 세 가지 조직의 전이로 이루어지며, 두 단계의 수술로 이루어진다. 즉, 1단계에서 골 이식과 피부 판술을 동시에 실시하고 2단계에서 신경혈관 섬 판을 시행한다(그림 4-8-4).

골이식을 얻을 수 있는 부위로는 경골(tibia), 쇄골(clavicle), 늑골(rib), 장골(iliac bone) 등이 있으나 세면이 피질골(cortical bone)로 싸여 있는 골편을 얻을 수 있어 골흡수(bone resorption)를 감소시킬 수 있는 장골이 가장 좋다.

피부 판은 대개 원거리 판(distant flap)을 관모양으로 말아서 시행하게 되며 봉합선은 수장부쪽에 위치하게 한다. 어른의 경우 피부 판의 폭은 7~8 cm가 적당하며, 길이는 어느 정도 움직일 수 있도록 무지 재건을 위해 필요한 길이가 보

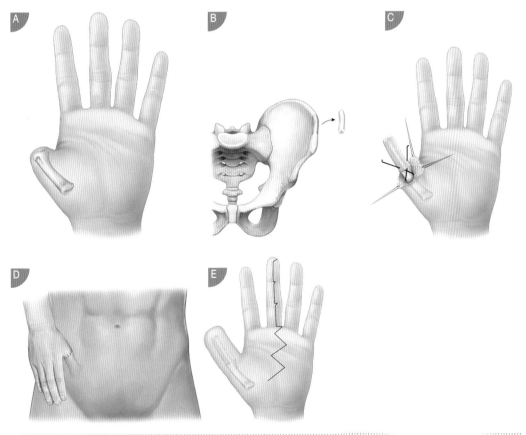

▷그림 4-8-4. **전형적인 골성형재건술을 이용한 무지재건**

다 2 cm 정도는 길어야 한다. 판의 혈관경(pedicle)은 긴장이 없게 해야 하며 꼬이거나 뒤틀리지 않아야 하고 혈관경의 절제는 대개 3주 후에 실시한다. 이용할 수 있는 원거리 판으로는 쇄골하판(infraclavicular flap), 유방하판(inframammary flap), 복부판(abdominal flap), 서혜부판(groin flap) 등이 있으나 판이 유연하고 피부가 얇고 피하지방이 적은 부위가 좋으므로 쇄골하판 혹은 서혜부 판을 주로 사용한다.

신경 혈관 섬 판은 대개 원거리 판의 혈관경을 절제할 때 동시에 시행한다. 제3 수지의 척골측이 무지와 같이 정중신경의 지배를 받고 가장 큰 판을 얻을 수 있으므로 신경 혈관 섬 판의 공여부로 주로 이용되나 손상을 입어 제3 수지의 척골측을 이용하지 못할 경우는 제4 수지의 요골측을 판의 공여부로 사용하며 공여부에는 신경 혈관 섬 판을 무지의 내측 수장부로 전이한 후 전층 피부이식을 시행한다.

변형된 골성형재건술(modified osteoplastic reconstruction)은 한 번의 수술로 무지를 재건하는 방법으로 Biemer에 의해 시행된 골피부 전완부 판(osteocutaneous forearm flap)을 역 섬 판(reverse island flap)으로 무지를 재건하는 방법이다(그림 4-8-5).

Biemer에 의한 골피부 전완부 판을 이용하여 무지를 재건할 경우 수술 전에 Allen test와 동맥조영술을 실시하여 척골 동맥(ulnar artery)과 표재 수장 동맥궁(superficial palmar arch)에 의해 모든 수지들이 혈액을 충분히 공급받는지를 확인하여야 한다. 판의 혈관경은 요골 동맥(radial artery)과 동반정맥(vena comitans)이다.

골성형재건술은 능형중수관절(trapeziometacarpal joint)과 수무지의 내재근(intrinsic muscle)들이 온전한 수무지의 절단 환자에 적용할

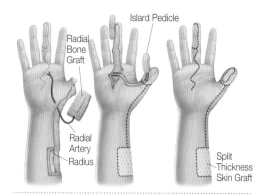

▷그림 4-8-5. **변형된 골성형재건술을 이용한 무지재건**

수 있다. 장점은 안정적인 연부 조직을 얻을 수 있으며 적절한 수무지의 길이를 재건할 수 있고 다른 수지나 발가락의 희생을 막을 수 있다는 점이다. 단점은 관절의 수가 적고 미용상 좋지 않으며 제한된 감각을 갖는다는 것이다.

6. 유리 포장싸기 피부판 (Wrap-around procedure)

골성형재건술은 발가락의 희생은 없으나 재건된 무지의 미용적 문제가 심각하다. 한편, 발가락전이술에 의한 수무지 재건술의 경우는 발엄지는 수무지에 비해 크며, 제2 발가락은 수무지에 비해 작다는 단점이 있다.

이에 1980년 Morrison 등이 발표한 족무지로부터 유리 포장싸기(wrap-around) 피부판을 이용하는 방법이 수무지 재건에 가장 만족스러운 방법으로 알려져 있다(그림 4-8-6). 이 술식은 그 후 여러 저자들에 의해 성공사례가 발표되었으며, 원래의 방법에서 약간 교정한 방법이 발표되기도 했다.

이 술식은 수무지에 선천성 결손이나 외성성 결손이 있는 경우, 또는 연부조직만 결손이 있는

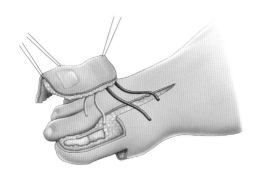

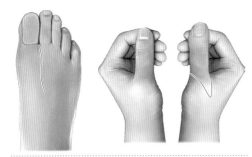

▷그림 4-8-6. 유리 포장싸기 피부판(Wrap-around procedure)을 이용한 무지재건

경우, 흑색종과 같은 수무지의 연부조직 종양 절제 후 수무지 재건에 이용할 수 있으며, 중수 수지 관절(metacarpopharyngeal joint)의 원이부 결손에 가장 적응증이 되며, 수무지의 중수 수지 관절이나 그보다 근위부 재건에는 제2 발가락 이식이 추천된다.

수무지가 중수지 관절보다 원위부에서 절단되어 무지의 근위지골 일부가 남아 있는 환자에서 발가락전이술에 의한 무지재건술 때처럼 족무지 전체를 분리해서 가져오지 않고 족무지로부터 피판과 발톱만을 혈관신경다발과 함께 가져와서 무지를 길게 할 목적으로 이식한 장골이식편(iliac bone graft)을 감싸서 무지를 재건할 수 있다.

발가락 전이술에 비해 발가락을 완전히 희생시키지 않으므로 공여부의 장애가 덜하고, 새로운 무지의 크기를 장골 이식편의 크기로 소절

하여 미용적으로 보다 나은 무지를 만들 수 있으며, 감각을 부여할 수 있다는 장점이 있는 반면, 지간 관절을 갖고 있지 않아 발가락 전이술을 이용한 무지재건에 비해 운동성이 떨어지고 이식골의 흡수가 있을 수 있는 단점이 있다. 그러나 무지의 수근-중수관절(carpometacarpal joint)과 무지구근(thenar muscle)만 정상이면 지간 관절과 중수지관절의 기능은 없어도 대립기능(opposition)에는 큰 지장이 없다.

공여부의 결손은 족무지에 남아 있는 내측의 피판으로 덮어주고 나머지 연조직 결손부위는 식피술이나 교차발가락피판 등으로 덮어주지만, 이환율이 높고, 동통을 동반하는 과각화증이 발생할 수 있다.

수술 방법은 다음과 같다.

첫째, 수혜부 박리와 공여부 도안을 한다. 수무지 절단부를 박리하여 지각 신경을 분리하고 수배부의 anatomical snuff box의 근처에서 종절개를 가한 후 요골동맥을 찾아내고 원위부로 박리하여 무지 주 동맥(princeps pollicis artery)을 찾고 요측 피정맥, 표제 요골 신경을 박리한다. 이때, 환지의 경우에는 수지 혈관을 분리한다. 공여부의 피판 도안은 동측의 족모지에서 시행하며, 지혈대에 압력을 가하기 전에 제1 족배 중족 동맥과 족배 정맥의 주행을 확인해 둔다. 족모지의 내측과 말단부 피부는 족지의 생존을 위해서 남기며, 정상측 수무지 길이와 비슷하게 도안을 한다. 이때 조갑부도 정상쪽 수무지 조갑부와 비슷한 크기로 절제한다. 조갑부의 변형 성장을 방지하기 위해서는 배기질(germinal matrix)의 손상을 주지 않도록 하고 골막하 절개를 가하여 약간의 피질 골편을 포함하도록 한다. 족배 동맥과 제1 족배 동맥을 박리하고, 길이가 짧

으면 문합 시에 혈관 이식을 시행한다. 장 족모지 신건의 부건(paratenon of extensor hallucis)에 손상을 주지 않도록 신전 건을 박리한다.

둘째, 발가락 조갑부와 피부판 생존을 위해서 배기질과 신경 혈관경을 함께 박리한다.

셋째, 장골능에서 정상 수무지와 같은 크기의 뼈를 이식 후 두 개의 금속 강선으로 절단지에 고정한다. 이때 이식골은 골의 흡수를 예상하고 해면골 이식 시에는 조금 크게 하고 가능한 두면의 피질골을 포함시키는 것이 좋으며 연괴(pulp)의 비대를 방지하기 위해서 원위부를 원추형으로 조각한다.

넷째, 피부판을 이식 후 주 무지 동맥과 요측 피정맥에 각각 문합을 실시하고 외측 족저 지 신경은 척측 수지 신경에, 심 비골 신경은 표재 요골 신경에 각각 봉합한다. 재건된 수무지의 길이는 완전한 내전이 되었을 경우 말단부가 인지 근위지 관절의 1 cm 이내에 위치하도록 한다. 끝으로, 공여부의 결손처리는 교차 발가락 피판(cross toe flap)과 피부 이식을 시행한다.

Steichen(1987)은 Morrison법을 변형하여 족무지의 연조직에 원위지골을 포함시켜 피판을 만들었는데, 이는 이식된 장골이식편의 흡수를 줄이고, 중간에 이식골편의 혈관화(vasculariza-tion)를 도우며, 조상(nail bed)에 손상을 방지하고, 공여부의 primary closure가 용이하게 할 수 있다.

7. 발가락전이술(Toe transfer)

무지를 재건할 때 요구되는 조건들을 충족시켜 줄 수 있는 이상적인 공여부는 수지와 유사한 발가락이다. 1968년 Cobett이 처음으로 사람의 족무지를 무지위치에 옮기는 수술을 시행하였으며, 1966년 Yang이 제2 발가락전이를 이용하여 무지재건을 시행하였다. 그 후 toe-to-thumb에 대한 많은 성공례들이 보고되었으며, 무지결손의 재건방법에 있어서 족무지의 전이는 많은 경우 가장 좋은 방법으로 인식되고 있다. 또한, 1979년 Buncke와 Rose가 neurosensory free pulp flap을 처음 발표함으로써 발가락 일부를 이용한 수지의 재건에 대한 관심이 커져갔으며 지난 수십년간 발가락일부전이술에 대한 해부학적 연구와 다양한 임상례들이 보고되었다.

무지재건의 방법에는 전족무지전이술(whole great toe transfer), 제2 발가락전이술(second toe transfer), great toe wraparound, trimmed toe transfer, 부분발가락전이술(partial toe transfer) 등이 있다.

1) 적응증

전족무지전이술(whole great toe transfer)은 중수지관절의 근위부에서 잘려지고 반대편 무지와 크기가 비슷하며 수부의 기능이 적절히 필요한 경우에 시행한다(그림 4-8-7). 반면에 제2 발가락전이(second toe transfer)는 비록 크기의 차이가 심하더라도 환자가 족무지를 자르는 것을 반대하거나 완전한 무지기능보다 보조적인 수부 기능을 원할 때와 어린아이의 경우에 사용한다. Great toe wrap-around는 지관절보다 원위부에 절단되었거나 중수지관절 원위부의 피부와 조갑이 소실되었지만 지관절기능이 남아 있을 경우 사용하며, trimmed toe transfer는 반대편 정상 무지와의 크기 차이가 심하지만 재건한 무지의 지관절 기능이 필요한 경우에 시행한다.

발가락전이술에 있어 제1 족배부 중족동맥

의 제1 지간에 위치한 요골동맥(radial artery)에 연결하기 쉽고, 상대적으로 건 위치가 유사하며 (relatively similar tendon anatomy), 족무지 관절(MP & IP joint)이 외측으로 10~15도 정도 기울어져 있어 전이 후 인지와 마주보기 쉽기 때문에 보다 나은 대립과 집기가 가능하기 때문이다.

2) 전체족무지전이술 (Whole great toe transfer)

첫 수상 당시의 다친 정도에 따라 혈관이나 신경, 수부골 등의 상태가 달라지며 이에 따라 옮길 족지편의 크기나 수술방법, 신경혈관경의 길이 등이 달라지기 때문에 수부의 박리를 먼저 시행한 후 족부의 박리를 시행하는 것이 바람직하다.

수부박리는 수혜부에 절개를 가하여 피판을 거상하고 골단부를 노출시킨 후 수배부와 수장부에서 무지신전건과 장무지굴곡건의 말단부를 확보한다. 수배부에 족배부 피하 정맥과 유사한 굵기의 요골측피부정맥(cephalic vein)을 박리하고 요골동맥의 분지를 박리하여 혈관문합을 준비해 둔다. 신경은 수혜부의 수지신경과 요골신경의 배측분지(superficial branch of radial nerve)를 박리해 둔다. 노출된 골단부를 전이할 발가락의 골단부에 맞게 절골술을 가하고 골간 고정을 위해 철사를 끼워놓는다.

족부박리는 족배부와 족장부의 조직을 삼각형 모양으로 도안하고 족배부의 정맥인 대복재정맥(great saphenous vein)과 제1 족배부 중족동맥-족배동맥을 먼저 박리하면서 심비골신경(deep peroneal nerve)과 천비골신경(superficial peroneal nerve)을 박리한다. 장, 단족무지 신전건을 여유 있게 확보하고 족장부 절개를 가한

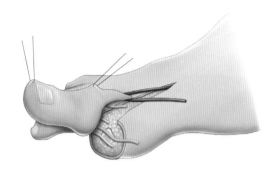

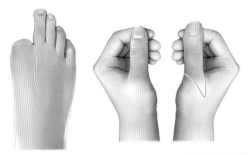

▷그림 4-8-7. **전족무지전이술**(Whole great toe transfer)을 이용한 **무지재건**

(fisrt dorsal metatarsal artery, FDMA)의 기시부와 경로가 수술의 난이도를 결정하는 데 가장 중요한 요소인데, Gilbert (1976)은 이 동맥의 주행을 제1 족배 졸간근(first dorsal interosseous muscle)과 중족골간 인대(intermetatarsal ligment)와의 관계에 따라 4가지 형으로 나누었다. Type 1 (66%)은 가장 흔한 형태로, Type 1a는 동맥이 골간근보다 표재성으로 위치하는 경우이고, Type 1b는 골간근 사이에 위치하는 경우이며, Type 2 (22%)는 동맥이 골간근보다 심부에 위치하면서 중족골간 인대 부위에서 표재성으로 위치하는 경우이고, Type 3(12%)는 제1 족장부 중족동맥(first plantar metatarsal artery)이 우성 혈관을 이루는 경우이다.

수무지를 재건할 때 동측 족무지를 이용하는 수뇐 이유는 세1 족시간 혈관의 위치가 수배부

다. 족장부에서는 양측 발가락신경을 박리하고 족지굴곡건을 필요한 만큼 확보한다. 이렇게 족부의 족배부와 족장부 박리가 끝나면 필요한 길이만큼 족무지골을 절단해야 하는데 필요에 따라서 중족지관절을 포함한 족무지 전이를 시행한다면, 중족지 관절은 정상적으로 과신전된 상태이므로 과굴곡하는 중수지 관절에 맞추기 위해 45도~60도 정도 중족골 원위부의 배부에서 중수지 관절 측으로 비스듬하게 절골술(oblique osteotomy)을 시행하고 과신전을 예방하기 위해 volar plate shortening으로 굴곡 관절로 전환되게 한다.

수부와 족부의 박리 후 족무지를 수무지로 이전하여 철사로 골간고정(interosseous wiring)을 한 후, EHL-EPL, EHB-EPB, FDMA-br. of radial a., GSV-CV, DPN-superficial br. of radial n., FHL-FPL의 방식대로 상호 구조물을 연결해 준다.

3) Trimmed great toe transfer

전체발가락전이술의 단점은 크기가 큰 것이며, wrap-around 법은 지관절을 움직일 수 없다는 단점이 있다. 이를 보완하기 위해 족무지를 재단(trimming)하여 옮김으로써 적당한 크기와 운동 가능한 무지를 재건할 수 있는 방법이다(그림 4-8-8).

정상 수무지와 족무지 간의 둘레 차이를 측정하여 그 차이에 해당하는 것을 내측 피판의 폭으로 도안하여 내측 신경혈관경을 유지하면서 족지골막의 직상방으로 거상한다. 이후 족지관절의 원위부에 붙은 medial collateral ligament를 근위지골막에 부착하여 분리시킨 후 근위지와 원위지골 내측부위 일부를 4~6mm 정도 잘

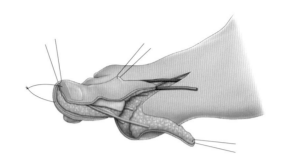

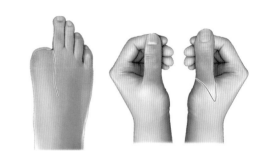

▷그림 4-8-8. Trimmed great toe transfer를 이용한 무지재건

라낸 다음 medial collateral ligament를 원위부에 다시 단단히 고정시켜 준다. 피부를 봉합할 때 족지 조갑의 내측 일부를 잘라내 줄여줄 수도 있다. 이 수술은 길이와 운동영역을 제공할 수 있으나 수술 후 재건된 무지의 지관절 운동범위가 10도 정도 줄어든다.

4) 부분족무지전이술 (Partial great toe transfer)

수지피판(pulp flap)으로 안정적이고 감각적인 매끈한 피부를 무지의 수장부측에 피복할 수 있는데 수상직후나 이전의 수술 이후 불안정한 반흔이나 감각이 없는 무지를 재건하는 데 사용할 수 있다. 무지의 넓은 수지결손이 있을 때 발엄지의 수지뿐 아니라 제2 족지의 수지(pulp)를 이

용하여 재건하거나 또는 이들을 포함한 제1 족지간부위를 전이하여 연부조직 재건을 할 수 있다. Foucher 등은 제2 발가락수지보다 족무지의 수지가 크기가 크고 회복된 2점각각이 낫다고 한다. 혹은 무지조갑을 포함한 손상이 있을 때 족무지의 조갑과 피부를 아래의 골편과 같이 전이할 수도 있으며 중족지관절이나 발가락사이 관절 등을을 전이할 수도 있는데 이러한 방법을 부분족무지전이술(partial great toe transfer)이라고 한다.

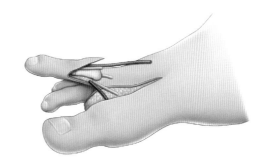

5) 제2 발가락 전이술(Second toe transfer)

제2 발가락 전이술은 수무지의 경우 중수골-수지 관절(metacarpophalageal joint) 또는 그 근처 근위부에서 결손 때 좋은 적응이 된다(그림 4-8-9). 그 중에서도 사회-문화적 배경이나 운동선수 등과 같이 족무지 전이를 원하지 않는 경우, 제2 발가락의 크기가 수무지에 비교될 만큼 충분히 큰 경우, 나이가 많거나 우세하지 않은 수부(non-dominant hand) 등에 좋은 적응이 된다. 특히, 소아에서는 전이 후 수무지 양상으로 계속 성장할 수 있다는 장점이 있어, 중수지 관절(MP point)을 넘어 중수지골 이상의 결손이 있을 때 좋은 적응이 된다.

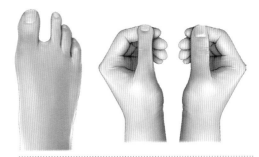

▷그림 4-8-9. **제2 발가락 전이술(Second toe transfer)을 이용한 무지재건**

제2 발가락의 장지굴근건(flexor digitorum longus tendon)을 박리하고 중족골-발가락 관절을 포함하여 전이를 해야 할 경우에는 제2 발가락은 신전 관절인 반면 수무지는 굴곡 관절이므로 족무지 때와 마찬가지로 절골술을 시행하여 새로운 중수골-수지 관절을 굴곡 관절로 만들 수 있다.

수무지의 결손에 대한 재건방법 중에서 제2족지 전이술은 족무지에 비해 재건된 수부지의 미용적인 부분에서는 미흡한 점은 있으나 기능적인 부분에서는 정상 수무지의 80% 이상 기능회복하며, 공여부의 기능적, 미용적 결과가 매우 우수하다는 큰 장점이 있어, 우리나라를 비롯한 동양권에서는 최근 많이 시행하고 있다.

References

1. Brunelli GA and Brunelli GR : Reconstruction of traumatic absence of the thumb in the adult pollicization. Hand Clin. 8(1):41-55, 1992.

2. Calandruccio JH : Amputation. In Campbell's operative orthopaedics(Ed.Canale ST), 9th ed, Mosby, St. Louis, pp3517-3547, 1998.

3. Foucher, Merde M and Maneaud M : Microvascular free partial toe transfer in hand reconstruction: A report of 12 cases. Plast Reconstr Surg, 65:616, 1980.

4. Kessler I : Distraction-lengthening of digital rays in the management of the injured hand. J Bone Joint Surg, 54A: 1064, 1972.

5. Kleinman WB and Strickland JW : Thumb reconstruction. In Green's Operative Hand Surgery(Eds. Green DP et al.) 4th edition, Churchill Livingstone, New York. pp2068-2170, 1999.

6. Lee KS, Park JW and Chun WK : Thumb reconstruction with a wraparound free flap according to the level of amputation. J Hand Surg, 25A:644-650, 2000.

7. Leung PC : Thumb reconstruction using the second-toe transfer. Hand Clin, 1:285, 1985.

8. Littler JW : Neurovascular skin island transfer in reconstructive hand surgery. In Transactions of the International Society of Plastic Surgeons. Second Congress, E & S Livingston, Edinburgh, 1960.

9. Lister GD : The choice of procedure following thumb amputation. Clin Orthop, 195 :45, 1985.

10. Matev IB : Thumb reconstruction through metacarpal bone lengthening. J Hand Surg, 5:482 1980.

11. May JW Jr, Daniel RK : Great toe to hand transfer. Clin Orthop, 133:140, 1978.

12. Morrison WA, O'Brien BM and MacLeod AM : Thumb reconstruction with a free neurovascular wrap-around flap from the big toe. J Hand Surg, 5A:575-583, 1980.

13. Steichen JB and Weiss AP : Reconstruction of traumatic absence of the thumb by rnicrovascular free tissue transfer from the foot. Hand Clin. 8(1):17-32, 1992.

14. Tubiana R : Thumb reconstruction by skin flap, bone graft and neurovascular flaps. In Landi A, De Luca S, De Santis G(eds): Reconstruction of the thumb. London, Chapman and Hall Medical, 1989, P101-106.

15. Wei FC, Chen HC, Chuang CC and Chen SHT : Microvascular thumb reconstruction with toe transfer: selection of various techniques. Plast Reconstr Surg, 93:345, 1994.

16. Wei FC, Chen HC, Chuang CC and Noordhoff MS : Reconstruction of the thumb with a trimmed-toe transfer technique. Plast Reconstr Surg, 82:506, 1988.

17. Woo SH and Sen] JH : Distal thumb reconstruction with a great toe partial-Nail preserving transfer technique. Plast Reconstr Surg, 101:114, 1998.

18. Aronson J, Good B, Stewart Ch, Harrison B, and Harp J : Preliminary studies of mineralization during distraction osteogenesis. Clin Orthop 250:43-49, 1990

19. Choi IH, Ahn JH, Chung Ch Y, and Cho TJ : Vascular proliferation and blood supply during distraction osteogenesig : A Scanning Electron Microscopic Observation. J Orthop Res 18:, 2000

20. Dahl MT, Gulli B, and Berg T : Complications of limb lengthening-a learning curve. Clin Orthop 301:10-18, 1994

21. Emerson ET, Krizek TJ, and Greenwald DP : Anatomy, physiology, and functional restoration of the thumb. Ann Plastic Surg 36:180-191, 1996

22. Finsen V, and Russwurm H : Metacarpal lengthening after traumatic amputation of the thumb. J Bone Joint Surg 78:133-136, 1996

23. Hallock GG : Distraction lengthening following growth cessation due to thumb replantation in a child. Ann Plastic Surg 37:624-628, 1996

24. Houshian S and Ipsen T : Metacarpal and phalangeal lengthening by callus distraction. J Hand Surg 26B: 13-16, 2001

25. Ippolito E, Peretti G, Bellocci M, Farsetti P, Tudisco C, Caterini R, and Martino C De : Histology and ultrastructure of arteries, veins, and peripheral nerves during limb lengthening. Clin Orthop 308:54-62, 1994

26. Kaba A, Peyroux L M, Martinet P, and Mathevon H : Reconstruction du pouce amputee par allongement progressif du premier metacarpien, a l'aide d'un mini-fixateur. Ann Chir Plast Esthet 38:378-380, 1993

27. Kanaujia RR, Fukuhara Ch, Yoshioka K, Miyamoto Y, and Koo IH : Experience with Ikuta's phalangeal compression-distraction-fixation device. J Hand Surg 13A:515-521, 1988

28. Kessler I, Baruch A, and Hecht O : Experience with distraction lengthening of digital rays in congenital anomalies : J Hand Surg 2:394-401, 1977

29. Kojimoto H, Yasui N, Goto T, Matsuda S, Shimomura Y : Bone lengthening in rabbits by callus distraction. J Bone Joint Surg 70B:543-548, 1988

30. Manktelow RT, and Wainwright DJ '. A technique of distraction osteosynthesis in the hand. J Hand Surg 9A:858-862, 1984

31. Matev IB : The distraction method in reconstructive surgery of the hand In : The hand Vol. 2 Philadelphia Saunders : 535-549, 1985

32. Matev IB : The bone-lengthening method in hand reconstruction : Twenty years' experience. J Hand Surg 14A(2):376-378. 1989

33. Moy OJ, Peimer CA, and Sherwin FS : Reconstruction of traumatic or congenital amputation of the thumb by distraction-lengthening. Hand Clinics 8:57-62, 1992

34. Mulliken JB, and Curtis RM : Thumb lengthening by metacarpal distraction. J Trauma 20:250-255,1980

35. Paley D : Problems, obstacles, and complications of limb lengthening by the Ilizarov technique. Clin Orthop 250:81-104, 1990

36. Pensler JM, Carroll NC, and Cheng LF : Distraction osteogenesis in the hand. Plast Reconstr Surg 102:92-95, 1998

37. Rudolf KD, Preisser P, and Partecke BD : Callus distraction in the hand skeleton. Injury.Int J .Care Injured 31:113-120, 2000

38. Seitz. Jr. WN : Distraction lengthening in the hand and upper extremity. In Green's Operative Hand Surgery 4th Ed' New York. Churchill Livingstone 1:619-635, 1999

39. Seitz. Jr. WN and Bley LS : Distraction lengthening in the hand using the principle of callotasis. Atlas of the Hand Clinics 5(1):31-19, 2000

40. Yasui N, Kojimoto H, Sasaki K, Kitada A, Shimizu H, and Shimomura Y : Factors affecting callus distraction 1" limb lengthening. Clin Orthop 293:55-60, 1993

41. 정문상, 백구현, 김우진, 김진호, 남우동, 신재훈 : Buc-Gramcko 분류 제 4형 이상의 선천성 엄지 저형성증 환자에서의 엄지 형성술, 대한정형외과학회지, 제35권 제2호:283-288,2000.

42. Blauth W : Der hypoplastische Daumen. Arch Orthop Unfallchirurgie, 62:225-246, 1967.

43. Buck-Gramcko D : Pollicization. In Congenital Malformation of the Hand and Forearm(Ed. Buck-Gramcko D), Churchill Livingstone, London, pp 379-402, 1998.

44. James MA, McCarroll HR Jr, Manske PR : Characteristics of patients with hypoplastic thumbs. J Hand Surg, 21A(1):104-113, 1996.

45. Lister G : Hypoplasia of the thumb. In Congenital Malformations of the Hand and Forearm(Ed. Buck-Gramcko D), Churchill Livingstone, London, pp 359-368, 1998.

46. Littler JW, Strickland J W : On making a thumb: a decade of surgical effort. In The Thumb(Ed.Strickland JW), 1st edition, Churchill Livingstone, Edinburgh, pp 1-13, 1994.

47. Matey P, Peart FC : Alternatives to thumb replantation in three cases of traumatic amputation of the thumb. Microsurgery, 19(3):153-156, 1999.

48. Manske PR, McCarroll HR Jr, James : Type III-A hypoplastic thumb. J Hand Surg, 20A(2):246-253, 1995.

49. Shibata M, Yoshizu T, Seki T, Goto M, Saito H, Tajima T : Reconstruction of a congenital hypoplastic thumb with use of a free vascularized metatarsophalangeal joint. J Bone Joint Surg, 80A(10):1469-1476, 1998.

50. Tajima T : Reconstruction of the floating thumb. In Congenital Malformations of the Hand and Forearm(Ed. Buck-Gramcko D), Churchill Livingstone, London, pp 369-373, 1998.

51. 정철훈, 오석준 : 손엄지 재건. 대한성형외과학회지 16:749-758.1989.

52. Arnez ZM, Kersnic M, Smith RW, Godina M : Free lateral arm osteocutaneous neurosensory flap for thumb reconstruction. Br J Hand Surg 16:395-399, 1991.

53. Biemer E, Stock W : Total thumb reconstruction: a one-stage reconstruction using an osteo-cutaneous forearm flap. Br J Plast Surg 36:52-55, 1983.

54. Biemer E : Thumb reconstruction using the osteocutaneous forearm flap. In Landi A, De Luca S, De Santis G(eds.): Reconstruction of the Thumb. London, Chapman & Hall Medical, 1989, p 158-161.

55. Doi K, Hattori S, Kawai S, Nakamura S, Kotani H, Matasuoka A, Sunago K : New procedure on making a thumb: one-stage reconstruction with free neurovascular flap and iliac bone graft. Am J Hand Surg 6:346-350, 1981.

56. Foucher G, Van Genechten M, Merle M, Michon J : Single stage thumb reconstruction by a composite forearm island flap. J Hand Surgery 9B:245-248, 1984.

57. Markley JM Jr : Preservation of two-point sensibility in digital neurovascular island flaps. Plast Reconstr Surg 59: 812, 1977.

58. Minami A, Usui M, Katoh H, Ishii S : Thumb reconstruction by free sensory flaps from the foot using microsurgical techniques. Br J Hand Surg 9:239-244, 1984.

59. Murray JF, 0rd JVR, Gavelin GF : The neurovascular island pedicle flap. J Bone Joint Surg 49(A):1285-1297, 1967.

60. Nejedly A, Turdek M, Kletensky J : Thumb reconstruction using free flap transfer. Acta Chir Plast 32:225-238, 1990.

61. Nicoladoni C : Daumenplastik. Wein Klin Wochenschr 10:663-670, 1987.

62. Noesske K : Ueber den plastischen Ersatz von ganz oder teilweise verloren Fingem. Insbesondere des Daumens und uber handtellerplastik. Munch Med Wochenschr 27:1403-1404, 1909.

63. Reid DA : The neurovascular island flap in thumb reconstruction. Br J Plast Surg 19:234-244, 1966.

64. Strickland JW : Thumb reconstruction. In Green DP(eds): Operative Hand Surgery. 2nd ed., New York, Churchill Livingstone, 1988, p 2220-2233.

65. Tubiana R, Duparc J : Restoration of sensibility in the hand by neurovascular skin island transfer. J Bone Joint Surg 43(B):474, 1961.

66. 이광석, 정현기, 강홍구 : 발엄지 유리 피부편을 이용한 손엄지 재건, 대한정형외과학회지 24(5):1456-1464,1989.

67. 한수봉, 김남현, 조현열 : Wrap-around Technique을 이용한 수지 재건술, 대한정형외과학회지 23(4):1158-1164, 1988.

68. 한수봉, 김중선 : 발엄지로부터 Wrap-around 유리 피부판을 이용한 손엄지 재건, 대한정형외과학회지 19(6):1109-1116, 1984.

69. 한수봉, 김중선 : 발엄지로부터 Wrap-around Flap을 이용한 인지의 재건 – 증례보고-, 대한정형외과학회지 22(2):505-508, 1987.

70. Doi K, Kuwata N and Kawai S : Reconstruction of the Thumb with a Free Wrap-around Flap from the Big Toe and an Iliac-Bone Graft, J Bone and Joint Surg 67-A:439-445, 1985.

71. Gilbert A : Composite tissue transfers from the foot: anatomic basis and surgical technique. In Daniller AI, Strauch B, editors: Symposium on microsurgery, St Louis, 1976, Mosby.

72. Inoue G, Maeda N and Suzuki K : Closure of big toe defects after wrap-around flap trasfer using the arterialized venous flap, J Reconstr Microsurg 7(1):1-8, 1991.

73. Koshima I, Kawada S, Etoh H, Saisho H and Moriguchi T : Free Combined Thin Wrap-around Flap with a Second Toe Proximal Interphalangeal Joint Transfer for Reconstruction of the Thumb, Plast Reconstr Surg 96: 1205-1210, 1995.

74. Lee KS, Chae IJ and Hahn SB : Thumb reconstruction with a free neurovascular wrap-around flap from the big toe:. long-term follow-up of thirty cases, Microsurgery 16:692-697, 1995.

75. Lowdon IMR, Nunley JA, Golener RD and Urbaneak JR : The wrap-around procedure for thumb and finger reconstruction, Microsurgery 8:154-157, 1987.

76. Nunley JA, Goldner RD and Urbaniak JR : Thumb reconstruction by the Wrap-around Method, Clin Orthop 195:97-103, 1985.

77. Tsai TM and Aziz W : Toe-to-thumb transfer: A new technique, Plast Reconstr Surg 88:149-153, 1991.

78. Tsai T and Falconer D : Modified great toe wrap for thumb reconstruction, Microsurgery 7: 193-198, 1986.

79. Cobbett JR : Free digital transfer. Bone Joint Surg 51B:677, 1969.

80. May JW : Microvascular great toe to hand transfer for reconstruction of the amputated thumb. In McCarthy JG(Ed) : Plastic Surgery. 1st Ed. Philadelphia, W.B. Saunders Co. 1990, Vol 8, p 5164.

81. Stechen JB : Thumb reconstruction by great toe microvascular wrap around flap. In Urbaniak JR(eds) : Microsurgery for Major Limb Reconstruction. St Louis, CV Mosby, 1987.

82. Mitz V : Second toe to thumb transfer with extensor digitorum brevis opponensplasty. Annal Plast Surg 17:259, 1986.

83. Buncke HJ : Thumb and finger reconstruction by microvascular second toe and joint autotransplantation. In McCarthy JG(Ed): Plastic Surgery. lst Ed. Philadelphia, W.B. Saunders Co. 1990, Vol 7, p 4409.

84. Wei FC, El-Gammal TA, Chen HC, Chuang DCC, Chiang YC, Chen SHT : Toe-to-hand transfer for traumatic digital amputations in children and adolescents. Plast Reconstr Surg 100:605, 1997.

85. Lister GD, Kalisman M, Tsai TM : Reconstruction of the hand with free microneurovascular toe-to-hand transfer experience with 54 toe transfers. Plast Reconstr Surg 71:372. 1983.

86. Wei FC : Retrograde dissection of the vascular pcdicle in toe harvest. Plat Reconstr Surg 99: 1211, 1995.

9 연조직재건
Soft Tissue Reconstruction

우상현 W병원

1. 서론

재건수술 분야에서 미세수술을 이용한 조직 전이 수술은 여러 가지 수술 방법 중에서 가장 마지막으로 선택할 수 있는 방법이다. 그 중에서 도 피부유리피판(cutaneous free flap) 수술은 주요 동맥이나 축성피부동맥(axial cutaneous artery)으로 혈류의 공급을 받아 피하 정맥이나 동반정맥(vena comitans)으로 유출된다. 근육이나 뼈를 전이하는 것과는 또 다른 적응증이 있고, 근육피판이나 골피판과는 달리 공여부위의 흉터가 숨겨지지 않기 때문에 피판의 선택에서도 고려할 사항이 많다.

피부유리피판술의 장점으로는 피판이 부드러우면서 견고하고, 수용부위의 미용적 재건이 가능하다. 근육피판의 경우, 시간 경과나 환자의 체중 변화에 따라 피판의 위축이 발생하지만 피부 피판의 경우 최종 크기와 부피를 예측할 수 있고, 이차적인 피판의 구축이 적다. 또한 근육 피판보다 허혈(ischemia)에 강해 혈전 형성으로 인한 재탐색술(re-exploration) 시 수술 성공률이 상대적으로 높다. 피부 피판 주위에 있는 뼈, 인대 근육 일부 등을 같이 전이할 수도 있다.

단점으로는 피부 피판의 경우 수용부위와 접하는 부분이 상대적으로 혈관성(vascularity)이 빈약한 지방 조직이라 균에 의한 감염이나 오염이 의심되는 경우에는 시행하기 어렵다. 또한 공여부위 선택에 큰 제한이 있는데 이는 공여부위에서 피부 조직 결손으로 인한 미용적 문제를 초래할 수 있기 때문이다. 가능하면 넓은 폭의 결손부를 일차봉합이 가능하고, 외모에 영향을 주지 않도록 옷을 입을 때 가려질 수 있는 곳이 선호된다.

그래서 피부 피판의 선택 시 가장 이상적인 공여부위는 1) 색깔이나 성질이 보다 비슷해야 하고 2) 얇고 감각을 지녀야 하며 3) 길고 큰 혈관경을 가지고 있고 4) 복합 조직의 재건이 가능해야 하는 등의 조건이 필요하다. 또한 가능하면 두 팀이 동시에 수술을 시행하여 수술 시간을 줄일 수 있으면 더 좋을 것이다.

다음은 피판 공여부위의 위치에 따라 상지, 하지, 체간부로 나누어 각 피판을 소개하도록 하겠다.

2. 상지의 피판

1) 요측전완피판(Radial forearm flap)

요측전완피판은 과거로부터 수부 재건뿐만 아니라 두경부 종양 절제 후 재건술에 가장 유용하게 이용되고 있는 피판이다 최근 천공지피판(perforator flap)이 활발하게 임상에 이용되어 예전만큼 이 피판의 유용성이 중요하지 않게 인식되고 있는데, 이는 공여부위의 심각한 흉터와 상처치유의 지연, 피판 원위부의 이상 감각 등의 문제점이 있어 피판 선택 시 망설여지기 때문이다. 그러나 요측전완피판은 쉽고 빠르게 박리할 수 있고, 연부 조직뿐만 아니라 골과 건 등의 복합 조직을 함께 전이할 수 있어 특히 수부 재건에 있어서는 가장 유용한 피판 공여부위이다(그림 4-9-1).

수술 전 Allen 검사와 도플러(doppler flowmetry)로 요골동맥 및 척골동맥과 수장궁(palmar arch)을 통한 혈액 순환 상태를 확인한다. 요골

동맥의 주행 방향을 피판의 종축으로 결손부의 크기와 모양에 따라 도안한다. 피판 박리 시 전완근막을 절개하고 피부와 함께 거상하면서 신경이 필요한 경우 외측전완피신경을 포함한다. 요측과 척측에서 요골동맥을 포함하는 격막(septum)에 도달할 때까지 박리하고, 중격이 관찰되면 요골동맥에서 나오는 천공가지(perforator branch)를 확인한다. 동맥 박리 시 동반정맥의 손상이 의심되지 않는 한 피판 내에 피하 정맥을 포함시키지 않는다. 골 채취가 필요한 경우에는 요골의 골막으로 가는 혈관을 찾고, 가능한 넓게 골막을 포함시킬 수 있다. 골 채취는 요골 직경의 1/3을 넘지 않도록 배 모양(boat-shape)으로 절골하였고, 약 6주 정도 장 상지 석고 고정(long arm cast)을 권한다.

박리가 끝난 후 지혈대를 풀고 피판의 혈류순환 상태를 확인하고, 수용부위에서 필요한 길이만큼 혈관 길이를 얻은 후 혈관을 결찰 한다. 공여부위는 서혜부 전층피부이식이나 외측 대퇴부에서 두꺼운 부분층피부이식술로 재피복 한다.

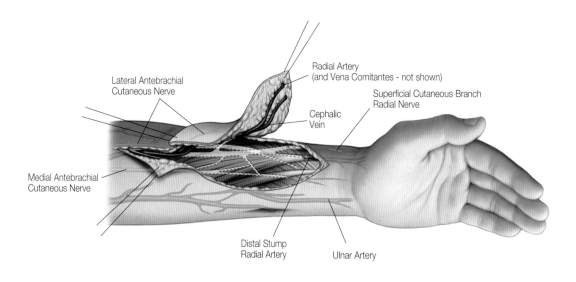

Lateral Antebrachial
Cutaneous Nerve

Medial Antebrachial
Cutaneous Nerve

Radial Artery
(and Vena Comitantes - not shown)

Superficial Cutaneous Branch
Radial Nerve

Cephalic
Vein

Distal Stump
Radial Artery

Ulnar Artery

▷그림 4-9-1. 요측전완피판의 모식도 및 주변 해부학적 구조물

전완부에 발생한 절개선과 피부이식으로 인한 흉터를 줄이기 위해 압력복, 부착형 실리콘 젤 시트(Cica-Care, Smith & Nephew), 혹은 흉터 연고 등으로 지속적으로 관리하는 것이 좋다. 술 후 6개월이 지나면 피부이식 경계부위의 비후흉 터나 넓어진 선상 흉터에 대하여 흉터교정술을 시행할 수 있다.

수부재건에 있어서 피판의 적응증은 무지를 비롯한 손가락이나 손등의 중수골 부위에서 복 합 조직 결손이 있을 때 일반적인 골 이식과 피 판술을 따로 하는 것보다는 골 유합을 촉진시킬 수 있도록 혈관성 요골 이식과 함께 연부 조직 결손을 동시에 재건하는 것이다. 두 번째로 골 결손의 동반 여부와 관계 없이 신전건이나 신경 의 결손이 동반된 경우 한 단계의 수술로 재건하 기 위한 적절한 적응증이 될 수 있다. 세 번째로 손가락의 탈장갑상에 있어 얇은 피판이 필요한 경우에 근막 피판과 근막피부판을 함께 거상 하

여 손가락의 재피복을 시도할 수 있다. 네 번째 로 공여부위인 전완부에 선상 흉터만을 남길 수 있다면 수부의 연부 조직 결손을 위하여 이용될 수 있다. 마지막으로 연부 조직 결손을 재건하기 위해 전이된 피판의 요골동맥이나 분지를 'flow-through' 형태로 손가락의 혈관재개통(revascu-larization)을 위한 혈관 문합에 이용하거나, 혹 은 또 다른 유리 피판의 공여 혈관으로도 이용 할 수 있다. 즉 발가락을 이용한 무지 재건 시 부족한 연부 조직은 역행성 도서형 요측전완피 판(reverse-flow radial forearm island flap)으로 재건하고, 피판 내의 요골동맥과 동반정맥(comi-tans)을 전이된 발가락의 혈관들과 문합을 할 수 있다(그림 4-9-2).

2) 외측상완피판(Lateral arm flap)

외측상완피판은 Song (1982) 등에 의해 처음

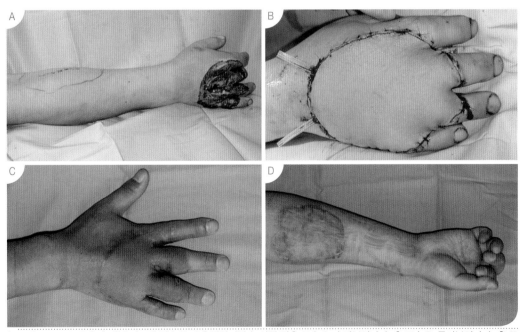

▷그림 4-9-2. A. 우측 수배부 연조직 결손 B. 요측전완피판술 시행 직후 모습 C. 수혜부의 수술 후 모습 D. 공여부의 수술 후 모 습

기술된 이래 피판의 두께가 비교적 얇고, 팔과 수부의 주요 혈관을 희생시키지 않으면서, 해부학적으로 혈관 분포가 일정한 공여 혈관을 가지며, 손상 부위와 같은 곳을 공여부위로 이용할 수 있는 장점들이 있다. 그래서 상완신경총 마취로 한 수술 시야에서 수술이 가능하여 수부손상 환자에 적합한 피판술로 인정된다. 외측상완피판의 주요 혈관은 후요측측부동맥(posterior radial collateral artery)으로 내경이 1.5~2.0 mm 정도이며, 두 개의 동반정맥(comitantes)를 가지며 그 내경은 2.5 mm 정도이다. 혈관경의 길이는 7~8 cm 정도이며, 좀 더 근위부로 박리하면 8~13 cm까지도 가능하다. 후요측측부동맥은 상완골의 외측상과 근위부 1 cm부터 15 cm에 걸쳐 적어도 4개의 근막 분지가 근막의 혈액 공급을 담당하므로 근막 피판은 12×9 cm까지

얻을 수 있다. 또한 골막으로 가는 작은 분지를 포함하면 폭 1.5 cm 길이 10 cm까지의 뼈도 얻을 수 있다. 이런 해부학적 구조에 근거하면 뼈를 포함한 근막과 피부의 복합조직피판을 얻을 수 있고, 특히 작은 골 결손을 가지는 수부손상 환자에게 적합한 피판으로 생각된다(그림 4-9-3).

피판의 작도는 팔꿈치를 굴곡시킨 자세에서 삼각근의 부착부위와 상완골의 외측상과를 잇는 선을 긋고 이 선을 피판의 중심으로 외측상과 상부에 필요한 피부 피판을 작도한다. 피판의 뒤쪽에서 절개를 시작하여 상완삼두근의 심부 근막을 힘살로부터 박리한 후, 외측 근간중격에 이르게 되면 후요측측부동맥, 외측상완피신경, 그리고 외측 근간중격을 따라 골막으로 분지하는 혈관을 확인한 후 보존할 수 있다. 피판의 앞쪽에서 다시 절개를 시작하여 상완근(brachialis

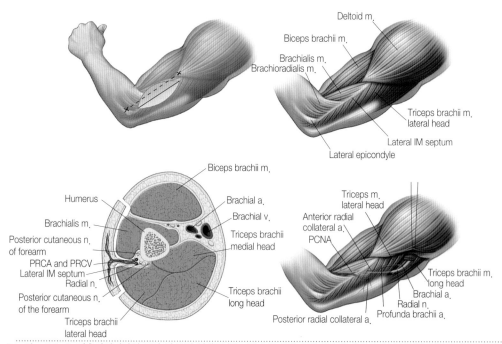

▷그림 4-9-3. A. 외측상완피판의 도안 및 유경 혈관을 찾는 절개 B. 외측상완피판 및 후요측측부동맥을 포함한 상완의 해부학적 단면도 C. 외측상완피판 주변의 해부학적 구조 및 후요측측부동맥의 주행 (PRCA : posterior radial collateral artery, PRCV : posterior radial collateral vein, PCNA : posterior cutaneous nerve of arm)

muscle)과 상완요골근(brachioradialis muscle)의 심부근막으로부터 근막하층으로 외측 근간 중격 방향으로 피판을 거상한 뒤, 뒤쪽에서 박리해 두었던 후요측측부동맥과 골막 분지를 확인한다. 골막 분지를 보존하며 필요한 두께와 길이만큼의 골을 골절단기(osteotome)를 이용하여 채취할 수 있다. 피부와 근막, 골막, 골이 복합조직피판을 거상한 후 필요한 길이의 혈관경 확보를 위해 후 요측측부동맥을 따라 근위부로 박리

를 진행한다. 피판을 분리한 후 출혈부위의 지혈을 시행하고, 배출관(drain)을 넣은 뒤 공여부위는 일차봉합을 시행한다.

이 피판의 장점으로는 해부학적으로 혈관 분포가 일정하고, 사용혈관이 팔과 수부의 혈액공급에 관계하는 주된 혈관이 아니며, 혈관 직경이 수용부위 혈관과 비슷하다는 것이다. 그리고, 외측상완피신경을 이용하면 감각신경 피판으로 이용할 수 있고, 공여부위의 골결손이 크

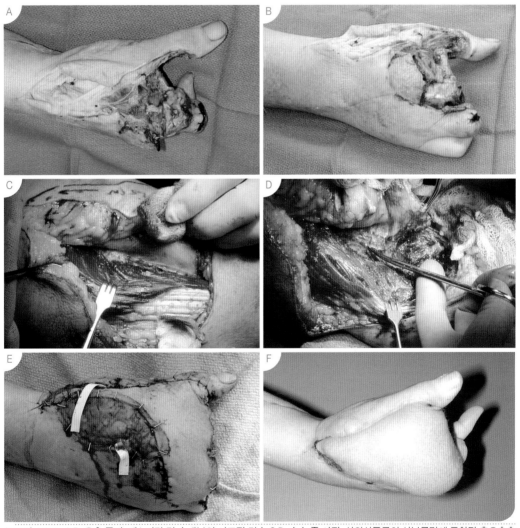

▷그림 104. A,B. 우측 무지, 제1 지간 및 수배부의 연조직 결손 C,D. 수술 중 시진. 상완삼두근의 심부근막에 포함된 후요측측부동맥 E,F. 외측상완피판술 수술 후 사진

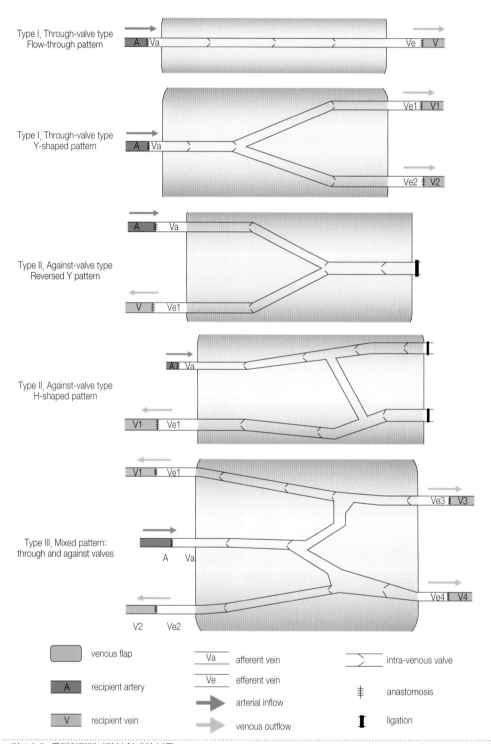

▷그림 4-9-5. 동맥화정맥피판의 형태와 분류

지 않아 골절 등의 위험이 적고, 폭 6 cm까지의 피부 피판을 거상하여도 공여부위의 일차봉합이 가능하며, 수용부위와 같은 쪽 상완에서 거상하는 경우에는 한 번의 상박신경총마취에 수술이 가능하다. 단점으로는 얻을 수 있는 뼈의 폭이 1.5cm 정도로 작고, 피판에서 발모의 가능성이 있으며, 피판의 두께가 환자에 따라 두꺼울 수 있어서 피판 축소술이 이차적으로 필요하다. 피판 거상 시 외측상완피신경이 손상되면 전완

외측의 감각변화를 야기하며, 특히, 여자의 경우 공여부위의 불만스러운 흉터를 호소할 수 있다 (그림 4-9-4).

3) 정맥피판(Venous flap)

일반적인 피판은 주요 동맥과 정맥을 포함해야 하므로 주요 동맥의 희생이 반드시 따르게 되어 공여부위의 선택에 제한이 있고, 피판의 박

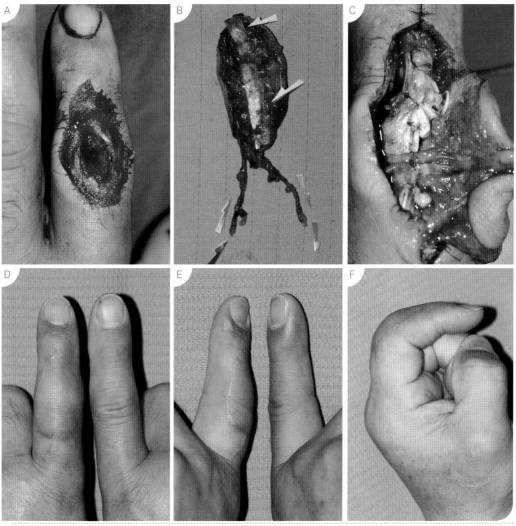

▷그림 4 9 6. A. 좌측 제2 수지외 건 및 연조직 복합 결손 B. 잔수잔건을 포함하는 복합 전매피판 C. 신전건 봉합 후외 모습 D,E,F. 정맥피판술 수술 후의 모습

리가 심부 동맥을 포함해야 하므로 시간이 오래 걸리고 까다롭다. 반면에 정맥 피판은 피부 피판에 정맥만을 포함하므로 신체 어느 부위에서도 피판 도안을 도안할 수 있다. 그러나 정맥 혈류만으로는 피판의 생존이 보장되지 않고, 피판의 크기도 제한이 있어 피판의 정맥으로 동맥혈을 유입시킨 동맥화 정맥피판(arterialized venous flap)을 임상에 많이 이용하고 있다(그림 4-9-5).

이러한 동맥화 정맥피판에는 높은 압력으로 동맥 혈류가 유입되면서 피판 내 정맥 체계에 기계적인 확장(mechanical distension)이 생기고, 정맥 내의 부스러기와 기능이 없어진 밸브(disabled valve)가 제거되면서 고농도의 산소와 영양분이 피판에 공급되므로 당연히 생존율이 높아지게 된다. 그러나 수술 후 심각한 부종이 나타나고, 이런 부종이 지속되면 피판의 경계부위에 예상치 못한 괴사도 발생하게 되며 부종이 감소되는 시간도 더 오래 걸린다.

정맥피판 연구의 초기 단계에서는 수부에 발생한 작은 연부조직 결손의 재건에만 이용되었으나 최근에는 비교적 큰 연부조직의 결손이나 두 가지 이상의 복합 조직 결손(compound defect)의 재건에 동맥화 정맥 피판을 임상적으로 이용하는 것이 활발해지고 있다.

정맥피판의 공여부위로는 정맥분포가 쉽게 관찰되는 전완부, 족배부, 내측 무릎, 내측 대퇴부 등이 있다. 복합 조직을 재건하기 위한 동맥화 정맥피판의 종류로는 건-피부 복합 피판(tendocutaneous flap)과 피판에 신경을 포함하는 신경성 피판(innervated flap)이 해당된다(그림 4-9-6).

큰 결손부를 재건하는 방법으로 하나의 큰 피판을 박리하여 수용부위를 재건할 수도 있고, 수부 재건의 경우 여러 개 손가락을 하나의 피판으로 동시에 재건하여 이차적으로 피판을 분리할 수도 있다. 그리고 큰 피판을 얻기 위해 피판 분리 전에 조직 확장기를 이용한 피판 확장술을 미리 시행하는 선조작(prefabrication)의 방법도 있다.

4) 요골동맥표재수장분지피판 (Radial artery superficial palmar branch flap, RASP flap)

무지구(thenar) 부위의 피부는 손가락의 피부와 유사하여 손가락의 연부 조직 결손의 피복에 공여부로 많이 사용되어 오고 있다. 요골동맥표재수장분지피판(radial artery superficial palmar branch flap, RASP flap)은 무지구 부위의 피부를 이용한 유리 피판으로 손가락의 연조직 결손의 재건에 매우 유용하게 사용되고 있다. 흔히 RASP 피판으로도 불리우고 무지구유리피판으로도 불리는 이 피판술은 피판의 혈류 분포가 일정하고 피판을 거상하기 쉬우며 손가락과 유사한 피부 특성을 가지고 있다. 요골 동맥은 손목 부위에서 심부 분지와 표재 수장 분지로 나누어 지는데 표재 수장 분지는 주상골 결절 부위에서 천공지를 내고 무지구근 속으로 들어가게 된다. 이 천공지가 공급하는 천공지 피판은 3×8 cm까지 비교적 크게 얻을 수 있으며, 정중 신경의 수장 피부 분지를 피판에 포함시켜 신경피판을 얻을 수 있다

적응증으로는 무지 또는 수지의 범위가 큰 연조직 결손, 기존의 도서형 피판이나 국소 피판술로 피복하기가 어려운 무지와 수지의 연조직 피복, 다발성 수지 손상으로 손가락교차피판(cross-finger flap)이 불가능한 손가락의 연조직 결손, 비교적 범위가 큰 비스듬한 수장부 절단

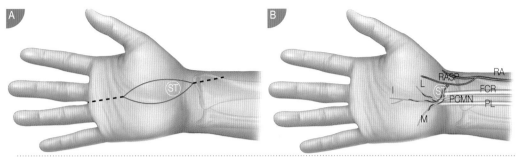

▷그림 4-9-7. A. 요골동맥표재수장분지피판의 도안 B. 요골동맥표재수장분지피판의 주변 해부학적 구조물 (PCMN : palmar cutaneous branch of median nerve, RASP : radial artery superficial palmar branch, ST : scaphoid tubercle

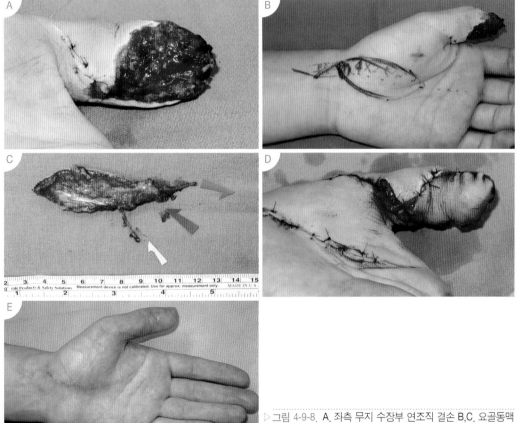

▷그림 4-9-8. A. 좌측 무지 수장부 연조직 결손 B,C. 요골동맥 표재수장분지피판의 작도 및 거상한 피판의 모습 D. 수술 직후 모습 E. 수술 후 1년째 모습

손상(volar oblique amputation), 재접합 실패 후 구제술식이나 절단단의 피복 등이 해당된다.

장점으로는 RASP 피판은 견고하고 털이 없는 피부로 손가락의 손바닥 또는 끝 부분의 피부와 유사하며, 피판의 동맥 분포가 일정하다. 혈관 문합에 사용되는 요골 동맥의 표재 수장측 분지는 이식부위의 손가락 동맥과 크기가 비슷하다. 동일한 수술 시야에서 부분 마취로 피판을 획득할 수 있기 때문에 응급 수술에 사용하기 쉽다. 피판의 거상이 손바닥 근막 표층에서 행해진다.

피판을 떼어낸 자리는 일차 봉합이 가능하며 흉터가 적다. 손상 부위 손가락 및 나머지 손가락의 운동을 일찍부터 할 수 있다(그림 4-9-7).

피판박리는 손목 부위에서 요골동맥과 요측수근굴건, 장수장건, 주상골의 결절을 표식점으로 표시한 다음 주상골 결절 부위를 피판에 포함시켜서 제3 수지간으로 종축이 향하도록 원하는 크기의 피판을 작도한다. 상완 부위에서 지혈대를 장착한 다음 3~6배 확대경하에서 피판의 절개를 시작한다. 피판의 절개는 먼저 근위부를 절개하여 피하에 위치하고 있는 표재 정맥을 박리한 다음 그 하방에 위치하고 있는 요골동맥의 표재 수장 분지와 동반 정맥의 혈관경을 박리, 노출시킨다. 피판의 요골측을 절개하여 요골동맥의 표재 수장 분지가 피판에 천공지를 내고 무지구근으로 들어가는 부위를 노출시켜 결찰한다. 피판의 원위부 및 척골측을 절개하여 피판을 거상한다. 피판의 근위 척골측을 절개하여 근막 아래쪽에서 근막을 뚫고 피판으로 올라오는 정중신경의 표재 수장측 분지를 박리, 노출시켜 결찰한다. 피판을 요골동맥 표재 수장측 분지와 동반정맥으로 구성된 부분만 혈관경으로 남겨두고 완전히 박리한다. 지혈대를 풀고 피판의 혈류를 확인한다. 수혜부의 피판의 이식이 완료된 다음 공여부는 일차적으로 봉합을 시행한다(그림 4-9-8).

5) 후골간피판(Posterior interosseous flap)

후골간피판은 후골간동맥에서 공급되는 근막피부판(fasciocutaneous flap)으로 손가락 및 손등에 얇은 피판을 얻고자 할 때 사용되는 피판이다. 유리 피판 또는 먼쪽에 기반을 둔 역행성 피판으로 사용된다.

장점으로는 수부로 가는 주요 혈관을 손상시키지 않으며, 피판의 폭이 4~5 cm까지는 공여부위를 일차 봉합할 수 있어 흉터를 적게 남길 수 있다.

적응증으로는 손등쪽 연조직 결손에 사용되며 역행성 피판으로 수복이 가능한 범위는 피판의 크기에 따라 달라지지만 5×4 cm 정도의 적당한 크기의 피판이라면 제1 지간 공간과 손등뿐 아니라 손바닥 전체로 도달이 가능하다.

후골간동맥은 회외근으로 깊이 주행해서 전완부 후방 구획으로 들어가며 이 부위는 외측 상과(lateral epicondyle)부터 원위 요척 관절(distal radio-ulnar joint, DRUJ)까지 이은 선의 중간과 근위 1/3의 연결 지점에 위치한다. 이 동맥은 후골간신경과 동반 되고, 이 신경은 곧 감각과 운동 분지로 나누어지며 작은 감각 분지와 두 개의 동반 정맥은 손목 부위까지 동맥과 동반한다. 혈관경은 소지신근과 척측수근신전근 사이의 격막으로 들어가며 이 주행을 따라서 후골간동맥은 7~14개의 천공지를 내는데 근위부의 천공지 내경이 가장 크다(그림 4-9-9).

피판의 작도는 팔꿈치를 직각으로 구부린 자세에서 외측상과와 원위요척관절을 연결하는 선을 피판의 축으로 하며, 이 선의 중간과 근위 1/3 지점 사이에서 도플러로 천공지를 확인하고

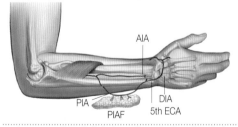

▷그림 4-9-9. **후골간피판의 모식도 및 후골간동맥의 주행** (PIA : posterior interosseous artery, PIAF : posterior interosseous artery flap, AIA : anterior interosseous artery, DIA : dorsal intercarpal arch, 5th ECA : 5th extensor compartment artery)

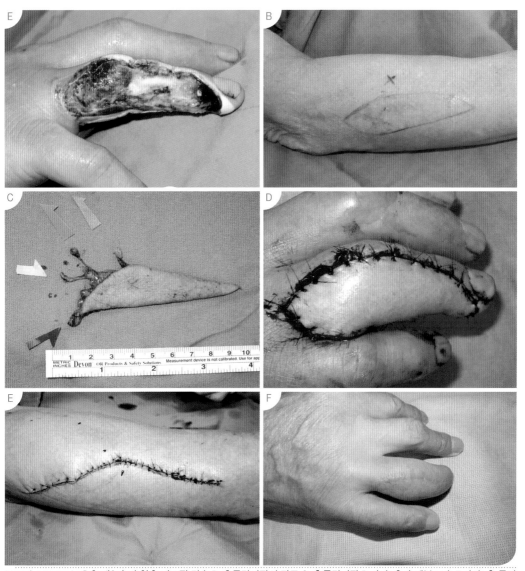

▷ 그림 4-9-10. A. 우측 제3 수지 척측 연조직 결손 B. 후골간피판의 작도 C. 후골간피판 D. 수술 후 수혜부 모습 E. 수술 후 공여부 모습 F. 수술 후 모습

이것을 포함하여 피판을 작도한다. 절개는 피판의 요측 경계에서부터 시작하여 원위요척관절까지 절개선을 연장한다. 척측수근신전근과 소지신근 사이에 혈관경이 지나가므로 원위부에서 먼저 이 두 구조물의 방향을 확인한다. 요측에서 척측으로 심부근막을 피판에 포함시켜가며 박리한다. 소지신근과 척측수근신진근 사이의 중격

은 천공지를 포함하고 있어 잘 확인하여 천공지를 기준으로 정확한 피판의 위치와 방향을 작도하여 박리한다. 피판의 근위부쪽에서는 회외전근의 원위부 근처의 후골간동맥의 외측에 위치하는 후골간신경을 조심스럽게 보존하여 박리한다. 후골간동맥의 결찰은 피판의 첫 천공지보다 바로 근위부에서 시행한다. 공여부의 결손은 대

부분 일차 봉합이 가능하고 피판의 크기가 비교적 넓은 경우 피부이식을 하기도 한다(그림 4-9-10).

6) 척골동맥피판(Ulnar artery flap)

척골동맥 피판술은 척골동맥이나 천공지가 비교적 일정하여 확실하고, 박리하기가 쉬우며, 경우에 따라 건, 근육, 골 혹은 신경을 포함할 수 있다. 척골동맥 피판술은 요골동맥 피판술과 유사한 성격을 지니고 있으나 요골동맥이 수부로의 중요 혈관이므로 척골동맥피판의 경우가 수부의 근력약화나 이상감각을 적게 일으킨다. 또한 이 피판술의 장점으로 척골동맥이나 천공지가 믿을 수 있고, 전완부로부터 피판을 거상하기 쉬우며, 털이 적고, 공여부가 눈에 잘 띄지 않는다. 골 결손부위를 메우기 위해 골이 필요한 경우 척골의 근위부를 사용할 수 있으며, 신경이 필요한 경우 전완부의 내측피부신경(medial cutaneous nerve of forearm)을 기저 정맥(basillic vein)과 함께 채취할 수 있다(그림 4-9-11).

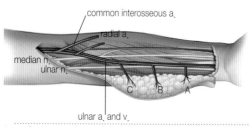

▷그림 4-9-11. **척골동맥피판의 모식도 및 척골동맥의 주행**

척골동맥은 근위부에서는 내측의 척수근굴근(FCU)과 외측의 4, 5 천수지굴근(FDS) 사이에 있는 근막중격(fascial septum)에 위치하며, 전완부의 중간 부위에서 두 근육사이로 통과하여 표층으로 나오게 된다. 근위 1/3지점 혹은 중간부위에서 2~4개의 천공지를 내게 되는데 이 천공지가 척골동맥 피판의 중요 혈액공급원이 된다. 원위부에서는 가이언 관(Guyon's canal)을 통해 수부로 진입하며, 가이언 관을 개방함으로써 수부의 배부, 특히 수지 첨부까지 도달할 수 있다.

피판의 도안 및 거상은 먼저 도플러를 사용하여 척골동맥의 주행을 확인한 후 Allen 검사를 시행하여 요골동맥을 통하여 수부로의 혈액공급에 지장이 없음을 확인한다. 전완부의 중심 혹은 근위 1/3 지점을 피판의 중심으로 하여 원하는 부위만큼 도안한다. 피판 근위부의 경계는 주관절 주름의 원위 5 cm, 원위부의 경계는 완관절 주름까지 가능하며 폭은 최대 10 cm까지 가능하다. 원위부에서 Zig-Zag 절개한 후 척골동맥을 발견하여 주행을 확인하고, 근위부에서도 존재를 확인한다. 먼저 피판의 요골경계에서 천수지굴근(FDS)의 건막을 따라 심부로 접근하여 동맥과 신경의 다발에 도달하고, 동맥으로부터 두 근육사이로부터 나오는 피부혈관(cutaneous branch) 혹은 격막피부천공지(septocutaneous perforator)를 확인한다. 이후 피판의 척골경계에서 척수근굴근(FCU)의 건막을 따라 심부로 접근하여 동맥과 신경의 다발에 도달하고 천공지와 척골신경에 주의하면서 척골동맥을 거상한다. 필요에 따라 전완부의 내측피부신경과 기저정맥 혹은 척수근굴근을 함께 채취한다. 총골간동맥 아래에서 척골동맥을 잠깐 결찰(clamping)하여 피판의 생존여부를 확인한 후 결찰(ligation)한다. 피하터널을 통해서 180도 접거나 꼬아서 긴장 없이(tension free) 피부 결손부위로 이동하며, 길이가 짧을 경우 척골관을 열어서 유경을 연장할 수 있다. 부종이나 정맥울혈이 의심될 경우 표피정맥을 문합할 수 있다. 피판의 회전중심(pivot point)이 압박되지 않도록 봉합하며 일

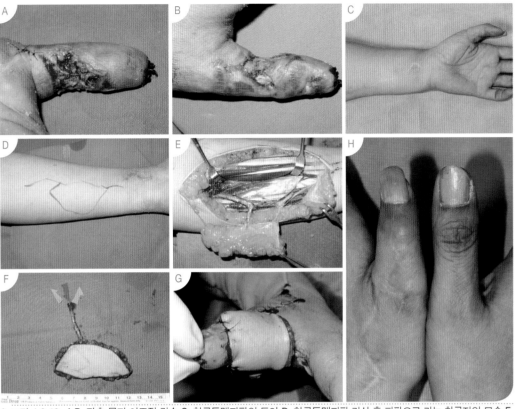

▷그림 4-9-12. A,B. 좌측 무지 연조직 결손 C. 척골동맥피판의 도안 D. 척골동맥피판 거상 후 피판으로 가는 천공지의 모습 E. 척측동맥피판 F. 척골동맥피판 수술 후의 모습 G,H. 척골동맥피판 공여부 및 수혜부의 수술 후 6년째 모습

반적으로 폭 5 cm 미만의 피판의 경우 공여부의 일차봉합이 가능하나, 5 cm 이상의 경우 피부이식이 필요하다(그림 4-9-12).

3. 하지의 피판

1) 전외측 대퇴부 천공지 피판
(Anterolateral thigh perforator flap)

천공지피판은 과거에 이용되던 모든 피판을 대체하고 있다고 해도 과언이 아닐 정도로 재건수술의 전 영역에 활발히 이용되고 있다. 다양하고 넓은 피부를 사상할 수 있고 공여부위가 비

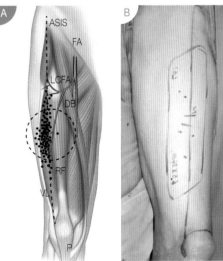

▷그림 4-9-13. A. 외측대퇴회선동맥의 하행 분지의 주행 및 전외측 대퇴부 천공지판의 천공지의 분포 B. 전외측 대퇴부 천공지 피판의 도안 (ASIS: anterior superior iliac spine, FA: femoris artery, LCFA: lateral circumflex femoral artery, DB: descending branch, RF: rectus femoris, VL: vastus lateralis)

교적 잘 가리워지는 장점이 있다. 또한 복합 결손을 재건하기 위해 복합피판으로 거상이 가능하고, 피판의 두께를 약 3~4 mm까지 얇게 할수도 있으며, 혈관경의 길이는 10~16 cm까지 박리가 가능하다. 공여부위의 피판의 폭이 8~10 cm 정도에서 일차봉합이 가능하다(그림 4-9-13).

전외측 대퇴부 피판은 심부 대퇴 동맥(femoris artery, FA)의 가장 큰 가지인 외측대퇴회선동맥(lateral circumflex femoral artery, LCFA)의 하행 분지(descending branch, DB)나 횡행 분지(transverse branch)로부터 혈액 공급을 받는다. 동맥은 보통 두 개의 동반정맥(comitans)과 함께 주행하며 대퇴직근(rectus femoris, RF)와 외측 광근(vastus lateralis, VL)사이의 구를 따라 외측광근으로 가는 신경과 함께 아래로 진행

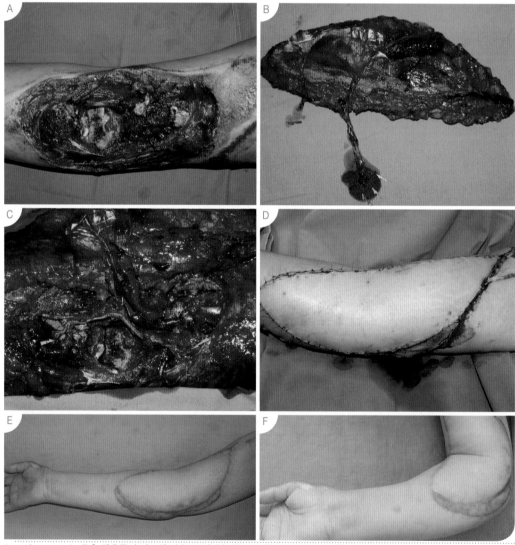

▷ 그림 4-9-14. A. 우측 팔오금의 연조직 결손 B. 전외측 대퇴부 천공지 피판 거상 후 모습 C. 피판의 혈관 문합 후의 모습 D. 피판 이식 후의 모습 E,F. 수술 후의 모습

한다. 외측대퇴피신경(lateral femoral cutaneous nerve)의 전방 분지를 포함하면 감각피판으로도 이용될 수 있다. 혈관경의 길이는 8~16 cm이며 동맥의 직경은 2 mm 정도이다. 동맥은 대퇴직근과 외측광근으로의 천공지와 대퇴부 전외측 피부로의 격막피부천공지(spetocutaneous perforator)를 제공한다. 외측광근으로 가는 천공지는 근육 내에서 많은 분지를 내고 나서 심부근막을 뚫고 근피부 천공지(musculocutaneous perforator)의 형태로 대퇴부 전외측 피부로 간다.

수술 시 도안은 전상장골극(anterior superior iliac spine, ASIS)에서 슬개골의 상외측(superolateral border)을 연결하는 직선을 그리고 그 중간점을 표시한다. 이곳을 중심으로 3 cm 원 안에 천공지가 가장 많이 분포하는데 주로 이 원의 하외측 1/4에 위치한다. 피판의 도안은 표시된 피부혈관의 위치를 중심으로 하며 피판의 종축이 대퇴의 종축에 평행하게 한다. 환자의 자세는 앙와위이며 환자의 자세를 바꾸지 않고 피판의 거상이 가능하고 두 팀이 동시에 수술을 할 수 있다. 도안된 피판의 내측에서 피부 절개를 시작하여 대퇴근막장근(tensor fascia lata)을 절개하고 피판을 외측으로 당기면서 근막을 뚫고 들어가는 천공지를 찾는다. 이후 대퇴직근과 외측광근 사이를 박리하면서 주혈관을 찾는다. 혈관이 근피부 천공지 형태이면 근육 내 박리가 필요하다. 피부 천공지인 경우에는 박리가 용이하여 외측광근과 대퇴직근 사이로 주혈관이 나타날 때까지 진행한다. 가능하면 혈관경 주위 약 1~2 cm의 근막만을 남기고 근막을 자른 근막 상부(suprafascial) 박리를 한다. 피판의 피부를 절개하고 혈관경을 유지한 상태로 지방층을 제거하여 얇은 피판으로 거상한다.

이 피판의 단점으로는 술 중 피부 천공지의 해

부학적 변이가 있을 수 있다. Wei 등은 0.9%에서 피부 천공지가 없다고 보고하기도 하였으나 꼭 그렇지는 않은 것 같다. 또한 남성에서 피판에 털이 자라는 단점이 있으며 여성에서 공여부위의 흉터가 문제가 될 수 있다(그림 4-9-14).

2) 발등피판(Dorsalis pedis flap)

발등피판은 손등 재건 시 손가락 운동과 감각 기능의 회복에 있어서 권할 만한 피판이다. 미용 면으로 볼 때 발등피판은 손등과 질감 및 색깔이 유사하며 술 후 이차적인 지방 제거술(defatting procedure)이 필요 없어 좋은 결과를 얻을 수 있다. 피판에 신전건을 포함하면 건으로의 혈행을 가진 채 전이되어 주위 건초의 유착을 예방할 수 있어 건의 활주능력을 보장할 수 있다. 그러나, 단점으로 족배동맥과 제1 중족골동맥(first dorsal metatarsal artery)의 다양한 해부학적 변이로 술 중 박리가 까다롭고, 족배부에 피부이식 후 상처치유가 늦고 흉터가 눈에 많이 띈다(그림 4-9-15).

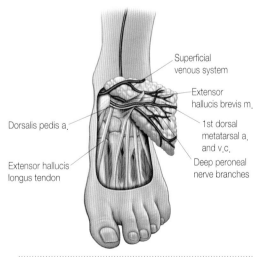

▷ 그림 4-9-15. 발등피판 주변 해부학적 구조 및 속배롱맥의 주행

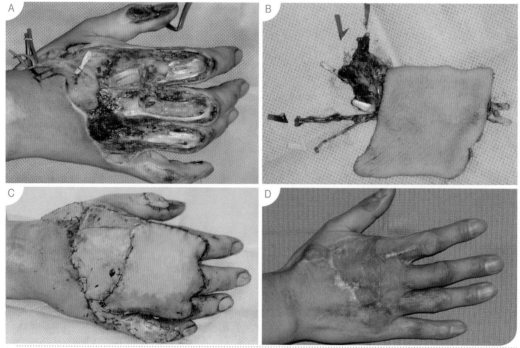

▷그림 4-9-16. A. 우측 수배부 연조직 결손 B. 발등피판 거상 후 모습 C. 발등피판 이식 후 모습 D. 수술 후 모습

피판은 내측에서 외측으로, 하연에서 상연으로 박리를 한다. 즉, 장족무지신전건 외측에 절개를 하여 내측에서 피판을 거상하기 시작하여 이 건의 외측 단에서 근막을 절개하여 골막 위까지 수직으로 들어가면 족배혈관이 바로 외측에 있게 된다. 이 혈관을 피판 내에 포함시키면서 골막 위를 따라 내측에서 외측으로 계속 거상한다. 단족무지신전건을 절단한 다음 피판을 기시부 쪽으로 거상하고 혈관경만 남긴다. 골간근은 족배부 제1 중족골동맥의 주행에 따라 포함 여부를 결정한다. 공여부위의 결손은 외측 대퇴부에서 두꺼운 부분층피부이식을 시행한다(그림 4-9-16).

3) 제1 발가락사이부위 피판 (First web space flap)

제1 발가락사이부위피판은 족무지의 외측부 피부와 두 번째 발가락의 내측부 피부, 이 사이의 발바닥 및 발등 피부와 연부조직을 포함한다. 피판 전체를 분리하면 알파벳 'Y'와 같은 모양을 띠게 되고, 피판을 옆으로 펼치면 성인에서는 12 cm에서 14 cm까지의 길이가 가능하다.

적응증으로는 감각 재건을 필요로 하는 손가락이나 수부의 연부조직 결손의 재건에 주로 이용된다. 주로 작은 결손부의 재건에 혈관경을 좀 더 근위부로 박리하면 발등피판과 함께 광범위한 수부의 연부조직 재건도 가능하다.

장점으로는 긴 혈관경을 가지는 감각 피판으로 감각 복원이 가능하며, 피하 조직이 얇고, 피판의 모양과 크기를 필요에 따라 적절히 조절할 수 있다. 또한 원위부로 박리하여 하나의 혈관경

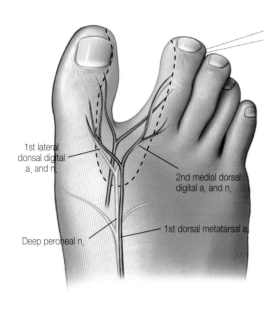

1st lateral
donsal digital
a. and n.

2nd medial dorssi
digital a. and n.

Deep peroneal n.

1st dorsal metatarsal a.

▷ 그림 4-9-17. **제1 발가락사이부위 피판의 모식도 및 제1 중족골동맥의 주행**

으로 두 개의 피판을 채취할 수 있어 해부학적으로 구조가 상이한 족배부와 족저부 피부로 피부의 질이 비슷한 손바닥과 손등를 동시에 재건할 수 있다. 그리고 공여부위의 흉터가 눈에 잘 띄지 않는 장점이 있다. 단점으로는 족배부 제1 중족골동맥의 다양한 해부학적 변이로 박리가 까다롭다. 또한 공여부위의 상처치유에 오랜 시간이 걸리고 피부 이식이 생착된 후에도 상처부위가 깨끗이 유지되지 않는다. 드물게 보행 시 약간의 불편함과 동통을 호소하지만 술 후 3개월 이상 경과하면 이런 증상들은 사라진다(그림 4-9-17).

제1 발가락사이부위에 분포하는 동맥은 족배동맥에서 분지되는 족배부 제1 중족골 동맥과 족저부 제1 중족골동맥(first plantar metatarsal artery, FPMA)이다. 대부분의 경우에(78%) 족배부 제1 중족골 동맥은 제1, 2 중족골 사이에서 제1 족배골간근(first dorsal interosseous muscle)

위를 지나 배부 발가락동맥(dorsal digital artery)으로 최종 분지한다. 제1 발가락사이부위의 정맥은 족배부 제1 중족골동맥과 족저부 제1 중족골동맥의 동반정맥(comitans)과 족배부 피하정맥으로 구성되는데, 피판 전이 시보다 굵은 혈관의 문합을 위해 족배부 피하 정맥의 근위부로 박리하여 대복재정맥(greater saphenous vein)을 주로 이용한다. 제1 발가락사이부위는 심비골신경(deep peroneal nerve)과 내측족저신경(medial plantar nerve)에서 분지하는 족저측지신경(plantar digital nerve)의 중복 지배를 받는다. 심비골신경은 족배부에서 단족무지신근(extensor hallucis brevis tendon) 하방으로 족배부 제1 중족골 동맥과 함께 내려오다가 중족골 간부 중간쯤에서 2개로 나뉘어져 조갑상으로 간다. 족저측지신경은 족저부 제1 중족골 동맥과 동반하여 발가락 말단으로 분지한다. 그래서 족무지 외측에서는 이점 식별력이 평균 11.3 mm이고, 두 번째 발가락의 내측은 16.4 mm이다. 이러한 제1 족지간 공간에서의 이중 신경 지배는 수부의 제1 수지간 공간에서 요골신경의 손등 분지와 정중 신경의 이중 분포와 동일하다(그림 4-9-18).

피판 박리는 무혈 박리(bloodless dissection)를 위해 지혈대를 작동시킨 후 족배부 피부 절개를 통하여 먼저 족배부 정맥과 대복재정맥을 충분한 길이만큼 박리한다. 이 절개를 통하여 깊게 내려가면 단무지신전건 아래로 족배동맥과 원위부로 내려가는 족배부 제1 중족골 동맥을 확인한다. 이와 함께 주행하는 심비골신경도 분리하여 신경 혈관경을 제1 발가락사이부위까지 박리한다. 여기서 원위부로 박리하는 것보다는 피판의 가장 원위부의 절개선에서 근위부로 박리하는 것이 좋은데 이는 제1, 2 발가락의 발가락동맥과 신경을 피부 절개선에서 먼저 쉽게 확인할

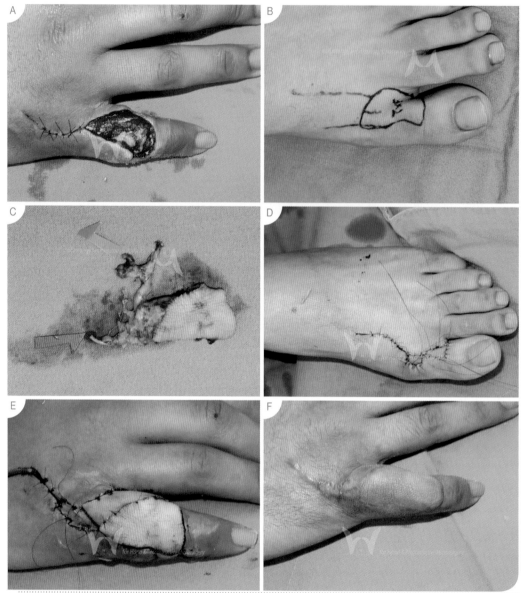

▷그림 4-9-18. A. 우측 제5 수지 수배부 연조직 결손 B. 제1 족지간부 피판의 도안 C. 피판 거상 후 모습 D. 공여부 수술 후 모습 E. 수혜부의 피판 이식 후 모습 F. 수술 후 모습

수 있기 때문이다. 즉, 양측 발가락의 동맥과 신경을 결찰하고 이를 기준으로 발가락의 골막을 남기면서 제1 발가락사이부위로 박리한다.

4) 내측피판(Medial plantar flap)

내측피판은 후경골동맥(posterior tibial artery)의 마지막 가지인 내측족저동맥(medial plantar artery)과 경골신경(tibial nerve)의 분지인 내측족저신경의 공급을 받는다. 감각 피판으로서 피부가 두껍고, 털이 나지 않으며, 특히 피하 지방이 격막(septum)에 의해 나누어져 어느 다른 부위보다 내구성이 있다. 물건을 강하게 집거나 체중이 실려도 피판의 미끄러짐이 없어 발꿈치나 손바닥의 재건에 가장 권할 만하다. 공여부위는 발바닥 중에서도 체중 부하가 없는 부위로 한정하는 것이 좋고 피판 아래의 근육을 보존해야 한다. 그러나 공여부위의 피부이식 부위와 피판 접합부의 과다각화증이 문제가 되는데 특히 공여부위 경계부위가 외측의 체중 부하 부위까지 연장되었을 때와 피판의 봉합 부위에 체중 부하가 가해질 경우에 올 수 있으므로 피판 도안 시 이점을 충분히 고려해야 한다. 뿐만 아니라 족부 내측 1/3 부위의 감각 이상을 가져올 수 있고, 보행 시에 약간의 통증도 호소할 수 있다. 공여부위는 부분층피부이식으로 하고 최소한의 압박 드레싱을 한 후 술 후 족부를 높게 위

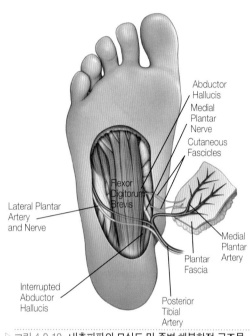

▷ 그림 4-9-19. **내측피판의 모식도 및 주변 해부학적 구조물**

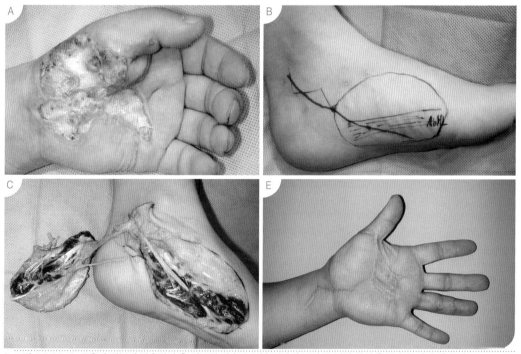

▷ 그림 4-9-20. A. 우측 수장부의 접촉화상 후 연조직 결손 B. 내측피판의 도안 C. 피판 거상 후 모습 D. 수술 후 모습

치해야 한다(그림 4-9-19).

피판은 먼저 원위부부터 거상하는데 원위부 족저의 체중 부하 부위 바로 뒤쪽에서 족저근막까지 깊게 횡 절개를 가한 후 무지외전근과 단지굴근 사이에서 내측 족저 신경혈관경을 찾아 분리한다. 족저근막 아래쪽에서 내측족저동맥을 족저근막에 붙인 채 족저근막과 근육 사이에서 원위부로부터 근위부로 피판을 거상한다. 내측족저신경은 보존한 채로 계속 남아 있고 내측족저부피판으로 들어가는 피부 신경속을 내측족저신경으로부터 박리하여 족저 피부의 신경 분포를 다치지 않도록 한다. 무지외전근과 단지굴근 사이의 신경혈관경을 싸고 있는 심부근격막(deep fascial septa)을 분리하여 피판을 거상하면 내측 족저 신경혈관속(medial plantar neuro-vascular bundle)이 무지외전근 아래쪽에서 나오는 것이 보인다. 내측족저동맥이 후경골동맥에서 갈라지는 부위에서 분리되어야 하는데 대부분 무지외전근이 부분적으로 또는 완전히 분리되어야 혈관이 충분히 노출된다. 공여부위는 두꺼운 부분층피부이식을 시행한다(그림 4-9-20).

4. 체간의 피판

1) 견갑/부견갑 피판(Scapula/parascapular flap)(그림 4-9-21)

액와동맥(axillary artery)에서 기시되는 견갑하동맥(subscapular artery)은 후하방으로 약 3~4 cm 주행하며 견갑골의 외측연 중간 부위에서 견갑회선동맥(circumflex scapular artery)과 흉배동맥(thoracodorsal artery)으로 분지한다. 견갑회선동맥은 삼각간(triangular space)을 통하여 견갑부 후방으로 들어간다. 삼각간은 견갑회선동맥을 확인하는 데 중요하다. 견갑회선동맥은 견갑골 상연과 평행하게 주행하는 횡지(transverse branch)와 극하근과 견갑골 사이를 지나 견갑골의 외연을 따라 주행하는 하행지(descending branch)로 분지하여 견갑 및 부견갑 부위에 분포한다. 하행지는 2개의 말단 피부 분지를 내게 되는데, 수평 방향의 견갑피부동맥(scapular cutaneous artery)과 수직 방향의 부견갑피부동맥(parascapular cutaneous artery)이다. 견갑피부동맥은 견갑극과 평행하게 근육건막 위를 주행해서 척추(midvertevral line)에

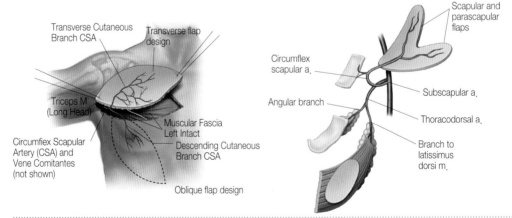

▷ 그림 4-9-21. **견갑피판의 모식도 및 견갑회선동맥의 주행**

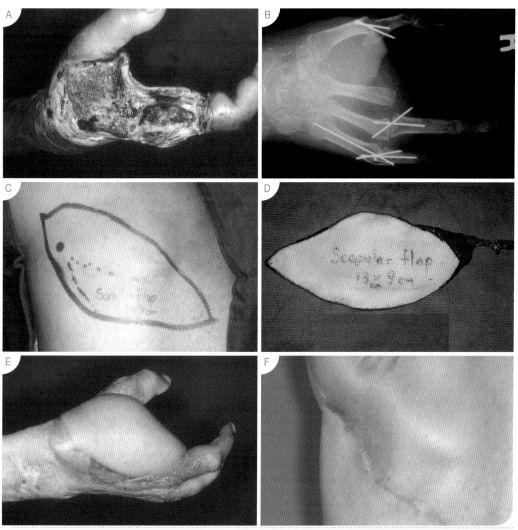

▷그림 4-9-22. A,B. 우측 제1 지간 및 수배부 연조직 및 골 결손 C. 견갑피판의 도안 D. 피판 거상 후 모습 E. 수술 후 수혜부 모습 F. 수술 후 공여부 모습

서 약 2~3 cm의치에서 끝나게 되는데 그 길이는 약 3.5~6.0 cm, 직경은 약 1.5~2.5 mm 정도이다. 부견갑피부동맥은 견갑골의 외연과 평행하게 근육건막(muscular aponeurosis) 위로 주행해서 진피 피하 총(dermal- subcutaneous plexus)의 하각(inferior angle)에서 끝나게 되는데, 그 길이는 약 4~6 cm 직경은 약 1.5~2.5 mm 정도이다. 직경이 다른 두 개의 정맥이 동맥을 따라 주행하며 이들은 자주 문합을 이룬다. 견갑회선

동맥의 하행분지 위치에서의 최대 정맥 직경은 약 4.5 mm인 반면 가장 작은 정맥은 약 1.5~2.5 mm 정도이다. 견갑부의 피하조직은 비교적 얇으며, 일정한 두께를 형성하고, 극하근과 근막과의 사이에서 무혈성 성근조직(areolar tissue)이 존재하기 때문에 박리가 용이하다. 이 피판은 늑간신경(intercostal nerve)의 후외피신경에 신경지배를 받으나, 피판의 감각 기능은 힘들다.

수술 시 환자를 측와위(lateral decubitus)로

하여 상지는 피판 공여부위와 함께 노출시켜 삼각간(triangular space)을 용이하게 확인할 수 있어야 한다. 삼각간을 확인한 후 견갑회선동맥의 피부 분지에 해당하는 견갑골극에 평행하게 척추(midvertebral line)부위까지 그으면 피판 견갑부의 중심축(central axis)이 된다. 이 축의 상부 5 cm 하부 5 cm 타원형의 절개선을 그릴 수 있으며 후액와선(post. axillary line)에서 척추(midvertebral line)까지 절개선을 그릴 수 있다. 피판의 견갑부위 경계는 내측에서는 정중선, 상부는 견갑골극(scapular spine), 하부는 견갑골 하각(inferior angle of scapular)까지 포함시킬 수 있으며, 외측은 삼각간에 고정되어야 한다. 견갑부 피판 도안 시 횡적 방향이 좋은데 이는 일차 봉합이 용이하기 때문이다. 피판의 부견갑 부위의 축은 견갑골연을 따라 위치하고, 상연은 혈관경의 출현위치와 동일하고 하연은 상연으로부터 약 25 내지 30 cm 하방으로 위치할 수 있지만 15 cm 정도 이하만 일차봉합이 가능하다.

피판의 절개는 피판의 견갑부위의 원위부에서 시작하여 그 축과 평행하게 삼각간 직전까지 거상한다. 견갑부위는 피하 조직과 근막 사이에 무혈성 성근조직(areolar tissue)이 있어 박리가 용이하다. 견갑부위를 거상한 이후 부견갑피판의 원위부로부터 후방으로 박리한다. 견갑 및 부견갑피판의 박리가 완성되면 부견갑동맥에서 나오는 견갑회선동맥을 그 기시부에서 결찰한다.

이 피판의 장점으로는 해부학적 구조가 비교적 일정하고, 일정한 두께의 피판을 얻을 수 있으며, 비교적 큰 혈관을 얻을 수 있다. 두 개의 피판을 동시에 거상하면 광범위한 연부 조직 결손이나 3차원적 결손부의 재건이 가능하다. 비록 흉터는 생기지만 공여부위의 기능적 이상이 초래되지 않고, 피판의 박리가 빠르다. 그러나 수술 후 눈에 띄는 흉터가 종적으로 길게 남기 때문에 여성들에게는 미용상 제한이 있고, 수술 중 환자 체위 변화가 필요한 단점이 있다(그림 4-9-22).

2) 광배 천공지 피판 (Latissimus dorsi perforator flap)

흉배혈관의 천공분지(perforator of thoracodorsal artery)에 기초한 피판은 1995년 Angrigiani에 의해서 처음 발표된 이후, 긴 공여부위 혈관을 갖고, 원하는 두께의 얇은 피판을 얻을 수 있으며, 공여부위의 근육을 보존시킴으로써 기능적 및 미용적인 장애를 최소화할 수 있다는 점에서 사지, 두경부 및 신체의 얇은 조직을 필요로 하는 여러 부위의 재건에 적합한 술기라 할 수 있다.

주 혈관인 흉배동맥은 견갑하동맥(subscapular artery)에서 기시하여 광배근으로 주행하고 횡 분지(medial branch)와 하행 분지(lateral branch)로 나뉘는데, 술기에 이용되는 대부분의 천공분지는 후자를 이용하는 경우가 안전하다. 광배근 영역에 5~9개의 천공분지가 존재하는데 근육을 뚫고 나오는 천공지(musculocutaneous perforator)와 근육 사이의 격막을 뚫고 나오는 천공지(septocutaneous perforator)의 비율은 3:2로 보고되고 있다. 근위부 천공지(proximal perforator)는 대개 후액와 주름으로부터 8~10 cm 하방 및 광배근의 외측 경계로부터 2~3 cm 후방에서 발견되고 0.4~0.6 mm의 직경을 갖는다. 두 번째 천공분지는 이로부터 2~4 cm 하방에서 직경 0.2~0.5 mm를 보인다고 한다.

흉배혈관 천공분지에 기초한 피판술은 많은

장점들을 가지고 있지만, 천공지 혈관의 얇고 약함, 위치와 크기의 다양성으로 인해 근육 내에서의 박리(intra-muscular retrograde dissection)가 어렵고 수술 시간이 길고, 수술 후 주변부의 괴사(marginal necrosis) 등의 합병증이 자주 동반된다. 이는 천공지의 근육 내 경로가 경사져 있어 박리가 어렵다. 혈관경인 흉배혈관 천공지가 작기 때문에 피판 거상 후 초기 피판 충혈이 나타나는 경우가 있고, 피판의 생존에 중대한 영향은 없지만 이를 방지하기 위한 시도로서 천공지를 수용부위 혈관에 문합 시 T형태의 문합을 시행하거나 천공지 혈관경에 광배근 일부를 포함시켜 예방할 수 있다.

5. 기능성 유리 근피판 (Functioning free muscle flap)

1) 서론

전완부나 수부의 심한 압궤상이나 전기 화상 등은 연부조직을 포함한 근육 및 혈관의 손상을 동반하여 수부의 심각한 기능장애를 초래한다. 또한 전완부의 절단으로 인한 재접합술 이나 볼크만씨 허혈구축(Volkmann's ischemic contracture) 후에 발생하는 수부 기능의 저하는 적극적인 재건술이 필요하게 된다. 전완부의 기능을 재건하기 위한 방법으로 건이식이나 근이전술 등이 있으나 손상이 광범위하여 이전할 건이나 근육이 섬유화되어 이용하기 힘든 경우 기능성 유리 근피판 전이술을 시도해볼 수 있다.

기능성 유리 근피판 전이술(Functioning free muscle transfer, FFMT)은 골격근을 이용하여

개방성 창상의 재피복뿐만 아니라 근육을 지배하는 신경을 같이 전이하여 근육의 수축력을 이용하여 수용부위에서 필요한 기능을 회복시키는 수술방법이다.

1970년 Tamai 등이 동물 실험에서 미세수술 수기를 이용하여 기능성 유리근의 혈관 및 신경을 문합함으로써 손상부의 재건이 가능함을 시사하였다. Manktelow와 Mckee, Gordon과 Buncke 등은 미세혈관 수기로 이식근이 생존할 뿐만 아니라 미세신경 문합 및 문합 신경의 재지배로 이식근이 기능을 할 수 있다고 하였고, 그 결과 전완부의 손상으로 인한 굴곡 구획이나 신전 구획의 기능재건이나 안면부 재건에 있어 기능성 유리근 이식술이 많이 시행되었다. 다양한 외상으로 인하여 수부와 전완부에 심각한 굴곡이나 대립(opposition) 장애가 있어 건이식술이나 건전이술로 기능회복이 힘든 환자에서 기능성 유리 근피판술을 시행하여 만족할 만한 결과를 얻을 수 있다.

2) 기본적인 조건

수부 및 상지의 기능 재건을 위한 기능성 유리 근피판 이식술을 하기 위해 필요한 조건은 다음과 같다.

(1) 가능한 손상받지 않은 신경, 동맥과 정맥이 있어야 한다.

정중신경(Median nerve)의 분지인 전골간신경(anterior interosseous nerve)은 순수 운동신경이며 전완부에 깊이 위치해 있으므로 표재성 근육들(superficial muscles)이 파괴되어도 잘 보존된다. 그러나 근육의 섬유다발(fascicle) 상태를 현미경으로 보거나 동결절편검사로 신경의 손상여부를 확인하는 것이 필요하다. 신경을 연결할 때 게

생을 보다 더 잘 유도하기 위해서는 신경이식보다는 긴 신경경을 박리하여 가져가는 것이 좋다.

(2) 근육의 원위 1/2부위는 적당한 피부조직으로 덮어주어야 한다.

근육과 피부조직의 배치관계는 수술 시 가장 중요하면서도 기능에 주된 영향을 미치는 부분이다. 대부분 전완부의 손상은 원위 1/3부위에 결손을 동반하므로 이 부위는 근육 위에 피부이식을 하거나 근피판의 일부에 피부조직을 포함하는 것이 필요하다. 이 때 피부피판을 이용하는 것이 훨씬 좋은 결과 결과를 가져오는데, 이는 건의 협착을 방지하여 활주운동을 훨씬 촉진시키고 수술 후 기능을 향상시키기 때문이다. 급성 전완부 손상에서 바로 건의 기능을 확보하지 못할 때는 주 혈관경에 손상을 주지 않으면서 전완부 원위 1/2을 덮을 수 있는 후골간경 피판술(posterior interosseous reverse island flap)이나 원위하복부 피판술(distant lower abdominal flap)을 사용하는 것이 좋다.

(3) 관절과 건의 운동범위가 충분히 유지되어야 한다.

이는 역시 건의 기능회복에 있어 중요하다. 따라서 처음 수상을 받은 후 능동운동이 불가능한 상태라 할지라도 반드시 수동운동을 각 수지 관절과 손목관절에 시행하여 건의 협착과 구축을 막아야 한다.

(4) 손의 감각기능과 손안의 근육기능이 어느 정도 보존되어 있어야 한다.

(5) 환자의 수술에 대한 강한 욕구가 있어야 한다.

(6) 수술 후 충분한 재활치료가 필요하다. 최소 1년 이상의 긴 재활치료기간이 필요하고, 최소 2년이 지난 후에 건박리술(tenolysis)을 시행하는 것이 좋다.

근 이식 시에 가장 중요한 인자는 처음 손상 정도로서 심한 손상으로 인한 유착과 관절강직이 심할수록 예후가 나쁘다. 따라서 수술 전에는 수지 관절의 완전한 수동 운동능력을 확보하는 것이 중요하며 근 이식술 후에는 세심한 주의를 기울여 재활운동이 이루어져야 한다. 신경의 재지배가 일어나기 전에는 수동운동이 주이고, 재지배가 일어나기 시작하면 능동운동이 시작되어야 한다.

3) 공여부위의 선택

기능성 유리 근피판의 공여 근육으로 광배근, 대퇴직근, 전방거근, 비복근, 반가자미근, 장발무지굴곡근, 척측수근굴근, 대흉근, 소흉근, 대퇴근막장근 등이 사용되기도 하지만 가장 이상적이고 많이 사용되는 근육은 박근(gracilis muscle)이다.

박근은 박리가 쉽고, 안전하며, 심부 대퇴동맥으로부터 분지하는 비교적 크고 긴 혈관경을 가지고 있으며, 폐쇄신경에서 유래하는 비교적 긴 신경에 의해 지배되고, 근 피판으로 인한 공여부위의 결손이 거의 없다는 장점이 있다. 결손부와 같은쪽의 박근을 사용하는 것이 전완부 굴곡건 재건에 있어 가장 좋은 결과를 가져오며, 반대편 박근은 전완부 신전건이나 이두박근을 재건하는 데 유용하다.

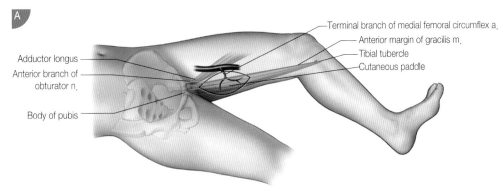

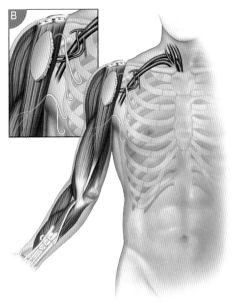

▷그림 4-9-23. A. 박근피판의 도안 B. 상지의 굴곡 기능 회복을 위한 기능성 유리 근피판의 모식도

4) 수술 술기

(1) 수용부위 전처치

전완부 전면의 피부를 절개한 후 섬유화된 근육조직을 제거한다. 이 때 주위조직과 서로 유착된 건 및 신경이 있으면 유착박리술을 시행한다(그림 4-9-23).

(2) 피판 거상

피판의 도안은 치골 결합부에서 내경골과에 이르는 가상선을 그어 이식할 근육과 피부를 실계하고, 근육과 같이 옮길 피판은 가능한 원위 전완부의 건을 충분히 덮을 수 있도록 도안한다. 결손된 부위를 충분히 덮을 수 있는 정도의 길이만큼 박근을 얻기 위하여 근위부와 원위부를 절단하기 전에 resting length에서 5 cm마다 봉합표시(suture marker)를 한다. 박근의 원위부 건은 보존하여 수용부위의 건과 연결할 수 있도록 한다.

(3) 피판 삽입

거상한 박근피판이 근위부는 상완골 내과

(medial epicondyle)에 고정시킨다. 근의 원위부인 건양부(tendinous part)는 두 가닥으로 나누어 요측부(radial side)는 장무지굴곡근(flexor pollicis longus)에, 척측부(ulnar side)는 4개의 심수지굴곡근(flexor digitorum profundus)을 합하여 interweaving tendon sutured technique으로 봉합한다. 건의 봉합 시에는 완관절을 약 30° 굴곡 위치에, 수지는 기능적 위치(functional po-

sition)에서 봉합하였다. 박근의 박리 이전의 길이를 얻기 위해서 suture marker가 5 cm이 될 때까지 신전시킨다. 손목과 수지부 전체를 신전시킨 후 인접점을 각각 박근의 건양부와 4개의 심지굴건에 표시하고 다시 손목과 수지부를 굴곡시켜 최소장력(minimal tension)하에서 건을 서로 봉합한다.

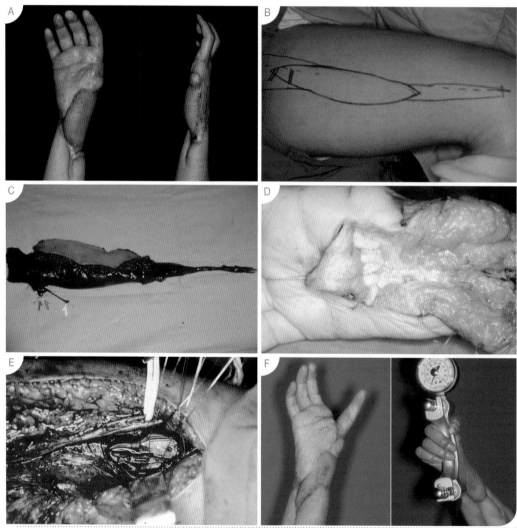

▷ 그림 4-9-24. A. 전기화상(22,900V) 후 발생한 수지 굴곡 기능장애 B. 박근피판의 도안 C. 피판 거상 후 모습 D. 박근과 연결할 굴곡건 원위부 절단면의 모습 E. 피판 이식 후 모습 F. 수술 후 5년, 굴곡 기능이 회복된 모습

(4) 혈관 및 신경 문합

동맥의 문합은 박근의 주 혈관경인 내측 대퇴회선동맥의 분지와 수용부위인 전완의 주요 동맥 중 하나와 단단문합을 한다. 정맥은 내측 대퇴회선동맥 분지의 동반정맥(comitans) 및 표재성 정맥으로서 요골측피부정맥(cephalic vein) 또는 척골측피부정맥(basilic vein)과 문합한다. 혈관경의 굵기는 근피판 동맥이 평균 1.5~2.0 mm이며 근피판 혈관보다 전완부의 혈관이 굵으나 단단문합에서는 큰 문제가 되지 않는다.

신경문합은 폐쇄신경의 전방분지와 정중신경의 분지인 전방골간신경(anterior interosseous nerve)등 전완에서 사용 가능한 신경분지 중 하나를 선택하여 문합한다.

(5) 술 후 관리

수술 후 3주 정도 손목과 수지부를 중등도 굴곡(moderate flexion)상태에서 장상지 부목고정을 한다. 술 후 항응고 치료로 헤파린과 PGE1을 사용할 수 있고 혈관 문합부의 혈전방지를 위해 aspirin을 사용하기도 한다. 또한 미세혈관 수술 후 환자의 안정을 위해 dormicum을 사용하기도 한다. 수술 후 5~6주 정도 관절 운동의 전범위가 회복될 때까지 수동적인 손목과 수지관절의 신전운동을 하여 건양부와 주변 연부조직의 유착을 예방할 수 있다. 술 후 2~4개월 후에 신경문합부의 신경 재지배(reinnervation)가 시작되고 이 때부터 능동적인 수지 굴곡운동을 시작할 수 있다(그림 4-9-24).

References

1. Angrigiani C, Grilli D, Siebert J. Latissimus dorsi musculocutaneous flap without muscle. Plast Reconstr Surg 1995;96:1608-14.
2. Baek SM. Two new cutaneous free flaps: the medial and lateral thigh flaps. Plast Reconstr Surg 1983;71:354-65.
3. Chen HC, Tang YB, Mardini S, et al. Reconstruction of the hand and upper limb with free flaps based on musculocutaneous perforators. Microsurgery 2004;24:270-80.
4. Christie DR, Duncan GM, Glasson DW. The ulnar artery free flap: the first 7 years. Plast Reconstr Surg 1994;93:547.
5. David CC. Functioning free-muscle transplantation for the upper extremity. Hand clinics 1997;13:279.
6. Gilbert A, Teot L. The free scapular flap. Plast Reconstr Surg 1982;69:601-4.
7. Koshima I, Fukuda H, Utunomiya R, et al. The anterolateral thigh flap; variations in its vascular pedicle. Br J Plast Surg 1989;42:260-2.
8. Man D., Acland R.D. The microarterial anatomy of the dorsalis pedis flap and its   clinical applications. Plast Reconstr Surg 1980;65:419-423.
9. Mark W, Jeffrey L, Keith A, et al. The gracilis free flap revisited: A review of 25 cases of transfer to traumatic extremity wounds. Ann Plast Surg 1998;40:141-144.
10. Reid CD, Moss LH. One-stage flap repair with vascularised tendon grafts in a dorsal hand injury using the "Chinese" forearm flap. Br J Plast Surg 1983;36:473-9.
11. Robert ES, Ruedi PG. Medial plantar sensory flap for coverage of heel defects. Plast Reconstr Surg 1979;64:295-298.
12. Sakai S. Free flap from the flexor aspect of the wrist for resurfacing defects of the hand and fingers. Plast Reconstr Surg 2002;111: 1412-1420
13. Scheker LR, Kleinert HE, Hanel DP. Lateral arm composite tissue transfer to ipsilateral hand defects. 1: J Hand Surg [Am] 1987;12:665-72
14. Soutar DS, Tanner NS. The radial forearm flap in the management of soft tissue injuries of the hand. Br J Plast Surg 1984;37:18-26.

15. Woo SH, Choi BC, Oh SJ, et al. Classification of the first web space free flap of the foot and its applications in reconstruction of the hand. Plast Reconstr Surg 1999; 103:508-17.

16. Woo SH, Jeong JH, Seul JH. Resurfacing relatively large skin defects of the hand using arterialized venous flaps. J Hand Surg [Br] 1996;21:222-9

17. Woo SH, Kim KC, Lee GJ, et al. A retrospective analysis of 154 arterialized venous flaps for hand reconstruction: an 11-year experience. Plast Reconstr Surg 2007;119:1823-38.

18. Woo SH, Kim SE, Lee TH, et al. Effects of blood flow and venous network on the survival of the arterialized venous flap. Plast Reconstr Surg 1998;101:1280-9.

19. Zancolli EA, Argrigiani C. Posterior interosseous forearm island flap. J. Hand Surg(Br) 1988; 13:130.

20. 우상현, 설정현. 다양한 기능성 유리 근 피판 전이를 이용한 수부 기능의 재건. 대한수부외과학회지2002;7;130-137.

수부/상지의 종양
Tumors of Hand and Upper Extremity

10

어수락 동국의대

수부 및 상지에 발생하는 종양은 피부, 근육, 혈관, 신경을 포함한 모든 연부조직 및 골조직에서 발생하며, 특히 수부의 경우, 이들 조직 사이의 여유 공간이 적고, 신전건과 굴곡건이 전완부에까지 연결되어 있어 악성의 경우 근위부로 쉽게 전이될 수 있다는 특징이 있다. 수부에 발생하는 종양은 수부의 복잡한 해부학적 특성과 신경분포가 풍부한 점 등을 고려할 때 수부의 종창이나, 부종, 기능 변화 등을 비교적 초기에 쉽게 발견할 수 있어 조기진단이 가능하다. 자세한 병력의 청취와 정확한 이학적 검사 및 영상의학적 검사를 통해 진단을 내리고, 필요에 따라서는 조직생검을 술 전에 필요로 하기도 한다. 임상적으로 확실한 양성 종양이 아닌 경우, 악성일 가능성을 염두에 두고 접근하여야 오진의 가능성을 줄일 수 있다. 진단과 치료는 종양치료의 일반적인 원칙에 준하며, 대부분의 양성 종양은 병소내(intralesional) 혹은 변연절제(marginal resection)로 치료가 가능한 반면, 악성의 경우에는 보다 광범위 또는 근치적 절제술을 통해 재발을 막을 수 있는데, 일반적으로 피부 궤양을 동반한 양성 종양의 경우, 경계부에서 5 mm 정도 정상조직을 포함하여 절제하고, 악성 종양의 경우, 경계부에서 2 cm의 정상조직을 포함하여 절

▷ 표 4-10-1. 수부 및 상지에 발생하는 양성 종양

기원(Origin)	Benign tumors
피부(Skin)	warts, actinic keratosis, epidermal inclusion cyst
결체조직 (Connective tissue)	ganglion cyst, mucous cyst, giant cell tumor, lipoma, fibroma
혈관(Vessel)	glomus tumor, hemangioma, vascular malformation, pyogenic granuloma
신경(Nerve)	schwannoma, neurofibroma
골(Bone)	enchondroma, osteochondroma, aneurysmal bone cyst, simple bone cyst

▷ 표 4-10-2. 수부 및 상지에 발생하는 악성 종양

기원(Origin)	Malignant tumors
피부(Skin)	squamous cell carcinoma, basal cell carcinoma, dermatofibrosarcoma protuberans
결체조직 (Connective tissue)	rhabdomyosarcoma, malignant fibrous histiocytoma, liposarcoma, leiomyosarcoma
혈관(Vessel)	angiosarcoma
신경(Nerve)	malignant peripheral nerve sheath tumor
골(Bone)	chondrosarcoma, giant cell tumor, osteosarcoma, Ewing's sarcoma, spindle cell sarcoma, lymphoma, leukemia, metastatic tumor

제하는 것이 원칙이다. 때로는 수지에 발생한 종양의 경우, 수지열 절단술(ray amputation)이 요구되기도 한다. 또한, 종양 절제 후, 수부 및 상지의 효율적인 재건술을 위해서는 반드시 수부의 기능적 및 미용적 회복을 동시에 도모하여야 한다.

1. 연부조직 종양 (Soft tissue tumor)

1) 양성 종양(표 4-10-1)

(1) 결절종(Ganglion cyst)

수부에서 발생하는 가장 흔한 연부조직 종양으로 20~30대에 호발하며 여자에서 더 흔하게 발생한다. 손목부위의 후방 즉, 주상골(scaph-oid)-월상골(lunate)간 인대부위에서 장무지신전건과 총수지신전건 사이에서 가장 잘 생기며 (60~70%), 또한 손목부위의 전방, 중수지관절의 수장측, 원위지관절의 수배측에서도 발견된다. 반복적으로 외상을 받은 활막이나 건막에 점액성 변성이 생겨 관절액이 새어나가 낭종을 형성하는 가성 종양으로 반투과성막 내부에 끈적한 젤 같은 점액으로 차 있는 것이 특징이다(그림 4-10-1). 주사기로 점액을 흡인하거나 천자 후 스테로이드를 주입하는 보존 치료를 시행할 수 있으며 외부압박으로 피막을 파열시킬 수 있으나 재발율이 50% 이상이다. 대개 가는 관(stalk)을 통해 관절과 연결되어 있으므로 수술적 제거 시 낭종 및 관절낭과 연결되는 가는 관은 물론 관절낭 또는 건초의 일부를 포함하여 완전히 제거해야만 재발을 방지할 수 있다.

(2) 점액성 낭종(Mucous cyst)

50~70대에 호발하는 원위지간관절의 배측에 발생하는 결절종을 일컫는데(그림 4-10-2), 종종 Heberden 결절이 동반되어 퇴행성 관절염과 관련되어 발생하기도 한다. 불완전 절제로 인한 재발이 흔하므로 낭종과 함께 관절막 및 골증식 (osteophyte)을 같이 제거해야 하며 피부가 얇아져 있는 경우에는 같이 제거한 후 국소 피판술

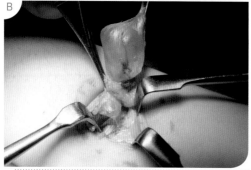

▷ 그림 4-10-1. Ganglion cyst on the right dorsal wrist. A. 술전 B. 술중

▷ 그림 4-10-2. Mucous cyst at the right small finger

로 피복해 주기도 한다.

(3) 사구체종(Glomus tumor)

진피의 망상층(reticular layer)에 존재하는 사구체(glomus body)는 체온조절을 위한 동정맥문합(coiled arteriovenous shunt)의 특수한 형태로 존재하며, 조갑하부위 수지의 측면, 손바닥 등에 많이 분포한다. 말초동맥이 모세혈관을 거치지 않고 직접 정맥으로 이행하는 Sucquet-Hoyer (arteriovenous) canal과 이를 둘러싼 무수신경(unmyelinated nerve fibers)과 교감신경섬유, 그 바깥쪽을 둘러싼 콜라겐 조직층으로 이루어져 있다. 이들 사구체 비후성 증식인 사구체종은 전체 수부 종양의 1%를 차지하는 비교적 빈도가 낮은 종양이지만 그 특이한 임상증세로 쉽게 진단할 수 있다(그림 4-10-3). 병변부의 예리한 발작성 동통, 냉감에 의해 악화되는 온도

민감성(cold sensitivity), 압통 등을 특징으로 한다. 손톱 밑에서 분홍 또는 자주색의 변색과 선상 조갑변형을 관찰할 수 있고 영상 검사상 원위지골 배부에서 종괴에 의해 눌린 압흔을 보이기도 한다. 수술적 제거를 위해 손톱을 제거하고 손톱바닥(nail bed)을 종절개한 후 적출하는데 다발성 병변으로 인한 술 후 재발과 조갑변형의 가능성을 염두에 두어야 한다.

(4) 거대세포종(Giant cell tumor)

수부에서 두 번째로 흔한 종양으로, 수지 또는 손의 수장부 측에서 흔히 발생하는데, 섬유성 황색종(fibrous xanthoma) 또는 색소성 융모결절성 활막염(pigmented villonodular synovitis)이라고도 불린다(그림 4-10-4). 단단한 결절모양의 압통이 없는 종괴가 특징적이며 빛 투과성이 없다는 점에서 결절종과 구분된다. 육안으로

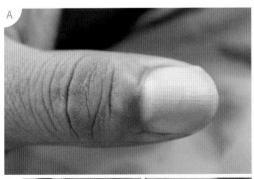
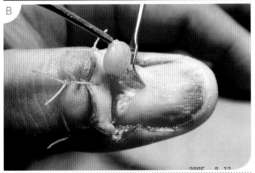

▷그림 4-10-3. Glomus tumor without nail deformity at the left thumb. A. 술 전 B. 술 중

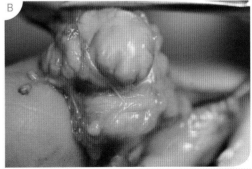

▷그림 4-10-4. Giant cell tumor at the left small finger. A. 술 전 B. 술 중

261

확인되는 모든 병소를 제거하여야 하는데 관절을 침범한 경우에는 관절 내 병변까지 절제해야 한다.

(5) 지방종(Lipoma)

전완부의 피하층에 호발하는 지방세포의 증식에 의해 발생하는 양성 종양으로, 악성으로의 전환은 드물지만 통증을 동반하여 빨리 자라거나 크기가 큰 경우에는 지방육종(liposarcoma)을 의심해 보아야 한다.

(6) 표피 봉입 낭종(Epidermal inclusion cyst)

외상 등에 의해 피하조직으로 침투한 표피세포에서 기원하는 상피세포의 종양으로 내부에 케라틴을 함유한 낭종의 형태로 관찰되고, 압박 시 악취를 동반한 치즈 모양의 지방질이 배출되기도 한다. 감염을 동반하는 경우 통증을 보이기도 하는데 피막을 포함한 완전한 절제로 치료할 수 있다.

(7) 혈관종(Hemangioma)

모세혈관성 혈관종, 해면성 혈관종, 동정맥기형 등을 포함하여 전체 혈관종의 15%는 수부 및 상지에서 발생한다(그림 4-10-5). 출생 시에는 없으나 출생 후 수 주 이내에 발생하며 소아에서

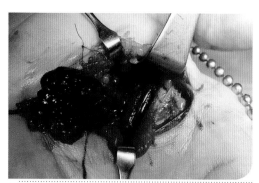

▷ 그림 4-10-5. Hemangioma at the left thenar area

는 점차적으로 자연소실 되는 경우가 많아 경과 관찰을 우선적으로 고려하지만, 감염, 출혈, 궤양 등을 동반한 기능 장해를 보이는 경우에는 종괴의 완전 절제와 공급혈관을 결찰하여 치료할 수 있다.

(8) 신경집종(Schwannoma)

말초신경의 신경집세포(Schwann cell)가 증식하여 수부 및 전완부의 전면부에 주로 발생하는 신경종양(그림 4-10-6)으로, 정중신경이나 척측신경을 압박하는 경우 신경지배영역의 감각기능 저하나 근육위축을 동반하기도 한다. 이학적 검사상, 종괴를 타진 시 신경의 주행을 따라 저린 방사통(Tinel's sign)을 호소하는 것이 특징이다. 덮고 있는 막을 절제할 경우, 쉽게 박리가 가능하며 수술 시 확대경을 이용하는 미세수술기법으로 완벽히 절제 생검하는 것이 중요하다.

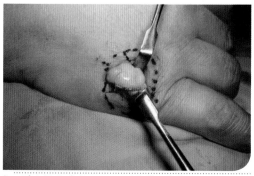

▷ 그림 4-10-6. Schwannoma at the hand dorsum

(9) 신경섬유종(Neurofibroma)

단일 병변보다는 담갈색 반점(café-au-lait spot)을 동반하는 신경섬유종증(neurofibromatosis)의 형태로 더 많이 나타난다. 조직학적으로 신경집세포(Schwann cell), 신경주막(perineurium), 섬유모세포(fibroblast)로 구성되어 신경초종에 비해 절제가 어렵고 수술 시 신경의 손상

이 불가피하다. 빠르게 크기가 커지거나 동통이 심해지면 신경섬유육종으로의 악성화를 고려하여 광범위 절제를 시행하기도 한다.

(10) 신경종(Neuroma)

손상된 신경에서 축삭(axon)의 재생과정으로 발생하는데, 신경절단 말단부에서 새로 자라나온 축삭(axon)의 싹(bud)이 섬유성 막으로 둘러싸여 소신경 섬유다발을 구성하고 이를 주위 결합조직이 침범하여 곤봉모양의 신경종을 형성하게 된다. 이들 미성숙한 축삭들은 과민해서 조그마한 자극에도 반응을 일으켜 통증을 유발하게 된다. 발생기전으로는 여러 개의 신경섬유가 각각 신경집세포(Schwann cell) 또는 주변 흉터 조직의 수축으로 인해 축삭(axon)들이 압박과 허혈상태에 처하게 되고, 이로 인한 혈류감소, 국소적 감염, 주변의 이물질들이 복합적으로 작용하여 통증을 유발한다고 알려져 있다.

(11) 화농성 육아종(Pyogenic granuloma)

외상을 받은 부위에서 발생하는 무른 자루모양의 혈관성 병변으로 쉽게 출혈을 일으킨다(그림 4-11-7). 실제 병리 조직소견으로는 소엽모세혈관 혈관종(lobular capillary hemangioma)

이 더 적절한 표현으로 재발을 방지하기 위해 1 mm 정도의 정상조직을 포함하여 제거하는 것이 적절하다.

2) 악성 종양(표 4-10-2)

(1) 편평상피세포암(Squamous cell carcinoma)

수부에 발생하는 악성 종양 중 가장 흔한 것으로 자외선 노출뿐만 아니라 방사선 노출, 유전적 소인, 면역억제 등이 발생 요인으로 간주되고 있다. 여성에서 더 흔하고 수배부 또는 전완부에 각질, 궤양, 부종 등을 동반하여 호발한다. 전구병변으로는 광선각화증(actinic keratosis), 비소각화증(arsenic keratosis), 보웬병(Bowen's disease), 화상으로 인한 만성 창상 등을 들 수 있다. 광범위 절제술로 치료하며 1~3 cm의 정상조직을 포함하여 피하조직까지 같이 제거하는 것이 국소 재발을 막는 데 도움이 된다.

(2) 악성흑색종(Malignant melanoma)

장기간의 햇빛 노출과 관련하여 전완부의 배부 및 조갑 밑에 발생하는 경우가 많다. 임상양상으로는 비대칭성(asymmetry), 불규칙한 경계(border irregularity), 다양한 색소침착(color

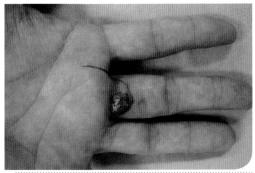

▷ 그림 4-10-7. Pyogenic granuloma at the left middle finger base

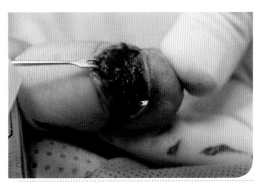

▷ 그림 4-10-8. Malignant melanoma at the right thumb

variegation), 6 mm 이상의 직경을 갖는 것이 특징적이다. 깊이가 1 mm 이상의 종양은 그 깊이에 비례하여 원격전이를 잘 일으킨다. 광범위 절제술을 시행하는데, 깊이가 1 mm 이하는 1 cm, 1~2 mm 깊이의 병변은 1~2 cm 정도의 절제연을 두고 절제술을 시행하는 것이 바람직하다. 수지 및 조갑하에 발생하는 경우(그림 4-10-8), 병변의 하나 또는 두 개의 관절 상방에서 절제하는 것이 필요하고 때로는 선절단술(ray amputation)을 요하기도 한다. 액와 림프절로의 전이가 있는 경우 예후가 좋지 않아 흑색종과 함께 액와 림프절 비대가 있는 경우, 림프절 절제를 필요로 한다.

(3) 융기성 피부섬유육종
(Dermatofibrosarcoma protuberans)

진피섬유종(Dermatofibroma)과 혼동되는 낮은 악성도의 악성 종양으로 진피층에서 발생하는 붉은색의 결절 또는 반점으로 관찰되며 피하층의 수평으로 퍼지는 경향이 커서 광범위 절제술을 시행하여야 한다. 술 전 영상의학 검사를 통해 종양의 범위를 확실히 확인하여 2~3 cm의 정상부분 및 근막을 포함한 절제술을 시행하고 술 후 방사선 치료를 시행하는 것이 재발 방지에 도움이 된다.

(4) 횡문근육종(Rhabdomyosarcoma)

골격근의 횡문근세포에서 발생하는 악성 종양으로, 폐포성(alveolar) 횡문근육종이 수부에 발생하는 가장 흔한 형태이며, 국소 재발이나 원격 전이를 잘 일으키기 때문에 광범위 절제술을 시행하여야 한다.

(5) 상피양육종(Epithelioid sarcoma)

수부 및 상지에 발생하는 연부조직 육종으로 궤양을 동반한 무통성의 결절을 특징으로 한다. 임상적으로 양성 종양의 모양과 유사하여 오진을 조심하여야 한다. 적극적인 치료로 광범위 또는 근치적 절제술을 요한다.

2. 골 종양(Bone tumor)

1) 양성 종양

(1) 내연골종(Enchondroma)

잘 분화된 연골로 구성된 가장 흔한 양성 골종양으로 10~40세에 수부의 근위지골에서 가장 흔히 발생한다. 서서히 자라고 크기가 작아 보통 무증상으로, 대부분 단발성으로 발견되며 손가

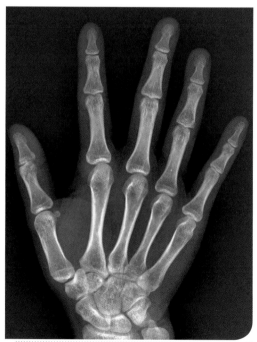

▷그림 4-10-9. Enchondroma at the middle phalanx of the left ring finger

락의 종창이나 병적 골절의 형태로 발견되는 경우가 많다(그림 4-10-9). 작은 병소의 경우 주기적인 관찰을 통해 치료를 미룰 수 있지만, 크기가 크거나 대칭형인 경우 생검 또는 소파술로 확진할 수 있고, 수지에 발생하는 경우 외측 접근법을 통해 연골조직을 완전히 절제한 후 자가골이나 동종골 이식을 통해 빈 공간을 채워준다. 다발성 연골종증(Ollier's disease), Maffuci 증후군 등에서 관찰되는 경우 골이나 연부조직육종으로의 악성화 가능성을 염두에 두어야 한다.

(2) 유골골증(Osteoid osteoma)

비교적 드문 수부의 골종양으로 수질종창과 손톱의 변형을 보이는 경우가 많다. 영상의학 검사상 중심핵(nidus)을 둘러싸고 있는 조그마한 골흡수성 병소와 그 주위로 경화된 골을 관찰할 수 있다. 핵을 포함한 주변골을 광범위 절제해야 증상의 악화 및 재발을 막을 수 있다.

(3) 동맥류성 골낭종(Aneurysmal bone cyst)

중수골에 주로 발생하며 영상의학적 검사상 골흡수성 병소가 팽창성으로 보이고 이를 얇은 경화성 골이 둘러싸고 있다. 연부조직으로의 침범은 드물며 광범위 절제술 후 골이식 등을 통해 재건해 준다.

(4) 거대세포종(Giant cell tumor)

조직학적으로는 양성이지만 국소적 공격성이 큰 골종양으로 주로 30대에 중수골과 지골에서 관찰된다. 통증과 종창을 특징으로 하는데 동맥류성 골낭종과는 달리 경계가 불분명한 골흡수성 병소가 특징적이다. 피질골을 파괴하거나 연부조직으로의 침범이 흔하고 방사선 치료 후 악성화된 거대세포종은 사망에까지 이르는 것으로

알려져 있어 주의깊은 광범위 절제술 및 골이식술을 시행하는 것이 필요하다.

2) 악성 종양

(1) 연골육종(Chondrosarcoma)

수부에 발생하는 가장 흔한 원발성 악성 골종양으로 간혹 내연골종이나 골연골증에서 이차적으로 발생하기도 한다. 근위지골과 중수골에서 호발하며 통증을 동반한 단단한 종괴를 특징으로 하며 전이는 드물다. 절제 생검으로 확진할 수 있는데, 조직소견 및 방사선학적 병소의 특징을 고려하여 종괴의 활성화와 공격성 여부를 판단할 수 있다. 흉부전산화단층촬영으로 국소적 및 전신적 병기를 결정하는 것이 중요하며 수부에 발생한 경우, 광범위 절제술이나 절단술이 유용하다.

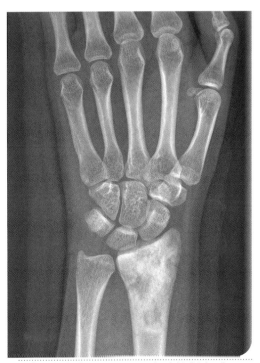

▷ 그림 4-10-10. Osteosarcoma at the right distal radius

(2) 골육종(Osteosarcoma)

기왕에 존재하던 골종양에서부터 발생하는 경우가 대부분이고 압통을 동반한 단단한 종괴를 호소하는 경우가 많다(그림 4-10-10). 범위 절제술과 더불어 화학요법의 발전으로 예후는 비교적 양호한 편이지만, 방사선 요법은 효과가 없는 것으로 알려져 있다.

(3) 유잉육종(Ewing's sarcoma)

종창, 동통, 발적을 동반하여 감염증으로 오인되는 경우가 있으며 연부조직 종괴가 동반되는 경우가 많다. 국소 재발율이 높기 때문에 수술적 절제술 이외에 화학적 요법이나 방사선 요법을 병행하는 것이 추천된다.

(4) 전이성 종양(Metastatic tumors)

수부에서의 전이성 종양은 기관지 폐암에서 전이되는 것이 가장 흔하지만 매우 드물고 대부분은 원발성으로 발생하는데 악성 골종양으로 확진되면 흉부방사선, 흉복부전산화 단층촬영, 골주사(bone scan) 검사 등을 통해 전이 여부에 대해 확인하는 것이 필요하다.

References

1. 제2판 표준성형외과학, 대한성형외과학회.
2. Athanasian EA. Chap 65. Bone and soft tissue tumors. InWolfe SW, Hotchkiss RN, Pederson WC, Kozin SF, editors. Green's operative hand surgery, 6th Ed. Philadelphia: Churchill Livingstone; 2011. p. 2141-2195.
3. 종양 Chap 68-70. In 수부외과학. 대한수부외과학회, 범문에듀케이션, 2014. P. 675-704.
4. 정문상, 백구현, 김진삼. 손의 종양. 정문상, 백구현. 손외과학. 제1판, 서울, 군자출판사, 2005. p. 1478-1519.
5. Hsu C, Henz VR, Yao J. Tumors of the hand. Lancet Oncol. 2007:8:157-166.
6. Payne WT, Merrell G. Benign bony and soft tissue tumors of the hand. J Hand Surg Am. 2010:35:1901-1910.
7. Dick HM, Angelides AC. Malignant bony tumors of the hand. Hand Clin. 1989:5:373-381.
8. Mavrogenis AF, Panagopoulos GN, Angelini A, et al. Tumors of the hand. Eur J Orthop Surg Traumatol. 2017;27(6):747-762.
9. Afshar A, Farhadnia P, Khalkhali H. Metastases to the hand and wrist: an analysis of 221 cases. J Hand Surg Am. 2014;39(5):923-932.

11 신경 포착증후군
Nerve Entrapment Syndrome

김우경 · 정성호 고려의대

1. 소개

신경포착증후군(Nerve entrapment syndrome)은 사지의 말초 신경이 해부학적으로 좁아진 부위나 섬유-골 터널 등을 통과할 때, 압박에 의한 혈액순환 장애로 인해 손상되어 일련의 증상 및 징후가 발생하는 질환이다. 이는 급성 외상에 의한 질환과 그 양상이 다른데, 예를 들면 골돌출 부위 등에서 외력에 의해 급성 신경 압박이 발생한 경우나 관절주변에서 신경이 급성 장력에 의해 늘어난 경우와는 임상적으로 구별된다. 압박 및 만성적인 자극이외에도 당뇨나 갑상선기능 이상, 알코올 중독, 중금속이나 화학제제 등이 신경 손상을 촉진시켜 신경포착증후군의 발병에 보조적인 역할을 한다. 아직까지 그 유병율에 대한 정확한 국내 통계는 없는 실정이나 다양한 전신 질환을 가진 잠재적인 환자군을 포함하면 발병 빈도가 상당히 높을 것으로 추정된다.

2. 신경 포착증후군의 병인론

신경포착증후군의 병인론에 관한 연구는 대부분 동물 모델을 이용한 실험을 통해 이루어져 왔다. 이는 인체에서 신경 조직을 채취하는 것이 불가능하기 때문이다. 때문에 아직까지 인체내의 고유한 병인론에 대해서는 알려진 것이 없다. 지금까지 알려진 바로는 초기에 혈액-신경 경계(blood-nerve barrier)의 파괴를 시작으로 신경내막의 부종이 발생하고, 신경외막의 비후로 이어져서 'Renaut bodies'가 신경의 핵심부에 축적되고, 이는 결국 신경내막의 압력을 증가시키게 된다. 신경내막의 압력 증가는 신경의 미세혈액순환을 저해하고, 신경내부에 역동적인 허혈 현상을 발생시키는 것으로 밝혀졌다.

기존의 연구에 따르면 병리적인 변화의 정도는 압박의 강도와 기간에 의해 결정된다. 이는 외과적인 압박해제술의 결과를 보면 충분히 추정 가능한 사실이다. 즉, 압박의 강도와 기간이 짧은 환자는 수술 후 즉각적인 증상 완화를 경험하지만, 반대로 강하고 길었던 환자의 경우는 불완전하게 회복되는 경우가 많기 때문이다. 그 이유는 물리적 압박이 정맥혈의 순환을 저해하고, 이로 인해 산소 결핍, 모세혈관의 확장 및 부종이 발생하며, 최종적으로 부종에 의한 압박이 신경 세포를 파괴함으로써 발생하게 되는 것으로 추정된다. 따라서 초기에 외과적으로 압박을 해제할 경우 회복 예후가 매우 좋을 수 있지만 장기간 압박이 지속된 경우에는 신경내부의 섬유화가 초래되어 압박을 해제하더라도 회복이 불가능할 수 있다.

해부학적으로 상지의 신경들은 주행 경로의 유동성이 확보되어야 한다. 압박은 신경을 일정 부위에 묶어두고 그 유동성을 제한하게 된다. 따라서 관절의 운동에 대한 신경의 운동도 제한되고 오히려 지나친 장력을 받게 된다. 장력은 그 자체만으로도 신경내부의 신호 전달을 차단할 수 있으며 신경 병증의 주요한 원인이 될 수 있다.

이중 압박 현상(Double-crush phenomenon)은 만성 압박성 신경병증에 있어서 놓치지 말아야 할 중요한 병증이다. Upton과 McComas가 처음 제안한 이중 압박의 개념은 말초 신경의 한 부위에 압박 병증이 발생한 경우 같은 신경을 따라서 또 다른 부위에도 압박병증이 발생하기 쉽다는 것이었다. 이 현상은 신경영양요소들(neurotrophic factors)의 신경형질흐름(axo-plasmic flow)이 파괴되면서 초래되는 것으로 보이며, 이는 전방향(antegrade) 또는 후방향(retrograde, reverse double crush)으로 발생할 수 있는 것으로 생각된다. 이 현상은 동물모델들을 대상으로 한 실험에서 증명되었으며, 임상적으로는 동일한 신경을 따라 여러 부위의 압박병증이 발생하는 수많은 예가 보고된 바 있다. 경추 디스크 질환과 정중 신경 압박병증, 수근관증후군과 회내근증후군, 주관절터널증후군과 기용굴(Guyon's canal) 내의 척골 신경 압박 병증이 동시에 발생하는 현상을 그 예라 할 수 있다. 이중 압박의 개념은 단일 압박 시에는 증상을 유발하기 어려운 두개의 부위가 동시에 압박을 받으면서 증상이 촉발되는 현상으로 확장될 수 있다. 이 경우에는 두 부위 중 한 부위의 탈압박만으로도 증상의 완화를 기대할 수 있다. 가장 원위부의 신경 압박 부위에 대해 가장 먼저 탈압박 시술을 시행하는 것이 전형적이며, 이는 이 부위가 보통 더 심하게 압박받는 부위이기도 하고 수술위험도가 더 낮기 때문이다. 만약 원위부의 탈압박후에도 증상의 완화가 없다면 보다 근위부인 추간 공간(intervertebral space)이나 상완신경총(brachial plexus)의 탈압박시술을 고려해보아야 한다.

3. 신경 포착증후군의 진단

1) 신체 검진

신체 검진 소견은 같은 신경 포착증후군으로 진단된 환자들 사이에서도 매우 다양하다. 예를 들어 수근관증후군의 경우에도 수부의 정중신경 지배 영역 외에서 증상이 발생하는 경우가 2/3에 달한다. 어떤 경우에는 한쪽 신경만 침범했음에도 불구하고 양쪽에 증상이 있는 경우도 있다. 따라서 면밀한 검진이 필요하며, 병력 및 전기진단을 참고하여 정확한 진단을 해야한다.

(1) 감각 기능 검사

말초신경병증의 진단을 위해서는 감각검사가 중요한 비중을 차지하는데 보통 네 가지의 감각검사가 가능하다. 느리게 적응하는 섬유(slowly adapting fiber)의 기능을 검사하는 정적 두점 식별 검사(static two-point discrimination test)와 Semmes-Weinstein monofilament 검사, 그리고 빠르게 적응하는 섬유(quickly adapting fiber)의 기능을 검사하는 진동(vibration) 검사와 동적 두점 식별 검사(moving two-point discrimination test)가 그것이다.

동적 또는 정적 두점 식별 검사는 감각의 밀도, 즉 일정 영역에 여러 개의 말초신경의 수용체 단위가 혼합된 정도를 측정하는 데 유용하여 일반적으로 신경봉합후의 재생 정도를 잘 나타낸다. 그러나 포착신경병증(entrapment neuropathy)과 같이 감각 수용체 수의 변화는 없이 점진적인 신경섬유의 기능이 소실되는 병변에서는 민감도가 떨어진다. 한편, Semmes-Weinstein monofilament 검사와 진동검사는 신경의 자극에 대한 문턱 값을 반영하는 검사로 포착신경병증(entrapment neuropathy)의 진단에 보다 민감하다.

(2) 운동 기능 검사

만성적인 신경압박에서의 신경 손상의 정도는 흔히 Sunderland degree I, 또는 Seddon's neuropraxia에 그치는 것이 일반적이다. 근육의 위축과 같은 명백한 증거가 보이는 경우는 드물다. 그러나, 근육 약화는 신경 포착의 부위를 확인하기 위한 도수 근육 검사나 신경 포착 부위에서의 신경 통증 및 압통 검사 등을 통해 확인할 수 있다.

① 도수 근육 검사

Seddon의 근력 단계는 5단계로 나누어진다 (M0-M5). M0에서 M3까지는 임상적으로 명백한 약화를 나타내며 축삭절단(axonotmesis) 또는 신경의 완전절단 시에 나타난다. M5는 근력 약화가 없는 정상을 의미한다. M4는 중력이나 저항에 대항에서 수축하는 것을 나타내며 평가하기가 쉽지 않다. M4 근력 약화는 만성신경압박 환자에서 흔하게 발견되는데, 검사 자체가 저항에 대한 반응을 보는 것이므로 임상적인 검사를 통해서만 확인할 수 있다.

② 신경 통증 및 압통 검사

포착이 의심되는 부위에 압박을 가하거나 Tinel's test를 시행함으로써 정확한 부위를 확인할 수 있다.

2) 전기 진단

전기 진단의 특이도 및 민감도는 수근관 증후군 및 주관 증후군을 제외하면 30~65% 수준이다. 전기 진단은 검사 시행자에 따른 편차가 크고, 초기 신경 포착의 경우 진단이 불가하며, 혼재된 양상의 신경 손상에 대한 정확한 진단이 어렵다. 또한 근전도 검사의 경우 근육의 운동 기능만을 검사할 수 있다. 이러한 한계점으로 인해 일부 연구자들은 전기 진단보다는 임상적 진단을 통해 신경 포착 증후근을 진단하도록 권하고 있다.

임상 양상이 전형적이지 않고, 동반 질환이 임상 양상을 모호하게 만들 경우에는 증상과 전기 진단 결과를 종합해서 판단하는 것이 필요할 수 있다. 전기 진단은 특히 당뇨나 알코올로 인한 다발성신경병증이 있는 경우, 근 위축이 상당히 진행된 경우, 말초신경병증으로 인해 말초 근육의 잔떨림이 있는 경우에 신경 손상의 정도를 파악하는 데 특히 유용한 것으로 알려져 있다.

주로 신경 전도 검사(nerve conduction studies)와 근전도 검사(electromyography)가 주로 사용되며 신경 전도 검사가 특히 도움이 된다. 신경 전도 검사는 두 전극을 신경의 경로를 따라 피부에 거치하고 시행한다. 첫 번째 전극을 통해 말초 신경을 자극한 후 두 번째 전극에서 발생된 활동 전위를 기록하여 분석하게 된다. 전극들은 전형적으로 보다 크고, 빠른 신경 섬유에 대한 정보를 감지한다. 근전도는 근육 기능의 상태를 분석하는 데 사용되며 이를 통해 축삭 손상이 발생하였는지 판단하는 데 도움을 준다.

4. 정중신경 포착증후군

1) 수근관 증후군
(Carpal tunnel syndrome)

수근관 증후군은 팔에서 발생하는 압박 신경 병증(compression neuropathy) 중 가장 흔한 것으로 임상 양상 및 치료에 관하여 이미 잘 알려져 있다. Paget (1854)이 처음 원위 요골 골절 후 발생한 손목굴 증후군의 증례를 처음 보고한 후 1950년대 이후에 Phalen (1951)에 의해 병에 대한 임상양상과 치료의 체계가 비로소 널리 알려지기 시작했다. 현재 미국에서는 이 병에 대한 인지도가 매우 높아서 연간 40만 건에서 50만 건의 수술이 행하여지고 있다. 최근 우리나라에서도 발병율이 증가하고 있는데, 이는 새로운 환자의 발생과 더불어 대중 매체를 통한 계몽 효과라 할 수 있다.

대부분의 수근관증후군은 그 원인이 명확하지 않다. 여성에서 남성보다 더 많이 발생한다. 원인 불상의 수근관증후군의 조직학적 검사에서 힘줄활막 조직은 부종 및 경미한 염증을 동반한 섬유성 비후상태를 보였다. 압박은 먼쪽 손목주름의 1 cm 먼쪽에서 가장 센 경향이 있다. 아주 드물게 종양등의 구조적인 원인이 수근관의 압력을 증가시킬 수도 있다. 신기능 부전, 갑상선 질환, 관절염, 당뇨병 등의 전신 질환이 수근관증후근의 발생 인자일 수 있다. 수근관증후군은 임산부의 제3기에 45%가량 발생할 수 있으나 출산 후에 저절로 완화되는 것이 일반적이다. 직업과의 연관성이 가장 확실하게 증명된 것은 진동 공구를 손에 쥐고 작업하는 노동자에게 수근관증후군이 발생되는 경우이다.

(1) 수근관의 해부

수근관은 손등의 손목뼈와 손바닥부의 가로손목인대(transverse carpal ligament) 및 굽힘근 힘줄지지띠(flexor retinaculum)로 둘러싸인 해부학적 구조이다. 정중신경은 손목관절의 손바닥쪽 가로손목인대 밑에서 천수지굴곡근 힘줄 위를 지나간다. 그래서 손목관절을 굽히거나 펴면 굽힘근 힘줄이 손바닥쪽으로 이동되면서 정중신경을 가로손목인대쪽으로 압박하게 된다. 가로손목인대는 네 군데의 손목뼈 부착부를 갖는데, 주상골(scaphoidtubercle), 삼각뼈(triquetrum)와 두상골(pisiform), 대능형골결절(trapezium tubercle)과 갈고리뼈의 갈고리(hook of hamate)에 부착한다(그림 4-11-1). 가로손목인대의 몸쪽 모서리는 손목가로주름(transverse wrist palmar crease)과 대개 일치하며, 먼쪽모서리는 이보다 5 cm 먼쪽까지 존재한다. 가로손목인대는 바닥쪽으로 장수장근(palmaris longus), 무지구근(thenar muscle)과 소지구근(hypothenar muscle)에 연결되어 있다. 손목굴은 삼차원 구조상 보통 몸쪽 시작부위에서 2 cm 먼쪽이 가장 좁은 것으로 알려져 있다.

정중신경은 아래팔 먼쪽에서 요측수근굴곡근(flexor carpi radialis)과 천수지굴곡근(flexor digitorum superficialis)의 사이에 존재하며 장수장근(palmaris longus)의 손등쪽 혹은 노쪽 손등 쪽에 위치한다. 손목굴에서는 손등쪽의 아홉개의 수지굴근 힘줄에 비해 손바닥쪽 및 노쪽에 위치하게 되며 대부분에서 가로손목인대를 지나자마자 무지융기로 가는 되돌이운동가지(re-

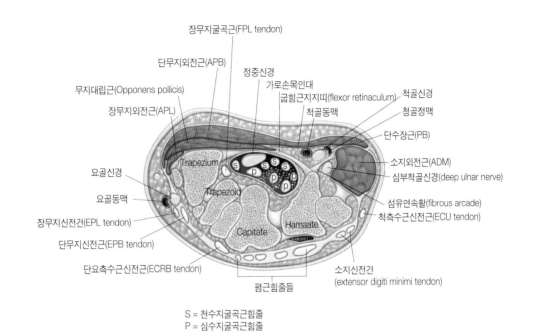

S = 천수지굴곡근힘줄
P = 심수지굴곡근힘줄

▷그림 4-11-1. 손목굴 내의 정중신경의 해부학적 변이

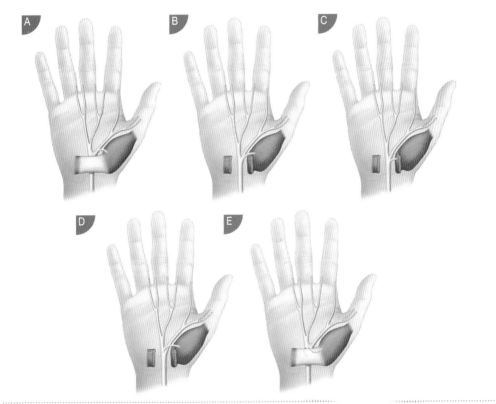

▷그림 4-11-2. 손목굴 내의 정중신경의 해부학적 변이

IV. 수부 및 사지

current motor branch)를 내게 된다. 손목굴 중 후군의 수술 시 가장 문제가 되는 것은 정중신경의 해부학적 변이에 따른 되돌이 운동가지의 손상이다. Lanz의 연구에 의하면 되돌이 운동가지는 대부분(78%) 정중신경의 노쪽에서 가지가 나오나 이보다 자쪽에서 나오는 경우도 있었고, 가로손목인대의 먼쪽에서 가지가 나와 무지구근으로 부착하는 가로손목인대 외부형(extraligamentous)의 빈도가 가장 높으며 그 다음은 가로손목인대 하부(subligamentous)에서 가지가 나오는 형이 많다고 보고하였다(그림 4-11-2).

(2) 증상 및 징후

감각 증상으로는 정중 신경 지배 영역인 노쪽 3개 손가락의 통증, 저린감 및 감각이상(paresthesia)이 있으며, 운동 증상으로 손의 전반적인 쇠약(weakness)과 느려짐(clumsiness) 등이 있다. 증상은 손에 무리가 가해지는 반복적인 작업 시 악화되고 특히, 부종이 심해지는 야간에 극심해져 통증 때문에 잠을 깨는 특징을 보인다. 초기에는 감각 신경의 이상 증상을 주로 호소하나 병이 진행될수록 운동 되돌이 가지의 장애로 인한 무지대립근(opponenspollicis)의 퇴축이 발생하고, 이로 인해 무지두덩위축(thenar atrophy) 및 수무지 맞섬 운동(opposition)의 장애가 발생한다

(3) 진단

환자의 증상이 특징적이지 않은 경우가 많아 진단이 어려울 수 있다. 특히, 손의 통증과 함께 목과 어깨 쪽의 통증을 호소하는 환자들에 대해서는 말초신경을 전체적으로 검사하여 여러 군데에서 압박신경병증이 발생했는지 확인해야 한다. 따라서 면밀한 병력 청취와 이학적 검사가 가장 중요하다. 병력청취 시에는 밤에 손저림이 발생해 깬 적이 있는지 확인하고, 정중신경 지배 영역의 감각저하 및 저림증에 대해 문진해야 한다. 신체 검진 시에는 무지융기의 위축이 있는지 시진하고, Semmes-Weinstein monofilament 검사 및 진동검사를 통해 감각신경을 평가하며, 몇가지 유발검사를 시행한다. 유발검사로는 Phalen검사, 역Phalen 검사, 손목압박 검사(Durkan검사), 타진 검사(Tinel증후)가 있다.

전기 생리학적 검사는 주로 신경전도 감사가 이용된다. 신경 전도 검사에서 먼쪽 운동 잠복기(distal motor latency)의 지연이 4.5 msec 이상인 경우와 먼쪽 감각 잠복기(distal sensory latency)의 지연이 3.5 msec 이상인 경우 비정상으로 보며, 신경의 전도가 건강한 쪽의 손과 비교하여 0.5~1 msec 이상 차이가 나는 경우도 비정상으로 판단한다. 이외에 근전도 검사에서 무지구근의 탈신경(denervation)소견은 정중신경 손상을 정량적으로 측정하는 데 도움이 된다.

(4) 치료

① 보존적 치료

증상이 비교적 최근에 발생한 환자이거나 그 정도가 경미한 환자에 대해서는 보존적 치료를 시행한다. 특히, 임신 중에 발병한 경우에는 출산과 함께 증상이 없어지는 경우가 많으므로 경과 관찰의 대상이다. 엄무지융기(thenar eminence)의 위축이 없고 감각 및 운동 신경의 잠복기가 1 msec에서 2 msec 정도로 경하게 지연된 경우에는 비수술적치료를 시도한다. 이 경우 부목을 이용해 손목을 중립위로 약 3주 정도 유지하면 증상이 호전되는 경우가 많다.

보다 적극적인 방법으로 스테로이드 주입이

있다. 연구 결과 전신적으로 투여하는 것보다 국소적으로 투여하는 것이 효과적이며 부목과 같이 사용하는 방법이 효과적임이 확인되었다. 스테로이드와 국소마취제를 혼합하여 수근관 내에 주사하면 증상의 호전을 기대할 수 있으나, 재발이 흔하다. 일반적으로 Triamcinolone 10 mg을 4주 간격으로 최고 3번까지 주사해준다. 신경 내에 주사하지 않도록 매우 조심해야 한다. 기타 레이저 치료, 온열 치료, 이뇨제, Vit B, NSAIDs 등이 증상의 완화에 도움이 된다는 보고들이 있으나 장기 지속되는 치료 효과는 없는 것으로 알려졌다.

② **수술적 치료**

수술은 보존적 치료에 반응하지 않거나 감각 저하나 저림증의 증상이 매우 심한 경우, 무지융기의 위축을 보이는 경우에 시행한다. 수술의 방법은 크게 전통적인 개방성 감압술(open carpal tunnel release)과 내시경적 감압술(endoscopic carpal tunnel release)로 나뉜다. 최근 내시경적 감압술의 시술례가 급격하게 늘어나는 추세이나 여러 비교 연구에서 개방성 감압술과 그 수술결과가 대동소이하고 특별한 장점이 없는 것으로 보고되었다. 두 방법에서 공통적으로 손목기둥통증이 발생할 수 있으며, 공통적으로 술 후 6주가 지나면 집는힘(pinch strength)이 회복되며 3개월이 지나면 꽉 쥐기(grip) 능력이 회복된다고 보고된 바 있다.

i) 개방적 감압술(Open carpal tunnel release)

개방적 감압술은 아직까지도 대다수의 환자에게 시행되는 술식으로 손바닥부에 세로 방향의 절개를 가하여 직접시야 하에서 가로손목인대를 절개하는 방법이다. 장점은 직접 시야하에 안전하고 확실한 수술이 가능하다는 점이나 수술 후에 흉터를 남기고 술 후 수개월 지속되는 손목기둥통증(pillar pain)이 발생한다는 것이 단점이 있다. 또한 술 후 손목뼈의 형태학적 연구에서 손목활(carpal arch)의 폭은 큰 변화가 없으나 손목활 모양이 타원(oval)에서 원형으로 변하고 손목활의 전후 직경이 증가하여 궁극적으로 손목뼈의 역동학적 생리가 변한다는 지적도 있다.

피부 절개선은 정중신경 및 척골 신경의 손바닥 피부가지의 손상을 방지하기 위하여 손바닥부에 세로방향으로 계획하는데 이외에도 정중신경의 무지융기운동가지와 척골 신경, 손가락 신경 및 혈관의 얕은활(superficial arch)을 염두에 두어 절개를 해야 한다. 보통 무지의 바닥부와 갈고리뼈 갈고리를 잇는 Kaplan's cardinal선과 가운데 손가락의 척측 세로 연장선이 만나는 점에서 절개선을 계획한다. 손목관절부의 절개의 방향도 긴 손바닥근의 척측으로 향하여 시행한다. 직접적 시야하에서 가로손목인대를 절개하므로 주위의 척골 신경, 손가락 신경 및 얕은 활의 손상이 적고 특별한 기구를 필요로 하지 않으며 구조물의 손상을 수술시야에서 직접 확인할 수 있기 때문에 상황에 대처할 수 있다.

ii) 내시경적감압술(Endoscopiccarpal tunnel release)

일반적으로 두 가지의 방법이 있으며 두 개의 절개부를 통한 Chow 방법(Chow's two portal technique)과 한 개의 절개부를 통한 Agee 방법(Agee's one portal technique)이 그것이다. 가로손목인대에 세로방향으로 내시경을 삽입하여 내시경 시야에서 특별히 고안된 내시경 칼을 이용하여 시야상방의 가로손목 인대를 절개한다는 점은 두 방법에서 공통적이다. 가로손목인대의 경계부를 잘 확인한 후, 갈고리뼈의 갈고리(hook of hamate)를 감지하여 캐뉼러끝의 주행방향을 제4 중수골 방향으로 해야 Guyon씨 굴을 다치지 않을 수 있다 . 수술 흉터가 적고 선택적으로 가로손목인대만을 절개하고 손바닥쪽의 피부 등 연부 조직을 보존할수 있다는 장점이 있으나, 힘줄 및 혈관의 손상을 직접 확인할 수 없는 협소한 시야에서 시행되므로 정중신경의 손상이나 주변혈관의 찢김, 상처 등의 부작용 발생 위험이 크다.

iii) 수술 후 관리

수술로 감압된 가로손목인대는 손목굴내의 굽힘근 힘줄의 바닥쪽 이동을 유발한다. 이를 막기위하여 손목관절을 약간 펴 7~10일간 부목 고정하는 것이 필요하다. 술 후 한 달 정도는 수술부위의 미약한 통증이 있을 수 있으므로 술 후 적어도 6주간은 과격한 운동은 피하는 것이 좋다.

iv) 술후 결과 및 합병증

대부분 술 후 수일 내에 증상의 호전이 있으며 장기추적 시에도 80% 이상의 환자에서 좋은 결과를 보인다. 손 꽉쥐기(grip)능력의 증가 및 저린감 등의 최대 회복은 6~9개월의 추적 경과 후 얻어지며 이는 손상된 정중신경의 회복이 필요하기 때문이다.

술 후 발생 가능한 합병증으로는 신경손상, 비후성 반흔, 기둥 통증 등이 있다. 내시경적 감압술의 가장 흔한 합병증은 가로손목인대의 불완전 절개이며, 이는 재발의 원인이기도 하다. 장기추적과정에서 일시적으로 호전되었던 증상이 다

시 발생하는 경우 정중신경 주변의 흉터 유착으로 인한 재발의 가능성을 시사한다. 재발이 확인된 경우에는 재수술을 통해 신경 주변의 흉터를 제거하고 재 유착을 방지하기 위해 주변 지방 등을 신경 주변에 재배치한다.

2) 엎침근 증후군(Pronator syndrome) 및 전방골간신경증후군(Anterior interosseous nerve syndrome)

(1) 해부

정중 신경은 팔꿈 관절을 지나면서 여러 곳에서 압박될 수 있다(그림 4-11-3). 원엎침근(pronator teres)의 깊은 머리(deep head)와 얕은 머리(superficial head)사이로 정중신경은 앞뼈사이 신경가지를 낸다. 따라서 이 두 머리가 연결되는 부위에서 신경이 압박받을 수 있다. 그 주변에 있는 위팔두갈래근(biceps)과 원엎침근 및 천수지굴곡근의 결합부를 잇는 두갈래널힘줄(bicipitalaponeurosis) 또한 정중신경을 압박할 수 있는 구조물이다. 이 부위를 지나면 정중신경의 주줄기(main trunk)는 원엎침근의 깊은머리를 뚫고 얕은 손가락굽힘근의 하부로 주행하여 내려간다. 근육이 발달하여 있는 경우 원엎침근의 깊은 머리가 섬유활(fibrous arch)로 작용하여 정중신경을 압박하는 경우가 생길 수 있다. 이보다 먼쪽에서는 얕은굽힘근힘줄의 섬유활이 흔히 존재하며 여기서도 신경이 눌릴 수 있다(그림 4-14-3). 전방골간신경은 장무지굴곡근(flexor pollicis longus), 네모엎침근(pronator quadratus) 및 집게손가락과 가운데손가락의 깊은 손가락굽힘근에 운동가지를 공급하는 운동신경이므로 임상 양상을 잘 관찰하면 전방골간신경의 몸쪽이 압박되었는지 먼쪽이 압박되었는지를 판단할 수

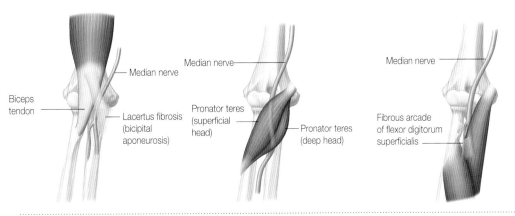

Biceps tendon — Median nerve — Median nerve — Median nerve

Lacertus fibrosis (bicipital aponeurosis) — Pronator teres (superficial head) — Pronator teres (deep head) — Fibrous arcade of flexor digitorum superficialis

▷그림 4-11-3. 팔꿈 주변에서 정중 신경의 압박이 가능한 부위들

있다.

(2) 엎침근 증후군(Pronator syndrome)

엎침근 증후군은 매우 드물게 발생하며 주로 감각증상을 호소한다. 아래팔 부위에서 원엎침근기시부의 통증과 전완부의 수장측 감각 이상 소견이 나타나는데, 수근관증후군과는 수장부 감각신경 가지(palmar cutaneous nerve distribution)가 지배하는 무지융기 부위의 감각이상 여부로 감별 가능하다. 즉, 수근관증후군에서는 이 부위의 감각저하가 나타나지 않는다. 정중신경 지배영역의 손내재근이나 외재근의 위축은 보통 동반하지 않으며 엎침근의 이는곳(origin site)을 누르면 악화되는 통증이 주증상이다. 물론 심하게 진행된 경우에는 정중신경 지배영역의 근 위축이 있을 수도 있다.

아래팔을 뒤침(supination)한 상태에서 팔꿈관절의 굽힐 때 통증이 심하게 발생하면 두갈래널 힘줄의 압박을 의심할 수 있으며, 팔꿈관절을 편 상태에서 아래팔의 엎침이 힘들면 엎침근의 깊은머리와 얕은머리 사이에서 압박됨을 의심할 수 있다. 또한 가운데 손가락의 단독굽힘이 노쪽 가운데 손가락의 이상감각을 동반한다면 깊은굽

힘근부의 섬유활이 원인임을 추측할 수 있다. 전기생리학적검사가 진단에 도움이 될 수 있으며, 근전도에서 장무지굴곡근이나 네모엎침근의 섬유성잔떨림(fibrillation)소견을 보이는 것이 특징적인 소견이다.

(3) 전방골간신경 증후군
(Anterior interosseous nerve syndrome)

가장 흔한 원인으로는 천수지굴곡근의 섬유성 궁(Fibrous arch of FDS) 또는 원엎침근에 의해 독립적으로 전방골간신경이 눌리면서 발생한다. 위관절융기 골절 및 아래팔부의 연조직 외상도 그 원인이 될 수 있다. 특징적인 양상은 정중신경 지배 영역에 감각 관련 증상이 없이 운동 기능의 소실만 나타난다는 점이다. 특징적으로 장수무지굴곡근과 정중신경지배영역의 깊은손가락굽힘근 기능 소실이 동시에 발생하기 때문에 무지와 시지를 이용하여 물건을 집을 때 무지의 마디뼈 관절과 시지의 먼쪽 마디뼈 관절이 펴져 끝 대 끝집기(tip to tip pinch)가 불가능함을 발견할 수 있다.

(4) 치료

급성으로 발생한 경우 휴식이나 소염진통제

투여등 보존적 치료를 하며 호전이 없는 경우에는 진단시에 특정한 압박 부위에 대해 수술적인 압박 해제술을 시행한다.

5. 척골신경 포착증후군

1) 기용굴 증후군
(Guyon's cannal syndrome)

척골 신경이 손목 부위의 기용씨 굴(Guyon's canal)이라는 해부학적 공간을 통과하는 중에 압박되어 발생한다. 척골 동맥과 척골 신경이 지나가는 이 공간은 Guyon (1861)이 처음 기술하였으나 이곳에서의 척골 신경 압박에 대해서는 Hunt (1908)가 처음으로 기술하였다. 발생 빈도가 매우 낮은 편이다.

(1) 해부
기용씨 굴은 가로손목인대의 몸쪽 끝에서 먼

쪽으로 소지구근(hypothenar muscle)의 가장자리까지 약 4 cm 정도의 길이로 이루어져 있다. 다른 이름으로 척골굴(ulnar tunnel)이라고 명명하기도 하며 크게 3구획으로 나누어 분류한다. 척골 신경이 이 굴내로 들어와 얕은 감각 신경가지와 깊은 운동 신경가지로 나뉘게 되는데, 제1 구획은 척골 신경이 이 두 가지로 나뉘기 전이며 제2 구획은 깊은 운동 신경 가지로 나뉘어 나가는 부분이고, 제3 구획은 얕은 감각 신경가지로 나뉘는 부분이다(그림 4-11-4).

따라서 제1 구획의 눌림은 운동과 감각 모두의 이상을 초래하고 제2 구획은 운동 신경의 이상만을, 제3 구획은 감각신경의 이상만을 초래한다. 척골굴 몸쪽에서 척골 신경의 단면을 관찰해 보면 운동 신경 가지가 감각 신경 가지의 척측 및 등쪽에 존재하며 척골굴 내에서는 척골 신경이 척골 동맥의 척측에 분포한다. 척골굴 증후군의 병인으로는 외상이나 종양(그림 4-11-5), 윤활막염 등이 있다. 척골굴 주변의 근육이 기형

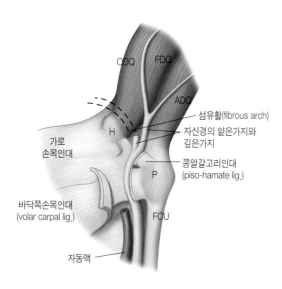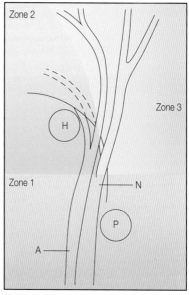

▷ 그림 4-11-4. **척골굴의 3 구획**

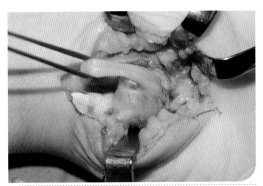

▷ 그림 4-11-5. **척골굴 내의 결절경종에 의한 척골 신경의 압박 소견**

적으로 부착한 경우도 척골굴에 대한 압박 요소로 생각되며 특히 장수장근, 새끼손가락벌림근(abductor digiti minimi) 및 소지구근의 중첩과 콩알뼈(pisiform)의 근 부착 부위(insertion site)에 생긴 이상 소견도 수술 시 확인해야 할 요소이다.

(2) 임상 양상

이 병의 가장 흔한 소견은 손 내재근이 마비되는 것이며, 그 다음은 내재근 마비와 척골 신경 분포 부위의 감각저하가 동반되는 경우, 그리고 세 번째는 척골 신경 분포 부위의 감각소실만 있는 경우의 순서로 나타난다. 병의 발현은 대개 잠행성으로 시작되며 초기에는 감각 소실이 없는 경우가 많다. 소지구근의 약화 및 갈퀴 변형(clawing deformity) 만이 나타나는 경우는 제2구획의 선택적인 압박이 있을 때이며, 척골 신경이 지배하는 부위의 감각이상만 있는 경우는 제3 구획의 압박을 의미하고 감각 및 운동기능의 공통적인 저하는 보다 몸쪽인 제1 구획의 압박을 의미한다.

(3) 치료

확실한 국소 병변을 찾을 수 없는 환자나 직업

적으로 반복적인 외상에 노출되었던 환자에 대해서는 보존적 치료를 우선적으로 시행한다. 손목 관절을 중립위로 부목 고정하여 휴식을 취하게 하고 비스테로이드성항염증제(NSAID)를 투여하며, 반응을 안 하는 경우 수술을 고려한다. 절개선은 반지손가락의 요골쪽 연장선에 놓이고 손목 가로 손바닥 주름에서 갈고리뼈 갈고리 먼쪽까지 무지융기 주름에서 6 mm 척골쪽에 가한다. 필요에 따라서 Z형의 절개선을 손목부를 통과하여 몸쪽으로 연장한다.

피부 절개 후 도달하는 짧은 손바닥 근(palmaris brevis)을 조심스럽게 박리하고 전기 소작하여 이분한다. 아래쪽의 손바닥 손목 인대(palmar carpal ligament)가 콩알뼈(pisiform)와 새끼손가락벌림근(abductor digiti minimi)에 부착하는 부위가 노출되면 먼쪽으로부터 몸쪽까지 기용씨 굴을 절개한다. 척골 신경 및 척골 동맥을 안전하게 보호하여 해부하고, 콩알뼈에서 긴손바닥근 및 가로손목인대로 부착하는 부수적인 근막 구조물이 발견되는 경우 절개해야 한다. 척골 동맥의 동맥류나 혈전 형성 유무를 확인하며 척골굴내의 전 구획을 직접 시야에서 확인하여 신경절, 지방종 및 기타 종양의 형성 유무를 조사한다. 술 후 7일에서 10일간 중립위로 손목 관절을 부목 고정한다.

2) 팔꿉굴 증후군
(Cubital tunnel syndrome)

척골 신경 병변의 위치를 감별하기 위해서는 목뼈에서부터 손에 이르는 전 주행을 염두에 두어야 하는데 가슴 출구 증후군(thoracic outlet syndrome)과 반드시 감별 진단을 해야 한다. 척골 신경이 잘 눌리는 부위는 팔꿉 관절부위와 손목관절 부위의 두 곳이다. 두 경우의 손의 임상 증상은 비슷하여 감각 및 운동기능의 소실이다 일어난다. 따라서 압박 부위의 정확한 위치를 찾기 위해서는 팔꿈굴의 압통과 손등쪽 척골 신경 지배영역의 감각 소실이 있는지가 감별 진단에 중요하다. 손의 내재근뿐만이 아니라 외재근인 척측수근굴근(flexor carpi ulnaris)의 약화와 반지손가락과 새끼손가락의 얕은 손가락 굽힘근 기능 약화가 있을 때는 몸쪽에 병변이 있다는 것을 시사한다.

(1) 해부

척골 신경은 위팔뼈 안쪽 관절 결절의 8 cm 상부에서 Struther arcade를 통과하고 안쪽 관절 결절의 후면을 따라서 손목굴로 들어간다. 팔꿈굴의 지붕은 척골쪽손목굽힘근의 깊은쪽근막(deep investing fascia)과 팔꿈굴지지띠(cubital tunnel retinaculum, arcuate ligament of Osborne)인데, 팔꿈굴지지띠는 약 4 mm의 폭으

▷ 그림 4-11-6. **팔꿈굴의 해부학**

로 이루어져 있으며 위팔 안쪽 관절 결절과 팔꿈치머리(olecranon)를 연결하는 구조물이다(그림 4-11-6).

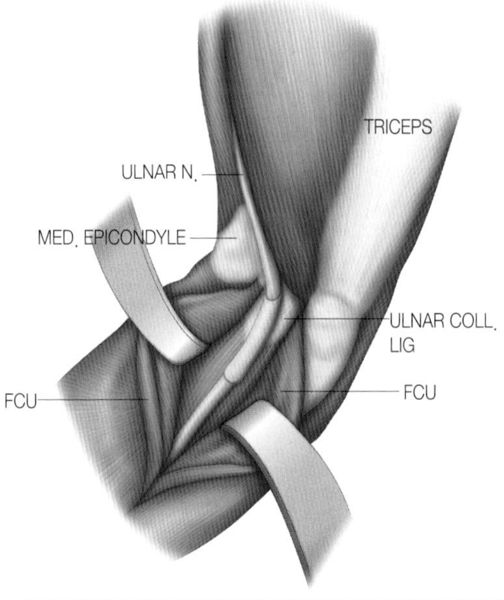

팔꿈굴을 굽히면 이 팔꿈굴지지띠는 탄탄해진다. 팔꿈굴의 바닥은 팔꿈관절막의 뒤쪽과 내측 인대로 구성되어 있다. 척골 신경은 팔꿈굴을 지나 척측손목굽힘근의 척측 머리(ulnar head)와 위팔뼈머리(humeral head) 사이를 지나게 되고 위팔 안쪽 관절 결절의 5 cm 먼 쪽에서 굽힘-엎침근널힘줄(flexor pronator aponeurosis)을 뚫고 얕은 손가락 굽힘근 힘줄의 하부로 진입하게 된다. 새끼 손가락의 얕은 손가락 굽힘근 이는 곳(origin site)과 척측손목굽힘근의 위팔뼈머리는 각각 몸쪽 척골에 굽힘-엎침근널힘줄과는 독립적인 널힘줄 붙는 곳(insertion site)을 갖는데 수술 시 이 구조물은 중요성을 갖는다. 팔꿈굴감압 시 위의 두 널힘줄을 동시에 감압하지 않으면 척골신경이 사이에 끼어 불완전한 감압이 일어날 수 있기 때문이다.

(2) 임상 양상

감각 저하 및 저림증이 초기에 가장 흔하게 나타나고 정도가 심한 경우에는 운동기능의 장애까지 유발된다. 가장 흔히 사용되는 증상 유발검사에는 Tinel's sign과 팔꿈관절 굽힘 검사가 있다. Tinel's sign의 민감도도는 70%인 데 반해 팔꿈관절 굽힘 검사는 민감도가 98%로 유용한 검사이다. 팔꿈관절 굽힘 검사는 손목굴 증후군의 Phalen 검사와 동일한 의미를 갖는데, 1분간 팔꿈 관절을 최대한 굽힘하고 아래팔을 엎친 상태에서 손목을 젖혔을 때팔꿈굴부의 통증이 유발되는지를 관찰한다. 최근에는 "scratch collapse test"가 소개된 바 있다. 이는 환자에게 검사자가 양쪽 전완부를 안쪽으로 미는 동안 힘을 주어

견디도록 한 후 검사자가 신경이 눌리고 있는 부분을 자극하고 다시 양쪽 전완부에 힘을 가하면 환자가 이 힘을 견디는 힘이 없어지게 되면 양성으로 본다.

척측손목굽힘근과 반지손가락과 새끼손가락의 심수지굴곡근의 기능 저하가 없을 수도 있는데 이는 운동가지가 팔꿈굴의 압박부위보다 몸쪽에서 시작할 수 있는 가능성과 Martin-Gruber 문합이 7.5%에서 있을 수 있다는 가능성, 그리고 팔꿈굴에서 상대적으로 이들 가지가 뒤바깥쪽에 존재하므로 압박에 대한 감수성이 적다는 점이 그 설명이 될 수 있다. 흔히 임상 양상을 세 단계로 나누어 제1기는 압박이 경미하여 운동 기능의 약화가 없는 단계이고, 제2기는 중등도의 압박이 있어 척골신경지배근의 위축이 확연하여 fair나 poor의 힘을 갖는 경우이고, 제3기는 심한 압박이 가해져 손 내재근의 마비와 함께 갈퀴 기형(claw deformity)이 일어나는 경우이다. 전기생리학적 검사는 진단을 위해 도움이 되고 특히 다른 질환을 감별하는 데 도움을 준다. 신경 전도 속도가 50 m/s 이하가 되는 경우를 양성으로 판단한다. 최근들어 위음성인 경우가 10%이상 있어 검사결과를 해석하는 데 신중을 기해야 한다.

(3) 치료

수술의 방법은 병의 정도에 따라 다양한데, 팔꿈굴의 뼈 기형이 없고 압박의 정도도 심하지 않은 경우에는 단순 감압(simple decompression)을 하며 팔꿈굴지지띠 만을 단순히 절제한다. 그러나 팔꿈관절의 외반 변형(valgus deformity)이나 골증식(osteophyte)이 발견되는 경우, 팔꿈굴 내에 종양이 있는 경우에는 팔꿈굴감압술과 더불어 척골 신경의 피부밑 앞쪽 자리옮김

(subcutaneous anterior transposition)을 시행한다. 그러나 몸이 너무 말라서 피부밑 자리옮김을 하여도 외부의 충격에 민감할 가능성이 있는 경우에는 근육밑 자리옮김(submuscular transposition)을 시행한다. 근육밑자리 옮김은 팔꿈굴의 바닥인 팔꿈 관절이 매끈하고 흉터가 없는 경우에만 시행해야 하며 팔꿈관절의 부정유합 등이 선행되어 관절면에 요철이 있는 경우에는 시행하면 안 된다. 어떤 저자는 척골 신경을 보호하기 위하여 근육안 자리옮김(intramuscular transposition)을 하기도 하나 근진입부 등에 흉터가 심하게 형성된다는 비판도 있다. 내측 위관절융기 제거술(medial epicondylectomy)을 위의 술식과 병합하여 시행하기도 하는데 그 이론적 근거는 내측 위관절 결절을 절제하면 척골 신경을 최소 박리하여도 앞쪽으로 자리옮김이 가능하며 팔꿈굴을 압박하는 주 원인을 완전히 제거한다는 관점이다(그림 4-11-7).

그러나 실제적으로 내측 위관절융기 절제 시 척골 신경은 외부의 충격에 더 쉽게 노출되고 팔꿈관절의 불안정성이 발생하며 아래팔 굽힘근의 약화가 초래되는 위험성이 있다. 따라서 특발성 팔꿈굴 증후군에서는 실시하지 않으나 팔꿈관절의 오래된 골절, 불유합, 심한 외반 및 탈구가 심하게 동반된 경우에는 고려해 볼 수 있다. 아직 어떤 수술이 적절한지에 대해서는 논란의 여지가 남아 있다.

수술 중 주의해야 할 점은 안쪽아래팔피부신경의 뒤쪽가지가 손상되지 않도록 조심해야 한다는 점이다. 내측 위관절 융기 제거술을 한 경우에는 수술부위의 통증을 호소하는 경우가 다른 방법보다 많고, 전반적인 치료 효과면에서는 수근관 증후군보다 증상완화율이 낮고 재발율은 높다.

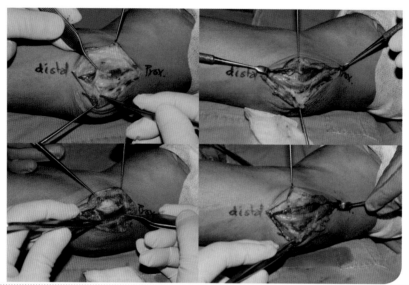

▷그림 4-11-7. **팔꿈굴 증후군의 수술적 치료**

6. 요골신경 포착 증후군

1) Wartenberg's syndrome (Superficial radial nerve compression)

(1) 해부

요골 신경의 감각 분지는 가쪽위팔뼈상과에서 상완요골근(brachioradialis) 근육 아래를 따라서 내려오다가 위팔노근 건과 장요측수근신전근 건 사이를 통해 피하조직으로 들어간다. 요측 경상 돌기보다 몸쪽 5 cm 부근에서 2개의 분지로 나뉘어 무지, 검지, 중지의 감각을 담당하게 된다(그림 4-11-8).

(2) 임상양상

요골 신경의 감각 분지가 담당하는 부위의 저림, 감각저하를 호소하게 된다. 이러한 증상이 전완부를 회내시키거나 손목 부위를 척골 방향으로 구부릴 때 주로 생긴다면 감각신경이 눌리고 있다고 진단할 수 있다. Finkelstein 검사

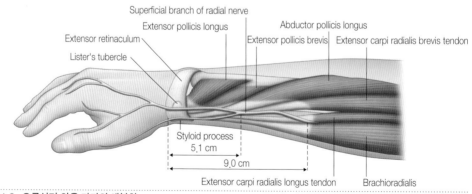

▷그림 4-11-8. **요골신경 얕은 가지의 해부학**

에서 양성소견을 보이는데 이는 디퀘뱅 병(de Quervain's disease)과 혼돈이 될 수 있다. 하지만 이 질환은 손가락 부분의 감각이상을 초래하지 않으므로 Wartenberg's syndrome과 감별할 수 있다.

(3) 치료

전완부의 과도한 supination과 pronation을 피하도록 하고 경우에 따라서는 brachioradialis 건과 extensor carpi radialis tendon 사이의 신경이 눌리는 곳에 국소적으로 스테로이드를 주사하는 것이 도움이 된다. 수술적 치료는 거의 필요하지 않다.

2) 후골간신경 증후군
(Posterior interosseous nerve syndrome)

(1) 해부

뒤뼈사이 신경은 시지신전건(extensor indicis-proprius), 소지신전건(extensor digiti quinti), 척측수근신전근(extensor carpi ulnaris), 장무지외전근(abductor pollicis longus), 단무지신전근(extensor pollicis brevis)과 총수지신전건(extensor digitorum communis)을 지배하는 신경이다. 대부분 뒤뼈사이 신경은 손뒤침근(supinator)의 몸쪽에서 눌리게 되는데 여기서 폄근의 아래쪽으로 들어가기 때문이다. 장요측수근신전근(extensor carpi radialis longus)과 상완요골근(brachioradialis)으로 가는 운동 신경은 이 부위보다 몸쪽에서 공급되기 때문에 뒤뼈사이신경 증후군에서도 기능이 보존된다(그림 4-11-9).

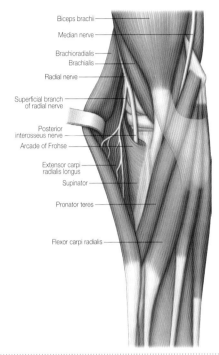

▷ 그림 4-11-9. 후골간신경의 압박 부위

(2) 임상 양상

환자들은 긴폄근들(long extensors)과 짧은폄근들(short extensors) 사이에서 압통을 느끼며 보통이 지점은 가쪽상과의 먼쪽 3~5 cm에 분포하며 다양한 폄근의 마비를 보이는 것이 특징이다. 주로 손가락과 수무지의 신전이 어려워 지나 상완요골근(brachioradialis)의 기능은 보존되어 있어 손목의 신전은 가능하다. 대부분 환자들은 컴퓨터 키보드를 치기 힘들어 한다. 주로 임상적인 양상을 통해서 진단할 수 있으나 전기 생리학적 검사로 확진한다.

(3) 치료

증상을 악화시키는 활동은 자제하며 휴식, 부목, 소염진통제 등의 보존적 치료가 도움이 될 수 있다. 하지만 적절한 보존적 치료 기간이 정해진 바는 없는 상태이다. 3개월이 지난 후에도

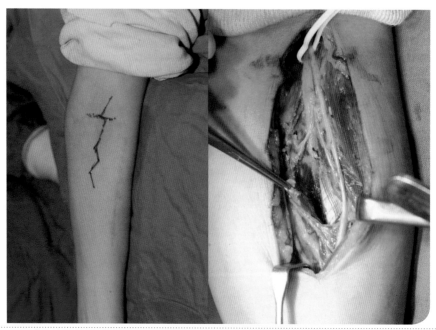

▷그림 4-11-10. **후골간신경의 압박 해제술**

운동기능의 회복이 없는 경우 수술을 고려하게
된다. 만약 18개월 이후로도 수술이 늦춰질 경우
근육들이 섬유화될 수 있어 건 전이술이 유일한
대안이 된다. 수술은 전방 접근법과 후방접근법
두 가지가 있다. 이러한 접근법을 통하여 손뒤침
근의 몸쪽의 Froshe 활을 감압한다(그림 4-11-
10).

7. 기타 신경 포착증후군

1) 흉곽출구증후군
(Thoracic outlet syndrome, TOS)

상완 신경총이나 쇄골하 혈관들(Subclavian
vessels)이 목부위에서 겨드랑이 및 위쪽팔부위
로 진행하는 중에 근육 등에 압박받으면서 발생
한다. 특정한 증상이나 신체검진 소견이 정해져

있지 않아 기타의 질환들을 배제하여 진단하는
것이 일반적이고, 다양한 전문가의 협진이 필요
하다.

2) 네모공간증후군
(Quadrilateral space syndrome)

겨드랑이 신경(axillary nerve)이 견갑골 주변
의 네모 공간(quadrilateral space)에서 압박 받
는 것으로 드물지만 잘 알려진 질환이다. 알려진
원인으로는 결절종, 근육의 비후, 견갑골 골절 등
이 있고 가장 흔한 것은 섬유성 띠들에 의한 압
박이다.

3) 견갑상신경압박
(Suprascapular neerve compression)

매우 드문 질환으로 견갑상신경(suprascapular nerve)이 후방 경추 삼각(posterior cervical tri-angle)을 통과하여 주행할 때 부리돌기(coracoid process)의 내측에 있는 골격성 함입부인 견갑상 절흔(suprascapular notch)에서 가로견갑인대(transverse scapular ligament)에 의해 압박받아 생긴다.

References

1. Haupt WF, Wintzer G, Schop A, Lottgen J, Pawlik G: Long-term results of carpal tunnel decompression. Assessment of 60 cases. J Hand Surg Br 1993; 18: 471–4.

2. Soltani AM, Allan BJ, Best MJ, et al.: A sytematic review of the literature on the outcomes of treatment for recurrent and persistent carpal tunnel syndrome. Plast Reconst Surg 2013; 132: 114–21.

3. Page MJ, Massy-Westrop N, O'Connor DA, Pitt V. Splinting for carpal tunnel syndrome. Cochrane Database Syst Rev 2012; 7: CD010003.

4. Page MJ, O'Connor DA, Pitt V, Massy-Westrop N: Exercise and mobilisation interventions for carpal tunnel syndrome. Cochrane Database Syst Rev 2012; 6: CD009899.

5. Page MJ, O'Connor DA, Pitt V, Massy-Westrop N: Therapeutic ultrasound for carpal tunnel syndrome. Cochrane Database Syst Rev. 2013; 7: CD009601.

6. Szabo RM, Kwak C: Natural history and conservative management of cubital tunnel syndrome. Hand Clin 2007; 23: 311–18. e10. Capo JT, Jakob G, Maurer RJ: Subcutaneous anterior transposition versus decompression and medial epicondylectomy for the treatment of cubital tunnel syndrome. Orthopedics 2011; 34: 713–7.

7. Cobb TK, Sterbank PT, Lemke JH: Endoscopic cubital tunnel recurrence rates. Hand 2010; 5: 179–83.

8. Freehill MT, Shi LL, Tompson JD, Warner JJ: Suprascapular neuropathy. Diagnosis and treatment. Phys Sportsmed 2012; 40: 72–83.

9. Gurdezi S, White T, Ramesh P: Alcohol injection for Morton' neuroma: a five-year follow-up. Foot Ankle Int 2013; 34: 1064–7.

10. Akermark C, Crone H, Skoog A, Weidenhielm L: A prospective randomized controlled trial of primary versus dorsal incisions for operative treatment of primary Morton's neuroma. Foot Ankle Int 2013; 34: 1198–204.

11. Logullo F, Ganino C, Lupidi F, Perozzi C, Di Bella P, Provinciali L: Anterior tarsal tunnel syndrome: a misunderstood and a misleading entrapment neuropathy. Neurol Sci 2014; 35: 773–5.

12. Nickerson DS, Rader AJ: Low long-term risk of foot ulcer recurrence after nerve decompression in a diabetes neuropathy cohort. J Am Podiatr Med Assoc 2013; 103: 380–6.

13. Masala S, Crusco S, Meschini A, Taglieri A, Calabria E, Simonetti G: Piriformis syndrome: long-term follow-up in patients treated with percutaneous injection of anesthetic and corticosteroid under CT guidance. Cardiovasc Intervent Radiol 2012; 35: 375–82.

14. Robert R, Labat JJ, Riant T, Khalfallah M, Hamel O: Neurosurgical treatment of perineal neuralgias. Adv Tech Stand Neurosurg 2007; 32: 41–59.

15. Lefaucheur JP, Labat JJ, Amerenco G, et al.: What is the place of electroneuromyographic studies in the diagnosis and management of pudendal neuralgia related to entrapment syndrome. Neurophysiol Clin 2007; 37: 223–8.

관절염, Dupuytren 구축, 수부감염, 방아쇠 수지

12

Arthritis, Dupuytren's Contracture, Hand Infection, Trigger fingers

황소민 K 성형외과병원

I. 관절염(Arthritis)

1. 골관절염(Osteoarthritis)

1) 서론

기계적 또는 생물학적 원인에 의해 관절연골과 관절하 뼈(subchondral bone)의 파괴와 생성에 의한 결과로서, 관절연골의 궤양과 소실, 관절하 뼈의 경화, 골증식(osteophyte) 등이 나타나므로 퇴행성 관절염(degenerative arthritis)이라고도 한다. 원위지(DIP) 관절의 침범이 가장 흔하고, 다음으로 무지의 수근-중수지(CMC) 관절의 침범이 많으며, 중수지(MP) 관절의 침범은 드물다.

변형 중 원위지 관절에 침범한 경우를 Heberden's nodes라 하고, 근위지(PIP) 관절이 침범한 경우를 Bouchard's nodes라 한다. 무지(thumb)의 수근-중수지 관절은 대능형골(trapezium)의 원위부와 무지의 근위 중수골의 관절면에 의해 형성되고, 수부와 무지 기능에 매우 중요하여 많은 역할을 하므로 관절면에 가해지는 비정상적 부하로 인한 관절연골의 파괴가 병태생리학적 가설이며, 주로 폐경 후 여성에게서 호발한다.

2) 증상

임상 증상은 침범된 관절의 동통, 압통, 운동제한, 탄발음, 부종이 특징적이며, 추위와 비오는 날 증상이 악화되는 것은 대기압 변화에 의한 관절 내압의 변화에 기인하는 것으로 설명된다.

무지의 수근-중수지 관절염의 경우에는 손목의 요배측 부위 통증이고, 집기(pinch)나 쥐는 동작(grip)을 취했을 때 통증이 나타날 수 있으며, 쥐기와 잡기 강도가 떨어짐에 따라 관절 부종과 탄발음이 생길 수 있고, 무지의 중수골은 더 내전되므로 중수지 관절은 과신전된다.

3) 진단

방사선적 검사에서 75세 이상 성인의 80~90%

에서 관절의 퇴행성 변화를 관찰할 수 있지만, 많은 경우 증상을 호소하지 않는다. 무지의 수근-중수지 관절염의 경우에는 양측 무지 끝을 서로 붙이고 밀면서 촬영한 스트레스 사진은 관절 이완성을 아는 데 도움을 주고, 회내전 스트레스 촬영은 양측 무지에 압박력을 가하여 찍는 것으로 중수골 기저부의 아탈구 정도와 대다각골 상태를 파악할 수 있다. 골관절염의 가장 흔한 증상은 통증이므로 이학적 검사상 관절 압통을 확인할 수 있고, 무지의 수근-중수지 관절염의 경우에는 축성 압박과 동시에 수동적 회전운동검사(grind test)에서 통증이 유발된다.

4) 치료

골관절염의 치료목표는 증상 완화, 기능 개선, 장애의 최소화이다.

비수술적 방법으로는 보존적인 방법으로 부목, 물리치료, 온열치료, 비스테로이드성 소염제, 관절내 스테로이드 주사 등이 있으며, 대부분의 경우 비수술적으로 치료할 수 있다.

수술적 치료의 적응증은 보존요법과 약물치료에 증상이 개선되지 않을 때이며, pyrocarbon 또는 실리콘 보형물을 이용한 관절성형술(arthro-plasty)과 수부의 강도(strength)와 안정성(stabil-ity)을 유지하고 통증을 해소하는 관절고정술(arthrodesis)이 주로 시행된다(그림 4-12-1). 무지의 수근-중수지 관절염의 경우에는 병의 진행 정도에 따라 관절성형술과 관절고정술 이외에 인대재건술(ligament reconstruction), 대가각골 절제술 후 관절성형술 등 현재까지 여러 방법이 시도되고 있지만, 어떤 방법이 더 나은가에 대해서는 논란이 되고 있다(그림 4-12-2).

▷그림 4-12-1. Pyrocarbon을 이용한 관절성형술의 술 중 모습

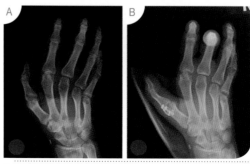

▷그림 4-12-2. 무지의 중수지관절과 수근-중수지관절의 수술 전 방사선 소견(A)과 관절고정술 및 인대재건술을 시행한 수술 후 방사선 소견(B)

2. 류마토이드 관절염 (Rheumatoid arthritis)

1) 서론

류마토이드 관절염이란 전신적으로 관절을 침범하는 만성질환으로서 활액막염(synovitis)이 기본적 병리조직 소견이며, 관절연골과 연골하뼈의 파괴에 의한 비정상 활액조직의 증식으로 관절을 싸고 있는 건과 인대에도 침범하여 관절 불균형을 일으켜 다양한 수부 변형을 일으킨다.

어느 연령대에서나 발병할 수 있으나, 주로 20대부터 50대에서 시작하며, 중년 여성에 흔하다.

양측 대칭적이고, 다발성으로 발생하며, 중수지 (MP) 관절에 흔한데, 환자의 90% 이상에서 수근관절(wrist)을 침범한다.

2) 증상

임상 증상은 환자마다 매우 다양하지만, 공통적인 특징으로는 대칭적으로 양측의 관절을 침범하고, 관절의 부종, 국소 발열, 통증과 함께 아침에 관절 강직(morning stiffness)의 증상을 호소한다. 중수지 관절은 수지 기능에서 가장 중요한 관절로서 수부의 류마토이드 관절염이 가장 흔히 침범되며, 이 관절에 변형이 오게 되면 원위지와 근위지 관절 기능에도 변형이 초래되어 수지 전체의 기능이 소실된다. 중수지 관절의 변형은 활액막의 비후로 측부인대(collateral ligament)와 수장판(volar plate)이 이완되어 관절이 수장측으로 아탈구 되거나 탈구되어 수지가 척측변위(ulnar deviation)를 일으키는 것이 전형적인 변화이다. 수지의 근위지와 원위지 관절의 변형 기전도 유사하여 백조목 변형(swan neck deformity)과 단추 구멍 변형(buttonhole or boutonniere deformity) 같은 이차적 변형이 발생한다. 건막(tendon sheath) 또한 활액막의 구조로 되어 있기 때문에, 류마티스 환자의 절반 이상에서 건초염(tenosynovitis)이 나타나고, 신전건에 있어서도 소지, 환지, 중지, 인지의 순으로 파열되는 경우가 있는데, 굴곡건 파열은 신전건 파열보다 드물게 발생한다.

3) 진단

혈액검사에서 류마토이드 인자의 양성이 있고, 초기에는 분명하지 않지만 진행되면 방사선상 관절의 골침식(bony erosion), 관절 주변의 골감소증(periarticular osteopenia)이 나타나며, 장기간의 시간이 지나면 관절의 변형이 뚜렷해진다.

4) 치료

일반적으로 류마토이드 관절염 초기에는 통증이 주증세이지만, 병이 진행함에 따라 관절의 이완(laxity)과 병변이 발생되면서 힘의 약화와 변형이 남게 되므로 병의 초기에서부터 관절의 파괴, 변형, 강직이 일어나지 않도록 미리 예방하는 것이 이상적인 치료 목표이다.

치료는 일반적으로 아탈구, 척측 변위, 악력 감소, 진행된 방사선 소견이 있음에도 통증이 없고, 수부의 기능이 유지되고 있다면 수술적 치료보다 야간 부목(night splint)이 더 효과적이며, 최근에는 금제재(gold salts), methotrexate, sulfasalzine, cyclophosphamide 및 스테로이드 제재와 같은 DMARDs (disease-modifying anti-rheumatic drugs) 등의 약물이 개발됨으로써, 진단초기부터 적극적으로 이러한 제재들을 복합적으로 사용하게 되었고, 이와 같은 약물 치료의 결과로 조기에 관절의 파괴가 진행되는 것을 막거나 감소시키는 것에 효과적으로 대처하게 되었다.

통증은 수술적 치료의 중요한 적응증이며, 류마토이드 관절염 환자의 대부분이 여성이므로, 미용적인 개선을 위해 수술적 치료가 고려되기도 한다.

수술은 관절의 변형이 고정되기 전에 시행하는 것이 가장 좋은 결과를 얻을 수 있고, 수술 방법은 관절 관련 수술로 활액막 절제술(synovectomy), 관절성형술(arthroplasty), 관절고정술(arthrodesis) 등이 있고, 신전건 파열에 대한 수술적 치료는 직접적인 봉합이 불가능한 상태가 대부분이므로 건전이술(tendon transfer), 건이식술(tendon graft), 단측 봉합술(end to side suture) 등이 사용된다. 상지 전체 관절의 파괴가 동반된 경우에는 근위 관절인 견관절이나 주관절 수술을 먼저 시행하고, 수부에서도 근위 관절인 수근관절의 변형부터 교정해준다.

II. Dupuytren 구축

1. 서론

Dupuytren 구축은 수장부의 연부조직이 두꺼워지고 관절의 구축을 초래하는 수장부 근막(palmar fascia)의 병이다. 발생빈도는 남자에서 9%, 여자에서 3%를 보였으며, 나이가 증가할수록 발병률이 증가하는 것으로 보고되었다. 세계적으로 백인의 발병률은 3~6%로 보고하였고, Scandinavian과 Celtic 계열에 가장 많고, 흑인에서도 가끔 볼 수 있으나, 동양인에서는 드물다. 당뇨병 환자, 만성 알코올 중독자, 간질환자(epileptics)에서 빈도가 높음을 보고하였고, 자가면역병, 혈관병(vascular disorder), 유해산소와의 연관성에 대한 보고도 있다. Dupuytren 구축의 체질(diathesis)로는 가족력이 있는 환자, 양쪽 손에 병변이 있는 경우, 족저부 섬유종증(plantar fibromatosis) 같은 이소병변(ectopic lesion)이 있는 경우, 50세 이전의 남자환자 등이며, 이 경우 재발과 여러 번의 수술이 필요할 가능성이 높다.

2. 해부와 병리

Dupuytren 구축은 수장부과 수지의 근막 조직에서 병변이 발생한다. 수장부근막을 구성하는 섬유(fibers)는 수장부의 종(longitudinal), 횡(transverse), 수직(vertical), 축(axial) 방향으로 주행한다. 장수장근(palmaris longus tendon)에서 기원하는 종 섬유가 Dupuytren 구축의 주된 병변을 이루며, 수지에서는 건전띠(pretendinous band)로 갈라진다. 수장부의 원위부에서 종 수장부근막은 3층으로 나뉘어져서 표재층(superficial layer), 중간층(intermediate layer), 심부층(deep layer)을 이룬다. 표재층은 중수지(MP) 관절의 원위부에서 진피에 붙어 피부가 오목하게 들어가는 작은 결절(nodule)형성에 관여한다. 중간층은 수영인대(natatory ligament)와 신경혈관 다발(neurovascular bundle)보다 심부로 진행하

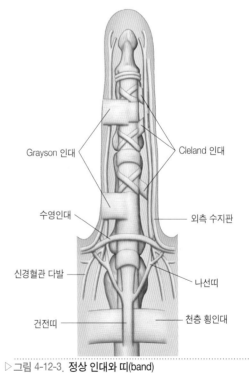

▷ 그림 4-12-3. **정상 인대와 띠**(band)

여 외측수지판(lateral digital sheet)이라고 불리는 수지의 종 섬유들에 부착하는데, 이 중간층들은 나선대(spiral cord) 형성에 관여한다. 심부층은 굴곡건초(flexor tendon sheath)의 옆을 지나 신전건(extensor tendon)에 부착한다.

수장부 근막의 횡 섬유는 수영인대를 포함하는데, 이는 수지의 기저부에 가서 수장부 근막의 횡인대(transverse ligament)와 피부에 부착한다. 수직 섬유(vertical fiber)들은 수장부 근막과 진피를 연결하고 중수지관절의 수장판(volar plate)에 부착한다(그림 4-12-3). Dupuytren 구축에서 결절과 대(cord)는 정상구조가 변화하여 병리해부학적 병변을 이룬다. 수장부에서 건전대(pretendinous cords)는 건전띠에서 생겨 중수지관절의 굴곡변형을 일으키는 원인이 되며, 수영대(natatory cord)는 수영인대에서 생긴다. 나선대는 건전띠, 나선띠, 외측수지판, Grayson 인대

등 정상적인 4개의 조직이 이환되면 형성되는데, 이 나선대가 수지의 근위부에서는 신경혈관 다발의 후방에서, 원위부에서는 신경혈관 다발의 전방에서 주행하므로, 나선대의 구축이 발생하면 신경혈관 다발이 수지의 중앙으로 당겨지면서 표재층으로 이동되므로 수술 시 손상주지 않도록 유의하여야 한다(그림 4-12-4).

구축의 원인 세포로는 결절형 근섬유모세포(nodular myofibroblast)에 대해 보고되고 있으며, 재발과 근섬유모세포의 밀도에 있어서도 깊은 관련이 있다고 기술하였다.

3. 임상증상

Dupuytren 구축은 수장부 피하조직의 증식성 섬유증식증(proliferative fibroplasia)으로, 흔히 결절과 대로 형성되며, 이차적인 변형으로 수지 관절의 불가역적인 굴곡 구축(flexion contracture), 피하 지방조직의 얇아짐, 피부 유착, 피부 함몰(pitting)이 발생한다(그림 4-12-5).

약 5%의 환자에서 족장부의 족저근막에 유사 병변인 Ledderhose 병이 발생하고, 3%에서는 음경의 증식성 경화인 Peyronie 병이 발생하며,

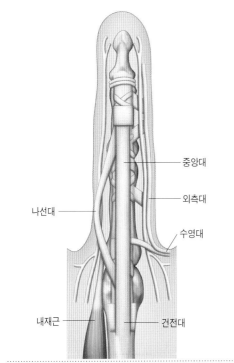

중앙대

외측대

나선대

수영대

내재근

건전대

▷그림 4-12-4. Dupuytren구축의 병적 대(cord)

▷그림 4-12-5. Dupuytren구축에 나타나는 증상들

근위지관절의 배부에 knuckle pads가 발생하는데, 이러한 증상이 보이는 환자는 Dupuytren 구축으로 진행될 소인을 가지고 있으며 또한 재발할 가능성도 크다. 수장 피하조직에 결절이 형성되면 긴장(stress)에 의하여 점차 대가 형성되고 근위부로 진행하며 구축이 발생하는데, 이 결절은 증식기(prolifeative stage), 퇴행기(involution stage), 잔여기(residual stage)로 구분하여 진행된다. 증식기에는 결절이 피하조직을 확대되면서 피부에 유착시키고, 결절이 성장을 멈추고 수축하면서 퇴행기가 되는데, 결절의 수축은 수장건막의 비후와 결절-대 단위(nodule-cord unit)를 구성하며, 잔여기에는 결절의 크기가 줄어들면서 세포가 없는 섬유조직의 대로 변한다.

4. 치료

보존적 치료방법으로 vitamin E 투여, steroid 국소주사, 방사선치료 및 부목 등이 있으나 효과를 기대하기 어렵고, 교원질 분해 효소(collagenase)의 주사요법(closed enzymatic fasciotomy)은 구축이 심하지 않은 경우 우선 쓸 수 있는 방법이다. 비개방성 바늘 근막절단술(closed needle fasciotomy)도 심하지 않은 경우 사용할 수 있으나, 굴곡건 파열, 수지신경 손상 등의 합병증이 있을 수 있고, 3년이 지난 경우 약 58%에서 재발하였다는 보고가 있다.

중수지관절과 근위지(PIP) 관절이 15~30도 이상의 구축이 있으면 수술의 적응증이 된다.

개방성 부분 근막절제술(open limited fasciectomy)는 현재 가장 많이 사용되는 방법으로, 병적 대 부분과 정상 신경혈관을 잘 노출시킬 수 있다는 장점이 있다.

개방 전 근막절제술(open radical fasciectomy)은 구축을 일으키는 병적 대 부분을 제거하고 재발 방지를 위해 정상으로 보이는 근막까지 모두 제거하는 수술이나, 이환율이 높고, 관절의 굴곡 구축의 재발을 감소시키지 못한다는 보고도 있다. 피부근막절제술(dermofasciectomy)는 구축을 일으키는 근막과 피부를 모두 제거 후 전층 피부이식을 하는 방법으로, 간질, alcoholism, 다른 부위의 동반된 질환, 수술 후 재발 등의 예후가 불량한 젊은 환자에 시행된다.

Dupuytren 구축 수술 후 합병증은 약 17%에 달하며, 발생 가능한 합병증은 구축의 잔존, 굴곡 운동의 제한, 수지신경 혹은 동맥의 손상, 피부 피판의 괴사, 수지의 괴사, 굴곡건 및 건초의 손상, 혈종, 감염, 복합부위 통증 증후군(complex regional pain syndreome), 재발 등이 있다.

III. 수부 감염(Hand Infection)

1. 서론

수부 감염의 발생에는 감염균의 독성(virulence), 감염된 해부학적 위치, 국소적 방어력, 전신적 방어력 등 4가지의 주요 요소가 있다.

수부 감염의 가장 흔한 원인균은 황색포도상구균(S. aureus)이고, 보형물을 사용한 수술에 있어서는 표피포도상구균(S. epidermidis)이 가장 흔하다.

수부 감염의 치료원칙은 조기에 진단하고 부목(splinting)과 상지거상을 하면서 적절한 항생제를 선택하고 효과적인 배농(drainage)을 유도하면서, 조기 관절운동을 하여 빠른 회복을 도모하는 데 있다. 우선 면밀한 병력 청취와 이학적 검사를 하고 CBC, ESR, CRP 등 혈액검사와 단순 방사선 검사를 하는데, 연부조직의 농양(abscess)의 위치를 알기 위해서는 초음파나 MRI 등으로 병변의 위치와 정도를 알 수 있으며, 골의 감염여부를 알기 위해 골 주사(bone scan)와 MRI를 시행한다. 감염균을 찾기 위해 조직이나 체액의 세균검사와 균 배양을 한다.

수술적 치료 때는 반드시 지혈대(tourniquet) 적용하에 시행하며, 이때 탄력붕대로 짜는 것은 균혈증(bacteremia)을 일으킬 수 있으므로 수분간 팔을 거상한 후 지혈대를 부풀린다. 배농을 위한 절개는 크게 넣더라도 주요 혈관 신경이나 건을 노출시키는 것을 피해야 한다. 감염을 억제하기 위해서 모든 괴사된 조직은 제거해야 하고, 검체는 조직검사와 균 배양색을 보내는데, 이 때 검체는 농양의 중심부보다 가장자리에서 채취하는 것이 좋다.

수부 감염은 침범되는 조직의 종류에 따라 골을 침범하는 골수염, 관절을 침범하는 관절염, 그리고 연부조직을 침범하는 연부조직 감염 등으로 나눌 수 있다. 연부조직 감염은 그 해부학적 구조와 위치에 따라 천층(superficial) 감염으로 손톱 주위염(paronychia), 포진성 생인손(herpetic whitlow), 연조직염(cellulitis)이 있고, 중간층(intermediate depth) 감염으로 생인손(felon)과 물갈퀴 공간 감염(web space infection)이 있으며, 심층(deep) 감염으로 화농성 건막염(pyogenic tenosynovitis), 심부 공간 감염(deep space infection), 화농성 관절염(septic arthritis) 등으로 나눌 수 있다.

2. 감염 종류 (Type of infection)

1) 천층(Superficial) 감염

(1) 손톱 주위염(Paronychia)

급성 손톱 주위염은 손톱 물어뜯기, 손톱 손질을 잘못할 경우 등에 의해 손톱 주름(nail fold)주위에 균이 들어가서 발생하고, 주로 황색포도상구균에 의해 발적, 종창, 동통, 고름을 유발한다. 초기에는 항생제로 치료가 가능하지만, 손톱 밑 부위까지 농이 퍼지면 조갑상피(eponychium)나 손톱을 들어올려 농을 제거해야 한다. 만성 손톱 주위염은 주로 손이 오래 젖어 있는 접시닦이, 수영선수, 주부 등에서 많이 발생하는데, 주로 캔디다 곰팡이(candida albicans)에 의하며 조갑상피 부분이 붉어지며 붓고, 소피 하부에 치즈 모양의 침천물이 발생한다. 증세의 완화와 악화가 만성적으로 반복되는 것을 특징으로 하므로 곰팡이의 증식에 도움이 되는 습기를 피하고, 적절한 항균제와 스테로이드제의 복합요법을 사용한다.

(2) 연조직염(Cellulitis)

연조직염이란 세균이 피하조직에 침투하여 광범한 염증 반응을 일으키지만 농양 형성을 하지 않은 상태로서, 주로 황색포도상구균과 연쇄상구균(Group A beta-hemolytic streptococcus)에 의해 발생한다. 치료는 항생제 투여, 거상, 부목 등 보존적으로 가능하며, 초기의 경한 환자는 경구 항생제로 충분하나, 48시간 내에 호전되지 않거나 심한 경우 항생제의 정맥 투여가 필요하다. 항생제 투여에도 감염이 호전되지 않으면 농양 형성을 의심해야 한다.

(3) 포진성 생인손(Herpetic whitlow)

수지에 발생하는 헤르페스 바이러스 감염으로, 주로 표재성 표피층에 국한되며 보건의료계 종사자에게 흔히 발생한다. 수포는 작지만 점점 부어오르면서 통증이 심하고 대개 보존적 요법으로 2~3주 이내에 큰 후유증 없이 자연 치유된다. Tzanck smear 방법으로 쉽고 빠르게 진단할 수 있고, acyclovir 등의 약물 요법으로 치료할 수 있다.

2) 중간층(Intermediate depth) 감염

(1) 생인손(Felon)

손가락 끝과 수질(pulp)의 폐쇄된 지방조직의 감염으로 단순 수지 첨부의 감염(apical infection)과는 달리 심한 통증, 강직, 부종을 동반한다. 주로 황색포도상구균에 의하며 조기에 적절한 배농이 되지 않을 경우 구획증후군에서처럼 연부조직의 괴사, 심한 경우 골까지 침범하게 되므로 주의를 요한다. 배농을 위한 절개방법은 편측 종절개(unilateral longitudinal approach)가 선호되며, 가급적 지첨 파악(tip pinch)하지 않는 쪽인 무지의 요측과 2-5수지의 척측에 시행하는 것이 권장된다.

(2) 물갈퀴 공간 감염(Web space infection)

동통과 종창이 물갈퀴 공간과 수장 원위측에 발생하고, 인접한 수지는 외전되어 벌어진다. 대개 수장측에서 감염이 시작되어 농이 형성되면, 저항이 적은 지방 조직에 모였다가 진피를 뚫고 들어가서 표층 횡인대 전방과 원위부의 지방에 고이게 된다. 농이 형성되면 배농시켜야 하는데, 보통 이 공간의 전방과 후방에 다 농이 있기 때문에 양측에 모두 절개를 넣는다.

3) 심층(Deep) 감염

(1) 화농성 건초염(Pyogenic tenosynovitis)

건초염은 건초(tenosynovium)에 발생하는 화농성 감염으로 거의 굴곡건에 국한되어 발생한다. 수부의 굴곡건을 둘러싸고 있는 건 활막(synovium)은 2겹으로 된 폐쇄된 활막 공간을 이루고 있고, 건에 영양을 공급하는 활액으로 채워져 있다. 이 공간에 관통손상에 의해 세균이 들어와서 감염이 되면, 활액은 세균의 좋은 배지가 되며 또한 폐쇄된 공간이므로 면역체계와 항생제의 침투가 제한되어 균의 확산과 증식을 막기 어렵게 된다. 주로 제2, 3, 4 수지에 발생하고, 황색포도상구균이 가장 흔한 균주이다. Kanavel은 화농성 건초염의 네 가지 기본적인 징후(4 cardinal sign)로 수지의 전반적인 부종, 수지의 반굴곡 상태, 건초를 따라서 발생하는 압통, 침범된 수지의 수동적 신전 시 건초를 따라 발생하는 심한 통증을 보인다고 하였으며, 때로는 심한 경직, 인대의 손상과 파열을 유발할 수 있기 때문에 즉각적인 건초의 수술적 배농과 항생제 치료가 필요하다. 첫 48시간 내에는 부목, 수부 거상, 항생제의 정맥주사로 치료할 수 있지만, 호전되지 않으면 즉각 수술적 배농술을 시행하여야 한다.

(2) 심부 공간 감염(Deep space infections)

수부의 심부 공간을 형성하는 부위는 수장부의 근막하부(subfascial space)로 무지 공간(thenar space)과 중앙 수장 공간(midpalmar space)이 있고, 수배부의 신전건하부(dorsal subaponeurotic fascial space)가 있다. 침범된 부위의 심한 통증, 압통, 종창으로 인하여 해당 수지의 운동제한이 되며, 심부 감염은 손의 서로 다른 공간들 사이에 감염이 발생하는 것으로, 심한 경우 손목과 전완부로 감염이 확산되기도 한다. 일단 농이 발생하면 가급적 빨리 배농시켜야 하는데, 배농을 위한 절개는 충분히 시행하고, 추후 구축을 일으키지 않게 해야 한다.

(3) 화농성 관절염(Pyogenic arthritis)

화농성 세균에 의해 관절 내 또는 관절 주위에 상처나 관절염으로 발생하는데 관절 내 농 1cc당 105개 이상의 균주가 발견되는 경우 진단할 수 있는데, 원인균으로는 황색 포도상구균과 연쇄상구균이 가장 흔하다. 활액막 또는 관절낭의 직접적인 관통 손상 및 세균 침투에 의하거나 혈행성 전파에 기인한 패혈성 관절염(septic arthritis)의 심각한 감염상태를 초래하기도 한다. 빠른 속도로 골표면에서 연골까지 침식할 수 있으며, 점진적인 관절연골의 침범, 관절낭의 간격 협착, 관절강직을 초래하므로 혈액검사, 조직 및 혈액배양, 관절 천자(aspiration), MRI, 골주사 검사 등 빠른 진단과 그에 따른 항생제 및 수술적 배농 등 응급치료가 필요하다.

4) 교상(Bite injury)

사람의 입안 타액에 정상으로 상주하는 세균은 대략 42종으로 1억/mm³에 이르며, 포도상구균, 연쇄상구균이 흔하나, 인교상(human bite)의 경우 Eikenella corrodons에 의해 감염이 발생하는 경우가 많다. 인교상이 발생하는 경우는 자가 손상으로 손톱을 물어뜯거나 손의 상처를 빨아서 발생하거나 손을 물여서 조직 손상을 입는 경우인데, 주먹을 쥐고 상대방의 얼굴을 때리다가 치아에 의해 손상(clenched fist injury)을 입는 경우도 있다.

동물교상(animal bite)의 90%는 견교상(dog bite)이고, 5%는 고양이 교상이지만, 동물교상으로 인한 감염이 고양이 교상에서 훨씬 높은 이유는 고양이의 이빨이 날카롭고 천공(puncture) 양상의 창상을 만들면서 세균이 깊이 주입(inoculation)되기 때문이다.

모든 교상 환자는 파상풍의 예방접종을 고려하고 광범위 항생제를 사용하며, 관절 및 건 등 주요 구조물의 침범 여부를 확인하고 개방 상태를 유지한 채 침수(soaking) 치료를 시행한 후 24시간이 지난 다음 상처를 재평가하여 치료를 결정하는 것이 좋다.

5) 비정형 감염증(Atypical infections)

수부의 비정형 감염으로는 결핵균에 의한 감염보다는 비정형적인 마이코박테리아에 의한 감염이 더 흔하며, 이는 점진적으로 발생하여 무통성, 무발적성 종창과 수부의 경직을 보인다. 마이코발테이룸 마리눔(M. marinum)은 수부에 발생하는 가장 흔한 비정형 마이코발테리아 감염이며, 주로 물고기 가시에 찔리거나 고인 물에 상처가 접촉함으로써 발생하는데 균주를 밝혀내기 어렵다.

최근에는 M. marinum, M kansaii, M malmoense, M terrae 등의 비전형적인 결핵의 감염이 늘고 있는 추세를 보이고 있고, 이런 감염은 일반적인 항결핵제에 저항이 있어 치료 결과가 나쁜 경우가 많이 있어, 수개월간 특별한 항생제의 복용이 필요하며, 감염된 조직의 수술적 제거를 요한다.

항생제 치료에 반응하지 않는 감염에 대해서는 비정형 감염을 염두해 두고, 일반 배양검사뿐만아니라 비정형 감염에 대한 배양검사 및 절제된 조직의 조직검사를 시행한다.

IV. 방아쇠 수지(Trigger Finger)

1. 서론

방아쇠 수지는 수지 통증 및 장애의 흔한 원인 중 하나로서, 굴곡건이 중수골두의 수장측에서 두꺼워진 지대를 통과할 때 A1 수지 활차(pulley)와 물리적 충돌을 일으켜 손가락이 굴곡 또는 신전될 때 건 포착에 의해 통증을 수반한 탄발음과 잠김 증상이 발생한다.

2. 해부와 병리

손가락에는 4개의 윤상 활차(annular pulley)와 3개의 십자형 활차(cruciform pulley)가 존재하며(그림 4-12-6), 무지의 경우 기타 손가락과 다르게 2개의 윤상 활차와 1개의 사선 활차(oblique pulley)로 이루어져 있다(그림 4-12-7). 방아쇠 수지는 건 내부의 부종이 관찰되기도 하지만 가장 중요한 병리 소견은 수지 활차의 비후를 육안적으로 관찰할 수 있다.

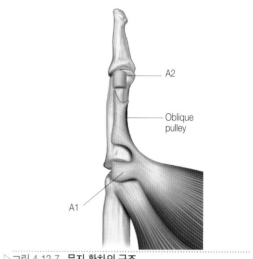

▷ 그림 4-12-7. **무지 활차의 구조**

3. 임상증상

방아쇠 수지의 임상적 분류는 1단계(pretriggering)에서 결절(nodule)이 만져지면서 A1 활차 주변의 통증과 압통을 보이며, 2단계(active)에서 잠김 증상이 있으나 능동적으로 수지의 굴곡 및 신전이 가능한 경우이며, 3단계(passive)에서는 잠김 증상이 있으면서 능동적 신전 또는 능동적 굴곡이 불가능한 경우로 나누고, 4단계(contracture)에서는 중수지관절에서 굴곡 구축이 있어 수동적으로도 펼 수 없는 경우로 분류된다.

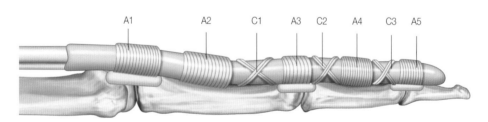

▷ 그림 4-12-6. **수지 활차의 구조**

4. 치료

성인에서의 방아쇠 수지는 초기에는 스테로이드 주사 또는 부목으로 치료할 수 있는데, 스테로이드 주사는 한 개의 수지만 침범한 경우, 증상발현 기간이 짧은 경우, 결절이 만져지는 경우에 효과가 좋은 것으로 알려져 있으나, 드물게 건 파열이 발생하므로 건 내부로의 스테로이드 주사를 피해야 한다.

수술은 지혈대를 이용한 후 A1 활차 부위 1~1.5 cm의 피부 절개를 시행하여 굴곡건 막을 노출하고, 지신경(digital nerve)과 동맥을 조심하면서 두꺼워진 A1 활차를 확인하면서 절개한다. 수술 후 발생할 수 있는 합병증으로는 지신경 손상, 감염, 수술 부위 통증, 굴곡건 활시위 현상, 재발 등이 있다.

5. 방아쇠 무지(Trigger thumb)

소아에서 발생하는 방아쇠 무지(trigger thumb)는 장무지굴곡건에 두꺼워진 결절(Notta'a nodule)이 있거나 건막이 좁아져서 발생하는데, 성인의 방아쇠 수지가 A1 활차의 퇴행성 변화와 동반되어 두꺼워지면서 발생하는 경우와 달리 소아에서는 건 자체의 활액막 비후로 인해 발생하므로 성인과는 달리 잠김 현상보다는 무지가 굴곡 또는 신전된 상태로 움직이지 않는 자세로 많이 나타난다.

1세 미만에서 진단된 방아쇠 무지 중 30% 정도는 저절로 호전되며, 구축이나 수지 운동에 큰 이상이 없다면 3세 정도까지 기다려 볼 수 있지만, 굴곡 시 통증이 지속되거나 4단계의 구축 단계가 지속될 경우에는 조기 수술을 시행할 수 있다.

References

1. 신현대. 엄지 기저부 관절염. 수부외과학. 1판. 범문에듀케이션. P181, 2014.
2. Carlsen BT, Bakri K, Al-Mufarrej FM, et al. Osteoarthritis in the hand and wrist. In: Neligan PC, ed. Plastic surgery. 3rd ed. Elsevier; 2013:411-448.
3. Feldon P, Terrono AL, Nalebuff EA. Millender LH. Rheumatoid arthritis and other connective tissue disease. In : Wolfe SW, Hotchkiss RN, Pederson WC, Kozin SH. Green's operative hand surgery. 6th ed. Philadelphia: Elsevier;2011.1993-2065.
4. Green DP, Hotchkiss RN, Pederson WC and Wolfe SW. Green's Operative Hand Surgery, 6th ed. Elsevier Churchill Livingstone, 2011.
5. Millender LH, NalebuffEA.(eds): Degenerative arthritis I. Hand Clin, vol 3, 1987.
6. Rizio L, Belsky MR. Finger deformities in rheumatoid arthritis. Hand Clin. 1996;12(3):531-40.
7. Sammer DM, Chung KC. Rheumatologic conditions of the hand and wrist. In: Neligan PC, ed. Plastic surgery. 3rd ed. Elsevier; 2013:371-410.
8. Stirrat CR. Metacarpophalangeal joints in rheumatoid arthritis of the hand. Hand Clin. 1996;12(3):515-29.
9. Swanson AB, Swanson G. Osteoarthritis in the Hand. J Hand Surg Am, 8:669-675, 1983.
10. 정성균. 듀피트렌씨 구축. 수부외과학. 1판. 범문에듀케이션. P65, 2014.
11. Elliot D. The early history of Dupuytren's disease. Hand Clin, 15:1-11,1999.
12. Rayan GM. Palmar fascial complex anatomy and pathology in Dupuytren's disease. Hand Clin, 15:73-86,1999.
13. Watt AJ, Leclercq. Management of Dupuytren's disease. In: Neligan PC, ed. Plastic surgery. 3rd ed. Elsevier; 2013:346-362.

IV. 수부 및 사지

14. 어수락. 수부감염. 수부외과학. 1판. 범문에듀케이션. P59, 2014.

15. Bidic SM, Schaub T. Infections of the hand. In: Neligan PC, ed. Plastic surgery. 3rd ed. Elsevier; 2013:333-345.

16. Omg YS, Levin LS. Hand infections. Plast Reconstr Surg; 124:225e-233e, 2009.

17. Pater MR, Malaaviya GN. Chronic infection. In : Wolfe SW, Hotchkiss RN, Pederson WC, Kozin SH, editor. Green's Operative Hand Surgery. 6th ed. Philadelphia : Elsevier;41-84,2010.

18. Stevanovic MV, Sharpe F. Acute infection. In: Wolfe SW, Hotchkiss RN, Pederson WC, Kozin SH, editor. Green's Operative Hand Surgery. 6th ed. Philadelphia : Elsevier;85-139,2010.

19 박현수. 건병증. 수부외과학.1판. 범문에듀케이션. P751, 2014.

20. 탁관철. 엄지의 선천성 기형. 수부외과학.1판. 범문에듀케이션. P543, 2014.

21. Bayat A, Shaaban H, Giakas G, et al. The pulley system of the thumb: anatomic and biomechanical study. J Hand Surg Am, 2002;27:628-635.

22. Doyle JR. Anatomy of the flexor tendon sheath and pulley system: a current review. J Hand Surg Am, 1989;14:349-351.

23. Sammer DM, Chung KC. Rheumatologic conditions of the hand and wrist. In: Neligan PC, ed. Plastic surgery. 3rd ed. Elsevier; 2013:402-404.

24. Tonkin M. Congenital trigger thumb. In: Neligan PC, ed. Plastic surgery. 3rd ed. Elsevier; 2013:648-649.

선천성 수부기형
Congenital Hand Anomaly

권성택 · 김병준 서울의대

13

I. 선천성 수부기형의 발생학, 분류(Embryology, Classification)

1. 발생학

수정이 이루어진 후 4주가 되면 상지지아(upper limb bud)가 나타나고 8주가 되면 손가락이 분리되고 사지의 거의 모든 구조물이 형태를 갖추게 된다. 따라서 대부분 상지의 기형은 4~8주 사이에 발생하며 8주 이후에는 이미 형성된 구조물이 성장, 성숙, 분화하는 과정을 거치게 된다. 상지의 발달은 근위-원위(proximal-distal), 요측-척측(radio-ulnar), 그리고 배측-복측(dorsal-ventral)의 세 가지 축을 바탕으로 성장을 하는데, 이 세 공간 축을 제어하는 신호센터는 각각 apical ectodermal ridge (AER), zone of polarizing activity (ZPA), 그리고 dorsal ectoderm이 관장을 하게 된다. AER은 외배엽이 두꺼워진 층으로 아래에 있는 중배엽이 적절한 구조물로 분화하도록 유도하는 물질이다(그림

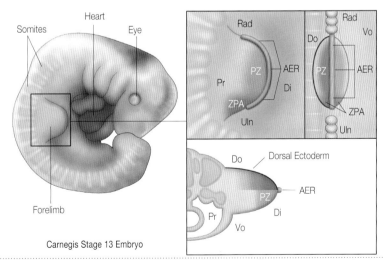

Carnegis Stage 13 Embryo

▷ 그림 4-13-1. 팔디리싹(limb bud)의 신호전달준심. AFR: apical ectodermal ridge, ZPA: zone of polarizing activity, PZ: progress zone. The proximodistal (Pr-Di) outgrowth, dorsovolar (Do-Vo) asymmetry, and radioulnar (Rad-Uln) asymmetry are regulated by signal centers, such as the apical ectodermal ridge (AER), dorsal ectoderm, and zone of polarizing activity (ZPA), respectively. (Modified from Oberg KC, Greer LF, Naruse T. 2004. Embryology of the upper limb: the molecular orchestration of morphogenesis. Handchir Mikrochir Plast Chir 36:98-107.)

▷표 4-13-1. 세 가지 신호센터와 관여하는 단백질 및 기능

Axis	Signal center	Protein	Loss of function
Proximal-distal	AER (apical ectodermal ridge)	Wnt3, Fgf10	Transverse deficiency
Radial-ulnar	ZPA (zone of polarizing activity)	Shh (sonic hedgehog)	Mirror hand
Dorsal-ventral	Dorsal ectoderm	Wnt7a	Extraneous nail

4-13-1). AER 아래에서 왕성하게 분화를 하는 중배엽 조직을 progressive zone (PZ)이라고 부른다. PZ에 존재하는 세포들이 궁극적으로 분화하여 특별한 세포 타입과 위치를 차지하게 되는 것이다. AER에서 분비된 Wnt3, 그리고 fibroblast growth factor 10 (Fgf 10)은 PZ에 영향을 미쳐 궁극적으로 근위-원위축 성장에 기여한다. 이 과정에 문제가 발생하면 횡결손(transverse deficiency) 등의 기형을 보이게 된다. 척측의 중배엽 상지배아에 위치한 ZPA는 요측과 척측이 각각의 특징을 가지면서 성장할 수 있도록 조절하는 신호센터이다. ZPA에서는 sonic hedgehog (Shh)라는 morphogen을 분비하는데 이것이 요측, 척측 패턴화 과정을 제어하게 된다. 특히 척측의 4개 수지 형성에 관여를 하기 때문에 Shh가 제거된 실험모델에서는 척골과 척측 수지가 제거되고, Shh를 추가하였을 경우 거울손(mirror hand)이 발생하였다. Dorsal ectoderm은 복측과 배측의 분화에 중요한 역할을 하는 신호제어 센터인데, Wnt7a가 아래쪽 중배엽의 분화를 유도하여 수배부와 수장부의 독특한 특성을 만들어낸다. 이 과정에 문제가 발생하면 이질성 손톱(extraneous nail)이 발생하거나 양측에 palmar pad를 갖는 족부기형이 유발된다. 이 세 축의 성장은 독자적으로 이루어지는 것이 아니라 상호 연관성을 띄기 때문에 하나의 신호체계에 이상이 생기면 다른 축의 성장도 억제가 된다(표 4-13-1).

2. 분류

이상형태학(dysmorphology)에 대한 terminology는 선천성 수부기형의 발생원인을 이해하는 데에 기본적인 개념을 제시해준다. 기형(malformation)은 비정상적인 세포 형성에 의해 조직의 형태가 비정상적으로 이루어진 것을 의미한다. 반면 변형(deformation)은 이미 정상적으로 형성된 세포에 insult가 가해지면서 조직의 형태가 비정상적이 된 것을 의미한다. 형성이상(dysplasia)은 세포가 모여서 조직을 형성할 때 정상적인 구성이 이루어지지 않아 조직의 형태가 비정상이 된 것으로 연골무형성증(achondroplasia)에서 보이는 골성이상소견 등이 해당된다. 파열(disruption)은 이미 정상적으로 형성된 조직이 파괴되는 것으로 선천협착띠(constriction band syndrome) 등이 해당된다.

1832년 Isidore St. Hilaire 에 의해 처음으로 선천성 수부기형에 대한 분류가 이루어졌다. 이 분류에서는 기형을 지느러미발과 같은 기형을 보이는 phocomele, limb의 일부가 없는 hemimele, 그리고 limb이 완전히 없는 ectromele로 간단하게 나누었다. 현재까지 가장 널리 사용되어 온 분류는 1968년 Swanson 등이 제시하고 수 차례 개정을 거쳐 International Federation of Societies for Surgery of the Hand (IFSSH)에서 받아들인 Swanson/IFSSH 분류방법이다(표 4-13-2). 하지만 이 체계는 1960년대와 1970

년대의 발생학적인 지식 및 형태학에 기반을 두고 만들어진 것으로, 현재 molecular level의 지식에 비추어 보면 모순된 점이 발견된다. 예를 들어 "differentiation"과 "formation"은 동시에 발생하는 것으로, 두 가지를 따로 분류하기가 어렵다. 이후에도 Japan Society for Surgery of the Hand (JSSH)에서 Swanson/IFSSH 분류방법에서 "abnormal induction of digital rays" 항목을 추가하는 등 수정된 분류법을 제안하였다. 2010년도에 Oberg, Manske, 그리고 Tonkin이 새로운 분류를 제안하였다(OMT분류). 수부의 선천기형을 기형의 발생기전에 따라 기형(malformation), 변형(deformation), 그리고 형성

이상(dysplasia)으로 나누고 기형의 부위에 따라 중분류를 시행하였다(표 4-13-3). 궁극적으로는 유전자에 대한 지식이 축적되면 가장 정확한 기형분류의 틀을 제공할 수 있을 것이다. 예를 들어 다지합지증의 경우 염색체 2q31-32에 위치한 HoxD13유전자와 관련이 있다. 이를 통해 특정 유전자가 발생의 특정 시기에 문제를 일으키고 이것이 어떠한 기형을 일으킬 것이라는 추정을 할 수 있다.

▷표 4-13-2. Swanson/IFSSH 의 선천성 상지기형 분류표 (1983)

Swanson/IFSSH 분류(1983)

I. Failure of formation
- Transverse arrest
  Shoulder/ Arm/ Elbow/ Forearm/ Wrist/ Carpal/ Metacarpal/ Phalanx
- Longitudinal arrest
  Radial ray/ Ulnar ray/ Central ray

II. Failure of differentiation
- Soft tissue involvement
- Skeletal involvement
- Congenital tumorous conditions

III. Duplication
- Whole limb/ Humerus/ Radius/ Ulna (mirror hand)/ Digit (radial, central, ulnar polydactyly)

IV. Overgrowth
- Whole limb/ Partial limb/ Digit (macrodactyly)

V. Undergrowth
- Whole limb/ Whole hand/ Metacarpal/ Digit (Brachysyndactyly, Brachydactyly)

VI. Congenital constriction band syndrome
- Constriction band/ Acrosyndactyly/ Intrauterine amputation

VII. Generalized skeletal abnormalities
- Chromosomal abnormalities/ Other general abnormalities

▷표 4-13-3. Oberg, Manske, Tonkin의 선천성 상지기형 분류표

OMT classification

Group 1. Malformation
  A. Failure in axis formation and differentiation-entire upper limb
    1. Proximal-distal axis (Symbrachydactyly, Transverse deficiency, Intersegmental deficiency)
    2. Radial-ulnar axis (Radial, Ulnar longitudinal deficiency, Radioulnar synostosis)
    3. Dorsal-ventral axis (Nail-patella syndrome)
  B. Failure in axis formation and differentiation-hand plate
    1. Radial-ulnar axis (Radial, Ulnar polydactyly, Triphalangeal thumb)
    2. Dorsal-ventral axis (Dorsal dimelia, Hypoplastic nail)
  C. Failure in hand plate formation and differentiation-unspecified axis
    1. Soft tissue (Syndactyly, Camptodactyly, Trigger digits)
    2. Skeletal deficiency (Brachydactyly, Clinodactyly, Kirner's deformity)
    3. Complex (Cleft hand, Sympolydactyly, Apert syndrome)

Group 2. Deformation
  A. Constriction ring syndrome
  B. Arthrogryposis
  C. Trigger digits
  D. Not otherwise specified

Group 3. Dysplasia
  A. Hypertrophy (Macrodactyly, Limb hypertrophy, Tumorous condition)
  B. Tumorous condition

II. 중복장애(Disorders of duplication)

1. 다지증(Polydactyly)

1) 발생률 및 임상양상

수부의 다지증은 상지에 발생하는 가장 흔한 선천성 기형 중 하나로 중복장애의 대표적인 예이다. 인종과 성별에 따라 발생률의 차이가 있으며, Finley 등의 조사에 의하면 1,000명 출생당 발생률은 백인 남자에서 2.3명, 여자에서 0.6명이었고 흑인 남자에서 13.5명, 여자에서 11.1명으로 조사되었다. Kim 등의 2003년 한국인 데이터는 10만 명 출생당 93명으로 백인과 비슷한 발생률을 보인다.

2) 분류

발생하는 위치에 따라 제1 수지에 발생하는 것을 무지 다지증 혹은 축전성 다지증(preaxial polydactyly)라고 하며 제2,3,4 수지에 발생하는 것을 중심성 혹은 축성 다지증(central poly-dactyly), 그리고 제5 수지에 발생하는 것을 축후성 다지증(preaxial polydactyly)이라고 분류한다. 발생률은 축전성 다지증, 축후성 다지증, 그리고 축성 다지증의 순으로 높게 나타나는데 축전성 다지증의 경우 백인과 동양인에게 많으며, 축후성 다지증은 흑인에게 빈번하게 발생하고 상염색체 우성으로 유전이 된다. 축전성 다지증, 즉 무지의 다지증은 가장 빈도가 높은 수부의 선천기형 중 하나로 남자에 더 많고 우측이 좌측보다 약 두 배 정도로 많이 발생한다. 방사선촬영 영상을 바탕으로 중복이 일어난 레벨에 따라 Wassel은 무지의 다지증을 7가지의 형태로 분류하였다(그림 4-13-2). 이 중 원위지골과 근위지골이 모두 둘로 갈라져 있는 제4형이 가장 흔하게 발생한다. 축후성 다지증은 Temtamy와 McKusick 등이 제안한 분류법이 널리 사용되는데 A타입은 잘 형성된 잉여지가 5번째 혹은 6번째 중수골과 관절을 이루고 있으며 굽힙근, 폄근 인대 및 신경혈관다발을 포함한 연부조직을 모두 갖추고 있는 것을 의미하며 B타입은 잉여지가 제대로 형성되지 않고 작은 피부연결부위와 그 안의 신경혈관다발만을 통해 수지와 연결이 되어 있는 것을 말한다. 축성 다지증은 흔히 합지증을 동반하여 다지합지증(polysyndactyly)의

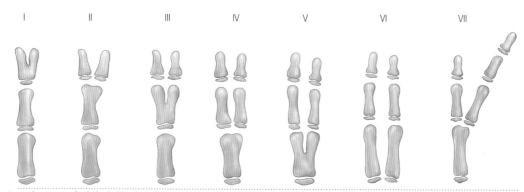

▷ 그림 4-13-2. 축전성 다지증에 대한 Wassel 분류(혹은 Flatt) 분류

▷표 4-13-4. 다지증의 분류 및 각각의 특성

	축전성 다지증	축후성 다지증	축성 다지증
발생률	가장 흔함	덜 흔함	가장 드묾
호발인종	백인, 동양인	흑인	-
유전	산발적(sporadic)	상염색체 우성	상염색체 우성
특징	대부분 단측성	대부분 양측성, 발기형 동반	대부분 합지증 동반

형태로 발현되며 제4 수지에 가장 호발하고 이어서 제3 수지, 제2 수지의 빈도 순으로 발생한다(표 4-13-4).

3) 치료

다른 수부기형의 일반적인 수술원칙에 따른다. 변형이 진행되는 점, 손가락을 사용해야 하는 점 등을 고려하여 생후 1년을 중심으로 수술하는 것이 원칙이나 변형의 정도나 전신 상태에 따라 수술 시기를 조정할 수 있다. 축후성에서 잉여지가 피부로만 붙어 있는 B타입의 경우 생후 6개월 정도에도 수술을 시행할 수 있다.

축전성 다지증을 수술할 때는 수술 후 반흔이 가장 적게 보이는 mid-lateral incision을 가하고 대부분의 경우 요측(radial side)의 잉여지를 잘라준다. 원위지골에만 중복이 있는 Wassel 1,2형의 경우 가운데 부분을 잘라주고 요측과 척측을 합쳐주는 Bilhaut-Cloquet 술식을 시행할 수 있으나 관절운동에 제한을 초래할 수 있어 한정된 경우에만 변형된 술식으로 사용한다. 잉여지로 가던 신경혈관다발은 전기소작기나 봉합사를 이용하여 처리를 해주며 폄근인대, 굽힘근인대를 보존하였다가 필요시 척측(ulnar side)의 무지로 연결해준다. 잉여지에 붙어 있던 관절낭(joint capsule)과 측부인대(collateral ligament)를 적절한 긴장으로 척측 무지의 요측에 봉합해준다. 보

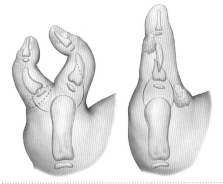

▷그림 4-13-3. 사선절골술 및 지방이식술을 통해 제4형 축전성 다지증을 교정하는 수술의 모식도

존지인 척측 무지의 장축이 유의하게 휘어 있을 때에는 쐐기 절골술(wedge ostectomy)이나 사선 절골술(oblique osteotomy)을 시행하여 축을 바로 하고 K강선을 이용하여 6~8주간 고정해 주기도 한다. 마지막으로 연부조직의 함몰이 있는 부위에 주변 및 잉여지로부터 얻은 지방조직을 이식하여 미용적인 개선을 얻을 수 있다(그림 4-13-3).

축후성 다지증의 치료는 기본적으로 축전성 다지증의 치료와 동일하다. 다만 B타입의 경우 수술적으로 제거하지 않고 신생아실에서 결찰(ligation)을 시도해볼 수 있다. 전신마취와 수술을 피할 수 있다는 장점이 있으나 안쪽의 신경혈관다발이 잘 처리되지 않아 신경종이 발생하거나 근위부에서 결찰이 되지 않으면 작은 꼭지모양의 흔적이 발생할 수도 있으며 드물게 감염이

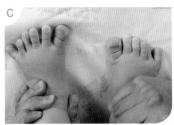

▷그림 4-13-4. **축후성 다지증의 임상증례. A. 양측 손의 type B 축후성 다지증, B,C. 양측 손발에 형성된 type A 축후성 다지증** 증

축성 다지증은 주변 손가락과 골유합이 되어 있고 합지증을 동반한 복잡한 형태가 많기 때문에 수술 이후에도 관절이 경직되고 손가락 축이 전위되는 등 기능적으로 만족할 만한 결과를 얻기가 힘들다. 수술은 일반적인 합지증의 원칙에 따르되 손가락뼈가 유합된 부위와 관절이 노출될 부위에 우선적으로 피판조직을 분배해준다. 필요시 축교정을 위해 골절단술을 시행하며 관절의 안전성을 유지하기 위하여 유합된 뼈를 제거하지 않아야 하는 경우도 있다(그림 4-13-5).

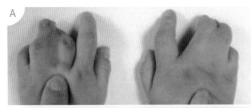

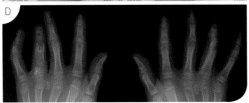

▷그림 4-13-5. **축후성 다지증환자의 수술 전(A,B) 및 수술 7년 후(C,D) 임상사진과 X-ray 소견.** 수 차례의 수술에도 불구하고 각 변형, 관절 강직 등 문제가 발생하는 경우가 많다.

나 출혈 등의 부작용이 발생할 수 있다. 축후성 다지증의 경우 족부의 다지증을 동반한 경우가 적지 않은데, 네 부위를 두 번에 나누어서 심하지 않은 곳을 먼저 수술하는 것이 일반적이다(그림 4-13-4).

4) 수술 후 이차 변형

보존지로 전이해주어야 하는 부분을 제외한 잉여지의 조직은 완벽하게 제거해야 한다. 작은 연골조각이나 피부조직도 지속적으로 성장을 하게 되므로 계속 돌출된 변형이 남을 수 있다. 축전성 다지증에서 가장 흔한 Wassel 4형의 경우 성장하면서 축변형이 일어나 이차적인 축 교정술이 필요한 경우가 약 20% 정도로 알려져 있다. 축성 다지증의 경우 태생적으로 저형성된 관절과 연부조직 때문에 일차 수술 이후에도 지간관절(interphalangeal joint)에서 굴곡구축이 일어나거나 각변형이 일어나기 쉽다. 따라서 대부분의 경우 피부이식술, 골절제술 등을 포함한 이차 교정수술을 요한다.

III. 분화장애(Disorders of Differentiation)

1. 합지증(Syndactyly)

1) 발생률 및 임상양상

손가락 사이의 물갈퀴(web)는 수장부에서 정상적으로 근위지의 중간 정도에 위치하게 되는데, 이보다 더 원위부에 있으면 이를 합지증이라고 한다. 발생학적으로 외배엽첨부융기(apical ectodermal ridge)의 이상이 발생하여 손가락사이공간에 세포자멸사(apoptosis)가 발생하지 않아 손가락의 분리가 잘 이루어지지 않아 발생한다. 이는 다지증과 함께 선천성 수부기형 중에서 가장 흔한 질환 중 하나이며 약 1,000~3,000명당 1명의 빈도로 나타나고 남녀비율은 약 2:1 정도이다. 가족력도 약 15~40%에서 보고되어 있으며 절반에서는 양측성(bilateral)으로 나타난다. 합지증이 발생하는 위치는 세 번째 손가락공간(interdigital space)이 가장 많으며(50%), 네 번째(30%), 두 번째(15%), 첫 번째(5%)가 그 뒤를 잇는다. 첫 번째 손가락사이공간은 발생학적으로 가장 먼저 갈라지기 때문에 발생빈도가 가장 낮다. 합지증은 단독으로 나타날 수도 있지만 상지의 기형이나 증후군성 동반기형으로 나타나기도 하며 다지증이나 갈림손 등과 동반되어 발현되기도 한다.

2) 분류

합지증은 손가락사이공간이 붙어있는 정도에 따라 전체공간이 붙어있는 완전형(complete

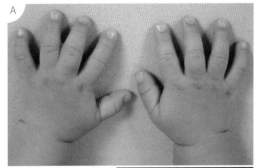
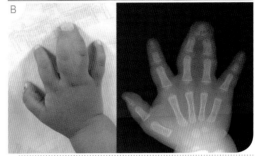

▷ 그림 4-13-6. **다양한 합지증의 임상례. A. 불완전 단순형, B. 완전 복합형**

type)과 일부분만 붙어있는 불완전형(incomplete type)으로 나뉜다. 또한 손톱과 손가락뼈의 유합 여부에 따라 연부조직만 붙어있는 단순형(simple type)과 골유합이 있는 복합형(complex type)으로 나누기도 한다. Apert 증후군이나 축성 다지합지증 환자에서처럼 손가락이 서로 복잡하게 엉켜있어 단순하게 side to side 관계에서 합지증을 분류할 수 없을 때 이를 복잡형(complicated type)이라고 한다(그림 4-13-6).

3) 치료

수술은 생후 1년 전후가 적당하다. 하지만 합지증으로 인하여 손이 비대칭적으로 성장하거나 움켜쥐는 동작을 하기 어려울 경우 조기에 수술이 필요하다. 첫째, 길이 차이가 많이 나는 첫 번째와 두 번째 손가락 그리고 네 번째와 다섯 번째 손가락 사이의 합지증의 경우 성장장애를 유

IV. 수부 및 사지

발할 수 있기 때문에 조기에 수술한다. 둘째, 수지골이 유합되어 있는 복합형이나 복잡형의 경우에도 성장 장애 및 기능저하를 가져올 수 있기 때문에 조기 수술을 권장한다. 제3 손가락과 제4 손가락에 발생한 단순형 합지증의 경우에는 수술을 서두를 이유가 없다.

손가락의 혈행을 고려하여 인접한 두 손가락 사이공간을 동시에 갈라주어서는 안 되며 한 번에 한쪽씩만 갈라주어야 한다. 손등 쪽에서 삼각형 혹은 사다리꼴 모양의 피판을 근위손가락 사이관절(interphalangeal joint)의 2/3 정도 되는 지점까지 도안을 하고 붙어있는 손가락 끝까지 지그재그 절개를 한다. 손바닥 쪽에서도 정상적인 위치까지 지그재그 절개를 시행하여 붙어 있는 손가락사이공간을 완전히 갈라준다. 이 과정에서 손가락사이공간을 지나는 신경혈관줄기를 보존하도록 주의를 기울인다. 손등의 삼각형 혹은 사다리꼴 피판의 끝은 손바닥 쪽으로 당겨서 봉합을 해주고 지그재그 절개를 통해 생긴 삼각형 피판은 손가락의 옆면에 봉합을 해준다. 특히 구축의 예방과 손가락 끝의 감각보존을 위해 손톱 부위와 원위부에서는 반드시 피판으로 덮어주어야 하며 이후 남아 있는 결손부위는 전층피부이식술을 시행하여 덮어준다. 전층피부이식은 주로 서혜부를 공여부로 한다. 손가락뼈의 분리가 필요한 복합형이나 복잡형 합지증에서는 구부러진 골을 다듬고 골절시켜서 K강선으로 고정시킨다. 발바닥 내측의 non-weight bearing부위에서 두꺼운 부분층 피부이식을 시행하면 색소가 적고 손바닥과 비슷한 성질의 피부를 이용할 수 있다. 하지만 진피층을 충분히 포함한 고른 두께로 떼어내는 데에 숙련도가 필요하고 많은 양을 채취하기가 어려운 단점이 있다.

수술 후에 발생할 수 있는 문제점으로 물갈퀴 크리프 현상(web creep), 굴곡구축, 그리고 피부이식과 관련된 합병증 등이 있다. 물갈퀴 크리프 현상은 손가락 사이공간에 끼워 넣은 삼각형의 피판에 흉터가 비후되면서 합지증이 부분적으로 재발하는 것을 의미하는데, 약 8%에서는 재수술이 필요하다. 합지증 수술 이후 성장에 따라 발생할 수 있는 굴곡구축은 약 13%에서 일어난다고 보고되어 있다. 복합형이나 복잡형의 합지증에서는 수술 이후에 손가락이 휘거나 변형될 수 있으며 관절이 불안정하고 손의 기능이 불완전하게 회복될 수 있다. 전층피부이식술 이후에 이식편이 생착하지 못하거나 비후성 반흔, 과색소 침착, 털이 자라는 등의 문제가 발생할 수 있다.

2. Apert syndrome

Apert 증후군은 10번 염색체의 장완(10q26)에 위치한 섬유모세포성장인자 수용체-2 (fibrous growth factor receptor-2, FGFR-2) 유전자변이에 의해 발생하는 상염색체 우성질환이다. 두개골조기유합증(craniosynostosis), 중안면 성장장애(midface retrusion), 말단합지증(acrosyndactyly), 그리고 지절유합증(symphalangism)이 특징적으로 나타나며 Apert 증후군을 첨두합지증(acrocephalosyndactyly)이라고도 부른다. 두개안면기형의 정도가 심하면 반대로 손의 기형은 미약하게 발현된다고 알려져 있다. Apert 증후군에서 보이는 합지증의 특징은 무지가 짧으며 근위지골이 비정상적인 삼각형모양으로 변위가 되면서 요측으로 전위가 되어있다. 제2, 3, 4 수지는 복합형으로 뼈가 서로 엉겨붙어 있으며 제4, 5 수지는 단순형으로 연부조직만 붙어있다. 양쪽

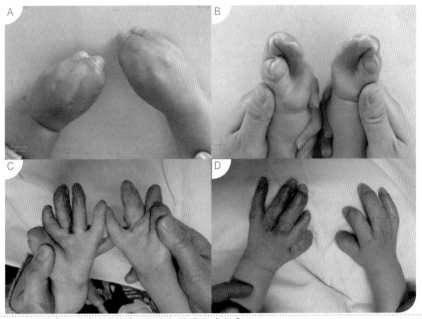

▷그림 4-13-7. **Apert 증후군 환자의 임상례.** A,B. 수술 전, C,D. 수술 후

의 발도 동시에 침범되는 경우가 있다(그림 4-13-7).

치료의 원칙은 무지와 제5 수지를 먼저 분리해서 기능적인 문제를 해결해주는 것이다. 무지의 기능을 극대화하기 위해 첫 번째 손가락사이공간을 충분하게 벌려주는 것이 중요한데, 이를 위해서 4~5개의 삼각형 피판을 이용한 Z-성형술을 이용하거나 큰 손등피판(dorsal flap)을 들어주며, 필요한 경우 내전근(adductor)주변에 붙어 있는 단단한 근막을 충분하게 풀어주어야 한다. 무지가 요측으로 전이된 것은 근위지골이 삼각형모양일 뿐 아니라 단수지외전근(abductor pollicis brevis, APB)이 비정상적으로 원위 요측에 붙어 있기 때문인데, 수술 시 쐐기절골술 및 인대교정술을 시행하여 바로잡아주어야 한다.

3. Poland syndrome

Poland 증후군은 한쪽의 흉부와 상지, 그리고 손의 기형이 다양한 양상으로 나타나는 선천성 기형으로 약 7,000~100,000명당 한 명꼴로 발생한다고 알려져 있다. 가족력이 있는 경우가 있지만 아직 유전성이 확실하게 밝혀진 것은 없다. 산발적(sporadic)으로 발생하는 경우 남자에서 더 많이 발생하며 우측이 60~75%로 더 많은 빈도를 차지하지만 여자에서 발생하는 경우는 좌, 우의 발생빈도 차이는 없다. 가족성으로 발생하는 경우는 남, 녀 그리고 좌, 우의 발생빈도에는 차이가 없는 것으로 알려져 있다. 발생원인은 임신 6주에 지아(limb bud)에 공급되는 혈액이 차단되어 쇄골하동맥(subclavian artery)이나 그 가지가 공급하는 조직의 저형성이 다양한 형태로 나타나기 때문이다. 전형적인 증상으로는 환측의 대흉근(pectoralis major muscle)이 흉골 및

305

늑골 기시부(sternocostal head)가 없으며 상지와 손이 저형성되면서 제2, 3, 4번째 손가락의 중위지골이 짧아져 있고 단순형과 완전형의 합지증을 동반하는 것이다. 치료의 원칙은 일반적인 합지증의 치료와 동일하며, 체부의 기형을 교정하기 위하여 광배근(latissimus dorsi muscle) 전이술, 지방이식술, 여자환자의 경우 유방보형물 삽입술 등을 시행할 수 있다.

IV. 성장장애(Disorders of Growth)

1. 대지증(Macrodactyly)

1) 발생률 및 발생원인

대지증은 매우 드문 선천성 수부기형으로 Flatt 등의 연구에 따르면 전체 선천성 수부 기형 중에서 약 0.5~0.9% 정도를 차지한다. 신생물 등에 의해 이차적인 비후가 일어나는 것과 구별되는 점은 대지증의 경우 이환된 수지의 모든 조직, 즉 지방, 인대, 뼈, 신경, 혈관 등이 모두 비후되어 있다는 점이다. 따라서 Cerrato 등은 대지증을 증후군성이나 신생물에 의해 발생하는 것이 아닌, 모든 조직을 침범하는 고립성의 (isolated) 선천성 수지의 비후로 정의하였다. 대지증은 그 동안 macrodactyly, macrodactylia, gigantism, fibrolipomatosis, macrodystrophia lipomatosa 등의 다양한 용어로 불려왔다. 병리학적으로는 근위부 신경의 지방섬유종증(lipofibromatosis)이 가장 흔한 형태이다.

대지증은 유전과는 상관없이 산발형(sporadic)으로 나타나는데, 아직까지 병인은 명확하게 밝혀져 있지 않다. 혈액공급의 증가, 비정상적인 호르몬에 의해 촉진된 성장, 비정상적인 신경공급에 의한 억제받지 않은 성장 등을 포함한 기전들이 제시되었다. 이 중 비정상적인 신경조직과 대지증이 연관되어 있다는 가설이 가장 설득력 있게 받아들여지고 있다. 그 이유로는 거대지의 가장 흔한 형태에서 거대해진 수지와 이를 담당하는 부위의 말초신경 지방침윤과 비대가 나타나기 때문이다.

2) 임상양상

대부분의 대지증은 단일 손가락신경(digital nerve) 지배영역에서 발생하는데 제2 수지, 그리고 제3 수지 순으로 호발한다. 척측(ulnar side)의 손가락신경 지배영역에서 발생하면 척측이 과성장하면서 이환된 손가락이 반대측인 요측으로 휘는 측만지(clinodactyly) 형태를 보이게 된다. 만일 온바닥쪽손가락신경(common palmar digital nerve)에 발생한다면 인접한 두 손가락의 각각 척측과 요측이 과성장하면서 divergent 하는 형태로 나타난다. 마찬가지 맥락에서 손가락 신경은 손가락의 수장부에 위치하므로 수장부의 조직이 상대적으로 과성장되면서 수배부쪽으로 휘게되는 경향이 있다. 대개 일측성(unilateral)로 나타나며 2개 이상의 수지가 동시에 이환된 경우가 한 개의 수지만 침범한 경우보다 2~3배 정도 많다. 또한 정상적인 반대측 수지와 비교해보면 원위부로 갈수록 더 심하게 이환이 되어 중수골보다는 근위지골, 중위지골, 원위지골로 갈수록 더 심한 임상양상을 보인다. 정중신경과 척골 신경에 침범이 된 경우에는 수장부 연부조직에 부종이 있고 이로 인한 압박 신경병증

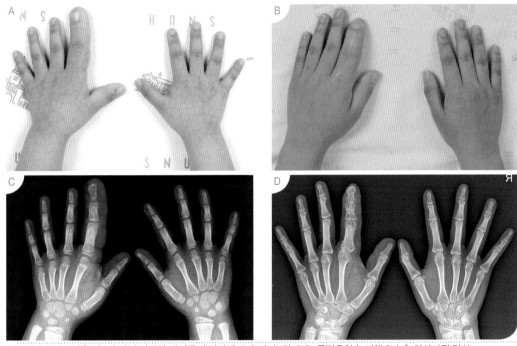

▷그림 4-13-8. **좌측 제2 수지에 발생한 대지증의 임상례.** A,C. 수술 전, B,D. 골단유합술 시행 3년 후 임상사진 및 X-ray

(compressive neuropathy)를 일으킬 수 있다. 굴 곡건의 건막이 두꺼워져서 방아쇠수지(trigger finger)를 일으키기도 하고 약 10%에서는 합지 증을 동반한다. 대지증은 성장하는 양상에 따라 고정성(static type)과 진행성(progressive type) 으로 나뉠 수 있는데 static type의 경우 다른 수 지와 비슷한 비율로 성장하지만 진행성의 경우 더욱 빠르게 성장하면서 그로테스크한 임상소견 을 보이는 경우가 많다. 동반되는 증후군으로는 다발성 연골종증인 Ollier병, Maffucci 증후군, Klippel Trenaunay Weber 증후군, Proteus 증후 군 등이 있다.

3) 치료

대지증은 발생률이 매우 낮고 임상양상이 다 양하게 나타나기 때문에 치료의 프로토콜이나 장기추적관찰 결과가 명확하게 제시되어 있지 않다. 일반적인 치료의 원칙은 이환된 수지의 임 상양상과 향후 성장능력을 감안해서 치료법을 선택하는 것이다. 성장판이 닫히지 않은 성장기 의 어린이에게는 골단유합술(epiphysiodesis)을 시행하여 추가적인 길이성장을 저지할 수 있다. 상대적으로 덜 침습적인 방법이지만 부피성장을 제한할 수는 없으며 수술 후 재발, 관절 강직 등 이 발생할 수 있다(그림 4-13-8). 성장이 완료된 수지에서 둘레 및 부피를 축소하기 위해서는 연 부조직 축소술을 시행하거나 조갑을 보존하면 서 길이와 둘레를 단축하기 위해서는 Tsuge나 Barsky 등이 제시한 방법과 같이 손가락뼈 일부 를 제거하면서 조갑을 보존시키는 단계적인 수 술을 시행해볼 수 있으나 혈액공급이 저해되거 나 관절 강직, 혈종 등의 부작용이 발생할 수 있 다. 이환된 수지가 관상면(coronal plane)에서 휘어 있는 경우 쐐기절골술(wedge ostectomy)을 시행하여 장축을 교정할 수 있다. 통제가 불가능한 진행적 성장을 보이는 경우에는 열절단술(ray amputation)을 시행하는 경우도 있다. 대지증을 기능적, 미용적으로 정상적으로 교정하는 것은 매우 어렵고 수술 결과도 만족스럽지 못한 것이 일반적이므로 수술 전에 예후와 여러 단계에 걸쳐 수술이 진행됨을 반드시 주지시켜야 한다.

V. 선천협착띠 증후군 (Constriction Band Syndrome)

1. 선천협착띠 증후군 (Constriction band syndrome)

1) 임상양상 및 발생원인

선천협착띠 증후군은 피부와 피하조직이 반지를 낀 것처럼 내부로 말려들어가서 마치 고무줄로 묶은 것과 같은 상태가 되는 선천성 수부 기형으로 약 10,000~15,000명에 1명 정도로 나타나는 희귀질환이다. 협착띠 원위부의 수지부종을 동반하며 손가락 끝이 붙어 있는 선단합지증(acrosyndactyly)이나 원위부가 결손되어 나타나는 경우도 많다. 정확한 기전은 알려져 있지 않으나 자궁 내에서 발견되는 절단 수지에 근거를 두고 양막대(amniotic band)에 의한 외인성 인자에 의한 발생이 일반적으로 받아들여지고 있는 가설이다. 발생학적으로 피하조직에 중배엽의 발육장애로 인한 혈관파괴에 의해 발생한다는 가

설도 있다.

2) 치료

매우 경미한 경우를 제외하고는 기능 및 외모의 개선을 위하여 수술적인 치료가 권장된다. 대개 2~4세경에 수술을 시행하게 되나 출생 시에 선천협착띠로 인해 혈액 순환이 좋지 않아 원위부에 허혈성 변화가 있는 경우에는 즉각적인 수술이 필요할 수 있다. 협착띠부위의 피부와 연부조직을 제거하고 Z-성형술이나 W-성형술을 이용하여 조직을 연장해주는 방법을 주로 사용한다(그림 4-13-9). 선단합지증이 동반된 경우 일반적인 합지증의 재건 원칙에 의해서 분리를 시행한다. 조갑과(nail)과 수질(pulp)을 처리하고 피부이식술을 통해 결손된 연부조직을 재건해준다.

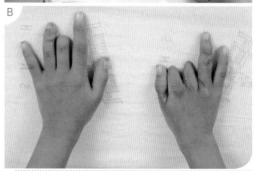

▷그림 4-13-9. **양손에 발생한 선천성협착띠 임상례.** A. 수술 전 B. Z, W-성형술 및 전층피부이식술을 이용하여 교정한 사진

VI. 형성장애(Disorders of Formation)

1. 무지저형성증(Thumb hypoplasia)

1) 임상양상 및 발생원인

무지저형성증은 기능적인 문제는 없지만 크기가 다소 작은 것부터 무지가 완전히 없는 것까지 다양한 스펙트럼으로 나타나며 전신 질환을 동반하는 경우도 많다. 따라서 치료를 시작하기 이전에 무지의 크기, 위치, 다른 손가락과의 관계, 뼈와 관절의 상태, 내재근과 외재근의 상태, 제1 손가락사이공간의 상태, 요골 등 다른 인근 골격의 문제, 동반된 기형 등을 면밀하게 살펴보아야 한다. Entin 등의 보고에 따르면 전체 수부기형의 약 16%, Flatt 등에 따르면 약 3.6%에서 엄지저형성증이 발견되었다고 하였다. 무지저형성증은 VACTERL, Fanconi anemia, Holt-Oram syndrome, Thrombocytopenia absent radius syndrome (TAR) 등의 증후군과 연관되어 나타날 수 있다. 유전적, 환경적 원인에 의하여 다양한 요측의 종적결손(radial longitudinal deficiency)이 발생할 수 있으니 필요시 전문가에게 유전상담을 받도록 해야 한다.

2) 분류 및 치료

무지의 내재근(intrinsic muscle), 외재성인대(extrinsic tendon), 제1 손가락사이공간, 관절의 안정성 등에 바탕을 두고 I형부터 V형까지 분류한다. 제I형은 크기와 모양이 정상에 가깝지만 전반적으로 저형성되어 있는 경우이다. 구조적인 이상은 없으나 단수지외전근(abductor pollicis brevis, APB)와 무지대립근(opponens pollicis)이 저형성되어있다. 제II형은 무지의 내재근이 없어서 무지융기(thenar)의 저형성이 있고 첫번째 손가락사이공간이 좁아져 있으며 척측측부인대(ulnar collateral ligament)가 불충분한 경우이다. 제III형은 II형은 문제에 추가적으로 외재성 근육 및 인대(extrinsic muscle and tendon)의 기형이 추가된 경우인데, 이를 손목손허리관절(carpometacarpal joint)의 안정성 여부에 따라 A형과 B형으로 세분화한다. 제 IV형은 무지가 피부덩어리 형태로 붙어있는 경우(floating thumb)이며 가장 심한 제 V형은 무지가 없는 형태이다.

3) 치료

제I형의 경우 특별한 수술은 필요치 않다. 외모의 개선을 위하여 확대술(augmentation)을 시행할 수 있다. 제 II형의 경우 내재근의 부재로 맞섬기능이 저하된 것을 해결하기 위하여 제4수지의 천수지굴곡근(flexor digitorum superficialis, FDS)을 이용해 맞섬성형술(opponensplasty)을 시행한다. 제1 손가락사이공간이 좁아진 것은 4-피판 Z 성형술 등을 이용하여 개선시켜줄 수 있다. 약해진 척측측부인대(ulnar collateral ligament)는 맞섬성형술을 위해 사용한 FDS를 중수골 머리쪽에 구멍을 뚫어 요측에서 척측으로 통과시킨 후 근위지골 척측의 바닥에 고정을 해줌으로써 강화시킬 수 있다. 제 III형의 경우 손목손허리관절(carpometacarpal joint)이 안정적이면 제II형 수술에 준하여 무지 재건술을 시행하지만 손목손허리관절(carpometacarpal joint)이 불안정하면 재건수술 이후에도 기능석인 설과

▷표 4-13-5. 무지저형성증의 분류 및 치료방법

분류	임상양상	치료
I	경증의 전반적인 저형성	치료필요없음 혹은 확대술
II	①내재근의 부재 ②제1 손가락사이공간이 좁아짐 ③척측측부인대(ulnar collateral ligament) 불충분	①맞섬성형술(opponensplasty) ②제1 손가락사이공간 형성술 ③척측측부인대 재건술
III	①②③+④외재성근육 및 인대 기형 A 손목손허리관절(carpometacarpal joint) 안정 B 손목손허리관절(carpometacarpal joint) 불안정	A: 무지재건술(reconstruction) B: 무지형성술(pollicization)
IV	부유성 무지(floating thumb)	무지형성술(pollicization)
V	무지 부재(absence)	무지형성술(pollicization)

가 좋지 않아 남아 있는 무지를 제거하고 제2 수지를 이용하여 무지를 만들어주는 무지형성술(pollicization)을 시행한다. 다만 수지의 미용적인 측면을 매우 중요시하는 동양에서는 무지형성술에 대한 보호자의 거부감이 클 수 있으므로 늑골늑연골 이식술을 이용하여 무지재건을 시도해볼 수 있다. 제IV형과 V형에서는 마찬가지로 무지형성술(pollicization)을 시행한다(표 4-13-5).

2. 갈림손(Cleft hand)

1) 임상양상 및 발생원인

갈림손은 가장 흔한 종적결손(longitudinal deficiency)의 하나로 주로 제3 수지와 중수골의 결손을 동반한다. 이로 인하여 특징적으로 V자 형태의 갈라진 틈이 손가락 중심에 존재하는데 제2, 3, 4 수지가 복합적으로 결손되는 경우도 있다. 하지만 제5 수지는 어느 경우에도 보존이 된다. 종종 발에도 침범을 하는데 이 때에는 양측성으로 나타나며 상염색체 우성유전을 보인다.

겉으로 보기에 기형이 매우 심해 보이지만 환자는 일상생활의 기능을 잘 하는 경우가 많아 Flatt은 이를 두고 "a functional triumph and a social disaster"라고 표현하였다. 발생학적으로 apical ectodermal ridge의 중간부위 혹은 안쪽부위에 결손이 생기면 갈림손이 발생한다. 기존에는 갈림손을 종적결손(longitudinal deficiency)의 대표적인 질환으로 형성장애(disorders of formation)로 분류하였다. 하지만 결손이 손목근위부까지 연장되어 동반되는 경우가 거의 없는 점, 분화장애에 해당하는 합지증이 적지 않게 동반된다는 점, Onigo 등의 기형유발 동물실험 결과 등을 통해서 갈림손을 분화장애(disorders of differentiation)로 분류해야 한다는 주장도 있다.

2) 분류

과거에 Lange 등은 V자 형태의 갈림을 보이는 전형적 기형과 U자 형태의 갈림을 보이는 비전형적 기형으로 나누었다. 하지만 비전형적 기형은 현재 유합단지증(symbrachydactyly)에 해당되며, 이는 종적결손이 아닌 횡적결손(transverse deficiency)으로 분류된다. 갈림손에서는

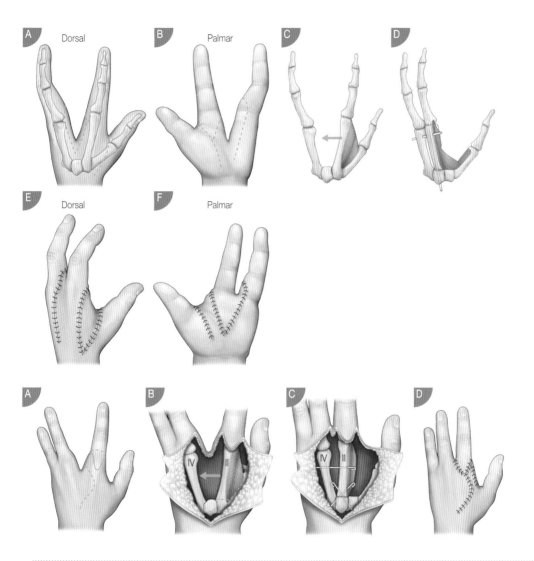

▷그림 4-13-10. **갈림손을 치료하기 위한 Snow-Littler 술식과 Miura and Komada 술식**

제4, 5수지의 합지증이 흔하게 동반되고 첫 번째 손가락사이공간이 좁아져 있다. Manske 등은 첫 번째 손가락사이공간의 좁아진 정도에 따라 갈림손을 분류하였는데 제I형은 정상적인 공간, 제IIA형은 공간이 약간 좁아져 있고 제IIB형은 심하게 좁아져 있으며 III형은 제1, 2 수지에 합지증이 있는 경우이다. 제IV형은 손가락사이공간이 완전히 병합(merged web)되어 있으면서 제

2 수지의 성장이 저해된 경우이며 V형은 손가락사이공간이 존재하지 않고 오직 척측의 선(ular ray)만이 존재하는 경우이다.

3) 치료

갈림손에 횡방향으로 누워있는 뼈조직(transverse lying bones)이 손숭뼈 혹은 근위시골 네

벨에 존재하면 병변이 진행할 수 있기 때문에 조기에 수술을 해주어야 한다. 이 때 인접한 관절을 다치지 않게 주의해야 하며 온수지동맥(common digital artery)이 해부학적으로 변형되어 있는 경우가 있어 주의를 요한다. 파열된 부분을 접근시키기 위해서는 횡축손허리인대(transverse metacarpal ligament)를 재건해주어야 하는데, A1 pulley나 굴곡건건막 등을 이용한다. 필요시 제2 중수골의 기저부위에 절골술을 가하고 중수골를 갈림이 있는 가운데 부위로 전위시키고 고정시켜준다. 파열부의 장축으로 긴 흉터가 생겨서 V모양의 기형이 생기는 것을 막기 위하여 제2 수지의 척측에 작은 이음매 피판을 만들어서 새로 생기는 손가락사이공간의 재건에 사용한다.

제1 손가락사이공간을 재건하면서 동시에 파열부를 접근시키기 위한 방법으로 Snow-Littler는 파열부 절개를 수장부에 바탕을 둔 피판으로 들어올려 제1 손가락사이공간으로 전위시키는 방법을 고안하였다. 아울러 첫번째등쪽골간근육(first dorsal interosseous muscle)과 무지내전근(adductor pollicis)을 절개하고 제2 중수골의 기저부에 절골술을 가하여 파열부로 전위시켜 고정하였다. 하지만 Snow-Littler 술식은 복잡하고 어려우며 피판이 의도한 위치에 잘 맞지 않는 경향이 있어 추가적인 피부이식이 필요한 경우가 많아 잘 사용되지 않는다. 횡절개를 통해 손등쪽에 기저를 둔 피판을 일으키고 절골술을 통해 요측 열의 척측 진이술을 시행하는 방법을 제시한 Miura와 Komada의 수술법이 많이 사용되고 있다(그림 4-13-10). 정도가 심하지 않을 때에는 뼈전이술을 시행하지 않고 파열부에 절개를 가한 이후 파열부 사이의 골간근육(interosseous muscle) 등의 연부조직만 모아주어도 기능적으로 훌륭한 결과를 얻는 경우도 있다.

References

1. Baek GH, Gong HS, Chung MS et al. Modified Bilhaut-Cloquet procedure for Wassel type-II and III polydactyly of the thumb. J Bone Joint Surg Am 2007;89(3):534-41.

2. Bouvet JP, Leveque D, Bernetieres F, et al. Vascular origin of Poland syndrome? A comparative rheographic study of the vascularization of the arms in eight patients. Eur J Pediatr 1978;128(1):17–26.

3. Buck-Gramcko D. Pollicization of the index finger. Method and results in aplasia and hypoplasia of the thumb. J Bone Joint Surg Am 1971;53(8):1605–1617.

4. Cerrato F, Eberlin KR, Waters P et al. Presentation and treatment of macrodactyly in children. J Hand Surg Am 2013;38:2112-23.

5. Cronin TD. Syndactylism: results of zig-zag incision to prevent postoperative contracture. Plast Reconstr Surg 1956;18(6):460–468.

6. Flatt A. The care of congenital hand anomalies. 2nd edition ed. St. Louis, Quality Medical 1994.

7. Foucher G, Medina J, Navarro R. Microsurgical reconstruction of the hypoplastic thumb, type IIIB. J Reconstr Microsurg 2001;17(1):9–15.

8. Kim BJ, Choi JH, Kwon ST. Oblique Osteotomy for the Correction of the Zigzag Deformity of Wassel Type IV Polydactyly Plast Reconstr Surg 2017;140(6):1220-8.

9. Kim BJ, Choi JH, Kwon ST. Surgical Treatment of Axial Polysyndactyly and Postaxial Polydactyly of The Hand in Korean: A Clinical Analysis of 24 Cases. J Korean Soc Surg Hand 2017;22(1):20-6.

10. Lajeunie E, Cameron R, El Ghouzzi V, et al. Clinical variability in patients with Apert's syndrome. J Neurosurg 1999;90(3):443–7.
11. Leung PC, Chan KM, Cheng CY. Congenital anomalies of upper limb in a Chinese population. J Hand Surg 1982;7(6):563–5.
12. Lumenta DB, Kitzinger HB, Beck H, et al. Long-term outcomes of web creep, scar quality, and function after simple syndactyly surgical treatment. J Hand Surg Am 2010;35(8):1323–9.
13. Manske PR, McCarroll Jr HR, James M. Type III-A hypoplastic thumb. J Hand Surg Am 1995;20(2):246–53.
14. Miura T. Congenital constriction band syndrome. J Hand Surg Am 1984;9:82–8.
15. Miura T, Komada T. Simple method for reconstruction of the cleft hand with an adducted thumb. Plast Reconstr Surg 1979;64:65–7.
16. Oberg KC, Feestra JM, Manske PR, et al. Developmental biology and classification of congenital anomalies of the hand and upper extremity. J Hand Surg [Am] 2010;35:2066-76.
17. Rider MA, Grindel SI, Tonkin MA et al. An experience of the Snow-Littler procedure. J Hand Surg Br 2000;25(4):376-81.
18. Swanson AB. A classification for congenital limb malformations. J Hand Surg 1976;1:8-22.

IV. 수부 및 사지

림프부종의 수술적 치료
Surgical Treatment of Lymphedema

14

김덕우 고려의대

1. 림프부종의 정의 및 원인

림프부종은 림프계의 손상이나 기능 이상에 의해 림프액 수송 능력이 저하되어 신체의 일부에 부종이 발생하는 질환이다. 림프부종의 초기에는 체액의 저류로 인해서 부종이 생기게 되고, 진행하면 지방조직과 섬유조직이 증가하여 조직의 증대가 동반된다. 림프계의 기능 이상 및 단백질이 풍부한 체액의 저류로 감염에 취약해지고, 심하면 피부의 변화와 궤양이 발생하기도 한다.

림프부종은 일차성과 이차성 림프부종으로 분류하며 이차성 림프부종은 감염, 수술, 종양, 방사선, 외상 등으로 림프계의 손상에 의한 림프부종이다. 이러한 원인 없이 선천적으로 혹은 원인 미상으로 발생하는 림프부종을 일차성 림프부종이라고 한다. 일차성 림프부종은 발생 시기에 따라서 출생 시나 1세 미만에 발견되는 선천성 림프부종, 1~35세에 발생하는 조발성 림프부종, 35세 이후에 발생하는 지연성 림프부종으로 분류한다. 가장 흔한 일차성 림프부종은 조발성 림프부종으로 여성에게 흔하다. 이차성 림프부종은 일차성보다 흔하다. 열대나 아열대 개발도상국에서는 모기에 의해 전파되는 사상충증

(filariasis)이 이차성 림프부종의 가장 흔한 원인이지만, 우리나라를 포함한 선진국에서는 악성종양 치료 후 발생하는 경우가 많다. 상지의 림프부종은 유방암 수술 후 발생하는 경우가 가장 많고, 하지의 림프부종은 부인암 수술 후 발생하는 경우가 가장 많다.

2. 림프계의 구성(Lymphatic system)

1) 림프관(Lymph vessels)

팔다리(Extremity)의 림프계는 림프관과 림프절로 구성된다. 림프관은 혈류가 있는 모든 곳에서 발견되는데 림프관이 분포되지 않는 곳은 중추신경계와 손톱, 각막, 머리카락이다. 림프관은 림프모세관(lymph capillary), 전집합관(precollector), 집합관(lymph collector), 림프관 줄기(lymphatic trunk)로 나뉜다. 이러한 림프관들은 혈관과 유사하게 내피세포의 특수한 구조로 연결되어 있어 림프의 응고를 방지한다. 전집합관과 집합관은 내피세포층 바깥쪽에 결합조직층이 있고 집합관은 평활근으로 이루어진 근육층도

있다. 집합관의 벽은 정맥의 벽과 유사하게 내막 (tunica interna), 중간막(tunica media), 외막(tunica externa)의 세 층으로 이루어져 있다. 림프모세관은 림프를 흡수하는 흡수관이고 집합관과 림프관줄기는 림프모세관에서 흡수된 림프를 이동시키는 이동관의 역할을 한다. 전집합관은 두 가지 역할을 모두 수행하여 림프의 이동관이면서 림프를 흡수할 수도 있다. 모세관을 제외한 모든 림프관에는 밸브가 있어서 림프가 한 방향으로만 흐르게 한다.

집합관은 림프액을 림프절과 림프관 줄기로 수송한다. 집합관의 직경은 0.1~0.8 mm 정도이며 신체의 특정 부분 림프의 흐름을 책임지게 되는데, 굵은 주요 집합관은 수술현미경을 보고 문합할 수 있는 크기이므로 수술적 치료의 대상

이 된다. 상지에서 주요 집합관의 주행은 전완부 (forearm)에서는 요골측피부정맥(cephalic vein)의 주행과 비슷하며, 상완에서는 전주와(cubital fossa) 중간 부위를 지나 겨드랑이를 향해 주행한다(그림 4-14-1). 하지에서 주요 집합관의 주행은 대복재정맥(great saphenous vein)의 주행과 유사한데 발목의 내측 복사뼈(medial malleolus) 앞쪽을 지나 무릎관절의 내측을 지나고 서혜부 대퇴동맥을 향해 주행한다(그림 4-14-2).

림프관 줄기는 팔다리에는 존재하지 않는데, 요추 림프관 줄기(lumbar trunks), 흉관(thoracic duct), 오른림프관(right lymphatic duct), 목림프관 줄기(jugular trunk), 쇄골하 림프관 줄기(sub-clavian trunk), 복장옆 림프관줄기(parasternal trunk) 등이 있다.

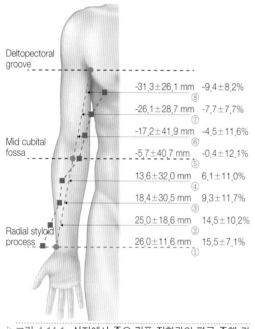

▷그림 4-14-1. 상지에서 주요 림프 집합관의 평균 주행 경로. 기준점에서 떨어진 정도를 절대값과 상지 둘레 길이에 대한 비율로 나타냈다. (Reproduced from Lee YW, Lee SH, You HJ, Jung JA, Yoon ES, Kim DW. Lymphatic vessel mapping in the upper extremities of a healthy Korean population. Arch Plast Surg. 2018; 45(2):152-157).

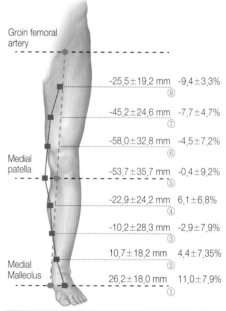

▷그림 4-14-2. 하지에서 주요 림프 집합관의 평균 주행 경로. 기준점에서 떨어진 정도를 절대값과 하지 둘레 길이에 대한 비율로 나타냈다.

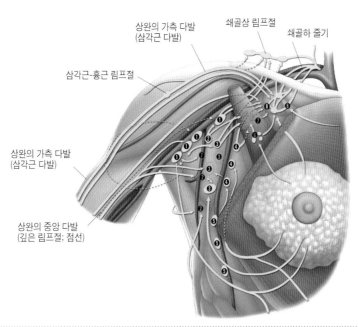

▷그림 4-14-3. **액와 림프절과 림프 흐름.** ① 외측 액와 림프절, ② 견갑하 림프절, ③ 중앙림프절, ④,⑤ 흉근 림프절, ⑥ 흉근내 림프절, ⑦ 흉근하 림프절, ⑧ 쇄골하 림프절

2) 림프절

(1) 액와 림프절(Axillary lymph node)

액와 림프절은 상지, 어깨, 등, 가슴 부위의 림프 배액을 담당한다. 보통 20여 개 이상의 림프절이 있으며 액와주름 부근 림프절이 크고 주변부로 갈수록 작아진다. 표층과 심부 액와 림프절로 구분되며 흉근(pectoral) 림프절, 견갑하(subscapular) 림프절, 외측액와(lateral axillary) 림프절이 표층이고 쇄골하(infraclavicular) 림프절과 중앙(central) 림프절은 심부에 속한다(그림 4-14-3).

① 외측 액와 림프절(Lateral axillary lymph node)

액와 정맥을 따라 분포한다. 상지의 대부분에서 림프액을 받아서 중앙, 쇄골하 림프절

로 전달한다.

② 견갑하 림프절(Subscapular lymph node)

견갑하동맥(subscapular artery)을 따라 분포한다. 어깨와 등 부위로부터 림프액을 받아 중앙과 쇄골하 림프절로 전달한다.

③ 중앙 림프절(Central lymph node)

늑간상완신경(intercostobrachial nerve)과 같이 있으며 다른 림프절에 비해 크다. 상지와 유선주위 림프절로부터 림프액을 받아 쇄골하 림프절로 보낸다.

④ 흉근 림프절(Pectoral lymph node)

외측흉동맥(lateral thoracic artery)을 따라 분포한다. 가슴과 상복부에서 림프액을 받아 중앙, 쇄골하 림프절로 보낸다.

⑤ **쇄골하 림프절(Infraclavicular lymph node)**

소흉근(pectoralis minor) 보다 위쪽에 위치하는 작은 림프절이다. 모든 액와 림프절로부터 림프액을 받아 쇄골위 림프절로 연결된다.

(2) 서혜부 림프절

① **표층 서혜부 림프절(그림 4-14-4)**

i) 상외 서혜부 림프절(Superolateral inguinal lymph node)

서혜인대와 평행하게 천장골회선 정맥(superficial circumflex iliac vein) 주변에 있다. 등, 바깥쪽 복부로부터 림프액을 받는다.

ii) 상내 서혜부 림프절(Superomedial inguinal lymph node)

천복벽정맥(superficial epigastric vein)과 외음

부정맥(external pudendal vein) 부근에 있으며 배꼽아래 복벽, 외음부로부터 림프액을 받는다.

iii) 하부 서혜부 림프절

서혜부 주름(Inguinal crease) 하방에 위치한다. 하지의 림프액을 받아서 심부 서혜부 림프절로 림프액을 배출한다.

② **심부 서혜부 림프절(Deep inguinal lymph node)**

대퇴혈관을 따라 있으며 복부의 림프절과 연결되어 있다. 하지의 심부조직 및 서혜부 표층 림프절로부터 림프액을 받는다.

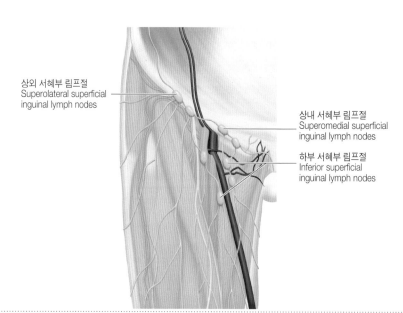

▷그림 4-14-4. **표층 서혜부 림프절**

3. 림프계의 영상 검사

1) 림프신티그라피(Lymphoscintigraphy)

콜로이드성 Technetium-99m 방사성 의약품을 손가락이나 발가락 사이 지간에 피하주사하고 이 약품이 림프관을 따라 이동하는 것을 영상화하는 것으로 동적 영상이 가능하여 림프절의 상태와 림프관의 기능을 볼 수 있다. 그러나 기능 영상이므로 수술에 필요한 림프관이나 림프절의 해부학적 위치를 파악하는 데는 도움을 주지 못한다. 림프부종 진단의 예민도 및 특이도가 높으며 치료 효과 판정에도 유용하다(그림 4-14-5).

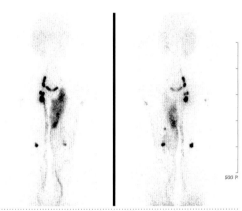

▷그림 4-14-5. **좌측 하지 림프부종 환자의 림프신티그라피.** 우측 하지는 서혜부 림프절이 잘 조영되는 반면 좌측은 서혜부 림프절이 조영되지 않고 대퇴부 내측에 진피역류(dermal back flow)소견이 보인다.

2) MR 림프조영술(Lymphangiography)

가돌리늄(Gd-DTPA) 조영제를 손발의 지간 피하조직에 주사하고 촬영하는 MR T1 강조 영상에서 림프관을 관찰할 수 있다. 림프관의 위치와 상태를 해부학적 주위 구조물과 함께 확인할 수 있기 때문에 수술 계획 설정에 큰 도움을 받을 수 있으나 촬영 시간이 길고 비용이 많이 든나

는 단점이 있다. 가돌리늄 조영제가 림프관뿐만 아니라 정맥으로도 흡수되어 정맥 영상과 림프관 영상이 혼돈될 수 있다는 점도 고려해야 한다.

3) 근적외선 형광 림프조영술(Near-infrared fluorescence lymphography)

형광 염료인 인도시아닌그린(indocyanine green, ICG)을 손발의 지간 피하조직에 주사하고 근적외선 카메라 장비로 영상을 촬영하여 림프관의 기능과 위치를 실시간으로 확인할 수 있다. 단점으로는 적외선이 투과하는 깊이에 제한이 있기 때문에 2 cm보다 깊은 림프관은 확인이 어렵고, 진행된 림프부종에서는 림프관이 진피역류(dermal back flow)에 가려서 보이지 않는 경우가 많다는 것이다. 진료실이나 수술실에서 실시간 영상 촬영이 가능하며 영상 소견으로 림

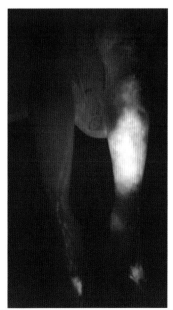

▷그림 4-14-6. **좌측 하지 림프부종 환자의 근적외선 형광 림프조영 영상.** 우측 발등과 발목에 림프관 주행이 확인되는 반면 좌측에서는 진피역류 현상이 보인다.

프부종의 진행 정도를 파악하고 수술 방법의 선택과 림프관 정맥 문합의 위치를 정할 수 있어서 수술적 치료를 계획하는 경우 매우 유용한 방법이다. 인도시아닌그린을 피하 주사하는 경우 통증 경감을 위해서 국소마취제를 혼합하여 주사하는 것이 좋다. 인도시아닌그린 25 mg을 주사용수 10cc에 용해시키고 다시 동량의 리도카인을 혼합하여 0.2~1 cc를 지간에 피하 주사한다. 주사 2~4시간 후에 영상을 촬영하는데 경우에 따라서는 다음 날 촬영하기도 한다(그림 4-14-6).

4. 림프부종의 수술적 치료

림프부종의 기본적인 치료 지침은 비수술적인 복합림프물리치료(complex decongestive physical therapy, CDPT)이다. 많은 경우에서 이런 방법으로 조절되지만 호전이 일시적이거나 진행하는 경우 또는 감염이 반복적으로 오는 경우는 수술적 치료가 도움이 된다. 수술을 고려하기 전에 보통 6개월 정도 복합림프물리치료를 시행하고 수술 여부를 결정하게 되는데, 너무 일찍 결정하면 수술 없이도 호전될 가능성이 있는 환자들에게 불필요한 수술을 시행하는 경우가 생길 수 있고 너무 늦게 결정하면 림프관의 기능이 이미 손상된 상태가 되어 생리적 수술의 성공 가능성이 적어진다. 오랜 시간 지속된 림프부종의 경우 생리적 수술의 효과가 적기 때문에 근래에는 림프 부종이 발생한지 1년 전후로 림프정맥 문합술을 시행하는 것을 추천한다.

림프부종 수술은 크게 조직 절제술과 생리적 수술로 나뉜다. 조직 절제술에는 비후된 조직을 절제하고 봉합하거나 피부이식을 시행하는 방법

이 있으며, 지방흡입을 하는 경우도 있다. 생리적 수술은 림프정맥 문합술, 림프절 이식술로 림프의 배액을 촉진하여 근본 원인을 해결하고자 하는 방법이다. 생리적 수술의 장점으로는 절제수술보다 덜 침습적이고 초기 림프부종 환자에게 적용할 수 있으며, 질환의 경과를 늦추거나 역전시킬 수 있다는 점이다.

림프부종의 치료법으로 림프정맥 문합술이 좋은 결과를 보고하면서 이 수술을 시행하는 의사들이 점차 늘어나고 있다. 이는 피하 림프 집합관을 작은 정맥과 초미세수술 기법을 이용해서 문합하는 수술로서 부종 부위에 적체되어 있는 과도한 체액을 정맥 순환으로 배액하여 효과를 나타낸다. 림프정맥 문합술 시술 빈도가 점차 증가하는 이유 중 하나는 피하 림프집합관의 위치를 찾을 수 있는 근적외선 형광 림프조영술이 개발되었기 때문이다.

또 다른 생리적 수술 방법으로서 림프절 이식술이 있다. 목이나 겨드랑이 또는 서혜부에서 림프절을 혈관과 같이 채취하고 수혜부에서 혈관 문합을 하여 마치 유리 피판처럼 이식하는 방법이다. 이 방법은 진행된 림프부종 환자들을 주 대상으로 시행하는데 이런 환자들은 대개 건강한 림프관을 찾을 수 없어서 림프정맥 문합술이 힘들기 때문이다.

림프부종 환자의 수술적 치료는 임상적 단계별로 다르게 적용하는데, 질병의 유병기간이 길지 않고 근적외선 형광 림프조영술에서 기능하는 림프관의 존재가 확인이 되면 우선 림프정맥 문합술을 고려한다. 림프정맥 문합술은 수술 자체가 덜 침습적이고 국소마취하에서도 가능하고 환자의 회복이 빠르기 때문에 큰 부담 없이 시행이 가능하여 질병의 초기단계에서도 적극적으로 권할 만하다. 림프정맥 문합술 시행 후 다시

재발하는 경우나 근적외선 형광 림프조영술에서 진피역류가 심해서 림프관이 전혀 보이지 않는 진행된 단계로 확인되면 림프절 이식술로 치료 계획을 세운다. 더욱 진행되어서 생리적 수술이 한계에 다다르거나 부종이 발생한 조직의 무게가 일상 생활에 불편을 초래할 정도가 되면 절제수술을 시행하거나 생리적 수술과 절제수술을 병행하여 치료하게 된다.

1) 조직 절제술(Ablative surgery)

(1) Charles 수술

림프부종 수술로는 가장 먼저 발표된 방법으로 비후된 피부와 연부조직을 심부근막 상부에서 모두 절제하고 정상 피부 혹은 절제된 피부에서 부분층 피부를 채취하여 이식하는 방법이다. 이 방법은 초기 치료 효과는 우수하지만 창상치

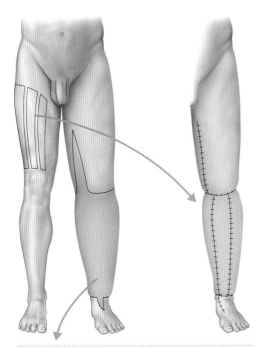

▷그림 4-14-7. **Charles 수술.** 비후된 조직을 심부근막 심부에서 모두 절제하고 부분층 피부이식을 시행한다.

유가 지연되고 합병증이 많아 현재는 거의 사용되지 않고 있다(그림 4-14-7).

(2) 단계적 피판하 피하 절제술
(Homans-Miller procedure)

하지의 내측 복사부위에서부터 대퇴부의 내측으로 절개를 시행하고 1 cm 두께의 피판을 전방 및 후방으로 들어올린 후 피판 아래의 피하 조직을 모두 절제하여 제거한다. 들어올린 피판은 모양을 맞추어 다듬고 봉합한다. 추가적인 절제가 필요한 경우 3~6개월 후에 하지의 외측부에 절개를 하고 두 번째 단계 수술을 시행한다(그림 4-14-8).

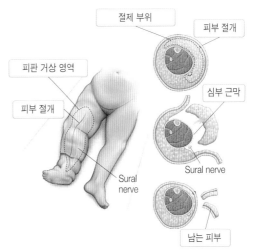

▷그림 4-14-8. **단계적 피판하 피하절제술.** 내측부위 절제를 먼저 시행하고 추가적 절제가 필요하면 3~6개월 후에 외측 부위에 같은 술식을 반복한다.

(3) 지방흡입술

지방흡입술은 지방이 많이 침착된 진행된 림프부종 환자에서 빠른 효과를 나타내면서 피부 절개에 따른 창상 치유 합병증이 없어서 유용한 방법이다. 지방흡입으로 비후된 지방조직을 제거하면 림프액을 생성하는 조직이 줄어들이 림

프 생산량 감소를 기대할 수 있고, 팔다리의 둘레가 너무 커지면 압박요법을 효과적으로 할 수 없으므로 둘레를 줄여 압박치료의 효율성을 증가시키는 효과가 있다. 그러나 지방흡입을 시행한 다음에는 생리적 수술을 시행하기 매우 어렵기 때문에, 이 수술은 생리적 수술이 실패한 경우 또는 생리적 수술이 효과가 없을 것으로 판단되는 경우에 한하여 시행하는 것이 좋다. 또한 오목 부종(pitting edma)을 동반한 경우 지방흡입으로 오히려 부종이 악화될 수 있기 때문에 림프액의 저류가 적고 지방침착이 주를 이루는 형태의 림프부종 환자에서 선택적으로 시행하는 것이 좋다.

다량의 지방을 흡입하다 보면 출혈이 많이 되므로 구혈대를 적용하고 팔다리의 원위부부터 빠진 부위 없이 차근차근 흡입하고 점차 근위부로 이동한다. 마지막에 구혈대를 적용했던 부위에만 팽창액(tumescent)을 주입하고 지방 흡입하여 마무리 한다. 흡입을 마친 부위는 피하 혈종이 발생하는 것을 방지하기 위해서 비탄력성 붕대를 감아 압박한다. 캐뉼라 절개창은 봉합하지 않고 자연 치유되도록 놔두는 것이 초기 부종 감소에 도움이 된다. Power assisted liposuction 을 사용하면 수술 시간을 줄이고 수고를 덜 수 있어서 추천된다. 지방흡입으로 부피를 줄인 후에도 압박스타킹과 붕대요법 등은 꾸준히 계속해야 줄어든 상태를 유지할 수 있다.

2) 생리적 수술(Physiologic surgery)

생리적 수술은 림프액이 빠지는 새로운 길을 만들어서 림프 부종을 치료하는 방법으로 림프-림프 우회술, 림프정맥 우회술(문합술), 림프절 이식술이 여기에 속한다.

(1) 림프-림프 우회술(Lymphatic-lymphatic bypass)

정상 림프 집합관을 채취하고 환측의 막힌 림프관에 문합하여 림프액이 이식된 림프관을 통해서 상위 림프계로 흐를 수 있도록 하는 수술이다. 상지의 림프부종의 경우는 내측 대퇴부에서 림프 집합관을 채취하고 상박(upper arm)에서부터 쇄골 상부까지 피하 터널을 만들어 이식한다. 이식된 림프 집합관의 양 끝을 수혜부의 림프 집합관에 미세수술로 문합하여 개통시킨다. 하지의 편측성 림프부종을 치료하기 위해서는 건측의 대퇴부에서 림프 집합관을 거상하여

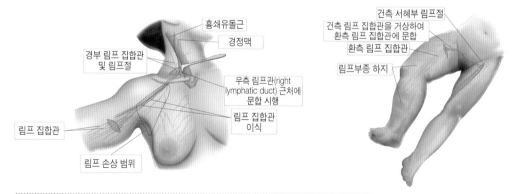

▷그림 4-14-9. **림프-림프 우회술.** 대퇴부 내측에서 건강한 림프 집합관을 채취하여 손상된 림프조직을 우회하여 개통시키는 수술 방법이다.

피하 터널을 통해 환측 대퇴부로 옮기고, 이동한 림프 집합관의 원위부를 환측 림프 집합관과 미세수술로 문합한다. 해부생리적으로 이상적인 재건 방법이지만, 대퇴부 내측에 긴 흉터가 남는다는 것과 림프 집합관을 채취한 하지에 림프부종이 발생할 가능성이 있다는 단점이 있어 제한된 그룹들만 시행하고 있다(그림 4-14-9).

(2) 림프정맥 우회술(문합술)

림프액은 좌측 흉관(thoracic duct)과 오른림프관(right lymphatic duct)을 통해서 결국 쇄골하정맥으로 흘러 들어가는데, 림프정맥 우회술은 막힌 림프관보다 원위부에서 정맥과 교통을 만들어 주는 수술이다. 수술 방법으로는 다수의 림프관을 상대적으로 큰 정맥에 심어주는 방법이 있고, 림프 집합관과 비슷한 크기의 정맥을 일대일로 문합해 주는 방법(lymphovenous anastomosis)이 있는데 림프정맥 우회술(lymphovenous bypass)은 전자와 후자를 모두 통칭하는 용어이다. 일부 그룹에서는 작은 정맥에 문합한다는 것을 강조하기 위해서 lymphaticovenular anastomosis라는 용어를 사용한다.

림프정맥 문합술의 효과는 하지보다는 상지에서 좋고, 림프부종의 초기에 림프관의 연동운동 기능이 남아있을 때 시행하는 것이 좋다고 알려져 있다. 근래에는 근적외선 형광 림프조영술을 활용하여 림프관의 위치와 상태를 실시간으로 확인하는 것이 가능해졌다. 초기 림프부종에서는 인도시아닌 그린을 피하주사하고 근적외선 형광 영상을 보면서 림프관의 주행을 피부에 그릴 수 있다(그림 4-14-10). 그러나 진행된 림프부종에서는 림프액이 피부로 역류하는 현상(dermal back flow) 때문에 림프관 확인이 어려운 경우가 많다. 림프관의 위치 확인이 어려운 경우는

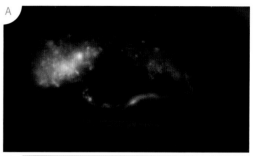

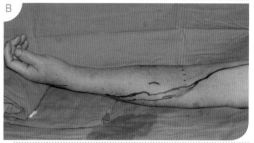

▷ 그림 4-14-10. **근적외선 형광 림프조영을 이용한 수술 전 림프관 위치 확인.** A. 진피역류(dermal back flow) 영상 사이로 림프관 주행을 확인할 수 있다 B. 피부에 림프관 위치를 표시한다.

경험적으로 알려진 위치에 절개를 하는데, 하지에서는 슬개골 후방 무릎관절 내측(Seki point)에서, 상지에서는 전주와(cubital fossa) 중간 부분과 겨드랑이를 잇는 선상에서 굵은 림프 집합관을 비교적 쉽게 발견할 수 있다. 반대측 정상 사지의 근적외선 형광 림프조영 소견을 바탕으로 환측의 림프관 주행을 대칭적으로 추정하여 피부절개를 하기도 한다. 림프관 위치가 확인되면 2 cm 크기의 횡방향 피부 절개를 림프관 위치에 시행하고 소정맥과 림프 집합관을 탐색하는데, 절개 시작부터 수술현미경을 보면서 하는 것이 문합 가능한 정맥을 확보하는 데 도움이 된다. 일반적으로 소정맥은 피부 절개 후 바로 발견이 되고, 림프 집합관은 좀 더 깊이 들어가서 천층근막(superficial fascia) 바로 아래에서 발견된다. 정맥은 림프 집합관과 크기가 비슷하고 잘랐을 때 출혈이 적은 것을 선택해서 쓰는 것이 정맥-림프 역류를 줄이는 데 도움이 된다. 림프 집

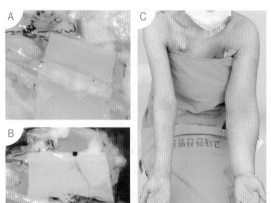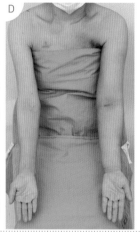

▷그림 4-14-11. **림프정맥 문합술.** A. 정맥 말단부가 준비되어 있고 투명한 림프관이 지나가고 있다. B. 림프정맥 단단문합을 시행한 모습. C. 수술 전. D. 수술 후

합관과 정맥이 확보되면 상황에 따라서 단단문합(end-to-end) 또는 단측문합(end-to-side)을 시행한다(그림 4-14-11). 림프정맥 문합을 위해서는 11.0 봉합사와 수퍼마이크로 세트가 필요하다. 피부 봉합도 수술현미경을 보면서 림프정맥 문합에 손상을 주지 않게 시행해야 한다. 수술이 끝나면 비탄력성 붕대로 감아서 드레싱한다.

일부 연구자들은 림프정맥 문합술의 장기적 결과에 회의적인데 이는 수술 후 시간이 경과함에 따라 문합부위가 폐쇄되는 경우가 많기 때문으로 보인다. Maegawa 등이 시행한 림프정맥 측단 문합의 개통률에 관한 연구에 따르면 12개월때 75%, 24개월 때 36%에서 개통상태를 유지한다.

(3) 혈관화 림프절 이식술(Vascularized lymph node transfer)

림프 부종을 치료하는 또 다른 방법으로서 이환된 사지에 림프절을 이식하는 방법이 있는데, 공여부에서 림프절을 혈관과 함께 채취하여 수혜부에 유리 피판 형식으로 이식하는 것이다. 림프절 이식이 림프부종을 호전시키는 기전에 있어서, 이식된 림프절이 림프액을 빨아들여서 정맥으로 배출하는지 아니면 림프조직 생성을 유도(lymphangiogenesis)하는지 또는 둘 다 가능한지 아직 명확하지 않다.

이식 부위(수혜부)는 서혜부나 액와부 등 원래 림프절이 존재했던 부위에 하는 경우도 있고 이보다 원위부 비해부학적인 위치(손목, 발목)에 이식 하는 경우도 있는데, 아직 어느 쪽이 더 효과적인지에 대한 비교 연구는 없는 실정이다. 사지의 원위부에 림프절 이식을 옹호하는 연구자들은 부종이 심하고 림프액이 중력에 의해 모이는 원위부에 림프절 이식을 하는 것이 림프액 흡수에 유리하다는 입장이지만, 피판이 보기 싫다는 것이 큰 단점이다. 원래 림프절이 존재하는 해부학적 위치에 림프절을 이식하는 경우는 이전 수술로 발생한 흉터 조직을 절제하고 풀어주는 과정을 거치므로 림프 순환에 도움이 되며, 림프액 흡수뿐만 아니라 림프조직 생성 유도에 의한 호전도 기대할 수 있다. 또한 연부조직 여유가 많아 림프절을 피하조직 아래 묻을 수 있어서 미용적으로도 우수하다.

림프절 채취 부위로는 서혜부, 액와부, 쇄골상

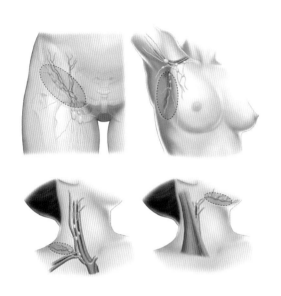

▷그림 4-14-12. 혈관화 림프절 이식술에 쓰이는 공여부

부, 악하부, 그물막(omentum) 등이 쓰인다(그림 4-14-12). 서혜부에서 림프절을 채취할 경우 상외 서혜부 림프절(superolateral inguinal lymph node)을 천장골회선혈관(superficial circumflex iliac vessel)을 혈관경으로 해서 채취하는데 이 부위 림프절은 주로 장골 부위 및 등의 림프액 배출을 담당하므로 절제하여도 하지 림프부종이 발생하지 않는다. 서혜부 주름 아래쪽 림프절을 손상시키면 하지 림프부종 발생 가능성이 있으므로 주의하여야 한다. 유방재건과 함께 서혜부 림프절 이식을 시행하는 경우도 있는데, 횡복직근 유리피판에 서혜부 림프절을 포함시켜 거상하고 천장골회선정맥(superficial circumflex iliac vein)을 액와부 정맥에 문합하고, 심부하배벽혈관(deep inferior epigastric vessel)은 내흉동맥(internal mammary artery) 및 정맥에 문합한다. 동시에 유방과 림프부종을 재건하는 장점이 있지만, 유방 재건 피판의 위치 설정이 자유롭지 못한 단점도 존재한다.

액와부 림프절 채취는 외측흉동맥(lateral thoracic artery) 또는 흉배동맥(thoracodorsal ar-

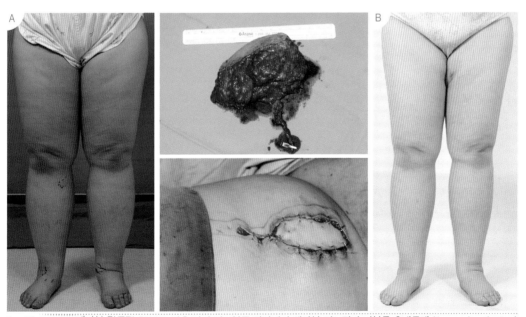

▷그림 4-14-13. 액와부 림프절 이식술. 양측 하지 림프부종 환자에서 액와부 림프절과 피부를 흉배동맥 (thoracodorsal artery)에 기반하여 채취하고 양측 내측 대퇴부에 이식한 모습. A. 수술 전, B. 수술 후

tery)에 기반하여 채취하는데, 소흉근(pectoralis minor) 하방에 위치한 견갑하 림프절 및 흉근 림프절만 포함시킨다. 서혜부나 액와부에서 림프절을 채취하는 경우 공여부 림프부종을 방지하기 위한 방법으로 reverse lymphatic mapping이 추천되는데, technetium 동위원소를 사지 말단에 주사하고 감마선 검출기로 사지 림프액이 배출되는 림프절을 확인하여 보존하는 방법이다.

악하부(Submental) 림프절 채취는 안면동맥(facial artery) 악하분지에 기반해서 채취하는데 안면신경 악하연지(marginal mandibular branch)가 손상 받지 않도록 조심해야 한다. 쇄골상부 림프절은 경횡동맥(transverse cervical artery)에 기반해서 채취하는데 해부학적으로 변이가 많고 목림프관(lymphatic duct)이 손상될 수 있어서 주의해야 한다.

림프절 이식술의 결과를 보고하는 논문들은 대부분의 환자에서 어느 정도의 호전이 있으며, 초기 림프부종환자의 40%는 거의 정상에 가깝게 호전된다는 보고도 있다(그림 4-14-13). 림프절 이식술의 적응증이 명확하지는 않으나, 림프정맥 문합술이 진행된 림프부종에서 적용하기 어려운 반면 림프절 이식술은 좀더 진행된 상태에서도 효과가 있어서 적용 범위가 넓다.

References

1. 강진성. 성형외과학. 3rd ed. 서울: 군자출판사. p. 2631-2690, 2004.
2. 대한성형외과학회. 표준성형외과학. 2nd ed. 서울: 군자출판사. p. 463-479, 2009.
3. 대한림프부종학회, 림프부종, 군자출판사, p3-9, 2012
4. 김덕우, 이윤환, 림프부종의 수술적 치료: 림프관−정맥 문합술 및 림프절 전이술, Clinical Lymphology and Lymphedema. 2016 1(1):18-26
5. Scaglioni MF, Suami H. Lymphatic anatomy of the inguinal region in aid of vascularized lymph node flap harvesting. J Plast Reconstr Aesthet Surg. 2015 Mar;68(3):419-27
6. Lee YW, Lee SH, You HJ, Jung JA, Yoon ES, Kim DW. Lymphatic vessel mapping in the upper extremities of a healthy Korean population. Arch Plast Surg. 2018; 45(2):152-157.
7. Champaneria MC, Neligan PC. Excisional Approaches for the Treatment of Lymphthedema. In Neligan PC, Masia J, Piller NB(eds). Lymphedema: Complete Medical and Surgical Management. CRC Press, 2016, p423-433
8. Koshima I, Harima M. Lymphaticovenular Anastomosis. In Neligan PC, Masia J, Piller NB(eds). Lymphedema: Complete Medical and Surgical Management. CRC Press, 2016, p473485
9. Chang DW. Lymphatic reconstruction of the extremities. Neligan PC(ed). In Plastic Surgery (4th edition). Elsevier, 2018, Volume IV p83-92
10. Seki Y, Yamamoto T, Yoshimatsu H, et al. The Superior-Edge-of-the-Knee Incision Method in Lymphaticovenular Anastomosis for Lower Extremity Lymphedema. Plast Reconstr Surg. 2015 Nov;136(5):665e-75e
11. Mihara M1, Seki Y, Hara H, Iida T, et al. Predictive lymphatic mapping: a method for mapping lymphatic channels in patients with advanced unilateral lymphedema using indocyanine green lymphography. Ann Plast Surg. 2014;72(6):706-10.
12. Maegawa J, Yabuki Y, Tomoeda H, et al. Outcomes of lymphaticovenous side-to-end anastomosis in peripheral lymphedema. J Vasc Surg. 2012 Mar;55(3):753-60.
13. Dayan JH, Dayan E, Smith ML. Reverse lymphatic mapping: a new technique for maximizing safety in vascularized lymph node transfer. Plast Reconstr Surg. 2015 Jan;135(1):277-85.

14. Nguyen AT, Chang EI, Suami H, Chang DW. An algorithmic approach to simultaneous vascularized lymph node transfer with microvascular breast reconstruction. Ann Surg Oncol. 2015 Sep;22(9):2919-24.

15. Ito R, Suami H. Overview of lymph node transfer for lymphedema treatment. Plast Reconstr Surg. 2014 Sep;134(3):548-56

IV. 수부 및 사지

15

하지의 해부
Anatomy of Lower Extremity

김준식 경상의대

1.서론

하지는 엉덩이뼈부터 발바닥에 해당하는 신체부위로 체중을 지탱하고, 인체의 이동에 편리하게, 신체에서 가장 큰 뼈와 근육으로 구성되어 있으면서 보행 시에 체중을 분산하며, 외력에 저항할 수 있도록 단순해보이지만 기하학적으로 매우 강하고 튼튼한 구조를 가지고 있다.

발생학적으로는 태생 3주 경에 꼭대기외배엽능선(apical ectodermal ridge)이 생겨서 성장하게 되고, 골형성화(skeletogenesis)와 회전운동(rotation movement)을 거치면서 경골(tibia), 비골(fibula) 부분이 생기고, 태생 6~8주 경에 연골화 과정(chondrification processes)을 거쳐 발가락(phalanges), 중족골(metatarsal), 발목뼈(tarsals), 복사뼈(malleoli), 경골(tibia), 비골(fibular), 그리고 대퇴골(femur)이 나타난다.

하지의 혈관의 발생은 태생초기에 배꼽동맥(umbilical artery)에서 나온 좌골동맥(sciatic artery)가 일시적으로 존재하나, 넓적다리(thigh)의 전면부에서 대퇴동맥(femoral artery)이 생겨서 후경골동맥(posterior tibial artery), 비골동맥(peroneal artery), 그리고 선성골농맥(anterior

tibial artery)으로 분지하여 하지의 혈행을 담당하게 된다.

이렇게 발생한 하지는 치골(pelvic bone), 엉덩이 관절(hip joint), 대퇴골(femur), 무릎관절(knee joint),정강이(leg), 발목관절(ankle joint), 발(foot) 로 구성되어 있으며, 신체표면적의 50% 이상을 차지하여 각종 신체 재건수술의 공여부를 담당하기도 하지만, 복잡한 구조를 정확하게 이해하지 않으면 수술 후 후유증 및 합병증이 잘 동반되므로 해부학적 정확한 이해는 수술의 공여부 채취에 있어서 필수적이다.

2. 하지 해부 구조의 이해 (Comprehension of the anatomy of lower extremity)

1) 엉덩이 뼈, 관절과 넓적다리 (Pelvis, hip joint and thigh)

엉덩이(Pelvis)는 후면 중앙의 엉치등뼈(sacrum, 친골)의 친강관절(sacroiliac joint)료 연결된 한 쌍의 장골(ilium), 치골(pubis), 좌골(is-chium)로 구성되어 있으며, 직립 보행 시에 내장 기관의 떠받치는(cradle) 역할과 넓적다리와 엉덩이의 큰 근육과 강한 건(dense ligament)들이 붙어서 체중을 지탱하면서 보행이 가능하게 한다.

대둔근(Gluteus maximus)은 신체에서 가장 큰 근육 중 하나로 엉덩이 근육 중 가장 표면에 위치하며, 후둔부선(posterior gluteal line)에서 시작하여 대퇴둔부결절 (gluteal tuberosity of femur)에 붙어서 하지와 몸통의 연결 역할과 엉덩이 관절의 운동에 관여한다. 상둔부동맥(supe-rior gluteal artery)의 가지에서 혈행과 상하둔부신경(superior, inferior gluteal nerve)의 운동 지배를 받는다.

엉덩이 관절은 대퇴골두(femur head)와 치골 관골구(pelvic acetabulum)가 볼-소켓(ball-and-soket) 형태로 형성하는 관절로 체중을 지탱하면서, 여러 방향 운동(multiplanar movement)이 가능한 구조이다(굴곡-신전 / 회전 / 외번-내번/ 회내.외전).

넓적다리는 17개의 근육 중 11개 근육이 치골에서 기원하여 대부분 대퇴골의 대,소전자 (greater or lessor trochanter of femur)에 부착되어 엉덩이 관절의 안정성과 운동성을 유지하게 한다.

대퇴전방구획 근육(Anterior compartment musculature)은 주 작용이 무릎관절의 뻗힘 운동근(knee joint extensor) 역할을 하며, 봉공근(sartorius), 대퇴직근(rectus femoris), 외측광근(vastus lateralis), 중간광근(intermedius), 내측광근(medialis)이 포함된다.

대퇴후방구획 근육(Posterior compartment musculature)은 넙다리뒤인대(hamstring)으로 알려져 있으며, 대퇴 이두근(biceps femoris), 반건형근(semitendinosus), 반막근(semimembra-nosus)이 있고, 무릎관절의 굽힘이 주 기능이다.

대퇴내전구획(Adductor compartment)은 대내전근(adductor magnus, 큰모음근), 소내전근(brevis), 장내전근(longus), 박근(gacilis), 치골근(pectineus)을 포함하며 엉덩이관절의 내전 운동에 관여한다.

대퇴근막장근(Tensor fascia lata)은 넓적다리의 외측에 위치하며 상부 1/3부위에만 근육이 존재하고, 하방에서는 근막형태로 존재하여 복합피판(composit flap) 재건의 공여부로 이용된다(그림 4-15-1).

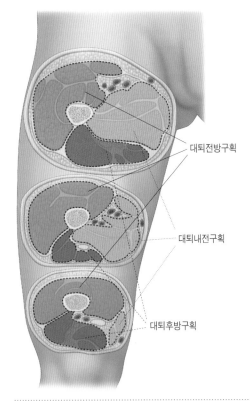

대퇴전방구획

대퇴내전구획

대퇴후방구획

▷그림 4-15-1. **넓적다리의 구획 및 근육들**

2) 무릎 관절과 정강이
(Knee joint and leg)

무릎 관절은 인체에서 제일 큰 장골인 대퇴골(femur)과 가장 큰 종자뼈(sesamoid bone)인 슬개골(patella, 무릎뼈)로 구성되어 있으며 인체에서 가장 큰 윤활관절(synovial joint)이다. 이 무릎 뼈는 구조적으로 무릎관절을 펼 때 신근(extensor)의 힘을 30% 정도 절약할 수 있게 한다.

정강이는 경골(tibia)와 외측의 비골(fibula)로 구성되어 있으며, 골간막(interosseous membrane)에 의해 서로 연결되어 있고, 절단면에서 골간(shaft)은 삼각형 모양(triganular type shape)을 나타내며, 근육의 부착과 외력의 분산에 적합한 구조를 하고 있다.

정강이는 골간막과 심부근막(deep fascia)에 의해 전방, 후방, 측면 구획(anterior, posterior. lateral compartment)으로 나누어지고, 후방 구획은 다시 얕은 층과 깊은 층 구획(superficial, deep posterior compartment)으로 나눌 수 있다.

정강이는 14개의 근육이 있으며, 모두 족관절, 발, 발가락의 운동에 관여하고 있다(예외 popliteus).

전방구획에는 전경골근(tibialis anterior), 장지신근(extensor digitorum longus), 장족무지신근(extensor hallucis longus), 제삼비골근(peroneus tertius)이 포함되고 이 근육들은 발목과 발의 배위굴곡운동(dorsiflexion)에 관여한다.

측방구획(lateral compartment)은 장,단비복근(peroneus longu. brevis) 2개의 근육을 담고 있으며, 이 근육들은 외측복사뼈(lateral malleolus)의 측 후방을 따라 건 모양(tendinous por-

▷ 그림 4-15-2. **정강이의 근육(전면)**

▷ 그림 4-15-3. **정강이의 근육(후면)**

tion)으로 주행하여 발의 외번(eversion)과 발바닥뻗힘운동 (plantarflexion)에 관여한다.

후방 구획(posterior compartment)의 얕은 층에는 내,외 비복근(medial – lateral gastrocnemius), 가자미근(soleus), 발바닥근(plantaris) 이 있고, 발목관절의 발바닥뻗힘운동(plantarflexion)이 주역할이다.

발바닥근육은 긴 인대 형태로 비복근과 슬개근 사이에 있으며, 인대이식(tendon graft)의 공여부로 이용되기도 한다. 또 이 4 근육이 하방에서 서로 뭉쳐져서 굵고 넓은 Achilles tendon을 형성한다

후방구획의 깊은 층은 슬와근(popliteus 오금근), 장지굴근(flexor digitorum longus), 장족무지굴근(flexor hallucis longus), 후경골근(tibialis posterior) 등 4 근육을 포함하고 있으며, 발가락의 꾸부림(toe flexion)과 발목의 발바닥뻗힘운동(plantarflexion)에 관여한다(그림 4-15-2,3).

3) 발목관절과 발(Ankle joint and foot)

발목과 발은 선 자세에서 체중의 지지대(fulcrum)역할을 하는 부위로, 구조적으로 아주 독특하며, 복잡한 뼈-건 복합구조(osteoligamentous structure)와 발바닥의 특수한 피복구조(soft tissue coverage)를 가지고 있어 보행과 체중의 분산에 균형을 유지하게 된다.

발은 28개의 뼈가 주위 건에 의해 독특한 아치(arch)형 구조를 형성하여 체중을 지탱할 수 있게 된다.

발목관절은 외비골복사뼈(lateral malleolus fibula), 내경골복사뼈(medial malleolus tibia)와 족근골(tarsus)이 장부촉이음구조(mortis (hinge) type)로 형성된 관절로 운동에는 제한이 있으나

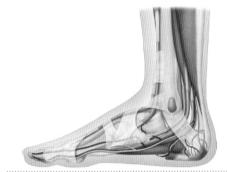

▷그림 4-15-4. **발목의 retinacular ligaments**

강한 연결형태를 보이는 관절이다.

발목관절 주위에는 손목관절과 마찬가지로 신전,굴곡 연결건(extensor-, flexor- retinacula ligament)이 있어서 주위로 통과하는 근육과 인대의 작용단위(functinal unit)를 나누며, 운동 시에 활시위변형(bow string effect)을 방지하는 역할을 한다.

발을 배위굴곡운동(dorsiflexion) 하는 전경골근(tibilais anterior), 장족무지신근(extensor hallucis longus), 장지신근(extensor digitorum longus), 비골근(peroneus tertius)은 신전제한연결건(extensor retinacula ligment)에 의해서 활-시위 현상이 나타나지 않게 된다.

굴곡제한연결건(flexor retinacula ligament)은 발목관절의 내 측면에서 장지굴근(flexor digitorum longus), 무지굴곡근(flexor hallucis), 후경골근(tibialis posterior)의 건을 제한시켜 활-시위 현상을 방지한다.

비골제한연결건(peroneal retinaculum)은 발목관절의 외측면에 존재하며, 장단비골근(peroneus longus, - brevis)의 건을 제한시키는 역할을 한다(그림 4-15-4).

발은 5개의 근막-구획(major fascial compartment)을 가지고 있으며, 발바닥에 4개(4-plantar

▷그림 4-15-5. **발바닥의 근육층(제 2층)**

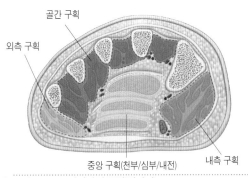

▷그림 4-15-6. **발바닥의 구획(절단면)**

compartment), 발등에 1개의 구획(one-dorsal compartment)이 있다. 재건에 있어서는 발등의 구획과 발바닥의 내측 구획의 구조물의 재건이 중요하다.

발은 외재성 근육과 내재성 근육(exterinsic, interinsic muscle)을 가지고 있으며, 내재성 근육은 발의 아크형 구조를 유지하게 하여 자세의 균형을 유지할 수 있게 한다.

발바닥의 근육은 발바닥 표면에서부터 발바닥의 뼈가지 4층으로 구성되어 있다. 첫 번째 층에는 단지굴근, 무지외전근(abductor hallucis), 단지외전근(abductor digit minimi)이 포함되고 발의 아치를 유지한다.

두 번째 층은 첫 번째 층과는 장지굴근, 장무지굴근의 외재성 인대에 의해 분리되고 발바닥근(quadratus plantae), 발의 내재근(lumbrical muscle)이 이 층에 속한다(그림 4-15-5).

세 번째 층은 단족무지굴근(flexor hallucis brevis), 무지내전근(adductor hallucis), 단지굴곡근(flexor digiti minimi brevis)이 있다. 그리고 4번째 층은 발가락 골간구획(interosseus com-

partment)으로 불려지며 발가락 골간근(interossei muscle)이 속한다(그림 4-15-6).

4) 하지의 혈관과 신경 (Arteries, veins and nerve of lower extrimity)

(1) 하지의 혈관계

하지의 주 공급 혈관은 대퇴동맥(femoral artery)으로 서혜부 인대(inguinal ligament) 하방을 지나, 하방 4 cm 아래에 있는 대퇴부 관(femoral canal)을 주행한다. 넓적다리부의 근육들은 대분분 profund femoris에 의해 혈행을 공급받고, 상부대퇴동맥(superficial femoral artery)은 계속 주행하여 무릎관절 후방을 지나서 정강이 상방에서 오금동맥(popliteal artery)으로 이행된다. 오금동맥은 정강이의 상부(upper partion)에서 전,후경골동맥(anterior, posterio -tibial artery), 비골동맥(peroneal artery)로 분지하고, 서로 연결분지(communication vessel)를 내면서, 발목관절과 발에서는 족배동맥(doralis pedis latery), 내.외족저동맥 (medial,lateral plantar artery), 그리고 외종골동맥(lateral calcaneal artery)이 되어 주위 조직에 피를 공급한다

혈관은 넓적다리 상부에서는 내측.외측회선대퇴동맥(lateral circumflex femoral arterial system, medial circumflex femoral arteiral system)에 가지를 내어 근육과 뼈에 혈행을 공급한다

무릎관절 상.하방에서도 내·외측무릎동맥분지(medial, lateral genicular artery system)가 있어 관절주위에 혈행을 원활하게 해 준다.

정강이의 혈관은 주 혈관에서 피부 연조직으로 다양한 격막피부혈관(septocutaneus branch)을 내는데, 이를 이용하여 천공지 피판을 얻어, 피부 결손 시 얇은 피판 재건이 가능하게 된다.

발목관절과 발에서도 다양한 가지들을 내어서 혈행의 우회통로 역할을 담당하고, 특히 발바닥에서는 족저혈관계(plantar arch)를 형성하여 심한 압박에도 혈행이 잘 유지되어 보행에 지장이 없도록 한다(그림 4-15-7).

(2) 하지의 신경계

하지의 신경은 운동신경(motor innervation)과 감각신경(cutaneous innervation)으로 나눠진다

넓적다리의 주 담당 운동신경은 대퇴신경(femoral nerve)인데, L2-L4 척추신경(spinal root)에서 나와서 넓적다리의 근육 운동과 감각을 담당하게 된다.

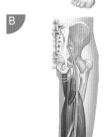

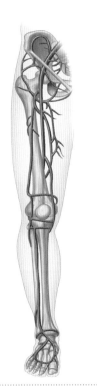

▷ 그림 4-15-7. **하지의 혈관계**

▷ 그림 4-15-8. **하지의 신경계.** A. 전면 B. 후면

좌골신경(sciatic nerve)은 L4-S3 척추에서 나와서, 넓적다리 후변의 감각을 담당하는 후대퇴 피하신경(posterio femoral cutaneous nerve) 분지를 내고, 넓적다리뼈의 후방에서 근육사이로 주행하여 정강이, 발의 운동과 감각을 담당하게 된다. 정강이의 신경지배는 'one-compartment, one nerve' 원칙을 따르는데 특히 외측구획(lateral compartment)을 지배하는 표재비골신경 (superficial peroneal nerve)은 무릎관절 후방의 경골신경(tibial nerve)에서 비골의 상부의 외측으로 주행하여 외측구획에 도달하므로 외압에 의한 손상과 마비증세가 잘 올 수 있다(그림 4-15-8).

3. 구획증후군 (Compartment syndrome)

하지의 구획은 기능적으로 상당한 잇점이 있다. 그러나 구획을 싸고 있는 근막의 단단함 때문에 구획 내에서 압력이 증가하는 임상적 상황이 발생하면(infection, trauma, extravasation of liquids), 구획 내의 압력이 증가하여 혈관(capillary, artery)이 collapse 되고, 신경과 근육에 허혈변화(ischemic change)가 진행되게 된다. 구획 증후군이 생기면 구획의 근막을 절개하여 감압을 해주는 것이 중요하다. 그러므로 구획의 해부학적 구조와 주행 구조물의 역할들에 대해서 정확하게 이해하고 있어야. 치료 시 더 진행되는 것을 예방할 수 있다. 신경과 근육은 괴사 시에 회복이 불가하므로 예기의 상황에서는 예방적 처지가 중요하다(그림 4-15-9).

4 결론

하지는 구조상 단순해보이지만, 전 체중을 지탱하고, 운동이 가능하게 하며, 외부의 압력에 저항할 수 있는 뼈와 관절과 혈관 구조로 되어 있다. 따라서 하지 손상의 치료에 있어서 정확한 구조의 이해는 필수적이며, 압력에 견디기 위해서는 감각의 유지가 중요하므로 손상과 치료 계획의 수립에 있어서도 신경손상의 평가에 있어서 cutaneous innervation 또한 중요하다.

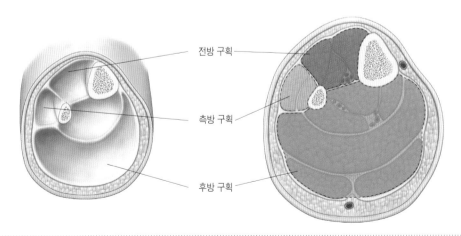

전방 구획

측방 구획

후방 구획

▷그림 4-15-9. 정강이 구획과 근육

References

1. 강진성. 성형외과학. 3rd Edition. 69. 다리재건 (Reconstruction of the Lower Extremity). vol. 6 p 3319- 3384. 군자출판사

2. Peter C. Neligan. Plastic Surgery 3rd Edition. vol 4. SECTION 1. Lower Extremity Surgery. Chap.1. Comprehensive lower extrimty anatomy. vol.4. Saunder Elsevier.

3. Mathes. Plastic Surgery 2nd Edition. Chap. 158. Rconstructive surgery : Lower Extremity Coverage. vol. 6. p 1355-1381. Saunders.

4. Frank H. Netter, MD. Atlas of Human Anatomy. 5th Edition. Session 7. Lower Limb. Saunders Elsevier

5. Kelith L. Moore., Arthur F. Dalley., Anne M. R. Agur. Clinically Oriented Anatomy. 6th Edition. Chap. 5. Lower Limb. Lippincott William & Wilkins

6. Richard S. Snell. Clinical Anatomy. 7th Edition. Chap. 10. The Lower Limb. Lippincott William & Wilkins

7. Martini., Timmons., Mckinley. Human Anatomy. 3rd Edition. Lippincott William & Wilkins

8. John V. Basmajian., Charles E. Slonecker Grant's Method of Anatomy. 11th Edition. Lippincott William & Wilkins

9. Michael Schuenke., Erik Shute., Udo Schumacher. Atlas of Anatomy. 2nd Edition. Lower Limb. p 380-473. Thieme.

16

하지 외상의 재건
Reconstruction of Lower Extremity Trauma

홍준표 · 서현석 울산의대

팔과 손의 재건에서 손가락의 기능이 중요하듯 하지재건에서는 체중부하((體重負荷, weight bearing)와 보행(步行, walking)을 고려하여 수술 방법을 고려해야 한다. 상지 절단의 경우에, 적절한 재건을 하지 못하게 되면, 기능을 못하는 미관용 의수(義手)를 착용하는 경우도 있지만, 하지 절단 후에는 환자가 착용해서 걸을 수 없는 의족은 의족이 아니다. 하지의 재건도 재건 후에 환자가 재건한 다리로 걸을 수 없다면, 올바른 재건이 아니다.

근대외과의 아버지라 불리는 앙브루아즈 파레(Ambroise Paré, 1510-1590)는 르네상스 시대 전

▷그림 4-16-1. Ambroise Paré (1510-1590)

쟁으로 하지에 외상을 당한 수많은 병사들의 다리를 치료하였지만 대부분의 경우 절단을 시행할 수 밖에 없었다. 미세수술이 발전하고 피판술이 가능해진 이후에야 비로소 하지 절단 수술로부터 하지를 구제(救濟, salvage)할 수 있게 되었다.

1. 하지 재건의 역사

외상 치료의 중요한 요소인 debridement(죽은 조직제거술)은 B.C. 3000 인도의 Saga Sushruta에 의해 처음 기술되었지만, 18세기에 이르러서야 그 개념이 보편화되었다. 르네상스시대 앙브루아즈 파레에 의해 비로서 하지의 기능적 재건이라는 의미에서 적절한 하지절단수술과 의족이 필요하다는 개념이 생겨나게 되었다. 미국 남북전쟁 당시 기록(1865년)에 따르면 하지외상이 발생하면 13.3%가 외상으로 인해 사망하고 54%는 하지절단 수술을 받고 절단을 시행한 40%는 절단 수술로 인해 사망하였다. 2차세계대전 이전까지는 하지 수술의 높은 사망률로 인해 하지 절단이 잘 시행되지 않다가 그 이후에는 수술기술, 감염관리와 창상관리의 발전으로 오히려 하지절단이 더 많이 시행되었다.

사지외상 후 연부조직의 재건은 1854년 Frank Hastings Hamilton이 시행한 cross-leg flap이 최초로 보고되었다. 1946년에는 Stark가 근육을 사용한 유경피판술을 이용하여 골수염을 치료하였다. 최초의 연부조직 유리피판술은 1973년 Daniel과 Taylor가 distal tibia(원위부 경골) 골절환자에서 groin flap이었고 그로부터 3년 후에 Harii가 시행한 근육피판이 최초의 유리근육피판술이다. 1668년에는 Job Janszoon van Meekeren가 처음으로 개의 뼈를 사람에게 이식하는 시도를 하였고, 첫 자가뼈이식은 1820년 von Walter에 의해 시행되었다.

2. 하지외상의 특성

하지의 외상은 다른 신체 부위의 외상과 함께 발생하는 경우가 많다. 특히 전체 외상 환자의 약 15~20% 정도를 차지하는 다발성 외상이 존재하는 경우에는 높은 사망률이 보고되어 있다. 외상 후에는 뇌 손상과 과다 출혈로 인한 쇼크 그리고 다양한 염증 반응과 환자의 면역력 저하 등의 원인으로 사망하는 경우가 많아, 초기 진료 시부터 다른 진료과와 상의하고 협업하여 세심한 치료 계획 및 수술 시기를 결정하여야 한다. 외상 환자의 중증도는 생리학적 불안정성과 해부학적 부위, 손상의 기전 등을 고려하여 단계별로 판별하게 된다. 생리학적 평가는 뇌 손상 후 의식 수준과 환자의 활력징후로 평가하는데, Glasgow coma scale (GCS)이 13점 이하, 수축기 혈압이 90 mmHg 이하, 분당 호흡수가 10회 미만 혹은 29회 이상인 경우 중 어느 한 가지라도 만족한다면 높은 수준의 의료 기관으로 후송해야 생존율을 높일 수 있다. 다양

한 형태의 외상에 따라 적절한 치료 방침 및 결과를 비교하여 다양한 외상 점수 체계와 지표가 존재한다. 가장 널리 사용되는 해부학적 지표로는 AIS (Abbreviated Injury Scale), ISS (Injury Severity Score), ICISS (International Classification of Diseases 9th Edition Injury Severity Score) 등이 있고, 생리학적 지표로는 RTS (Revised Trauma Score), GCS (Glasgow Coma Scale)등이 있다. 두 가지 요소들을 혼합해 상호 보완한 해부·생리학적 지표로는 TRISS (Trauma and Injury Severity Score)이 존재한다.

우리나라의 2011년 보건복지부와 질병관리본부의 통계에 의하면 전체 중증외상환자의 16.5%에서 하지 외상이 동반되어 있었다. 이렇게 중증외상과 동반된 하지외상의 치료는 생명을 위협하는 손상을 신속하게 식별하고 빠른 시간 안에 적절한 처치를 하기 위해 ATLS (Advanced Trauma Life Support)로 불리는 체계화된 초기 치료 지침이 사용된다. 외상의 치료는 일차조사(primary survey), 소생술, 이차조사(secondary survey) 그리고 진단적 평가 및 근치과정 등으로 구성되고, 이는 생명에 가장 큰 위험이 될 수 있는 요소들을 찾아내고 적절한 초기 치료를 행하기 위한 과정이다.

3. 하지재건의 순서

1) 하지 손상의 평가 및 하지 보존 (Limb salvage) 여부의 결정

하지외상이 있는 환자에서도 적절한 ATLS이후에 하지에 대한 평가가 이루어져야 한다. 하지외상에 있어서 가장 중요한 것은 하지의 혈류

와 구획증후군(compartment syndrome)의 존재 여부 그리고 뒷정강 신경(posterior tibial nerve)의 손상 여부이다. 그리고 그 다음으로 이루어져야 하는 평가들로는, 외상의 기전, 피부 손상의 정도와 결손의 크기, 근육의 손상과 결손, 뼈막(periosteum)의 손상과 뼈의 손상이다. 뼈의 손상에 있어서는 골절의 정도와 부위, 뼈의 결손 정도를 조사하여야 하고, 이와 더불어 오염의 정도를 평가한다.

(1) 혈류의 확인

임상적으로는 popliteal area나 dorsalis pedis artery의 맥박을 손으로 만져 볼 수 있으나 이 방법은 출혈로 인해 혈류가 감소되어 있거나 부종이 심한 경우 확인이 어렵다. 하지의 표면 온도나 capillary refilling을 확인할 수도 있다. Hand-held doppler를 사용하여 혈류의 유무를 확인할 수 있는데 이 방법으로는 posterior tibial artey와 dorsalis pedis를 각각 손가락으로 막고 혈류의 방향을 알아낼 수 있어 손상이 의심되는 혈관을 찾을 수 있다. 혈관손상의 비율을 외상의 기전에 따라 큰 차이를 보이는데, 일반적으로 긴 뼈의 손상 시 혈관 손상은 1% 미만이지만 심한 tibio-fibular fracture가 동반된 경우 9%에서 혈관손상이 관찰되었다. 하나 이상의 혈관이 만져 지지 않거나 신경 손상이 있거나 심한 골손상의 정복 이후에 혈관 손상을 의심하고 영상검사를 시행하여야 한다. 시행 가능한 검사로는 CT를 이용한 혈관검사와 혈관조영술 등이 있다.

(2) 구획증후군

급성 구획증후군은 폐쇄된 골근막 구획 내의 압력이 증가하여 구획 내 조직으로 미세 혈액의 순환 장애가 발생하는 상태로 증가된 압력에 의

해 조직의 생존에 필요한 적절한 모세 혈관의 순환이 되지 않는 저관류상태를 말하는 것으로 급성외상의 5~7%에서 발생한다. 구획증후군이 발생하고 일정 시간 동안 구획 안의 압력이 감소되지 않으면 근육과 신경의 괴사가 발생하게 되고 결국에는 볼크만 허혈성 구축(Volkmann ischemic contracture)이 발생하게 되어 마비와 하지 절단으로 이어지는 경우가 있다. 근육의 괴사는 급성신부전과 쇼크 부정맥등 전신증상 등으로 진행되기도 한다. 급성 구획증후군은 응급 상황으로 수시간 이상 지속되면 그육과 신경의 기능이 저하되고 3~6시간이 넘으면 근육에 12시간이 경과되면 신경에 비가역적 변화가 이루어 지기 때문에 진단과 동시에 근막절개(fasciotomy)를 통한 수술적 감압이 필요하다. 수술절 감압을 시행해야 하는 적응증에 대해서는 전통적인 수치엔 30mmHg의 구획압력을 주장하는 의사들도 있지만 최근에는 절대적인 수치보다는 신경의 기능 저하 등의 임상증상이나 이환기 혈압과 구획의 압력의 차이가 30mmHg 이하일 때 시행하고 있다. 압력을 측정하기 이전에 임상 증상으로 구획증후군을 먼저 의심해야 하는데, Two-point discrimination과 같은 감각 저하가 발생

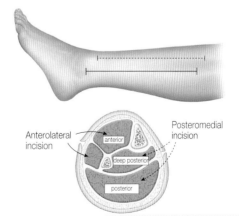

▷ 그림 4-16-2. **수술적 감압술의 방법**

하던지, 자세 변경으로도 호전되지 않는 통증과 passive stretching으로 악화되는 통증이 있을 경우 바로 의심하여야 한다.

(3) 뼈와 연부조직 손상의 확인

손상이 의심되는 부위는 육안적으로 혹은 임상검사를 통해 연부조직, 피부의 손상 정도를 파악하고 x-ray 검사를 통하여 골절과 뼈 손상의 정도를 파악하여야 한다. 뼈와 연부조직 손상의 정도를 표시하는 분류법 중에 가장 많이 사용하는 것이 Gustilo anderson classification인데 이는 창상의 크기, 감염의 정도, 그리고 뼈의 손상으로 그 정도를 평가하는 분류법이다.

이 분류법에서 Type III은 감염이 많고 이중에 혈관 손상이 있는 Type IIIc의 경우 하지 절단 받을 가능성이 25%로 증가된다.

▷ 표 4-16-1. Gustilo Classification

Type I = an open fracture with a wound less than 1 cm long and clean;

Type II = an open fracture with a laceration greater than 1 cm long without extensive soft tissue damage, flaps, or avulsions

Type III = either an open segmental fracture, an open fracture with extensive soft tissue damage, or a traumatic amputation.

Type IIIA = open fractures with adequate soft tissue coverage of a fractured bone despite extensive soft tissue laceration or flaps, or high-energy trauma regardless of the size of the wound

Type IIIB = open fractures with extensive soft tissue injury loss with periosteal stripping and bone exposure. This usually is associated with massive contamination

Type IIIC = open fractures associated with arterial injury requiring repair

(4) 하지 보존(Limb salvage) 여부의 결정

미세 수술의 발달로 재건 수술의 기술이 급진적으로 발달하였지만, 여전히 하지를 보존하는 것보다 절단을 시행하고 적절한 보조기나 의족을 착용하는 것이 기능적으로 좋은 결과를 얻을 수 있는 경우가 있다. 하지 보존을 위해 오랜 시간 동안, 수많은 수술을 시행하더라도 재건한 다리로 보행이 불가능한 경우, 결국 하지 절단을 해야 하는 경우도 있다(그림 4-16-3). 1990년 Johansen이 발표한 MESS (Mangled Extremity Severity Score)가 하지 외상의 초기, 하지를 보존해야 하는지 절단해야 하는지 결정을 내려야 할 때 사용할 수 있는 지침으로 처음 소개되었다. MESS는 (1) 뼈와 연부조직의 손상 정도 (2) 혈류 상태 (3) 쇼크 (4) 환자의 나이를 바탕으로 점수를 매기고 7점보다 높은 환자에서 하지절단을 추천하는 지침이다.

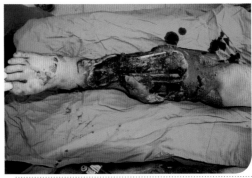

▷ 그림 4-16-3. 76세 남성 환자에서 하지외상으로 인한 광범위한 연부조직 결손과 골절이 관찰되고 있으며, 외상 후 수차례 죽은 조직제거수술을 시행하였으나 결국 하지 절단술 시행

이외에도 LSI, PSI, NISSSA, HFS-97 등 다양한 guideline이 존재한다. 그러나 LEAP study를 통해서 조사된 바로는 이러한 지침들이 specificity가 87~97%로 높게 관찰되었지만 sensitivity는 46%로 낮게 보고되었다. 쉽게 풀이하자면 손상이 적을 때는 대부분의 경우에 하지 보존을 할 수 있었지만, 손상이 심해 지침상에 절단을 추천한 경우에도 실제로는 하지 보존을 할

▷ 표 4-16-2.

Mangled Extremity Severity Score (MESS) (Johansen, 1990)
Skeletal / soft-tissue injury 　Low energy (stab; simple fracture; pistol gun-shot wound): 1 　Medium energy (open or multiple fractures, dislocation): 2 　High energy (high speed MVA or rifle GSW): 3 　Very high energy (high speed trauma + gross contamination): 4
Limb ischemia 　Pulse reduced or absent but perfusion normal: 1* 　Pulseless; paresthesias, diminished capillary refill: 2* 　Cool, paralyzed, insensate, numb: 3*
Shock 　Systolic BP always 〉 90 mm Hg: 0 　Hypotensive transiently: 1 　Persistent hypotension: 2
Age (years) 　〈 30: 0 　30-50: 1 　〉 50: 2

* Score doubled for ischemia 〉 6 hours

수 있었다는 것을 의미한다. 뿐만 아니라 이러한 지침들에서 보여준 점수들과 수술 후 기능적 회

복 정도와도 깊은 연관관계가 관찰되지 않았다. 이전 발표들에서는 경골신경(tibial nerve)이 손상이 의심된 경우에도 하지 절단을 고려해야 한다는 주장이 있었으나 최근의 연구에 의하면 감각의 소실이 있었던 환자들에서도 하지 보존술을 시행하고 2년이 지나면 50% 정도에서 감각의 회복이 관찰되었다고 한다. 결국, 환자 개개인의 상황에 맞게 하지 보전과 절단의 여부를 결정해야 하며 그 과정에서 환자에게 각각의 장단점에 대해 설명하고 환자와 심도 깊은 논의가 이루어져야 할 것이다(그림 4-16-4).

2) 골절의 고정

골절이 있는 경우 연부조직 재건술 전에 Intramedullary nailing(골수내못고정), open reduction internal fixation(개방정복 내정복술) 혹은(external fixation) 외고정술을 이용하여 뼈를 고정하여야 한다. 오염이 심하거나, 열린 창상을

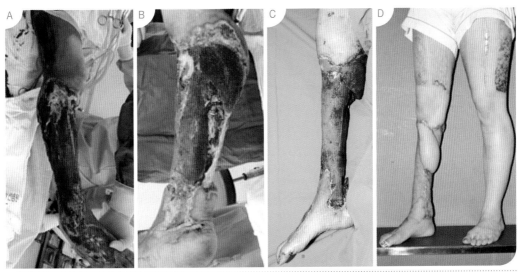

▷ 그림 4-16-4. 외상 1개월 후, 골절이 존재하지 않으면서 광범위한 연부조직 결손과 경골(tibia)의 골수염이 관찰되어 하지 절단을 권유 받고 내원한 35세 여성환자로 내원 당시 발바닥의 감각이 없었다. 여러 차례의 죽은조직제거술과 음압창상치료후(C)에 피부이식과 피판술을 이용하여 연부조직 결손을 재건하였고, 수술 후 6주 후부터 정상 보행이 가능하였고 6개월후 대부분의 감각이 돌아왔다(D).

동반한 골절의 경우에는 외고정술이 추천된다.

3) 연부조직 죽은조직제거술 (Debridement)과 음압창상치료 (Negative pressure wound therapy) 그리고 재건의 시기 결정

연부조직 재건술을 하기 전에 창상에 있는 죽은 조직은 모두 제거되어야 한다. 죽은조직제거술은 수 차례에 걸쳐서 시행되어야 하는 경우가 많고, 혈관에서의 출혈이 아닌 창상 표면에서의 출혈(pinpoint bleeding)이 관찰될 때까지 시행되어야 한다. 죽은조직재거술을 시행하는 사이나 재건수술을 시행하기 전에 음압창상치료를 시행할 수 있다.

(1) 재건 시기의 결정

Gustillo type IIIB, IIIC와 같이 골절과 동반하여 광범위한 연부조직 결손이 있는 경우에는 피판술을 이용한 재건술이 필요하다. 급성 창상은 1~6주가 지나면 아급성 창상(subacute wound)이 되어 수술 후 염증이나 재건술의 실패 가능성이 올라가게 되고 4~6주 이상이 지나게 되면 조직의 생존 혹은 괴사가 명확해지는 만성 창상(chronic wound)이 된다. Godina는 1986년 발표한 논문에서 외상 후 72시간 연부조직 재건 수술을 하는 것이 가장 높은 피판 성공률을 얻었다고 발표하였고 Yaremchuk은 1987년 논문에서 외상 후 7일에서 14일 동안 수차례의 죽은조직제거수술을 시행하면서 그 동안 손상구역(zone of injury)을 명확하게 파악한 후에 수술을 시행하는 것이 피판술의 성공률을 높이고 감염을 줄이면서 골절의 치유에도 도움이 된다고 보고하였다. 결국 가능한 한 빠른 시기에 철저하

게 죽은조직절제술을 시행하고 노출된 골조직이나 골절부를 혈액순환이 좋은 조직으로 덮어주는 것이 바람직하다고 할 수 있다. 최근에는 음압치료가 보편화되어 환자 상태가 좋지 않거나 조직의 생존과 괴사부위가 명확하지 않은 경우 1~2주 이상 염증의 가능성을 최소화하면서 기다릴 수 있게 되었다.

4) 연부조직 재건

연부조직 결손이 있는 경우 다양한 재건방법을 고려하여야 한다. 일차봉합술이나 지연일차봉합술이 가능한 경우나 피부이식술로 넓은 창상을 재건할 수도 있지만 국소피판술이나 유리피판술이 필요한 경우도 많다. 하지의 결손의 재건의 혈관의 상태, 결손의 위치와 크기에 따라 재건 방법이 달라진다. 허벅지의 경우 대퇴골(femur)이 근육으로 둘러 싸여 있어 결손의 크기가 크더라도 뼈나 골절을 고정하기 위해 사용한 임플란트가 노출되는 경우가 많지 않고 주변의 근육을 사용하여 결손부위를 덮거나 혈류가 유지되는 근육 위에 피부이식만으로도 창상이 피복되는 경우가 대부분이다. 그러나 무릎이나 무릎 아래에 창상이 생기면 뼈나 관절 혹은 임플란트가 노출되는 경우가 흔하고 허벅지에 비해 주변 근육이나 피부가 여유롭지 못하기 때문에 재건이 어렵고 유리피판술이 필요한 경우가 상대적으로 많다. 하지의 연부조직 재건술의 발전은 미세수술의 발전과 역사를 함께 했다. 연부조직 결손을 재건할 수 있는 다양한 방법을 알고 있어야 하며 여러 가지 방법 중에 성공 확률이 높고 부작용과 흉터가 적으면서도 술자가 자신감을 갖고 할 수 있는 수술 방법을 선택하는 것이 중요하겠다. 피판의 선택에 있어서도 환자와의

충분한 논의가 필수적이다.

(1) 국소 근육 피판술과 근육 피부 피판술
(Pedicled muscle flap and musculocutaneous flap)

하지에는 많은 근육들이 존재하여 다른 근육들이 보존되어 있다면 심각한 기능적 손상 없이 비교적 간단하게 연부조직 결손을 재건할 수 있다. 하지의 외상에서 가장 많이 사용할 수 있는 근육피판은 장딴지근육(gastrocnemius muscle)과 가자미근육(soleus) 피판이다. 장딴지 근육은 종아리의 피부 바로 아래 존재하고 Lateral head를 이용하는 경 무릎과 경골의 위 1/3부분까지 다다를 수 있고 medial head를 사용할 경우 무릎과 경골(tibia)의 위 1/3 부분까지 다다를 수 있고 lateral head를 사용하는 경우보다 조금 더 긴 피판을 거상할 수 있다. 근육만을 사용하는 경우 피부이식술을 사용하여야 하고 피판을 근육과 함께 사용하는 경우 종아리 부위에 흉터가 미관적으로 좋지 않게 된다. 장딴지근육을 사용한 피판은 초기에는 거대해 보일 수 있으나 시간이 지나면 탈신경 위축으로 인해 근육은 부피가 대부분 줄어들게 된다. 가자미근육은 장딴지 근육보다 깊이 존재하는데 크기가 크고 두껍다. 근위부를 피판의 혈관줄기(pedicle)로 사용하는 경우가 많은데 이 경우 근육의 반만 사용한 hemi-soleus flap을 이용하는 경우 더 먼거리까지 이를 수 있게 된다. 가자미 근육을 이용한 경우 경골의 중간 1/3 부위의 연부조직 결손을 재건할 수 있다.

(2) 역행성 비복동맥 피판술
(Reverse sural artery flap)

Reverse sural artery flap은 비골동맥(perone-al artery)의 피부분지와 lessor saphenous vein, median cutaneous sural nerve를 혈관 줄기에 포함하는 피판이다. 이 피판은 수술 후에 흔하게 정맥울혈을 유발하여 추가적인 정맥 문합(super-charge)를 시행해야 하는 경우가 있고 피판의 크기에서도 한계가 있을 뿐만 아니라 종아리에 길고 큰 흉터가 남아 미용적으로 좋지 못하다.

(3) Propeller flap을 포함한 국소 피부피판술

Bi-pedicled flap이나 perforator based advancement flap도 쉽게 선택할 수 있는 재건 방법이다. 그렇지만 많은 경우에는 연부조직 결손 부위 주변까지도 혈류저하이나 부종 등의 경미한 손상이 존재하는 경우가 많아 주의 깊게 관찰하고 피판을 선택하여야 한다. 특히, propeller flap의 발전으로 보다 쉽게 연부조직 결손을 재건할 수 있게 되었다. 그러나 하지의 재건 특히 무릎아래의 경우에는 건강한 연부조직이 여유롭지 않고 외상으로 인해 천공지가 손상 받는 등 적용할 수 있는 적응증이 넓지 않다.

(4) 유리피판술

무릎아래 연부조직 결손이 있는 경우, 여러 가지 재건방법 중에 첫 번째로 고려할 수 있다. 근육을 사용할 수도 있지만 최근에는 다양한 천공지피판이 사용된다. 허벅지나 등 혹은 사타구니에서 천공지 피판을 거상할 수 있으며, 외상으로 인한 견손 부위의 상태에 따라, 뼈, 근막 혹은 근육을 함께 거상할 수 있다. 특히 결손부위의 부피(dead space)가 큰 경우에도 대부분의 경우 하나의 피판으로도 충분히 결손부위를 재건할 수 있다. 외상으로 인한 결손의 재건은 다른 원인으로 인한 유리피판술보다 수술 전 하지 혈관의 손상 가능성이 높다. 손상된 혈관을 사용한다면 수술 후에 혈관 문합 부위나 혈관 경이 폐쇄될 가능성이 높다. 많은 보고에서 외상이 존재하는 부위 안이나 손상이 있는 주변 부위(zone of injury) 안의 혈관은 손상 가능 높아 사용하는 것을 금기시 해왔으나 최근에는 외상부위와의 절대적인 거리보다도 혈관 자체의 상태나 손상여부가 더 중요하게 여겨지고 있다.

5) 조기 뼈 이식술

경골(tibia)의 골절과 동반되어 2 cm 이상에서 겉질뼈(cortical bone)의 결손이 있는 경우에 자가뼈이식술(bone graft)이 필요하다. 자가뼈이식술은 연부조직 재건이 완료되고 감염이 치료된 직후에 시행되어야 한다. 뼈의 결손이 6 cm 이상인 경우에는 뼈연장술(bone lengthening)이나 유리뼈피판술을 시행하는 것이 필요하다.

4. 발과 발바닥의 재건

발바닥은 두꺼운 각질층으로 이루어져 지속적인 하중과 전단력(shearing force)에도 잘 견딜 수 있다. 외상으로 발바닥 조직의 결손이 발

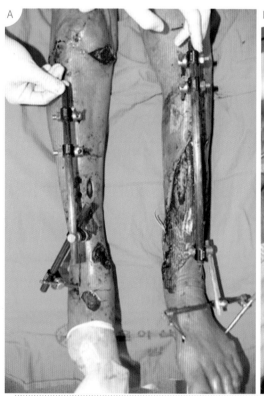
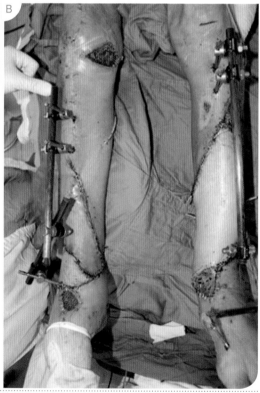

▷그림 4-16-5. 양 하지 골절을 동반한 연부조직 결손으로 내원한 72세 남성(A). 우측하지는 여러 개의 연부조직을 재건하기 위해 천장골회선동맥 천공지유리피판(Superficial circumflex iliac artery perforator (SCIP) free flap)과 국소피판술을 시행하였고, 좌측하지는 전외측 대퇴부 피판(anterolateral thigh (ALT) free flap)과 부분층피부이식술을 이용하여 연부조직을 재건하였다(B).

생하는 경우에, 뼈나 인대 등의 노출이 많지 않다면 먼저 피부이식을 통한 재건을 고려해 볼 수 있겠다. 그러나 피부이식술은 수술 부위가 잘 낫더라도, 수술 후 보행으로, 이식된 피부에 궤양이 반복적으로 발생할 가능성이 높아 바람직한 재건 방법이라 할 수 없다. 하중을 받는 발바닥의 재건은 발바닥의 조직과 같이 두꺼운 각질층으로 이루어진, 하중과 전단력을 잘 견딜 수 있는 조직으로 재건하는 것이 바람직하겠다. 그러나 발바닥 조직처럼 두꺼운 각질층으로 이루어져 있는 조직은 우리 몸에서 많지 않다. 하중을 받지 않는 발바닥 아치부위의 피판 즉 내측 피판(medial plantar flap)이 유일하게 발바닥 조직으로 이루어진 피판이나, 조직의 양이 충분하지 않은 경우가 많고 외상으로 그 부위도 함께 손상되어 공여부로 사용하지 못하는 경우도 흔하다. 또한 내측 피판의 공여부는 피부 이식술이 불가피해 미용적으로 바람직하지 못하고 치유되는 데 오랜 시간이 소요되기도 한다. 내측 피판의 대안으로 다양한 국소 피판, 유리 피판술이 사용될 수 있다. 근육피판과 피부이식술을 사용하기도 하고 최근에는 다양한 피부피판을 사용하여 재건이 이루어진다. 유리 피판술을 이용하는 경우에도 어떤 피판을 써야 하는지는 다양한 의견이 있다. 유리근육피판과 피부이식을 사용하기도하고, 근육 위에 피부이식을 하는 것보다는 피부 피판을 사용하는 것이 하중과 전단력에 잘 견딘다고 믿고 유리피부피판만을 사용하는 의사들도 있다. 그러나 아직까지 한 가지 방법이 다른 방법보다 절대적으로 우월하다는 근거는 없다. 또 논란이 되었던 내용은 과연 신경을 문합한 피판(sensate flap)이 그렇지 않은 피판보다 궤양으로부터 안전할 것인가이다. 당뇨병성 족부 궤양의 발생 원인 중 하나가 보호감각이 사라지

는 감각신경병증이기 때문에, 신경문합을 당연한 치료방법이라 생각할 수 있겠지만 놀랍게도 LEAP study에서는 신경문합을 하지 않더라도 2년 후에는 신경이 회복되었고 다른 보고에서도 6개월이 지나면 신경문합 없이도 보호감각이 회복되었다고 보고되기도 하였다. 신경문합에 관한 논의도 아직까지 적절한 메타분석이나 전향적 무작위 대조 연구가 이루어지지 않아 어느 한 가지 방법이 옳다고 결론 지을 수 없다.

환자가 재건 후 보행을 하게 된다면 어떤 피판을 사용하던 지속적인 하중과 전단력을 받게 된다는 것을 명심하고 이를 견딜 수 있다고 생각하는 피판을 선택하여야겠다. 수술 후에도 피판에 전달되는 압력을 적절하게 분산시켜주는 신발이나 깔창을 사용하는 것을 고려해 볼 수 있겠다.

발에서 발바닥을 제외한 부위 즉, 발등이나 발가락 혹은 발목은 발바닥에 비해 얇고 유연한 피부로 둘러싸여 있다. 이 부위에 재건한 피판이 과도하게 두꺼우면, 신발을 신기도 어렵고 미용적으로도 좋지 않아 가능하다면 본래의 피부 두께와 비슷한 얇은 피판으로 재건하는 것이 바람직하다. 처음 수술에서 얇은 피판으로 재건하는 것이 어렵다면, 피판을 얇게 하는 이차 수술을 고려해 볼 수 있겠다.

5. 골수염과 기타 부작용의 치료

1) 골수염

외상으로 광범위한 개방골절(open fracture)이 있는 경우나 오염이 심한 경우, 혹은 치료 과정에서 죽은조직재건술이 충분하지 않았거나 연부조직 재건이 늦어지게 되면 골수염의 가능성이

높아진다. 외상이 발생하게 되면 공기 중에 노출된 뼈, 감염된 뼈, 혈류가 좋지 않은 뼈가 존재한다. 혈류가 충분한 연부조직으로 덮여 있지 않은 감염된 뼈나 열류가 좋지 않은 뼈는 결국 골수염으로 이어지게 된다. 골수염이 발생하면 감염된 뼈를 완전히 제거하고 혈류가 좋은 피판으로 덮어주어야 한다.

2) 고정판의 노출(Plate exposure)

내고정술(internal fixation) 후에 발생하는 내고정판의 노출(plate exposure)의 경우 대부분의 경우에 이차창상치유의 방법으로 낫지 않는다. 주변에 충분한 연부조직이 있는 경우에는 충분한 죽은조직절제술을 시행하고 봉합을 할 수 있으나 경골의 골적을 고정하기 위해 내고정을 시행한 경우에 적절한 연부조직이 주위에 없는 경우가 많다. 골절의 치유가 이루어진 경우나 빠른 시일 안에 이루어질거라 예측되는 경우에는 금속판을 제거하고 이차창상치유를 기대할 수도

있겠다. 그러나 골절의 치유를 위해 오랜 기간 고정술을 유지해야 하는 경우나 외고정술로의 치환이 어려운 경우에는 충분한 죽은 조직제거술과 염증의 조절 후에 국소피판술이나 유리피판술로 고정판을 덮어줄 수 있다.

6. 하지 재건의 미래

수부의 재건에 있어서 손 끝의 감각과 외형은 미세한 움직임만큼이나 중요하다. 그러한 이유에서 감각이 없고 모양이 부자연스러운 의수보다 복합조직동종이식(Composite Tissue allotransplantation, CTA)이 보다 가까운 미래의 기술로 여겨지고 있다. 그러나 하지의 재건은 섬세한 감각이 필요하지 않다. 또한 섬세한 움직임도 필요하지 않다. 이러한 이유에서, 미세수술을 시행하는 의사로서는 매우 아쉽지만, 미세수술을 이용한 재건보다는 생체공학(bionics)을 이용한 하지 재건이 멀지 않은 미래에 현실이 될 것 가능성이

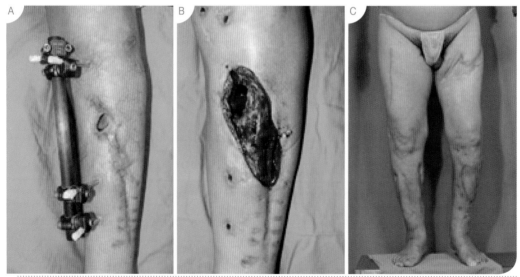

▷ 그림 4-16-6. 개방성골절인해 외정복술 시행하였으나 골수염이 발생하여(A) 철저한 죽은조직제거술(B)을 시행한 후에 유리피판술을 이용하여 연부조직을 재건하였다(C).

높고 이미 기술적으로는 정상적인 보행, 균형유
지 등의 기능이 완성되어 있다.

References

1. 보건복지부, 질병관리본부 2011년중증외상조사관련통계자료, 2013. 10월
   http://www.mohw.go.kr/react/modules/download.jsp?BOARD-ID=140&CONT-SEQ=292905&FILE-SEQ= 140800
2. Frink M, Hildebr F, Krettek C, et al. Compartment Syndrome of the Lower Leg and Foot, Clin Orthop Relat Res, 2010;468:940–950.
3. Halvorson JJ, Anz A, Langfitt M, et al., Vascular injury associated with extremity trauma: initial diagnosis and management. J Am Acad Orthop Surg. 2011;19:495-504.
4. Reddy V, Stevenson TR, MOC-PS(SM) CME article: lower extremity reconstruction. Plast Reconstr Surg. 2008;121:1-7.
5. Melvin JS, Dombroski DG, Torbert JT, et al. Open tibial shaft fractures: I. Evaluation and initial wound management. J Am Acad Orthop Surg 2010;18:10-9.
6. Ly TV, Travison TG, Castillo RC, et al. Ability of lower-extremity injury severity scores to predict functional outcome after limb salvage. J Bone Joint Surg Am 2008;90:1738-43.
7. Isenberg JS, Sherman R. Zone of injury: a valid concept in microvascular reconstruction of the traumatized lower limb? Ann Plast Surg 1996;36:270-2.
8. Park S, Han SH, Lee TJ. Algorithm for recipient vessel selection in free tissue transfer to the lower extremity. Plast Reconstr Surg. 1999;103(7):1937-48.
9. Godina M. Early microsurgical reconstruction of complex trauma of the extremities. Plast Reconstr Surg 1986;78:285-92.
10. Byrd HS, Cierny G, Tebbetts JB. The management of open tibial fractures with associated soft-tissue loss: external pin fixation with early flap coverage. Plast Reconstr Surg 1981;68):73-82.
11. Yaremchuk MJ, Brumback RJ, Manson PN, et al. Acute and definitive management of traumatic osteocutaneous defects of the lower extremity. Plast Reconstr Surg 1987;80:1-14.
12. Guzman-Stein G, Fix RJ, Vasconez LO. Muscle flap coverage for the lower extremity. Clin Plast Surg 1991;18:545-52.
13. Mathes SJ, Alpert BS, Chang N. Use of the muscle flap in chronic osteomyelitis: experimental and clinical correlation. Plast Reconstr Surg 1982;69:815-29.
14. Hong JP, Shin HW, Kim JJ, et al. The use of anterolateral thigh perforator flaps in chronic osteomyelitis of the lower extremity. Plast Reconstr Surg 2005;115:142-7.
15. Hugh Herr The new bionics that let us run, climb and dance, TED2014
    https://www.ted.com/talks/hugh-herr-the-new-bionics-that-let-us-run-climb-and-dance

IV. 수부 및 사지

17 육종과 관련된 하지재건
Lower Extremity Reconstruction Related with Sarcoma

김준혁 순천향의대

1. 개요

1) 종양절제 후 하지재건에서 고려할 점

과거에는 하지부에 악성종양이 발생할 경우 하지절단만이 유일한 치료였지만, 종양학, 항암요법, 방사선치료요법 및 미세수술의 발전으로 인하여 최근에는 하지부 종양절제술 시 하지보존이 가능한 방법으로 수술이 이루어지게 되었다.

하지의 골종양 또는 연부조직 종양의 광범위 절제 후 재건은 혈액종양내과 또는 정형외과 등과 협력이 필요할 수 있으며 외상 후 재건과 마찬가지로 미리 술 전 재건계획이 필요한데, 결손 범위를 예상하여 수술계획을 세운 후 종양절제와 동시에 재건하기 위한 전략이 필요하다.

하지의 종양절제 후 재건에 있어서 고려해야 할 점은 첫째로, 하지는 체중의 부하를 견뎌내야 한다는 점이며, 둘째로 하지는 항상 의존적 위치(dependent position)에 있기 때문에 심부정맥(deep vein)에 혈전증(vascular thrombosis)이나, 정맥저류(venous stasis) 또는 만성부종 등이 생기기 쉽기 때문에 유리피판수술을 시행할 때 상지보다 정맥에 대한 문제가 발생하기 쉽다. 셋째로 하지의 동맥은 동맥경화나 당뇨병에 의한 혈

관변성이 생기기 쉬우며, 넷째로, 대부분의 체중을 지탱하는 경골이 피하조직 밑에 위치하여 염증이나 혈류장애에 의하여 골유합이 잘 되지 않는 경우가 흔하므로 이를 고려해야 한다.

2) 하지부 육종
(Sarcoma in the lower extremity)

육종은 상지부보다 하지부에서 흔하고 몸 전체에서 가장 호발하는 부위이며, 과거에는 절단이 가장 최선의 치료였으나 최근에는 치료단계에서 마지막 방법으로 선호되며 가급적 하지를 보존하는 방법으로 재건수술이 이루어지고 있다. 연부조직육종(soft-tissue sarcoma)의 발생빈도는 성인에서 10만 명당 1명꼴로 발생하며 전체 악성종양의 1~2%를 차지한다. 이중 약 45%가 하지부에서 발생하고 약 15%가 상지부에 발생하며 두경부에서 10%, 그리고 후복강내에서 15%정도가 발생한다. 골조직육종(bone sarcoma)은 연부조직육종보다는 드문 편이며, 이 중 골육종(osteogenic sarcoma)이 가장 흔하고 젊은 층에서 호발하며 전체 악성종양의 0.2% 정도를 차지하고 무릎주변에서 흔히 발생한다.

3) 연부조직 및 골조직육종 (Soft-tissue and bone sarcoma)

연부조직육종은 인체의 연부조직인 근육, 힘줄, 혈관, 신경, 림프조직, 관절주변조직, 근막, 지방 및 연골 등의 중배엽(mesoderm)기원의 악성종양으로 신체의 어느 부위에서나 발생할 수 있지만, 주로 팔, 다리, 골반 등에 흔히 발생한다. 연부조직육종은 수 주 또는 수개월간 점점 커지거나 만져지는 혹 또는 부종을 주 증상으로 내원하며 통증이 없는 경우가 많다.

육종은 조직학적인 특성에 따라 분류할 수 있는데, 침습적인 유형(aggressive type)으로 고등급형(high-grade type)과 저분화형(poorly differentiated type)이 있으며 덜 침습적인 유형(less aggressvie type)으로는 저등급형(low-grade type)과 고분화형(well-differentiated type)으로 나눌 수 있다.

육종은 주로 혈행으로 전이되며 폐전이가 가장 흔하고 연부조직육종에서 임파선을 통한 전이는 5% 미만이다.

원발성 골조직육종(primary bone sarcoma)은 연부조직육종보다 빈도는 낮지만 장년기 또는 노년기에 발생할 경우 대부분 전이가 잘 일어난다. 원발성 골조직육종의 평균 연령은 39세이고 가장 흔한 유형은 골육종이다. 골육종은 10세에서 25세 사이의 젊은 층에서 호발하며 남자에게 조금 더 많이 발생하고 전체 악성종양의 0.2% 정도로 드문 편이다. 골육종은 팔, 다리, 골반 등 인체 뼈의 어느 곳이나 발생할 수 있으나 무릎주위의 골간단(metaphysis)부에서 50%가 발생하며 약 6.4%에서만 병적골절(pathologic fracture)이 동반되고 대부분 통증을 동반하는 종물이나 하지부의 부종을 검사하는 과정에서 발견된다.

방추세포중간엽육종군(Spindle cell mesenchymal sarcoma group)에는 연골육종(chondrosarcoma), 골간악성섬유조직구종(intraosseus malignant fibrous histiocytoma) 그리고 섬유육종(fibrosarcoma) 등이 있다. 연골육종은 골육종 다음으로 흔한 골조직종양이며 원발성 골조직육종의 10~20%를 차지하고 서서히 자라며 늦게 전이하는 특성을 갖는다. 연골육종은 40~50대에 호발하며 20대 이하에서는 드물게 발생하고 골반골(pelvic bone)에 가장 호발하며 방사선요법이나 항암요법에 잘 반응하지 않아서 광범위 절제술이 최선의 치료법이다.

유잉육종(Ewing's sarcoma)은 주로 10~20대의 젊은 남성에 호발하며 대퇴골, 골반골 등에 주로 발생하고 방사선치료에 잘 반응한다.

육종치료의 근간은 외과적 절제 후 방사선요법 또는 항암요법을 시행하게 되는데 연부조직육종은 방사선요법이 주가 되지만 원발성 골육종은 신보강화학요법(neoadjuvant chemotherapy)이 중요한 역할을 한다.

2. 진단

연부조직육종은 대부분 증상발현까지 평균 6개월이 걸리지만 하지부의 경우 이보다 발현기간이 짧은 편이며 2/3 이상에서 특이증상이 없고 1/3에서만 통증 등의 증상을 동반한다. 성인의 경우 첫째로 4주 이상 종물이 사라지지 않는 경우, 둘째로 근막하방, 오금(popliteal area) 또는 서혜부에 위치하는 경우, 셋째로 지속적으로 성장하면서 통증이나 감각이상을 동반하는 경우, 넷째로 5 cm 이상 크기로 존재하는 경우는 악성을 의심하여 반드시 조직학적 검사가 필요하다.

연부조직육종은 특별한 화학적 혈액검사 방법이 없으나 골조직육종의 경우 ALP (alkaline phosphatase)가 상승하거나 LDH (Lactate dehydrogenase) 수치가 400 U/L 이상이면 예후가 나쁘다고 예상할 수 있다.

단순방사선촬영(plain X-ray)은 종양부위의 전반적인 평가에 도움이 되며 흉부방사선검사를 통해 폐전이 가능성을 파악하게 된다. 골육종은 단순방사선촬영을 통해 이상소견이 발견되는 경우가 많으며, 특히 골막징후(perioteal or cortical sign), 골용해(osteolysis), 골주변석회화(paraosseous calcification) 등의 관찰이 가능하여 원발성 골육종의 이차적인 진단검사로 사용된다.

초음파검사는 신속하고 저렴하게 시행할 수 있는 검사방법으로서, 방사선을 사용하지 않는 검사이므로 임산부에 시행하기 유용하고 혈관성 종양(vascularized tumor)을 판단하거나 종양의 낭종성 여부를 판단하는 데 많이 사용된다.

테크네슘-피로인산염 골스캔(99mTc-pyrophosphate bone scan)은 다발성 병변이나 전이성 병변을 찾아내고 골종양의 병기 설정이나 감별에 필수적으로 사용된다.

자기공명영상(magnetic resonance imaging, MRI)은 피부병변을 동반할 때 유용하고 종양의 양상과 범위 및 주변조직과의 관계 등을 살펴보는 데 가장 좋은 검사로서, 육종의 진단 및 병기 결정에 필수적이다. 삼차원 자기공명영상은 술전 종양의 절제 범위를 정하고 재건방법을 결정하는 데 필요하며, 특히 가돌리늄조영증강자기공명영상(galdolinium contrast-enhanced MRI)은 종양의 정확한 위치, 종양주변의 신경혈관 및 근육과의 관계를 알 수 있어서 최근에 주로 쓰이고 있다.

나선형 전산화단층촬영(spiral computed tomography, spiral CT)은 골육종의 진단에 유용하고 연부조직육종에서 주변의 골조직의 영향을 잘 관찰 할 수 있으며, 복부 및 흉곽 전산화 단층촬영은 폐전이나 복강 내 전이여부를 판단하며 병기설정에 도움을 준다. 삼차원전산화단층촬영 혈관조영술(three-dimentional CT angiography)은 종양의 혈관상태, 혈관의 침윤여부, 전반적인 혈관상태 등을 관찰할 수 있다.

양전자방출단층촬영(positron emission tomography-CT, PET-CT)은 종양의 높은 대사율을 이용한 민감한 검사로서, 신체 전반에 걸쳐 발견되기 힘든 암조직을 발견하거나 육종의 전이여부가 의심되는 경우에 선택적으로 사용된다.

3. 치료계획

수술방법은 암의 병기(stage), 위치, 조직학적 등급(histologic grade), 방사선치료 등의 보조적 치료요법유무를 고려하여 결정되어야 하며 술후 하지부의 재건은 체중부하를 견딜 수 있도록 기능적인 면과 미용적인 면이 동시에 고려되어야 한다. 방사선학적 소견과 정확한 조직학적 결과가 나오면 혈액종양내과, 정형외과, 심리학자, 방사선종양학과 등과 다학제 협진을 통한 치료계획을 수립해야 한다.

치료계획을 수립하기 전에 육종의 병기결정이 중요한데, 병기란 암이 얼마나 진행되고 퍼져 있는지를 나타내는 지표로서 환자의 병에 대한 경과나 환자의 생존가능성을 예측하고 판정하며 치료방법결정에 가장 중요한 요소이다. 육종의 병기 판정에는 조직 검사를 통한 조직학적 등급판정 및 전산화 단층촬영이나 자기공명영상 등을 통한 종양의 양상 및 원격전이여부 등의 판정이 필수적이다. 융기피부섬유육종 (Dermatofibrosarcoma protuberans)과 혈관육종 (angiosarcoma)을 제외한 하지부의 연부조직 육종의 병기결정은 AJCC system (The American Joint Committee on Cancer system)(표 4-17-1)에 따르며 다음과 같이 4단계로 나뉜다.

① 제1기(stage I): 종양의 크기나 깊이와 상관없이 전이가 없고 저등급인 경우
② 제2기(stage II): 전이가 없고 고등급인 경우이면서 깊이와 상관없이 5 cm 이하인 경우, 전이가 없고 고등급인 경우이면서 5 cm 이상이고 깊이가 얕은 경우
③ 제3기(stage III): 전이가 없으면서 5 cm 이상의 고등급으로 깊이 위치하는 경우
④ 제4기(stage IV): 부위 림프절(rigional node)전이나 원격전이가 있는 경우

골육종과 같은 원발성 골조직육종의 병기결정은 MSTS (Muskuloskeletal Tumor Society) staging system(표 4-17-2)을 따른다.

▷표 4-17-1. American Joint Committee on Cancer staging system for solt-tissue sarcomas.

Classlfication and staging	Characteristic
Promary timor (T)	
T1	Tumor 5 cm or less in greatest dimension
T2a	Superficial tumor (in relation to investing fascia)
T1b	Deep tumor (visceral and retroperitoneal sarcomas are defined as deep tumors)
T2	Tumor larger than 5 cm in greatest dimension
T2a	Superficial tumor
T2b	Deep tumor
Regional lymph nodes (N)	
N0	No evidence of nodal metastasis
N1	Nodal metastasis present
Distant metastasis (M)	
M0	No distant metastasis
M1	Distant metastasis present
Grade (G)	
G1	Low-grade
G2 and G3	High-grade
Staging	
Stage I	Low-grade tumors, no evidence of regional nodes or distant metastases (T1a, T1b, T2a, T2b)
Stage II	High-grade, small tumors(T1a and b), and superficial, large tumors (T2a), no evidence of regional nodes or distal metastases
Stage III	High-grade, deep tumors larger than 5 cm (T2b), no evidence of regional nodes or distant metastases
Stage V	Any tumor with regional nodes or distant metastases

(Reproduced from Papagelopoulos PJ, Mavrogenis AF, Mastorakos DP, et al. Current concepts for management of soft tissue sarcomas of the extremities. J Surg Othop Adv 2008;17:204–215.)

▷표 4-17-2. Muskuloskeletal Tumor Society staging system.

Stage	Characteristic
IA	Low-grade, intracompartmental
IB	Low-grade, extracompartmental
IIA	High-grade, intracompartmental
IIB	High-grade, extracompartmental
IIIA	Low- or High-grade, intracompartmental with metatases
IIIB	Low- or High-grade, extracompartmental with metatases

(Reproduced from Papagelopoulos PJ, Mavrogenis AF, Mastorakos DP, et al. Current concepts for management of soft tissue sarcomas of the extremities. J Surg Othop Adv 2008;17:204–215.)

4. 치료 및 수술기법

연부조직육종 치료의 가장 주된 방법은 종양 주변의 정상조직을 포함하여 충분한 절제를 시행하는 것인데 경우에 따라서는 사지 절단술이 필요할 수도 있다. 사지구제술(limb salvage surgery)이란 사지 절단술의 반대되는 말로 팔, 다리의 기능을 보존하고자 사지를 절단하지 않고 종양을 적출하는 것을 말한다. 종양의 크기가 크거나, 주요 신경 및 혈관조직과 인접해 있는 경우 종양을 줄이기 위해 수술 전 방사선치료 및 항암요법을 먼저 하기도 한다. 수술 전 방사선 치료 및 항암요법은 종양의 크기를 줄이며 절제되는 조직의 양을 줄이는 효과가 있으며, 수술 후 절제부위의 주변에 남아 있을 수 있는 종양세포를 제거하여 종양전이를 줄이는 효과도 있다.

방사선치료는 대개 수술 전 또는 후에 보조적으로 사용되지만, 수술 전 환자의 전신상태가 좋지 않은 경우 단독으로 사용되기도 한다. 육종의 크기가 5 cm 이상인 경우, 깊이 위치하는 경우 그리고 고등급인 경우는 완전절제 후에도 방사선요법을 시행하여야 재발을 방지할 수 있다. 방사선 치료에 따른 부작용은 가벼운 피부자극 및 피로감에서부터 오심, 설사, 호흡장애, 사지의 부종 등 다양하게 나타날 수 있다.

전신 항암화학용법은 항암제를 경구 복용하거나 정맥 주사하게 되며 암세포뿐만 아니라 정상조직의 세포에도 손상을 입히게 된다.

골육종의 치료는 기본적으로 수술과 항암약물치료인데 치료방법은 암이 발생한 부위, 병기, 재발 유무, 및 환자의 나이와 전신적인 건강상태에 따라 결정된다.

1) 조직검사방법(Biopsy technique)

다양한 검사과정을 거쳐 육종의 가능성이 높다고 판단되는 경우 확진을 위한 유일한 검사인 조직검사를 시행하는데, 올바른 조직검사 기술 및 방법의 선택은 정확한 종양의 진단 및 치료에 있어서 매우 중요한 부분이다. 조직검사의 방법은 종양의 위치와 크기 등에 의해 결정된다.

(1) 세침흡인 또는 중심생검법
(Fine-needle or core needle aspirations)

이 방법은 통증 없이 검사로 인한 암전이를 줄일 수 있는 간편한 방법으로 수술이 힘든 종양의 방사선 또는 화학요법 전에 진단용으로 많이 이용된다.

세침흡인법은 23-gauge 바늘을 이용하여 소량의 조직을 얻게 되므로 종양이 클수록 부정확한 진단의 확률이 높지만, 전산화 단층촬영이나 초음파를 이용하여 중심생검을 시행하거나 종양의 여러부위에서 채취하면 진단의 정확도를 높일 수 있다. 그러나 골성병변은 채취가 어려우며 개방생검(open bipsy)이 선호된다.

(2) 절제생검법(Excisional biopsy)

절제생검은 종양조직전체를 절제 한 후 조직검사하는 방법으로 종양이 3~5 cm 미만이거나 근막상부에 위치할 때 고려되는 방법이다. 이 때 종양의 술 중 전이를 막기 위하여 종양의 피막이 손상되지 않도록 하는 것이 중요하며 종양절제부위를 시행한 위치를 2차수술이 용이하도록 클립이나 봉합사 등을 이용하여 표시해 둔다.

(3) 절개생검법(Incisional biopsy)

이 방법은 절개를 통하여 임의 일부조직을 일

는 방법으로, 종양의 크기가 3~5 cm 이상이거나 근막하방에 위치하는 육종의 수술범위를 정하기 위하여 가장 대표적으로 쓰는 방법이다. 충분한 조직을 얻을 수 있으므로 정확한 진단이 가능하지만 암의 전이를 유발할 수 있는 방법이므로 지혈대를 이용하고 술부의 세심한 지혈을 함으로써 출혈을 통한 암세포의 확산을 최대한 줄여야 한다.

2) 완전절제를 위한 수술기법

조직검사와 다학제 협진을 통한 육종의 유형, 등급 그리고 병기가 결정된 후 절제가 가능하고 보조요법을 시행하지 않는 경우에 가장 적절한 선택은 광범위 절제와 적절한 자유모서리(free margin)를 확보하는 것이며 수술 전에 술부재건 계획을 미리 세워야 한다.

수술 중에 공기압지혈대(pneumatic tourni-quet)를 사용하여 출혈을 통한 암세포의 확산을 막고 암조직이 손상되지 않도록 하는 방법(no-touch & no-see technique)을 사용하여 심부로부터 2 cm, 주변으로부터 4~5 cm의 자유모서리를 두고 암조직을 절제하며 종양의 가성막(pseudocapsule)에는 암세포가 포함되어 있으므로 손상시키지 말고 같이 제거되어야 한다. 최근에는 보조적 치료방법의 발달로 저등급 또는 저위험군에서는 약 1 cm의 정상조직을 포함한 종양절제도 추천되고 있다. 수술 후 완전절제여부가 불확실한 경우 정확한 조직검사 결과가 나올 때까지 음압요법(negative pressure wound ther-apy, NPWT)을 시행하여 재건수술을 미루기도 한다.

혈관의 경우, 동맥내벽까지 침윤되는 경우는 드물며 동맥외막(adventitia)을 혈관으로부터 박리하여 종양과 함께 제거하며 정맥은 결찰 후 같이 제거한다. 술 전 자기공명영상촬영으로 혈관 침범여부를 확인할 수 있으며 중요한 동맥이 침윤된 경우는 정맥이식이나 고어텍스(Gore-Tex®, stretched polytetrafluoroethylene)를 통한 재건을 시행한다.

중요 신경의 경우 신경외막(epineurium)을 박리하여 종양과 함께 절제하며 주요 신경이 침범되어 절제가 필요한 경우는 술 중 즉시 재건하거나 이차적으로 재건을 시행한다.

모든 육종에서 임파절 전이는 5% 이하이므로 서혜부나 슬와부의 임파선의 동시절제는 필요 없으나 횡문근육종(rhabdomyosarcoma), 혈관육종(angiosarcoma), 활막육종(synovial sar-coma), 상피양육종(epitheloid sarcoma) 등은 임파선을 통한 전이가 이루어지므로 주의가 필요하며 임파절 전이가 확인되면 광범위 임파선절제술을 시행하여야 평균생존율을 증가시킬 수 있다.

수술기법, 항암치료 및 재건수술이 발전했음에도 불구하고 하지절단은 하지부 육종수술의 가장 확실한 방법이지만 환자의 삶의 질을 생각하여 선택적으로 신중하게 이루어져야 하며 최근 보고에 의하면 모든 하지부 육종환자의 5% 미만에서 절단이 필요하고 절제술을 통한 재발율은 15% 미만으로 발표되고 있다.

3) 하지 보존을 위한 재건방법

연부조직의 재건은 술 전 방사선치료를 고려하여 계획되어야 하는데 사강(dead space)을 제거하고 피부긴장이 없이 봉합되도록 해야 하며 골돌출부, 경골(tibia)주변, 관절 그리고 절단부의 골노출부는 근육피판 등으로 완충작용을 할 수 있도록 한다.

술 후 결손부에 근막이나 근육이 보존된 경우에 부분층식피술이나 전층피부이식술을 통하여 재건이 가능하지만 방사선치료요법이 필요한 경우는 피부괴사 등의 합병증이 발생할 확률이 높기 때문에 신중하게 고려되어야 한다.

국소천공지피판(local perforator flap)은 일차적인 재건에 유용하지만 방사선치료가 시행된 경우에는 혈관손상의 가능성이 있고 피판박리에 어려움이 따를 수 있으며 피부의 탄력성이 떨어지므로 주의가 필요하다.

서혜부 재건에는 심하복벽동맥계통(deep inferior epigastric artery system)을 이용한 횡복직근피부피판(transverse rectus abdominis myocutaneous flap, TRAM), 수직복직근피부피판(vertical rectus abominis myocutanous flap, VRAM), 심하복벽동맥 천공지피판(deep inferior epigastric perforator flap)을 사용하거나 둔부의 상둔부동맥 천공지피판(superior gluteal artery perforator flap) 또는 하둔부동맥 천공지피판(inferior gluteal artery perforator flap)을 이용할 수 있다.

유리피판(free flap)은 재건부위의 크기, 깊이 및 위치에 따라 다양하게 선택할 수 있으나 수용부 혈관 (recipient vessel) 상태를 미리 확인해야 하며 체중부하부위(weight-bearing area)나 절단부위(amputation stump)의 경우 감각피판(sensate flap)을 고려한다.

족배부(foot dorsum) 결손에는 요측 전완 유리피판(radial foream free flap), 외측상지피판(lateral arm flap), 박천공지피판(thin perforator free flap) 등 피판을 얇게 거상할 수 있는 피판이 사용되며, 체중이 실리는 발꿈치부위의 결손은 내측족저동맥피판(medial plantar artery flap), 족배동맥피판(dorsalis pedis artery flap), 외전근 또는 근막피판(abductor myocutaneous flap or fasciocutanous flap), 비골동맥피판(peroneal artery flap), 과상피판(supramalleolar flap), 전경동맥근막피부피판(anterior tibial artery fasciocutanous flap) 등의 국소피판이 사용가능하며 결손부위가 광범위한 경우 유리근피판(free muscle flap)이 유용하다.

절단된 주요 신경은 절단된 신경의 종류에 따라 비복신경(sural nerve) 등을 이용하는데, 다발 케이블 이식(multiple cable graft)을 시행하여 재건한다.

골결손의 경우 관절치환술(replacement arthroplasty), 신연골형성술(distraction osteogenis), 유경 또는 유리골피판술(pedicled or free vascularized bone flap)로 재건하는데, 특히 광배근골피판(latissimus bone flap),견갑골 피판(scapular bone flap) 등은 연부조직을 포함하여 골결손의 재건이 가능하고 족부의 작은 골결손은 외측상지피부피판(osteocutaneous lateral arm flap) 등과 같은 복합피판이 유용하며 골결손이 큰 경우는 유리비골피판(free fibula flap), 유리장골피판(free vascualrized iliac bone flap)을 사용한다. 무혈관자가골이식(avscualar autologous bone graft) 또는 동종골이식(allogenic bone graft)은 방사선치료가 필요한 경우에는 신중하게 고려해야 한다.

5. 술 후 관리

절개생검이나 절제생검 후에 장액종이나 혈종의 방지는 종양전이를 막기 위해서 중요하며 환사의 질내안정, 술부 하지거상, 부목대를 이용한 고정을 시행하고 탄력붕대나 압박드레싱 등이 도움이 된다. 육종 절제 후 피판 등의 재건수술이 시행된 경우 5~7일간 하지를 거상하고 피판의 혈류순환에 대한 관찰이 필요하다. 특히 유리피판술을 이용한 재건술을 시행한 경우 대부분 24~36시간 이내에 혈관합병증이 발생하므로 면밀한 관찰이 필요하다.

고등급으로 분류되는 육종은 술 후 방사선요법이 반드시 필요하고 원발부 재발이나 원격전이에 대한 추적관찰이 이루어져야 하는데, 하지부 육종은 혈행을 통하여 폐 전이가 잘 이루어지므로 추적관찰기간 동안 3개월마다 흉부전산화단층활영이 필요하며 조영증강자기공명영상(Contrast-enhanced MRI)을 3개월마다 검사하여 원발부위의 재발 여부를 확인한다.

골전이가 있는 경우 또는 골 일부를 같이 제거하거나 재건을 시행한 경우는 약 6개월마다 연속방사선촬영(serial radiogaphs)으로 확인을 시행한다.

6. 예후

연부조직육종의 평균 사망율은 1년에 10만 명당 1.3명이며 하지부 육종의 5년 생존율은 약 82~85%이고 고위험군에서는 약 61%로 보고되고 있다. 예후에 영향을 미치는 요소로는 종양의 깊이, 크기, 등급, 종양의 경계, 위치, 조직학적 등급, 환자나이 등이며 고위험군은 50세 이상, 재발한 경우, 종양의 크기가 5 cm 이상, 깊이 위치하는 경우, 근위부에 위치하는 경우, 조직학적으로 고등급인 경우이다. 또한 섬유육종(fibro-sarcoma)은 국소적인 재발이 흔하고 평활근육종(leiomyosarcoma)은 원격전이가 잘 일어난다.

고위험군에서는 술 후 3년 안에 재발이 잘 일어나며 저위험군은 10년 후에 재발이 일어날 수 있다. 따라서 술 후 2~3년간은 3개월마다 추적관찰을 하며 이후 5년까지 6개월마다 추적관찰을 시행하고 고등급 또는 중간등급의 육종은 10년까지 경과관찰을 요한다.

골조직육종의 5년 생존율은 약 57%이며 하지절단환자와 하지보존을 시행한 환자의 생존율은 큰 차이가 없는 것으로 보고되고 있다. 골육종의 예후는 진단 당시 전이의 유무가 가장 중요하게 예후를 결정하는 인자로서 전이가 없는 경우 5년 생존율이 약 60~70%, 전이가 있는 경우는 5년 생존율이 약 20~30%이다. 또한 다리에 생긴 경우가 골반이나 척추 등에 생긴 경우에 비하여 예후가 좋으며 병적골절이 동반된 경우 예후가 나쁘다.

References

1. Papagelopoulos PJ, Mavrogenis AF, Mastorakos DP, Patapis P, Soucacos PN. Current concepts for management of soft tissue sarcomas of the extremities. J Surg Orthop Adv 2008;17(3):204-215.

2. Peter CN. Plastic Surgery. In: Goetz AG, Michael S. Lower extremity sarcoma reconstruction. London: Elsevier Saunders; 2013:101-126

3. Davis LA, Dandachli F, Turcotte R, Steinmetz OK. Limb-sparing surgery with vascular reconstruction for malignant lower extremity soft tissue sarcoma. J Vasc Surg 2017 ;65(1):151-156

4. Tunn PU, Kettlhack C, Durr HR. Standardized approach to the treatment of adult soft tissue sarcoma of the extremities. Recent Results Cancer Res 2009;179:211-228

5. Jeys L, Morris G, Evans S, Stevenson J, Parry M, Gregory J. Surgical Innovation in Sarcoma Surgery. Clin Oncol 2017;29(8):489-499.

6. Dangoor A, Seddon B, Gerrand C, Grimer R, Whelan J, Judson I. UK guidelines for the management of soft tissue sarcomas. Clin Sarcoma Res 2016;6:1-26

7. Muramatsu K, Ihara K, Taguchi T. Selection of myocutaneous flaps for reconstruction following oncologic resection of sarcoma. Ann Plast Surg 2010;64(3):307-310

8. Leckenby JI, Deegan R, Grobbelaar AO. Complex Reconstruction After Sarcoma Resection and the Role of the Plastic Surgeon: A Case Series of 298 Patients Treated at a Single Center. Ann Plast Surg 2018 Jan;80(1):59-63

9. Chen CM, Disa JJ, Lee HY, Mehrara BJ, Hu QY, Nathan S, Boland P, Healey J, Cordeiro PG. Reconstruction of extremity long bone defects after sarcoma resection with vascularized fibula flaps: a 10-year review. Plast Reconstr Surg 2007 Mar;119(3):915-924

10. Heller L, Kronowitz SJ. Lower extremity reconstruction. J Surg Oncol 2006 ;94(6):479-489

11. Penna V, Iblher N, Momeni A, Stark GB, Bannasch H. Free tissue transfer in reconstruction following soft tissue sarcoma resection. Microsurgery 2011;31(6):434-440

18

당뇨성 족부궤양
Diabetic Foot Ulcer

신동혁 건국의대

1. 서론

당뇨발이라 함은 당뇨의 합병증으로 발에 나타나는 모든 현상을 통틀어 일컫는 말로 여기에는 궤양, 골성변형, 피부변화, 혈관계 및 신경학적인 증상 등이 모두 포함한다. 이런 여러 가지 증상들 중에서 궤양의 경우 당뇨환자의 약 25%에서 발생하는데 여러 기전에 의하여 잘 낫지 않는 난치성 창상이 되고 이차적인 감염을 동반하면서 절단에 이르는 경우가 흔하기 때문에 매우 심각한 당뇨합병증이라 할 수 있다. 더구나 당뇨 유병률이 계속 증가 추세에 있어 2014년 국내에서도 성인인구의 14%에 이르는 당뇨 유병률이 보고되고 있어 당뇨성족부궤양의 발생도 더불어 같이 증가하고 있다.

당뇨성족부궤양 치료하는 가장 중요한 목적은 심각한 감염을 시기적절하게 치료하여 절단을 예방하는 데에 있다. 당뇨성족부궤양은 대표적인 난치성 만성창상 중 하나로 이를 치료하기 위해서는 환자의 전반적인 대사장애를 교정해야 하고 심혈관계통과 골격계통 및 창상관리 등 관련된 여러 분과의 협업이 필수적이다. 성형외과는 주로 적절한 창상처치를 통해 완전치유까지의 과정에 많은 역할을 하게 된다. 따라서 기본

적으로 창상을 적절히 처치할 수 있는 술기와 창상감염을 조기에 관리할 수 있어야 하겠다. 또한 창상의 상태에 따라 다양한 방법으로 재건술을 시행할 수 있는데 당뇨환자에서 유의해야 할 부분들이 있으므로 이에 대해서도 잘 알고 있는 것이 매우 중요하다.

이 장에서는 당뇨성족부궤양의 병태생리에 대하여 간단히 살펴보고 주로 재건술과 관련한 내용을 위주로 기술하고자 한다.

2. 병태생리

당뇨성족부궤양이 하나의 병인에 의하여 발생하는 경우는 거의 없다. 두 가지 이상의 요인이 복합적으로 기여한다. 신경병증이 있다고 해서 저절로 궤양이 생기는 일은 없다. 외적인 요소(맨발로 걷기, 날카로운 물체를 밟기, 잘 맞지 않는 신발 착용)와 내적인 요소(감각소실, 발의 변형)가 같이 작용하여 궤양이 발생하고 백혈구와 여러 면역반응의 기능이 저하되어 감염에 취약해지고 여기에 폐쇄성 혈관질환과 혈액유변학적(hemorheologic) 이상이 동반되면서 궤양은 만성이 되고 잘 낫지 않게 된다(그림 4-18-1).

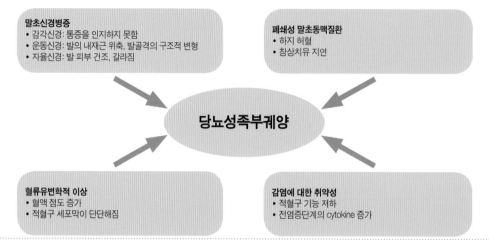

말초신경병증
• 감각신경: 통증을 인지하지 못함
• 운동신경: 발의 내재근 위축, 발골격의 구조적 변형
• 자율신경: 발 피부 건조, 갈라짐

폐쇄성 말초동맥질환
• 하지 허혈
• 창상치유 지연

당뇨성족부궤양

혈류유변학적 이상
• 혈액 점도 증가
• 적혈구 세포막이 단단해짐

감염에 대한 취약성
• 적혈구 기능 저하
• 전염증단계의 cytokine 증가

▷ 그림 4-18-1. **당뇨성족부궤양의 병태생리학적 발생기전**

1) 말초신경병증

감각신경, 운동신경 및 자율신경에 모두 신경학적 이상이 초래되어 각각의 증상이 나타나게 된다. 자율신경, 특히 교감신경계의 이상이 발생하여 땀이 나지 않아 발이 매우 건조하게 되고 갈라져서 피부가 가벼운 외상에도 쉽게 상처가 발생할 수 있는 상태가 된다. 또한 감각신경의 기능저하는 환자가 통증을 잘 감지하지 못하도록 만든다. 결과적으로 통증에 반응할 수 없게 되어 발을 보호하지 못하게 되고 상처가 발생해도 인지하지 못하게 된다. 이러한 통증에 부적절한 반응 때문에 발이 부적절한 체중부하에 지속적으로 노출되게 되고 결국 변형이 초래되어 Chacot deformity에 이르게 된다(그림 4-18-2).

당뇨환자에서 발생하는 말초신경병증의 원인은 포도당의 중간 대사산물인 sorbitol이 신경내막(endoneurium) 내에 축적되어 삼투압의 영향으로 신경섬유 내의 압력이 증가하여 신경으로 오는 혈류를 감소시켜 일어나는 것으로 알려져 있다.

2) 폐쇄성 말초동맥질환

현재는 당뇨성족부궤양의 발생 원인으로 신경병증을 가장 중요하게 요인으로 보고 있지

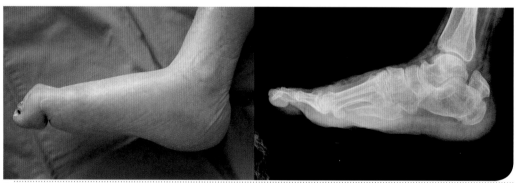

▷ 그림 4-18-2. **Charcot foot 변형**

만 과거에는 그렇지 않았다. 이는 1959년에 Goldenburg 등이 당뇨환자의 절단된 하지의 생검 소견으로 세동맥 내피세포(arteriolar endo-thelial cell)의 과증식(hyperplasia)을 특징적인 소견으로 발표하면서 궤양의 발생 원인으로 세동맥의 증식성 폐쇄로 인한 조직의 허혈이 주된 원인으로 간주되었다. 그러나 이후 70년대 초반부터 진행된 여러 연구에서 세동맥의 기저막(basement membrane)이 두꺼워지기는 했지만 세동맥의 내경은 당뇨환자나 당뇨환자가 아닌 경우 별 차이가 없음을 다수 발표하였다.

실제로 당뇨환자에서 발생하는 허혈 현상은 세동맥보다 근위부 동맥의 동맥경화에 의한 것으로 궤양이 생기기 전에 발가락의 괴사가 발생하거나 궤양이 잘 낫지 않는 경우 중요한 원인이 된다. 또한 이러한 병리학적 특징은 당뇨환자에서 시행한 유리피판술의 높은 생존율을 설명하는 근거가 된다. 즉, 세동맥에는 문제가 없기 때문에 혈류만 보낼 수 있으면 조직은 잘 생존할 수 있게 된다.

3) 혈액유변학적(Hemorheologic) 이상

당뇨환자에서는 혈액의 점도(viscosity)가 증가하는 것으로 알려져 있다. 또한 적혈구의 세포막을 구성하는 성분인 spectrin의 당화(glycosylation)가 일어나 세포막이 단단해져 적혈구가 모세혈관을 지날 때 형태의 변형이 불가능하게 된다. 이렇게 적혈구가 모세혈관을 통과하기가 어려워지게 되면 보상적으로 혈압은 더 상승하게 되고 이에 따라 혈액 내의 더 많은 액체 성분이 혈관 밖으로 누출(transudation)되게 되어 혈액의 점도는 더욱 증가하게 허혈을 일으킨다. 그리고 혈당과 비례적으로 혈색소의 당화(glycosyl-

ation of hemoglobin)가 일어나는데 당화 혈색소는 산소와 친화도가 일반 혈색소보다 높아 더 단단히 산소를 붙잡고 있어 조직에서 산소를 덜 유리하게 되어 조직의 허혈을 유발한다. 이러한 혈액의 점도 증가하고 적혈구의 세포막이 단단해져 모세혈관을 통과하기가 어렵게 되고 당화혈색소의 높은 산소친화도를 보이는 현상이 당뇨환자에서 발생하는 망막질환(retinopathy)이나 신질환(nephropathy)과 같은 미세혈관병증(microangiopathy)의 주된 원인으로 설명되고 있다.

4) 감염에 대한 취약성

혈당이 올라가게 되면 감염과 면역체계에 많은 변화가 오게 된다. 백혈구의 기능이 저하되고 전염증단계의 cytokine들의 증가하면서 궤양의 세균에 의한 이차적인 감염에 대한 저항성이 낮아지게 된다. 또한 높은 혈당으로 궤양 조직은 세균의 좋은 번식처가 되어 감염에 대하여 이중으로 취약해지게 된다. 앞서 설명한 혈액유변학적인 변화에 의하여 발생한 허혈현상으로 인하여 전신적인 항생요법은 그 효과가 떨어지고 국소 염증세포의 침윤도 저하되어 감염이 쉽게 조절되지 않는다.

이상과 같은 네 가지 요소뿐만 아니라 더 다양한 요인들이 어느 한 가지 이유 때문이 아니라 복합적으로 작용하여 궤양이 발생하게 되고 그 궤양이 잘 낫지 않게 된다. 당뇨성족부궤양을 잘 치료하기 위해서는 이러한 궤양의 병태생리기전을 잘 이해하고 있는 것이 매우 중요하고 그 요인이 다양하기 때문에 다학제적 접근이 필수적이다.

3. 당뇨성족부궤양의 재건

당뇨성족부궤양을 재건하기 위한 특별한 방법이 있는 것은 아니지만 특별히 유념해야 할 사항들이 몇 가지 있다. 가장 먼저 생각해야 할 것은 환자가 이미 오랫동안 진행된 당뇨라는 만성대사성질환을 가지고 있다는 것이다. 족부궤양을 주소로 병원에 내원하는 당뇨환자의 경우 거의 모든 환자가 10년 이상의 당뇨 이력을 가지고 있고 그것도 제대로 혈당을 조절하지 않은 채 오랜 기간을 보낸 경우가 대부분이다. 따라서 이런 환자에게 무엇보다 먼저 신경 써야 할 것은 환자의 전신 상태이다. 그동안 제대로 되지 않았던 혈당부터 조절해야 하고 심혈관계나 신장의 기능도 검사하고 필요할 경우 적절한 치료를 해주어야 한다.

궤양의 상태에 따라 가장 적절한 재건방법을 선택해야 하겠지만 이보다 우선되는 것은 환자의 전신상태와 재건에 대한 의지이다. 따라서 환자의 상태에 따라 가장 효과적인 비수술적 치료법에 대해서도 잘 알고 적용시킬 수 있어야 한다(그림 4-18-3).

1) 재건의 알고리즘(Algorithm)

당뇨성족부궤양을 재건하는 특화된 재건 방법은 없다. 현재까지 시행되고 있는 모든 재건술이 다 적용될 수 있다. 모든 수술에서 적절한 대상 환자를 잘 선택하는 것이 중요하지만 특히, 당뇨성족부궤양에 대한 수술적 재건을 계획할 때에는 그 어느 때보다 대상 환자를 잘 선택하는 것이 중요하다. 이를 위해서 수술과 관련된 사항에 대하여 수술 전 철저히 평가해야 하고 그 평가를 바탕으로 환자에게 가장 필요한, 환자가 가장 원하는 재건을 계획하여야 한다.

환자의 전신상태를 개선하는 치료를 가장 먼저 시행한다. 혈당조절, 영양보충, 심혈관계, 신장계 등 환자의 전신상태에 영향을 미칠 수 있는 문제들을 먼저 해결해야 한다. 이러한 전신적 치료와 동시에 궤양에 대한 평가와 혈관상태 및 혈류공급에 대한 평가를 필수적으로 시행해야 한다. 궤양의 상태가 감염이 동반되어 있고 괴사조직으로 덮여 있는 경우 적절하게 감염을 제거하고 변연절제술을 시행하여야 한다.

어떤 방법으로 재건하느냐는 궤양의 상태와 혈관의 상태에 따라 선택하는데 혈관 상태가 좋지 않을 경우 가능한 수술적 재건 방법은 많지

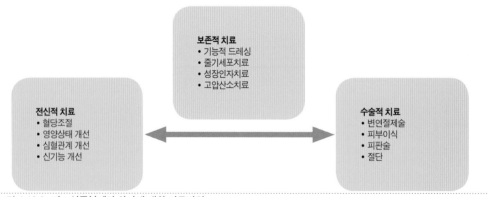

▷ 그림 4-18-3. **당뇨성족부궤양 환자에 대한 치료범위**

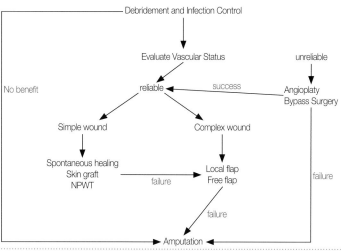

▷그림 4-18-4. **당뇨성족부궤양의 수술적 치료에 대한 algorithm**

않다. 필요할 경우 경피혈관성형술(percutaneous transluminal angioplasty, PTA)이나 우회술(by-pass surgery)로 혈류를 개선시키는 것이 필수적이다. 이러한 혈관에 대한 조치가 항상 성공적인 것은 아니지만 경우에 따라 수술이 불가능한 상태에서 수술이 가능한 상태로 전환시켜 주기도 한다. 혈관의 상태가 매우 좋지 않아서 수술적 방법이 불가능할 때에는 여러 가지 보존적 요법(conservative management)을 적용할 줄 알아야 한다.

수술적 방법이 보존적 요법이 모두 실패했거나 모두 불가능하다고 판단될 때에는 불가피하게 절단을 절단을 선택할 수 밖에 없다. 하지만 절단부의 창상도 잘 아물지 않을 수 있고, 절단 후 환자의 기능회복을 고려하여 절단 부위는 신중하게 결정하여야 한다(그림 4-18-4).

2) 수술 전 평가 및 준비

좋은 수술 결과를 얻기 위해서는 좋은 적응증이 되는 환자를 선택해야 한다. 별다른 조치 없

이 좋은 적응증이 되는 환자도 있고 혹은 적절한 치료나 처치를 통해 부적절했던 상태에서 좋은 적응증이 되는 환자도 있다. 따라서 좋은 적응증을 선택하려면 수술 전 평가와 선처치 과정이 매우 중요하다. 당뇨성족부궤양 환자는 모두 당뇨환자이고 그 이환 기간이 길고 동반 질환이나 문제점들을 가지고 있는 경우가 대부분이다. 대사균형이 무너져 있고, 환자의 건강을 위협하는 수준의 심장이나 신장의 문제를 가지고 있을 수도 있고, 하지의 혈행이 좋지 않을 수도 있다. 또 궤양의 상태도 면밀히 평가하여 감염과 염증이 충분히 조절되어서 수술을 시행할 수 있는 상태여야 한다. 이 모든 사항을 꼼꼼히 확인하고 검토해야 좋은 적응증이 되는 환자에게 수술을 시행할 수 있고 좋은 결과를 얻을 있으며 무리한 수술을 피할 수 있다.

(1) 전신상태의 평가와 준비

전술한 바와 같이 수술이 필요한 당뇨성족부궤양 환자는 내원 당시에 전신상태에 다수의 심각한 문제를 가지고 있는 경우가 있다. 이런 환

자는 철저하게 전신상태에 대하여 면밀한 검사를 진행해야 하고 필요한 경우 적절한 치료나 처치를 해주어야 한다.

혈당은 가장 먼저 확인해야 하고 조절이 되지 않는 상태라면 내분비내과와 협진하여 우선적으로 안정시켜야 한다. 수술 전까지 안정적으로 유지해야 하며 150~200 mg/dl 정도를 추천한다. 저혈당에 빠지지 않도록 약제의 투여량을 잘 조절해야 한다.

당뇨의 이환 기간이 길수록 환자는 여러 가지 문제들을 가지고 있는 경우가 대부분이다. 이런 당뇨와 관련된 여러 문제들 중에 환자의 건강과 수술에 가장 위협이 되는 것이 바로 심장과 신장 기능이다. 이전에 심장질환 이력이 없는지 반드시 확인해야 한다. 협심증이나 심근경색, 혹은 심장카테터 시술이나 심장수술의 과거력이 수술의 금기증이 되지는 않지만 필요한 경우 정밀검사를 시행하여 환자가 수술을 감당할 수 있는지 판단해야 한다. 특히 심박출량(heart ejection fraction)이 60% 이하이면 수술은 금기이다.

신장기능저하도 당뇨환자에서 흔히 볼 수 있는 심각한 문제이다. 하지만 투석이 필요한 신부전을 동반하더라도 수술의 금기증이 되지는 않는다. 다만 수술 전후로 환자가 심각한 수분부족이나 과다 상태는 피해야 하기 때문에 투석 일정을 수술 날짜 앞뒤로 해야 한다. 혈압이 낮

을 경우 수액투여로 혈압조절이 불가능하기 때문에 수축촉진제(inotropic drug)의 사용도 염두에 두어야 한다.

(2) 궤양의 평가와 처치

최초 궤양의 평가는 매우 중요하다. 평가 결과에 따라 치료 계획이 결정되기 때문이다. 많이 사용되는 평가 도구로 Wagner clssification과 University of Texas Diabetic Wound Classification 등이 있다(표 4-18-1,2). 하지만 초기 평가 결과만 중요한 것이 아니라 궤양을 치료하면서 상태가 변화하기 때문에 중간 과정에서 실시하는 평가도 매우 중요하다.

50% 정도의 당뇨성족부궤양은 감염을 동반하기 때문에 감염의 진단과 감염을 일으킨 균주를 정확히 동정하는 과정이 필수적이다. 발적, 부종, 열감 및 더러운 삼출액이나 괴사조직이 있을 경우 반드시 감염을 의심해야 하고 면봉으로 궤양의 바닥이나 굴이 있을 경우 확인하고 끝에서 뼈가 닿는 느낌이 온다면 골수염까지 의심하고 골수염을 진단하는 검사를 진행해야 한다. 골수염을 진단하기 위한 영상검사로는 단순 x-ray, 골주사(bone scan), MRI 등을 시행할 수 있는데 MRI가 가장 정확한 정보를 준다. 하지만 골수염의 확진은 반드시 뼈의 생검을 통해서만 가능하다. 창상배양검사를 위해서는 면봉을 이용

▷ 표 4-18-1. 당뇨성족부궤양에 대한 Wagner classification

Grade	Ulcer
0	No open lesion: may have deformity or cellulitis
1	Superficial ulcer not beyond subcutaneous fat
2	Deep ulcer to tendon or joint
3	Deep ulcer with abscess, osteomyelitis, or joint sepsis
4	Local gangrene - forefoot or heel
5	Gangrene of entire foot

▷ 표 4-18-2. University of Texas Diabetic Wound Classification System

Grade	Ulcer			
	0	I	II	III
A (no infection and no ischemia)	Pre- or post ulcerative lesion completely epithelized	Superfical wound not involving tendon, capsule, or bone	Wound penetrating to tendon or capsule	Wound penetrating to bone or joint
B	Infection	Infection	Infection	Infection
C	Ischemia	Ischemia	Ischemia	Ischemia
D	Ischemia and ischemia	Ischemia and ischemia	Ischemia and ischemia	Ischemia and ischemia

한 swab culture보다는 궤양 바닥 깊은 위치의 조직을 채취하여 조직배양검사를 시행해야 한다.

변연절제술이 필요할 경우 지체없이 시행하며 건강한 조직이 드러나도록 하는 것이 원칙이지만 허혈이 심할 경우에는 가급적 보존적으로 시행하는 것이 더 좋다.

감염이나 염증의 호전 여부를 판단할 때 CRP나 ESR과 같은 검사치를 확인하는 것도 중요하지만 무엇보다 궤양의 상태와 배양검사 결과를 가지고 판단하는 것이 좋다. 궤양의 바닥에서 육아조직이 잘 자라고 배양검사에서 세균의 수가 확연이 감소 추세에 있는 것이 확인되면 감염과 염증이 잘 조절되고 있고 곧 재건술을 시행할 수 있음을 의미한다.

(3) 혈관상태의 평가 및 재관류(Revascularization)

당뇨환자에 발생하는 혈관병변은 미세혈관병변(microangiopathy)와 큰 혈관병변(macroangiopathy)으로 구별된다. 미세혈관병변은 세동맥 이하의 혈관의 기저막(basement membrane)이 두꺼지는 비폐색성 순환장애로 주로 망막, 신장, 신경 등의 장기의 기능저하를 초래한다. 당뇨환자에서 하지에 발생하는 허혈 증상은 주로 큰 혈관의 동맥경화에 의해 유발된다. 궤양의 치료를 위해서는 허혈 상태를 교정해주어야 하므로 이에 대한 정확한 평가가 필요하다.

혈관의 상태를 검사하는 방법으로는 비침습적인 방법과 영상의학적 방법이 있다. 비침습적인 방법으로 ankle-brachial index (ABI), toe pressure, toe-brachial index (TBI), 경피조직산소분압측정(transcutaneous tissue oxygen measurement) 등이 있지만 이러한 방법들의 유효성에 대해서는 아직 논란이 많다.

영상의학적 방법으로는 전산화단층혈관조영술(CT angiogram, CTA), 자기공명혈관조영술(MR angiogram, MRA), 전통적 혈관조영술, duplex scan 등이 있다. 각각의 장, 단점이 있기 때문에 상황에 따라 적절한 검사법을 적용해야 한다. CTA나 MRA은 조영술 중에서는 하지 혈관 전체를 전반적으로 살펴볼 수 있지만 발가락과 같은 완전 말단 부위에 대한 정보는 부정확하다. 전통적 혈관조영술은 특정 부위의 혈관 상태를 가장 정확히 제공하고 동시 혈관성형술이 가능하다는 장점이 있지만 침습적이라는 단점이 있다. Duplex scan은 특정 부위의 혈관의 상태와 혈류 역학에 대한 정보를 동시에 제공한다는 장점이 있으나 검사자의 숙련도에 의존도가 높

IV. 수부 및 사지

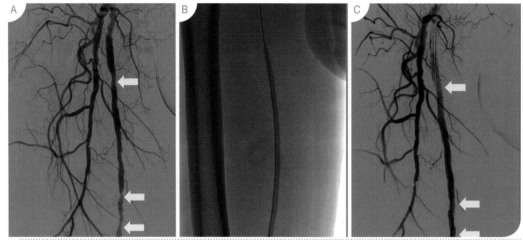

▷그림 4-18-5. **혈관조영술.** A. 대퇴동맥의 다발성 협착(화살표), B. 풍선혈관성형술시행, C. 협착이 개선된 모습

은 것이 단점이다.

위에서 언급한 방법들로 혈관의 상태를 검사하고 막힌 곳이 확인되면 풍선을 이용한 혈관성형술이나 우회수술을 시행하여 허혈 상태를 반드시 호전 시켜야 한다. 하지만 재차 막힐 수 있기 때문에 재협착을 조기에 발견할 수 있도록 많은 주의가 필요하다(그림 4-18-5).

3) 재건수술 시기

당뇨성족부궤양에 대한 재건을 계획할 때 가장 적절한 시기를 결정한다는 것은 매우 어렵고 아직까지 그 기준은 없다. 환자의 전신 상태가 수술을 견딜 수 있어야 하고 허혈 상태가 충분히 교정된 후에 그 시기를 결정한다. 하지만 혈관성형술 후 가장 적절한 수술 시기에 대해서 아직까지 확실한 표준은 없지만 혈관성형술 직후 7일 이내에 하는 것은 좋지 않다. 재관류를 시행한 혈관이 재차 막힐 수 있기 때문에 이 시기는 지나서 하는 것이 좋다. 그리고 수술 직전에 duplex scan를 시행해서 혈류의 속도를 확인하는 것을 추천한다.

일반적으로 수술을 결정하는 데에 있어 기준이 되는 것은 궤양의 상태이다. 궤양의 상태가 감염과 염증이 충분히 조절되고 육아조직이 잘 자라고 있고 창상배양검사에서 세균의 감소추세가 확연하면 그 궤양에는 재건을 시행해도 된다. 보통 심한 감염을 동반한 당뇨성족부궤양의 경우 그 감염과 염증을 조절하는 데에 2~3주 정도가 소요된다.

4) 수술 방법

정도가 심하고 감염이 심각한 궤양의 경우 여러 번의 변연절제술이 필요하다. 이렇게 반복적인 변연절제술로 창상을 깨끗이 정리하고 궤양의 상태를 평가하여 궤양의 깊이가 깊지 않다면 보존적 창상처치나 피부이식으로 좋은 결과를 얻을 수 있다. 그러나 염증이 많이 진행되어 뼈, 건, 관절 등이 노출되어 있다면 피판술을 시행해야 하는데 어떤 형태의 피판을 적용하던지 발로 가는 혈류 상태가 충분히 좋다고 판단될 때만 시행한다. 자칫 혈행이 좋지 않은 상태에서 피판술을 적용할 경우 피판은 실패하고 오히려 궤양의 크기는 더 커지고 공여부까지 문제가 될 수 있기 때문에 신중한 결정이 필요하다.

(1) 일차봉합(Primary repair)

피부의 결손이 없거나 피부의 긴장(tension)이 없고 혈류가 풍부할 때 시도해볼 만하다. 그러나 염증이 심했던 경우라면 주변 피부의 상태가 좋지 않아 일차봉합이 쉽지 않다. 무엇보다 중요한 것은 일차봉합을 위해서 변연절제술의 범위를 줄이면 절대 안 된다는 것이다. 충분한 변연절제술 후에도 피부의 긴장이 없다면 일차봉합을 시행해도 되지만 만약 긴장이 발생하면 피판술을 적용한다(그림 4-18-6).

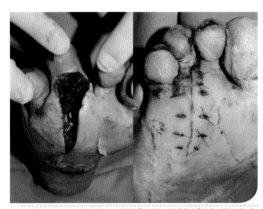

▷ 그림 4-18-6. 결손이 크지 않을 경우 일차봉합이 가능하다.

(2) 피부이식(Skin graft)

어느 정도 크기는 있지만 깊이가 깊지 않은 궤양을 덮는 데 매우 유용한 방법이다. 하지만 건이나 뼈가 노출되어 있는 경우에는 이식편의 생착이 어렵기 때문에 육아조직으로 궤양이 충분히 덮일 때까지 기다렸다가 시행해야 한다. 발바닥에 위치한 궤양의 경우 대부분 체중이 부하되는 곳에 궤양이 발생하기 때문에 발바닥의 궤양에 시행하기에는 무석설하고 발등의 궤양을 피

부이식으로 덮어줄 때 훌륭한 결과를 얻을 수 있다.

육아조직의 성장이 더딜 때 음압창상치료 (negative pressure wound therapy)의 도움을 받을 수도 있다. 근거중심의학에서도 당뇨성족부궤양에 대한 음압창상치료의 효과를 인정하고 있으며 치료 기간을 많이 단축시킬 수 있고 효과가 매우 좋을 때에는 피부이식이 필요 없을 때도 있다(그림 4-18-7).

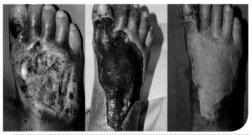

▷ 그림 4-18-7. 피부이식으로 재건한 발등의 당뇨성 궤양

(3) 국소피판술, 도서형피판술

건이나 뼈가 노출된 궤양을 덮을 때 유용하다. 다만 국소피판술을 적용할 때는 피판으로 가는 충분한 혈류를 확보해야 하기 때문에 허혈이 없는 경우에만 가능하다. 피판을 작도할 때 수혜부나 공여부 모두 긴장없이 봉합이 가능하도록 해야 하고 공여부를 봉합할 때 긴장이 발생하면 공여부는 피부이식으로 덮어 준다.

국소피판의 가장 큰 장점은 제일 비슷한 조직으로 재건이 가능하다는 점이다. 발바닥의 경우 체중과 반복적인 마찰을 견디기 위하여 피부와 피하지방층의 구조가 매우 독특하기 때문에 발바닥을 제외하고는 이와 비슷한 피부조직을 얻을 수 없다.

역행성 혈행을 이용하는 도서형피판술을 시행할 때는 반드시 수술 전에 혈관 상태를 확인하

IV. 수부 및 사지

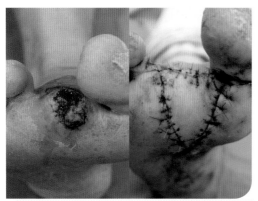

▷그림 4-18-8. 당뇨성괴저로 인한 두 번째 발가락 절단 후 낫지 않는 궤양에 대한 V-Y 전진피판을 이용하여 재건

여 세 개의 주요 하지 혈관(전경골동맥, 후경골동맥, 비골동맥) 모두의 혈행에 문제가 없을 때만 시행하여야 한다(그림 4-18-8).

(4) 유리피판술

1980년대 초반까지만 해도 당뇨환자는 유리피판술의 비적응증이었다. 하지만 70년대 초반부터 하지의 허혈이 미세혈관질환 때문이 아니라는 것이 밝혀지고 80년대 후반 Colen이 당뇨환자에서 유리피판술의 유용성을 보고하면서 눈

부신 발전이 이루어졌다.

국소피판술이나 도서형피판술과 비슷한 적응증을 가지고 있으면서 결손의 크기에 상관없이 재건이 가능하다는 것이 장점이다. 또 다른 장점으로 하지의 세 개의 주요 혈관 중 하나만 좋은 혈행을 가지고 있더라도 피판의 생존을 기대할 수 있다. 수술 과정에 미세수술이 필요하기 때문에 수술 시간이 다른 방법과 비교하여 오래 걸리고 숙련된 기술을 익히기까지 오랜 시간이 걸린다는 것이 단점이다.

수혜부 혈관이 좋은 혈행을 가지고 있어야 하기 때문에 수술 전 혈관 상태의 평가가 매우 중요하다. 수혜부 혈관의 혈행 속도가 40 cm/s 이상이면 유리피판의 생존이 가능하다.

공여부는 등, 서혜부(groin region), 외측 대퇴부 등 필요에 따라 다양하게 선택할 수 있다. 다만 이러한 공여부의 피부 특징은 발바닥과는 전혀 다르기 때문에 발바닥을 재건했을 경우 재발 방지를 위하여 각별히 주의를 기울여야 한다.

수술시간이 비교적 길기 때문에 수술 후 회복 과정에 집중 관리가 필요하다. 특히 혈압, 호흡,

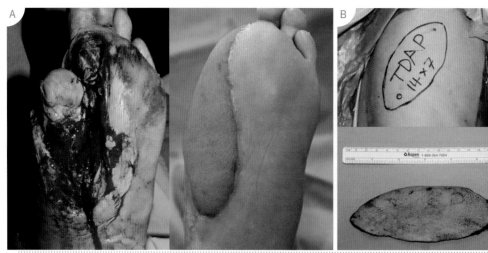

▷그림 4-18-9. 족무지 부위의 당뇨성궤양을 유리피판을 재건한 모습. A. 재건 전후 모습, B. 흉배동맥 전공지(thoracodorsal artery perforator) 유리피판을 작도하고 거상한 모습

맥박과 같은 생체징후을 면밀히 확인해야 한다. 당뇨환자의 경우 혈액의 점도가 증가해 있기 때문에 피판으로 가는 혈류를 좋게 해주기 위하여 충분한 수액을 투여할 것을 추천한다. 혈전 방지를 위하여 헤파린요법을 사용할 수 있는데 수술 전 혈관성형술을 받았거나 수술 중 소견으로 동맥경화증이 심했을 경우 적극적으로 사용할 필요가 있다.

5) 수술 후 관리와 예후

어떤 방법으로 재건을 시행하였던지 상관없이 혈당을 엄격히 관리해야 한다. 이미 진행되어 왔던 고혈당의 부작용을 되돌릴 수는 없지만 이후의 부작용을 막기 위해 혈당 관리는 아무리 강조해도 지나치지 않다. 동반질환에 대해서도 지속적인 관리가 필요하다. 간혹 궤양에만 신경을 쓰다가 자칫 동반질환이 악화되는 경우도 있으므로 관련 과와 협진을 지속적으로 유지해야 한다.

당뇨환자는 창상의 치유과정이 지연되므로 봉합창상의 경우 봉합부위가 완전히 붙었는지 확인 한 뒤에 봉합사를 제거해야 한다. 일반적으로 일반 환자에서 하지 수술창상의 경우 수술 후 2주째에 봉합사를 제거하지만 이보다는 오래 봉합사를 유지하기를 추천한다. 저자의 경우 3주째에 봉합사를 제거하고 경우에 따라 이보다 더 오래 유지하기도 한다.

발바닥이 수술부위면 특히나 감압(off-loading)에 많은 신경을 써야 한다. 수술 후 1주일 이내에는 보행을 금지시키기고 이후에 창상의 상태를 보아가며 보조기를 착용하고 화장실 정도부터 보행을 허락한다. 보조기는 보통 한 달 정도 착용하며 이후에는 재활의학과와 협진하여 환자의 발의 상태에 적합한 당뇨신발을 착용하도록 한다.

당뇨성족부궤양 재건술의 성공율은 모든 방법을 망라하여 그 성공율이 95% 이상으로 보고되고 있다. 이러한 수치는 단순히 수술의 성공율을 의미하는 것이지 재발율까지 반영된 것은 아니다. 재건은 훌륭히 성공했지만 얼마 안 있어 같은 부위에 궤양이 재발되어 내원하는 경우가 제법 있다. 따라서 재발 방지를 위한 별도의 조치나 환자교육에 각별히 신경 써야한다.

당뇨성족부궤양은 당뇨환자에게 있어서 같은 많은 비용을 지불하게 하고 삶의 질을 급격히 악화시키는 합병증이다. 일단 발생하면 발견이 늦고 따라서 감염이 쉽게 일어나고 감염이 되면 짧은 시간 안에 발이 망가지게 된다. 대개의 경우 복합적인 문제를 동반하고 있기 때문에 치료 과정 또한 복잡하고 창상치유의 지연이 발생하기 때문에 완치시키기가 쉽지 않고 많은 시간이 소요된다. 당뇨성족부궤양의 치료 목적은 심각한 감염을 막아서 절단에 이르지 않도록 하고 조기에 창상치유를 완료시키는 것이지만 무엇보다 예방이 중요하고 효과적이다. 따라서 궤양 자체를 치료하고 재건하는 술기를 잘 알고 있고 잘 하는 것도 중요하지만 좋은 환자교육 프로그램을 확보하여 실시하여야 한다.

References

1. Armstrong DG, An overview of foot infections in diabetes. Diabetes Technol Ther 2011;13:951-7
2. Armstrong DG, Lavery LA Wrobel JS, Vileikyte L. Quality of life in healing diabetic wounds: does the end justify the means? J Foot Ankle Surg 2008;47:278-82.
3. Attnger C, Cooper P. Blume P, et al. The safest surgical incisions and amputations applying the an-giosome principles and using the Doppler to assess the arterial- arterial connections of the foot and ankle. Foot Ankle Clin 2001:6(4):745-99.
4. Attinger CE, Evans KK, Bulan E, Blume P, Cooper P. Angiosomes of the foot and ankle and clinical implications for limb salvage: reconstruction, incision, and revascularization. Plast Reconstr Surg 2006;117(7 suppl):261S-93S.
5. Berman SJ. Infections in patients with end-stage renal disease. An overview. Infect Dis Clin North Am 2001;15(3):709-20.vii.
6. Boulton AJ. The diabetic foot. Medicine 2010:38:644-8
7. Boulton AJ, Armstrong DG, Albert SF, Fryberg RG, Hellman R, Kirkman MS, et al. Comprehensive foot examina-tion and risk assessment: a report of the task force of the foot care interest group of the American diabetes Association of Clinical Endocrinologists. Diabetes Care 2008;31:1679-85.
8. Colen LB. Limb salvage in the patient with severe peripheral vascular disease: the role of microsurgical free-tissue transfer. Plast Reconstr Surg 1987:79(3):389-95.
9. Conrad MC: Large and small artery occlusion in diabetics and nondiabetics with severe vascular disease. Circulation 1967:36(1):83-91
10. Faglia E, Clerici G, Caminiti M, Quarantiello A, Curci V, Somalvico F. Evaluation of feasibility of ankle pressure and foot oximetry values for the detection of critical limb ischemia in diabetic patients. Vasc Endovasc Surg 2010;44:184-9
11. Goldenberg S, Alex M, Joshi RA, et al. Nonatheromatous peripheral vascular disease of the lower extremity in diabe-tes mellitus. Diabetes 1959;8(4):261-73.
12. Gordon KA, Lebrun EA, Tomic-Canic M, Kirsner RS. The role of surgical debridement in healing of diabetic foot ulcers. Skinmed 2012;10:24-6
13. Hong JP, Oh TS. An algorithm for limb salvage for diabetic foot ulcers. Clin Plastic Surg 2012;39:341-52
14. Hong JP. Reconstruction of the diabetic foot using the anterolateral thigh perforator flap. Plast Reconstr Surg 2006;117(5):1599-608.
15. Hong JP. The use of supermicrosurgery in lower extremity reconstruction: the next step in evolution. Plast Reconstr Surg 2009;123(1):230-5.
16. Kawarada O, Yokoi Y, Higashimori A, Waratani N, Fujihara M, Kume T, et al. Assement of macro- and microcircula-tion in contemporary critical limb ischemia. Catheter Cardiovasc interv 2011;78:1051-8
17. Lavery LA, Peters EJ, , Armstrong DG, What are the most effective interventions in preventing diabetic foot ulcers? Int Wound J 2008;5:425-33
18. LoGerfo FW, Coffman JD. Current concepts. Vascular and microvascular disease of the foot in diabetes. Implications for foot care. N Engl J Med 1984;311(25):1615-9
19. Lipsky BA, Berendt AR, Deery HG, et al. Diagnosis and treatment of diabetic foot infections. Plast Reconstr Surg 2006;117(Suppl 7):212S-38S
20. Miyazawa T, Nakagawq K, Shimasaki S, Nagai R, Lipid glycation and protein glycation in diabetes and atherosclero-sls. Amino Acid 2012;42:1163-70.
21. Stradness DE Jr, Priest RE, Gibbons GE. Combined clinical and pathologic study of diabetic and nondiabetic periph-eral arterial disease. diabetes 1964;13:366-72
22. Searles JM Jr, Colen LB. Foot reconstruction in diabetes mellitus and peripheral vascular insufficiency. Clin Plast Surg 1991;18(3):467-83
23. Wraight PR, Lawrence SM, Campbell DA, et al. creation of a multidisciplinary, evidence based, clinical guideline for the assessment, investigation and management of acute diabetes related foot complications. Diabet Med 2005;22(2):127-36

V
유방

유방성형수술에 필요한 해부학

1

Anatomy for Plastic Surgery of The Breast

이준호 영남의대

1. 유방의 해부학적 구조

1) 표면해부학(Surface anatomy)

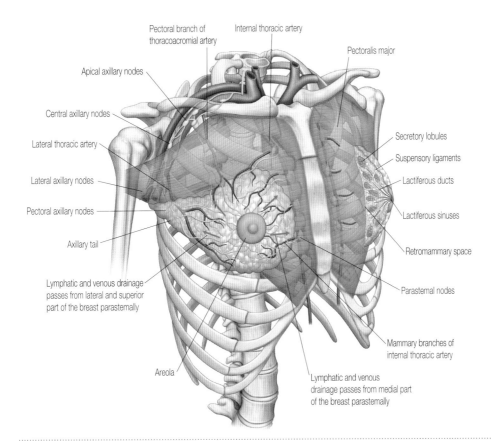

▷그림 5-1-1. 유방과 주변구조물과의 관계도

유방은 수직으로는 2~3번째 늑골에서부터 6~7번째 늑골 사이에 위치하고 수평으로는 전액와선(anterior axillary line)과 흉골외측연(lateral border of sternum) 사이에 위치해 있으며 유방의 상외측은 겨드랑이 쪽으로 연장되어 있는데 이 부분을 스펜스의 꼬리(tail of Spence, axillary tail)라고 부른다. 유방의 상내측은 대흉근의 근막 위에 놓여 있으며 외측의 대부분은 전방거근(serratus anterior muscle)의 근막 위에 놓이고 하부는 외복사근(external oblique abdominis muscle)과 상부 복직근(upper portion of rectus abdominis muscle)의 근막 위에 놓여있다. 유두(nipple)는 평균적으로 4번째 늑간강(intercostal space) 높이 또는 상완골의 중심에서 2~3 cm 아래에 그리고 쇄골정중선(midclavicular line)보다 약간 외측에 위치한다(그림 5-1-1).

(1) 유방의 표준계측치(Standard dimension)

유방의 재건뿐만 아니라 확대, 축소 같은 미용수술 시에도 유방의 표준계측치는 필요하다. 일반적인 서양인에서는 흉골절연(sternal notch)과 쇄골정중선(midclavicular line)에서 유두까지의 거리는 18~21 cm, 유두에서 유방하주름까

지의 거리는 5~7 cm, 가슴정중앙선에서 유두까지의 최단거리는 9~11 cm로 보고되고 있다. 한국인에서의 표준계측치는 서양인에서보다 1~2 cm 정도 짧게 보고되었다. 이러한 표준계측치는 절대적인 것이 아니며 환자개개인의 신체특성과 흉곽의 모양, 환자의 자세, 취향에 따라 차이가 있으므로 이러한 요소들도 함께 고려하여야 한다(그림 5-1-2).

(2) 이상적인 유방의 모양

이상적인 가슴의 모양은 유방의 상부(upper pole)와 하부(lower pole)의 비가 45:55로 분포되고 유두는 유방의 가장 돌출부에 위치하면서 20도 정도 상방을 바라보는 것이 좋다. 유방 상부의 윤곽선은 곧거나 살짝 볼록하며 하부의 윤곽은 원호에 가깝게 견고한 곡선을 보이는 것이 좋다. 그리고 양측 유방은 모양과 부피가 대칭적이어야 한다.

2) 유방 실질(Parenchyme)

유방은 선조직(glandular tissue), 결합조직, 지방조직, 혈관 및 신경으로 구성되어 있다. 선조직은 유방의 피하지방층 내에 분산되어 존재한다. 선조직은 수백만 개의 소엽(lobule)들이 모여 20~25개의 엽(lobe)을 형성한다. 소엽들을 잇는 소엽사이관들(interlobular duct)은 서로 합쳐져서 약 20개의 유관(lactiferous duct)을 형성하여 유두로 개구한다. 유관은 임신 시 수유 전 모유를 저장할 수 있는 유관동(lactiferous sinus)으로 변환되며 출산 후에는 유방실질에서 모유를 생산한다. 선조직들이 유방부피의 50~60%를 차지한다. 나이가 들거나, 폐경으로 인한 호르몬의 변화로 선조직이 퇴축하게 되면 유방의 실질

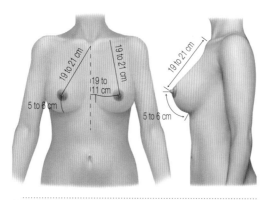

▷그림 5-1-2. 유방의 표준계측치

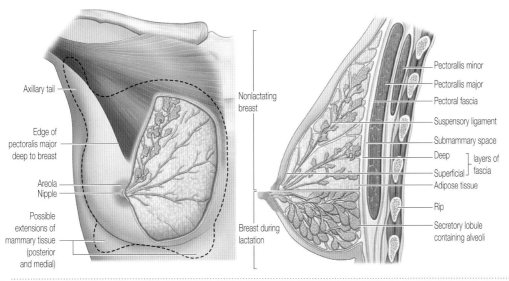

Axillary tail

Edge of
pectoralis major
deep to breast

Areola
Nipple

Possible
extensions of
mammary tissue
(posterior
and medial)

Nonlactating
breast

Breast during
lactation

Pectorallis minor

Pectorallis major

Pectoral fascia

Suspensory ligament

Submammary space

Deep ⎤ layers of
Superficial ⎦ fascia

Adipose tissue

Rip

Secretory lobule
containing alveoli

▷그림 5-1-3. 유방실질과 수유 시 변화

에 대한 지방조직의 비율이 높아지게 되고 유방이 보다 부드러워지게 된다.

유방의 실질은 천근막계(superficial fascial system)에 의해 둘러싸여 흉벽에 고정된다. 천근막계는 복부에서부터 위쪽으로 연장되어 올라오다가 유방하주름이 위치한 6번째 늑골높이에서 천층(superficial layer)과 심층(deep layer) 두 층으로 나뉘어진다. 천층근막은 Scarpa 근막(Scarpa's fascia)의 연장이며 유방피부의 진피층 아래에서 유선조직을 감싼다. 천층근막과 진피 사이에는 피하지방이 존재한다. 심층근막은 유방실질의 바닥쪽에서 대흉근막과 연결되어 유방을 흉벽에 고정시키는 역할을 하며 심층근막과 대흉근막 사이에는 느슨한 결합조직(loose areolar tissue)으로 이루어진 유방하공간(submammary space)이 존재한다. 유방하공간은 유방이 가슴벽위에서 어느 정도 움직일 수 있게 해주며 혈관이 별로 없어 수술 시 박리하기 좋다(그림 5-1-3).

3) 유두유륜복합체
(Nipple areolar complex)

유륜은 각질화된 편평상피세포로 되어 있으며 피지샘과 몽고메리선(Montgomery gland)을 포함하고 있다. 몽고메리선은 유선과 피지선의 중간적인 특징을 가지는데 유륜에 윤활작용과 보호작용 그리고 수유를 돕는 역할을 한다. 몽고메리선이 있는 유륜부위는 피부가 돌출되어 있는데 이를 몽고메리결절(Montgomery tubercle)이라고 한다. 유두유륜복합체 아래에는 평활근 섬유가 여러 겹으로 방사형태로 배열되어 있는데 이들은 유륜의 두꺼운 연결조직에 붙어있으며 자극 시 유두를 팽륜(nipple erection)시키고 몽고메리결절을 도드라지게 만드는 역할을 한다(그림 5-1-4).

유두는 유방의 중심이기 때문에 모든 종류의 유방 수술에서 그 위치를 최적화하고 기능을 유지시키는 것이 상당히 중요하다. 유방축소술, 유

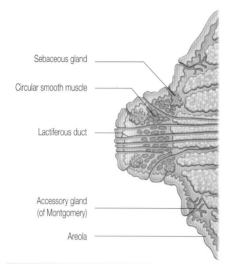

- Sebaceous gland
- Circular smooth muscle
- Lactiferous duct
- Accessory gland (of Montgomery)
- Areola

▷그림 5-1-4. **유두의 단면도**

방거상술, 유방종양성형술(oncoplastic procedure)에서의 피판경은 모두 유두에 혈액을 공급하기 위한 피판경이다. 다행히 유방의 내측과 외측에서 기원하는 내유방천공지(internal mammary perforator), 외측흉동맥(lateral thoracic perforators), 늑간천공지(intercostal perforators)들 모두 유두의 진피하혈관총으로 혈액을 공급하여 유두는 풍부한 혈액을 공급받을 수 있다. 수술 시 풍부한 혈행과 함께 유방실질을 보존하면 유두의 생존뿐만 아니라 수유기능까지 보존할 수 있다.

2. 혈관분포(Vascularity)

1) 동맥

유방은 주로 내유방천공지(internal mammary perforators), 외측흉동맥(lateral thoracic artery), 전외측늑간천공지(anterolateral intercostal perforators) 3가지의 동맥으로부터 혈액을 공급받는다. 이 중 내유방천공지가 유방혈액공급에 60%를 차지한다. 그 외 보조적으로 흉견봉동맥(thoracoacromial artery)과 천공지 그리고 전방거근(serratus anterior muscle)의 혈관으로부터 혈액공급을 받는다. 이렇게 여러 혈관으로부터 풍부한 혈액공급을 받으므로 유방조직 절제 시에도 하나 이상의 혈관경을 보존하면 안전할 수 있다. 유방의 피부도 유방실질내를 통과하는 혈관들이 진피하혈관총을 통해 피부에 풍부한 혈액을 공급하므로 다양한 피판경을 이용한 피부

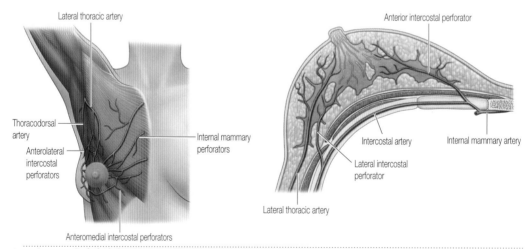

- Lateral thoracic artery
- Anterior intercostal perforator
- Thoracodorsal artery
- Anterolateral intercostal perforators
- Internal mammary perforators
- Anteromedial intercostal perforators
- Intercostal artery
- Internal mammary artery
- Lateral intercostal perforator
- Lateral thoracic artery

▷그림 5-1-5. **유방의 혈액공급**

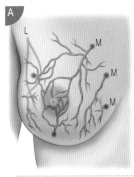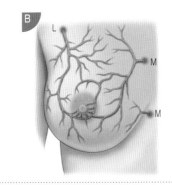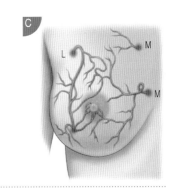

▷그림 5-1-6. **유륜의 혈액공급 유형**

피판을 사용할 수 있다.

내유방천공지는 2~6번째 갈비뼈사이를 통해 나와서 유방의 상내측으로 들어간다. 이 중 두 번째와 세 번째 천공지가 직경도 크고 혈류량도 많기 때문에 유리피판술을 이용한 유방재건술 시 수혜부 혈관으로 사용할 때 주로 사용된다. 외흉동맥(lateral thoracic artery) 또는 외유방동맥(external mammary artery)은 유방의 상외측에 혈액을 공급한다. 이 혈관은 액와동맥(axillary artery)에서 분지되어 겨드랑이의 아래쪽에서 대흉근의 외측경계부를 지나 유방으로 들어가며 상외측으로 분지를 낸다. 마지막으로 외측늑간천공지(lateral intercostal perforator)가 유방의 주요한 혈액공급을 담당한다. 이 혈관들은 3~6번째 늑간과 대흉근 외측경계부 부근의 전방거근을 뚫고 나온다 그리고 광배근의 앞쪽경계부에서 유방의 외측으로 들어가 혈액을 공급한다. 내측늑간천공지(medial intercostal perforator)는 유두유륜복합체와 그 아래에 있는 가운데 유방부분에도 혈액을 공급한다(그림 5-1-5).

유륜의 혈액공급은 크게 3가지 형태로 관찰된다. 가장 흔한 형태는 내측천공지의 요측분지(radial branch of the medial perforator)와 늑골간천공지가 유륜 주변에서 환상(circumferential)으로 합쳐지는 형태로 75%를 차지한다. 다음은 내측천공지의 요측분지와 늑골간천공지가 유륜 아래에서 고리(loop)를 형성하는 형태로 20%를 차지한다. 마지막으로 내측천공지의 요측분지가 유륜으로 직접 혈액을 공급하며 늑골간천공지와 연결되지 않는 경우이다(그림 5-1-6).

2) 정맥

유방의 정맥배출은 천정맥계(superficial venous system)와 심정맥계(deep venous system)에 의해 이루어진다. 천정맥계는 천근막(superficial fascia) 바깥쪽에 위치하는 피하정맥총(subdermal venous plexus)으로 유두주변의 정맥총(periareolar venous plexus)으로 부터 시작해서 심정맥계로 연결된다. 심정맥계는 동맥혈액과 함께 주행하는 정맥들이다. 내유방천공지들은 내유방정맥(internal mammary vein)을 통해 무명정맥(innominate vein)으로 유출된다. 외측흉정맥(lateral thoracic vein)은 기정맥(azygos vien)을 통해 상대정맥(superior vena cava)으로 유출된다.

V . 유방

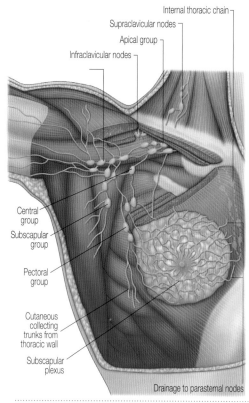

▷그림 5-1-7. **유방의 림프관**

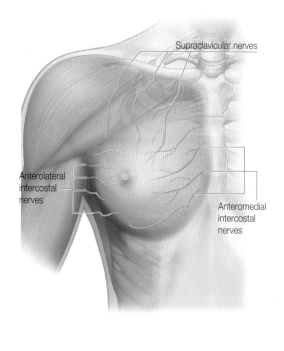

▷그림 5-1-8. **유방의 신경분포**

3. 림프관(Lymphatics)

유방의 림프배액은 주로 소엽사이림프관(interlobular lymphatic vessel)을 통해 유륜하림프관얼기(subareolar lymphatic plexus)로 배액된다. 림프액은 유방의 정맥배액과 평행하게 주행하며 액와림프절(axillary lymph node)로 흘러가 이후 쇄골하림프절, 쇄골상림프절로 배액된다. 외측림프관들은 대흉근의 경계부를 따라 주행하여 대흉림프절(pectoral lymph node)로 흘러가고 그 외 림프관들은 대흉근을 따라 주행하여 첨단림프절(apical lymph node)로 흘러간다(그림 5-1-7).

4. 신경분포

유방의 감각지배는 주로 전외측늑간신경(anterior lateral intercostal nerve), 내측늑간신경(medial intercostal nerve), 목신경얼기(cervical plexus)에 의해 이루어진다. 3~6번째 전외측늑간신경이 주된 유방의 감각신경이며 유방 외측의 감각을 담당한다. 이 중 4번째 늑간신경이 유두의 주된 감각을 담당한다. 목신경얼기의 분지는 유방 상내측의 감각을 지배하며 피하조직으로 얕게 주행하기 때문에 상부유방에서 피부피판을 거상하더라도 잘 손상되지 않는다. 2~6번째 내측늑간신경이 유방의 내측과 유두유륜복합체의 감각을 담당한다(그림 5-1-8).

5. 근육계

1) 대흉근

대흉근은 넓은 부채꼴모양의 근육으로서 쇄골의 내측과 흉골의 외측에서 기시하여 상완골에 부착한다. 소흉근이 흉벽과 대흉근사이에 위치해있다. 주요혈관은 흉견봉동맥(thoracoacromial artery)이며 보조적으로 내유방동맥으로부터 분지되는 늑간천공지로부터 혈액을 공급받는다. 전흉신경(anterior thoracic nerve)의 내측 및 외측 분지가 근육을 지배하며 굴곡(flexion), 내전(adduction), 내회전(medial rotation)의 운동한다.

대흉근은 미용수술과 재건수술 시 유방보형물을 덮어줄 수 있기 때문에 매우 중요한 구조물이다. 재건수술 시 피하유방절제술 후에 피부와 피하조직이 상당히 얇게 남아있게 되는데 이때 대흉근으로 보형물을 덮어주면 보형물의 노출 가능성을 줄여준다. 그리고 피부와 보형물 사이에 조직을 보충하여 보형물이 만져지는 것도 줄일 수 있다. 하지만 남성처럼 근육의 수축의 유방피부를 통해 관찰될 수 있는데 이런 경우 대흉근을 아래쪽과 내측 기시부를 분리하여 이런 현상을 줄여줄 수 있다. 대흉근을 아래쪽을 분리하면 보형물의 위치를 아래로 내릴 수 있어서 보다 좋은 미용적 결과를 얻을 수 있다.

2) 전방거근(Serratus anterior muscle)

전방거근은 넓게 퍼진 모양의 근육으로 흉벽의 전외측을 따라 주행한다. 1~8번째 늑골의 상부에서 기시하여 견갑골에 부착한다. 흉동맥과 흉배동맥(thoracodorsal artery)의 분지로부터 혈액을 공급받는다. 장흉신경(long thoracic nerve)의 지배를 받아 견갑골을 회전시키고 흉곽으로 끌어당겨주는 역할을 한다. 장흉신경 절단 시 견갑골이 흉골쪽으로 고정되지 못하고 위쪽 바깥쪽으로 들리게 되는 익상견갑(scapular winging) 현상이 발생하므로 액와림프절 절제술 시 주의하여야 한다.

3) 복직근(Rectus abdominis muscle)

길게 늘어진 모양의 근육으로 치골능선(pubic crest)과 치골간인대(interpubic ligament)에서 기시하여 검상돌기(xiphoid process)와 5~7번째 늑골연골에 부착한다. 복부를 눌러주고 척추를 굴곡시키는 역할을 한다. 7~12번째 늑간신경이 복직근부위의 피부감각과 근육운동을 지배한다. 상심복벽동맥(superior deep epigastric artery)과 하심복벽동맥(inferior deep epigastric artery)으로부터 혈액공급을 받는다.

4) 외복사근
(External oblique abdominis muscle)

복부와 흉벽의 전외측으로 주행하는 넓은 근육이다. 아래쪽 8개의 늑골에서 기시하여 장골능선(iliac crest)과 백선의 근막(aponeurosis of linea alba)에 부착된다. 복부를 눌러주고 척추를 굴곡 및 외측회전(lateral rotation) 시키며 늑골을 당겨준다. 7~12번째 늑골간 신경에 의해 지배된다. 아래쪽 8개의 후늑골동맥(posterior intercostal artery)으로부터 분절로 혈액공급(segmental blood supply)을 받는다(그림 5-1-9).

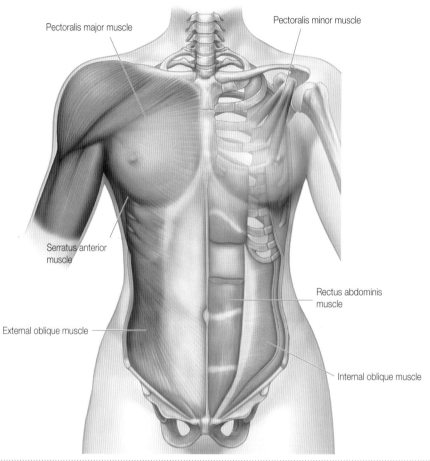

▷그림 5-1-9. 흉벽의 근육들

References

1. Neligan, P. Plastic surgery. 4th ed. London: Elsevier Saunders. p.1, 2013.
2. 설정현. 유방성형외과학, 서울: 군자출판사. P.3, 2005.
3. 이정훈, 양정덕, 정기호 외. 한국 여성의 유두유륜 복합체의 생체계측학적 통계. 대한성형외과학회지 2008;35:461-464.
4. Patrick M, Olivier AB. Shapes, Proportions, and Variations in Breast Aesthetic Ideals. Clinics in Plastic Surgery, 42(4), 451–464.

2

유방확대술
Breast Augmentation

강상규 순천향의대

1. 적응증

유방은 여성들에게 자신감과 만족감을 갖게 하는 여성의 상징기관이라 할 수 있다. 작은 유방은 여성에게 열등감과 같은 정신적 갈등을 일으키기도 하므로 자신감 회복과 긍정적인 신체 이미지 형성이라는 심리적인 측면에서 유방확대술이 도움이 될 수 있다. 유방 확대술의 적응증은 주로 유방 조직 볼륨이 부족할 경우, 또는 유선 조직의 저형성증이 있는 경우이다. 우리나라의 경우 22세 이상으로 나이제한을 두고 있다.

2. 수술 전 계획

가장 중요한 단계 중 하나로 환자의 유방확대술에 대한 기대와 목표에 대해 상담해야 한다. 의사는 환자가 수술에 대한 올바른 기대와 정보를 가질 수 있도록 도와주어야 한다.

1) 수술 전 환자의 평가

수술 전에 문진을 통해서 환자가 수술을 받으려는 동기와 기대심리를 파악하여 환자가 정신적으로 문제가 없는지를 알아보아야 한다. 환자의 병력 및 가족력을 청취하고, 환자가 원하는 유방의 크기와 모양을 확인하여야 하고, 수술의 일반적인 부작용 및 유방 비대칭, 유두 감각 이상, 피막 구축(capsular contracture)의 가능성 등 유방확대술에서 일어날 수 있는 여러 부작용에 대한 충분한 설명이 필요하다.

신체 검사에서는 먼저 골격과 근육을 평가한 후 폴란드신드롬이나 오목가슴 등과 같이 흉곽의 구조적 이상이 있는지 파악해야 한다. 유방 크기의 비대칭, 유두 및 유방 밑 주름선의 위치를 파악하고, 유방 및 겨드랑이 촉진을 통해 만져지는 덩어리나 의심스러운 림프절이 있는지 파악해야 한다.

촉진을 통해 유방의 실질 및 연부조직에 대한 유순도(compliance)를 측정한다. 또한 연부조직의 두께를 평가하기 위해서 pinch test를 시행할 수 있다. 유방의 upper pole을 무지와 시지로 잡아 측정하게 되는데 2 cm 이상이 될 때 유선하 포켓으로 보형물을 넣을 수 있다. 2 cm 미만 일 경우 대흉근 밑 포켓으로 수술을 시행하여야 한다. 피부가 충분한지 여부 또한 고려해야 한다. 나이든 환자나 급격한 체중 변화가 있는 경우 유방하수(ptosis)가 있는 경우 유방 고정술(masto-

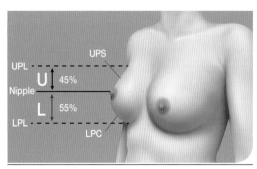

Key Parameter	Ideal
Upper pole-to-lower pole ratio	45:55% = the "45:55 breast"
Nipple angulation	20 degrees skyward
Upper pole slope	Straight/mildly concave
Lower pole convexity	Tight convex curve

▷ 그림 5-2-1. **이상적인 유방의 형태**

pexy)이 동시에 필요할 수도 있다. 환자의 나이가 35세 이상이거나, 유방암의 위험인자를 가진 환자는 수술 전에 유방암 검진을 해야 한다.

여성 유방의 이상적인 크기와 모양은 지역, 문화적 배경, 인종, 개인적 선호도에 따라 달라진다. 일반적으로 유방하수가 없는 적절한 부피의 대칭성을 가진 가슴이 이상적이다. 심미학적으로 이상적이고 아름다운 가슴은 Upper pole과 Lower pole의 비율이 45:55이며 유두는 20도 상방을 향하고, Upper pole의 경사는 직선/살짝 오목하며 Lower pole이 볼록해야 한다(그림 2-5-1).

유방확대술 환자 상담 시 다음과 같은 5가지 중요한 사항을 결정하여야 한다(High Five Tissue Analysis and Operative Planning).

① COVERAGE: 보형물 삽입 위치 또는 공간 (연부조직/포켓 위치)
② IMPLANT VOLUME: 보형물 부피(무게)
③ IMPLANT DIMENSIONS, TYPE, MANUFACTURER: 보형물 종류, 크기, 제조

회사 등
④ INFRAMAMMARY FOLD LOCATION: 이상적인 유방 밑 주름선 의 위치
⑤ INCISION LOCATION: 절개 위치

2) 측정

수술 전 앉은 상태에서 측정하며 마커로 표시한다. 기존 유방 밑 주름선(Inframammary fold, IMF)과 가슴의 중앙선을 표시해 놓는 것이 중요

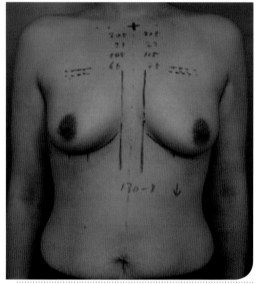

▷ 그림 5-2-2. **유방 확대술 수술 전 디자인**

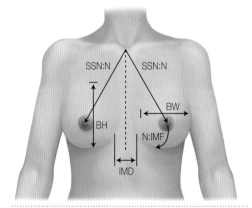

▷ 그림 5-2-3. **수술 전 유방 계측(유방확대술 전)**

하다(그림 5-2-2, 3).

① Breast width (BW): 가장 중요한 측정값이 며 보형물의 선택에 중요한 역할을 한다.

② Sternal notch to nipple (SSN to N): 흉곽 의 길이와 유방의 위치를 결정한다.

③ Breast height (BH): 유방 상부의 볼륨감과 대칭성을 측정하는 데 도움을 준다.

④ Nipple to inframammary fold (N:IMF): 유 방 하부의 피부량을 측정하는데 도움을 준 다. 이에 따라 유방 밑 주름선의 위치를 조 절할 수 있다.

⑤ Intermammry distance (IMD): 유방 간 간 격

최근에는 3D 촬영 시스템 또는 CT를 이용하 여 추가적으로 연부 조직 및 흉벽의 특징을 파 악하여 수술 계획에 도움을 주기도 한다. 수술 후 예측된 결과를 보여줌으로써 환자와 상담 시 만족도를 높일 수 있다(그림 5-2-4, 10).

3. 유방보형물(Breast implants)의 종류 및 선택

1) 충전물(Filling material)에 따른 분류

생리식염수 보형물(saline implants)은 다양한 범위의 profile, size를 가지고 있고 약간 과충전 되었을 때, 그리고 연부조직이 두꺼운 경우 좋은 결과를 얻을 수 있다. 작은 절개선으로 삽입이 가능한 장점이 있으며 흉근 밑 포켓(subpectoral plane)으로 삽입 시 좋은 결과를 얻을 수 있다. 하지만 보형물 내부가 식염수로 채워져 있어 유 방 자체의 촉감처럼 부드럽거나 자연스러운 느낌 을 만들 수 없고, 시간이 지나 rupture가 발생할 수 있는 단점이 있다. 마른 환자이거나 유선 밑 포켓(subglandular plane)으로 삽입될 경우 rip-pling이 생기거나 만져질 수 있다.

실리콘 젤 보형물(silicone gel implants)은 지 난 50년간 꾸준히 발전해 왔다. 2012년부터 나온 5세대 보형물은 기존과 같은 silicone elastomer

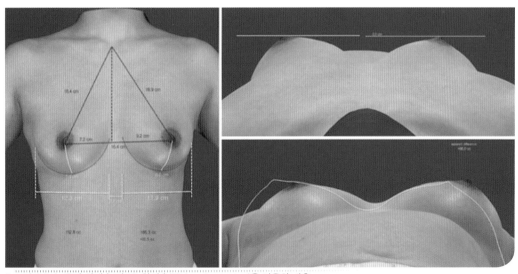

▷그림 5-2-4. 유방 확대술 전 3D 촬영술(3D imaging system)을 이용한 계측

와 low bleed shell을 유지하면서 다양한 cohe-siveness로 주변 연부조직의 힘이나 중력의 영향을 덜 받을 수 있어 다양한 위치에서 형태를 유지할 수 있게 되었다. 사이즈 별로 low, moderate, full height와 low, moderate, full & extra-projection을 조합한 12가지의 종류가 있다. 실리콘 젤 보형물의 발전을 이해하려면 보형물의 표면, 충진물, 외피 그리고 보형물의 모양 등 특징을 알아야 한다.

2) 크기(Implant size)

환자의 목표와 의사의 평가에 의해 결정된다. 중요한 인자는 원래 유방의 너비(dimension) 연부 조직의 순응도와 특성, 유방 확대술 후 원하는 유방의 크기이다. 유방의 기저 너비(base width)는 환자 흉부의 폭과 신체 전반적인 비율과 관련 있다. Breast Width 보다 약간 작은 size의 implant가 좋다. 브래지어 한 컵 사이즈 증가를 위해 보통 130~150 cc의 보형물이 필요하다.

3) 표면 질감(Implant surface texture)

Textured와 smooth implant의 선택은 round implant에서만 해당한다(그림 5-2-5). Textured implant는 주로 피막 구축(capsular contracture)을 예방하고 implant가 유방 포켓 내에서 안정화 될 수 있도록 선택하게 되는데, 대흉근 밑 포켓(subpectoral plane)에 삽입할 경우 두 종류 모두 비슷한 구형구축 확률이 있다. 유선 밑이나 근막 밑 포켓(subfascial plane)에 삽입할 경우 피막 구축을 최소화하기 위해 textured implant를 사용하고, smooth implant를 사용하게 될 경우 implant displacement exercise를 할 수 있도

록 pocket을 충분히 박리해야 한다. Implant sur-face texture는 제조 회사에 따라 달라지며 pore 크기에 따라 크게 polyurethane과 Biocell을 포함한 macrotextured, intermediate-textured, microtextured로 구분된다. Pore 크기는 조직 접착 능력과 implant 안정화에 큰 기여를 한다. Macrotextured (polyurethane, Biocell) implant인 경우 일반적으로 더 많은 bacterial count를 가지게 되며 T-cell response가 더 많이 일어난다. 또한 장액종이나 double capsule formation의 위험성이 있다. 최근의 polyurethane implant의 경우 피막 구축(capsular contracture)이 적게 일어나며 fixation이 잘 되어 재건술에 많이 사용한다. Microtextured인 경우 주변 조직과 자연스럽게 접촉하여 수술 직후 염증 반응이나 회복기의 만성 염증 반응이 적게 일어난다. 따라서 피막 구축(capsular contracture)이 적게 일어나고 유방의 자연스러운 움직임에 보형물이 잘 적응할 수 있도록 도와준다.

▷그림 5-2-5. **보형물의 표면질감에 따른 분류** Smooth(좌), Textured(우) implant

4) 모양(Implant shape)

Round implant의 경우 중심부에 가장 큰 pro-jection을 나타내고 나머지 기저부에 따라 균일한 volume을 가진다. 반면 Anatomic implant의 경우 upper pole이 약간 flat하고 주된 vol-ume과 projection은 lower pole에 분포해 있다.

Anatomic implant의 경우 유방조직이 거의 없어 유방의 형태가 뚜렷하지 않을 때, 유방 하부 수축 환자, 가성유방하수가 있는 경우 및 흉곽이나 유방의 비대칭이 있는 경우에 사용하면 좋다. 수술 시 절개선이 조금 더 길다는 점과 회전변형(malrotation)이 일어날 수 있으므로 주의해야 한다.

4. 수술법

1) 피부 절개(Incisions)(그림 5-2-7)

(1) 유방 밑 주름 절개법(Inframammary incision)

흉터 예방을 위해 기존 유방 밑 주름선 (Inframammary fold, IMF)보다 수술 후 새로 만들어지는 유방 밑 주름선에 절개를 가한다. 생리 식염수 보형물일 경우 3 cm 이하, 실리콘 젤 보형물일 경우 5~6 cm 가량의 절개를 가하여 수술을 시행한다(그림 5-2-7). 이 절개법은 피부에서 implant 삽입 공간까지의 거리가 짧아서 용

이한 접근이 가능하고, 신경 및 혈관, 대흉근 등의 해부학적 확인이 쉬워 직접보고 지혈하거나 혈관과 신경을 보존할 수 있으며, 근막하 또는 유선 밑 포켓 모두에서 넓은 시야를 확보할 수 있다. 또한 정확한 유방하 주름을 만들 수 있고 피막 구축(capsular contracture) 등으로 이차적 수술이 필요한 경우에 같은 절개선으로 수술을 시행할 수 있다는 장점이 있다. 절개선의 위치가 유선조직이 없는 부분에 위치하여 유방 실질에 손상을 주지 않으므로 피부 상재균에 의한 감염을 최소화할 수 있다. 하지만 새로운 유방 밑 주름 부위에 절개선을 넣어야 하므로 이 부분을 제대로 고정 해 주어야만 bottoming out이나 흉터가 위로 올라가는 문제를 방지할 수 있다. 최적의 접근 방법 및 흉터를 최소화하기 위해 IMF를 정하는 것이 매우 중요하다. High five 또는 TEPID system 상에서는 implant volume에 따라 IMF를 정하며(표 5-2-1) Randquist formula는 implant width 에 따라 IMF를 정할 수 있다 (표 5-2-2).

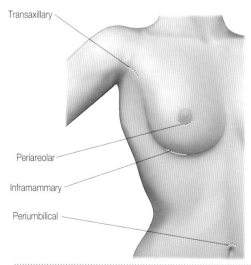

▷ 그림 5-2-6. 유방 확대술 절개법의 종류

▷ 표 5-2-1. High five 또는 TEPID system에서 새로운 IMF를 정하는 방법

Implant volume (cc)	200	250	275	300	325	350	375	400
New N:IMF (cm)	7.0	7.0	7.5	8	8	8.5	9.0	9.5

▷ 표 5-2-2. Randquist formula (피부가 tight할 경우 +0.5 cm, loose할 경우 -0.5 cm 시행한다)

Implant width (cm)	New N:IMF distance (cm)
11.0	7.5±0.5
11.5	8.0±0.5
12.0	8.5±0.5
12.5	9.0±0.5
13.0	9.5±0.5

V. 유방

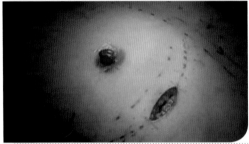

▷그림 5-2-7. **유방 밑 주름 절개법**

(2) 유륜주위 절개법(Periareolar incision)

유륜의 직경이 3.5 cm 이상 되는 여성에게 사용될 수 있는 방법으로 대개 3.5~4.0 cm 길이의 절개를 유륜 하연과 피부의 연접선을 따라 가하게 된다(그림 5-2-8). 반드시 유두 가리개(nipple shield)를 사용한다. 이 방법의 장점은 유방 하수 교정술을 동시에 시행할 수 있고 유방 밑 주름선(IMF) 및 lower pole 접근이 용이해 유방 실질을 scoring과 release를 통해 뾰족 가슴(con-

stricted breast)을 교정할 수 있다. 단점으로는 유두 감각 신경 손상이나 유륜부 함몰 변형이 생길 수 있고, 유방암 선별검사 시 문제를 일으킬 가능성이 있다. 유선 조직을 절단해야 할 경우 유관 손상에 의한 세균 감염으로 인해 부작용이 생기기도 하고 이로 인해 피막 구축이 생길 수 있으므로 주의해야 한다.

(3) 겨드랑이 절개법(Transaxillary incision)

액와부에 약 3~4 cm 정도의 횡절개를 가능한 한 피부 주름선에 일치시켜 가하되, 이 절개선이 전액와선이나 후액와선을 넘어가지 않도록 해야 한다(그림 5-2-9). 이 방법은 절개 흉터가 유방에서 멀리 떨어져 있고 흉터가 겨드랑이에 가려 잘 노출되지 않는 장점이 있으나, 절재선에서부터 유방까지의 거리가 멀어서 술기의 숙련이 필요한 방법이다. 이 방법은 blind로 할 경우 지혈이 어려워 혈종 발생의 위험이 있으며 늑간상완신경(intercostobrachial nerve)을 손상시킬 가능성이 있고 정확한 공간 박리가 어렵다. 최근에는 이러한 문제점을 극복하고 수술의 결과를 향상시키기 위하여 내시경을 이용하여 정확한 박리, 충분한 지혈 및 적절한 조작을 시행할 수 있고, 수술 시간을 단축시킬 수 있다. 단, 재수술

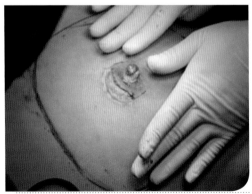

▷그림 5-2-8. **유륜 주위 절개법**

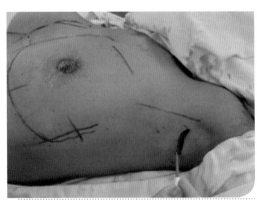

▷그림 5-2-9. **겨드랑이 절개법**

시 겨드랑이 절개선을 사용하는 경우 피막 제거와 보형물 교체 시 시야 때문에 기존 절개선으로 접근하기 어려운 경우가 있다.

(4) 배꼽 절개법(Transumbilical incision)

가장 큰 장점은 가슴 부위에 흉터가 없고 팔을 올렸을 때 겨드랑이에도 흉터가 보이지 않는다는 것이다. 또한 복부의 지방흡입과 동시에 시행할 수도 있다. 보형물 주위에 생길 수 있는 장액종, 혈종을 예방하기 위해 배액관을 꽂을 필요가 없다. 하지만 이 방법으로는 현재 가장 많이 사용되는 cohesive gel implant를 사용할 수 없는 단점이 있어 점차 사용 빈도가 줄고 있다.

2) 보형물의 인체 내 위치(Pocket position)
(그림 5-2-11)

과거에는 유방 확대술 시 유선 밑 포켓(sub-glandular plane)에 유방 보형물을 넣는 것이 보통이었으나 연부조직 두께가 충분하지 않으면 implant가 만져지고 뚜렷하게 윤곽선이 보일 수 있고 smooth type implant에서 피막 구축의 빈도가 높은 단점이 있다. 최근 들어 중등도 이상의 유방 하수가 동반된 환자의 경우나 유방 밑주름선이 아주 굵게 파인 환자를 제외하고는 유방 보형물에 대한 피막구축을 최소화하기 위하여 대흉근 및 주변 근육 근막으로 이루어진 대흉근 밑 포켓(subpectoral plane)에 유방보형물을 넣는 경우가 대부분이다. 흉근 밑 포켓(subpectoral plane)은 피막구축 발생빈도가 낮고, 유방 실질을 건드리지 않아 감염의 우려가 적고, 유방

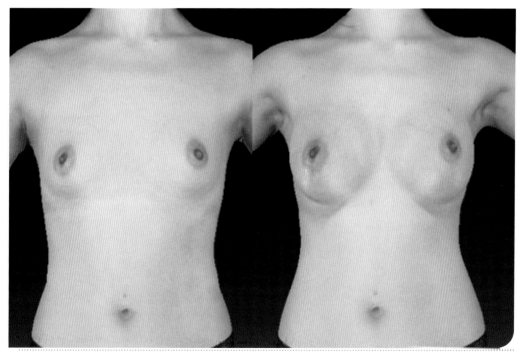

▷그림 5-2-10. **유방 확대술 수술 전후**

조직 자체에 반흔을 남기지 않을 뿐 아니라, 유방 X-선 사진의 독해가 용이하고, 수술 후 혈종의 발생빈도가 낮으며, 제3, 4 늑골신경의 촉지가 용이한 점 등을 들 수 있다. 대흉근 밑 포켓의 단점은 대흉근에 의해 animation deformity가 발생할 수 있고 유방 하수가 있는 경우 lower pole을 확장시킬 수 없으며, Constricted breast에서 lower pole로 유방 실질 scoring을 할 수 없다는 점이다. 이를 극복하기 위해 implant의 상부는 대흉근, 하부는 유선하에 위치하는 이중

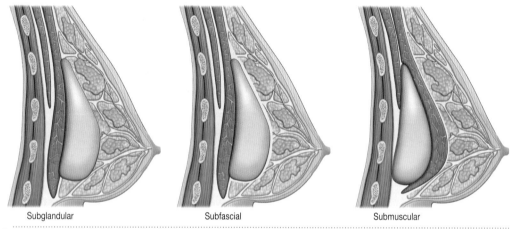

Subglandular   Subfascial   Submuscular

▷ 그림 5-2-11. **유방 확대술 시 포켓의 종류.** 유선 밑, 근막 밑, 흉근 밑 포켓

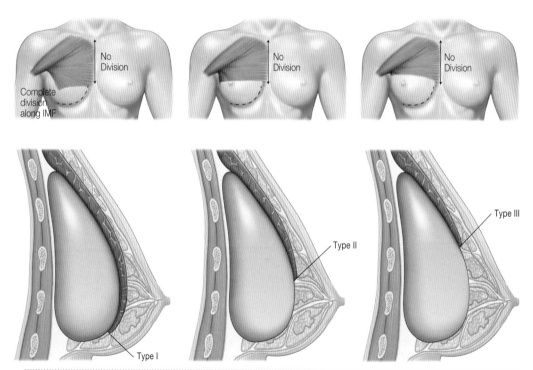

▷ 그림 5-2-12 **이중 평면(Dual plane)**

평면 포켓(Dual plane)으로 implant를 삽입하여 lower pole의 projection 및 자연스러움을 얻을 수 있다(그림 5-2-12). 근막밑 포켓(subfascial plane)의 경우 유선 밑 포켓에 비해 implant의 윤곽이 덜 뚜렷해서 수술한 티가 덜 나고 피막 구축의 빈도도 낮다. 더 자연스러운 유방 모양을 만들 수 있고 흉근 밑 포켓에 비해 근육의 움직임에 의한 보형물의 변화가 적고 통증이 덜하다.

5. 수술 후 관리 및 합병증

1) 초기 합병증

① 유두 감각 변화: 감각이 향상 또는 저하 될 수도 있는데 수술 시 당김 손상이나, 멍, 4번째 늑간 신경(4th intercostal nerve)의 가측 피부 가지의 손상으로 발생한다. 수술 방법에 의한 정도 차이는 크게 없다.

② 장액종(seroma): 대개 수술 후 첫 일주일 내에 흡수된다.

③ 혈종(hematoma): 수술 후 초기 또는 시간이 지나서 통증, 실혈(blood loss), 손상, 피막 구축(capsular contracture) 등에 영향을 미친다. 적어도 수술 1주일 전에 출혈을 일으킬 수 있는 약제나 herb 등을 중단해야 한다. 수술 직후 혈종이 발생할 경우 즉시 포켓 exploration하여 지혈해야 한다. 시기와 상관 없이 혈종이 발생하면 exploration 및 배액을 시행한다.

④ 감염(infection): 가벼운 연조직염부터 화농성의 보형물 주변 감염(periprosthetic infection)까지 다양하게 올 수 있다. 피부 상재균인 Staphylococcus epidermidis가 가장 흔한 원인 균주이다. 수술 시, 수술 후 예방적 항생제를 사용하여 감염 위험성을 줄여야 한다. bacitracin 50,000 unit, cefazolin 1g, gentamicin 80 mg 과 500 mL 생리 식염수를 섞은 항생제 용액에 implant pocket을 세척한다.

⑤ 몬도씨 병(Mondor's disease): 표재성 혈전 정맥염(superficial thrombophlebitis)로 1~2%에서 발생하고 유방 밑 주름 절개법에서 흔히 제일 많이 발생한다. 대개 수주 지나면 자연 소실된다.

2) 후기 합병증

(1) 피막 구축(Capsular contracture)

유방 확대술 후 가장 흔한 재수술의 원인 중 하나이다. 대개 수술 4~6주 후 보형물 주변의 흉 조직, 즉 피막이 뚜렷해지며 대부분 1년 내 안정화된다. 보형물을 넣기 위해 공간을 만들 때 정상적으로 일어나는 상처의 회복 과정에서 공간을 없애려는 경향이 있는데 이 과정에 문제가 생겨 더 심하게 나타날 경우 피막 구축이 발생한다(표 5-2-3).

오염(기구 및 수술환경), 상피세포, 출혈, 술기 문제, 감염, 이물질 등에 의한 과도한 염증성 반응이 있을 경우 피막 구축이 잘 발생한다. 수술

▷ 표 5-2-3. 피막 구축(Capsular contracture)의 분류: Baker classification

Grade I	수술하지 않은 유방 같은 촉감
Grade II	수술하지 않은 유방보다 조금 단단하여 보형물이 만져짐
Grade III	피막 구축에 의해 유방 촉감이 단단하지만 유방 모양의 변형은 심하지 않음
Grade IV	피막 구축이 심해서 유방 모양의 변형이 분명한 경우

시 정확한 해부학적 이해를 바탕으로 보형물이 위치할 공간을 깨끗하고 손상 없이 만드는 것이 중요하다. 유두가리개도 도움이 되며 보형물을 넣기 전 항생제로 공간을 세척하는 것도 도움이 된다. 또한 보형물을 넣기 전 수술 장갑을 교체하고 No-touch 기법을 사용해야 한다. 수술 전후에 항생제 투여 및 환자 교육을 통해 피막 구축을 줄일 수 있도록 노력해야 한다. 치료는 보형물 제거 또는 교체, 피막 절제술, 피막 절개술, 공간 교체, ADM (Acellular dermal matrix)를 사용할 수 있다. 감염 및 피막 구축, ALCL 등을 예방하기 위해 다음과 같은 14가지 규칙을 따라 유방확대술을 시행해야 한다(표 5-2-4).

▷ 표 5-2-4. Surgical 14 point plan for Breast implant placement

1. 마취 시 예방적 항생제 정맥 내 주사 사용한다.
2. 유륜/겨드랑이 절개법은 가능한 피할 것; 피막 구축 가능성이 높다.
3. 유두가리개를 사용하여 세균 감염을 방지한다.
4. 가능한 박리 시 손상이 없도록 주의하여 devascularized tissue를 최소화한다.
5. 예방적 지혈을 철저히 시행한다.
6. 가능한 유방 실질 내 박리를 피한다.
7. 이중 평면 포켓을 사용한다.
8. Betadine triple-antibiotic solution으로 포켓 내 세척을 시행한다.
9. 피부 오염을 최소화한다.
10. Implant 노출 시간을 최소화한다.
11. Implant 삽입 및 교체 시 수술 장갑을 새로 바꾸고 수술 기구를 닦는다.
12. 배액관 삽입을 피한다.
13. 층별 봉합을 시행한다.
14. 예방적 항생제를 사용한다.

(2) 위치 이상

원인으로는 피막구축, 이중주름, 보형물 누수 및 파열, 지연 장액종, 보형물의 회전 등이 있다. 최소 6개월이 지나서 재수술이 가능하고 되도록 원래 절개선을 사용하도록 하며 가능하면 새 공간에 새로운 보형물을 삽입하는 것이 좋다. 수술 방법으로는 포켓 전환, 보형물 교체, ADM (Acellular dermal matrix), 피막 절제술, 피막 절개술, 피막 단축술, 자가지방 이식술, 보형물 제거 및 하수 교정술 등이 있다.

(3) 지연 장액종 및 ALCL (Atypical large cell lymphoma)

수술 후 6개월 이상 경과한 다음 발생하는 장액종, 초음파 상 20 cc 이상의 액체가 있을 경우 의심할 수 있다. 1997년 BIA-ALCL (Breast implant associated-atypical large cell lymphoma) 첫 환자가 발견되었고 보형물 삽입한 환자의 3만 명 중 1명의 확률로 나타날 수 있다. 대부분 지연 장액종을 동반하고 ultrasound guided aspiration 및 cytology (CD30+, ALK-)검사를 의뢰해야 한다. 조기 발견 및 치료가 중요하고 비교적 덜 공격적인 희귀 임파선 암으로 실제 유방암 발생 빈도보다 드문 질환이다. 한국에서는 아직까지 보고된 바 없다.

References

1. Mallucci P, Branford OA. Design for Natural Breast Augmentation: The ICE Principle. Plast Reconstr Surg. 2016;137(6):1728-1737.

2. Tebbetts JB, Adams WP. Five critical decisions in breast augmentation using five measurements in 5 minutes: the high five decision support process. Plast Reconstr Surg. 2006;118(7 Suppl):35S-45S.

3. King NM, Lovric V, Parr WCH, Walsh WR, Moradi P. What Is the Standard Volume to Increase a Cup Size for Breast Augmentation Surgery? A Novel Three-Dimensional Computed Tomographic Approach. Plast Reconstr Surg. 2017;139(5):1084-1089.

4. Adams WP, Jr., Culbertson EJ, Deva AK, et al. Macrotextured Breast Implants with Defined Steps to Minimize Bacterial Contamination around the Device: Experience in 42,000 Implants. Plast Reconstr Surg. 2017;140(3):427-431.

5. Sforza M, Zaccheddu R, Alleruzzo A, et al. Preliminary 3-Year Evaluation of Experience With SilkSurface and VelvetSurface Motiva Silicone Breast Implants: A Single-Center Experience With 5813 Consecutive Breast Augmentation Cases. Aesthet Surg J. 2017.

6. Atiyeh BS, Dibo SA, Nader M, Papazian NJ. Preoperative assessment tool for the planning of inframammary incision and implant profile in breast augmentation. Aesthetic Plast Surg. 2014;38(5):878-886.

7. Kolker AR, Collins MS. Tuberous breast deformity: classification and treatment strategy for improving consistency in aesthetic correction. Plast Reconstr Surg. 2015;135(1):73-86.

8. Tebbetts JB. Dual plane breast augmentation: optimizing implant-soft-tissue relationships in a wide range of breast types. Plast Reconstr Surg. 2001;107(5):1255-1272.

9. Spear SL, Baker JL, Jr. Classification of capsular contracture after prosthetic breast reconstruction. Plast Reconstr Surg. 1995;96(5):1119-1123; discussion 1124.

Ⅴ. 유방

3 유방고정술과 유방축소술
Mastopexy & Breast Reduction

손대구 계명의대

1. 유방고정술(Mastopexy)

1) 유방처짐의 원인

아름다운 유방도 나이가 들면서 처지게 되는데, 처진유방 또는 유방하수(ptotic breast)는 유방실질(breast parenchyma)이 빈약해지고 피부가 늘어나 있는 반면, 유방비대(hypermastia)는 피부의 과잉이 없이 유방실질이 많은 것에 차이가 있다. 하지만 처진유방을 교정하는 유방고정술과 비대한 유방을 줄이는 유방축소술은 경계가 모호할 때가 많고 겹치는 부분이 많기 때문

에 동시에 이해하고 있어야 수술 후 아름다운 유방을 되찾게 해 주는 데 도움이 된다.

유방처짐의 원인은 노화에 따른 유방실질의 퇴축, 임신과 출산, 비만환자에서의 체중감소, 유방확대수술 환자 등에서 유방이 팽창함으로 인해 피부가 늘어나 얇아지고 피부를 포함한 쿠퍼스인대(Cooper's ligament)와 같은 지지조직이 본연의 탄력성을 잃음으로써 생기게 된다.

2) 유방처짐의 분류

유방처짐의 분류는 유방밑주름(inframam-

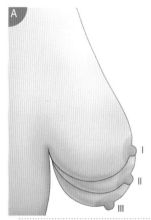
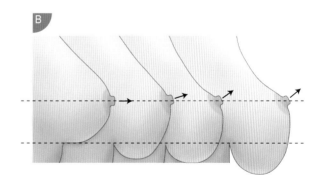

▷그림 5-3-1. **유방처짐**의 Regnault 분류. A. 참유방처짐(true ptosis); 유두가 유방밑주름 1 cm 이내인 경도 유방처짐(minimal ptosis), 유방밑주름 아래 1~3 cm 사이인 중등도 유방처짐(moderate ptosis), 유방밑주름 3 cm 아래에 있는 심한 유방처짐(severe ptosis), B. 거짓유방처짐(pseudoptosis).

mary fold, IMF)과 유방의 해부학적 관계에 따른다. 가장 많이 통용되는 것은 Regnault (1976)의 분류인데 유두와 유방밑주름 위치의 상관관계로 다음과 같이 분류하였다(그림 5-3-1).

- Grade I ptosis (mild ptosis)는 유두가 유방밑주름 1 cm 이내에 있고, 유방하부(lower pole)보다는 위에 있는 경한 유방처짐
- Grade II ptosis (moderate ptosis)는 유두가 유방밑주름 아래 1~3 cm 사이에 있고, 유방하부보다는 위에 있는 중등도의 유방처짐
- Grade III ptosis (severe ptosis)는 유두가 유방밑주름 3 cm 아래에 있는 심한 유방처짐으로 분류하였다.

네 번째 카테고리로 거짓유방처짐(pseudoptosis)이 있는데 이는 유두는 유방밑주름 상방에 있는데 대부분의 유방조직이 유방밑주름 아래에 있는 경우인데, glandular ptosis라고도 한다.

3) 진단과 환자선택

(1) 환자의 평가

대부분의 환자는 처지고 퇴축된 유방을 단순히 끌어올리기(lifting) 위해서가 아니라 다시 아름답게 만들기 위해서 성형외과를 방문한다. 그러므로 유방의 모양과 흉곽에서의 위치, 유방에서 유두의 위치, 유두와 유방하주름과의 관계 등을 면밀히 관찰해야겠지만 무엇보다 환자의 기대가 무엇인지를 파악하는 것이 가장 중요하다.

유방의 크기와는 상관없이 처진 유두를 정상위치로 옮기고 늘어난 피부를 줄여 주기를 원하는 경우도 있겠지만 유방을 확대하면서 교정해주기를 원하는 경우도 있다. 후자의 경우는 비교적 큰 보형물을 넣어야 교정이 되기 때문에 오히

려 부자연스럽게 보일 수 있다.

어떤 수술방법을 선택할지에 앞서 피부의 늘어난 정도, 유방실질과 늘어난 피부의 상관관계, 유방실질이 주로 어느쪽으로 처져 있는지, 유두의 위치를 얼마나 올려야 정상위치에 도달하는지 관찰한다. 일반적인 수술경력과 신체검진을 하고 계측을 실시한다. 가장 기본적인 계측은 흉골절흔에서 유두간의 거리(suprasternal notch to nipple, SSN-N), 유두에서 유방밑주름간의 거리(nipple to IMF, N-IMF), 유방의 폭(breast width, BW), 그리고 유방처짐의 정도를 파악하고 유방수술환자 표준사진을 촬영한다. 최근 1년 내 정상적인 유방촬영상(mammogram)이 없으면 수술 전에 반드시 다시 촬영한다.

유방관련 문진에 꼭 포함해야 할 사항은 ① 임신과 출산 경력, ② 모유수유, ③ 유방암 관련; 검진 경력, 유방촬영상, 유방수술, 방사선치료 유무, 가족력, ④ 유방확대수술 관련; 보형물 종류와 크기, 절개부위, 흉터 등이다.

(2) 수술방법의 선택

유방처짐환자는 다음 3가지의 카테고리에 속한다.

첫째는 유방고정술만으로 충분한 경우(mastopexy); 비교적 정상 크기의 유방실질을 가지고 있고 피부의 늘어진 정도가 심하지 않을 때이다.

둘째는 유방고정술과 유방확대수술을 같이 해야 하는 경우(mastopexy & augmentation); 유방실질이 적고 경한 유방처짐환자에서 가장 좋은 결과를 얻는다.

셋째는 유방축소술이 필요한 경우(reduction mastopexy); 과잉의 유방실질과 심한 유방처짐이 있을 때이다.

수술은 절개방법과 최종적으로 남는 흉터

로 구분하면 ① 유륜둘레(periareolar), ② 수직 (vertical), ③ J 혹은 L, ④ 역T (inverted-T)로 나눌 수 있다.

4) 수술방법

(1) 유륜둘레법(Periareolar technique)

이 기법은 경도 혹은 중등도의 유방처짐환자에서 유방실질이 충분한 경우에 가장 적합하다. 유륜둘레의 디자인은 초승달모양에서 완전한 도넛모양으로까지 다양하게 할 수 있다. 새로운 유두는 SSN-N을 20~21 cm, 유륜의 크기는 지름이 4 cm 정도로 한다.

① 초승달형 유방고정술(Crescent mastopexy) (그림 5-3-2)

유륜상연에 초승달모양으로 디자인하고 상피를 벗긴 후에 위쪽 절개와 아래쪽 절개의 길이가 다른 점을 고려해서 상대적인 대칭점에 봉합을 시행한다. 상피만 제거할 수도 있고 필요에 따라 피하지방이나 유방실질까지 절개를 가하여 적절히 조직을 절제한다. 이 방법으로 유두를 상방으로 1~2 cm

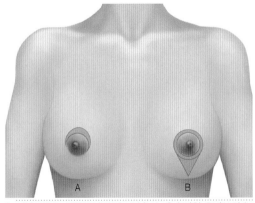

▷그림 5-3-2. **유륜둘레 유방고정술**. A. 초승달형 유방고정술, B. 도넛유방고정술

정도 올릴 수 있는데, 더 이상 올리기 위해 초승달 모양 디자인의 높이가 너무 커지면 수술 후 유륜의 모양이 변형되므로 이런 경우에는 유륜둘레 전체 절개로 전환하는 것이 좋다.

② 도넛 유방고정술('Doughnut' mastopexy)(그림 5-3-2)

유륜둘레 전체를 도넛모양으로 디자인하고 상피를 벗긴 후에 안쪽 동심원과 바깥쪽 동심원의 크기가 다른 점을 고려해서 상대적인 대칭점에 봉합을 시행한다. 또는, 바깥쪽 동심원에 쌈지봉합(purse-string suture)을 시행하여 크기를 줄인 다음에 봉합한다. 유륜아래 피부의 여유가 많을 경우 V자 모양의 디자인을 추가하여 쐐기모양으로 피부를 추가로 절제하여 유방하부를 조여주면 조금 더 봉긋한 모양을 얻을 수 있다. 어떤 모양으로 디자인하든지 유륜주위의 상피만 벗기고 유방실질에 대한 조작 없이 수술한 경우 유두유륜 복합체가 평평해지는 단점이 있다.

③ Benelli 유륜둘레 유방고정술(Periareolar Benelli mastopexy, round block technique) (그림 5-3-3)

이 방법은 확장된 도넛유방고정술로 피부와 유방실질을 분리하여 조작하고 유방축소수술을 겸하는 수술방법이다. 유륜둘레 절개를 통하여 피부피판을 일으켜 피부와 유방실질을 분리하고 유선조직에 역 T자 절개를 가하여 상, 내, 외측 유선조직피판(glandular flap)을 작성한 후 유선조직을 절제하여 유방의 폭을 줄이고 내외측 유선조

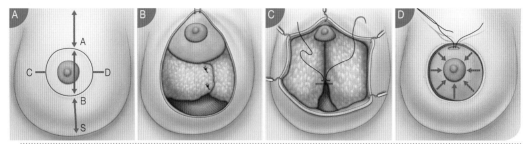

▷그림 5-3-3. **Benelli 유륜둘레 유방고정술.** A. A점-새로운 유륜의 최상점, IMF 수준에서 2 cm 상방; B점-새로운 유륜의 최하점, IMF에서 5~12 cm 상방; C점-새로운 유륜의 최내측, 중심선에서 8~12 cm 외측; D점-새로운 유륜의 최외측; A-B는 약 14 cm, C-D는 약 12 cm B. 외측피판을 내측피판 위에 포개어 고정 C. 유방실질을 절제하지 않는 경우의 invagination plication D. Round block suture

직피판을 중간으로 모아 유방하부를 조여주어 유방을 원추형으로 만드는 수술이다. 중등도의 유방처짐이 있고 조금 큰 유방에서도 가능하지만 유방축소의 양이 많지 않고 피부가 너무 늘어나 있지 않은 환자에서 시행한다. 이 수술의 장점은 유선조직을 적절히 절제하고 유방실질의 모양을 재조정함으로써 모양을 좋게 하고 흉터가 적다는 점이며 단점은 유방모양이 평평해질 수 있고 유륜주위에 긴장이 심하여 불규칙한 흉터를 만들 수 있어 많은 경험이 필요한 수술방법이다.

i) 수술디자인

유방의 중심선(breast meridian)을 긋고 A, B, C, D점을 표시하고 네 지점을 이어 동심원을 그린다. Pinching test로 긴장 없이 모아지는지를 가늠하여 확인한다.

ii) 수술방법

내, 외측 동심원 사이의 상피를 벗기고 2시에서 10시까지 진피에 절개를 가한 후 피하지방층을 따라 내외측 하방으로 박리한다. 유륜 하방 3 cm 지점에 반원형의 절개를 가하고 박리하여 전대흉근막 공간(prepectoral space)에 도달한다.

이렇게 하면 위쪽은 유두유륜복합체가 포함된 상부기저 진피유선조직피판(superior based dermoglandular flap)이 되고, 아래쪽의 유선을 중간에서 수직으로 절개하면 내, 외측 유선조직피판이 된다.

각각의 피판에서 필요한 만큼 적절히 유선조직과 지방조직을 제거하고 위쪽피판의 밑면을 상방으로 당겨 대흉근막에 고정한다. 내측피판을 외상방으로 당겨 위쪽피판 하방의 대흉근막에 고정하고, 외측피판을 내상방으로 회전하여 내측피판 위에 포개어 고정한다. 이렇게 함으로써 외측으로 많이 처진 유방이 내측으로 모아지고 유방하부가 조여지게 되어 원추형 유방이 된다. 바깥쪽 동심원을 쌈지봉합으로 크기를 줄이고 안쪽 유두유륜복합체와 봉합한다.

(2) 수직반흔법(Vertical scar technique)(그림 5-3-4)

유방축소술과 유방고정술이 동시에 필요한 경우에 시행한다. 수직반흔법은 대부분 다음의 순서로 진행된다. 첫째, 유두 높이를 IMF를 기준으로 결정하고 새로운 유두-유륜복합체가 옮겨올 공간을 확보하기 위해 반원 혹은 돔(dome) 형태의 경계를 디자인 한다. 둘째, 유방의 중심선을 기준으로 유방을 좌, 우로 밀어 수직선을

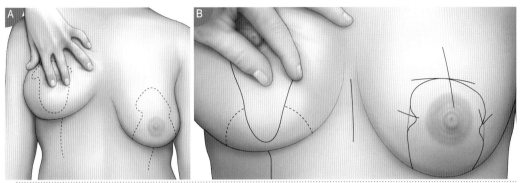

▷그림 5-3-4. **수직반흔법**(vertical scar technique). A. Lejour 수직반흔법 B. Grotting 수직반흔 유방고정술

표시한다. 두 수직선 사이에 있는 피부와 유선 조직이 절제해낼 조직이 된다. 셋째, 두 수직선을 위쪽으로는 돔과 연결하고 아래쪽으로는 직선 사이를 곡선으로 연결한다. 두 직선을 연결한 곡선의 최하부가 IMF에서 2~3 cm 이상 되어야 하며 유방이 큰 경우에는 더 길어야 한다. IMF에 너무 가깝게 도안하면 술 후 수직반흔이 IMF를 지나 전흉부에 노출된다. 넷째, 유두유륜복합체를 지름이 4 cm로 도안하고 1 cm 정도의 cuff를 확보한 후 피판을 작성하는데, 피판경(pedicle)을 상, 하, 내, 외측 어디에서든지 가능하지만 주로 상방, 상내측, 또는 내측피판경으로 한다. 피판 기저(flap base)의 폭은 5~6 cm 이상으로 하고, 경한 유방처짐에는 상방피판경 쪽으로 하고, 유방처짐이 심해질수록 내측피판경으로 하면 유두로 오는 혈류에 문제가 없다.

① Lejour 수직반흔법(Lejour vertical scar technique)

새로운 유륜 경계는 돔형태의 디자인, 상방피판경으로 피판의 두께는 2~3 cm, 지방흡입을 동시에 시행하고, 유방하부(lower pole) 피부박리를 통한 유선조직 조작, 피판경의 흉벽고정 그리고 내, 외측 유방실질을

중간으로 모아서 봉합하는 특징을 가진다. 수술직후 유방모양은 유방하부가 평평하고 상부로 팽창되어 보이는데 자연스러운 모습이 될 때까지 시간이 많이 걸린다.

② Grotting 수직반흔 유방고정술(Grotting vertical pillar mastopexy)

새로운 유륜 경계는 반원형태의 디자인으로 길이는 12~14 cm, 상방피판경 혹은 상내방피판경으로 피판의 두께는 2 cm 이상, 두 수직선을 모은 지점은 IMF 2~3 cm 상방, 상방피판경의 하부를 절제 혹은 탈상피화 후 retro-areolar space로 말아 넣어서 상방확대 효과를 얻음, 피판경의 흉벽고정, 전액와선에 있는 외측 유방실질을 유방의 중심선 쪽으로 모음(lateral shaping suture), 내, 외측 유방실질을 중간으로 모아서 봉합, 그리고 술 후 드레싱은 Tegaderm을 2주간 유지하는 특징을 가진다.

(3) 유방확대 유방고정술(Augmentation mastopexy)

유방실질이 적고 경한 유방처짐환자에서 가장 효과가 좋다. 유방처짐의 근본원인인 유방실질이 퇴축을 보형물로 보충하고 과잉의 피부를 전

V. 유방

제한 후 유두를 정상 위치로 옮기는 유방고정술을 시행하면 가장 이상적이라 할 수 있다. 그러나 추가된 보형물로 인해 봉합부에 긴장이 가거나 유두유륜복합체에 가는 혈액순환에 문제가 생길 수 있으므로 유의하여야 한다.

유방고정술 절개를 통하여 유선하부 혹은 근육하부에 보형물이 들어갈 공간을 확보하고 적절한 보형물을 삽입한다. 보형물의 크기는 유방확대수술을 할 때보다는 작은 것을 선택하여 조작을 가한 피부와 유선조직의 혈액순환에 방해를 주지 않도록 한다.

장점은 보형물이 들어감으로써 유방의 상부와 상내측의 피부가 충만감을 회복하는 것이다.

5) 수술 후 처치

수술 정도에 따라 배액관을 삽입하고 유방을 상내측으로 모아서 테이핑하고 일반적인 드레싱을 한다. 수술용 보정브레지어는 수술 직후 또는 2~3일 후 배액관을 제거한 후 착용하고 약 2~3개월간 유지한다. 수술 첫 주에는 일상생활 정도로 활동범위를 제한하고 제한하고, 2~3주로 갈수록 조금씩 활동범위를 넓힌다. 심한 운동은 2~3개월 후로 미루는 것이 좋다.

6) 유방고정술의 합병증

(1) 초기 합병증
수술과 연관된 일반적인 혈종, 감염, 봉합부위의 벌어짐 등이 생길 수 있으나 흔하지 않다. 유방고정 수술 술기와 직접 연관된 합병증으로 중요한 것은 유두괴사, 유두 감각저하, 유두 위치 이상 그리고 모양에 대한 불만족 등이다.

2) 유두괴사
유두를 잃는 것은 가장 문제가 되는 합병증인데, 약 0~5%에서 발생하는 것으로 보고되고 있다. 고위험 환자는 흡연, 당뇨, 비만, 그리고 심한 유방처짐이 있을 때이다. 유두유륜복합체를 포함한 진피유선피판을 너무 길지 않게 하고, 새로운 위치로 옮겨 넣었을 때 피판이 너무 접히지 않게 해야 한다. 피판의 정맥울혈(venous congestion)이 관찰되면 즉시 가장 긴장을 주는 봉합사를 제거하고 의료용 거머리, 고압산소요법, 습윤드레싱 등을 이용하여 적극적으로 대처한다.

(3) 유두위치이상과 감각저하는 제외 ☞ 유방축소술 참조

2. 유방축소술 (Breast reduction)

1) 유방비대의 증상과 원인

유방이 지나치게 크면 머리, 목, 어깨, 등, 허리의 통증 그리고 어깨에 브레지어 끈에 의한 홈, 유방밑주름 근처의 간찰진(intertrigo) 등의 신체적인 고통뿐만 아니라 신체에 잘 맞는 옷을 찾기도 어렵고 운동 등의 신체활동에도 제약이 있기 때문에 상당한 심리적 문제까지 겪게 된다. 유방축소수술의 목적은 이러한 증상들을 호전시켜 여성의 삶의 질을 향상시키는 것이다. 미적인 면에서의 목표는 축소한 후 자연스럽고 아름다운 모양을 만드는 것인데, 유두를 적절한 위치로 올리고 유방 상부와 내측이 풍만하게 하고 흉터를 최소화하는 것이다.

유방은 내분비계통의 말단기관이므로 에스트로겐의 영향으로 유방비대가 생길 수 있다. 그러나 유방비대를 보이는 대부분의 여성은 정상수준의 에스트로겐 수치를 보인다. 처녀유방비대(virginal hypermastia)는 11~14세 때 발병하며, 조직학적으로는 여성형유방증과 차이가 없다.

2) 진단과 환자선택

유방축소술의 적응증은 위에 나열한 육체적, 정신적 증상이 있을 때 그리고 처녀유방비대가 있을 때이다.

수술 전 상담에서 중요한 것은 임신과 출산, 모유수유와 같은 문진 외에 유방암의 가족력을 반드시 물어야 하며, 선별검사(screening test)는 모든 환자에서 유방촬영상(mammogram)이나 MRI를 시행하고 유방암의 가족력이 있을 경우에는 BRCA 유전자검사를 시행한다. 현재까지는 유방촬영상이 유방암을 진단하여 사망률을 감소시키는 유일한 선별검사로 입증되어 있다.

수술 전 시행해야할 국소유방검사는 다음과 같다.

① 유방의 덩어리, 유두 분비물, 림프절 덩어리(액와부, 쇄골위와 아래) 촉지
② 유방의 모양과 대칭성을 파악하고 환자에게 인식시키는 것이 매우 중요하다. 왜냐하면 환자들은 상당한 비대칭이 있어도 본인은 대칭인 것으로 알고 있는 경우가 대부분이며, 비대칭을 감안하여 수술하더라도 수술 후에 어느 정도의 비대칭은 여전히 남기 때문이다.
③ 유두의 위치와 대칭성, 유륜의 크기, 유두함몰 유무와 정도, 유두의 감각이상; 유방이 크고 심하게 처져있는 경우 감

각신경이 늘어나 감각이 떨어져 있을 수 있고, 이때는 수술 후에 감각이 오히려 예민해 지기도 한다.
④ 유방피부의 늘어난 정도, 흉터, 튼 살(skin striae)의 유무와 방향 등을 세심히 관찰
⑤ 유방계측은 ☞ 유방고정술 참조

3) 수술방법

(1) 유방축소수술의 발전과 흐름

유방축소수술은 오래 전부터 시행되어 왔지만 현대에 와서 주목받아온 수술을 위주로 정리하면 다음과 같다(그림 5-3-5).

① 1956년 Wise

1980년대까지의 표준적인 유방축소술로, 가장 믿을 만하고 재현성이 좋기 때문에 지금까지도 가장 흔한 유방축소수술 방법의 하나로 이용된다. Wise pattern skin resection, multiple pedicle option, keyhole pattern사용이 특징적이다.

② 1969년 Claude Lassus

수직반흔 유방축소, superior 혹은 lateral pedicle, central en bloc excision, 유방의 모양은 내, 외측 pillar의 피부 봉합만으로 만들어진다.

③ 1994년 Lejour

수직반흔 유방축소, 새로운 유륜경계는 Mosque 돔 형태, superior pedicle로 두께는 2~3 cm, central excision(상방, 내측, 외측으로 추가 절제 가능), 술 전 지방흡입,

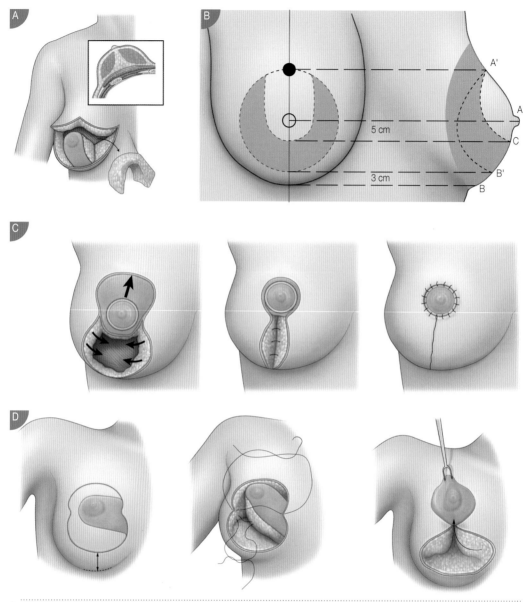

▷그림 5-3-5. **유방축소술의 발전**. A. Wise B. Lassus C. Lejour D. Hall-Findlay

상방경피판의 흉벽고정, 유방의 모양은 내, 외측 pillar의 유방실질을 서로 봉합하여 만들어진다.

④ **1999 Hall-Findlay**

Lejour방법과 거의 같으나 medial pedicle, central excision(상방, 하방, 외측으로 추가 절제 가능), 지방흡입을 하지 않고, 피판경을 흉벽에 고정하지 않고, 피하박리를 하지 않는 점이 다르다. 북아메리카에서 2000년 대 이후 가장 많이 시행되는 유방축소 수술 로 알려져 있다.

(2) 하방피판 유방축소술
(Inferior pedicle breast reduction)

Wise pattern, Inferior pyramidal dermal flap, Inverted-T scar technique은 같은 방법의 수술 로 이해해도 무리가 없다.

유방실질에 비해서 늘어난 피부가 많거나, 매 우 크고, 많이 처진 유방에서 좋은 방법이다. 이 방법의 가장 큰 단점은 역-T자 흉터와 유방하부 의 bottoming out 이다. 내측으로 흉터가 길어질 경우 가슴중앙에서 흉터가 보일 수 있다는 것과 시간이 지날수록 유방상부(upper pole)가 편평 해지고 유방하부가 불룩해져서 처진 유방이 되 기 쉽다. 이를 극복하기 위해서는 내측절개선을 최소로 하고 유방의 중앙과 상부에 조직을 많이 남겨 충만감을 주고 하부에는 하방피판의 혈행 에 방해를 주지 않는 범위에서 조직을 많이 절제 하는 것이다.

① 수술디자인(그림 5-3-6)
모든 디자인은 환자가 일어 선 상태에서 한

다. 쇄골중간점에서 유방의 중심을 지나는 유방중심선(breast meridian)을 긋는다. 유 두가 이 선상에 있지 않는 경우도 있기 때 문에 유두를 기준점의 하나로 인식해서는 곤란하다. 흉골절흔(SN)을 표시하고 정중 선(midline)을 긋는다.

유방하주름(IMF)을 표시하고 양측 유방하 주름의 최하점을 연결하는 가상선과 정중 선이 만나는 점을 표시한다. 이와 같은 수 준의 점을 유방중심선에 표시하면 이 점 이 A가 되며, 새로운 유두의 위치가 된다. SN-A의 거리는 보통 18~21 cm 정도인데, 이때 고려하여야 할 것은 A점이 유두인지 아니면 유륜의 최상점으로 할 것인지, 환자 의 키와 체격, 유방의 크기와 유방을 얼마 나 줄일 것인지이다. 수술 후 유두가 너무 위로 치우쳐 위치하면 보기가 싫고 교정하 기가 매우 어렵다는 것을 염두에 두고 디자 인한다.

A점을 꼭지점으로 하여 길이가 7 cm(유방 이 클 경우는 8~9 cm)인 정삼각형의 변 AB와 AC를 긋는다. 유방의 폭을 줄여야 할 필요가 있을 때는 삼각형의 밑변 BC를

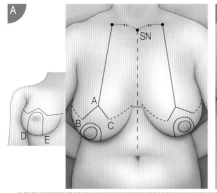
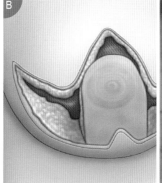
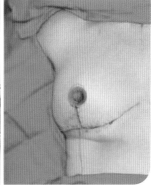

▷ 그림 5-3-6. 하방피판 유방축소술(Inferior pedicle breast reduction). A. 수술디자인 B. 수술방법

약간 길게 하면 된다. 횡절개선은 B, C점에서 내측, 외측으로 부드러운 곡선 형태로 그어 IMF와 만나게 한다.

유두유륜복합체의 지름을 40~45 mm 정도로 도안하고 1~2 cm 정도의 cuff를 확보한 후 IMF쪽으로 수직으로 선을 그어 하방경피판을 작성한다. 이렇게 하면 피판경의 폭 D-E는 약 6~8 cm 정도가 된다.

② **수술방법**

유륜둘레와 하방경피판의 경계에 절개를 가하고 유륜을 제외한 부위의 피부를 제거한다(de-epithelialization, 탈상피화). 모든 절개선에 절개를 가하고 먼저 피판경의 내측부위의 피부를 포함한 유방조직을 절제하고 이어서 외측부위도 같은 요령으로 절제한다. 유방축소술 후 상부와 내측이 풍만한 가슴을 만들어야 하므로 이를 생각하면서 절제를 시행한다. 유방이 클수록 외측에서 절제해야 할 조직이 많다. 반대측에서도 같이 시행하고 양측 하방경피판의 볼륨이 균등하게 남았는지를 평가한다. 양측 유방의 크기가 다르기 때문에 절제한 량을 비교하는 것보다 남은 유방의 량이, 대칭성뿐만 아니라 아름다운 유방을 만드는 데 오히려 더 중요하다. 내, 외측 절제부위와 하방경피판 위쪽의 상부피판을 두껍게 일으키고 피판 아래의 유방조직을 적절히 제거한다.

철저하게 지혈하고 생리식염수로 세척한 다음 봉합을 시작한다. 먼저 내, 외측 피판을 중간으로 모아 정점봉합(apical suture)하고, 수직, 수평절개 부위를 서로 모아 stapler로 임시 봉합한다. 환자를 앉은 자세로 바꾸고 양측의 대칭성과 모양을 확인한다.

유두의 위치는 유륜의 최하부가 IMF로부터 4~5 cm 정도에 위치하도록 cookie cutter를 놓고 디자인한다. 디자인한 대로 피부를 절제하면 유두유륜복합체가 노출된다. 최종적인 유두의 위치는 약간 낮고 외측으로 치우친 것이 높거나 내측에 있는 것보다 미용적으로 낫다. 임시봉합을 풀고 필요에 따라 배액관을 넣고 최종 봉합하여 마무리한다.

③ **수술합병증**

수직과 수평봉합이 만나는 정점봉합부위가 벌어지거나 국소적으로 괴사되는 경우가 있다. 이를 예방하는 방법은 피부피판을 너무 얇게 하지 말 것과 유방조직에서 깊은 봉합을 시행하여 피부아래에서 장력을 흡수하도록(tension absorption suture) 함으로써 봉합부위에 걸리는 장력을 최소화하는 것이다.

이 수술법의 가장 큰 단점인 흉터를 최소화하기 위해서 특히 내측 절개선을 최소화하고, 박스모양의 가슴을 만들지 않도록 주의하며, 상내측에 볼륨감을 주기 위해서 피판경 바로 아래의 조직을 적절히 남겨야 한다.

(3) 수직반흔 유방축소술

(Vertical reduction mammaplasty)

① **피판경의 위치를 상방 또는 내방에 둘 것인지를 정하는 기준**

van Deventer 등의 연구에 의하면 유두-유륜복합체는 이중혈액공급을 받는다. 내측과 하방은 안쪽가슴-앞쪽갈비사이동맥(internal thoracic-anterior intercostal artery)

에서 그리고 외측과 상방은 가쪽가슴동맥(lateral thoracic artery)에서 공급 받는다. 그러므로 이 연구에 기반 하면 가장 신뢰할 수 있는 공급원은 안쪽가슴동맥(internal thoracic artery)에서 오는 것이며, 내측에 피판경을 두는 것이 혈액공급이 가장 우수하다.

유방이 크고 처짐이 심할 경우 유두-유륜복합체를 위쪽으로 많이 이동해야 한다. 이 때 상방경피판으로 하면 피판의 길이가 너무 길어져 혈액공급에 문제가 생길 수 있기 때문에 내측으로 내려야 한다. 반대로 처짐이 별로 없는 경우는 상방경피판이 좋다. Lista 등은 이 기준을 새로운 유두-유륜복합체가 옮겨올 반원 혹은 돔의 내, 외측 시작부위를 이은 선상에 유두-유륜복합체가 걸리거나 위쪽에 있을 때는 상방경피판으로 하고, 아래에 있을 때는 내방경피판으로 하였는데 매우 적절한 기준으로 판단된다.

유두-유륜복합체가 새로운 위치로 옮겨갈 때 너무 멀어서 피판경이 당겨지거나 반대로 너무 가까워 피판이 과하게 접혀지지 않는 범위에서 상방에서 상내방, 내방사이에서 적절하게 피판경을 위치시킨다.

② **수술디자인**(그림 5-3-7)

환자가 일어 선 상태에서 유방중심선, SN, 정중선, 유방하주름을 표시하고 유방하주름 수준의 점을 유방중심선에 표시하여 새로운 유두의 위치 A를 정하는 단계까지는 하방피판 유방축소술과 동일하다.

A점을 정점으로 하여 새로운 유두-유륜복합체를 수용할 곳을 반원 혹은 돔(dome) 형태로 경계를 디자인한다. 만약 유륜의 지름을 4 cm로 정했다면, 반원 혹은 돔의 길이는 수학적으로 $4\pi = 12.56$ cm가 된다. 그러나 실제 유륜과 돔의 길이가 1:1이 될 필요는 없다. 돔의 길이가 제법 크더라도 쌈지봉합으로 줄일 수 있고 조직 자체의 신축성으로 길이의 차이를 극복할 수 있기 때문이다. 돔의 길이 보다 더 중요한 것은 돔이 내(C점), 외측(D점)으로 얼마나 벌어져 있는가이다. 많이 벌어질수록 내, 외측의 유방조직을 유방중심선으로 더 모을 수 있기 때문에 더 돌출된(projected) 유방이 만들어 진다.

IMF선 아래로 그은 유방중심선의 연장선을 기준으로 유방을 좌, 우로 밀어 수직선(vertical limb)을 내측과 외측에 표시한다. 두 수직선을 위쪽으로 C, D점과 연결하고, 아래쪽으로는 유방중심선상에 있는 최하점 B에서 만나도록 곡선으로 연결한다. 두 수직선 사이가 절제할 유방조직이 된다. 그러므로 유방을 좌, 우로 많이 밀어서 표시할수록 두 수직선 사이의 거리가 멀어지고 절제할 피부와 유방조직은 많아지게 된다. 피부를 너무 많이 절제하면 결국은 봉합 후

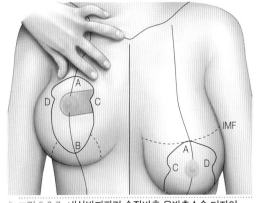

▷ 그림 5-3-7. **내상방피판경 수직반흔 유방축소술 디자인**

장력이 많이 걸리게 되어 봉합부위가 벌어지거나 흉터를 남길 수 있으므로 좋지 않다. 양측 수직선이 B점으로 폭이 좁아지는 지점부터 점선으로 표시한 부분은 유방실질과 피하지방을 추가로 절제해야할 부분이다.

B점은 IMF에서 2~4 cm 이상 되어야 하며 유방이 큰 경우에는 더 길어야 한다. 왜냐하면 IMF에 너무 가깝게 도안하면 술 후 수직반흔이 IMF를 지나 전흉부에 노출되기 때문이다.

유두유륜복합체의 지름을 4 cm 정도로 도안하고, 유륜둘레에 1~2 cm 정도의 cuff를 확보한 후 피판을 작성하면 피판 기저(flap base)의 폭은 6~8 cm가 된다. 피판경의 방향은 유방처짐의 정도에 따라 상방, 상내방, 내방 중에 선택하여 도안한다.

③ **수술방법**

i) **탈상피화와 유방절제**

리도카인과 에피네프린 혼합액을 절개선과 탈상피화(점 표시)할 부분에 주입하고, 유륜둘레와 피판의 경계에 절개를 가하고 유륜을 제외한 부위의 상피를 제거한다. 이때 피판기저와 유륜둘레의 절개는 진피의 얕은 층까지만 넣고 피판의 전체부위에서 깊은 진피층(deep dermis)을 잘 보존함으로써 혈행과 감각신경을 보존하도록 한다. 피판의 기저부를 제외한 모든 절개선에 절개를 가하고 Bovie를 이용하여 수직으로 대흉근막에 이르도록 절개하여 피부와 피하지방, 그리고 유방실질을 한 덩어리(en bloc)로 절제한다. 절제순서는 정해진 것은 없으나 유두유륜이 포함된 피판경 경계를 따라 절개하여 피판경을 안전하게 확보한 다음 상부, 내측(medial pillar), 외측(lateral pillar), 그리고 하부(새로운 IMF가 될 부분에서 기존의 IMF 까지, 점선표시 부분) 순서로 절제하면 안전하다. 상부와 내, 외측을 절제할 때 아래 그림의 a, b, c와 같이 비스듬하게 절개하여 절제량을 조절할 수 있다(그림 5-3-8).

대흉근막은 노출되지 않도록 근막위의 지방조직을 일부 남겨두는 것이 출혈을 막고 술 후 통증도 줄일 수 있다.

피판경 아래의 유방실질을 절제할 때는 피판의 두께를 최소한 2.5 cm 이상 남겨서 유두-유륜복합체로 가는 혈행을 보존해야 한다. 비만한 환자에서 유방의 외측 흉곽에 있는 지방을 지방흡입으로 제거하면 유방의 외측 윤곽이 좋아진다. 생리식염수로 충분히 세척하고 지혈한 후 배액관

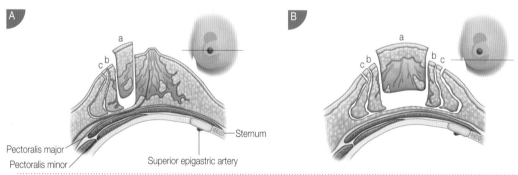

▷ 그림 5-3-8. **유방절제량의 조절**

을 삽입한다.

ii) 유방모양내기

유두-유륜복합체를 돔 안으로 이전하고 C, D점
을 모아서 봉합한다. 피판경을 적절하게 배분하
여 꼬이거나 심하게 접히지 않게 한 다음 유륜둘
레를 따라 몇 군데 임시 봉합을 한다. 내(medial
pillar), 외측(lateral pillar)에 남겨진 유방조직을
유방중심으로 모아서 2-0 혹은 3-0 정도의 굵은
흡수성봉합사로 유방실질끼리 봉합(parenchy-
mal pillar sutures) 한다. 이 봉합은 유방의 모양
을 내는 데도 매우 중요하지만 수직반흔에 걸리
는 장력을 내부에서 흡수하고 피부에서는 최소
화함으로써 흉터가 넓어지지 않게 하는 역할을
한다. 유륜둘레와 수직절개부에서도 마찬가지로
피하지방층을 충분히 근접하게 봉합하고 피부를
봉합한다.

새로운 IMF가 될 부분은 U형태의 피부가 한곳
으로 모아지는 곳이므로 피부가 울퉁불퉁하게
되지만 시간이 지나면서 좋아진다. 드레싱할 때
이 부분을 충분히 압박하여 준다.
잘 계획되고 실행된 유방축소술의 환자만족도는
매우 높은 편이다(그림 5-3-9).

4) 합병증

수술의 일반적인 합병증 외에 유방축소술에서
특징적으로 나타날 수 있는 합병증은 유두괴사,
유두함몰, 유두감각저하와 위치이상이다.

(1) 유두괴사
유방고정술 참조

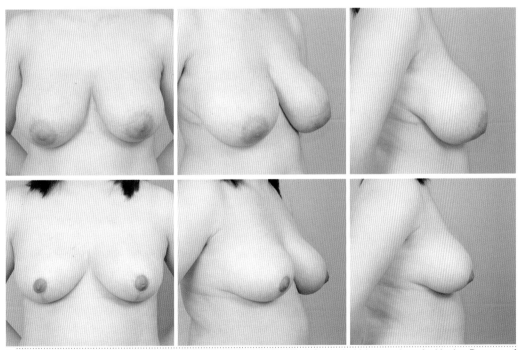

▷ 그림 5-3-9. **수직반흔 유방축소술 증례.** From Kim DJ, Kim SY, Son DG. Vertical Mammaplasty for Varying Degrees of
Reduction. Arch Aesthetic Plast Surg 2016;22:135-43

(2) 유두함몰

유두유륜복합체 하방에 조직이 충분히 없을 경우 생길 수 있다. 절제할 때 이를 염두에 두어야 하며 만약 조직이 부족할 경우에는 주위조직을 옮겨와서 채워주어야 한다.

(3) 유두감각저하

유두감각저하는 대부분 일시적이며 수개월 내에 정상으로 회복된다. 유방이 매우 크고 처짐이 심한 경우 일시적으로 감각과잉을 호소하는 경우도 있다.

(4) 유두위치이상(Nipple malposition)

새로운 유방의 크기가 적당하고 모양이 아무리 잘 만들어 졌더라도 유두의 위치가 너무 위쪽 혹은 아래쪽으로 치우쳐 있으면 아주 이상하게 보인다. 특히, 위로 치우친 경우는 교정하기가 매우 어렵기 때문에 수술 전에 신중하게 위치를 결정하여야 한다.

유두의 위치이상은 일단은 바로 교정하려고 하지 말고 몇 개월은 기다려야 한다. 조직이 부드러워지고 유방이 모양을 잡으면 교정을 시도한다. 낮게 위치할 때는 초승달형 유방고정술(crescent mastopexy) 때와 같은 방법으로 유륜상연에 초승달모양으로 절제하고 봉합한다(그림 5-3-2). 이러한 방법으로 2 cm 정도는 높일 수 있는데, 그 이상을 원할 때는 유륜둘레 유방고정술 방법을 차용하는 것이 바람직하다. 높게 위치할 때는 뾰족한 방법이 없는데, 흉터를 남기더라도 시도해야 할 상황이 된다면 V-Y전진피판이나 전위피판을 생각해 볼 수 있다.

References

1. American Cancer Society. www.cancer.org/healthy/findcancerearly/cancerscreeningguidelines/american-cancer-society-guidelines-for-the-early-detection-of-cancer
2. Benelli L. A new periareolar mammaplasty: the "round block" technique. Aesthetic Plast Surg. 1990;14:93-100.
3. Fisher J. Inferior pedicle breast reduction. In: Neligan P. Plastic Surgery. 3rd ed. Elsevier Saunders. p. 165-176, 2013.
4. Hall-Findlay EJ. A simplified vertical reduction mammaplasty: shortening the learning curve. Plast Reconstr Surg. 1999;104:748-63.
5. Higdon KK, Grotting JC: Mastopexy. In: Neligan P. Plastic Surgery. 3rd ed. Elsevier Saunders. p. 136-148, 2013.
6. Janis J. Essentials of plastic surgery. Quality Medical St. Louis p. 397-406, 2007.
7. Kim DJ, Kim SY, Son DG. Vertical Mammaplasty for Varying Degrees of Reduction. Arch Aesthetic Plast Surg 2016;22:135-43.
8. Lassus C. A technique for breast reduction. Int Surg. 1970;53:69-72.8.
9. Lassus C. Breast reduction: evolution of a technique – A single vertical scar. Aesth Plast Surg 1987;11:107-12.
10. Lejour M. Vertical mammaplasty and liposuction of the breast. Plast Reconstr Surg. 1994;94:100-14.
11. Lista F, Ahmad J. Vertical scar reduction mammaplasty: 15-year experience including a review of 250 consecutive cases. Plast Reconstr Surg. 2006;117 :2152-69.
12. Mathes SJ. Plastic surgery. Elsevier Philadelphia. Vol 6:539-584, 2006.
13. Regnault P. Breast ptosis. Definition and treatment. Clin Plast Surg. 1976;3:193-203.
14. van Deventer PV, Page BJ, Graewe FR: The safety of pedicles in breast reduction and mastopexy procedures. Aesthetic Plast Surg. 2008;32:307-12.
15. Wise RJ, A preliminary report on a method of planning the mammaplasty, Plast Reconstr Surg. 1956;17:365-70.

유방암:
진단과 치료, 종양성형술
Breast Cancer:
Diagnosis, Therapy & Oncoplastic Technique

4

양정덕 경북의대

1. 서론(Introduction)

유방암은 여성에게 있어서 비피부성 종양(non-cutaneous malignancy)으로 가장 많이 발생하는 암으로 알려져 있다. 우리나라에서도 발생 빈도가 꾸준히 증가하면서 2000년 이후 약 10년 동안 발병률이 2배 이상 증가했으며, 최근 10년 사이 여성에게 발생하는 암 중에서 갑상선암 다음으로 2번째로 많이 발생하는 암이 되었다. 유방암에 대한 진단 기법의 발달과 정기 검진이 보편화되면서 아주 작은 크기의 조기 유방암의 진단율이 높아졌다. 이런 유방암 환자들이 유방절제술을 시행한 후 즉시 또는 지연 재건술을 하게 되는데, 특히 즉시재건술의 경우에는 종양학적 안전성이 증명이 되어 증가하고 있어서 성형외과에서는 보조항암요법(adjuvant oncologic therapy)에 대한 이해를 충분히 하여 적합한 여러 전문분야의 다학제 진료가 필수적으로 필요하다.

2. 진단(Diagnosis)

유방의 종양을 크게 두 가지로 나눠볼 수 있는데, 첫 번째로는 임상적인 징후와 증상이 있는 유방질환, 두 번째로는 유방촬영술로 진단 가능한 무증상성 유방질환으로 나눌 수 있다.

1) 임상적 유방 검사
(Clinical breast examination)

가장 기본이 되는 유방진찰로 유방실질, 유두유륜복합체, 피부양상, 동측 액와 및 쇄골 밑 림프절, 이 네 가지를 확인하는 것이 중요하다.

2) 진단 영상 기법
(Diagnostic imaging modalities)

(1) 유방촬영술(Mammography)
유방촬영술은 매우 효과적인 진단기법으로 일반적으로 내외사위 방향(Mediolateral oblique view, MLO view)과 상하위 방향(Craniocaudal view, CC view)으로 시행하는데 미국 암학회

(American Cancer Society, ACS) 지침에 따르면 40세 미만에서 매년 시행하기를 권고하고 있으며 규칙적인 검사는 50세 이상의 환자 사망률을 감소시킬 수 있다고 보고되고 있다. 유방촬영술은 보편적으로 BIRADS (Breast Imaging Reporting and Data System) 분류를 따르게 된다.

(2) 초음파(Ultrasonography)

유방에 발생한 모든 종괴에 대한 검사로 가장 일반적으로 시행하는 진단기법이다. 유방촬영술에서 치밀하게 나타난 종괴를 평가하는 데 함께 사용하여 양성과 악성소견을 구분하는 데 도움을 주고, 보통 조직검사를 시행하거나 낭종의 흡입검사 시행시 초음파유도(ultrasound guidance)로 사용한다.

(3) 자기공명영상(Magnetic resonance imaging)

BRCA 유전자 돌연변이를 가진 고위험군 환자에서 진단검사에 주로 사용 되며 원발성 암을 발견하지 못한 상태에서 액와림프절 전이가 있는 환자에서도 유용하게 사용하고 있다. 하지만 고가이고 추가적으로 침습적인 바늘 생검 등의 조직검사가 필요하며 유방촬영술이나 초음파 소견과 비교 분석하는 데 다소 한계가 있다는 단점이 있다.

3. 조직학적 진단 기법 (Histologic diagnostic modalities)

1) 영상학적 유도 중심부생검 (Image-guided core biopsy)

영상학적 유도 중심부생검은 보통 입체적 촬영술이나 초음파를 가이드로 시행한다. 특히 초음파는 중심부 생검, 세침흡인생검, 낭종의 흡인에 있어서 우수한 기법이다.

2) 세침흡인생검(FNA)

보통 촉진, 초음파, 유방촬영술을 이용하여 20~23-게이지(gauge, G) 주사바늘을 사용하여 시행하게 되는데 일반적으로 침윤성암종(invasive carcinoma) 진단을 위한 충분한 양의 조직을 채취하는 데 다소 어려움이 있으며 거짓음성률(false negative rate)이 통계적으로 많게는 20%까지 나타날 수 있다고 보고되고 있다. 세침흡인생검은 임상적인 양상과 영상학적인 양상을 모두 고려할 경우 민감도를 높여 세포학적 진단에 도움을 줄 수 있다. 이것을 보통 삼중 검사 (triple test)라고 부르며 임상, 영상, 병리학적인 부분의 상관성을 분석하여 진단의 정확도를 높이는 방법이다.

3) 중심부 바늘 생검(Core needle biopsy)

중심부 바늘 생검은 보통 8~14-게이지(gauge, G) 주사바늘을 이용하여 시행하게 되는데 이것 역시 입체적 촬영술이나 초음파를 가이드로 사용하여 가능하다. 진공 보조 유방생검(vacuum assisted breast biopsy)은 정확도가 100%이고, 검체의 에스트로겐 수용체(estrogen receptor)와 HER-2/neu 종양단백질(oncoprotein)을 진단하는 데 충분한 조직을 제공할 수 있는 방법이다. 티타늄 표시 클립(titanium tissue marker clip)을 이용하여 여러 곳의 생검위치를 표시하는 데 유용한 방법이기도 하다.

4) 절제 생검(Excisional biopsy)

절제 생검의 적응증으로는 삼중 검사(임상, 영상, 병리검사)가 불일치할 경우, 조직검사에서 비정형 과다증식증이 나온 경우, 조직검사나 유방촬영술에서 방사형 흉터(radial scar)가 나타난 경우에 시행한다.

4. 환자 선별(Patient selection)

유방암환자에 있어서 유방암 수술을 결정하는 데 여러 가지 요소를 고려하여야 한다. 그 요소로는 유방에서 종양이 차지하는 비율, 병기, 동반질환, 가족력, 나이, 방사선치료여부, 환자의 치료 선호도, 환자의 선입견 등이 영향을 미치게 된다. 치료 방법을 결정하기 위해서는 여러 전문분야적 접근, 즉, 유방외과, 종양내과, 방사선종양, 영상의학, 병리학, 핵의학, 성형외과 등 각 분야의 전문의들의 상의하 환자에게 적합한 치료 방법 결정이 필요하다. 전신치료요법이나 수술적 종양적출술을 고려할 경우에는 시작하기 전에 뼈스캔(bone scan) 등을 시행하여 반드시 전이를 배제하고 정확한 병기를 확인해야 한다. 암의 크기가 큰 경우 줄이기 위해서 선행 또는 수술 전 전신요법(항암요법 또는 내분비요법

(chemotherapy or endocrine therapy)을 고려하기도 하며 환자의 치료 반응을 파악하여 예후에 관한 부분을 설명하는 것도 매우 중요한 부분으로 여겨지고 있다.

5. 치료와 수술방법(Treatment/ Surgical technique)

1) 유방보존술(Breast conserving surgery)

조기 유방암 환자에서 부분유방절제술(lumpectomy, quandrantectomy or segmentectomy)을 시행한 후에 보조방사선요법으로 치료하는 경우를 유방보존술 "breast conserving therapy" or "breast conserving surgery"로 일컫는다. 5년 국소재발률은 종양절제술과 방사선 치료를 병행한 경우는 7% 정도인 반면 방사선 치료가 병행되지 않으면 26%로 보고되고 있으며 조직검사에서 종양이 가깝거나 검체의 경계가 양성일 경우에 고유 위험도(inherent risk)는 9~32%까지된다고 보고되고 있다. 중심부 생검으로 술 전에진단된 환자에게 수술을 진행하며 수술 전에 재검진을 시행해야 하고 종양의 위치를 표지해야한다. 와이어를 이용하여 위치 표지(Wire localization)나 초음파를 이용하여 해당부위를 표시하거나 생검 클립으로 표시하고 수술을 시행한다.

종양성형술(oncoplastic surgery, OPS)은 1993년 Audretsch 등에 의해 처음 도입된 용어로 보존적 치료 이후에 발생하는 미용적인 부분에 있어서 변형을 완화시키는 술식을 일컫는다. 발생가능한 변형은 쉽게 예측해 볼 수 있으며, 종양의 위치, 유방의 크기, 절제된 부분에 필요한 피

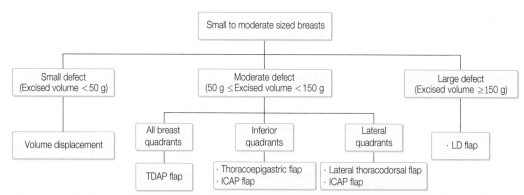

▷그림 5-4-1. 작거나 중간 크기의 가슴(Small to moderate sized breast)에서 부분절제술 후 재건술의 알고리즘. ICAP, intercostal artery perforator; TDAP, thoracodorsal artery perforator; LD, latissimus dorsi. From Yang, et al. with permission from Korean Breast Cancer Society

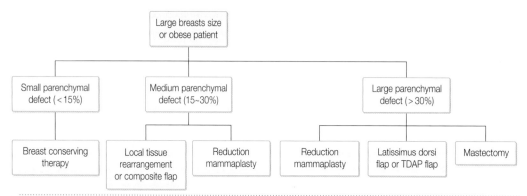

▷그림 5-4-2. 큰 크기의 가슴(Large-sized breast)에서 부분절제술 후 재건술의 알고리즘. 흉배동맥 천공지 피판(TDAP flap, thoracodorsal artery perforator flap)

부나 실질조직 양에 따라서 다양하게 발생할 수 있다. 중앙부 구역절제술(central segmentectomy)을 시행하면 유방외형은 유지되지만 유두유륜복합체 재건이 필요하게 된다.

유방보존술을 시행할 때 종양의 크기로 인해서 유방조직을 많이 절제하게 되면 좋지 않은 결과를 보이는 경우가 많다. 일반적인 방법으로는 A- or B- cup의 작은 가슴에서는 15~20% 정도, 큰 가슴에서는 30% 정도까지로 어느 정도 절제량의 제한을 두어 시행하는 것이 적절하다고 보고하고 있다. 유방의 크기와 절제량에 대해서 구분하여 수술방법을 설정하게 된다(그림

5-4-1, 2).

절제술을 시행 받은 모든 유방암 환자에게 종양성형술이 필요한 것은 아니지만, 서양인에 비해 상대적으로 유방의 크기가 작은 동양인의 경우에는 유방보존술 후 유방의 크기가 작아지면서 미용적으로 불만족스러운 결과를 보이는 경우가 많으며, 큰 유방을 가진 환자의 경우에도 유방보존술 후 눈에 띄는 흉터나 유방의 변형을 보일 수 있다. 환자에 따라서 적절한 종양성형술을 적용하기 위해서 수술 전 유방의 크기, 종양의 위치 및 예상되는 결손부위의 크기 등을 고려하여 미리 계획을 세운다면 보다 만족스러운

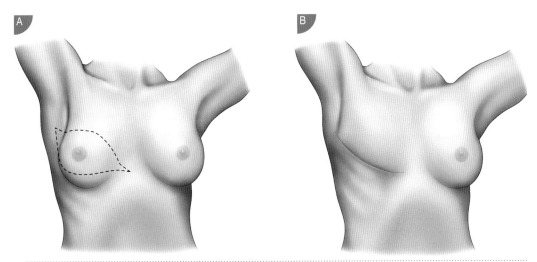

▷그림 5-4-3. **전체 유방절제술**(Total mastectomy). A. 기왕의 중심부 생검 위치를 포함하여 피부 일부를 같이 절제하기 위한 디자인, B. 수술 후의 모습

결과를 얻을 수 있다.

2) 유방절제술: 용어와 술식 (Mastectomy: terminology and techniques)

유방절제술은 근치 유방절제술(radical mastectomy)로부터 유래되었고 이것은 유방조직 전체와 유방을 덮고 있는 피부 전체, Level I, II, III 림프절을 모두 포함하여 대흉근까지도 완전 일괄절제술(full en bloc dissection)로 광범위 절제 하는 것을 의미한다. 최근에는 근치유방절제술(radical mastectomy)이 국소 재발률을 낮추거나 생존률을 높이는데 크게 영향이 없다는 보고들이 확인되어 점점 감소하는 추세이다.

(1) 전체 유방절제술(Total mastectomy)

가장 일반적으로 많이 시행되는 유방절제술로 전체 유방조직과 유두-유륜복합체, 그 주변 피부까지 포함하여 절제하는 수술을 일컫는다(그림 5-4-3).

(2) 피부보존유방절제술(Skin-sparing mastectomy)

유방절제술 후 즉시재건술이 필요한 경우에 피부보존유방절제술은 보형물이나 자가조직을 이용하여 재건하는 데 최상의 조건을 만들어 준다. 이 술기는 유방피부를 최대한 보존하며 유륜 부위절개를 통해서 유방실질과 유두-유륜복합체 부위를 절제하는 방법이다(그림 5-4-4).

(3) 유두보존 유방절제술(Nipple-sparing mastectomy)

유두보존 유방절제술은 유방의 외측방향이나 유륜 부위 같이 중앙 이외의 부위로 절개하여 유방절제술을 시행하는 경우를 일컫는다. Brachetel 등은 1~3개의 양성 림프절을 가진 2 cm보다 큰 종양의 경우에 있어서 잠복 유두 침범 (occult nipple involvement)가능성이 있다고 보고하고 있고, 그 외에 독립적으로 원발성 암, 종양과 유두사이의 거리, HER2 양성 등이 관련

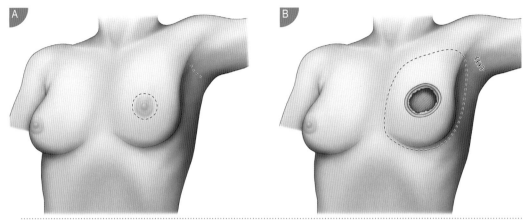

▷그림 5-4-4. **유륜 절개를 통한 피부보존 전체 유방절제술**(A skin sparing total mastectomy is performed via a periareolar incision). 유방의 피부를 남겨두고 유두-유륜 복합체와 유방조직을 절제하는 모식도

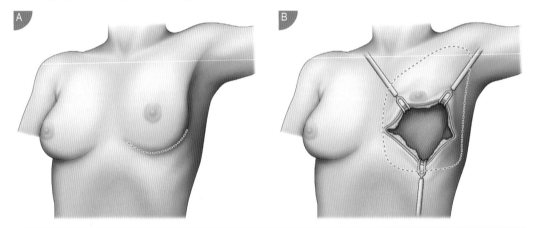

▷그림 5-4-5. **비중심부 절개를 통한 피하 유방절제술**(Subcutaneous mastectomy incorporates a noncentral incision). 일반적으로는 유방아래 주름(inframmary crease)을 통해서 절개를 시행한다. 종양학자들에게는 다소 두꺼운 피부피판을 보존하기 때문에 다소 선호하지는 않는 방법으로 알려져 있다.

이 있다고 보고하고 있다. 이런 경우를 제외하고 시행한다면, 특히, 유두보존절제술의 가장 큰 장점으로는 즉시 재건술을 보형물로 시행할 경우 미용적으로 매우 높은 만족도의 결과를 얻을 수 있는 점이다. 그렇지만 환자를 선택하는 데 있어서 유방의 크기가 매우 크거나 처진 유방(ptotic breast)에서는 좋은 결과를 얻기 어렵기 때문에 환자 선택에 신중해야 한다.

피하유방절제술(subcutaneous mastectomy)의 경우는 유방하절개나 액와절개 같은 유방의 중앙부위 이외의 부위를 통해 유방의 피부와 유두-유륜 복합체를 보전하면서 시행하는 유방절제술을 일컫는다(그림 5-4-5). 이 술식은 유두보존유방절제술보다 더 두꺼운 유방피부피판을 유지하기 때문에 남은 유방조직이 상대적으로 많아서 종양학적 안전성을 고려했을 때 종양전문가들은 선호하진 않는다.

(4) 예방적 유방절제술(Prophylactic mastectomy)

가장 일반적인 적응증으로는 유방암이 이미

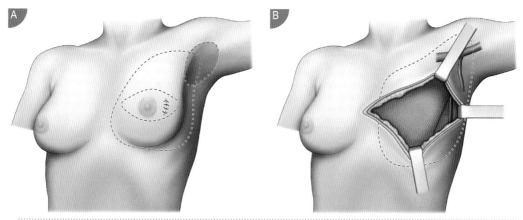

▷그림 5-4-6. **변형근치유방절제술**(Modified radical mastectomy). 겨드랑이 림프절 절제술을 병행한 유방전절제술(total mastectomy with axillary lymph node dissection)

유전적으로 알려진 경우 반대쪽 유방을 동시에 예방적으로 절제하는 것을 말한다. 특히 BRCA1 or BRCA2 돌연변이의 경우는 일생에 60~80% 유방암이 발생할 위험성이 있으며, 한쪽에서 유방암이 진단될 경우 반대쪽도 유방암일 위험성이 30%까지 증가한다. 그 외에 난소암, 대장직장암, 췌장암, 피부암, 전립선암의 위험성도 증가된다는 것이 이미 알려져 있다. 그렇기 때문에 BRCA 돌연변이가 진단된 경우, 진단된 환자의 나이가 치료방법을 결정하는 데 매우 중요한 요소로 꼽히고 있다.

(5) 변형근치적유방절제술(Modified radical mastectomy)

변형근치적유방절제술은 유방조직, 유두-유륜 복합체, 액와림프절 Level I-II 을 일괄절제하여 제거하는 것을 일컫는다(그림 5-4-6). 절개선은 보통 타원형 모양으로 유두-유륜 복합체, 기왕의 조직검사 부위, 남는 피부를 포함하여 시행하는데 개귀변형(dog-ear deformity)을 발생시키지 않도록 내/외측으로 확장하여 절개하는 것은 피하도록 한다.

3) 종양성형술(Oncoplastic surgery)

종양성형술은 부피치환술(volume displacement technique)과 부피교환술(volume replacement technique)로 크게 나눠볼 수 있다. 고식적인 유방보존술은 종양의 위치에 따라 수술 후 변형이 두드러지기 쉬운 데 반해, 유방성형술은 유방조직 재배치술(glandular reshaping)이나 유방축소술을 이용한 술법(reduction mammoplasty technique) 등의 성형외과적인 술기를 통해 유두유륜복합체 주위나 유방 하부와 같이 잘 보이지 않는 곳에 흉터를 위치시켜 수술 후 미용적 결과를 향상시킬 수 있다.

(1) 부피치환술(Volume displacement techniques)

부피치환술은 절제된 양이 비교적 작은 경우 glandular reshaping 또는 reduction mammoplasty technique을 통해 남아 있는 유방 조직을 재배치하여 광범위한 절제로 인한 영향을 최소화한다. 일반적으로 부피치환술은 부피교환술에 비해 수술 범위가 작고 공여부가 없다는 장점이 있지만, 재건 후 유방 크기가 작아지고 모양이 바꿈으로 인해 반대편 유방 상태에 따라 비대칭의 정도를 개선하기 위한 추가적인 수술이 필요할 가능성이 있는 술식이다.

① Glandular reshaping

결손부위가 작으면서 남아 있는 유방 조직이 충분하다면 결손부 주변의 유방실질조직을 흉벽과 피부로부터 충분히 박리한 뒤 유방조직을 전진(advancement), 회전(rotation), 또는 재배치(transposition)하여 결손부위로 이동시킴으로써 꺼짐(depression)현

상을 최소화할 수 있다.

비교적 결손부위가 작고 종양이 유륜유두복합체와 매우 가까워 종양과 유륜유두복합체를 같이 절제하는 경우(central quadrantectomy)에는 결손부 주변의 유방조직을 박리하여 모아준 뒤 유륜유두복합체를 따라 둥글게 절제한 피부는 연속 봉합 기법을 응용한 쌈지봉합술(purse-string suture)을 적용할 수 있다(그림 5-4-7).

Tennis racket method는 유륜유두복합체에서부터 멀지 않으면서 유방의 UOQ (Upper

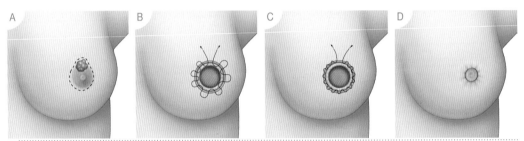

▷그림 5-4-7. **쌈지봉합기법(Purse-string suture).** A. 종양과 유두-유륜복합체를 포함할 경우의 수술 전 디자인 B. 주변 유방조직에 쌈지봉합기법을 적용 C. 피부조직에 시행한 쌈지봉합술 D. 최종 모습

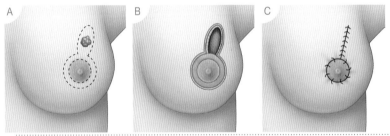

▷그림 5-4-8. **테니스 라켓 기법(Tennis racket method)** A. 유두유륜복합체에서 조금 떨어진 부위의 종양이 있는 경우 술 전 디자인 B. 종괴 절제술 후 봉합부위 표지 절제술 후 모습 C. 최종 모습

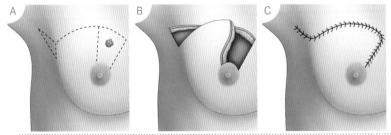

▷그림 5-4-9. **회전 피판 기법(Rotation flap)** A. 술 전 디자인 B. 종괴 절제술 후 회전 피판을 거상한 모습 C. 최종 모습

Outer Quadrant)와 LOQ (Lower Outer Quadrant)에 위치하는 종양에 주로 적용되지만, 다른 부위에도 적용 가능하다. 유륜 주변의 두 개의 원형 절개선과 바깥쪽 원형 절개선에서 시작하는 쐐기 모양의 절개선을 이용한다(그림 5-4-8).

회전 피판술(roation flap)은 유륜유두복합체에서부터 멀지 않으면서 유방의 상부 안쪽 부위(upper inner quadrant)에 위치하는 비교적 큰 종양에 적용할 수 있으며, 경우에 따라서는 상부 중앙 부위(upper central portion)에 위치하는 종양에도 적용 가능하다. 유륜의 UIQ 경계에 위치하는 반원형 절개선과 이와 평행한 유방의 UIQ 경계에 위치하는 반원형 절개선, 그리고 이 두 선을 직선으로 연결하는 구역 안의 유방 조직을 제거한 후 UOQ의 유방 조직을 근막피판을 거상하고 회전시켜 결손부위를 매우게 된다. 겨드랑이 부위의 삼각형 모양의 절개선 디자인은 피판의 회전을 돕고 겨드랑이 림프절 절제술 시에 유용하게 사용할 수 있다(그림 5-4-9).

② 유방축소술을 이용한 유방성형술식 (Oncoplastic reduction mammoplasty)

유방암 환자에서 유방의 용적이 크거나 유방하수(Ptosis)가 있으면서 중등도 이상의 비교적 큰 결손이 예상되는 경우에 적용할 수 있으며, 수술 전 큰 유방으로 인해 일상생활에서 불편함이 있어 환자가 유방축소술을 원하는 경우 좋은 적응증이 될 수 있다. 유방축소술을 이용한 유방성형술은 미용적, 기능적, 종양학적으로 많은 이점을 가지고 있는데, 수술 후 유방의 크기가 감소되어 균형적인 체형을 만들고, 수술 전 양쪽 가슴의 비대칭을 교정할 수 있으며, 큰 유방으로 인한 요통 및 어깨 통증 등을 완화시킬 수 있다. 또한 반대편의 절제된 유

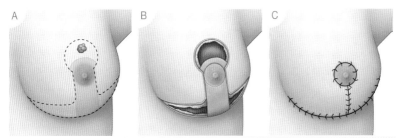

▷그림 5-4-10. 하부 혈관경을 이용한 역 T-자 반흔형 디자인 술식(Wise pattern (inverted T) reduction with inferiorly based pedicle). A. 술 전 디자인 B. 종괴절제술과 표피절제술 후 모습 C. 새로운 위치로 재배치시킨 최종 모습

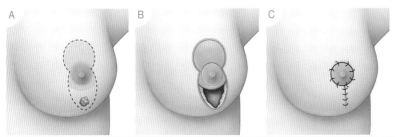

▷그림 5-4-11. 수직 반흔형 유방 축소술시. A. 술 전 모습 B. 종괴 절제술과 표피절제술 후 모습 C. 새로운 위치로 재배치시킨 최종 모습

방 조직에 대한 검사를 통해 잠재암(occult cancer)을 확인할 수 있고, 유방부분절제술 후 유방축소술식을 위한 추가 절제를 통해 절제의 경계의 안전성을 확보할 수 있으며, 균일한 용량의 방사선을 균형 있게 조사할 수 있어 방사선치료로 인한 합병증을 의미 있게 낮출 수 있다.

수술 전 유방축소술을 이용한 유방성형술식을 계획하는 단계에서 가장 중요한 것은 vascular pedicle의 선택이라 할 수 있는데, 유방의 상부에 종양이 위치한 경우에는 아랫쪽 혈관경을, 유방의 하부에 위치한 경우에는 윗쪽 혈관경을 선택할 수 있다. 사용할 혈관경이 결정되면 절제방법을 결정하게 되는데, 유방의 크기가 중등도인 경우에는 유방하수(breast ptosis)의 정도와 종양의 크기를 고려하여 수직반흔형 디자인이나 역 T-자 반흔형 디자인 중에 선택할 수 있으며, 유방의 크기가 큰 경우에는 주로 Wise pattern을 적용할 수 있다(그림 5-4-10, 11).

(2) 부피교환술(Volume replacement techniques)

부피교환술은 절제량이 비교적 큰 경우 남아 있는 유방 조직이 재건을 위해 불충분하여 유방 이외의 자가조직으로 피판을 거상하여 부족한 용적을 대체하는 술기로써, 부피치환술에 비해 술기가 복잡하고 공여부를 필요로 하며 회복 시간이 길다는 단점이 있다.

외측 가슴등 피판(lateral thoracodorsal flap)은 축이 IMF의 외측 연장선 상에 놓이게 되며, 상부 경계는 앞쪽 겨드랑이 주름의 안쪽으로 인접한 곳에서 시작하여 외측으로 연장되고, 하부 경계는 상부 경계에서 약간 더 외측에서 시작

하여 완만한 곡선을 이룬다. 외측 가슴 등 부위에서 무지와 시지를 이용한 핀치 테스트(pinch test)를 통해 술 후 공여부의 긴장도(tension)를 유방으로 전달하지 않으면서 단순 봉합이 가능한 피판의 폭을 정할 수 있다(그림 5-4-12). 이 피판술은 원래의 유방과 비슷한 피부와 연부조직을 제공하며, 주변 근육의 손상이 없어 공여부의 이환률 또한 최소화할 수 있지만, 후외방 개흉술 같은 외측 흉곽에 수술을 받은 과거력이 있는 경우에는 금기이다.

혈관광의 위치에 따라서 갈비뼈 부위에서 기시하는 천공지를 이용한 늑간동맥분지 피판술(ICAP flap)과 가슴등 동맥에서 분지하는 천공지를 이용한 가슴등동맥분지 피판술(TDAP flap)이 가장 유용한 천공지 피판술이다(그림 5-4-13). 광배근을 보존할 수 있으며, 속옷으로 흉터를 감출 수 있고, 회복기간을 줄여 줄 수 있는 장점을 가지고 있는 수술 방법이다.

광배근을 이용한 피판술은 최초의 순수한 자가조직을 이용한 유방재건술이고 비교적 유방의 크기가 작은 동양 여성에서는 유방보존술 후의 재건술에 유용하게 이용될 수 있다. 피부 패들(skin paddle)의 위치와 크기는 다양하게 디자인 할 수 있는데, 타원형 모양으로 핀치 테스트를 통해 단순봉합이 가능한지 가늠할 수 있다. 이 피판술은 충분한 혈액공급이 가장 큰 장점으로 흡연, 당뇨, 비만과 같은 미세혈관 수술의 위험 인자를 가진 환자에서 유용한 혈관경 피판술로 사용된다. 또한, 술 후 방사선 치료나 항암치료가 예정되어 있더라도 금기가 아니다. 그러나, 등, 어깨, 팔운동의 약화와 긴 흉터, 장액종 같은 공여부의 합병증이 발생할 수 있다는 단점을 가지고 있다.

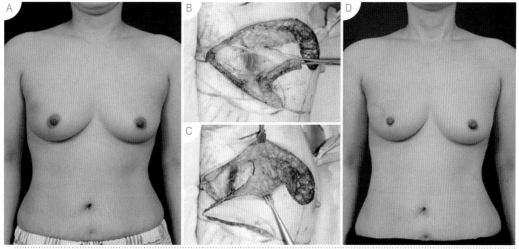

▷그림 5-4-12. 43세, 우측 유방의 외측 상방부위에 침윤성 유방암(invasive ductal carcinoma) 진단받은 환자. A. 수술 전 모습. B, C. 유방부분절제술 이후 외측 가슴등 피판술(lateral thoracodorsal flap)을 거상하고 perforator를 박리한 모습. D. 수술 후 30개월 모습

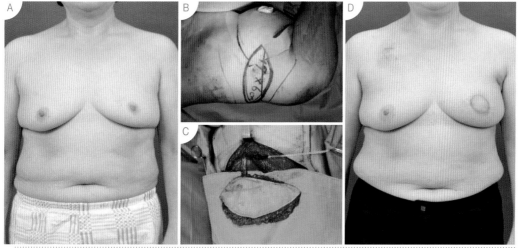

▷그림 5-4-13. 59세, 좌측 유방의 중앙 부분에 침윤성 유방암(invasive ductal carcinoma) 진단받은 환자. A. 수술 전 모습. B. 유방부분절제술 후 TDAP (thoraodorsal artery perforator, 가슴등 동맥 분지 천공지) 피판 디자인 사진. C. 피판을 elevation 한 사진. D. 2개월 후 모습 (From Yang, et al. with permission from Korean Breast Cancer Society)

References

1. Brachtel EF, Rusby JE, Michaelson JS, et al. Occult nipple involvement in breast cancer: clinicopathologic findings in 316 consecutive mastectomy specimens. J Clin Oncol. 2009;27(30):4948–4954.

2. Bae SG, Yang JD, Lee SY, et al. Oncoplastic techniques for treatment of inferiorly located breast cancer. J Korean Soc Plast Reconstr Surg 2008;35:680-6.

3. Berry MG, Fitoussi AD, Curnier A, et al. Oncoplastic breast surgery: a review and systematic approach. J Plast Reconstr Aesthet Surg 2010;63:1233-43.

4. Chang DW, Youssef A, Cha S, et al. Autologous breast reconstruction with the extended latissimus dorsi flap. Plast Reconstr Surg 2002;110:751-9.

5. Chang E, Johnson N, Webber B, et al. Bilateral reduction mammoplasty in combination with lumpectomy for treatment of breast cancer in patients with macromastia. Am J Surg 2004;187:647-50.

6. Cho HW, Lew DH, Tark KC. Effect of fibrin sealant in extended lattisimus dorsi flap donor site: retrospective study. J Korean Soc Plast Reconstr Surg 2008;35:267-72.

7. Daltrey I, Thomson H, Hussien M, et al. Randomized clinical trial of the effect of quilting latissimus dorsi flap donor site on seroma formation. Br J Surg 2006;93:825-30.

8. Hamdi M, Van Landuyt K, de Frene B, et al. The versatility of the inter-costal artery perforator (ICAP) flaps. J Plast Reconstr Aesthet Surg 2006;59:644-52.

9. Hamdi M, Salgarello M, Barone-Adesi L, et al. Use of the thoracodorsal artery perforator (TDAP) flap with implant in breast reconstruction. Ann Plast Surg 2008;61:143-6.

10. Hoch D, Benditte-Klepetko H, Bartsch R, et al. Breast reconstruction with the latissimus dorsi muscle flap. In: Fitzal F, Schrenk P, editors. Oncoplastic Breast Surgery: A Guide to Clinical Practice. Vienna: Springer; 2010. p.157-64.

11. Holmström H, Lossing C. The lateral thoracodorsal flap in breast reconstruction. Plast Reconstr Surg 1986;77:933-43.

12. Levine JL, Reddy PP, Allen RJ. Lateral thoracic flaps in breast reconstruction. In: Nahabedian M, editor. Oncoplastic Surgery of the Breast. Philadelphia: Saunders Elsevier; 2009. p.83-92.

13. Losken A, Elwood ET, Styblo TM, et al. The role of reduction mammaplasty in reconstructing partial mastectomy defects. Plast Reconstr Surg 2002;109:968-75.

14. Munhoz AM, Montag E, Arruda E, et al. Immediate conservative breast surgery reconstruction with perforator flaps: new challenges in the era of partial mastectomy reconstruction? Breast 2011;20:233-40.

15. Munhoz AM, Montag E, Fels KW, et al. Outcome analysis of breast-conservation surgery and immediate latissimus dorsi flap reconstruction in patients with T1 to T2 breast cancer. Plast Reconstr Surg 2005;116:741-52.

16. Yang JD, Bae SG, Chung HY, et al. The usefulness of oncoplastic volume displacement techniques in the superiorly located breast cancers for Korean patients with small to moderate-sized breasts. Ann Plast Surg 2011;67:474-80.

17. Yang JD, Lee JW, Cho YK, et al. Surgical techniques for personalized oncoplastic surgery in breast cancer patients with small- to moderate-sized breasts (part 1): volume displacement. J Breast Cancer 2012;15:1-6.

18. Yang JD, Lee JW, Cho YK, et al. Surgical techniques for personalized oncoplastic surgery in breast cancer patients with small- to moderate-sized breasts (part 2): volume replacement. J Breast Cancer 2012;15:7-14.

19. Yang JD, Lee JW, Park HY, et al. Oncoplastic surgical techniques for personalized breast conserving surgery in breast cancer patient with small to moderate sized breast. J Breast Cancer 2011;14:253-61.

20. 대한미용성형외과학회. 미용성형외과학3. Vol 3. 군자출판사. 37장. 종양성형술을 이용한 부분유방재건술. 양정덕, 이정우. p.455-474.

5 보형물을 이용한 유방재건술
Implant-based Breast Reconstruction

노태석 연세의대

1. 서론

1) 보형물을 이용한 유방재건술의 증가

확장기와 보형물을 이용하는 2단계 재건술은 1980년 초반에 Radovan에 의하여 소개된 이후로 꾸준한 발전을 거듭하고 있다. 일반적으로 자가조직을 이용하는 재건술이 보형물을 이용하는 방법에 비하여 자연스러운 유방을 재건할 수 있다고 알려져 있지만, 최근 해부학적(anatomic)인 구조를 가진 확장기와 보형물의 소개로 보형물을 이용한 유방재건술은 결과면에서 비약적인 발전을 이루게 되었다. 미국의 통계에 의하면, 유방전절제술 후 보형물을 이용한 재건술이 1998년에는 8.5%에서 시행되었으나 2008년에는 25.8%로 증가하는 추세를 보이는 반면, 자가조직을 이용한 재건술을 시행한 비율은 같은 기간 동안 약 12% 정도에 머물고 있어 상대적으로 증가율이 저조하다.

보형물을 이용하는 유방재건술은 수술방법이 간단하고, 동일한 색과 질감을 가진 주변의 피부에 의해 재건이 이루어진다. 또한, 공여부의 흉터를 남기지 않고, 유방의 절개 흉터가 작으며, 수술시간이 짧고, 수술 후 회복이 빠르다는 상점이 있다. 반면에 피막구축이나 보형물의 파열과 같은 합병증이 일어날 수 있으며, 감염에 취약하고, 외부 온도에 민감하고, 나이에 따른 조직의 변화에 적응하지 못 한다는 단점이 있다. 거의 모든 환자들에게 적용이 가능하며, 특히 사용할 수 있는 공여부의 조직이 부족하거나, 긴 수술시간이나 회복기간을 견디기 어려운 환자들에게 효용성이 뛰어난 방법이다. 보형물을 이용한 재건술은 직접 보형물만을 이용하는 방법(direct to implant, DTI), 조직의 확장 후 보형물을 삽입하는 2단계 방법(two-stage expander/implant reconstruction) 등이 있어 유방암 수술 후의 상태나 술자의 선호도에 따라 적절한 방법을 선택할 수 있다.

2) 유방암 수술의 변화

유방암 수술의 경향이 변화함에 따라 보형물을 이용한 재건술에도 많은 영향을 미치고 있다. 근치적 유방절제술(radical mastectomy) 또는 변형된 근치적 유방절제술(modified radical mastectomy)이 과거의 표준치료였다면, 최근 유방암 수술은 피부보존 유방절제술(skin-sparing mastectomy) 또는 유두보존 유방절제술(nipple-sparing mastectomy)과 같이 조직을 최대한 보존하는 방법이 주된 술식으로서 자리를 잡아가고 있다.

3) 보형물과 확장기의 선택

보형물 유방재건에 있어 그 방법을 결정짓는 가장 중요한 인자는 유방전절제 후 발생하는 피부결손의 유무에 의존한다고 하여도 무방하다.

(1) DTI (Direct to implant reconstruction)

유두보존 유방절제술(nipple sparing mastectomy)을 시행받은 환자에서, 유방절제술후 피부 피판의 혈행이 양호한 경우에 제한적으로 적용되는 방법이며, 근래에 들어 그 수가 증가하고 있다.

(2) 조직 확장 후 보형물을 삽입하는 2단계 방법

(Two-stage expander/implant reconstruction)

다음의 경우에는 조직의 확장 후 보형물을 삽입하는 2단계 방법(two-stage expander/implant reconstruction)이 선호된다.

- 유방전절제술 후 피부결손이 발생한 경우 (근치적, 변형된 근치적, 또는 피부보존 유방절제술)
- 유방전절제술 후 유방피부피판의 혈행이 의심스럽거나, 추후 피부괴사로 인한 피부결손이 예상되는 경우
- 피부결손과는 무관하게, 술자의 선호도에 의해 DTI (direct to implant reconstruction) 즉시 재건술을 시행하지 않는 경우

4) 무세포진피기질(Acellular dermal matrix, ADM)을 이용한 보형물 재건술

무세포진피기질은 생물학적인 물질로서 처음에는 화상 환자 치료를 위한 피부대체물(skin substitute)로서 사용하였다. 무세포진피기질은 사체(cadaver)로부터 얻은 피부조직을 탈표피화 (deepithelialization) 시킨 후 면역거부를 막기 위해 세포와 항원인자(antigenic component)를 제거하는 공정을 거쳐 생산된다. 그 결과, 콜라겐, 탄력소(elastin), 히알루론산, 섬유결합소(fibronectin) 등이 남아, 숙주(host) 세포가 침입(invasion)하여 재증식(repopulation)할 수 있는 골격(scaffold)을 제공한다. 무세포진피기질은 이러한 과정을 거치면서 면역거부 없이 숙주 조직과의 통합(integration) 및 대체(replacement)가 이루어진다. 무세포진피기질의 생물역학적(biomechanical) 성상은 정상 진피와 거의 유사하므로, 확장기를 피복할 수 있는 적절한 대체물질이 될 수 있다.

보형물을 이용한 유방재건술은 무세포진피기질의 소개로 인하여 수술방법의 변화를 가져왔다. 기존에는 유방절제술 후 확장기의 상부와 내측부분을 대흉근(pectoralis muscle)으로 덮고, 나머지 하부와 외측부분은 피부 피판이나 전거근(anterior serrtus muscle)로 덮는 방법으로 시행하였다. 이러한 방법으로 대부분의 환자에서는 확장기를 충분히 피복할 수 있지만, 대흉근의 크기가 작거나 유방절제술 중 조직의 손상이 있는 경우에는, 확장기를 둘러싸는 조직이 불충분하게 된다. 이 때, 무세포진피기질을 확장기의 하외측(inferolateral) 부분을 피복하는 데 이용함으로써, 확장기가 삽입되는 공간을 여유있게 만들 수 있다.

무세포진피기질을 이용하게 되면 다음과 같은 장점을 얻을 수 있다.

- 보형물의 위치 고정이 용이해진다.
- 보다 명확한 유방밑주름 형성할 수 있다.
- 피부피복만 충분하다면 수술 중 "internal bra(대흉근 및 무세포진피기질)"의 충분한 즉시 확장을 통하여 전체 확장기간을 단축시킬 수 있다.
- 유방하극의 확장을 용이하게 함으로써 우수한 미용적 결과를 얻을 수 있다.
- 수술 시간이 단축된다.
- 피막구축을 방지하는 효과가 있다.

무세포진피기질이 피막구축의 예방에 도움을 준다는 여러 연구기관의 보고가 있다. 한 연구에서 보형물 유방재건술에 사용된 무세포진피기질을 분석한 결과, 무세포진피기질내로 숙주 세포와 혈관이 자라 들어와 기질세포간의 생리학적인 상호작용(physiological matrix cell interaction)을 일으킴을 확인하였다. 이러한 과정에서 무세포진피기질내에 세포외 기질(extracellular matrix; hyaluronic acid, fibronectin, collagen 등)이 생성, 통합되어 정상적 창상 치유과정을 도와주고 만성 염증 반응과 이물반응을 억제해 주게 된다.

하지만 무세포진피기질의 초기 생착 과정에서 나타나는 합병증도 고려해야 한다. 여러 연구에서 무세포진피기질을 사용한 군에서, 사용하지 않은 군에 비해, 장액종(seroma)과 감염(infection)의 발생율이 높다고 보고하고 있다(예: 장액종, 14.1% vs 2.7%; 감염, 8.9% vs 2.1%).

따라서 보형물 유방재건술에서 무세포진피기질의 사용에 대하여, 장단점을 고려하여, 적절하게 선택해야 할 것이다.

5) 유방보형물에 대한 기초 연구

유방보형물에 관한 기초 연구는 증거중심의학(evidence-based medicine)보다는 임상 경험에 관한 연구, 혹은 소규모의 후향적 연구(small retrospective study)가 대부분이다. 그나마도 유방 형태와 이것의 시간에 따른 변화를 정량적으로 분석하는 것은 불가능하다. 여성 유방처럼 다양한 곡면 형태로 되어있는 것은 선형 분석을 할 수 없기에, 곡선과 곡면을 보다 정확하게 분석할 수 있는 방법이 개발되어야만 분석이 가능할 수 있다. 3차원적 곡면 분석이 가능하다면 미용수술, 재건수술 이후의 유방 형태 변화를 분석해 낼 수 있을 것이다.

보형물 수술에 관련해서는 그동안 피막구축(capsular contracture)에 대한 임상 연구가 많이 이루어졌다. 여러 연구 결과에 따르면 피막구축은 수술 테크닉, 보형물 제조과정, 보형물 삽입 위치 등 다양한 변수에 의한 영향을 받는다. 그중에서도 불현성 감염(subclinical infection)이 피막구축에 가장 많은 영향을 주는 것으로 알려져 있다. 보형물 삽입 시 항생제나 포비돈을 사용하여 무균적으로 세척할 경우, 피막구축 빈도가 감소한다는 연구나, 심한 구축(grade III-IV)에서 균배양 검사가 다수에서 양성으로 관찰된다는 연구가 이러한 가설을 뒷받침한다.

피막구축이 발생하는 또다른 요인으로 과도한 이물 반응(upregulated foreign body response)을 들 수 있으며, 이 반응에 섬유모세포(fibroblast), 대식세포(macrophage), CD-4 세포 등이 매개체(mediator)로 작용한다. 따라서 이러한 염증반응을 억제해 주는 약물(anti-inflammatory drugs)의 사용이 피막구축의 발생을 줄이는 데 도움이 된다는 보고가 있다. 류코트리엔 수용체 억제제(leukotriene receptor inhibitor)인 zafirlukast는 여러 연구에서 피막의 두께를 감소시키고 피막구축 빈도를 감소시킨다고 보고된 바 있다.

보형물 표면처리방법(texturization)과 피막구축의 연관성에 대한 연구들도 많이 보고되고 있다. 특히, 매끈한 보형물(smooth implant)을 이용한 유방재건술에 비해, 거칠거칠한 보형물(textured implant)을 이용한 유방 재건술에서 피막구축의 발생율이 낮으며, 특히 보형물이 대흉근 아래(submuscular pocket)에 위치했을 때에 비해, 유선조직아래(subglandular pocket)에 위치했을 때, 피막구축이 적게 발생한다고 보고하고 있다. 하지만 대부분의 연구들에서 사용한 피막구축의 평가 기준인 Baker 분류법이 주관적인 면이 강하고, 각 술자들의 수술 방법들이 표준화되지 않았으며 대부분 경과 관찰 기간이 짧다는 한계점을 가지고 있다.

최근, 표면의 거칠기 정도(roughness)는 생착 시의 조직 내 성장(tissue ingrowth)과 연관이 있으며, 표면의 거칠기 정도에 따라, macro-textured와 micro-textured로 나누고 있다. microtextured 보형물의 사용과 피막구축의 발생에 대하여 아직 임상적인 연구가 보고된 바는 없으며,

피막구축과 관련된 연구가 활발히 진행 중이다.

2. 환자 선택(Patient selection)

1) 보형물을 이용한 재건술의 적응증
(그림 5-5-1)

보형물을 이용한 유방재건으로 재현 가능한 유방의 크기와 형태는 대략적으로 정형화되어 있다. 이는, 양측 동시재건 또는, 비교적 높은 돌출(projection)과 동시에 최소한의 유방하수(breast ptosis)를 지닌 중간 크기(medium-sized)의 유방으로 표현된다. 따라서 일측성 재건을 시행함에 있어, 반대편 유방의 모양과 크기가 이에 대체적으로 근접하는 경우가 가장 안성맞춤의 적응증이 될 수 있으며, 그러하지 않을 경우에는 반대측 유방의 확대, 축소 고정술 등을 통하여 유방의 대칭성을 얻는 것이 바람직하며, 이를 환자와의 사전 면담에서 주지시켜야 한다. 양측의 유방전절제술을 받을 환자에서는 보형물을 이용한 재건술이 우선적으로 선호된다. 대칭성을 구현하기에 용이하기 때문이다.

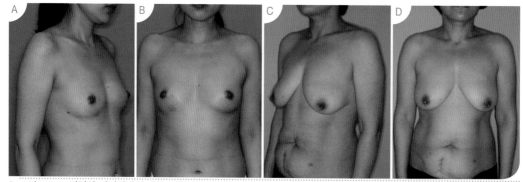

▷그림 5-5-1. **적절한 재건방법의 선택**. 한쪽 유방절제술이 계획되어 있을 때는 우선적으로 반대편 유방의 모양을 고려해야 한다. A. B. 작거나 중간 정도의 크기를 가지며 중등도 미만의 유방하수가 있는 유방을 재건하기 위해서는 보형물을 이용한 재건술이 적당하다. C. D. 크고 처진 유방을 재건할 때는 자가조직을 이용한 재건술이 유리하다.

우선, 유방전절제술의 유형을 결정짓는 유방암의 생물학적인 특성과 침범 범위, 유두유륜복합체(nipple-areolar complex)의 포함 여부 등을 알고 있어야 하며, 반대편 유방 형태 및 병적인 상태의 여부, 과거 유방수술의 병력에 대해서도 파악을 해야 한다. 수술 후 항암치료는 유방절제술 후 약 4주 이내에 시행하도록 권고되기 때문에, 보조 항암치료가 예상이 되는 환자에서는 이 기한 내에 수술 상처의 치유가 모두 이루어져야 한다. 따라서 경피증(scleroderma)과 같은 상처치유에 문제를 야기하는 질병을 가지고 있거나 심각한 흡연자에서는 즉시재건을 결정하는 데 있어서 신중해야 한다. 통상적으로 6주간의 금연 기간을 가지는 것이 권장된다.

2) 보형물을 이용한 재건과 방사선 치료 (그림 5-5-2)

방사선 치료는 피부조직에 만성적인 염증상태를 일으키게 되어 피부의 점진적인 변화를 유발한다. 방사선에 의한 합병증은 방사선 조사 후 약 12주를 기준으로 조기 합병증(early effect)과 지발성 합병증(late effect)으로 나눌 수 있다. 조기 합병증으로는 피부와 같이 빠르게 증식하는 조직에 영향을 주며 홍반(erythema), 건조(dryness), 제모(epilation), 착색(pigmentation)과 같은 증상이 나타나게 되며, 보통 자연적으로 호전이 된다. 지발성 합병증은 수 주에서 수년, 심지어는 수십 년 후에도 발생할 수 있으며, 조직 섬유화(tissue fibrosis), 혈관확장증(telangiectasia), 상처치유 지연(delayed wound healing), 림프부종(lymphedema), 궤양(ulceration) 등과 같은 증상이 나타난다. 조직학적으로 미세혈관의 병적인 상태(microangiopathic change)를 유발하여

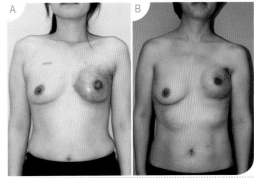

▷그림 5-5-2. **수술 후 방사선 치료의 효과.** A. 방사선 치료 직후의 모습으로 방사선 치료로 인한 피부조직의 홍조와 착색이 관찰된다. 일반적으로 방사선에 의한 조기효과는 대체로 시간이 지남에 따라 자연적으로 호전된다. B. 수술 후 방사선 치료를 받고 6개월 후의 사진으로 심한 피막구축으로 보형물의 위치가 변해있다.

조직을 허혈(ischemic) 상태로 만들게 되며, 이러한 조직학적인 변화는 보형물을 지지하는 조직을 불안정하게 하여, 결국에는 합병증의 비율을 높이게 된다.

유방암 환자가 수술 후에 방사선 치료를 받을지의 여부는 수술 후 최종적인 조직검사 결과(final pathologic diagnosis)에 따라 결정이 되므로 보형물 또는 확장기를 삽입하였지만 예상치 못하게 수술 후 방사선 치료를 받게 되는 경우가 있다. 수술 후 예상되는 방사선 치료가 DTI 또는 조직확장기 삽입술의 금기사항은 아니다. 조직확장기 삽입술 및 영구 보형물로의 교체수술이 필요한 2단계 수술 방법의 경우, 방사선 치료의 유리한 시점(1차수술후 조직확장기 삽입상태에서, 또는 2차수술 완료후 시행)에 관하여는 엇갈리는 의견이 공존한다. 최근에는 유방보존술식(breast conserving therapy, BCT) 후 병변측 유방에 방사선치료를 시행하였더라도 추후 전절제를 시행하는 경우, 커다란 제한없이 보형물 재건을 하는 경향이다.

단, 유방 전절제술 후 방사선 치료를 시행한

지연재건의 경우, 조직확장을 통한 보형물 재건술은 높은 합병증 발생율과 술기적인 제한점이 따르므로 상대적인 금기사항(relative contraindication)으로 보아도 무방하다.

3. 수술 전 계획(Pre-operative planning)과 수술술기 (Operative technique)

1) 첫 번째 수술의 계획

즉시유방재건술 시에는 유방암의 종양학적인 상태와 유방절제술의 방법, 예상되는 보조적 치료에 대하여 논의가 되어야 하며, 이를 위해서는 유방외과, 종양내과, 방사선종양학과와의 협의를 통한 다학제적 접근이 필요하다. 수술 전에 환자와의 면담을 통하여 각 재건방법들에 대한 특징을 충분히 이해시킨 후, 즉시재건 또는 지연재건에 대한 선택을 하고, 재건방법 가운데 어떠한 방법이 적당한지를 결정한다. 그리고 보형물을 이용하는 재건을 선택했다면 직접 보형물을 삽입하는 방법(direct-to-implant, one-stage implant reconstruction) 또는 확장기/보형물의 단계적 재건방법(two-stage expander-implant reconstruction)을 선택할지, 그리고 반대편 유방에 대한 술기(contralateral procedure)가 필요한지에 대한 결정을 하게 된다.

최근에는 피부보존 유방절제술(skin-sparing mastectomy) 또는 유두보존 유방절제술(nipple-sparing mastectomy)이 많이 이루어지고 있으며, 이러한 술식 후에는 무세포진피기질(acellular dermal matrix)을 이용하여 바로 보형물을 삽입(direct-to-implant)하는 것을 고려해 볼

수 있다. 확장기를 이용하는 단계적 수술에 비하여, 한 번의 수술로 보형물을 덮을 수 있기 때문에 추가적인 수술이 필요 없으며, 정상적인 신체상(body image)을 유지할 수 있다는 장점이 있다. 하지만 유방절제술 후 남아있는 피부조직이나 유두유륜복합체가 수술 후 괴사가 일어나지 않을 정도로 건강한 상태이어야 하며, 추후 괴사가 일어날 경우에는 추가적인 교정수술(revision surgery)이 불가피하게 된다. 남아있는 피부조직이 불안정할 경우 확장기/보형물을 이용한 단계적 수술을 선택할 수 있으며, 또한 확장기간(expansion period) 동안 양측 유방의 대칭을 맞추기 위한 계획을 세워 두 번째 수술을 할 수 있는 기회를 갖게 된다. 현재까지 피부 또는 유두유륜복합체가 보존된 유방절제술 후에 어떠한 보형물 재건술을 선택해야 하는지에 대한 절대적인 기준은 없으며, 유방절제술 후의 상태, 술자의 선호도, 환자의 성향 등을 고려하여 적절한 방법을 결정해야 한다.

확장기/보형물을 이용하는 재건술은 수술방법이 비교적 용이하나, 좋은 결과를 얻기 위해서는 수술 전 재건할 유방의 형태에 대한 정확한 평가와 숙련된 경험을 통한 적절한 확장기와 보형물의 선택이 중요하다. 한쪽 유방만을 수술 할 경우에는 수술 전에 반대편 유방의 크기(dimension)에 대해서 계측(measuring)을 시행한다. 수술할 부위의 유방은 종양과 수술 전 검사로 인한 붓기 때문에 유방의 형태가 왜곡이 될 수 있으며, 재건의 목표는 반대편의 유방과 대칭을 이루는 데 있기 때문이다. 가장 중요한 계측치는 유방기저부의 폭(base width)이며, 이에 따라 확장기의 폭을 결정하게 된다. 유방의 폭이 아무리 크더라도 폭이 15 cm 이상인 확장기는 팔의 움직임에 제한을 줄 수 있으므로 피하는 것

이 좋다. 만약에 환자가 작은 유방을 가지고 있어서 반대편 유방의 확대를 원하는 경우에는 측정한 폭보다 넓은 폭을 가진 확장기를 선택한다. 반대로 반대편 유방의 크기가 커서 축소를 원하는 경우에는 측정치보다 작은 폭의 확장기를 선택한다. 수술 전에 선택된 폭을 중심으로 여러 가지 확장기를 준비하여, 수술 중에 유방절제술 후의 상태와 흉벽(chest wall) 폭에 따라 적절한 폭의 확장기를 최종적으로 결정한다. 확장기의 높이도 마찬가지로 반대편 유방의 높이에 따라 결정이 된다. 일반적으로 확장기의 높이는 높은 것(full-height)과 중간(moderate-height), 그리고 낮은 높이(low-height)의 확장기로 구분할 수 있다. 높이가 낮은 확장기는 주로 유방하극(lower pole)만을 확장시키고 대흉근의 중간과 윗부분

에서는 확장이 일어나지 않게 된다. 반대로 높은 확장기는 유방 상극(upper pole)을 포함하여 확장하게 된다. 확장기의 높이는 폭과는 달리 술자에 따라 선호하는 높이가 있어 어떠한 높이가 적당한지는 술자들마다 견해가 다르다.

2) DTI (Direct to implant)

통상적으로 유두 보존 전절제술(nipple sparing mastectomy)은 유륜주위연장절개, 유륜외측절개 또는 유방밑선절개를 통하여 이루어지므로(그림 5-5-3), 이에 대한 외과의사와의 사전 협의가 필요하다. 술 후 반흔이나 유방모양의 관점에 비추어 유방밑선 연장절개를 통한 유두 보존 전절제후 DTI 재건이 가장 우수한 미용적 결과

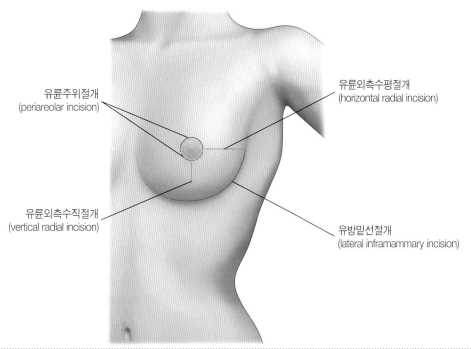

▷ 그림 5-5-3. **유두 보전 전절제술 시 절개선**. 통상적으로 유두 보존 전절제술(nipple sparing mastectomy)은 유륜주위연장절개(periareolar incision & radial incision), 유륜외측절개(horizontal/vertical radial incision) 또는 유방밑선절개(lateral inframammary incision)를 통하여 이루어지며, 술후 반흔이나 유방모양의 관점에 비추어 유방밑선 연장절개를 통한 유두 보존 전절제후 DTI 재건이 가장 우수한 미용적 결괴를 보이나, 전절제술은 시행하는 외과의사의 경험 및 술기상 제한점등을 고려하여 절개선을 결정하는 것이 권장된다.

425

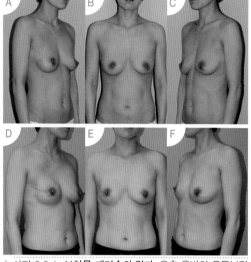

▷사진 5-5-4. **보형물 재건술의 결과.** 우측 유방의 유두보전 전절제술 시행 후, 유륜주변 절개를 통해, 보형물 재건술을 시행하였다. A, B, C. 수술 전. D, E, F. 수술 후 8개월 뒤

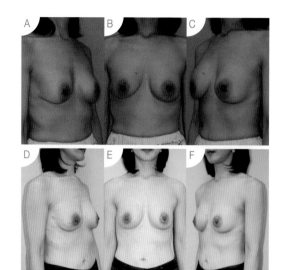

▷사진 5-5-5. **보형물 재건술의 결과.** 우측 유방의 유두보전 전절제술 시행후, 유방밑주름 절개를 통해, 보형물 재건술을 시행하였다. A, B, C. 수술 전. D, E, F. 수술 후 8개월 뒤

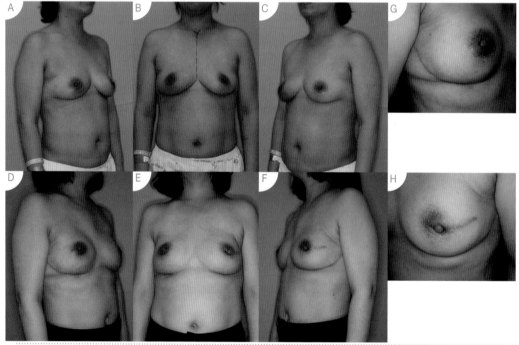

▷사진 5-5-6. **유두보존 유방절제술(nipple-sparing mastectomy) 후, 보형물을 이용한 양쪽 가슴 재건술(DTI).** 오른쪽 가슴은 유방밑절개를 이용했으며, 왼쪽 가슴은 유륜주위 연장절개를 이용하여 수술함. A,B,C. 수술 전, D,E,F. 수술 후 6개월뒤. G. 유방밑 절개를 이용한 오른쪽 가슴의 흉터. H. 유륜주위 연장절개를 이용한 왼쪽 가슴의 흉터

를 보이나, 전절제술을 시행하는 외과의사의 경험 및 술기상 제한점 등을 고려하여 절개선을 결정하는 것이 권장된다(그림 5-5-4,5,6). 예컨대, 외측절개를 통한 전절제술 후 DTI 재건을 시행

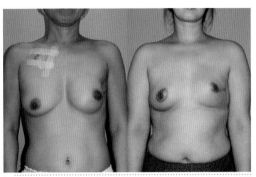

▷사진 5-5-7. 외측절개를 통한 전절제술후 DTI 재건을 시행한 경우 반흔현상으로 인한 유두유륜 복합체의 외측 변위

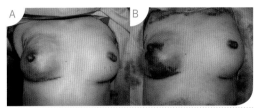

▷사진 5-5-8. **직접 보형물을 삽입하는 재건술 후 피부피판의 괴사.** A. 유두보존 유방절제술 후 보형물을 바로 삽입하여 재건을 시행한 직후 사진. B. 수술 7일 후 사진으로 유방하극에 피부조직의 괴사가 발생한 사진으로, 보형물을 제거하고 확장기를 삽입하는 재수술을 시행하였다.

한 경우 반흔현상으로 인한 유두유륜 복합체의 외측 변위(그림 5-5-7) 등이 흔히 관찰되며, 이는 유두유륜체의 내고정술 등 세심한 수술적 술기로 어느 정도 방지할 수 있다. 마찬가지로 유방밑선의 절개의 경우 피부판의 원위부(유방하연)의 피부판의 혈행이 불량한 경우(그림 5-5-8)를 종종 보게 되는데, 이는 특히 유방하의 돌출 정도가 큰 anatomical shaped 보형물을 삽입하는 DTI의 경우, 수술 후 발생하는 붓기, 봉합으로 인한 피부긴장감의 증가 등으로 피부피판의 혈행이 저해 받는 경우가 발생하므로 때로는 이를 방지하기 위하여 절개선 하방에 위치하는 피부판을 일으켜 절개선이 실제 유방밑선보다 상부에 위치하도록 봉합하는 편법 등을 사용할 수도 있다.

유방외과에서 유방절제술을 마치게 되면 멸균된 타월과 수술용 도포(drape)로 수술 영역(operative field)을 준비한다. 수술용 가운과 장갑은 새로운 것으로 착용을 하고, 재건수술을 위한 수술용 기구도 새로 준비한다. 환자는 앙와위(supine) 자세를 취하고, 유방절제술 후 수술할 부위를 꼼꼼히 살피면서 대흉근 상태와 유방밑주름의 보존 정도, 남아있는 피부피판의 상태를 확인한다.

유방 전절제술 후 피부거상 박리가 광범위하게 진행되면, 해부학적 landmark가 소실되므로 수술 전 유방밑선을 서너 군데 gentian violet으로 주사침 표식하는 것이 좋다. 개인마다 대흉근의 흉곽으로의 부착점이 다소 변이를 보이는 것이 사실이나, 대흉근의 내측하연을 전기소작으로 절제하여 Tebetts이 기술한 유방확대술 시 dual plane type 1~1.5 정도의 대흉근 탈착을 시행한다.

유방전절제 검체의 무게, 환자의 흉곽치수 및 유방 발자국(footprint) 등 다양한 변수를 고려하여 알맞은 수치의 보형물을 선택하고, 이에 상응하는 보형물 사이저(sizer implant)를 넣어 양측의 대칭성을 비교한다. 대체적으로 유방전절제 검체의 무게보다는 그 용량이 작은 것을 선택하며, 알맞은 용량(volume)과 크기(dimension)의 불일치가 발생하는 경우라면 양쪽을 만족시키는 중간 정도의 용량과 크기를 선택하게 된다. 일반적으로 보형물의 돌출 정도 및 높이에 따른 여러 형태의 보형물이 공급되고 있으며, 술자의 경험에 따라 각기 다른 보형물 제조사의 특성을 이해하고 경험적으로 선택하는 것이 필요하다(그림 5-5-9). 4세대 코헤스브 실리콘 젤을 충전제로 사용하는 macro-textured anatomical im-

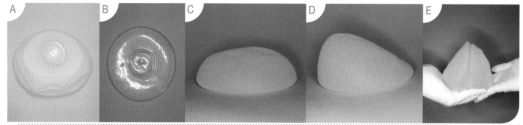

▷사진 5-5-9. **유방재건술에 사용하는 보형물.** A. 조직확장기. B. Smooth round implant. C. Textured round implant. D. Textured anatomical implant. E. Round and anatomical textured cohesive implant

plant가 가장 많이 사용되는 보편적인 선택이나, 술자에 따라서는 기존의 3세대 실리콘 충전제를 사용하는 smooth 또는 textured round implant, 더 나아가서 가장 최근에는 micro-textured round implant를 선호하는 경우도 있다. round implant 는 anatomical implant에서 종종 발생하는 보형물의 회전변형(rotation deformity)을 피할 수 있다는 장점과 충전제의 촉감이 다소 부드럽고 유방 내의 이동이 비교적 자유롭다는 장점이 있으나, 4세대 코헤시브 실리콘젤의 안정성과 유방하연의 자연스런운 팽창효과, 구형구축의 발생빈도가 낮다는 점 등을 들어 더 많은 술자들이 후자를 선호하는 경향이 있다.

알맞은 크기와 수치의 보형물을 선택하면, 보형물을 근육밑에 위치시키고 대흉근으로 피복되지 않는 하연일부 및 외측부위를 알맞은 크기의 무세포진피기질을 이용하여 감싸준다. 보통 8×16 cm 정도 크기의 무세포진피기질이 유방보형물 재건용으로 공급되고 있으며, 사용 전 수화를 필요로 하는 형태의 동결건조형태의 무세포진피기질(freeze-dried ADM), 액체보존용매에 보관되어 있는 수화형태의 무세포진피기질 (Ready-to-use (RTU) ADM), 그리고 냉동보관을 요하는 냉동된 형태의 무세포진피기질(frozen ADM)등이 있으며, 각 형태에 따른 효과는 동일하다고 보아도 무방할 것이나, 사용상의 주의점

은 다음과 같다. 동결건조형태의 무세포진피기질은 사용전 충분한 수화과정이 중요하며, 보통 식염수 또는 3종 항생제 용액에 30분 이상 수화과정을 하는 것이 권장된다. 수화형태의 무세포진피기질의 경우, 별도의 수화과정을 필요로 하지 않으나, 수차례 맑은 식염수에 세척하여 액체 보존액을 씻어내는 것이 술 후 장액종의 과다한 발생을 미연에 방지하는 데에 도움이 된다고 알려져 있다. 냉동된 형태의 무세포진피기질의 경우 그 보관이 용이하지 않고 별도의 보관용 초저온 냉동고가 필요로 하다는 단점이 제한점으로 알려져 있다. 또한 무세포진피기질을 체내에 삽입하기 전에, 무세포진피기질에 여러 개의 긴 구멍(slit incision)을 낸다. 이는 수술 후 보형물이 위치한 공간 내부의 배액에 유리하며, 무세포진피기질의 크기확장에 도움을 줄 수 있다.

3) 2단계중 첫번째 수술(조직확장기의 삽입술)(그림 5-5-10)

선택된 확장기의 크기를 고려하여 대흉근 아래로 삽입될 영역을 반대편 유방의 크기와 위치가 일치하도록 도안(marking)한다. 확장기가 삽입될 공간(pocket)의 하연(lower border)은 유방 밑주름을 지나면서 1 cm를 넘지 않도록 한다. 확장을 시작하면 확장기의 하연이 위로 올라갈

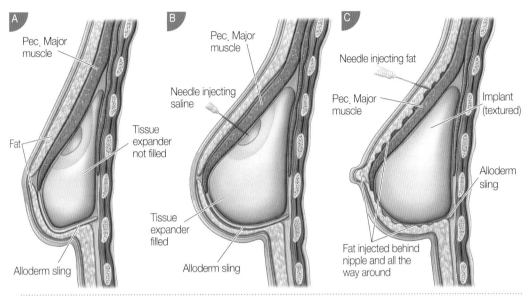

▷사진 5-5-10. **확장기의 삽입술 및 영구 보형물의 삽입.** A. 유방 전절제술 후 대흉근과 무세포진피기질을 이용하여 만든 공간으로 확장기를 삽입한다. B. 확장기를 삽입하고 2주뒤부터 2~3주간격으로 식염수를 주입하여, 확장기의 확장을 시작한다. C. 확장기의 확장이 끝나면, 확장기를 제거하고, 영구 보형물을 삽입하게 된다. 이 과정에서 필요시, 지방 이식술 또는 반대편 유방의 성형수술을 동시에 시행할 수 있다.

수 있기 때문이다. 확장기가 정확하게 위치해 있는지 확인하기 위해 반대편 유방은 수술 중에도 항상 볼 수 있도록 한다.

확장기는 대흉근 아래로 삽입이 되며, 확장기의 하외측(inferolateral)은 전거근이나 무세포진피기질(acellular dermal matrix)을 이용하여 덮게 된다. 예전에는 주로 확장기 하외측의 피복을 피부피판이나 전거근(anterior serrtus muscle)을

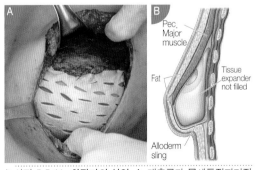

▷사진 5-5-11. **확장기의 삽입.** A. 대흉근과 무세포진피기질을 이용하여 확장기를 피복. B. 대체적으로 확장기는 대흉근과 무세포진피기질 아래 삽입한다.

이용하였으나, 최근 경향에 따르면 무세포진피기질을 많이 사용하고 있다(그림 5-5-11). 2010년 미국성형외과학회(American Society of Plastic Surgeons)의 조사에 따르면, 반 이상의 성형외과의사가 무세포진피기질을 이용하여 보형물 재건을 하는 것으로 알려지고 있다. 대흉근하 공간(subpectoral pocket)을 만들기 위해 대흉근의 외측 경계부터 박리를 시작한다. 내측 방향으로 대흉근의 하부를 따라 분리한 다음, 상내측을 향해 박리를 한다. 내측의 두꺼운 근막을 충분히 이완하여 확장기가 정확한 위치에 올 수 있도록 한다. 상부로의 지나친 박리는 불필요한 출혈이 발생할 수 있고 확장기가 위쪽에 위치할 수 있기 때문에 피하도록 한다. 대흉근의 박리를 마친 후에 무세포진피기질을 이식하게 된다. 이식하는 방법에는 여러 가지가 있지만, 일반적으로 대흉근이 둘러싸지 못한 하외측을 무세포진피기질 이식편으로 피복하게 된다 이식편은 흡수성

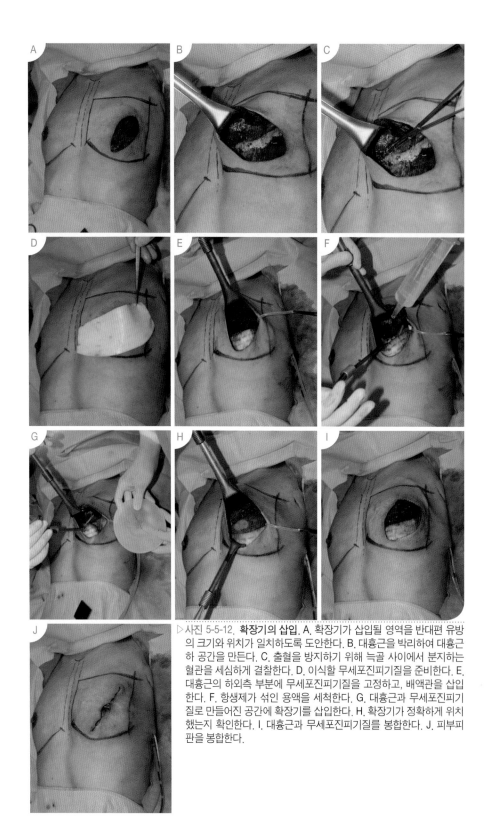

▷사진 5-5-12. **확장기의 삽입**. A. 확장기가 삽입될 영역을 반대편 유방의 크기와 위치가 일치하도록 도안한다. B. 대흉근을 박리하여 대흉근하 공간을 만든다. C. 출혈을 방지하기 위해 늑골 사이에서 분지하는 혈관을 세심하게 결찰한다. D. 이식할 무세포진피기질을 준비한다. E. 대흉근의 하외측 부분에 무세포진피기질을 고정하고, 배액관을 삽입한다. F. 항생제가 섞인 용액을 세척한다. G. 대흉근과 무세포진피기질로 만들어진 공간에 확장기를 삽입한다. H. 확장기가 정확하게 위치했는지 확인한다. I. 대흉근과 무세포진피기질을 봉합한다. J. 피부피판을 봉합한다.

봉합사를 이용하여 하외측에는 흉벽과 근막, 전거근에 고정하고, 상내측은 확장기를 삽입할 수 있도록 일부분만 대흉근과 봉합한다.

준비된 확장기를 개봉하여 들어있는 공기를 제거하고, 확장기의 누수가 없는지를 확인하기 위해 적은 양의 식염수를 주입한다. 확장기를 삽입하기 전에 배출관(drain)을 삽입하고, 항생제 또는 포비돈 요오드액(povidone iodine)이 섞인 용액으로 삽입될 공간을 세척(irrigation)한다. 확장기를 삽입할 때는 확장기가 정확하게 위치했는지 확인을 하고, 대흉근과 이식편의 나머지 부분을 봉합한다. 확장기에는 피부의 긴장(skin tension)이 지나치지 않을 정도의 식염수를 주입한다(그림 5-5-12).

4) 두 번째 수술의 계획

확장기를 삽입하고 2주 후부터 확장을 시작한다. 일반적으로 2~3주 간격으로 약 50cc의 식염수를 주입하게 되며, 주입되는 양은 피부의 긴장도를 고려하여 결정하게 된다. 반대편 유방의 크기를 고려하면서 확장의 종말점(end point)를 결정하고, 첫 번째 수술 후 약 3~6개월 후에 두 번째 수술을 진행한다. 보조적 항암치료(adjuvant chemotherapy)를 받는 환자의 경우에는 항암치료의 종료 후로 두 번째 수술을 계획한다.

확장기의 삽입의 목표는 두 번째 수술을 단순화하는 데 있다. 두 번째 수술을 위하여 확장된 상태를 정확하게 평가해야 한다. 유방밑주름의 수준(level)과 형태를 관찰하여 유방밑주름을 낮추어야 할지 또는 높여야 할지, 내측 또는 외측으로 공간을 넓혀야 할지를 결정한다. 삽입될 영구 보형물의 크기(dimension)는 첫 번째 수술 시 결정된 확장기와 유사한 것을 준비하여 수술

중에 보형물 사이저를 이용하여 최종적으로 적절한 보형물을 선택한다. 간혹 호르몬 치료 또는 환자의 체중변화로 인하여 반대편 유방의 크기와 모양이 변하는 경우도 있으므로, 당시의 반대편 유방을 기준으로 보형물을 선택해야 한다. 보형물은 기준에 따라 둥근모양과 해부학적인 모양, 실리콘과 식염수, 부드러운 표면과 거친 표면으로 나눌 수 있으며, 술자의 경험에 따라 적절한 보형물을 선택한다. 반대편 유방에 대한 술기도 첫 번째 수술 전 계획 시 이미 결정되는 경우가 대부분이며, 확장하는 기간 동안 환자와 충분히 상의하여 원하는 크기와 모양을 결정하여 양측 유방의 대칭이 이루어지도록 디자인한다.

5) 두 번째 수술: 영구 보형물의 삽입
 (그림 5-5-10)

유방절제술 시에 가해졌던 절개선을 따라 다시 절개를 가한다. 절개를 통하여 확장기를 제거한 후 공간(pocket)의 상태를 면밀히 파악한다. 확장기가 적절하게 위치하여 반대편 유방과 대칭적인 공간을 형성했다면 두 번째 수술에서의 조작을 최소화할 수 있다. 수술 전 계획에 따

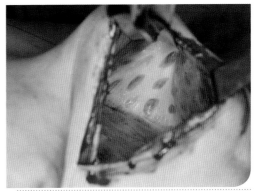

▷그림 5-5-13. **무세포진피기질의 생착.** 두 번째 수술 시 무세포진피기질이 생착되어 재혈관화(revascularization) 된 것을 확인할 수 있다.

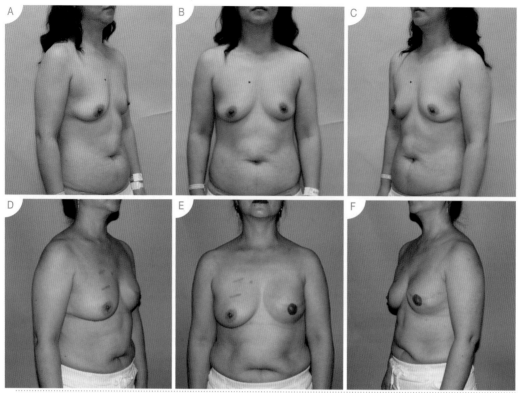

▷사진 5-5-14. **확장기 및 보형물을 이용한 재건술의 결과.** 좌측 유방의 전절제술 시행 후, 확장기 및 보형물 재건술을 시행하였다. A, B, C. 수술 전 사진. D, E, F. 수술 후 2년 뒤 사진

라 유방밑주름의 위치를 조절하거나, 필요에 따라 무세포진피기질이 생착된 부분에 피막절개술 (capsulotomy)을 가하여 보형물이 삽입될 공간을 조작(refinement)한다. 첫 번째 수술 시 이식한 무세포진피기질은 대부분 생착이 이루어지며 (그림 5-5-13), 일부 생착이 이루어지지 않은 이식편이 있다면 제거한다. 보형물 사이저를 이용하여 환자를 앉힌 자세에서 적절한 보형물을 최종적으로 결정한다. 항생제 또는 포비돈 요오드액이 섞인 용액으로 삽입될 공간을 세척하고 배액관을 삽입한 후, 무균적 방법으로 보형물을 삽입하고 절개 부위를 봉합한다(그림 5-5-14).

4. 최신 지견

1) Skin reducing mastectomy

크고 쳐진 유방에서 유방전절제술을 하면서 유두나 피부를 보존하는 것은 쉬운 일이 아니다. 그 이유는 유방절제술 후에 남은 피부밑 공간과 보형물이 들어갈 근육밑 공간의 차이가 크기 때문이다. Skin reducing mastectomy에서는 와이즈 패턴(wise pattern)의 피부 절개를 통해 유방암 및 유방조직을 제거하되 유방하부의 피부를 절제해 버리지 않고 탈상피화(deepithelization)하여 유방 하부 진 피판(inferior dermal flap)으로 만들어 보형물을 이용한 유방재건술을 시행할 때, 보형물 하부를 감싸는 데 이용하는 방법이다. 대개는 반대측 유방축소술을 동시에 시행하는 경우가 많다. 와이즈 패턴을 사용하므로 수술 후 흉터모양은 역T자형 유방축소술(inverted T reduction mammaplasty)과 매우 유사하다.

Skin reducing mastectomy가 크고 처진 유방에서 자연스러운 처짐과 대칭적인 흉터를 형성하여 만족할 만한 결과를 얻을 수 있으나, 높은 합병증 발생률이 있음에 주의해야 한다. 유방 가쪽의 유방전절제술 후 남은 피부피판(mastectomy flap)과 탈상피화된 유방하부의 진피 피판(inferior dermal flap)이 만나는 부위(T junction)가 매우 길고 각진 형태이기 때문에 혈행이 좋지 않아 피부괴사가 나타날 수 있다. 이러한 괴사가 발생한다면 보형물을 제거할 수도 있으며, 추가 재건 일정 및 항암 치료 지연을 유발할 수 있다. 따라서 수술 후 남은 피부 피판의 혈행 유지를 위한 세심한 주의가 필요하다. 환자 선택에서도 주의해야 하는데 과흡연자나 피부 상태가 좋지 않은 경우는 이 방법을 쓰지 않아야 한다.

2) Prepectoral Implant Reconstruction

보형물을 이용한 대흉근보존 유방재건술(Prepectoral implant reconstruction)은 원래 유방조직이 위치해 있었던 공간인 대흉근(pectoralis major)과 전거근(serratus anterior muscle) 위에 보형물을 위치시키는 방법이다. 따라서 흉곽의 근육들을 박리(dissection), 거상(elevation)할 필요가 없고 근육조직 확장을 시킬 필요도 없다. 이 방법의 장점으로는 첫째, 근육 거상으로 인한 통증을 줄일 수 있고, 둘째 기형적인 근육움직임으로 인한 변형(animation deformity)의 발생을 원천적으로 억제하며, 셋째, 피막구축을 줄일 수 있고, 넷째 보형물의 전위(displacement)

나 변위(malposition)의 빈도를 줄일 수 있다.

보형물을 이용한 대흉근보존 유방재건술에서 가장 중요한 것은 이 방법에 알맞은 환자 선택(patient selection)이다. 수술의 금기증으로는 조절 안되는 당뇨, 비만(BMI>35), 흡연자, 그리고 유방절제술 이전에 방사선 치료를 시행한 경우이다. 이러한 환자에서 유방 피부피판의 혈액 순환이 좋지않아 피부괴사 등의 문제로 보형물 제거를 해야 하는 경우가 증가한다. 유방절제술 시 병변이 대흉근에 인접해 있거나(0.5 cm 이내) 침범한 경우, 염증성 유방암(inflammatory breast cancer), 4기 유방암, 심한 액와부 전이 등이 있는 경우도 금기에 해당한다.

보형물을 이용한 대흉근보존 유방재건술의 적합성은 유방전절제술 후 피부피판의 상태에 따라 결정할 수 있으며, 특히, 수술 후 방사선 치료(postmastectomy radiotherapy)가 예정되어 있는 경우에는 이 방법이 매우 효과적인 대안이 될 수 있다.

수술방법은 보형물 혹은 조직확장기를 무세포진피기질(ADM)로 완전히 감싸서 대흉근 앞에 고정하게 되는데 무세포진피기질을 인체 내에서 감싸느냐 인체 밖에서 감싸서 넣느냐에 따라 ex-vivo, in-vivo 방법으로 나누게 된다. 보형물을 바로 삽입하는 DTI를 이용할 수도 있고 2단계 수술로 조직확장기를 넣을 수도 있다(그림 5-5-15).

수술 중 고려해야 할 사항은 반드시 남아 있는 유방 피판(mastectomy skin flap)의 혈행(perfusion)이 좋아야 한다는 것이다. 피하 지방층이 많이 남아 있을수록 유리하고 진피하 혈관총(subdermal plexus)가 잘 보존되어야 한다. 만약 혈행이 좋지 않다면 대흉근 하방에 위치시키는 기존의 방법으로 전환하던가 아니면 최소 3주 이후에 지연 재건을 고려해야 한다.

V. 유방

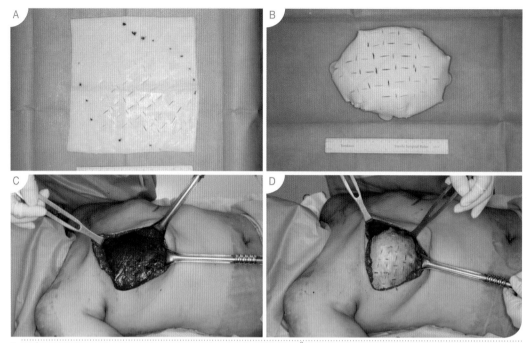

▷그림 5-5-15. Prepectoral breast implant reconstruction A. 16 X 16cm²의 무세포진피기질(ADM). B. 인체 밖에서 감싸서 넣는 ex-vivo 방법으로, 조직확장기를 무세포진피기질로 완전히 감쌈. C. 유방전절제술 후 가슴벽의 상태. D. 무세포진피기질로 완전히 감싼 조직확장기를 대흉근 앞에 고정

미용적으로도 좋은 결과를 얻기 위해 고려해야 할 사항은 다음과 같다. 첫째, 2단계 수술(2-stage reconstruction)을 고려한다면 가급적 조직확장기를 덜 채우는 것(underfill)이 좋다. 즉 최종 넣고자 하는 보형물의 부피보다 적게 피부 확장이 되어야 추후 피부 늘어짐이나 피부의 물결모양(rippling)을 남기는 것을 방지할 수 있다. 둘째, 보형물 선택에 있어 form-stable 겔 보형물과 같은 코헤시브겔 보형물을 넣는 것이 보형물에 의해 피부에 물결무늬가 발생하는 현상(rippling) 방지에 좋다. 셋째, 자가 지방 이식은 가능하면 꼭 해주는 것이 좋다. 볼륨이 부족한 유방 상방(upper pole)이나 보형물을 싸고 있는 유방피부에 지방 이식을 해 주는 것은 미용적으로도 좋다.

5. 합병증(Complication)

1) 혈종(Hematoma)

혈종은 주로 수술 하루나 이틀 후에 나타난다. 확장기 삽입 후 혈종의 양이 적고 지속되는 출혈이 없으며 배액관이 정상적으로 기능을 한다면 경과를 관찰해 볼 수 있으나, 출혈이 지속되면, 재수술로 출혈을 일으키는 혈관을 결찰하고 혈종을 제거해야 한다. 배액관이 기능을 하지 못하여 혈종이 확장기나 보형물 주변에 생성된 경우에도 수술적으로 해결을 할 필요가 있다. 작은 혈종이라도 장기적으로 피막 구축 발생의 확률을 높이므로 제거하는 것이 권장된다.

이를 예방하기 위하여, 최소한 수술하기 1주일 전부터 출혈의 위험성이 있는 약물이나, 영양제 등의 복용을 중지하는 것이 좋다.

2) 홍반(Erythema)

홍반은 피부피판을 박리하면서 자주 일어날 수 있는 반응이며 자연적으로 소실된다. 유방하극의 홍반과 염증반응이 지속되면서 명백한 감염의 증거가 없는 현상을 붉은 유방 증후군(red breast syndrome)이라고 한다. 현재까지 확실한 기전이 알려지지는 않았지만, 림프 배액의 교란(derangement)과 관련이 있는 것으로 추측하고 있다. 특히 무세포진피기질을 사용하였을 경우 관찰되는 빈도가 높다. 감염과 감별하는 것이 중요하며, 붉은 유방 증후군일 경우 열(fever)과 오한(chill), 백혈구의 증가(leukocytosis)가 동반되지 않는다. 붉은 유방 증후군의 치료를 위해 항생제나 소염제가 도움이 된다는 증거는 없으며, 감염의 증상이 없는지 경과를 관찰한다.

3) 장액종(Seroma)

장액은 조직의 손상, 지방과 같은 수술의 잔해들(debris), 혈관재형성의 저해 등과 같은 여러 가지 원인에 의해 발생하게 된다. 장액을 최소화하기 위한 예방적 방법으로 확장기나 보형물이 삽입되는 공간을 적극적으로 세척하고, 사강(dead space)을 줄이는 퀼트봉합(quilting suture)을 시도하거나, 배액관을 오랫동안 유지해 볼 수 있다.

술자에 따라 차이가 있지만, 통상적으로 배액량이 하루 30cc 이하인 경우, 배액관을 제거할 수 있으며, 최장 2~3주간 배액관을 유지할 수 있다. 배액관을 오래 유지하는 경우, 배액관을 따라 감염이 발생할 수 있음을 유의해야 한다.

배액관을 제거한 이후, 장액이 형성되면 감염을 방지하기 위해 제거를 해야 한다. 소량인 경우, 초음파 가이드 하에, 끝이 둔한 캐뉼라(blunt tip cannula)를 이용하여, 흡인술(aspiration)을 시행해 볼 수 있다. 상당한 양의 장액이 있다면 재수술을 고려해야 한다.

4) 피판 괴사(Flap necrosis)

유방절제술 시 피부피판을 지나치게 얇게 박리하거나 수술 중 확장기를 무리하게 확장했을 경우에 피부피판의 괴사가 발생할 수 있다. 최근

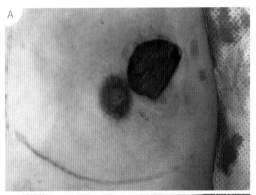
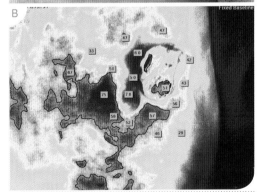

▷그림 5-5-16. **수술 중 피부피판의 관류상태 측정**. 수술 중에 SPY Elite® 시스템(LifeCell corp., Branchburg, NJ, USA)을 이용하여 조직의 관류상태를 평가할 수 있다. A. 유두보존 유방절제술 직후 확장기 삽입 전 사진. B. 형광물질을 주입한 후 SPY Elite® 시스템을 이용하여 관류상태를 분석한다. 관류 상태가 좋지 않은 조직은 괴사가 우려되므로 미리 제거할 수 있다.

에는 수술 중에 형광물질을 주입하여 조직의 관류상태를 평가하는 장비를 사용하여 피판의 괴사 여부를 예측하기도 한다(그림 5-5-16). 무엇보다 중요한 것은 피판을 임상적으로 판단하는 것이며, 수술 중에 괴사가 우려되는 피판은 과감하게 절제를 해야 한다.

수술 후 피판의 괴사가 발견된 경우, 치료 방법 또는 치료 시기를 결정하는 것이 중요하며, 이는, 괴사된 피판의 크기 및 깊이에 따라 결정된다. 크기가 작거나, 깊이가 얕은 경우, 보존적 치료로, 2차 치유(secondary intentional healing)를 유도할 수 있으며, 크기가 크거나, 깊이가 깊은 경우, 괴사된 피판 조직을 제거하고 피판을 당겨서 봉합하며, 피부의 긴장도가 과도할 경우 확장기에 주입된 식염수의 양을 조절할 수 있다. 수술 후 보조적 항암치료가 필요하다면 피판의 괴사로 인하여 지연되지 않도록 적극적으로 해결을 해야 한다.

5) 감염(Infection)

감염의 경우, 발생 시기에 따라 수술 약 3주이내 발생하는 초기 감염(early infection)과 이후에 발생하는 후기 감염(late infection)으로 나눌 수 있다. 또한, 임상양상에 따라 보형물이 위치한 공간의 감염(true pocket infection)과 보형물을 감싸는 피부(envelope)의 봉와조직염(cellulitis)으로 구분하여, 진단 및 치료하는 것이 중요하다. 전자의 경우, 회복될(salvage) 비율은 20% 미만이고, 후자의 경우는 70% 이상으로 알려져 있다. 감염의 위험인자로는 체질량지수(Body mass index, BMI)가 높거나, 당뇨가 있거나, 수술 전 항암치료를 통해 면역이 저하된 경우 등을 들 수 있다.

일반적으로 감염을 예방하기 위해 수술 전 예방적 항생제 투여하며, 배액관이 삽입되어 있는 동안에도 예방적 목적으로 항생제를 투여할 수 있다. 또한 수술 중 항생제 또는 베타딘이 포함된 용액을 이용하여, 보형물 및 보형물을 삽입할 공간을 세척하는 것이 중요하다.

일단, 감염이 발생하면 체온이 상승하고 피부에 발적(redness)이 일어나며 통증이 동반된다. 확장기/보형물 재건술 시에는 주로 확장기를 삽입한 후에 감염이 발생한다. 피판의 괴사, 장기간의 장액과 같은 다른 합병증과 관련되어 발생하는 경우가 많으며, 우선 원인이 되는 다른 합병증을 우선적으로 해결하면서 치료적 목적으로 경구 또는 정맥 항생제를 사용한다. 감염이 발생하는 경우, 활력징후를 집중적으로 감시하면서, 혈액검사(complete blood count), 적혈구 침강속도(erythrocyte sedimentation rate, ESR), C-반응성 단백질(C-reactive protein, CRP) 등의 기본검사를 시행하고, 분비물에서 균검사(gram stain, culture, NTM, fungus etc.)를 시행하게 된다. 먼저 경험적인 항생제 치료를 해볼 수 있으며, 이후, 균이 동정되면, 항생제 감수성에 따라 적절한 항생제 치료를 시행해야 한다. 정맥 항생제 치료로 해결이 되지 않을 때는 보형물을 제거하거나, 적극적인 세척과 변연절제술(debridement) 및 보형물 교체 등을 통한 수술적인 치료로 해결을 기대해 볼 수도 있다.

최근에는 비정형마이코박테리아(Nontuberous mycobacteria, NTM), 반코마이신 내성장알균(Vancomycin resistant enterococcus, VRE), 카바페넴 내성 아시네토박터균(Carbapenem resistant Acinetobacter baumannii, CRAB) 등 경험적항생제 치료에 저항성이 있는 경우가 증가하고 있어, 자주 재발하거나,

치료가 잘 되지 않는 감염환자에서는 이러한 균의 감염을 의심해 보아야 한다.

6) 피막구축(Capsular contracture)

미용목적의 보형물을 이용한 유방수술보다는 유방재건술에서 피막구축이 발생할 확률이 높다. 미국식품의약국의 보고에 따르면 베이커 분류법(Baker classification) Ⅲ 또는 Ⅳ등급의 피막구축이 발생할 확률은 16~30% 정도이며, 식염수 보형물과 실리콘 보형물과는 큰 차이가 없는 것으로 조사되었다. 거친 표면의 보형물을 근육하 공간에 삽입하게 되면 심각한 피막구축을 방지하는 효과가 있지만, 조직과의 유착으로 인해 피부의 주름(wrinkle)을 형성하는 빈도가 높아지게 된다. 수술 시 혈종이나 감염과 같은 합병증이 있었거나, 방사선 치료를 받게 되면 피막구축의 빈도가 높아진다.

피막구축의 예방을 위해, 류코트리엔 수용체 억제제(leukotriene receptor antagonist)인 zafirlukast (Accolate) 또는 montelukast (Singulair)를 복용해 볼 수 있다. 또한 피막구축이 발생한 경우에는 피막 제거술을 시행하거나, 아주 심한 경우에는 보형물을 제거한 뒤, 자가조직을 이용한 유방재건술을 시도해 볼 수 있다. 보조적으로 지방이식술을 시행하여, 미용적으로 더 나은 결과를 가져올 수도 있다.

References

1. Albornoz CR, Bach PB, Mehrara BJ, Disa JJ, Pusic AL, McCarthy CM, Cordeiro PG, Matros E. A paradigm shift in U.S. Breast reconstruction: increasing implant rates. Plast Reconstr Surg. 2013; 131(1): 15-23.

2. Albornoz CR, Cordeiro PG, Farias-Eisner G, Mehrara BJ, Pusic AL, McCarthy CM, Disa JJ, Hudis CA, Matros E. Diminishing relative contraindications for immediate breast reconstruction. Plast Reconstr Surg. 2014; 134(3): 363e-9e.

3. Basu CB, Leong M, Hicks MJ. Acellular cadaveric dermis decreases the inflammatory response in capsule formation in reconstructive breast surgery. Plast Reconstr Surg. 2010; 126: 1842–7.

4. Baxter RA. Intracapsular allogenic dermal grafts for breast implant-related problems. Plast Reconstr Surg. 2003; 12: 1692–6.

5. Barr S, Hill E, Bayat A. Current implant surface technology: an examination of their nanostructure and their influence on fibroblast alignment and biocompatibility. Eplasty. 2009 Jun 16;9:e22.

6. Barr S, Hill EW, Bayat A. Functional biocompatibility testing of silicone breast implants and a novel classification system based on surface roughness. J Mech Behav Biomed Mater. 2017 Nov;75:75-81.

7. Becker S, Saint-Cyr M, Wong C, Dauwe P, Nagarkar P, Thornton JF, Peng Y. AlloDerm versus DermaMatrix in immediate expander-based breast reconstruction: a preliminary comparison of complication profiles and material compliance. Plast Reconstr Surg. 2009; 123: 1–6.

8. Bindingnavele V, Gaon M, Ota KS, Kulber DA, Lee DJ. Use of acellular cadaveric dermis and tissue expansion in postmastectomy breast reconstruction. J Plast Reconstr Aesthet Surg. 2007; 60: 1214–8.

9. Breuing KH, Colwell AS. Inferolateral AlloDerm hammock for implant coverage in breast reconstruction. Ann Plast Surg. 2007; 59: 250–5.

10. Chun YS, Verma K, Rosen H, Lipsitz S, Morris D, Kenney P, Eriksson E. Implant-based breast reconstruction using acellular dermal matrix and the risk of post-operative complications. Plast Reconstr Surg. 2010; 125: 429–36.

11. Kim JY, Connor CM. Focus on technique: two-stage implant-based breast reconstruction. Plast Reconstr Surg. 2012; 130: 104S-15S.

12. Kim JY, Davila AA, Persing S, Connor CM, Jovanovic B, Khan SA, Fine N, Rawlani V. A meta-analysis of human acellular dermis and submuscular tissue expander breast reconstruction. Plast Reconstr Surg. 2012; 129: 28–41.

13. Kyle DJ, Oikonomou A, Hill E, Bayat A. Development and functional evaluation of biomimetic silicone surfaces with hierarchical micro/nano-topographical features demonstrates favourable in vitro foreign body response of breast-derived fibroblasts. Biomaterials. 2015 Jun;52:88-102.

14. Mandell J. Sexual Differentiation: Normal and abnormal. In: Walsh PC, Retik AB, Vanghan ED Jr, WeinA. Jc, editors. Campbell's Urology 7th ed, Philadelphia : Saunders, 1998; 2145-54.

15. McGrath MH. The psychological safety of breast implant surgery. Plast Reconstr Surg. 2007; 120: 103S-109S.

16. Nahabedian MY. AlloDerm performance in the setting of prosthetic breast surgery, infection, and irradiation. Plast Reconstr Surg. 2009; 124: 1743–53.

17. Namnoum JD. Expander/implant reconstruction with AlloDerm: recent experience. Plast Reconstr Surg. 2009; 124: 387–94.

18. Nava MB. Expander-implants breast reconstructions. In: Neligan PC editors. Plastic Surgery 3rd ed, vol. 5. Philadelphia : Saunders, 2013; 336-369.

19. O'Shaughnessy K. Evolution and update on current devices for prosthetic breast reconstruction. Gland Surg. 2015; 4: 97-110.

20. Preminger BA, McCarthy CM, Hu QY, Mehrara BJ, Disa JJ. The influence of AlloDerm on expander dynamics and complications in the setting of immediate tissue expander/implant reconstruction: A matched-cohort study. Ann Plast Surg. 2008; 60: 510–3.

21. Rawlani V, Buck DW, Johnson SA, Heyer KS, Kim JYS. Tissue expander breast reconstruction using prehydrated human acellular dermis. Ann Plast Surg. 2011; 66: 593–7.

22. Salzberg CA, Ashikari AY, Koch RM, Chabner-Thompson E. An 8-year experience of direct-to-implant immediate breast reconstruction using human acellular dermal matrix (Allo-Derm). Plast Reconstr Surg. 2011; 127: 514–24.

23. Sbitany H, Sandeen SN, Amalfi AN, Davenport MS, Langstein HN. Acellular dermis–assisted prosthetic breast reconstruction versus complete submuscular coverage: A head-tohead comparison of outcomes. Plast Reconstr Surg. 2009; 124: 1735–40.

24. Sbitany H, Serletti JM. Acellular dermis-assisted prosthetic breast reconstruction: A systematic and critical review of efficacy and associated morbidity. Plast Reconstr Surg. 2011; 128:1162–9.

25. Sbitany H. Important considerations for performing prepectoral breast reconstruction. Plast Reconstr Surg. 2017; 140(suppl):7s-13s.

26. Sforza M, Zaccheddu R, Alleruzzo A, Seno A, Mileto D, Paganelli A, Sulaiman H, Payne M, Maurovich-Horvat L. Preliminary 3-Year Evaluation of Experience With SilkSurface and VelvetSurface Motiva Silicone Breast Implants: A Single-Center Experience With 5813 Consecutive Breast Augmentation Cases. Aesthet Surg J. 2018 May 15;38(suppl_2):S62-S73.

27. Spear SL, Mesbahi AN. Implant-based reconstruction. Clin Plast Surg. 2007; 34: 63-73. Spear SL, Parikh PM, Peisin E, Menon NG. Acellular dermisassisted breast reconstruction. Aesthetic Plast Surg. 2008; 32: 418–25.

28. Strock LL. Immediate two-stage breast reconstruction using a tissue expander and implant. In: Spear SL editors. Surgery of the breast 3rd ed, vol. 1. Philadelphia : Lippincott Williams & Wilkins, 2011; 388-405.

20. Stump A, Holton LH 3rd, Connor J, Harper JR, Slezak S, Silverman RP. The use of acellular dermal matrix to prevent capsule formation around implants in a primate model. Plast Reconstr Surg. 2009; 124: 82–91.

30. Topol BM, Dalton EF, Ponn T, Campbell CJ. Immediate single-stage breast reconstruction using implants and human acellular dermal tissue matrix with adjustment of the lower pole of the breast to reduce unwanted lift. Ann Plast Surg. 2008; 61: 494–9.

31. Vardanian AJ, Clayton JL, Roostaeian J, Shirvanian V, Da Lio A, Lipa JE, Crisera C, Festekjian JH. Comparison of implant-based immediate breast reconstruction with and without acellular dermal matrix. Plast Reconstr Surg. 2011; 128: 403e–10e.

32. Woerdeman LA, Hage JJ, Smeulders MJ, Rutgers EJ, van der Horst CM. Skin-sparing mastectomy and immediate reconstruction by use of implants: an assessment of risk factors for complications and cancer control in 120 patients. Plast Reconstr Surg 2006; 118: 321–30.

33. Zienowicz RJ, Karacaoglu E. Implant-based breast reconstruction with allograft. Plast Reconstr Surg. 2007; 120: 373–81.

V. 유방

자가조직을
이용한 유방재건
Breast Reconstruction with Autologous Tissue

6

남수봉 · 엄진섭 · 안희창 부산의대 · 울산의대 · 한양의대

자가조직을 이용한 유방재건은 우리 신체에서 잉여의 피부 지방 근육 등의 연부조직을 유방재건 후 발생한 결손 부위로 옮겨와서 최대한 반대편 유방과 동일한 형태로 복원해주는 작업이다. 옮겨지는 조직은 충분한 혈류를 공급받는 상태로 유지되어야 하므로 유경 또는 유리 피판의 형태로 만들어져야 한다. 유방재건에 사용되는 자가 조직은 등, 복부, 엉덩이, 허벅지, 옆구리 등이며, 각 부위에서 거상할 수 있는 피판의 종류는 표 5-6-1에 정리되어 있다.

현재 국내에서 유방 절제술을 받은 환자의 40% 정도가 유방재건을 시행받고 있는 것으로

추산되며, 이중 자가조직을 이용한 유방재건과 보형물을 이용한 유방재건의 비율이 5대 5로 비슷한 추세이다. 자가조직을 이용한 유방재건의 장점은 자연스러운 모양을 만들 수 있고, 따뜻하고 부드러운 살아있는 조직으로 유방을 만들 수 있다는 점이다. 또한 좋은 혈류를 유지할 수 있어 합병증의 발생 빈도가 낮고, 합병증이 발생하여도 쉽게 해결이 가능하다. 보형물은 나름대로의 장점이 있고, 실제로 많은 환자에게 혜택을 주는 좋은 유방재건용 재료이긴 하나, 합병증 및 실패를 야기할 빈도가 조금 높다는 단점 외에도 언젠가는 제거해야 한다는 점이 환자에게 부담

▷ 표 5-6-1. 신체의 각 부위에서 유방재건에 사용할 수 있는 피판의 종류

Body parts	Flaps for breast reconstruction
Back	LD flap - Latissimus Dorsi musculocutaneous flap eLD flap - Extended LD flap
Abdomen	Pedicled TRAM flap -Transverse Rectus Abdominis musculocutaneous flap Free TRAM flap DIEP flap - Deep Inferior Epigastric Artery Perforator free flap SIEA flap - Superficial Inferior Epigastric Artery flap
Buttocks	SGAP flap - Superior Gluteal Artery Perforator flap IGAP flap- Inferior Gluteal Artery Perforator flap
Thighs	TMG flap/TUG flap - Transverse Myocutaneous/Upper Gracilis flap PAP flap- Profunda Femoris Artery Perforator flap ALT flap - Anterolateral Thigh flap
Waist	DCIA flap - Deep Circumflex Iliac Artery Free flap, or "Rubens flap" LAP flap - Lumbar Artery Perforator flap

이 되고, 실리콘에 대한 심리적 거부감을 가진 환자도 많다. 자가조직을 이용한 유방재건은 가장 유방다운 유방을 만들 수 있는 표준적인 방법이라고 할 수 있다. 하지만, 필연적으로 공여부의 흉터와 기능적 손실을 감수해야 한다는 점이 가장 큰 단점이라고 할 수 있다.

유방재건은 재건시기에 따라 즉시재건과 지연재건으로 나뉜다. 즉시재건은 0기에서 2기 사이의 비교적 초기 유방암으로 원발병소의 완전한 절제가 가능할 것으로 생각되는 경우이거나, 절제부위에 염증, 감염, 방사선 치료의 병력이 없는 경우가 좋은 적응증이 된다. 한 번의 수술로 재건이 가능하고, 신체적 변형으로 인한 육체적, 정신적 고통에서 벗어날 수 있다는 장점이 있으나, 한편으로 수술시간이 길어지고, 유방재건에 대한 동기부여가 지연재건의 경우보다 약하다는 단점이 있다. 반면에 지연재건은 유방절제술 후 보조적인 화학요법, 방사선 치료, 호르몬 요법 등을 시행 받고, 6개월에서 수년이 지나, 재발의 가능성이 낮은 환자 중 유방재건에 대한 필요성을 인식하고 수술 받기 원하는 경우 시행하게 된다. 두 번 수술을 한다는 점, 이전 유방절제술로 인해 수혜부에 반흔이 심하다는 점과 inframammary fold(유방하주름)를 만들어줘야 한다는 기술적인 어려움이 단점으로 꼽힌다.

1. 광배근 근피피판을 이용한 유방재건술

광배근 근피피판(Lattisimus dorsi musculocutaneous flap, LD 피판)은 자가 조직을 이용한 유방 재건 방법으로 가장 먼저 소개되었다. 유방암으로 인한 유방 절제 범위와 정도에 따라서 광배근 근육피판(muscle only flap)을 이용할 수도 있지만 근육 부피 감소 등을 고려하여 피부와 지방층을 동시에 채취해서 사용하는 경우가 대부분이다. 하지만 중등도 크기 이상의 유방에서 유방 전절제(skin sparing or nipple sparing mastectomy)와 동시에 LD 피판을 사용할 경우 피판의 부피가 적어 보형물을 동시에 사용하게 된다. 그러나 1983년 Hokin 등이 확장 광배근 근피피판(extended LD flap, eLD 피판) 방법을 소개하면서 LD 피판의 다양한 응용 방법이 발표되었고, 작거나 중등도 크기의 유방에서는 보형물을 사용하지 않고도 유방전절제 후 재건이 가능하게 되었다. 최근 공여부 반흔을 줄이기 위해 내시경이나 로봇을 이용하여 LD 피판을 채취하기도 한다. 여기서는 eLD 피판을 기준으로 기술하였으며, 보형물을 동시에 사용하는 경우 참고할 내용을 포함하였다.

1) 수술 전 고려 사항 및 적응증

LD 피판은 유방부분절제(partial mastectomy or breast conserving surgery) 후 결손을 재건하는 데에도 사용되는데, 유방암의 약 75%가 발생되는 유방의 외측 상부의 부분 절제 후 재건 방법으로는 LD 피판이 가장 좋지만, 내측 하부의 부분 절제 시에는 사용하기가 까다롭다. 유방 절제 범위와 정도가 작은 경우 광배근만 채취하여 재건할 수 있지만 광배근의 부피 감소 정도를 정확히 예측하기 어렵고, 부분유방절제술 후에는 대부분 방사선 치료를 받아야 되므로 피판의 부피가 감소될 것을 감안하여 eLD 피판 형태로 채취하여 사용하는 것이 좋겠다.

유방전절제(nipple or skin sparing mastectomy)가 예정된 환자가 보형물의 삽입보다 자가

조직을 이용한 재건을 원하는 경우 복부 피판을 우선 고려할 수 있지만, 임신 가능성이 있거나, 복부 조직이 충분하지 않은 경우, 이전에 복부 지방흡입술을 시행 받은 경우, 고도 비만, 고령, 이전에 복부에 수술을 받은 경우, 전신 상태가 불량한 경우, 복부에 긴 반흔을 원하지 않는 경우 등에서는 복부 피판의 적응증이 될 수 없어 eLD 피판을 고려할 수 있다. eLD 피판은 즉시유방재건술 이외 재건 수술 전 방사선 치료를 받은 경우의 지연재건, 보형물이나 복부 피판을 이용한 재건 후 발생된 이차 변형에 대한 교정에도 유용하게 사용될 수 있다. 그러나 이전 흉부 수술로 광배근이 손상되었거나 혈관경의 손상이 의심되는 경우에서는 사용할 수 없다.

유방의 크기가 작거나 중등도인 경우, 유방이 크지만 공여부의 지방층이 충분한 환자에서는 유방전절제 이후 eLD 피판만으로 재건이 가능하다. 그러나 eLD 피판은 공여부에 흔히 발생될 수 있는 장액종과 함께 공여부의 외형적 변형, 지속적인 공여부 부위 통증, 어깨 운동 제한 등의 단점이 있으므로 무리하게 넓은 피판을 채취하는 것은 좋지 않다. 따라서 보형물을 동시에 사용할 것을 예상하면, 공여부 합병증을 줄일 수 있는 적당한 범위 내에서 피판을 채취하는 것이 좋겠다. 보형물은 eLD 피판과 대흉근 사이에 삽입할 수도 있지만, 보형물로 인한 이차적인 변형 등을 줄이기 위해서 대흉근 하방에 삽입할 수 있다.

유방재건 후 유방의 돌출(projection)이 부족하거나 일부 함몰 변형 등이 발생되면 1~2회 정도 지방이식술을 통해 교정할 수 있다. 큰 유방이나 처진 유방의 경우 술 전 형태로 재건하는 것이 힘들다고 판단되면 환자에게 충분히 설명하여 반대편 유방을 동시에 교정함으로써 좌우

균형 잡힌 유방을 재건(balancing procedure)하는 것도 고려해야 한다.

2) 해부학적으로 고려할 내용

광배근은 우리 몸에서 가장 큰 근육이다. 근육의 기시는 제7-12번째 척추 돌기, 장골능선(iliac crest)의 후방, 요배막(lumbar fascia), 아래 3개의 늑골(10-12th)이며, 견갑골의 아래 끝 부분(견갑골첨, scapular tip)에서 큰원근(teres major muscle)과 나란히 주행한 뒤 상완골의 결절(tuberosity)에 부착한다(그림 5-6-1). 광배근은 Nahai 분류에서 5형으로 주된 혈관경과 여러 개의 분절 혈관경을 가지고 있는데, 각각의 혈관경을 중심으로 근위 혹은 원위 피판이 가능하다. 광배근의 주된 혈관경은 액와 동맥에서 분지된 견갑하동맥(subscapular artery)이 견갑회선 분지(circumflex scapular artery)를 내고 광배근의

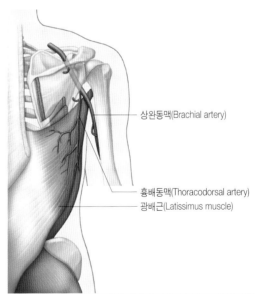

상완동맥(Brachial artery)

흉배동맥(Thoracodorsal artery)
광배근(Latissimus muscle)

▷그림 5-6-1. **광배근의 해부학.** 광배근의 혈행 공급은 견갑하 동맥(subscapular artery)의 최종 분지인 흉배동맥(thoracodorsal artery)에 의해 이뤄진다.

V. 유방

아래를 따라 주행하는 흉배동맥(thoracodorsal artery)이며, 광배근으로 혈관경이 들어가기 전에 전거근 분지(serratus anterior branch)와 큰원근 등으로 주행하는 작은 분지들이 분리된다. 이러한 분지들을 모두 분리하면 약 15 cm까지 긴 혈관경을 확보할 수 있다.

광배근과 피부 사이의 지방층은 Scapa's fascia에 의해서 천부 지방층(superficial fatty layer)과 심부 지방층(deep fatty layer)으로 나뉘는데, eLD 피판에서는 심부 지방층을 포함하면서 척추, 견갑골, 요배막, 그리고 광배근 전연 또는 외연(anterior or lateral border)을 넘어서 존재하는 지방층을 동시에 사용할 수 있다. 그러나 광범위한 지방층을 포함해서 피판을 거상할 경우 이에 따르는 공여부 합병증이 증가하기 때문에 BMI(body mass index)가 높은 환자가 아닌 경우 신중하게 사용을 고려해야 한다.

3) 수술 방법

환자의 유방형태, 크기, 유방하주름의 수준, BMI, 허리의 주름 위치와 정도, 브라 라인의 위치 등을 술 전 standing position에서 표시를 하고, 유방외과와 상의해서 절제 범위, 절개 예정선도 표시한다.

(1) skin paddle 위치와 크기

광배근을 완전 분리 후 근육의 근위부를 얇게 다듬고, 충분한 길이의 혈관경을 박리하여 피판을 사용하게 되면(그림 5-6-2), 수혜부의 결손 위치에 따른 공여부 skin paddle의 위치와 방향을 달리할 필요가 없다. 브라 라인과 나란하게 수평으로 작도하여 수평 반흔이 브라에 감춰지도록 한다. Skin paddle의 폭을 결정할 때 집게

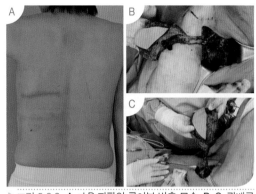

▷ 그림 5-6-2. A. eLD 피판의 공여부 반흔 모습. B, C. 광배근 분리 후 혈관경 박리가 끝나고 피판의 이동 직전의 모습

검사(pinch test)보다 넓게 하면 봉합 후 벌어지거나 경계 괴사 등의 위험이 높아지고, 봉합 부위가 얇아져서 함몰 변형처럼 보이기도 한다. 유방절제 시 유두유륜복합체가 포함된 경우 skin paddle은 폭을 약 5~6 cm, 길이 약 15 cm의 방추형(elliptical shape)으로 한다. 만일 유두 유륜 복합체가 보존된 경우에서는 폭을 2~4 cm, 길이 약 10~13 cm 정도로 한다. 지연재건의 경우에는 수평보다 약간 기울어진 형태로 사용하며, 술 전 환자에게 공여부 반흔 문제 및 합병증에 대해서 충분히 설명을 해야 한다.

(2) 피판의 경계 표시 및 박리

광배근의 전연 또는 외연(anterior or lateral border)과 견갑골첨(scapular tip), 척추 가시돌기(spinous process), 가슴우리(thoracic cage)의 경계, 장골능선(iliac crest)을 각각 표시하고, 브라 라인을 기준으로 수평의 skin paddle을 디자인한다(그림 5-6-3). 견갑골첨에서 상방으로 5~10 cm까지 박리 범위를 표시하고, 척추 돌기보다 외측(피판쪽)으로 약 3 cm, 하방 경계는 10-12th 늑골까지를 피판 박리 범위로 정한다.

피판을 채취하기 위해 환자를 옆으로 누운 자

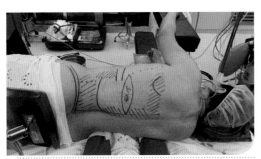

▷그림 5-6-3. **eLD 피판의 디자인**

세로 하는데, 상지는 수술 중에 자유롭게 움직일 수 있도록 한다. 림프절 조직 검사를 위해 외과에서 시행한 액와절개를 광배근 전연보다 약 1.5 cm 정도 후방으로 연장한다(그림 5-6-4). 절개를 연장하면 작은 skin paddle을 사용해도 견갑골첨에서 액와부 사이의 광배근 근위부 박리가 쉬워진다. 그리고 혈관경의 박리를 위한 충분한 공간이 확보되어 시야가 좋다. 외과에서 액와박리가 충분히 된 경우 쉽게 혈관경을 확인할 수 있지만, 적게 박리된 경우에는 광배근과 전거근 사이의 loose plane을 통해 전거근 분지를 먼저 확인하고 상방으로 조심스럽게 박리를 하면서 흉배 동맥의 주행을 확인해야 한다.

Skin paddle 경계를 따라 절개를 가하고 천부 지방층의 하방으로 낮은 전압의 단극전기소작기(monopolar electrocautery)를 이용해서 박리하

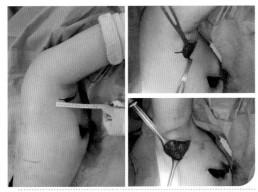

▷그림 5-6-4. **액와부 절개 연장**

여 Scapa's fascia를 확인한다. Skin paddle의 상방으로는 Scapa's fascia가 비교적 뚜렷하게 확인되지만 그 하방으로는 명확하게 확인되지 않는 경우가 많다. eLD 피판에서는 Scapa's fascia 하방의 deep fatty layer를 모두 포함해서 박리를 한다. 액와부 박리와 연결하여 tunnel을 형성하고, 광배근의 후연(상연)을 따라 큰원근과 경계를 확인한다. 광배근의 전연(외연)은 대부분 뚜렷한 경계를 가지고 있지 않으므로, 후방늑간동맥(posterior intercostal artery)의 외측 분지 (lateral branch)나 늑간 신경의 외측 분지의 손상을 피하기 위해서 근육이 보이지 않는 부분까지 박리를 하지 않고, 후방액와주름 선상의 근육이 얇아지는 부분에서 근육을 분리한다.

피판의 위쪽으로는 견갑골첨에서 약 5~10 cm 상방까지 박리를 하고, 내측으로는 척추 가시돌기를 촉진하면서 이의 외측 약 3 cm 정도까지 박리를 한다. 피판의 하방으로는 등 피부 피판이 얇아지지 않도록 주의하면서 가슴우리(thoracic cage)의 경계 부위까지 박리한 다음, 근막과 광배근 일부에 절제 예정선을 표시한다. 피판의 분리는 광배근의 전연으로부터 시작해서 하방으로 연결되도록 하는데, 절개 부위를 따라 여러 개의 천공지들이 있으므로 피판을 분리할 때 세심한 지혈이 필요하다. 피판의 하방까지 분리가 끝나면 피판의 안쪽면을 따라 paraspinatus fascia, lumbar fascia에 손상을 주지 않도록 조심하면서 피판 내측을 분리해야 한다. 피판의 내측에서 항상 확인되는 후방늑간동맥의 등쪽 가지(dorsal perforator)는 직경이 크고 단독으로 안전한 천공지 피판(perforator flap)이 가능한 정도이므로 정확히 박리해서 결찰을 해야만 공여부 혈종을 예방할 수 있다. 또한 광배근의 안쪽면을 따라 박리하다 보면 견갑골첨의 아래쪽 수직 선상 주

위로 후방늑간동맥의 dorsolateral perforators가 1~3개 확인되며 이 또한 정확히 결찰을 해야만 한다.

광배근의 후연인 위쪽 경계 부위에서는 큰원근과 겹쳐지는 부위를 확인하고 큰원근에 손상이 되지 않도록 분리하면서, 광배근의 위쪽 경계를 지나 parascapular and scapular fat fascia를 포함하여 피판을 채취할 수도 있다. 이때 parascapular and scapular fat fascia의 아래면의 근막은 보존한다. 앞서 형성된 tunnel 속에서 큰원근과 광배근 사이를 액와부 가까이까지 분리를 한다. 견갑골첨 주위에서 eLD 피판 안쪽의 fat tissue는 보존하도록 하고, 하후거근(serratus posterior inferior)이 포함되지 않도록 주의한다. 마지막 단계로 피판의 안쪽면을 따라 액와부까지 loose areolar plane을 따라 박리하는데, 전거근 분지를 확인하고 큰원근으로 가는 분지가 확인될 때까지 박리를 진행하면 추후 액와부에서 피판 분리와 혈관경 정리 작업이 쉬워진다.

(3) 피판의 분리

광배근을 분리하지 않으면 안전한 피판으로 사용할 수도 있지만, 피판의 이동 범위가 제한적이고, 특히 액와부 및 전방 액와 주름 부위에 융기 변형이 생겨서 환자가 불편함을 호소하며 미용적으로도 불만스럽다.

광배근을 분리한 후 혈관경 주위를 정리하는데, 견갑회선 분지는 보존한다. 큰원근의 근막으로부터 흉배 혈관경을 조심해서 충분히 분리하면 전거근 분지나 큰원근으로의 분지를 결찰할 필요 없이 혈관경 길이를 얻을 수 있다. 또한 이러한 분지들을 결찰하지 않으면 혈관경의 꼬임(kinking)이나 신전(stretching)으로 발생될 수 있는 사고를 예방할 수 있다. 하지만 드물게 혈관

경의 변이(variation)가 있거나, 아주 긴 혈관경이 필요한 경우 모두 결찰한다. 마지막 단계로 견갑회선 분지보다 원위부 혈관경에서 광배근의 운동 신경(motor nerve)을 분리하여 약 1 cm 폭으로 결찰하고 제거한다. 운동 신경은 광배근으로 삽입되는 입구에 가까울수록 두 가닥으로 나뉘기 때문에 가능한 근위부에서 분리하든지, 분지된 가지 모두를 각각 분리해야 한다. 혈관경 정리가 끝나면 흉곽으로 피판을 이동시키는데, 혈관경이 꼬이거나 당겨지지 않는지 여러 번 확인하고, 유방 전절제의 경우에서는 절제된 광배근의 끝부분을 흉곽 통로 입구 주위에 고정 봉합하여 환자의 자세 변경 후에도 혈관경이 당겨지는 것을 예방한다.

(4) 피판의 insetting

환자를 semi-sitting position으로 위치시키고, 양측 상지는 60도 정도 외전시켜 고정한다. 유방 절제술을 받은 안쪽 경계 부위를 따라 전방 액와주름 부위부터 내측으로 연속하여 대흉근막이나 심부 조직층에 eLD 피판을 고정 봉합하는데, 이는 early sagging을 방지하기 위해서 반드시 필요하다. 부분절제의 경우 절제량보다 피판량을 많이 채취해서 이중으로 접는 등의 형태로 쉽게 재건이 가능하지만 전절제의 경우 eLD 피판의 부위별로 잘 활용해야 한다. 봉합 위치와 개수는 환자의 유방 크기 및 형태에 따라 결정한다(그림 5-6-5).

술 전 유방이 중등도 이상의 크기에서 전절제가 이뤄진 경우 대부분 보형물을 동시에 사용한다. eLD 피판과 대흉근 사이에 보형물을 삽입하기도 하지만, Dual plane으로 대흉근 하방에 삽입한 경우 ADM (artificial dermal matrix)으로 보형물의 아래 부분과 외측 부위를 모두 덮은

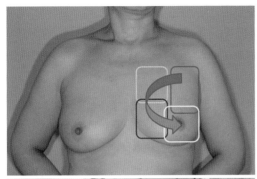

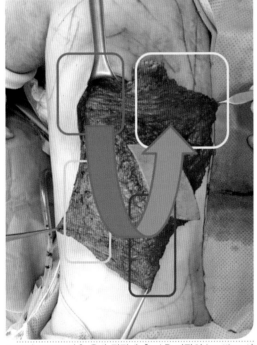

▷그림 5-6-5. 좌측 유방 전절제 후 eLD 피판의 insetting 시 피판의 위치와 재건 위치와의 관계. 피판을 회전하게 됨으로써 피판의 가장 얇은 부위가 유방의 상부에 위치하고, 가장 두꺼운 부위가 하방외측에 위치하게 된다.

후 대흉근 및 ADM 바깥면이 eLD 피판으로 감싸지도록 한다. 배액관은 보형물 아래쪽에 위치되도록 삽입하는데, 필요에 따라 피판의 외측에도 삽입한다.

유방 부분 절제 후 재건에서 skin paddle은 진피층까지 모두 없애고 피판의 아래쪽에 놓이도록 피판을 접어 사용하여 외부에서 skin paddle

이 만져지거나 윤곽이 표나지 않도록 하는 것을 선호한다. 또한 절제면의 유방 조직이 두꺼운 경우에는 탈상피화된 진피층을 남아 있는 유선 조직에 일부 고정 봉합하여 추후 피판과 유선 조직과의 경계에 함몰 변형이 발생되지 않도록 한다. 유두유륜이 제거된 경우나 유두 유륜이 얇게 남은 경우에서는 필요한 만큼 피부나 진피층을 남기고 skin paddle의 일부를 LD 근막에서 분리하여 적당한 위치로 이동해서 고정 봉합하기도 한다.

(5) 공여부 봉합

공여부에 발생되는 장액종을 줄이기 위해 Quilting suture나 fibrin glue 등을 사용할 수 있다. 술자마다 선호하는 방법이 있지만 장단점이 있다. 400 cc suction drain을 삽입 후 depression scar의 발생이나 봉합부위 벌어짐, 일부 경계 괴사 등을 줄이기 위해서 남겨 놓은 Scapa's fascia 끼리 먼저 봉합하고, 진피와 표피 봉합은 반흔을 줄이기 위해 세심하게 시행한다(그림 5-6-6).

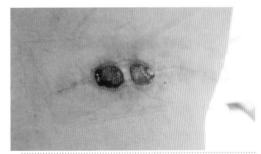

▷그림 5-6-6. 우측 eLD 피판 후 봉합 부위에 과도한 긴장으로 인해 발생된 상처 모습

4) 증례

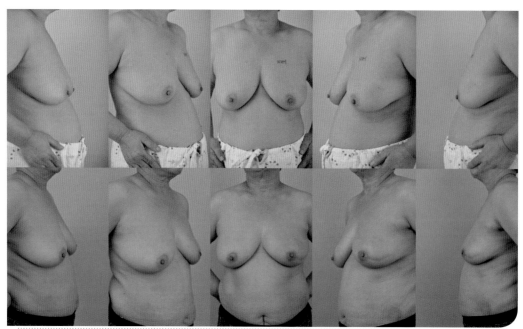

▷그림 5-6-7. 67세 좌측 ductal carcinoma in situ로 85g 부분 절제 후 eLD 피판으로 재건 받고, 방사선 치료를 받았음. 술 전
(위), 수술 후 3년(아래) 모습

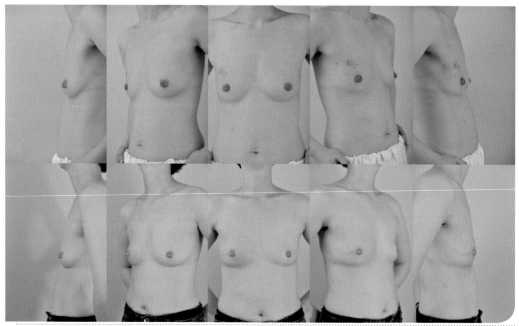

▷그림 5-6-8. 47세 우측 유방암(T3N1M0)으로 70g 부분 절제 후 eLD 피판으로 재건 받고, 항암 치료 및 방사선 치료를 받았음.
술 전(위), 수술 후 2년 8개월(아래) 모습

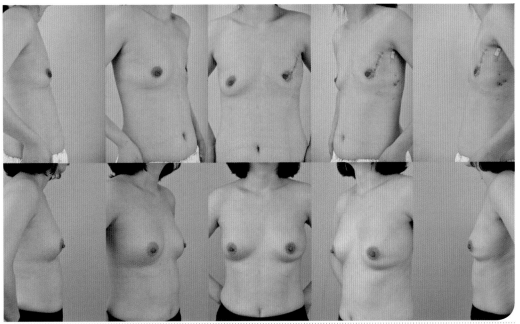

▷그림 5-6-9. 44세 좌측 유방암(T1N0M0)으로 타병원에서 전절제 받고 재건 위해 전원 됨. 환자가 원하여 우측 유방 확대술 (170cc, anatomical type)과 좌측 eLD 피판 및 보형물(120cc, anatomical type)로 재건하였고, 항암 치료만 시행함. 술 전(위), 수술 후 3년(아래) 모습. 술전과 같이 절개선이 위치하면 만족스런 유방 형태와 반흔 상태를 얻기 힘들다.

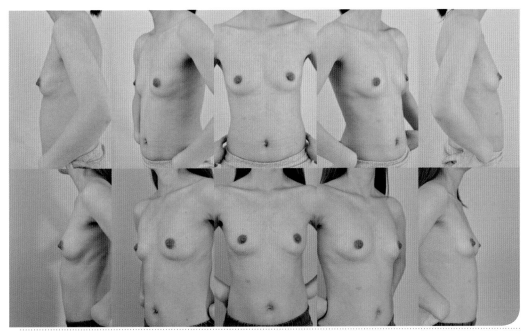

▷그림 5-6-10. 37세 좌측 ductal carcinoma in situ로 135g 전절제 후 eLD 피판과 보형물(90cc, round)로 재건 받고, 항암 치료 나 방사선 치료는 받지 않았음. 술 전(위), 수술 후 2년 5개월(아래) 모습

5) 합병증

가장 흔한 합병증은 장액종인데 발생율은 다양하게 소개되어 있다. 장액종의 발생을 줄이기 위해서 Quilting suture, fibrin glue 사용 등 여러 방법들이 소개되었지만, 이들로 인한 delayed hematoma와 통증, 등이 당겨지면서 발생되는 운동 장애, contour deformity 등의 합병증이 발생될 수 있어 술자마다 선호하는 방법이 다양하다. 장액종을 줄이기 위한 이러한 처치를 하지 않더라도 외래 통원하면서 needle aspiration을 반복하면 다소 불편함이 있지만 합병증 없이 자연스럽게 해결될 수 있다.

공여부 변형, 반흔, 벌어짐, 경계 괴사는 skin paddle의 폭이 넓을수록 발생 가능성이 높아지는데, pinch test보다 폭을 좁게 하면서 Scapa's fascia 층을 따로 봉합한 후 진피층 봉합을 세심하게 하면 발생 가능성을 줄일 수 있다. 공여부의 변형은 수술 후 1~2년 동안 피부가 유연해지면서 대부분 회복된다.

피판의 혈관경 손상이 발생되어 미세술기를 이용한 salvage 방법이 보고되기도 하였지만 혈관경이 손상되지 않도록 예방하는 것이 최선이다. 유방외과에서 axillary dissection을 할 때 혈관경이 노출되어 정맥이 확장되는 등의 혈관경 손상 가능성이 의심되는 경우가 있는데, 혈관경 주위 조직을 혈관경에서 절대 정리하지 말고 보존해야 하며, 전거근 분지를 가능한 보존하고 피판의 이동 후에도 혈관경에 tension이 생기지 않도록 한다.

재건한 eLD 피판의 연합운동(synkinesis) 발생을 줄이기 위해서 운동 신경을 분리하는데, 재건한 피판의 부피가 과도하게 줄어들 수 있는 단점으로 운동 신경을 분리하지 않는 보고도 많다. 연합운동의 발생 빈도는 10% 미만으로 높지 않지만 일단 발생되면 해결할 수 없어 아주 난감하다. 수술 후 어깨 운동 기능의 저하나 통증, 공여부 주위 불편함을 호소하는 환자가 많으나, 대부분 서서히 회복된다.

재건된 유방의 크기, 형태에 대한 미용적인 판단은 크기와 형태가 지속적으로 변화되므로 방사선 치료를 받지 않은 경우 술 후 1년 이상, 방사선 치료를 받은 경우에서는 방사선 치료 종결일로부터 2년 이상은 경과된 후 판단해야 되겠다. 환자의 만족도는 유방의 크기, 형태가 어느 정도 불만스러워도 미용수술과 달리 높은 편이라 정량적인 분석과 의료인의 객관적인 판단이 중요하겠다. 반대편 유방에 대한 balancing procedure로는 유방 확대, 유방 축소, 처진 유방의 교정 등이 있는데, 가능한 동시에 시행하는 것을 선호하는 편이며 결과에 대해서도 만족도가 높으므로 술 전에 환자와 충분한 상담을 해야 한다.

2. 유경과 유리 횡복직근 피판 (Pedicled and free transverse rectus abdominis musculocutaneous flap)

1) 환자 선택과 적응증 (Patient selection and indication)

수술방법의 선택은 여러 유방 재건술 중 환자의 나이, 결혼과 출산, 체형을 고려하여 환자의 입장에서 안전하고 확실한 방법을 선택한다. 가능한 지방 괴사나 합병증을 유발할 수 있는 요소를 최대한 배제하여야 한다.

유경 피판은 중정도 혹은 비교적 작은 유방에 한쪽의 복부조직으로 재건하면 피부 및 지방괴사가 없어 즉시 재건 시에 주로 선택하며, 양측 유방을 좌우 복부 조직으로 각각 재건 시 수술 시간이 단축되어 특히 유용하다.

유리 피판술은 복부 근육 손실을 작게 하면서도 하복부의 50% 이상 조직이 필요한 커다란 유방 재건의 경우나 방사선 치료 받은 경우 등 거의 모든 상황에서 가용한 아주 훌륭한 유방재건방법이다. 그러나, 외과의의 미세수술 훈련과 경험, 선호, 전신 건강 상태, 지방괴사 가능성, 유방동산 크기와 하수 정도, 기왕에 상복부의 수술을 받아 내유방 혈관의 손상이 있는지 등을 고려하여 수술방법을 선택한다.

2) 성공적 수술을 위한 고려사항
(Consideration for successful surgery)

성공적이고 아름다운 유방재건을 위하여, 재건할 부위뿐 아니라 반대편 유방, 공여부, 환자의 전신상태 등에 관하여 수술 전 면밀한 관찰과 계획이 필수적이다.

(1) 합병증 위험요인

고도 비만, 흡연, 당뇨, 고혈압, 심장 및 폐 질환이 있는 경우 전신적 국소적 합병증 가능성이 높아진다. 복부성형술의 경우나 간과 복부장기 수술의 기왕력을 가진 경우에도 피판과 공여부 봉합 후 합병증이 매우 높을 수 있어 신중히 수술법을 선택해야 하며 상태에 따라 상대적 금기가 될 수 있다. 다만, 치골부위에 가까운 횡 제왕절개술은 수술에 영향을 미치지 않으며 수년 전 복부지방흡입술 환자도 수술이 가능하다.

(2) 재건할 부위의 상태

우선 재건할 부위의 유방절제 반흔 위치와 방향, 길이, 비후성 반흔이나 구축이 있는지 살펴보고 앞으로 재건할 유방을 그려보게 된다. 가슴의 피부상태, 방사선 치료 여부와 궤양, 피부착색 여부, 남아있는 피하지방 조직이 어느 정도인지를 고려하여 재건 시 이들 조직을 더 절제하고 공여부의 조직이 충분할지 판단한다. 대흉근, 전거근, 광배근 근육이 존재하는지 살펴본다. 유방절제 반흔이 횡으로, 바깥쪽으로 비스듬히, 혹은 수직으로 절개되었는지에 따라 앞으로 이전할 피판 위치를 정하게 된다. 비후성 반흔이 있는지, 비정상적으로 여러 개 복합절개 반흔이 있는지, 양측 유방 재건이 필요한지, 횡절개가 옆구리를 넘어 등쪽까지 연장되어 있는지, 액와부에 흉이 심한지에 따라 어느 정도의 수여부 피부를 사용할지 결정하며 수술 후 반흔을 예측할 수 있다.

방사선 치료 후 딱딱하고 착색되어 있는 피부와 궤양이 있으면, 이를 모두 절제하고 새로운 조직으로 대체할 범위를 정한다. 피부의 착색이나 궤양이 없다고 하더라도 유방하부의 돌출과 윤곽을 위하여 유방하 주름까지의 피부를 모두 절제할 수 있으며, 쇄골아래 함몰부위를 메꾸어주거나 원형의 이음선으로 인한 원형 구축을 방지하고 연조직을 돋아주기 위하여 횡으로 절제된 반흔을 끊어준다.

(3) 반대편 유방의 형태

수술 전 준비로 또 다른 중요한 사항은, 재건할 유방의 기준이 되는 반대편 유방의 크기와 형태를 면밀히 관찰하는 것이다. 유방의 크기가 큰지, 작은지, 처져 있는지, 바깥쪽으로 벌어져 있는지, 가운데 몰려있고 가슴골이 깊은지, 수

V. 유방

직으로 하수가 있는지, 혹은 횡으로 퍼져 있는지를 고려한다. 이때 환자의 키와 어깨폭, 체중과 BMI, 나이, 결혼 및 향후 출산 가능성 여부를 고려한다.

반대편 유방의 확대, 축소, 하수교정 등이 필요한지와 어느 정도의 교정을 할 것인지, 유방동산 재건과 동시에 할 것인지 혹은 이차로 유두재건 시 교정할 것인지를 결정한다. 이러한 변수에 따라 재건할 유방의 크기와 모양, 필요한 조직양도 변하지만, 술 후 결과의 예측에는 여러 유방 성형술에 상당한 경험 축적이 필요하다.

(4) 공여부 상태

환자의 복부에 지방이 충분한지, 두께가 어느 정도인지, 비만으로 피부와 지방이 과다한지, 반대로 마른 체구로 조직양이 부족한지 측정한다. 기왕의 복부 수술 반흔이 중앙에 수직으로 혹은 횡으로 있어 복부 조직 일부나 반을 잘라버려야 하는지도 살펴본다. 여러 차례 과다한 지방흡입술을 받았는지, 외상이나 제왕절개술 등의 여러 반흔이 복부조직 손상을 유발하거나 심하복부 혈관 손상을 주지는 않았는지도 주의 깊게 살펴보아야 한다. 간혹 피부색이 희고 지방이 많고 뱃살이 늘어지는 나이 많은 환자에서 아주 오래된 수술반흔은 언뜻보아 수술 흔적을 못보고 지나칠 수도 있다.

중정도 크기 이상의 유방을 만들기 위하여, 혹은 체지방이 적고 마른 환자이지만 비교적 큰 유방을 가지고 있어 유방하부의 돌출을 많이 만들어야 하는 환자에서는, 복부조직을 두겹 혹은 세겹 겹쳐 넣어야 할 경우도 있어서 소위 Zone IV 사용을 미리 고려한다.

(5) 수여부 혈관 상태

수여부 혈관을 액와부에서 사용할지, 가슴의 내유방혈관(internal mammary vessel)을 사용할지를 술 전에 결정한다. 지연유방재건의 경우 대개 동측 내유방혈관을 사용하지만, 방사선 치료 정도와 혈관 손상 여부를 감안하여, 흉배혈관(thoracodorsal vessel), 흉견봉혈관(thoracoarcromial vessel), 반대편 내유방 혈관, 견갑하 혈관(subscapular vessel)을 사용할 가능성도 미리 대비한다. 이 수여부 혈관의 위치에 따라 피판의 배열이 달라질 수 있기 때문이다.

(6) 환자의 상태

환자의 나이, 젊은 여성과 노인 여성의 피부 늘어짐과 긴장도 특성, 향후 인생에 임신과 출산, 수유 등 신체변화 사항을 고려한다. 특별한 선호 요구사항, 직업, 유방절제와 재건수술과의 기간에 따른 변수를 감안하다. 여기에 유방암의 병기(stage)와 종류, 방사선 영향을 고려한다.

(7) 유리피판술 시 피판의 선택

유방절제부위와 동측 하복부피판을 취할 것인지 반대측 피판을 선택할 것인지는 술자의 경험과 환자의 반대측 유방 형태, 수여부에 문합할 혈관, 공여부인 복부의 상태에 따라 술 전에 미리 결정한다. 유리피판술은 좌우 어느 쪽의 혈관을 선택하여도 비교적 자유롭게 피판을 회전 혹은 이동이 가능하여 유방의 형태를 반대편과 대칭되게 만들기 쉬우나, 혈관 문합 부위가 흉배동맥이든 내유방 동맥이든 재건할 유방과 동측의 혈관경을 이용하여 구역 3을 탈상피하여 유방하부 돌출을 유도하고 구역 1, 2로 유방 중앙 최고 돌출부를 형성하며 구역 4는 절제하거나 쇄골하 함볼부위을 메꾸는 방법이 선호된다. 그러나, 기

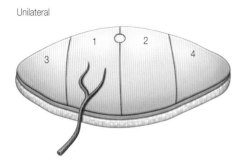

Unilateral

Bilataral

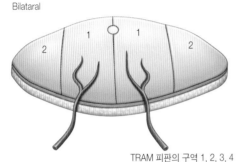

TRAM 피판의 구역 1, 2, 3, 4

▷그림 5-6-11. **TRAM피판의 구역.** 편측은 혈관경을 중심으로 혈류와 안전성에 따라 구역 1, 2, 3, 4로 구분하며, 양측 피판의 경우 구역 1, 2로 나뉘어 보다 안전한 혈행을 담보한다.

존의 맹장 수술 혹은 복부 수술로 인한 하복부의 반흔은 가능한 재현된 유방의 피부에 노출되지 않도록 피하여 선택한다(그림 5-6-11).

3) 횡복직근피판술을 위한 해부학 (Anatomy for TRAM flap in donor and recipient)

공여부의 유리피판을 디자인 할 때, 도플러를 사용하여 관통지의 위치를 미리 파악하고 피판을 거상하면 좀 더 안전하게 수술할 수 있다. 관통지의 위치는 배꼽주위의 복직근 내연과 외연 1/3에 종으로 각기 4~5개의 관통지가 복직근막을 뚫고 올라오므로 이중 2 mm 이상 되는 관통지를 포함한 피판을 거상한다(그림 5-6-12).

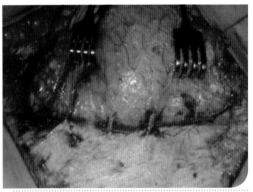

▷그림 5-6-12. 복직근막 외연 1/3 부위에서 근막을 뚫고 나오는 관통지 열을 볼 수 있다. 내연 1/3에도 비슷한 수의 관통지가 근막위로 올라온다.

하복부의 복직근에 혈류를 공급하는 일차적인 혈관은 심부하복벽동맥(deep inferior epigastric artery)이며 배꼽하방의 복직근 직상부를 덮고 있는 피부(구역 1, 2)는 심하복벽동맥과 천하복벽동맥(superficial inferior epigastric artery)의 관통분지를 통해 혈류를 공급받는다. 도안된 타원형의 횡복직근 근피판의 양쪽 가장자리의 피부(구역 3, 4)는 천하복벽동맥과 천회선장골동맥으로부터 혈류를 공급받는다.

상방에 기저를 둔 횡복직근 근피판의 혈관경은 상복벽동맥이며 쇄골하동맥에서 기시한 내흉동맥의 종말분지이다. 상복벽동맥은 늑골궁연(costal margin) 근처에서 늑골궁연에 평행하게 다양한 굵기의 늑골궁연동맥(costomarginal artery)을 분지한다. 상복벽동맥경은 처음에는 복직근 후면에 있다가 상부 복직근 내로 들어간 다음 하행하여 배꼽 수준에서 하복벽동맥의 종말분지와 연결된다. 복직근 내에서 수직으로 달리고 있는 상복벽혈관계는 대동맥에서 분지하는 늑간동맥의 종말분지로부터도 혈액을 받는다. 늑간동맥의 종말분지들은 정맥, 신경과 더불어 외복사근의 깊은 곳을 달려 복직근초로 들어간다.

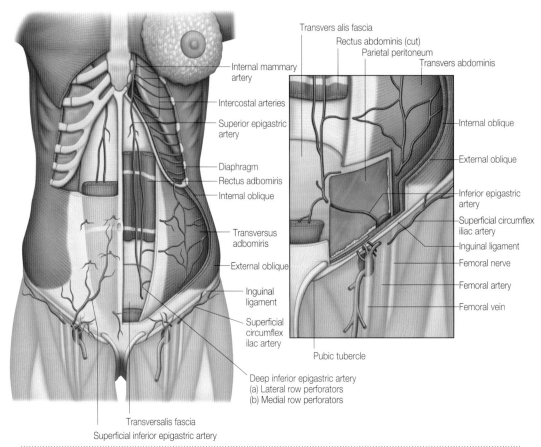

▷그림 5-6-13. 복벽 혈관 해부학 심하복벽동맥이 외장골 동맥에서 기시후 상내측으로 주행하여 복직근 부착부에서 7 cm 떨어진 외측 경계부위를 통해 복직근 내로 들어간 후 2~3개의 내외측 큰 분지를 낸다.

심하복벽동맥이 외장골동맥에서 기시후 상내측으로 주행하여 복직근 부착부에서 7 cm 떨어진 외측 경계부위를 통해 복직근내로 들어간 후 대부분의 경우 2개의 내외측 큰 분지를 내며 20% 정도에서는 3개의 분지를 낸다. 이중 외측 분지가 주요 분지로 좀 더 혈관경이 굵고 많은 수의 근피 관통분지를 가지며 복직근의 수많은 종말가지들과 연결되어 혈관망을 형성한다(그림 5-6-13).

천하복벽동맥은 서혜인대 1~2 cm 하방에서 대퇴동맥으로부터 분지하여 배꼽을 향해 외복사근 전면을 달려 심하복벽동맥의 관통분지와 상복벽동맥의 관통분지들과 문합한다. 천하복벽동맥은 주로 동측 하복벽에 혈액을 공급하나, 천회선장골동맥과는 거의 문합하지 않는다.

복직근 내를 수직으로 주행하고 있는 상복벽동맥에서 분지한 수많은 관통분지들은 전복직근초를 뚫고 나와 전복벽 피부에 혈액을 공급한다. 이들 관통분지들은 축성혈관계(axial vascular system)와도 연결되어 있음은 물론이고 반대편 관통분지들과도 연결되어 있어서 풍부한 진피하혈관총을 형성하고 있다. 이로 인해 한쪽 복직근경(rectus abdominis muscle pedicle)에 붙어 있는 횡복직근 근피판(transverse rectus abdominis musculocutaneous flap, TRAM flap)을 도입해도 반대편 피부에 혈액이 공급될 수 있다.

복직근에서 나오는 동맥의 천공분지들은 늑골궁에서부터 궁상선에 이르기까지의 전복직근초를 뚫고 나오는데 이들 천공분지들은 배꼽 수준에 특히 집중적으로 많고, 궁상선 하방에는 의미있는 천공분지가 없다. 그러므로 횡복직근 근피판을 일으킬 때 궁상선보다 하방에 있는 복직근과 복직근초는 피판에 포함시키지 않아도 된다.

횡복직근 근피판의 정맥은 상복벽동맥에 동반되어 종격동으로 들어간다. 근피판의 정맥혈 환류가 중력에 의하여 잘 소통되도록 근피판을 전위하고 난 후에는 환자의 머리를 높여 주는 것이 좋다.

T7~T12 늑간신경이 복직근의 하부면을 통해 들어가므로 횡복직근 근피판을 일으키면 이들이 절단되기 마련이고 대개 하복벽 중앙부에 마비와 감각이상이 생기며 하복벽이 늘어질 수 있다.

4) 유경피판(Pedicled TRAM)의 수술방법

(1) 디자인

흔히 피판의 상연은 중앙에서 배꼽 바로 위에 두고 양 옆으로 다소 내려가게 하며, 하연은 재건할 유방의 크기, 하복부 비만과 피부여유에 따라 치골유합부에서 약 3~4 cm 위에 위치 시킨다. 그러나, BMI가 높고 복부 비만이 심하여 피판의 지방괴사가 우려되면, 피판 상연을 배꼽보다 2 cm 가량 높게하여 배꼽주위 관통지를 더 많이 포함시킨다.

(2) 피판 거상과 터널 박리

피판의 상연 피부 절개를 먼저 시작하며, 피하지방조직은 약간 비스듬이 상부로 향해 깊게 복직근 근막층까지 도달한다. 하연 절개는 수직으로 근막층까지 도달하며 양 옆구리에서 상연 절개와 만나게 한다. 먼저 혈관경이 포함되지 않는 쪽 하복부 피판을 근막위에서 박리하고 복지근 근막을 뚫고 올라오는 관통지들을 모두 결찰한다. 이 관통지 위치와 굵기를 참고하여, 혈관경이 위치하는 반대쪽 피판 관통지들을 최대한 보존하며 복직근막으로부터 안전하게 거상한다. 이때 배꼽을 피판에서 원형 절개를 통해 조심하여 분리해낸다.

피판의 절개된 상연을 따라 상복부 피부와 피하지방조직을 들고 복직근 근막으로부터 박리하여, 중앙은 검상돌기(Xiphoid process)까지 양 옆은 제 7, 8, 9, 10늑연골까지 올라간다.

피판이 지나갈 터널은 유방하주름의 5시~7시 방향에 만들며, 특히 유방 내측 주름을 손상시키지 않고 보존하도록 한다. 만일 피판이 커서 터널을 지나기 어려우면, 측면을 터주어 피판을 가슴에 위치 시킨 후 다시 유방하 주름을 봉합하여 재고정한다.

(3) 혈관경과 근육의 박리

피판의 관통지들을 확인하면서 복직근막을 약 1 cm 폭으로 근육 중앙에 남기고 좌우로 복직근을 근막에서 분리한다. 이때 측면의 혈관과 신경 가지들을 clip으로 결찰하고 복직근을 들어 올리면, 복직근 후엽(posterior rectus sheath)이 보인다. 복직근 하부로 주행하는 상하 복벽혈관(superior and inferior epigastric vessel) 또한 확인할 수 있다.

재건할 유방과 동측의 피판을 사용하여 유방하주름 터널을 지나는 복직근폭을 최대한 작게 만들고자 하면, 검상돌기와 제7 늑연골 사이 복직근 하부에 주행하는 상복벽동정맥을 박리하고 주변 복직근 근육을 잘라낼 수 있다. 궁상선

(arcuate line) 근처에서 심하복벽 동정맥(deep inferior epigastric vessel)을 결찰하고 복직근을 자름으로써 피판을 완전히 거상한다.

(4) 터널 지나기와 마무리

거상한 피판을 뒤집어 박리한 근육과 피판의 피하지방에 관통지가 손상되지 않도록 봉합사로 재고정하고, 재건할 유방의 피부 결손 부위에 맞춰 피판 전체 혹은 유륜부분을 남기고 탈 상피

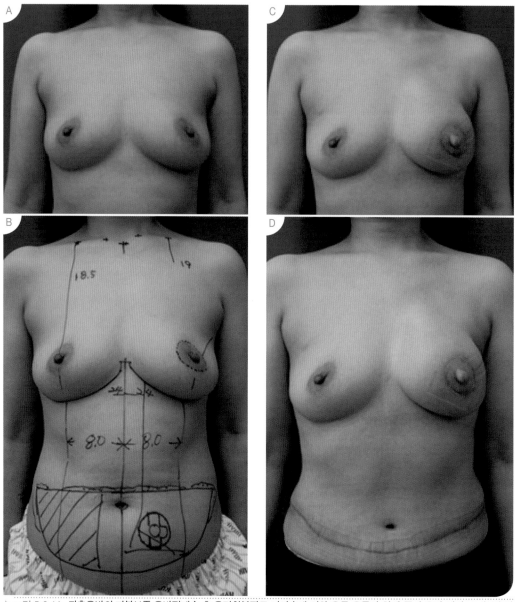

▷그림 5-6-14. **좌측유방의 피부보존 유방절제술 후 유경횡복직근 피판술에 의한 유두 유륜과 함께 즉시 유방 재건.** A. 술 전 정면, B. 술 전 디자인, C. 술후 정면, D. 술 후 가슴 및 복부 정면

한다. 피판을 들어 미끄러져 잘 지나가도록 물에 젖은 소독된 비닐 튜브안에 넣고 수여부인 가슴 쪽으로 터널을 통과시켜 빼낸다.

하부의 복직근은 궁상선위 후복직근막에 고정하여 하부 복벽 약화와 탈장을 예방하도록 하며 복직근막을 비흡수봉합사로 단단히 재봉합한다. 이후 넓어진 유방하주름을 혈관경이 눌리지 않을 정도만 남기고 재고정하며, 가슴의 피

판을 유방에 잘 맞도록 크기와 돌출 정도, 유두 유륜위치를 조절하여 배치한다. 피부보존 방식의 유방절제후 즉시 재건시 유두와 유륜을 동시에 유방동산과 함께 재건한다. 공여부인 복부 Scarpa근막, 피하 조직, 피부를 봉합하여 마무리한다(그림 5-6-14).

양측 유방의 재건으로 양측 복직근막 봉합이 긴장도가 높거나 복벽의 약화가 우려되면, 합성

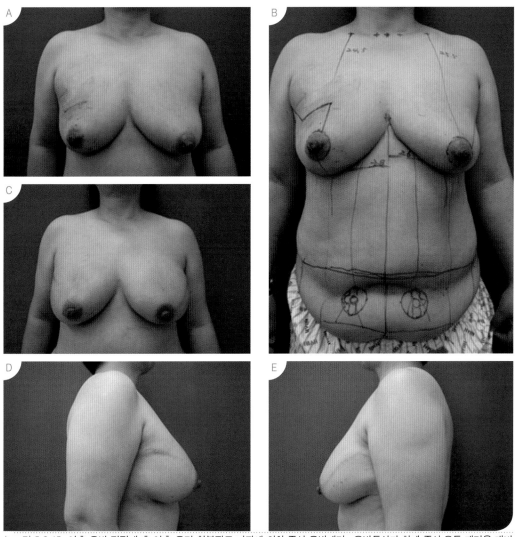

▷그림 5-6-15. 양측 유방 전절제 후 양측 유경 횡복직근 피판에 의한 즉시 유방재건. 유방동산과 함께 즉시 유두 재건을 대비하여 피판위에 위치를 표시하여 둔다. A. 술 전 정면, B. 술 전 디자인, C. 술 후 정면 D. 술 후 우측면 E. 술 후 좌측면

폴리프로필렌 그물망(polypropylene mesh)이나 acellular dermal matrix으로 복벽을 보강해준다. 양측 유방의 대칭성을 확인하며 수술을 마무리 한다(그림 5-6-15).

5) 유리피판(Free Ms-TRAM)의 수술방법

(1) 절제부위 준비

즉시 재건 시, 외과의가 절제한 유방의 크기와 양은 재건할 유방의 좋은 참고기준이 된다. 절제된 유방의 흉벽과 대흉근에서 출혈이 있는지 확인하고 다시 한번 지혈을 철저히 하는 것이 미세혈관 유리피판술 후 출혈에 따른 합병증을 예방할 수 있다. 유방하주름이 소실되었으면, 비흡수성 silk나 nylon으로 유방하 주름의 인대를 찾아 흉벽에 재고정한다.

액와부의 림파절제술을 시행하였으면 노출된 흉배동맥에 혈관 문합을 하게 되며, 수여부 혈관쪽 상박을 몸통에서 90도 각도로 벌려 액와부 혈관 박리가 용이하게 한다. 광배근의 전연에서 흉배동정맥을 박리하여 혈관을 확보하며, 액와동맥의 약 8 cm 하부 전거근 분지 직상부에서 hemoclip으로 결찰한다.

지연 유방 재건의 경우, 술전 디자인에 따라 제3 늑연골을 흉골에 바짝 붙여 절제하고 내유방 동정맥을 확보한다. 이때 대흉근의 내측 흉골 부착부에서 골막을 제끼고 늑연골을 절제하면 바로 직하부에 혈관이 나타난다. 폐의 늑막에 손상이 가지 않도록 조심하여 혈관을 박리하고 제4 늑연골 직상부에서 혈관을 결찰하여 혈관문합이 용이하게 이루어지도록 수여부 혈관의 길이를 길게 확보한다(그림 5-6-16).

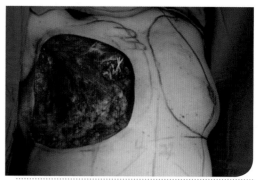

▷그림 5-6-16. **가슴 수여부 혈관의 준비.** 제3 늑연골을 흉골에 바짝 붙여 절제하고 내유방 동정맥을 확보한다.

(2) 피판의 거상

수여부와 공여부 양측으로부터 두 팀이 동시에 시작할 수 있다. 하복부 피판의 상연과 배꼽 주변에 원형으로 절개선을 가하고 피하지방을 상방으로 비스듬히 절개하여 풍부한 복부지방이 재건될 유방에 사용되도록 포함한다. 복직근 근막에 도달하면, 복직근을 뚫고 나오는 관통지를 결찰 혹은 전기소작하면서 복부성형술처럼 복부의 피부판을 들고 늑골 및 흉골 하연까지 박리하여 올라가되 검상돌기 근처의 큰 혈관과 피신경은 보존하여 복부의 감각과 혈류를 보존한다. 이 복부 피부판은 좌우로 늑골연까지 충분히 박리하여 나중에 공여부가 긴장없이 봉합되도록 한다. 다시 하복부 피판의 하연에 절개를 가하고 수직으로 복직근 근막까지 도달하면, 양 장골극을 잇는 절개면의 지혈을 하는데 이때 천하복부 동정맥의 위치와 크기를 확인할 수 있으며 혈관이 굵고 혈류가 좋으면 이 혈관에 의한 하복부조직 유리피판술을 시행할 수 있다.

문합 할 주혈관의 반대쪽 장골극에서부터 피판을 외측에서 정중앙으로 들면서 복직근막을 따라 박리해나간다. 확대경(loupes)을 착용하고 복직근의 외연에서 정중앙으로 조심스레 들어가면 외측 관통지들이 종으로 나타나며 이들을 결찰하고 보다 중앙으로 박리하면 내측열 관통지들이 나타난다. 문합할 혈관의 반대쪽부터 피판을 박리함으로써 주혈관쪽 피판박리 시 관통지의 위치와 갯수를 참고할 수 있다. 배꼽주위의 조직을 완전히 박리하고 정중선을 넘어 주혈관을 사용할 복직근막위로 진행하여 내측 관통지를 확인하고 다시 주혈관쪽 피판의 장골극에서 복직근 외연으로 박리하여 관통지 위치들을 확인한다. 좌우 관통지 열에서 주로 피판에 혈류를 공급하는 관통지 혈관을 중심으로 복직근막을 절개하고 복직근속으로 혈관을 찾아 박리한다. 이때 주로 3~5개의 관통지가 작은 타원형으로 근막과 함께 피판에 포함되며 복직근 일부를 피판과 함께 가져간다. 이때 유리 횡복직근 피판의 근육보존 방식은 중요한 주 관통지 위치가 내측이 되도록 우선 선택하되 가늘고 신뢰하기 어려우면 외측 혹은 내외측 모두를 선택하게 된다.

복직근막 절개를 하부로 연장하여 근육 외연에서부터 근육을 내측으로 견인하면 근육후면에서 심하복부 동정맥이 회음부에서 올라오는 것을 확인할 수 있다. 심하복부 동정맥의 좌우 여러 분지들을 결찰하고 그 기시부를 향해 박리하여 가능한 최대의 길이로 공여부 혈관을 확보한다. 주 혈관경만에 근거한 섬 피판을 거상하여 혈류가 잘 통하고 있는지 확인하였으면, 심하복부 동정맥을 hemoclip으로 결찰하고 복직근 근육과 근막 사이로 혈관을 빼내어 이전을 준비한다.

(3) 피판이전과 미세혈관 문합

피판의 혈류가 원활함을 확인하면, 수여부에 필요한 피부의 위치와 조직 양에 따라 구역 3과 4를 절제하거나 탈상피한다. 구역 3의 탈상피한 부위의 피판은 나중에 말아서 안의 흉벽쪽에 고정하여 유방의 돌출과 하수에 이용하고, 구역 4

는 주로 유방 상부와 쇄골하 함몰부위를 메꿔주게 된다. 특히 유두유륜만 남긴 피부보존 방식의 유방절제 시 피부섬을 기존의 유륜 내에 잘 맞추도록 한다.

액와부의 흉배 동정맥에 문합 시 겨드랑이쪽 피부에 두세 개 피부견인 봉합으로 혈관이 잘 노출되도록 하는 것이 필요하다. 혈관문합 시 피판은 접어서 체외에 두고 혈관경을 잘 근접시켜 미세현미경하에서 동맥과 정맥 한 개씩 9-0 혹은 10-0 ethilon으로 단단 문합하나 흉배정맥의 분지 2개에 심하복벽 동반정맥을 두개를 문합할 수 있다. 액와부의 혈관 위치가 깊어서 혈관문합 중 보조자의 자세가 불편하면 수술대를 보조자 방향으로 회전시켜 접근을 용이하게 한다.

내유방 동정맥을 사용 시 피판은 흉곽위에 두고 혈관을 수여부에 근접시킨 상태에서 문합한다. 제3 늑연골만 절제하여도 수여부 혈관경의 길이가 제3, 4 늑간과 늑연골 폭이면 약 4~5 cm 길이가 되므로 미세혈관 문합에 불편함이 없다. 간혹 내유방 정맥의 굵기가 작으면, 제4 늑연골 직상부에서 두 개로 분지가 나누어지는 것을 이용하여 혈관 직경을 넓게 사용하면 문합이 수월하다. 미세혈관 문합 후 혈류의 개통을 확인한 후, 긴 혈관경이 꼬이거나 꺾이는 곳이 없도록 한다.

(4) 공여부 복막 봉합과 배꼽 형성

공여부의 합병증을 최소화하고 술 후 복벽 모양을 잘 유지하기 위하여 복직근막을 특성과 구역에 따라 세심하게 봉합하여야 한다. 피판 거상 후에 복부 근막을 늑골하연에서 배꼽 3 cm 상부까지 상복부(Epigastric Region, zone I)는 복부 성형술을 시행하는 것과 같은 방법으로 복직근이 분리된 부위(diastasis recti)에서 이중 수직 봉합법으로 봉합하고, 배꼽 상부 3 cm에서 배꼽 아래 3 cm까지 배꼽 주변부(Paraumbilical Region, zone II)는 배꼽을 중앙부에 재위치시키기 위하여 반대편 복직근막을 당겨서 대칭되게 봉합한다. 배꼽 아래선에서 궁상선(arcuate line)까지 피판 채취부(Flap Harvsest Region, zone III)는 복직근막의 일부가 결손 된 부위이므로 대칭적인 복부 성형을 위하여 반대측 외복사근막에도 타원형으로 도안하여 양측 복막에 긴장을 두어 봉합한다. 궁상선에서 치골까지 하복부(Hypogastric Region, zone VI)로 하복부혈관의 박리를 위하여 절개하였던 곳이며 후복직근막이 없는 부위로 탈장과 복벽 약화, 늘어짐이 호발하는 부위이다. 이 부위는 근막이 늘어지지 않게 좌우 복직근막을 이중으로 중첩시켜서 mersilk® 2-0로 봉합하여 복벽의 약화나 탈장을 예방한다(그림 5-6-17).

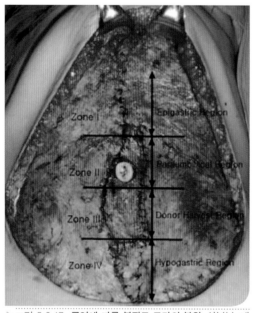

▷ 그림 5-6-17. **구역에 따른 복직근 근막의 복원.** 상복부, 배꼽주위, 근막 채취부위, 혈관 박리부위를 나누어 근막 복원 및 성형을 하는 것이 술 후 복벽 합병증을 예방하고 복부성형효과를 가져올 수 있다.

한쪽 유방 재건의 모든 경우 복직근 근막 결손 부위에 Mesh 등의 이식을 필요하지 않으며, 반대편 복직근막과 내외복사근막(Internal and External Oblique abdominal fascia)을 당겨 봉합함으로써 수술 후 복부성형의 효과를 가질 수 있게 한다. 또한 양측 유방재건을 위하여 동시에 양측 하복부 조직 유리피판술을 하여도 Mesh 이식 없이 단순 봉합이 가능하다.

복부 apron 피부판을 치골부까지 내려 긴장없는 상태에서 Scarpa 근막을 치골부의 근막에 단단히 봉합하여야 반흔부가 넓어지지 않고 지방이 함몰되는 변형을 막을 수 있다. 배꼽의 위치가 정중앙에 오도록 배꼽의 위치를 잡고 횡절개를 가한 후, 배꼽을 밖으로 빼내 배꼽 경의 피하 봉합을 단단히 하고 피부를 봉합한다. 복부 환부의 피부봉합 전에 좌우 회음부쪽에 두 개의 음압드레인을 삽입하고 피부는 피하 연속 봉합한다.

(5) 피판 위치정립과 유방모양 만들기

미세혈관 문합이 끝났으면 피판에 포함된 복직근과 근막을 흉벽에 두세 개 고정봉합하여 피판이 움직여져서 혈관이 꼬이거나 꺾이지 않도록 한다. 수술대를 세워 환자가 앉은 상태가 되도록 하고 좌우 유방의 위치와 크기를 비교하면서 이전한 피판을 반대편 유방에 맞추어 이동, 탈상피, 절제, 고정 봉합 등으로 모양을 재현하는 중요한 과정이다.

탈상피한 피판은 안쪽으로 흉벽에 고정해주고 유방의 돌출을 유도하거나 쇄골하 골막 및 흉골에 서너군데 3-0 nylon으로 현수고정하여 시간이 가면서 유방이 하수되는 것을 방지한다. 액와부의 흉배 동정맥에 혈관 문합을 한 경우, 광배근의 전연을 흉벽에 다시 고정 봉합하여야 재건된 유방조직이 누웠을 때 옆구리로 이동되어 유방이 좌우로 벌어지는 것을 방지할 수 있다. 이것은 유방하 주름을 재고정하는 것과 같은 원리이며 유방의 위치와 돌출을 원하는 곳에 만들어주는 역할을 한다. 마찬가지로 정중부쪽도 지나치게 흉골위로 박리되었으면 유방조직이 중앙선을 넘어가지 않도록 늑연골 안쪽이나 흉골 외연에 고정한다.

피판의 위치는 반대편 유방의 형태에 따라 세로로 세우고 구역 3, 4부위를 탈상피하여 안으로 매몰되게 하여 돌출을 유도하는 방법이 많이 쓰이나(그림 5-6-18), 피판을 횡으로 위치시킬 때는 배꼽이 있던 부위가 하부로 오도록 하여 양쪽 배꼽입구를 모아 고정해주면 피판 한가운데가 Dog ear처럼 돌출되어 자연스런 유두의 위

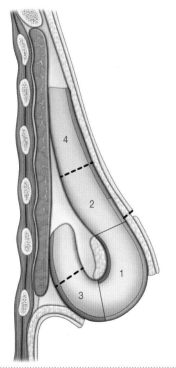

▷그림 5-6-18. **유방의 돌출을 위한 피판 배치.** 탈상피한 구역 4는 쇄골하 함몰부위에, 구역 3은 유방하부의 돌출에 사용하기 위해 매몰한다.

치가 나오게 된다. 많은 중년여성의 유방이 좌우 바깥쪽으로 벌어지는 형태이므로 피판의 배꼽입구를 내측으로 하여 내상방에서 외하방으로 다소 비스듬히 위치시키기도 한다. 그러나 간혹 유방절제 시 대흉근이 절제되고 액와 임파선 절제를 광범위하게 하여 쇄골 외연과 어깨에 함몰이 심하고 반대편 유방이 하내측으로 몰려 있으면, 피판을 외상방에서 내하방으로 비스듬히 위치시켜 반대편 유방과 같은 윤곽선을 재현할 수 있다.

피판의 이동과 배치는 수여부에서 혈관경의 위치와 길이, 방향에 구애받지 않고 하복부 모든 조직을 이용할 수 있는 유리피판술의 큰 장점이지만, 반대편 유방의 크기 형태에 맞추어 미리 술전에 피판의 혈관경을 동측에 둘 것인지 반대측에 둘 것인지 정하고 수술하는 것이 시행착오와 수술시간을 줄일 수 있다. stapler를 사용하여 일시 봉합하고 모양을 확인하며, 다시 피판을 재조정하는 과정이 대폭 단축되기 때문이다.

이후 즉시재건술의 경우 결손된 피부양과 모양에 맞추어 유륜부위의 피부만 남기고 탈상피화 작업을 완료하거나 유방의 돌출과 크기를 재조정한다. 지연재건술의 결손부위는 기존의 수술 반흔과 주위의 탄력성 없는 피부도 제거하는 것이 좋다. 피판의 하연이 유방하주름과 일치하여 하연 반흔이 감추어지도록 하면서 상연의 반흔도 일자형 횡 반흔보다는 상방으로 볼록한 역U혹은 V형태가 되는 것이 보다 자연스런 유방 윤곽 곡선을 재현하게 된다(그림 5-6-19).

혈관문합이 액와부에서 시행되었으면 유방하주름과 액와부에 드레인을 넣고, 혈관문합이 유방하 혈관에 시행되었으면 유방하 주름에 넣는 드레인을 길게하여 혈관 문합부 바로 밑까지 도달하도록 삽입한다. 피판의 혈류 감시를 위하여

도플러로 맥이 뛰는 곳을 감지하여 5-0 ethilon 으로 피부에 봉합하여 표시하고 노출시킨다. 절개 환부는 가볍게 거즈로 덥고 복대를 착용하게 한다(video clip 2 Ms free TRAM with nipple).

6) 술 후 관리(Postoperative care)

(1) 수술 후 자세와 드레싱

수술 후 환자의 자세는 반쯤 일으킨 앉은 자세를 유지한다. 혈관경 위치가 압박되지 않도록 하면서 드레인의 기능이 원활한지 피판의 혈류가 좋은지 모니터링 한다. 피판이 자연스레 하부에 처져서 위치하도록 하고 양측 옆으로 처져 벌어지지 않도록 한다. 경우에 따라 Elastomer 등 탄력접착봉대로 유방 축소, 확대, 하수를 교정한 반대편 유방하 주름을 보완할 수 있다. 약 3일 후부터 거동이 가능하며 화장실 출입하고, 일주일에서 열흘간 배액되는 양을 보아 음압드

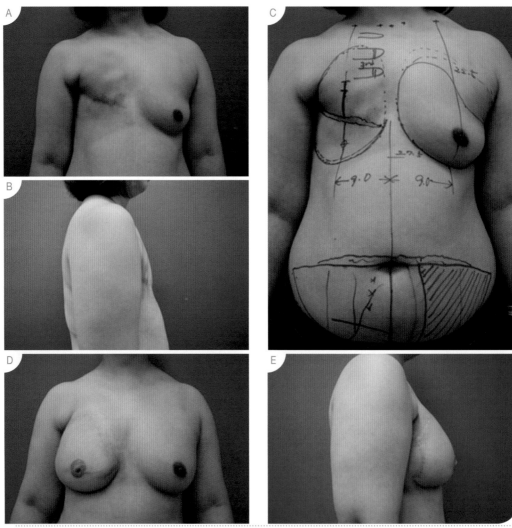

▷ 그림 5-6-19. 근치적 유방 절제술 후 방사선 치료 받은 환자로 피부가 경화되고 과색소 침착을 보인다. A. 술 전 정면 B. 술 전 측면 C. 술 전 디자인 D. 술 후 정면 E. 술 후 측면

레인을 제거한다.

(2) 피판의 모니터링

유리피판술의 경우 혈류 측정 모니터링 장치를 사용하거나, 관통지 위치에 5-0 ethilon으로 표시해두고 모니터 음을 주기적으로 청취한다. 피판의 색조, capillary refill time, 피부 긴장도 등 주관적 검사도 아주 유용하다.

(3) 흉터관리

술후 최소 6개월간 반흔 성숙을 위한 연고나 silicone gel 도포, 흉의 확장을 방지하기 위한 taping, 흉의 돌출과 비후를 막기 위한 압박 garment 팬티 착용으로 반흔의 관리를 시행한다.

7) 합병증 및 보완 수술
(Complication and Revision procedure)

(1) 이차 보완과 유두 재건

일반적으로 한 번의 수술로 최상의 결과를 얻을 수 없기에, 이차 보완수술은 유방 재건의 마지막 단계이자 미적인 완성을 위해 중요한 과정이다. 환자의 보다 높은 기대를 충족시키기 위해서, 최상의 결과를 얻기 위해 의사 또한 꾸준한 노력이 필요하다.

피판의 전체 혹은 부분괴사, 광범위한 지방괴사는 광배근 피판 등 다른 피판에 의한 이차 유방재건이 필요할 수 있다. 유방 재건의 완성도를 높이기 위하여, 유방의 크기, 돌출과 윤곽, 유방하 주름 등 위치, 수술 반흔, 부분적 지방괴사정도, 쇄골하 함몰, 통증을 재평가하여 작은 보완술 교정이 필요한지 살펴본다. 또한, 필요하면 반대편 유방의 하수 교정, 축소, 확대, 함몰유두 교정을 시행한다.

유두와 유륜 재건은 피부보존 방식 유방절제시 유방동산과 동시에 재건하기도 하지만, 지연 유방재건의 경우 수개월 뒤 이차적으로 유두를 재건한다. 이때 필요한 부위에 소량의 지방 흡입이나 지방이식등 보완수술로 양측 유방의 크기 및 대칭성과 자연스러움을 갖추도록 한다.

(2) 방사선 치료 환자의 재건

유방암환자에게 방사선 치료는 때로는 매우 유용한 치료방법일 수 있지만, 방사선치료는 섬유아세포의 증식을 막고 미세혈관을 폐쇄하여 상처의 치유를 방해한다. 따라서 이런 환자들을 치료하는 성형외과의사는 재건 방법의 선택에 신중을 기하여야 한다.

방사선 치료는 특히 조직확장기나 implant를 사용하여 유방재건 시 매우 높은 합병증을 가져와 많은 경우 grade III 혹은 IV의 보형물 구축(capsular contracture)을 보인다. 따라서 유방절제 수술 전에 방사선 치료를 받았거나 수술 후 방사선 치료를 계획하고 있다면, 자가조직이식이 필요하다. 다행히 자가조직 유방재건에서 수술 후 방사선 치료가 큰 합병증률을 보이지 않으나, 지방괴사 비율은 17~31%로 방사선 치료를 받지 않은 군보다 두 배 이상 증가하고 있다. 재건수술 후 방사선 치료는 반흔 구축, 피부의 경화, 착색 등을 나타내기도 하여 재건된 유방의 모양과 윤곽을 손상시킬 수 있다. 따라서 수술 후 방사선 치료를 계획하고 있다면, 유방재건은 방사선 치료 후 지연재건을 선택하는 것이 보다 나은 결과를 얻는다.

방사선 치료를 받은 환자에서, 지연재건을 하더라도 주의하여야 할 점이 많다. 액와부의 방사선 치료는 흔히 액와 동맥과 흉배동맥의 손상,

폐쇄를 가져와 광배근 피판의 선택은 매우 제한된다. 수술 후 반흔과 방사선으로 인한 섬유화는 액와부 혈관 박리를 어렵게 하여 유리피판 시 이 부위 혈관을 수여부 혈관으로 사용이 불가능할 수 있으며 내유방혈관을 선택하여야 한다. 지연 유방재건 시 간혹 유방절제 후 방사선 조사가 광범위하여 동측 내유방동맥의 손상되어 사용하지 못하는 경우도 있다. 이 경우 반대측 내유방혈관이나 동측 흉견봉(thoracoacromial)혈관을 사용한다.

방사선 치료로 피부의 섬유화로 단단해져 있거나 피부에 심한 색소 침착이 있으면, 이들 수술 반흔과 단단하고 팽창되지 않는 주변조직은 모두 절제하고 새로운 건강한 피판으로 대체하는 것이 유방의 모양에도 좋을 뿐 아니라 방사선성 괴사와 합병증을 방지할 수 있다.

(3) 조직확장기 재건하였던 환자

조직확장기의 삽입 후 원하는 모양을 얻지 못하거나, 이물질의 부작용, 구축으로 인한 유방재건 실패후의 자가조직이식을 재건을 원하는 경우가 있다. 이 경우 인공 삽입물은 물론이고 주의의 피막(capsule)을 철저히 제거하여 자가조직 이식 후 유착이나 재구축이 오지 않도록 한다. 그러나, 인공삽입물의 위치가 부적절하여 유방하주름이 비대칭이라면 다시 이 주름을 새로 만들어 주어야 하며 이때 남아 있는 피막을 이용하여 흉벽의 대흉근, 전거근 근막에 비흡수성 봉합사로 고정하여 준다. 때로는 조직확장기로 인하여 늑골이 흉곽내로 함몰되어 있는 경우도 있어 예상보다 많은 양의 자가조직을 안으로 충진하여야 원하는 유방 돌출을 만들 수 있다.

3. DIEP flap

미세혈관수술에 대한 지식과 경험이 쌓여감에 따라 유경피판보다 유리피판을 이용하여 유방을 재건하는 방법이 점점 더 많이 쓰이고 있다. 현재 유방재건에 이용되는 피판은 하복부 조직, 등 조직, 허벅지 조직, 엉덩이 조직 등을 이용한 등 여러 가지가 있으며, 이 중 하복부조직을 이용한 피판이 가장 많이 사용된다. 이는 상대적으로 충분한 조직을 얻을 수 있고, 술 중 자세의 변동이 없으며, 술 후 부가적으로 날씬한 복부를 얻을 수 있기 때문이다.

1) DIEP flap의 진화

DIEP 피판은 TRAM 피판에서 진화되어 온 복부조직피판의 가장 발전된 형태이다. TRAM 피판은 혈류의 공급을 위해 복직근을 전체 또는 일부를 희생해야 하는 점이 주요한 단점 중에 하나였는데, DIEP 피판은 모든 근육을 원래 자리에 남기고, 근육 속을 주행하는 작은 혈관 즉 천공지를 근육과 완전히 분리하여 거상하는 피판이다(그림 5-6-20).

DIEP 피판은 1989년에 Koshima에 의해 임상 증례가 보고된 이후, 1990년대에 대중화되기 시작하여 현재는 TRAM 피판보다 더 많이 사용되고 있다. 복직근를 피판에 포함시키지 않기 때문에 복벽의 강도를 유지하기 좋다는 점이 가장 큰 장점이다. DIEP 피판의 혈관경은 external iliac artery에서 분지하는 deep inferior epigastric artery (DIEA)이다. DIEA는 복직근의 바닥에서 상복부 방향으로 진행하다가 arcus marginalis 주변에서 복직근 속으로 진입한다. 이후 복부 피부방향으로 여러 개의 천공지를 분지하여 복부

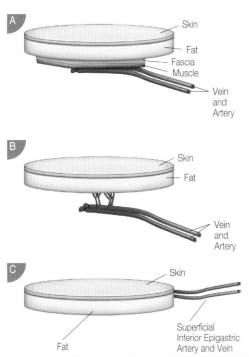

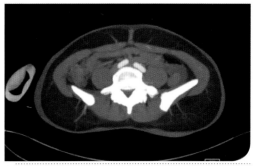

▷그림 5-6-21. DIEP 피판 대상 환자의 복부 CT 혈관조영술 axial 단면 영상이다. 배꼽을 중심으로 2 cm 우측에 가장 dominant한 천공지가 보인다. 이 천공지의 복직근 내의 주행도 확인하는 것이 좋다. 배꼽 좌측 천공지는 음영이 조금 약해 보이지만 혈관경으로 사용할 수 있다. 안전성은 우측 천공지가 더 좋겠지만, 유방의 모양을 만드는 데 좌측이 더 유리하다면 좌측 천공지를 선택할 수도 있다.

▷그림 5-6-20. A. 유리 muscle-sparing TRAM 피판. 피부, 지방, 근육이 다 포함되어 있다. B. DIEP 피판. 근육 내 천공지를 다 박리하여 근육이 피판에 포함되지 않는다. C. SIEA 피판. 근육을 통과하는 천공지로부터 혈류를 공급받는 것이 아니라, 피하 조직 속에 있는 혈관을 통해 순환이 이루어진다.

의 지방과 피부로 혈류를 공급한다. 피판의 원활한 혈류 공급을 위해 이중 가장 큰 천공지 한두 개를 선택하여 피판에 포함시키게 되는데, 수술전 복부의 CT 혈관조영술 영상을 보고 천공지의 크기와 위치에 대한 정보를 얻고, 박리할 천공지를 미리 정하는 것이 유리하다(그림 5-6-21).

2) 피판의 거상

피판의 디자인은 일반 복부조직피판과 크게 다를 것이 없는데, 선택된 천공지가 피판의 범위 안에 포함되어 있는지를 확인하는 것이 중요하다. 아래 가장자리를 먼저 절개하고, 양쪽 SIEV (superficial inferior epigastric vein)을 찾아 수

cm 정도의 길이를 확보해 두는 것이 좋다. 피판에 정맥 울혈이 발생하였거나 예상이 되는 상황에서 추가로 SIEV를 문합하여 정맥 배액을 증가시켜 줄 수 있다. 절개가 끝난 뒤 상복부와 양쪽 옆구리에서 지방층을 비스듬히 절개하여 더 많은 조직을 확보한다. 피판을 복벽의 근막에서 분리해서 미리 정해 둔 천공지가 노출이 되면 복직근 근막에 절개를 가해 근육을 노출시키고, 천공지를 근육으로부터 박리한다. 천공지의 박리는 근육을 근섬유의 길이 방향으로 벌려(splitting) 혈관을 노출시키고, 크고 작은 분지들을 혈관 클립이나 bipolar 전기소작기를 이용하여 분리하는 과정이다(그림 5-6-22). 이는 혈관에 손상을 주지 않으면서도 남게 되는 복직근의 손상도 최소화해야 하는 가장 정교하면서 시간이 많이 걸리는 중요한 과정이다. 천공지가 근육아래로 뚫고 나온 이후에는 일반적인 혈관 박리 방법으로 external iliac artery까지 박리하여 최대의 혈관경 길이를 확보한다.

수혜부 혈관으로는 thoracodorsal artery (TDA)나 internal mammary artery (IMA)를 사

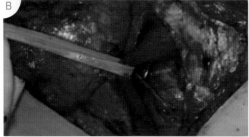

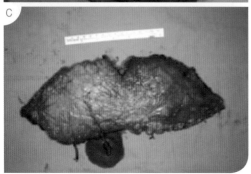

▷그림 5-6-22. A. 복직근을 slpitting하여 근육 사이로 천공지를 박리한 모습. B. 복직근의 바깥쪽으로 deep inferior epigastric artery를 박리한 모습. C. 하나의 천공지를 포함하는 DIEP 피판의 박리된 모습

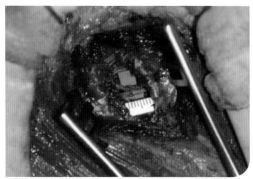

▷그림 5-6-23. 늑연골 사이의 intercostal muscle을 제거하고 internal mammary artery and vein을 박리한 모습. 길이가 1.5 cm 이상이면 혈관문합이 가능하다.

용하는데 지연재건에서는 방사선 치료를 받은 경우 axilla의 섬유화가 심하게 진행되어 TDA의 박리가 어려워 IMA를 더 사용하는 편이다. Moran 등이 시행한 전향적 연구결과에 따르면 free flap으로 유방재건 시 수혜부 혈관으로 TDA와 IMA를 비교하였는데, 수술 성적에 차이가 없었다고 한다. Lateral thoracic artery 또한 이용 가능한 수혜부 혈관이나 동맥의 크기가 작고 혈류가 약해 이용하기 어려운 편이다. 일반적으로 가장 많이 사용되는 수혜부 혈관은 IMA인데, 세 번째 늑연골을 제거하거나, 두번째 또는 세 번째 늑간(interconstal space)을 열어 혈관을 박리한다(그림 5-6-23).

피판을 거상한 이후 유방을 재건하는 과정은 TRAM 피판과 유사하다

3) 술 후 관리 및 부작용

술 후 환자의 자세는 공여부 봉합 시에 유지하였던 잭나이프 자세를 취하여야 한다. 술 후 1일간은 절대안정을 취하도록 하며, 피판이 나빠질 경우 바로 응급수술에 들어갈 수 있도록 24시간 정도 금식을 할 수도 있다. 저자의 경우 술 후 다음날 아침부터는 금식을 풀고, 저잔사식을 섭취하며, 2일째 화장실 출입 정도의 보행을 시작한다(이때 도뇨관을 제거한다). 보행 시 공여부의 긴장이 심하므로 구부린 자세에서 걷도록 하며, 3~4일 후부터 어느 정도 허리를 펴서 걷도록 연습시킨다. 술 후 5일째 부터는 일반식으로 바꾸고 피판에 특별한 문제가 없다면 퇴원하도록 한다.

피판의 monitoring은 술 후 2일간 집중적으로 시행하는데 2~3시간 간격으로 피판의 온도, 재건된 유방의 피부의 색깔, 모세혈관 재충전 시간 등을 주로 관찰한다. Portable Doppler나 im-

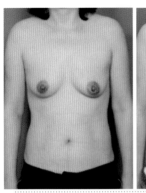
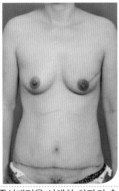

▷그림 5-6-24. DIEP 피판으로 즉시재건을 시행한 환자의 술전 및 술 후의 모습

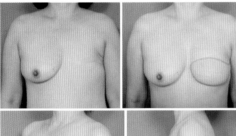
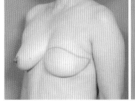
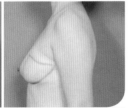

▷그림 5-6-25. DIEP 피판으로 지연재건을 시행한 환자의 술전 및 술 후의 모습. 측면 사진에서 유방의 상부에도 자연스러운 곡선이 잘 만들어진 것을 볼 수 있다.

plantable Doppler 등의 방법 또한 적용 가능하다. 피판의 상태가 의심스러운 경우 혈관경 부위를 피해서 바늘로 찔러보아 맺히는 피의 색깔을 관찰할 수 있다. 이때 피판의 상태가 좋지 않은 경우 응급수술로 혈관경의 상태를 관찰하는 것이 우선이다. 항응고를 위한 방법으로 1,250 unit의 heparin IV, dextran을 5일간 사용, 미세 혈액순환 개선을 위한 방법으로 prostaglandin E1 (PGE1)을 7일간 사용하는 등의 술식이 있으나 절대적인 것은 아니다. PGE1의 경우 뇌혈류양의 증가로 두통이 동반될 수 있다.

4) 합병증

유리 피판으로 유방재건을 시행한 경우 가장 큰 합병증은 혈전으로 인해 혈관이 막혀서 발생하는 피판의 소실이다. 피판을 거상할 때 혈관에 손상을 받아 문제가 생기는 경우는 응급수술로도 구제하기가 어렵다. 하지만 미세혈관을 문합하는 과정 자체만으로 혈전의 가능성을 항상 갖고 있는데, 문헌에 따르면 혈관의 문제는 술 후 48시간 안에 대부분 발생한다고 한다. 피판이 부분적으로 괴사되는 경우는 대부분 이차적 치유를 기다리며, 피부에 발생한 경우 치유가 더딜 때는 변연 절제와 일차봉합을 시행할 수 있다. 유리 피판은 공여부가 존재하기 때문에 필연적으로 공여부에 합병증이 발생할 가능성이 있다. 하복부의 조직을 이용하여 유방재건을 한 경우 수평방향으로 긴 반흔을 남긴다. 그리고 복부의 근막과 복직근에 일부 손상을 주게 되므로 복벽의 강도가 약화되어 하복부의 돌출, 탈장 등이 발생할 수 있다. 술 중 복벽의 강화를 위해 mesh나 Acellular dermal matrix를 덧대어 fascia를 봉합함으로써 hernia 등의 발생을 예방할 수 있다. 이런 측면에서 TRAM 피판보다는 DIEP 피판, 더 나아가서는 SIEA 피판이 더 낫겠지만 피판 자체의 안전성을 고려하여 피판을 선택하여야 한다. 재건한 유방의 외적측면도 고려하여야 한다. 재건된 유방은 지방괴사나 축소, 구축, 그리고 반흔 등으로 유방 모양에 변형이 올 수 있다. 따라서 수술 직후뿐만 아니라 경과 관찰 중에도 반대측 유방과 비교하여 대칭성, 하수 정도는 비슷한지를 살펴본다. 필요한 경우 미진한 부위의 보완을 위해 지방이식술과 같은 이차수술을 시행한다.

4. Superficial inferior epigastric artery (SIEA) flap

1975년 Taylor와 Daniel에 의해 처음 소개된 이후 1990년대에 유방재건을 위해 부분적으로 사용되기 시작하였다. SIEA(superficial inferior

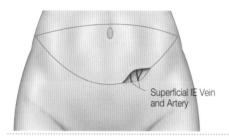

▷그림 5-6-26. 복부 피판의 하연에 절개를 한 다음 피하 지방 층에서 superficial inferior epigastric artery (SIEA)를 발견할 수 있다. SIEA는 superficial inferior epigastric vein 보다 외측에서 발견되며, 약간 더 깊게 위치한다.

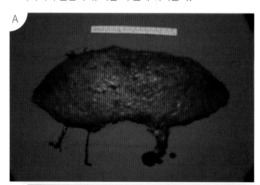

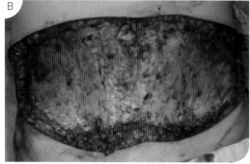

▷그림 5-6-27. A. 거상된 SIEA 피판의 모습. 혈관경이 피판 하연의 지방층에 연결되어 있다. B. 피판을 harvest한 다음의 공여부는 근막의 손상 없이 피부와 피하지방층만 제거된 상태이다.

epigastric artery)는 external iliac artery에서 분지하여 근육을 통과하지 않고 곧장 피부 쪽으로 향하여 하복부의 지방과 피부에 혈류를 공급한다(그림 5-6-26). SIEA만으로 충분한 혈류를 공급할 수 있다면, 복직근의 손상을 줄 가능성이 없으므로 TRAM 피판이나 DIEP 피판에서 발생할 수 있는 공여부의 합병증을 최소화시킬 수 있고, 피판의 거상도 매우 간단하고 빠르다는 장점이 있다(그림 5-6-27). 하지만, SIEA은 모든 환자에서 발견되지 않고, 있는 경우에도 너무 작아 충분한 혈류를 공급하지 못하는 경우도 있다. 문헌에 따르면 35%의 사례에서 SIEA가 발견되지 않았다고 한다. 따라서 술 전에 Doppler 초음파를 이용하거나 CT 혈관조영술을 통해 SIEA의 존재여부와 크기를 확인하는 것이 중요하다. 모든 DIEP 피판술 시 먼저 SIEA의 존재여부를 확인하여, 크고 혈류가 좋은 SIEA가 발견되면 SIEA피판으로 계획을 변경한다.

복부의 근막을 건드리지 않기 때문에 공여부의 합병증 면에서 이점이 있지만 최근에 Coroneos 등이 발표한 논문에 따르면 DIEP 피판과 견주어 보았을 때 SIEA 피판이 동맥부전, 재수술이 필요한 조직괴사, 피판의 실패 등이 유의하게 발생율이 높았다고 하였으므로, 실제 SIEA 피판을 계획할 때보다 더 신중을 기해야 할 것으로 보인다.

5. 유방 재건을 위한 대체 천공지 피판(Alternative perforator flaps for breast reconstruction)

자가조직을 이용한 유방재건술 중 가장 많이

쓰이고, 가장 이상적인 결과를 만들어 주는 방법은 하복부 조직을 이용한 피판이지만 이러한 하복부 조직을 이용할 수가 없는 경우가 있다. 예를 들면, 재건해야 할 유방의 크기는 큰 편인데, 하복부의 피하 지방층이 작은 경우, 복부에 큰 흉터가 있어 혈관구조가 손상된 경우, 복부 성형술을 받은 경우, 하복부피판으로 재건술을 받고 실패한 경우 등이 있다. 이러한 경우에 대체로 사용할 수 있는 조직은 충분한 피판의 넓이와 부피가 보장되는 둔부와 허벅지가 가장 선호된다. 가장 많이 사용되는 대체피판은 둔부조직을 이용하는 SGAP (superior gluteal artery perforator) flap과 IGAP (inferior gluteal artery perforator) flap이다. 허벅지를 이용하는 피판은 TUG (transverse upper gracilis) flap이 먼저 사용되었고, PAP (profunda femoris artery perforator) flap이 최근에 소개되었다.

1) Superior gluteal artery perforator (SGAP) flap

엉덩이 조직은 피부와 연부 조직이 풍부하고 혈관이 잘 발달해서 피판의 공여부로서 좋은 편이며, 전통적으로 많은 피판이 개발되어있다. 엉덩이에서 평균적으로 8 cm 정도의 폭으로 300g 전후의 피판을 채취할 수 있어, 하복부 피판의 대체 피판으로 가장 많이 선택된다. 둔부 천공지 피판은 1993년 Koshima에 의해 처음 소개되어 욕창 수술에 많이 이용되었고, 1995년 Allen이 유방 재건에 이용하기 시작하였다.

SGAP 피판의 혈관 해부학은 DIEP 피판에 비해 더 간단하고 일관성이 있다. 엉덩이의 가장 중요한 혈류 공급원은 superior gluteal artery와 inferior gluteal artery이다. Superior gluteal ar-tery는 internal iliac artery가 greater sciatic fo-ramen을 나온 뒤에 분지된다(그림 5-6-28).

Gluteus maximus muscle의 아래층에서 3~4개의 큰 분지로 나누어져서 근육을 관통하여 피하층으로 들어간다. 대개 2~3개 이상의 큰 per-forator가 있지만, 하나의 천공지로도 피판 전체에 혈류를 공급하는 데 문제가 없다. 이러한 큰 천공지들은 주로 둔부의 상외부에 위치하고 있다(그림 5-6-29).

SGAP 피판은 혈관경의 길이가 6~7 cm 정도로 짧은 편이어서 수혜부혈관은 internal mam-mary vessels을 사용해야 한다. Thoracodorsal vessels을 사용하면, 피판을 적절한 위치에 inset 하기가 어렵다. SGAP 피판은 폭이 짧고, 피부가 질기며, 지방층이 단단하여 자연스럽고 대칭적인 모양으로 inset하기 어렵다. 대개는 가로방향으로 inset하여 lower pole의 모양에 집중하게 되고 upper pole에는 조직을 배치할 수 없어서 depression, 혹은, stepping 이 잘 발생한다(그림 5-6-30). 서양인과 달리 동양인의 체형상 풍부한 양의 조직을 얻지 못할 수 있고, 술 중에 자세를 변경해야 하는 불편함이 있기 때문에, 하복부에

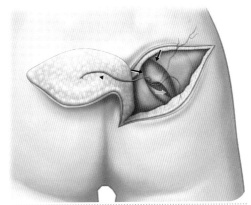

▷그림 5-6-28. Superior gluteal artery의 분지에서 나온 천공지가 gluteus maximus muscle을 뚫고 나와 둔부의 지방과 피부에 혈류를 공급한다.

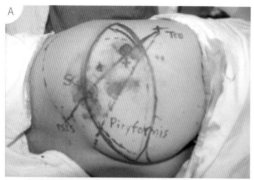

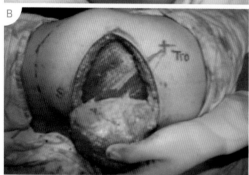

▷그림 5-6-29. A, B. SGAP 피판은 posterior superior iliac spine과 greater trochanter를 기준으로 둔부에 작도하고 바깥쪽부터 피판을 거상하여 천공지를 찾는다. C. 분리된 SAGP 피판

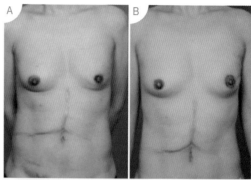

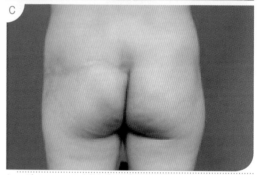

▷그림 5-6-30. A. 복부에 큰 흉터가 있어 복부피판을 사용하기 힘든 환자 B. Skin sparing mastectomy 후 SGAP 피판을 이용하여 즉시재건을 시행하였다. 유두재건과 유륜문신까지 종료된 상태. C. 둔부공여부의 모습. 좌측 둔부에 흉터와 함몰이 보인다.

서 공여조직을 이용할 수 없을 경우와 같은 상황에서 제한적으로 사용을 고려해볼 수 있겠다.

2) Profunda femoris artery perforator (PAP) flap

우리 몸에서 하복부와 엉덩이 다음으로 큰 피판을 만들 수 있는 부위는 허벅지 상부이다. 실제로 허벅지의 외측 조직을 이용하는 anterolateral thigh (ALT) 피판이 유방재건에 이용된 적이 있고, 허벅지 내측의 조직을 이용하는 transverse upper gracilis (TUG) 피판은 유방재건에서 SGAP 피판 다음으로 많이 사용되는 대체피판이다. PAP 피판은 가장 최근에 소개된 유방재건용 피판으로 허벅지의 내후방의 조직을 이용하는 피판이다. TUG 피판과 사용하는 조직이 겹치면서 비슷하게 보이기도 하나, 좀 더 허벅지 후방, 다시 말해, 엉덩이 아래 쪽 부위를 주로 사용하게 되며, 혈관경도 다르다. 허벅지에 살이 많은 여성이나, 하복부나 엉덩이에 흉터를 만들고 싶지 않은 환자에게 적용한다. 실제로 수술 후 흉터가 gluteal fold의 1~2 cm 하방에 위치하여 잘 드러나지 않는다. 피부와 지방조직이 매우 부드러워 유방재건에 적합하다. 허벅지에 살이 매우 많고, 피부가 늘어져 있는 환자라면, thigh lift의 효과도 줄 수 있다. 가장 큰 단점은 역시 부피와 면적이 작다는 점이다. 따라서 허벅지에 살이 많고 유방의 크기가 작은 환자를 잘 선택하여 시행하는 것이 바람직하다. Profunda femoris artery (deep femoral artery)는 femoral artery의 분지로서 허벅지의 posterior compartment에 속한다. Femur의 바로 뒤 따라 근육보다 깊은 면을 주행하며 많은 분지들을 낸다. 흔히, 혈관경의 길이는 6~7 cm 정도로 길지 않은 편이다.

수혜부 혈관은 SGAP 피판에서처럼 internal mammary vessels이 적합하다. 혈관의 직경은 잘 맞는 편이다. 혈관 문합 후 deepithelization을 시행하고 inset을 한다. 피판의 폭이 좁은 편이므로 inset 과정이 쉽지 않은 편이다. 가능하다면, cone shape으로 말아서 사용하면 보다 자연스러운 모양을 만들 수 있다. 하지만 역시 upper pole과 그 상부의 defect를 다 cover할 수 없어서 stepping 또는 depression이 잘 생긴다. 공여부의 봉합은 frog leg position에서 약간의 어려움이 있을 수 있다. 봉합 시 바닥에도 같이 고정해 주면 inferior gluteal fold 의 모양을 재건해 줄 수 있고, 흉터가 허벅지 쪽으로 내려가는 것을 예방하는 데 도움이 된다(그림 5-6-31).

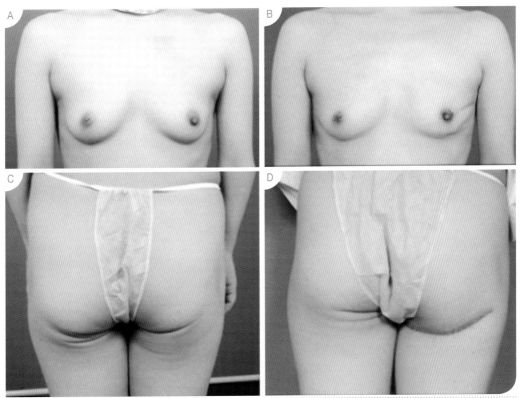

▷ 그림 5-6-31. A, B. 복부에 흉터를 남기고 싶지 않아하는 환자에서 PAP 피판으로 즉시유방재건을 시행한 수술 전후 모습, C, D. PAP 피판 공여부의 수술 전후 모습, 우측 둔부 하연에 흉터가보이고, gluteal fold의 변형이 관찰된다.

V. 유방

References

1. Elizabeth J., Hall-Findlay GRDE. Aesthetic and Reconstructive Surgery of the Breast. Elsevier; 2010.

2. Spear SL., Surgery of the Breast – Principles and Art. Vol. 1, 3rd ed. Philadelphia. Lippincott Williams & Wilkins; 2011

3. Hokin.J.A.B., Silfverskiold, K.L. Breast reconstruction without an implant; Result and complications using an extended latissimus dorsi flap. Plast. Reconstr. Surg. 79:58, 1987.

4. Germann, G. Steinau, H.U. Breast reconstruction with the extended latissimus dorsi flap. Plast Reconstr. Surg. 97:519, 1996

5. Heitmann, C., Pelzer, M., Kuentscher, M., Menke, H., Germann, G. The extended latissimus dorsi flap revisited. Plast. Reconstr. Surg. 111: 1697, 2003

6. Lee, J.W., Chang, T.W. Extended latissimus dorsi musculocutaneous flap for breast recontruction: experience in oriental patients. Br. J. Plast, Surg. 52:365,1999.

7. Menke, H., Erkens, M., Olbrisch R.R. Evolving concepts in breast reconstruction with latissimus dorsi flap: Results and follow-up of 121 consecutive patients. Ann. last. Surg. 47:107,2001

8. Jeon B.J., Lee T.S., Lim S.Y., Pyon J.K., Mun G.H., Oh K.S., Bang S.I. Risk factors for donor-site seroma formation after immediate breast reconstruction with the extended latissimus dorsi flap. Ann. Plast. Surg. 69:145.2012

9. Baldwin BJ, Schusterman MA, Miller MJ, et al. Bilateral breast reconstruction: conventional versus free TRAM. Plast Reconstr Surg. 1994;93:1410–1416.

10. Kroll SS, Baldwin B. A comparison of outcomes using three different methods of breast reconstruction. Plast Reconstr Surg. 1992;90:455–462.

11. Yueh JH, Houlihan MJ, Slavin SA, et al. Nipple-sparing mastectomy: evaluation of patient satisfaction, aesthetic results, and sensation. Ann Plast Surg. 2009;62(5):586–590.

12. Selber JC, Kurichi JE, Vega SJ, et al. Risk factors and complications in free TRAM flap breast reconstruction. Ann Plast Surg. 2006;56(5):492–497

13. Schaverien MV, Perks AGB, McCulley SJ. Comparison of outcomes and donor-site morbidity in unilateral free TRAM versus DIEP flap breast reconstruction. J Plast Reconstr Aesthet Surg. 2007;60(11):1219–1224.

14. Choi EK, Ahn HC. Secondary touch surgery following breast reconstruction with free TRAM flap. J Kor Soc Plast Reconst Surg 2002 May 029(03):141-146

15. Alderman AK, Kuzon Jr WM, Wilkins EG. A two-year prospective analysis of trunk function in TRAM breast reconstructions. Plast Reconstr Surg. 2006;117(7):2131–2138.

16. Grotting JC, Urist MM, Maddox WA, et al. Conventional TRAM flap versus free microsurgical TRAM flap for immediate breast reconstruction. Plast Reconstr Surg. 1989;83(5):828–844.

17. Moon HK, Taylor GI. The vascular anatomy of rectus abdominis musculocutaneous flaps based on the deep superior epigastric system. Plast Reconstr Surg. 1988;82:815–831.

18. Hartrampf CR, Scheflan M, Black PW. Breast reconstruction with a transverse abdominal island flap. Plast Reconstr Surg. 1982;69:216–224.

19. Chin SW, Hwang WJ, Ahn HC. Fat necrosis in reconstructed breast using free TRAM flap. J Kor Soc Plast Reconst Surg 2003 Jul 030(04):405-412

20. Williams EH, Rosenberg LZ, Kolm P, et al. Immediate nipple reconstruction on a free TRAM flap breast reconstruction. Plast Reconstr Surg. 2007;120(5): 1115–1124.

21. Andrades P, Fix RJ, Danilla S, et al. Ischemic complications in pedicle, free, and muscle sparing transverse rectus abdominis myocutaneous flaps for breast reconstruction. Ann Plast Surg. 2008;60(5): 562–567.

22. Kroll SS, Gherardini G, Martin JE, et al. Fat necrosis in free and pedicled TRAM Flaps. Plast Reconstr Surg. 1998;102(5):1502–1507.

23. Kronowitz SJ, Robb GL. Radiation therapy and breast reconstruction: a critical review of the literature. Plast Reconstr Surg. 2009;124(2):395–408.

24. Ahn HC, Ahn YS, Kim YH et al. Secondary breast reconstruction. Kor Soc Plast Reconst Surg 2009 Sep 036(06):761-766

25. Jeong WS, Han W, Eom JS. Comparison of Aesthetic Outcomes between Vertical and Horizontal Flap Insets in Breast Reconstruction with the TRAM or DIEP Flaps. Aesthetic Plast Surg. 2017 Feb;41(1):19-25.

26. Woo Shik Jeong, Taek Jong Lee, Jin Sup Eom. Breast Reconstruction with Superior Gluteal Artery Perforator Flap in Asian, JKSM 2013 May;22(1):7-12

27. Koshima I, Soeda S. Inferior epigastric artery skin flaps without rectus abdominis muscle. British journal of plastic surgery. 1989;42:645-648.

28. Allen RJ, Treece P. Deep inferior epigastric perforator flap for breast reconstruction. Ann Plast Surg. 1994;32(1):32-8.

29. Blondeel PN. One hundred free DIEP flap breast reconstructions: a personal experience. Br J Plast Surg. 1999;52(2):104–111.

30. Allen RJ, Haddock NT, Ahn CY, Sadeghi A. Bresat reconstruction with profunda Artery Perforator flap. Plast Reconstr Surg 2012;129:16e-23e

V. 유방

7

유두-유륜 복합체 재건
Reconstruction of the Nipple-areola Complex

윤을식 고려의대

1. 서론

유방 재건술을 받은 환자에서 유두-유륜 복합체의 재건은 수술 후 심리적 또는 미용적 만족도의 측면에서 매우 중요한 과정이다. 여러 논문에서 유방 재건을 시행한 환자의 만족도는 유두 및 유륜의 존재 여부와 큰 연관이 있으며, 유두 재건이 환자가 갖게 되는 수술 후의 신체상과 수술 후의 삶에 중요한 역할을 한다고 밝히고 있다. 따라서 유두 재건은 유방 재건을 완성하는 최종 단계라고 할 수 있다.

정상 측과 대칭을 이루는 유두의 재건을 위해서는 유방 재건술 후 3~6개월 지난 후에 수술을 시행하는 것이 일반적이다. 유두 재건은 지난 30여 년간 여러 방법들이 소개되어 왔으나, 반대측 유두에 손상을 주지 않고 자가조직만을 이용하여 국소피판술로 재건하는 방법이 현재 가장 보편적으로 사용되고 있다.

최근 유방 재건술이 보편화 되면서 이와 더불어 유두 재건 술기도 함께 수술방법은 발전해 왔다. C-V 피판, Bell 피판, 변형 별형 피판 등 유방 피부조직으로부터의 다양한 "pull-out" 국소 피판술이 보고되고 있으나, 모든 수술방법들은 시간이 경과함에 시간이 경과함에 따라 술 후 유두 돌출 정도가 감소하는 경향을 보이고 있다. 국내 및 외국의 경우, 수술 방법 및 보고자에 따라 약간의 차이는 있으나, 추적결과에서 30~50% 정도의 흡수율을 보인다고 보고되고 있다. 이런 이유로 유두 재건 시 실제 원하는 유두의 크기보다 좀 더 크게 재건하게 되고, 그로 인해 보다 많은 공여부의 결손을 야기하게 되어 이미 재건된 유방의 변형을 초래하므로, 때론 전체적으로 실망스러운 결과를 가져오기도 한다.

2. 유두 재건의 목표와 시기

유두-유륜 복합체의 재건과 그 결과는 유방 재건과 마찬가지로 유방암 환자에게 있어서 심리적으로나 미용적으로 매우 중요하다. 유방 재건술 후 환자 만족도는 유두-유륜 복합체 재건을 시행 받은 환자에게서 더 높게 나타나고 있으며, 유두-유륜 복합체가 존재한다는 사실은 환자 자신으로 하여금 재건된 유방을 단지 형태뿐만 아니라 완전한 유방으로서 인식할 수 있도록 도와준다.

유두-유륜 복합체 재건의 목표는 올바른 위치, 모양, 크기, 색, 돌출 정도의 재현에 있다. 즉 성공적인 재건은 반대측과 대칭되는 위치에 크기와 촉감이 비슷하고 자연스러운 유두와 유륜이 존재하도록 하는 것이다. 재건 시에는 정상적인 유두의 질감과 색, 기립성, 너비와 돌출 정도, 감각 등을 고려하여야 하지만, 이런 조건들을 모두 갖춘 완벽한 유두를 재건하는 일은 거의 불가능하다. 또한 시간이 경과함에 따라 해부학적 지지 구조물의 부재와 반흔 구축 등의 원인으로 재건된 유두 조직의 흡수가 일어나기 때문에 유두 돌출 정도 및 부피의 감소를 극복하기 위한 다양한 국소 피판술이 도입되어 보고되고 있지만, 아직까지 정상측과 비교하여 비슷하고 자연스러운 유두와 유륜을 만들어주는 수술법은 정립되지 않은 것이 사실이다.

유두 재건술의 시기는 유방 융기를 재건한 후 유방의 모양과 위치가 완전히 확정되고, 피판이 충분히 안정되는 술 후 3~6개월에 시행하는 것이 일반적이며, 그 이전에 재건할 경우에는 피판의 혈액순환 장애나 반흔 구축에 따른 유방 및 유두 형태의 변형을 초래할 수 있다. 반면 유두 재건을 유방 재건 후 충분한 시간이 경과한 후 시행하면, 이상적인 유두에 대하여 환자와 의사가 서로 능동적으로 상의할 수 있고, 재건된 유방에 대하여 이차적 보완 수술을 함께 시행할 수 있다는 장점이 있다.

3. 수술 전 고려해야 할 사항

유두-유륜 복합체는 유방의 필수적인 미적 요소이다. 유두는 관을 갖고 있는 짙은 상피세포의 유륜 조직으로 둘러 싸여 있다. 유륜은 주위 유방 조직보다 시각적으로 어둡지만 유두보다는 살짝 밝은 색을 띠고 있다. 유두-유륜 복합체의

재건은 유방재건술의 화룡점정으로 수술방법은 비교적 단순하지만 자연스러운 유방을 만들어준다는 의미에서 미용적으로 중요한 수술술기이다. 유두-유륜 재건을 시행할 때, 유두의 최적의 미적 위치는 가능한 유방에서 가장 돌출된 부위에서 흉골에서 반대측의 유두까지의 거리, 유두에서 유방 밑 주름까지의 거리를 측정하여 결정하며, 반대측 유두의 색상과 색소 착색 정도를 참고하여 만들 수 있다. 과거의 수술 병력 또는 성장 과정 중에 발생한 비대칭이 없다면 유두의 위치는 대부분 어느 정도 양측이 대칭을 이룬다. 저자는 가장 중요한 점이 반대측 유륜과 색이 비슷하도록 대칭을 만드는 점이라고 생각한다. 반대측 유방의 유두-유륜 복합체의 위치 및 색상과 대칭을 이룰 수 있도록 유두-유륜 복합체를 재건하는 것이 최적의 심미적 모양을 위해서 가장 중요한 점이 된다. 과거에는 이를 위해 짙은 색소의 전층 피부 이식술을 시행하였으나 현재는 이를 진피 내 문신으로 대신할 수 있으며, 다양한 색깔의 제품을 이용해 반대측 유륜과 대칭적인 유륜을 만들 수 있다. 특히 재건된 유두 주위의 유륜 색깔이 유두의 위치나 돌출 정도보다 더 중요할 수 있는데, 유륜 색상의 대칭성을 통해 유두의 얼마간의 위치 이상이나 부분적인 또는 심지어 심한 유두 돌출의 소실 마저도 충분히 보상할 수 있다. 또한 유방 재건 후 유두의 돌출이 많이 소실되어 있는 환자에서도 진피 내 문신만으로 문제를 해결할 수 있다.

유두-유륜 복합체 재건의 수술 시기는 유방 재건과 동시에 시행하기 보다는 재건된 유방이 안정된 후 3~6개월이 지난 뒤에 시행하는 것이 좋다. 이는 유방이 중력에 의해서 모양이 변하기 때문이다. 유두 재건은 종종 대칭을 위한 반대측 유방의 미용 수술이나 재건한 유방을 교정하는

보완 수술과 함께 시행하게 된다. 이 때 양측 유방의 유두 모양을 조정하면 대칭성과 전체적인 미적 모양에 긍정적인 영향을 줄 수 있다. 반면 유두 재건을 유방 재건 수술과 동시에 시행하게 되면 유두-유륜 복합체를 절제하는 피부 보존 유방절제술이 아니고서는 비대칭이 될 가능성이 매우 높다. 이와 비슷하게 확장기를 제거하고 영구 보형물을 넣을 때 유두 재건을 동시에 시행하는 경우에도 합병증이 발생할 위험도가 증가하게 되는데, 이는 창상 치유에 문제가 생겨 유두를 재건한 위치에 감염이나 보형물 노출이 발생할 수 있기 때문이다.

과거에는 유두 재건이 진피 내 문신술이나 반대쪽 유두로부터의 복합조직이식술로 한정되어 있었다. 그러나 지난 20여 년 동안 원하는 위치에서 피판을 거상하는 피부피판술(pullout skin flap)이 보편화되면서, 현재는 국소피판술이 가장 좋은 유두 재건 방법이라고 할 수 있다. 유륜 부분은 과거에는 주로 짙은 색의 피부를 전층 이식하는 방법을 이용하여 재건하였으나, 최근에는 대부분 진피 내 문신을 이용하여 유륜을 만든다. 노년층 등 수술 고위험 환자군에서는 유두 재건 시에도 진피 내 문신만으로도 충분하다.

반대편 유두 복합조직이식술은 반대측에 공여부로 사용할만한 큰 유두를 가진 환자가 유두 재건 위치의 피부가 매우 얇고 반흔 조직으로만 되어 있는 특별한 상황에서 일차적인 방법으로 고려할 수 있다.

반대편 유두 복합조직이식술은 유두의 가장 앞부분 또는 원위 부위를 떼어내거나 유두의 가장 앞 부분과 중간부분을 포함한 삼각형 모양의 부분의 절제를 통해 조직을 얻을 수 있다. 이렇게 하면 반대편 유두의 크기가 줄어들고 일부 증례에서는 유두 크기의 감소만으로도 양측의

대칭을 맞추는 데 큰 이점이 있다. 더욱이 유두 이식 조직이 적절한 위치에 놓이고 피내 문신을 하게 되면, 충분히 반대측의 유두와 비슷하게 보일 수 있다. 하지만 공여부 합병증 등으로 인해 널리 사용되지는 않는다.

최근에는 재건된 유방에서 가장 이상적인 위치에 피부 및 피하 조직의 "pull-out flap" 으로 유두를 재건하고, 유륜 재건을 위해 피내 문신을 하는 방법이 가장 많이 이용되고 있다. "pull-out flap" 방법을 이용한 재건의 성공 정도는 디자인에 따라 달라질 수 있는데, 그 이유는 유두 피판의 디자인이 유두의 돌출에 중요한 역할을 하기 때문이다. 많은 방법들 중에서도 피부와 피하조직을 피판의 기저부만 제외하고 거상하여 원하는 유두 모양으로 다시 접어서 만드는 피판술이 유두의 돌출을 유지하는 데 있어 매우 성공적인 방법이다. 이 때 지방 조직과 진피의 두께가 유두 돌출에 가장 중요한 역할을 하기 때문에 이를 잘 고려해 디자인해야 한다. 현재 가장 통용되는 디자인은 새로운 유두 재건에 사용될 피판 조직을 유방의 표면에서부터 최소 90도 이상의 각도로 거상시키는 방법으로, Hartrampf가 처음 제안한 skate 디자인을 Little과 Spear가 변형·수정한 방법이다.

4. 일차 유두 재건술

1) 수술 전 계획

성형외과의사는 유두 재건을 계획할 때 반드시 반대쪽 유방을 면밀히 살펴볼 필요가 있다. 무엇보다도 반대쪽 유방의 마운드와 비교하여 유두의 위치를 알아두는 것이 중요한데 이는 육

안으로 확인, 평가해야 하며 특정 지점(주로 흉골절흔)으로부터 정밀한 측정이 이루어져야 한다. 다른 기준점으로 수평면의 중앙선에서부터 흉골패임을 기준으로 잡은 지점까지의 거리를 삼을 수 있는데, 이 역시 중요한 척도이다. 이러한 지표들을 바탕으로 환자의 의견을 상호 참조하여 유두의 위치를 결정하게 된다.

저자는 탈부착 가능한 심전도 전극(lead)을 유륜으로 생각하고 재건한 유방 위에 올려 놓고 위치를 잡도록 환자에게 권유한 후 전신 거울 앞에 서서 위의 작업을 진행하도록 안내한다. 이렇게 함으로써 환자가 스스로 이상적인 유두의 위치를 정확히 파악할 수 있다. 진료실에 돌아와 환자가 정한 위치를 의사가 동의하거나 수정사항들을 조언해준다. 이 시점에서 의사의 미적인 판단이 중요하게 작용한다. 반대쪽 유방의 모양과 돌출 상태에 따라 위치를 바꿔야 하며 유두 재건에 따라 생기는 주변부 반흔들을 고려해야 하기 때문이다

의사는 재건된 유방의 반흔을 보며 반대쪽 유두의 돌출 상태, 기저 폭, 유륜의 모양과 위치를 유두재건수술 전 계획 시점부터 신중하게 평가, 검토해야 한다. 때때로 환자들이 반대쪽 유두의 위치와 비슷하게 하기 위해 유방 마운드의 가장 높은 부분에서 상당히 떨어진 지점으로 유두 위치를 정할 때가 있다. 이런 경우들은 대체로 심한 유방하수 때문에 발생한다.

반대쪽 정상 유두의 기저 폭과 돌출 상태에 따라 재건될 유두에 사용될 피판의 양쪽 날개부분(lateral wings)의 기본 크기와 폭이 결정된다. 이는 술기의 종류와 관계 없이 중요한 수치들이며 이 요소들은 수술 전 계획 시 고려해야 한다.

다음은 이상적인 유두 재건을 위해 수술 전 환자와 면담할 때 중요한 절차 및 고려해야 할 사항들이다.

첫째, 유두 재건의 최적의 위치를 찾도록 한다.

둘째, 선정된 유두의 위치에 대해 환자의 동의를 구한다.

셋째, 반대쪽 유두의 기저 폭과 일치하도록 계획한다.

넷째, 반대쪽 유두의 돌출 상태와 맞도록 가장 적절한 술기법을 고른다.

다섯째, 유두 재건 시 생기는 반흔들이 유륜에 해당되는 범위(문신을 하게 될 부위) 내에 포함되도록 한다.

여섯째, 사진을 이용하여 수술의 평균적인 결과를 환자에게 설명하며 환자와 함께 절차들을 되짚어 본다.

이와 함께 의료용 진피내 문신이 재건된 유두를 가장 자연스럽게 만들어 주는 마지막 단계임을 강조한다.

2) 수술 중 고려해야 할 사항

이 술기는 전신마취가 꼭 필요한 상황이 아닌 이상 주로 외래 혹은 수술방에서 국소 마취 하에 진행된다. 저자는 유두 피판의 가장 기저부분을 제외하고는 모든 구역에 에피네프린이 포함된 국소마취제를 이용한다. 가장 기저부분에는 에피네프린 대신 리도케인을 사용한다. 유두 재건을 꼭 수술실에서 진행해야 할 필요는 없으며 외래 수술실 또는 처치실에서도 충분히 안전하게 진행할 수 있다. 그러나, 보형물 유방 재건이 시행된 경우에는 수술실에서 무균적으로 진행한다.

유두 재건을 할 때 수술자는 어떠한 술기법을 이용하든지 이 수술에 이용되는 피판들이 매우 얇거나 연약하다는 것을 알고 있어야 한다. 피

판을 거상하여 유두를 만들어 봉합할 때, 피판을 과도하게 비틀거나 접히지 않도록 조심해야 한다. 허혈로 인한 피판의 손상은 피부의 과도한 조임, 피판의 과도한 접힘, 과도한 봉합에 의해 일어날 수 있다. 모든 피판의 괴사는 반드시 유두를 재건하는 시점에 발견되어야 한다. 또한, 유두 재건 시 허혈이 발생할 때 이를 즉시 해결하기 위한 봉합 제거 또는 피판 치환이 바로 이루어져야 한다. 일반적으로 1~2개 정도의 봉합만 제거하면 문제는 해결된다. 앞서 언급했듯이, 연약한 피판의 허혈을 피해야 하며 그렇지 못한 경우 이는 피판 분리 또는 개방 상처로 이어지게 된다. 이로 인해 결국 상처 수축의 가능성이 높아지며, 유두 돌출의 급격한 감소와 모양의 변형, 경사뿐만 아니라 심지어는 재건된 유두 위치의 변형으로까지 이어질 수 있다.

유두-유륜 재건후에 외부의 압력으로부터 유두를 보호하는 것도 중요하다. 이를 위해 저자는 도넛 형태의 폼 드레싱(foam doughnut)을 유두 주위에 놓고 환자에게 한 달간 브래지어 안에 착용할 것을 지도한다. 이러한 절차를 통해 초기의 기계적인 압박으로부터 생기는 유두 돌출의 감소를 막을 수 있다(그림 5-7-1).

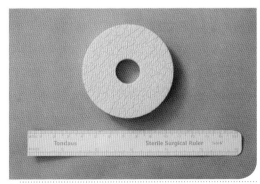

▷그림 5-7-1. **도넛 형태의 폼 드레싱**(foam doughnut, MeditouchAD®; IlDong, Seoul, Korea). 유두-유륜 재건 후에 도넛 형태의 폼 드레싱을 사용해 외부의 압력으로부터 유두를 보호할 수 있다.

유륜 재건을 위해 피부이식을 하게 될 때에는 피부이식편과 수혜부의 접촉면이 최대한 많이 닿는 볼스터 형태(bolster type) 드레싱을 이용한다. 드레싱은 최소 5일간 유지하여야 하며 대개 전층피부이식술을 사용한다. 공여부위는 반대측 유륜, 사타구니 등 다양한 부위를 사용할 수 있다. 하지만 피부이식을 시행할 경우 공여부위가 불편할 뿐만 아니라 통증이 심하다는 단점이 있다. 또한 대부분의 전층피부이식 증례에서 시간이 지남에 따라 저색소침착이 발생한다. 저자의 경험으로는 정상 유륜과 새로운 유두 주위 조직 사이의 색깔 차이를 줄이는 가장 좋은 방법은 진피 내 타투(intradermal tattoo)를 시행하는 것이다.

한편 유두 재건 예정인 환자를 평가할 때 피부와 연부조직이 얇은 경우 더욱 주의를 기울여야 한다. 얇은 조직들은 유방 재건을 위해 조직을 확장시킬 때 주로 발생한다. 조직 확장은 분명히 피하지방층과 진피를 얇게 만들기 때문에, 저자는 확장기 교환 시 다시 한번 근육층, 피하지방세포, 진피의 두께를 확인한다. 특히, 피하지방층에 확연한 위축이 있는지 확인해야 한다. 앞서 언급했듯이, 저자는 조직 확장기를 이용하고 보형물 재건을 시행한 환자들의 경우 유두 재건을 3단계에 시행하는 것을 선호한다.

유두 재건의 종류를 선택할 때 유방의 반흔 유무는 중요한 요소 중 하나이다. 반흔의 위치, 폭, 주위 피부와 심부 조직들의 상태를 면밀히 평가하여야 한다. 또한, 이들이 유두 재건에 미칠 부정적인 결과들을 최소화하기 위한 계획을 세워야 한다. 특히 과거의 조직검사 또는 유방절제술로 인해 발생한 반흔들이 문제가 될 수 있다. 이런 반흔들로 인해 수술기법의 선택이 제한되며 반흔이 계획된 유두 재건 부위를 지나가

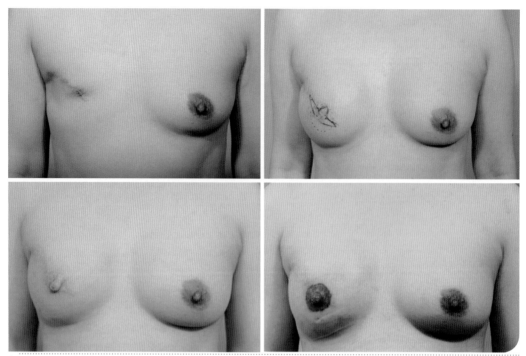

▷그림 5-7-2. 과거의 유방절제술로 인해 발생한 반흔들이 있을 경우 이로 인해 수술기법의 선택이 제한될 수 있으므로 신중한 도안이 필요하다. 보형물을 이용해 우측 유방을 재건한 36세 환자로 비스듬한 반흔(oblique scar)를 따라 star flap을 도안, 성공적으로 유두를 재건하였다.

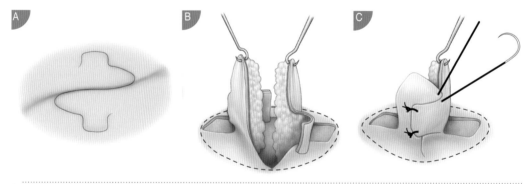

▷그림 5-7-3. Double opposing tab flap. A. 피판 디자인 도안. 기존의 반흔을 가로지르도록 도안한다. B,C. 피판 거상 및 봉합

는 경우 더욱 더 상황은 어렵다. 이런 경우, 상처를 가로지르는 기법을 사용하는 것이 권고된다(그림 5-7-2). 이를 달성하는 가장 좋은 방법은 Kroll에 의해 알려진 double opposing tab flap 방법이다(그림 5-7-3). 한편 과거에 시행받은 방사선 치료는 피부와 진피의 섬유화를 일으키고 피부 이식을 경직시켜 접거나 변형하는 데 어려움을 주며, 더욱이 혈액순환 역시 원활하지 못하게 된다. 흡연의 과거력은 이런 상황을 더욱 복잡하게 만든다. 그러므로 흡연하는 환자들은 모

두 수술 최소 4주 전부터 담배를 완전히 끊도록 한다.

요약하면, 이미 존재하는 반흔 조직에 의한 유두 피판의 혈행 손상이 최소화가 되도록 유두 재건 디자인을 적절히 선택하는 것이 가장 중요하다. 방사선 치료 자체가 또 다른 어려움을 내포하며 다수의 피부 반흔이 있는 경우 더욱 상황이 어렵다. 또한, 유방 피부의 혈액 순환 문제는 흡연자들에서 더욱 흔하다. 앞서 언급하였듯이, 수술 전에 환자에게 이런 사항들을 미리 안내하여야 하며 잠시나마 흡연을 중단할 것을 약속 받아야 한다.

결론적으로, 일차 유두 재건은 주의를 기울여 계획을 세워 정교하게 시행해야 한다. 이차 유두 재건의 경우 수술이 더욱 복잡하고 어려워질 수 있다.

3) 수술 방법

반대쪽 유방의 유두 돌출 상태에 따라 유두재건 방법을 달리한다. 국소피판술(pull-out flap)이 가장 많이 사용되고 있으며 그 종류 또한 매우 다양하다. 저자는 5 mm 이하의 유두 돌출의 경우에는 변형 별형 피판술(modified star flap)이나 C-V 피판술(C-V flap)을 선호한다. 이보다 큰 유두의 돌출이 필요할 경우 스케이트 피판(skate flap)을 이용한다. 또한 유두 재건술 후 피판과 유방 피부와의 과신장에 의해 유방 마운드 앞면이 눌려지는 현상을 방지하기 위하여 유륜 부위의 피부이식과 함께 skate flap을 이용할 수도 있다.

(1) skate flap

1987년 Little에 의해 발표된 이후 skate flap은 다양한 방법으로 변형, 사용되고 있다. 이 방법

은 유두의 돌출 정도를 장기적으로 유지하는 데 유리하므로 10 mm 이상의 유두 돌출이 필요한 경우 선택할 수 있다. 유두의 위치는 환자의 의견과 심미적인 사항들을 함께 반영하여 결정한다. 주로 유방 마운드의 가장 높은 곳에 유두가 위치하는 것이 이상적이다. 한편 skate flap 사용 시 공여 부위를 봉합하기 위해 다양한 크기의 피부 이식편이 필요할 수 있다. 전통적으로는 도넛 또는 와셔(washer, 작은 나사) 모양의 이식편을 사용했지만 최근에는 더 작은 직사각형 모양의 피부이식편을 유두의 기저부에 이용한다. 또한 skate flap의 공여부위에서 깊은 쪽 지방층을 봉합할 때는 진피의 끝자락을 마주보게 하여 봉합하는 것이 중요하다.

저자는 주로 환자에게 심전도 전극을 주어 재건된 유방에 올려놓고 유두의 위치를 잡도록 한다. skate flap은 다양한 방법으로 디자인할 수 있는데, 기본 설계는 반대쪽 유두의 돌출 상태에 따라 달라지게 된다. 먼저 기저부 폭은 반대쪽 유두의 것과 일치하도록 하며 측면 날개 피판을 구성하는 양쪽 피부의 길이는 동일하게 만들어야 한다. 또한 유두의 기저부에서 유륜 가장 바깥 부위까지의 길이가 대략 반대쪽 유두의 돌출 정도보다 두 배가 되도록 해야 한다. 이는 정상적인 수축과 상처 회복의 과정에서 유두 돌출의 손실이 발생할 수 있기 때문인데, 의사는 수술 직후에 재건된 유두 높이가 반대쪽 유두보다 크다는 것을 수술 전에 환자에게 설명하여야 한다. 이 중심축이 있는 부위에서 재건될 유두에 쓰일 지방을 주로 얻게 된다. 피판의 중심부는 양쪽 피부를 당겨 이어 함께 올려지며 원형의 경계를 남기게 된다. 유두의 위치와 피판의 도안은 수술에 들어가기 직전에 확인하게 된다. 재건할 유두의 위치는 환자가 앉거나 서있는 상태에

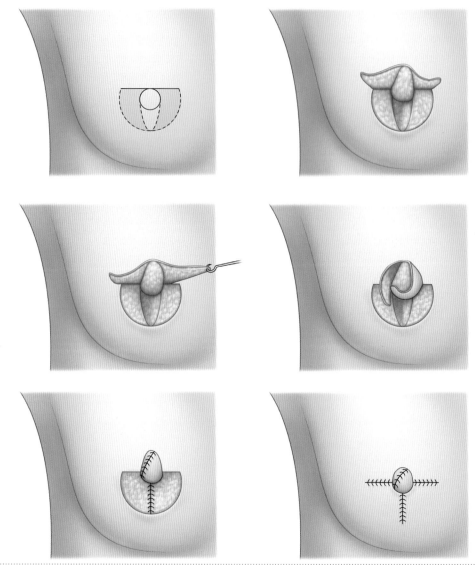

▷그림 5-7-4. Skate flap의 도안, 거상 및 봉합 과정

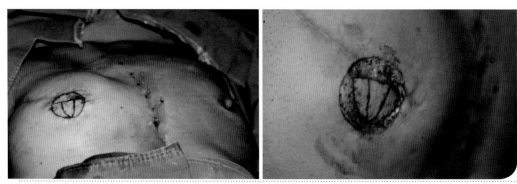

▷그림 5-7-5. skate flap의 도안 및 거상의 실제

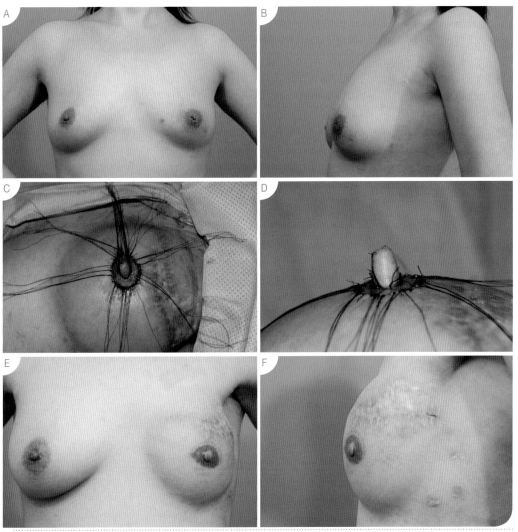

▷그림 5-7-6. A, B. 좌측 유방암 주소로 내원한 34세 여성의 수술 전 사진. 환자는 피부보존 유방절제술(skin sparing mastec-tomy) 후 유리 횡복직근 피판술을 이용한 유방재건술을 시행하였다. C,D. 유방 재건술 4개월 후 skate flap 및 전층 피부이식술을 이용하여 유두-유륜 복합체를 재건하였다. E,F. 수술 15개월 후 모습

서, 반대측 유두와 흉골절흔(sternal notch) 사이의 거리를 재어 반대측과 대칭이 되도록 결정하며, 원하는 유두의 크기보다 조금 더 크게 만들어질 수 있도록 피판을 도안한다(그림 5-7-4, 5). 저자의 경우 초기에는 유두-유륜 복합체의 재건을 위해 skate 피판을 이용한 유두 재건과 대음순, 서혜부에서의 전층 피부이식술 이용한 유륜 재건을 동시에 시행하였으나(그림 5-7-6), 최

근에는 skate 피판을 이용한 유두 재건술 후 공여부를 1차 봉합하고, 정상적으로 상처 치유가 이루어진 경우 유두 재건 8주 후에 미세문신술(tattooing)을 시행하여 유륜을 재건한다. 미세문신술에서 유륜 색상은 반대측 유방과의 비교를 통해 술 후 색이 옅어질 가능성을 고려하여 보통 한 단계 더 진한 색을 선택하였으며, 문신 시술은 Amiea사의 문신 기구를 이용하여 시행할

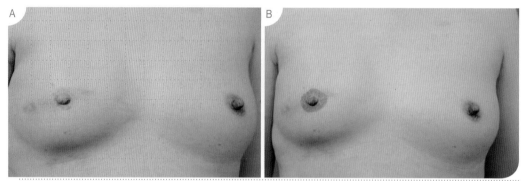

▷그림 5-7-7. 우측 유방암 주소로 내원한 52세 여자 환자로 피부보존 유방절제술 후 실리콘 보형물을 통한 유방재건술을 시행하였다. A. 수술 4개월 후 C-V flap을 이용하여 유두를 재건하였고, B. 2개월 후 문신 기구를 사용하여 유륜 문신술을 시행하였다. 이 때 유륜 색상은 술 후 색이 옅어질 가능성을 고려하여 한 단계 더 진한 색으로 선택하였다.

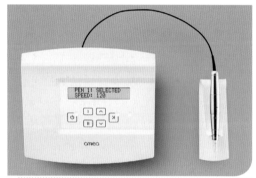

▷그림 5-7-8. 미세문신술 기구(microtattooing device, Amiea Linelle Supreme)

수 있다(그림 5-7-7, 8).

유두 재건술은 보통 국소마취하에서 시행되었으나, 추가로 시행하는 미세문신술에서는 대부분의 환자들이 통증을 느끼지 않기 때문에 대개 마취가 필요하지 않았다. 초기 전층 피부이식술의 경우, 완전한 피부 생착이 이루어진 술 후 10일에서 14일 사이에 봉합사를 제거하였고, 미세문신술에서는 항생제 연고 드레싱을 5일에서 7일간 유지하였다.

수술 방법: 수술 전 먼저 국소마취제 1% xylo-caine을 이용하여 마취한다. 경계 부위는 사방으로 절개하며 이어서 측면 피판은 진피의 가장 깊은 부분에서, 바깥에서 안쪽으로 절개하여 올린

다. 노란 지방 조직은 이 시점에서 보이지 않아야 한다. 측면부에서 중심부로 전환되는 지점에 가까워질수록 절개는 더욱 깊이 해야 하며 진피를 지나 지방조직까지 절개해야 한다. 이로써 중심에 지방조직으로 이루어진 '손가락 모양 돌출(finger-like projection)'을 만들 수 있다. 이 중심부는 메스를 이용해 조심스럽게 올리며, 깊은 V자 모양의 홈을 지방층에 남기게 된다. 중심부의 폭은 피판의 기저부로 진행할수록 증가한다. 피판의 기저부에 가까워질수록 지방으로 가는 혈류를 최대한 보존하는 것이 중요하다. 이런 혈류는 지방 속에서 수직으로 주행하는 혈관들로부터 공급 받으며 유지되며, 저자는 이를 원활하게 하기 위해 지방조직을 조심스럽게 펴거나 늘린다. 피판 양쪽의 진피는 유두 기저부까지 절개되어 피판의 90도 상승을 가능하게 한다. skate flap은 이렇게 상승된 피판이 수직으로 놓여 있을 때 모양이 개복치(sun-fish) 또는 메기(skate fish)와 유사하다 하여 그 이름을 얻게 되었다.

V자 모양의 공여 부위 중앙 부분은 이후 4/0 chromic suture를 이용하여 닫게 된다. 이 때 진피 끝과 끝을 연결하여 매듭을 아래쪽으로 묻을 수 있다. 이 닫힌 상처는 새로운 유두를 조합하는데 필요한 플랫폼으로 작용한다. 유두는 측면

날개를 중심부에 감싸면서 만들어지며 기저부에서 시작하여 꼭지점까지 올라간다. 양 날개의 가장 끝부분은 5/0 chromic 봉합을 이용하여 서로 봉합하게 되며 피판들은 과도한 긴장 없이 닫히게 된다.

Skate flap의 공여 부위는 흔히 전층 피부이식술을 이용하여 닫게 되는데, 굳이 내측 허벅지나 입술과 같이 색소가 과다한 부위에서 얻을 필요 없이 어느 피부에서나 얻을 수 있다. 피부이식편은 완벽하게 지방을 제거한 후 손상 부위의 경계 부위에 봉합하게 된다. 이 때 손상부위를 과도하게 잡아당겨 상처를 봉합하기보다는 충분히 피부이식편을 덮는 것이 선호된다. 피부를 과도하게 잡아 당길 경우, 흉터를 퍼뜨릴 뿐만 아니라 문신 색소가 잘 입혀지지 않는 문제

가 발생하기 때문이다. 이식편과 수여 기저부의 접촉을 최대화하기 위해 봉합 고정 드레싱(Tie-over bolster dressing)을 최소 5일 동안 유지한다. 재건된 유두는 다시 한 번 도넛 형태의 폼 드레싱을 한 달 동안 착용하여 압박으로부터 보호한다.

진피 내 문신술을 이용한 유륜 재건의 시기는 대략 피부이식술로부터 회복 3~4개월 이후가 적절하다. Skate flap 술식은 유두의 크기를 자유자재로 정할 수 있으며 저자의 경우 반대쪽 유두의 돌출이 10 mm 이상일 경우 이 방법을 선택한다.

(2) Star flap

Star flap은 1991년 Haartrampf에 의해 발표된 방법으로 기본 원리는 skate flap과 유사하다. 하

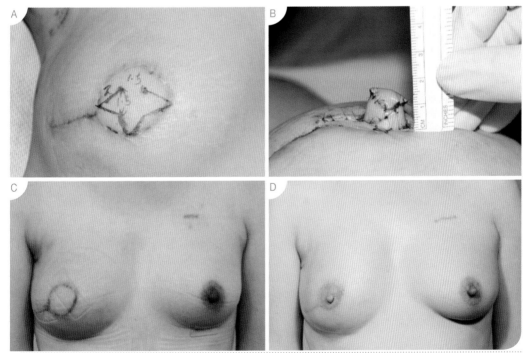

▷ 그림 5-7-9. **A, B.** 저자는 측면 날개피판(lateral limbs)을 최소 너비 1.5 cm, 길이 2 cm 이상 되도록 하며, 유두의 총 높이는 최소 1 cm 이상으로 계획한다. **C, D.** 광배근 피판(latiissimus dorsi flap) 및 실리콘 보형물로 우측 유방 재건 후 star flap을 사용해 유두 재건을 시행한 환자의 수술 전 및 재건 4개월 후 모습

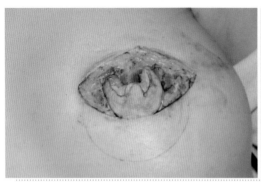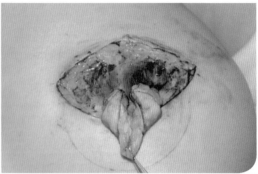

▷그림 5-7-10. Star flap에서 측면 피판 기저부에서 꼭지점까지의 거리를 2 cm로 만들면 유두 중심부 주위로 피판이 접히며 긴장없이 피판을 봉합할 수 있게 된다. 이 때 양쪽 날개피판(lateral limb)에는 2~4 mm의 지방층과 진피까지 포함하여 피판을 만든다.

지만 skate flap과 달리 피판 공여부를 일차 봉합한다. 일차 유두재건술뿐만 아니라 재수술에도 유용한 피판술로, 도안은 반대쪽 기저부 폭과 유두의 돌출의 정도에 따라 달라지는데, 이는 새로운 유두의 기저부 폭을 반대쪽 유두의 것과 동일하게 만들어야 하기 때문이다. Star flap에서는 측면 피판(lateral limbs)의 폭이 유두 돌출을 최종적으로 결정하게 된다. 수술 전 도안 과정에서 크기를 결정할 때 시간에 따라 돌출 정도가 30~40% 감소할 수 있음을 예상하여야 한다. 그러므로, 저자는 측면 날개피판(lateral limbs)을 최소 너비 1.5 cm, 길이 2 cm 이상이 되도록 하며, 유두의 총 높이는 최소 1 cm 이상으로 계획한다. 이렇게 측면 피판 기저부에서 꼭지점까지 거리를 2 cm로 만들면 유두 중심부 주위로 피판이 접히며 긴장 없이 피부를 봉합할 수 있게 된다(그림 5-7-9). 이 때 2~4 mm의 지방층과 진피까지도 포함하여 피판을 만들게 되며(그림 5-7-10), 피판을 긴장 없이 접을 수 있다.

수술 방법: 수술은 먼저 에피네프린이 포함되지 않은 1% xylocaine을 주입한 이후에, 측면 날개 피판이 가장 먼저 올려지며 중앙 피판이 다음으로 올려진다. 절개는 중앙부로 진행되는 방식이다. 유두의 중심부에 접근할수록 지방층을 더욱 깊게 절제하는 것이 중요하다. 일차 유두 재건 시에는 절개를 한 번에 시행해야 하지만, 재수술의 경우에는 실패한 유두의 상처 조직을 들어올리게 되므로 지방조직과 피판 깊은 부위의 피부에 최대한의 혈액공급을 보존하는 것이 중요하다. 이를 통해 새로운 유두의 지방층과 피부 중심부에 공급되는 혈액을 최적으로 보존할 수 있게 한다. 유두의 돌출을 최대로 하기 위해 이 측면 피판은 중앙선을 지나 반대쪽 기저부에 놓여 적층(stacking)이 가능하도록 한다.

(3) C-V flap

C-V 피판술은 가장 널리 쓰이는 방법으로, 술기가 비교적 쉽고, 공여부의 일차봉합으로 피부이식술이 필요 없다는 장점이 있다. Star flap에서 가운데 날개 피판을 C자 형태로 도안한 뒤 피판을 거상하여 유두의 천장 부위를 만들고 양쪽 날개 피판 부위는 V자 형태로 거상하여 유두를 만드는 방법이다. 유두의 위치는 앞서 기술한 방법과 동일하게 설정한다. 유두 자체는 두개의 큰 날개 피판으로부터 만들어진다. 피판 기

저부 폭은 반대쪽 유두의 너비 크기에 따라 결정한다. 측면 날개 피판들의 폭이 결국 유두 돌출 상태를 결정하게 되며 그 크기는 반대쪽 유두의 돌출상태에 따라 결정된다. 일반적으로 폭은 보통 15 mm로 잡게 된다. 유두는 측면 날개 (lateral wings, V flap)와 유두 피판의 중앙 C부분을 들어올려 만들어진다. 측면 날개들은 1~2 mm 두께의 지방층과 함께 들어올려지며 유두 중앙부가 닿을 때까지 들어올린다. 이 때 추가적으로 4~8 mm 두께의 지방 조직 일부를 포함하는 것이 중요하다. 이 지방조직은 skate flap이나 변형 별형 피판에서처럼 동일한 방식으로 양 측면 날개를 인접시켜 올릴 수 있도록 도와준다. 봉합 없이도 유두가 올바르게 서 있게 되는 경우 날개의 절개 과정이 완료된다. 물론 여기서도 유두 피판에 충분한 혈액 공급이 될 수 있도록

각별히 신경써야 한다. 한편 측면 날개를 들어올리면서 추가적으로 작은 피부 뚜껑(C flap)을 포함하여 중심 공여부위를 만든다. 이후 5/0 나일론으로 봉합하여 유두를 만든다. 뚜껑(C flap)은 유두가 가장 돌출된 부위에 놓는다.

(4) 무세포동종이식편을 이용한 유두재건술

국소피판술(pull-out flap)을 이용한 유두재건술의 가장 흔한 합병증은 돌출감소이다. 현재까지 다양한 유두 피판술이 소개되었으나 평균 30~70%의 유두 돌출 소실을 보고하고 있다. 특히 방사선치료를 받은 후, 조직확장기를 이용한 유방재건술 후 유방피부 연부조직이 얇아진 경우 혹은 유방절제 후 반흔이 유두 재건 위치를 가로지르는 경우에 유두의 돌출 감소는 더욱 뚜렷하다. 이를 예방하기 위한 방법으로 수술 중

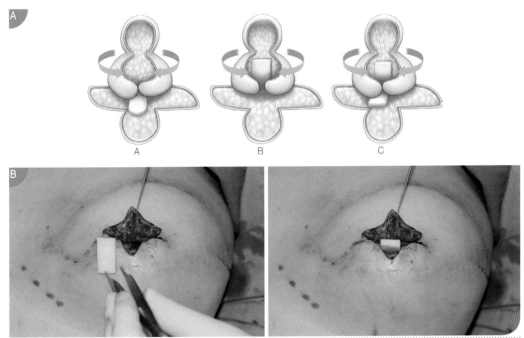

▷ 그림 5-7-11. **A.** 무세포동종이식편을 이용한 유두재건술의 모식도. 유방재건술의 방법과 유두의 모양에 따라 유두 피판의 기저부와 돌출된 피판 안에 중심 지주(central strut)로서 O, I, L 형태의 무세포동종이식편을 적용, 유두 돌출을 보강할 수 있다. **B.** 유리 횡복직근피판을 이용한 유방재건술을 받은 환자에서 MegaDerm을 I 형태의 중심 지주로 사용하여 유두재건술을 시행한 증례

남은 반흔 조직을 사용하거나 지방을 이식, 또는 필러나 무세포성 동종 진피 이식편 등을 유두 피판 안에 이식하는 방법들이 소개되었다.

최근에는 일차 혹은 이차 유두 재건 시 무세포동종이식편의 사용이 증가하고 있다. Nahabedian은 재수술 시 무세포동종이식편을 이용하여 88%에서 유두 돌출 정도를 유지할 수 있었다고 보고하였고, Gagarramone과 Lam은 일차 유두 재건술 때 무세포동종이식편을 이용하여 만족할 만한 결과를 보고하였다. Yoon 등은 유방재건술의 방법과 유두의 모양에 따라 유두피판의 기저부와 돌출된 피판안에 중심 지주(core strut)로서 O, I, L형태의 무세포동종이식편을 다양하게 적용하여 유두의 돌출을 70%까지 유지할 수 있었다고 보고하였다(그림 5-7-11).

4) 합병증과 재수술

국소 피판술로 유두 재건을 받은 환자에서 돌출 감소는 가장 흔한 합병증이다. 기존의 사례들을 살펴보면, Lee 등은 국소 피판술로 유두재건을 받은 환자의 약 50%에서 유두 돌출 정도의 소실을 보고하였고, Nahabedian 등은 52%에서 유두 소실을 보였으며, Ahn 등은 C-V 피판술을 이용하여 유두 재건을 받은 환자의 32.5%에서 유두 소실을 보고하였다. 재건된 유두의 돌출 정도가 감소하는 원인으로는 부적절한 피하지방, 내·외부의 압력, 부적절한 피판 도안, 피판의 괴사 등이 있다. 한편 기존 C-V 피판을 이용하여 유두를 재건하는 경우, 비교적 얇은 피부를 거상하여 유두 재건을 하기 때문에 크기가 10 mm 이하의 작은 돌출을 가진 유두 재건 시에는 유리하지만, 다른 국소 피판술에 비해 혈액공급이 원활하지 못하고 충분한 양의 크기를 얻지 못한

다는 단점이 있다. 따라서 10 mm 이상의 유두 돌출이 요구될 시에는 좀 더 많은 피부 및 피하지방을 사용하여 적절한 크기와 부피를 유지해주고 원활한 혈액공급을 할 수 있는 skate 피판술이 유용하다. Skate 피판은 술 후 유두 돌출의 장기 추적 결과 첫 3개월에서 감소를 보이지만 9개월 이후의 최종적인 상태에서는 더 이상의 감소를 보이지 않고 그 결과가 유지된다는 점에서 돌출이 필요한 경우 사용할 수 있는 유두 재건의 우수한 수술법이라 할 수 있다.

재건된 유두의 돌출 소실을 최소화하기 위해서는 재건할 유두의 기저부를 크게 만들고, 반흔 조직을 피해서 도안함으로써 원활한 혈액공급이 이루어지도록 하여야 한다. 특히 조직확장기와 보형물을 사용하여 유방 재건을 한 경우, 유리 횡복직근피판술에 비해 피부가 얇고 혈액공급이 충분하지 못하기 때문에 좀 더 세심한 주의가 필요하다. 한편 유방 및 유두 재건 후 합병증이 생긴 경우 반흔 및 혈액공급 장애로 인해 추후 유두 돌출의 감소가 좀 더 진행될 수 있음을 환자에게 충분히 주지시켜 주어야 한다. 그리고 공여부의 일차 봉합으로 생길 수 있는 반흔을 최소화하여 재건된 유방 변형을 줄이고, 과도한 봉합부 장력에 의한 유두 소실이 가중되지 않도록 노력해야 한다.

경미한 돌출 감소는 진피 내 문신을 이용해서 어느 정도 보상할 수 있다. 문신은 대칭적인 색깔을 만들어 정상 유방의 모습과 유사한 느낌을 주며 유방이 대칭적으로 보이도록 한다. 저자는 잘 시행된 문신은 다소 만족스럽지 못한 유두 재건 증례를 재수술을 하지 않고 복구할 수 있는 방법이라 생각한다.

그 외의 합병증으로는 피판괴사, 상처 벌어짐, 감염, 부정확한 유두 위치 등이 있다. 부분 피판

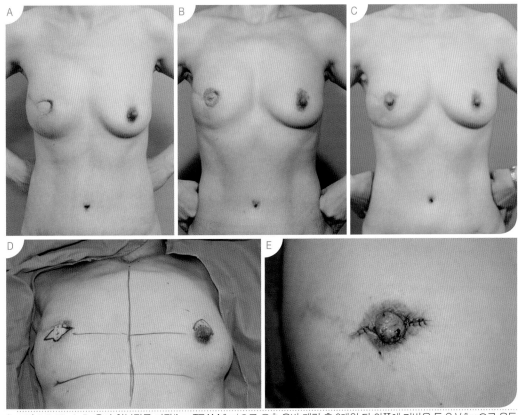

▷그림 5-7-12. A. B. 유리 횡복직근 피판(free TRAM flap)으로 우측 유방 재건 후 8개월 뒤 위쪽에 기반을 둔 C-V flap으로 유두 재건을 하였으나 1년 6개월 후 상처 부위 수축으로 유두 돌출이 70% 소실되었다. 환자는 변형 별형 피판(modified star flap)을 유두 상승을 위한 부스터 조직으로 사용하는 재수술을 계획하였다. D. 1차 수술 도안, E. 2차 수술 직후 모습, C. 2차 유두 재건술 및 문신술 이후 모습

괴사의 대부분은 국소 변연절제술 후 이차적 상처치유로 치료될 수 있다. 유방 재건 방법 및 합병증 발생에 따른 재건 결과를 비교해 보면, 조직확장기와 보형물을 이용하여 유방을 재건한 경우 자가조직을 이용하여 재건한 경우보다 유두 돌출 감소가 증가하였고, 합병증이 발생한 경우에는 유두 돌출 정도의 감소율이 그렇지 않은 경우에 비해 더욱 증가하였다.

유두 재건 이후 심각한 돌출의 감소는 환자와 의사 모두에게 실망감을 안겨주는 일이다. 이는 비대칭으로 이어져 전체적인 모습을 손상시킨다. 이를 해결하기 위해 여러 가지 방법으로 접근할

수 있는데, 일례로 유두가 큰 편이고 환자가 수술을 원하는 경우에 반대쪽 유방에서 유두의 복합조직이식술을 이용하는 것도 흔히 사용되는 방법은 아니지만 유익한 방법 중 하나이다.

한편 변형 별형 피판은 종종 성공적이지 못한 유두 재건에서 유두의 상승을 위한 부스터(booster) 조직의 공급원으로 쓰인다. 상처 조직에 의해 기저부가 침해 받거나 손상되지만 않게 이 피판을 놓을 수 있다면, 피판을 기존 유두 재건 위치에서 올려도 된다. 그림 5-7-12에서는 C-V procedure를 이용하여 유두 재건을 한 병력이 있는 환자에게 유두 돌출을 보강하기 위해

V. 유방

상기 피판을 이용한 사례가 제시되어 있다. 이 여성 환자는 이전에 TRAM flap으로 오른쪽 유방 재건을 받은 환자였다. 수술 8개월 후 그녀는 위쪽에 기반을 둔 C-V flap을 통한 유두 재건을 받았다. 하지만 수술 후 피판이 있던 장소에 상처 벌어짐이 계속 있었으며 이는 심한 상처 부위 수축과 유두 돌출의 70% 손실로 이어졌다. 완치 5개월 후 저자는 유두 돌출을 향상시키기 위해 다시 한 번 modified star flap을 시행하였다. 수술은 기존 피판과 정확히 같은 방향으로 피판을 위치시키는 식으로 기존 피판 대부분을 새로운 'modified star flap'으로 들어올리는 방법으로 진행되었다. 이는 수술 후 반대쪽 유두와 대칭을 이뤘다는 점에서 상당히 만족스러운 결과를 얻을 수 있었다.

5) 수술 후 관리

국소피판술을 이용한 방법에서는 피판의 괴사가 일어나지 않도록 수술 후 관리에 신경을 써야 한다. 유두 재건에 사용된 5/0 nylon 봉합사는 수술 후 3~4주 동안 유지하여야 하는데, 이는 상처 벌어짐을 예방하고 접혀진 피판들이 펴지는 것을 막기 위함이다. 재건술로 돌출된 유두의 압박을 피하기 위하여 플라스틱 주사기, 두꺼운 폼드레싱 등 다양한 드레싱 방법들이 시행되어 왔으며, 저자의 경우 재건된 유두를 도넛 형태의 폼 드레싱(foam doughnut)을 이용하여 직접적인 압박을 줄일 수 있었다. 이 때 폼 드레싱은 수술 후 최소 6~8주 동안 적용해 주는 것이 안전하다.

5. 유륜재건

일반적으로 유륜의 재건은 유두 재건 후 2~3개월 후에 시행하게 되지만, 피부 이식에 의한 유륜 재건은 유두 재건의 방법에 따라서 동시에 이루어질 수 있다. 유륜을 재건하는 방법에 있어 최근 미세문신술의 도입으로, 반대측 정상 유륜과 좀 더 비슷한 색상으로 재건할 수 있게 되었다. 미세문신술은 수술과정이 비교적 간단하여 수술시간이 전층 피부이식술에 비해 짧고 공여부 이환이 없다. 또한 전층 피부이식술 후 동반되는 봉합사의 장력이 가해지지 않고, 압박고정 드레싱이 필요하지 않기 때문에 술 후 유두의 혈액 공급에도 도움을 준다는 측면에서 효과적인 방법으로 선호되고 있다. 미세문신술 후 일부에서 색의 옅어짐이 발생할 수 있어 단점으로 지적되지만 이는 술 전 한 단계 더 진한 색상으로 시술함으로써 극복할 수 있고, 최종적으로 원하는 색상을 얻을 수 있다.

6. 결론

재건된 유방은 유방암 환자가 여성성을 유지하는 데 있어 큰 역할을 한다. 그리고 유두-유륜 복합체는 재건된 유방 본래의 자연스러움과 대칭을 완성해 주고, 환자로 하여금 비록 해부학적으로 완전히 복원하지 못하였다 하더라도 자신의 몸이 온전하다고 인식하도록 도와준다. 유방암 환자에게 유두-유륜 복합체의 재건은 작은 처치로 여겨질 수 있으나 그 결과가 전체 유방 재건의 결과를 바꿀 수 있다는 점에서 큰 의미를 가진다 하겠다. 아무리 완벽하게 재건된 유방이라 할지라도 유두-유륜 복합체가 비대칭이

거나 자연스럽지 못하다면 그것은 환자에게 있
어 받아들여지기 어려운 부분이 될 것이며, 유
두-유륜 복합체의 재건 또한 성공적이라면 유방
재건의 전체 결과는 보다 더 자연스럽고 환자에

게 큰 만족을 줄 수 있기에 유두-유륜 복합체의
재건은 유방 재건의 완성을 이루는 마지막 과정
이라 할 수 있다.

References

1. Brown MH, Semple JL, Neligan PC. Variables affecting symmetry of the nipple-areola complex. Plast Reconstr Surg 1995;96:846-51.

2. Farhadi J, Maksvytyte GK, Schaefer DJ, Pierer G, Scheufler O. Reconstruction of the nipple-areola complex: an update. J Plast Reconstr Aesthet Surg 2006;59:40-53.

3. Wellisch DK, Schain WS, Noone RB, Little JW, 3rd. The psychological contribution of nipple addition in breast reconstruction. Plast Reconstr Surg 1987;80:699-704.

4. Ahn HC, Choi EK, Hwang WJ. Nipple reconstruction using various local flaps. J Korean Soc Plast Reconstr Surg 2003;30:183-8.

5. Kroll SS. Nipple reconstruction with the double-opposing tab flap. Plast Reconstr Surg 1999;104:511-4; discussion 5-7.

6. Lee PK, Lim JH, Ahn ST. Nipple reconstruction with dermis(scar tissue) graft and C-V flap. J Korean Soc Plast Reconstr Surg 2006;33:101-6.

7. Nahabedian MY. Secondary nipple reconstruction using local flaps and AlloDerm. Plast Reconstr Surg 2005;115:2056-61.

8. Shestak KC, Gabriel A, Landecker A, Peters S, Shestak A, Kim J. Assessment of long-term nipple projection: a comparison of three techniques. Plast Reconstr Surg 2002;110:780-6.

9. Jabor MA, Shayani P, Collins DR, Jr., Karas T, Cohen BE. Nipple-areola reconstruction: satisfaction and clinical determinants. Plast Reconstr Surg 2002;110:457-63; discussion 64-5.

10. Banducci DR, Le TK, Hughes KC. Long-term follow-up of a modified Anton-Hartrampf nipple reconstruction. Ann Plast Surg 1999;43:467-9; discussion 9-70.

11. Hugo NE, Sultan MR, Hardy SP. Nipple-areola reconstruction with intradermal tattoo and double-opposing pennant flaps. Ann Plast Surg 1993;30:510-3.

12. Bogue DP, Mungara AK, Thompson M, Cederna PS. Modified technique for nipple-areolar reconstruction: a case series. Plast Reconstr Surg 2003;112:1274-8.

13. Lee JH, Yang JD, Chung KH. Anthropometric Measurement for the Nipple Areolar Complex. J Korean Soc Plast Reconstr Surg 2008;35:461-4.

14. Losken A, Mackay GJ, Bostwick J, 3rd. Nipple reconstruction using the C-V flap technique: a long-term evaluation. Plast Reconstr Surg 2001;108:361-9.

15. Zhong T, Antony A, Cordeiro P. Surgical Outcomes and Nipple Projection Using the Modified Skate Flap for Nipple-Areolar Reconstruction in a Series of 422 Implant Reconstructions. Annals of Plastic Surgery 2009;62:591-5.

16. Wong RK, Banducci DR, Feldman S, Kahler SH, Manders EK. Pre-reconstruction tattooing eliminates the need for skin grafting in nipple areolar reconstruction. Plast Reconstr Surg 1993;92:547-9.

17. Shin WJ, Hwang WJ, Ahn HC. Areola Reconstruction: FTSG and Micropigmentation. J Korean Soc Plast Reconstr Surg 2003;30:399-404.

18. 김덕열, 동은상, 윤을식, 손길수. 유방재건 후 Skate 피판을 이용한 유주재건술의 장기추적결과 J Korean Soc Plast Reconstr Surg 2011;38:401-407.

Ⅴ. 유방

19. Park GY, Yoon ES, Cho HE, Lee BI, Park SH. Acellular dermal matrix as a core strut for projection in nipple reconstruction:approaches for three different methods of breast reconstruction. J Korean Soc Plast Reconstr Surg 2016;43:424-429.

· ·

집필에 도움을 주신 분 　　정재호　고대안암병원 임상교수

VI

체간 및 생식기관

1

흉벽 재건 및 복부 재건
Reconstruction of Chest & Abdominal Wall

김영석 연세의대

1. 흉벽 재건

1) 개요

흉벽(chest wall)은 흉막(pleura)의 보호, 호흡 기능의 유지, 상지와 어깨의 지지대 역할을 위해, 중요한 구조이다. 흉벽 결손의 원인으로는 종양 절제, 종격동염, 흉골 창상 감염 등에 의한 불유합, 만성 농흉, 기관지 흉막루, 방사선 골괴사 및 외상성 흉벽 변형 등이 있으며, 흉벽 결손의 재건을 위해서는 흉벽 골격의 안정성을 유지하고, 연조직을 적절히 덮어주는 것이 중요하다.

(1) 흉벽 골격의 안정성 유지

늑골, 흉골 및 주변의 근육의 운동을 통한 흉강(thoracic cavity)의 확장, 축소로 인해, 호흡이 이루어진다. 일반적으로 인접해 있는 두 개 이상의 갈비뼈가 결손된 경우, 들숨 때에 결손부위가 오히려, 안쪽으로 당겨져 들어가게 되고, 날숨 때는 결손부위가 바깥쪽으로 튀어나오게 된다(모순운동, paradoxical movement). 흉벽의 모순운동이 일어날 경우, 폐활량이 감소하게 되고, 허파꽈리가 충분히 확장되지 못해 무기폐가 된다. 또한 흉벽의 결손이 있는 경우, 들숨 때 공

기가 흉강으로 빨려 들어가 폐가 허탈(collapse)되게 된다. 이 때, 흉강으로 빨려 들어간 공기가 다시 밖으로 빠져 나오지 못하면 긴장성 기흉(tension pneumothorax)이 발생할 수 있다. 뒤쪽 흉벽 골격의 경우, 견갑골(scapula)에 의한 지지 때문에, 앞쪽 흉벽 골격의 약 2배의 결손 크기까지는 견딜 수 있다. 흉벽 손상 또는 기형을 치료하고자 할 때 이러한 흉벽 골격의 안정성을 유지하는 것이 중요하다.

(2) 연조직 재건

흉벽의 연조직 재건은 창상 치유는 물론이고, 흉강 구조물의 보호, 흉벽 윤곽을 유지하기 위해 중요하다.

외상으로 인해 오염된 상처가 있으면, 적절한 괴사조직제거술(debridement)이 필요하다. 괴사조직제거술을 불충분하게 하고, 봉합술을 시행할 경우, 남아 있는 감염된 조직이나, 괴사된 조직 때문에 결국 다시 상처가 벌어지기 쉽다. 또한, 불충분한 괴사조직제거술 후, 근육피판술을 시행한다해도 피판수술이 실패할 가능성이 높다. 따라서, 괴사조직제거술을 충분히 하고 나서 일차봉합을 시도하고 일차봉합으로 상처를 닫아주기 힘들다면 혈액순환이 좋은 근육피판을

이용하여 재건하는 것이 좋다.

다만, 괴사조직제거술을 충분히 하기가 곤란한 곳, 즉 심장주위에 생긴 깊은 굴(sinus)이나 심장수술 후 괴사조직제거술이 필요한 경우는 제한적으로 괴사조직제거술을 할 수 있다.

흉벽 연조직 결손은 주변의 근육을 이용한 피판으로 재건하는 것이 가장 좋으며, 이 때 사용할 수 있는 근육은 대흉근(pectoralis major muscle), 등배근(latissimus dorsi muscle), 전거근(serratus anterior muscle), 복직근(rectus abdominis muscle) 등이 있다. 또한, 필요한 경우 그물막(omentum)을 이용하여 흉벽 연조직을 재건할 수도 있다.

2) 재건을 위한 피판의 종류 및 선택
(표 6-1-1, 그림 6-1-1)

(1) 대흉근 피판

대흉근은 제5형 근육으로 앞쪽 흉벽을 덮고 있는 크고 넓은 근육으로 흉벽 결손을 재건하기에 매우 유용하다. 주혈관경은 가슴봉우리 동맥(thoracoacromial trunk)이며, 내흉동맥의 천공지(internal mammary artery perforators)가 분절로 근육에 혈류를 공급한다. 이 두 혈관줄기들은 서로 연결되어 있어서, 둘 중 어느 혈관줄기를 보존해도 근육이 생존할 수 있다.

가슴봉우리 동맥을 혈관경으로 하는 도서형 피판(island flap) 또는 전진근육피판(advancement flap)을 이용하여 흉골과 앞쪽 흉벽의 결손부위를 재건할 수 있고, 위팔뼈의 부착부위로부터 대흉근을 분리하면 전진 범위가 넓어져 이를

▷표 6-1-1. 흉벽 재건 및 흉강 내 사강 제거를 위한 연조직 피판

피판	최대크기 (cm)	혈관경	특성 및 사용
대흉근 (pectoralis major muscle)	15x23	• Thoracoacromial a. • Internal thoracic a. perforator	• 흉벽의 상부 및 흉골의 결손 재건 • 겨드랑이 근처의 2,3,4번째 늑골 절제술 시 유용 • 섬피판이용 시 회전이 유리
등배근 (latissimus dorsi muscle)	25x35	• Thoracodorsal a. • Intercostal or lumbar a. perforator	• 가쪽, 앞가쪽, 뒤쪽 가슴벽 재건에 이용 • 앞가쪽 흉벽의 창을 통해, 흉강내 사강재건수술 가능 • 등배근을 위팔 부착부위에서 절제시 피판의 회전에 유리
전거근 (serratus anterior muscle)	15x20	• Lateral thoracic a. • Serratus branch of Thoracodorsal a.	• 종격동부위의 결손 재건 • 흉강내 사강 재건수술에 유리 • 등배근피판과 함께 이용할 경우, 큰 크기의 결손재건도 가능
복직근 (rectus abdominis muscle)	25x6	• Deep inferior epegastric a. • Deep superior epigastric a.	• 흉골 부위, 앞쪽 가쪽 흉벽의 재건에 사용
그물막 피판 (omentum)	다양함	• Right/left gastroepiploic a.	• 앞쪽 중격종 및 앞쪽, 가쪽, 뒤쪽 흉벽 재건에 사용 • 가로막을 가로지르거나, 늑골을 통과하여 결손부 재건 가능

*Adapted from Mathes SJ, Nahai F. Reconstructive Surgery: Principles, Anatomy, and Technique. St. Louis: Quality Medical Publishing; 1997.

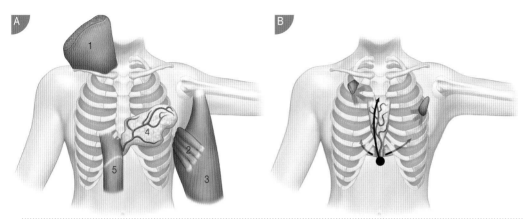

▷그림 6-1-1. A. 흉강 내 사강을 메꾸는 데 사용하는 연조직 피판, (1) 대흉근, (2) 전거근, (3) 등배근, (4) 그물막피판, (5) 복직근. 대흉근은 상부 흉벽 재건에 많이 사용되며, 등배근은 가쪽 흉벽 재건에 유리하다. B. 그물막 피판은 늑골이나 가로막을 통과하여, 흉벽 재건에 사용할 수 있다.

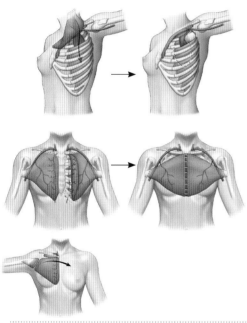

▷그림 6-1-2. 대흉근 피판을 이용한 흉벽 재건의 다양한 방법

이용하여 종격동 결손을 재건할 수 있다. 또한 속가슴동맥의 천공지를 혈관경으로 하는 반전 근육피판(turnover flap)으로 이용될 수도 있다 (그림 6-1-2).

근육피판 또는 근육피부피판으로 이용할 수 있으며, 목아래부위, 흉골부위, 흉벽 위쪽 1/3

의 결손이 있는 경우 가장 유용하며, 결손부의 크기가 크면 양쪽 편 큰 가슴근을 사용할 수도 있다.

(2) 등배근 피판

등배근은 넓고 얇은 근육으로 다양한 크기와 모양의 조직 결손부를 재건하는 데 유용하다. 이 근육도 제5형 근육이며 가슴등배동맥(thoracodorsal artery)이 주혈관경이고, 여러 개의 갈비사이동맥(intercostal artery)과 허리동맥(lumbar artery)의 가지인 가는 2차분절 천공지들이 척추 근처에 있는 등배근 하부에 혈액을 공급하고 있다. 근육피판 또는 피부근육피판으로 사용할 수 있다. 동측 뒤쪽 및 가쪽 흉벽을 재건하기 쉬우며, 허리동맥을 중심으로 하여, 피판을 디자인하면 반대쪽 등쪽 결손도 재건할 수 있다(그림 6-1-3,4).

대흉근이 없거나, 수술 절개 혹은 방사선 치료로 대흉근이 손상된 경우, 상부 앞쪽 흉벽을 재건하기에 매우 유용하다. 그 외에도 흉강 내 사강을 메워줄 때, Poland 증후군의 앞흉벽 함몰을 높우어줄 때, 척추갈림증(spina bifida)을

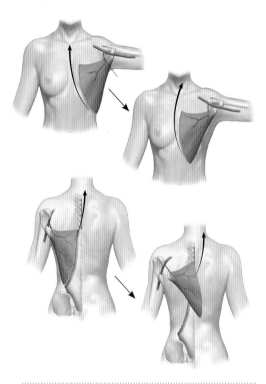

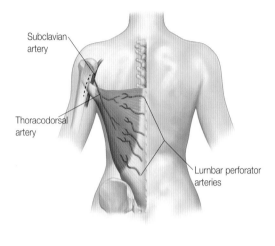

Subclavian artery

Thoracodorsal artery

Lumbar perforator arteries

▷그림 6-1-3. **가슴등배동맥을혈관경으로하는 등배근 피판을 이용한 흉벽 결손의 재건**

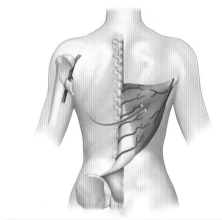

▷그림 6-1-4. **갈비사이동맥 과 허리동맥의 천공지를 혈관경으로 하는 등배근 피판을 이용한 흉벽 결손의 재건**

막아줄 때, 가로막 탈장(diaphragmatic hernia)을 막아줄 때 사용할 수 있다.

수술 후 공여부위의 흉터나, 어깨운동기능이상, 약화 등이 발생할 수 있으며, 장액종이 생기기 쉬워 배약관을 적절히 삽입하거나, 퀼팅봉합법 등을 이용하기도 한다.

(3) 복직근 피판

복직근은 근육이 비교적 크며, 길이가 길고 굵은 혈관경을 갖고 있어서 흉벽 재건 수시 사용될 수 있다. 이 근육은 제3형 근육으로, 외장골동맥(external iliac artery)의 가지인 하복벽동맥(inferior epigastric artery)이 근육의 하부를 통해 근육에 혈액을 공급하고, 내흉동맥(internal thoracic artery, internal mammary artery)의 연장인 상복벽동맥(superior epigastric artery)이 근육의 상부를 통해서 근육에 혈액을 공급한다. 이 두 개의 큰 혈관사이에는 풍부한 혈관매쉬(vascular network)이 있어서 어느 하나의 혈관을 통해서도 혈액이 충분히 공급된다(그림 6-1-5).

복직근은 척추를 굴곡시키고 복강 내 내장을 지탱하고 있지만 harvest해도 기능장애는 크게 남지 않는다. 하지만 복벽의 약화로 탈장의 가능성은 있다.

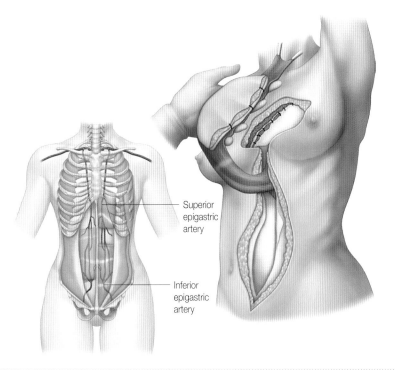

Superior
epigastric
artery

Inferior
epigastric
artery

▷그림 6-1-5. 복직근 피판을 이용한 흉벽결손의 재건

대부분의 흉벽 재건에는 위배벽동맥을 이용한 유경피판(pedicled flap)이 사용되고, 유리피판 (free flap)의 경우 혈관이 굵고 길고 박리하기 쉽 기 때문에 아랫배벽동맥이 흔히 사용된다. 이 근 육피부피판의 혈관경의 길이는 약 10 cm 정도되 며, 피부피판의 크기는 8 × 20 cm까지 사용 가 능하다.

흉골 하부의 결손부위는 복직근을 상방으로 부터 들어오는 속가슴동맥과 갈비뼈가장자리활 동맥(costomarginal artery)에 기저를 두고 회전 하여 덮어줄 수 있다. 근막까지 포함하여 복직근 피판을 디자인하는 경우, 복부탈장의 위험이 있 어 매쉬(mesh) 등을 이용한 복부 재건술이 필요 하다.

(4) 큰그물막 피판

그물막(omentum)은 위의 큰굽이를 따라 시작 하여, 가로잘룩창자(transverse colon)에 붙으며, 내장지방 및 혈관으로 구성되어 있다. 오른쪽, 왼쪽 위대망 동맥(gastroepiploic artery)을 주혈 관경으로 하며, 매우 길어 피판 디자인에 유리하 다. 하지만, 그물막피판을 사용하기 전에, 복부 수술 과거력이나, 복강 내 유착 여부를 확인하여 야 한다.

그물막 피판은 종격동 앞쪽, 가쪽, 뒤쪽 흉벽 을 재건할 수 있으며, 대부분 가로막(diaphragm) 에 만든 구멍을 통과하여 흉벽 결손 부위로 가 져가서 사용한다(그림 6-1-6). 대부분의 경우, 개 흉술(thoracotomy)때 피부를 제거하지 않기 때 문에, 절개 부위의 피부를 이전한 그물막피판 (omental flap) 위로 당겨서 덮어줄 수 있으며, 그

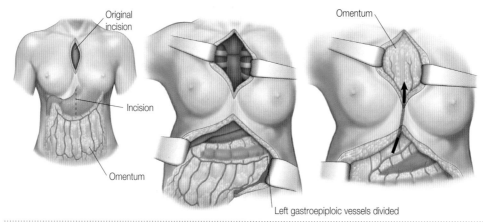

▷그림 6-1-6. **그물막피판을 이용한 흉벽 결손의 재건**

▷표 6-1-2. 흉벽 결손 위치에 따른 연조직 피판의 선택

앞쪽 흉벽(종격동 포함)의 결손 재건
대흉근 피판
　근육 또는 근육피부피판
　한쪽 또는 양쪽
　회전피판, 전진피판, 반전피판
복직근 피판
　근육 또는 근육피부피판
　가로형 또는 세로형 디자인
그물막 피판
등배근 피판
　근육 또는 근육피부피판

앞가쪽 흉벽의 결손 재건
등배근육 또는 근육피부피판
전거근피판 ± 등배근피판
복직근육 또는 근육피부피판(가로형 또는 세로형)
그물막 피판
대흉근 피판(가슴봉우리 혈관경 이용)
외사근피판(하부결손)
견갑골피판
TAP flap

뒤쪽 흉벽 결손의 재건
등배근육 또는 근육피부피판
세모근육 또는 근육피부피판
전거근피판
큰그물막 피판
TAP flap

부위의 피부가 마땅치 않으면 피부이식술로 덮어줄 수도 있다.

3) 수술 전 계획

흉벽 재건에 있어서 가장 중요한 점은 여러 전문 분야의 협력과 다각도적 접근이다. 악성종양, 감염 또는 외상에 의해 흉벽 결손이 생긴 환자는 심장계, 호흡기계 기능장애는 물론, 당뇨, 비만, 영양실조, 전신쇠약 등을 동반하고 있는 경우가 많다. 따라서, 폐기능 검사, 영양학적 평가, 혈당 조절 등의 필요한 검사를 시행해야 하며, 필요시 해당 분야 전문의와의 협의 진료가 필요하다. 대부분의 심장혈관외과 수술 후 발생한 창상 감염 및 종격동염, 흉벽의 방사선골괴사, 난치성 농흉, 기관지흉막루는 흉벽 재건이 필요하며, 골격의 안정성은 물론이며, 적절한 괴사조직제거술 및 피판을 이용한 재건술이 행해져야 한다(표 6-1-2).

4) 각 질환별 수술법

(1) 종양 절제 후 결손

흉벽의 원발성 종양은 가슴부위의 종양의 약 5% 정도 차지하며, 그 중 약 50%는 양성종양이

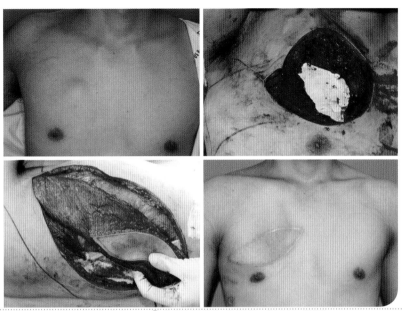

▷ 그림 6-1-7. 우측 흉곽의 육종 절제술 후 Goretex® 메쉬와 등배근 피부근육 피판으로 재건함

다. 가장 흔한 양성 종양은 골연골종(osteochon-droma)이며, 대부분 증상이 있을 때, 절제술을 시행하게 된다. 가장 흔한 원발성 악성 종양은 육종(sarcoma)이며, 흉벽의 악성종양 중 유방암과 폐암의 전이성 병변이 50% 이상을 차지한다.

통증, 악취 등의 증상의 조절, 궤양 등의 치료, 전이성 병변의 치료를 위해 절제수술이 필요하며, 악성 종양의 경우, 정상조직으로부터 약 4cm 의 안전 절제면(safety resection margin)을 가지고 절제하게 되며, 대부분 흉벽 재건수술이 필요하다. 전이성 병변의 경우에도 정상조직을 확인하여 절제하게 되며, 골격 및 연조직의 재건이 필요하다(그림 6-1-7).

(2) 종격동염 및 흉골의 불유합

종격동염(mediastinitis)은 정중 흉골절개술 (median sternotomy)를 시행한 환자의 0.25~5% 에서 발생한다. 심장동맥우회술(coronary bypass surgery) 혹은 대동맥박리증(aotic dissection)이

증가하면서, 봉합, 고정했던 흉골의 절개부위가 유합되지 못하고 벌어지는 경우가 증가하고 있다. 창상이 벌어지게 되면, 많은 경우에 종격동염이 발생하게 되고, 흉골의 불안정성이 증가하며, 골수염과 함께 불유합이 발생하게 된다. 농, 흉골 요동, 발열, 가슴막삼출(pleural effusion), 패혈증까지 나타날 수 있다.

창상에서의 균배양검사결과가 양성인 경우, 적절한 괴사조직제거술을 시행하면서 이전 수술 시 사용한 철사(wire) 또는, 외부 가슴관(drain-age tube) 등의 이물질을 모두 제거하고, 발생한 결손부에 대해서 항생제 치료 및 음압치료를 시작한다.

죽은 조직과 감염된 조직을 완전히 제거한 후 흉골을 유지할 수 없다면, 금속판(plate)를 통한 고정을 통해서 골격이 안정되어야만 뼈가 치유될 수 있으며, 흉벽의 모순운동을 예방할 수 있다. 흉벽 골격의 안정성이 확보된다면, 연조직 결손부에 대하여 재건수술을 시행해야 한다. 흉골

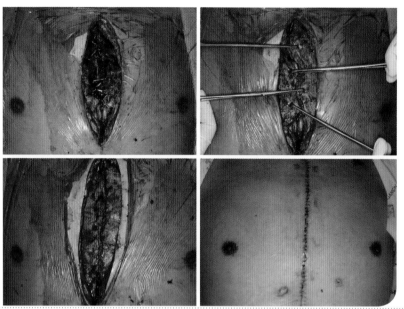

▷그림 6-1-8. 심장동맥우회술 후 발생한 중격동염 및 흉골의 불유합. 금속 와이어 및 이물질을 모두 제거하고 양측 대흉근 전진피판술을 이용하여 재건함

의 상부 2/3까지는 대흉근 전진 피판을 이용한 재건술을 가장 흔히 사용한다. 심장동맥우회술 등으로 동측의 대흉근을 사용할 수 없는 경우, 대반대측 흉근 반전 피판을 이용하여 재건할 수 있다(그림 6-1-8). 흉골의 하부재건을 위해서는 복직근 피판이 유용하며, 이전의 복부 수술력

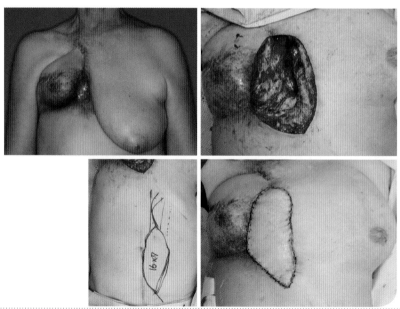

▷그림 6-1-9. 유방암수술 후 방사선치료에 의한 방사선 골 괴사 및 피부궤양, 방사선손상 조직 제거 및 늑골, 흉골 부분 절제술 후 복직근 피부근육유경 피판을 이용하여 재건함

등으로 인해 복직근 피판을 사용할 수 없는 경우, 큰그물막 피판을 이용해볼 수 있다. 마지막으로, 이전에 수차례 복강 내 수술 등으로 그물막의 손상이나, 내장의 심한 유착이 의심될 경우에는 등배근을 이용하여 흉벽을 재건할 수 있다. 등배근은 근육피부피판 또는 근육피판과 피부이식술을 시행할 수 있다.

(3) 방사선 골괴사(Osteoradionecrosis)

유방암 또는 폐암 치료의 한 방법으로 방사선 치료가 많이 시행되고 있다. 방사선에 의한 손상은 총방사선량, 조사횟수, 1회 조사 시 방사선량, 화학치료와의 병행여부 등과 밀접한 관계가 있다고 알려져 있다. 방사선에 의한 조직의 손상기전은 아직 명확히 밝혀져 있지는 않지만, 관련된 사이토카인의 생성이 증가하면서, 콜라겐과 흉터생성이 과도하게 일어나며, 미세혈관에 영구적인 섬유화와 혈액순환장애를 일으킨다. 방사선 손상의 실제 범위는 육안적으로 볼 수 있는 괴사 범위 혹은 피부 변화의 범위보다 항상 넓다. 방사선으로 손상을 입은 조직은 치유속도가 매우 느리고, 잘 아물지 않는 경향이 있다. 이러한 영향은 영구적이고 진행되기 때문에 시일이 경과되면서 악화되는 것이 보통이다. 방사선에 조사된 연조직은 흉터가 점점 더 많이 생기고 혈액순환이 나빠져 피판으로 사용하기에는 적합하지 못하며 수술 이후 괴사되기 쉽다. 방사선은 조직 전층을 통과할 수 있으므로 연조직은 물론이고 그 밑에 위치한 연골과 뼈까지도 괴사하는 경우가 많고 이로 인해, 만성 감염을 일으켜, 결국에는 패혈증까지도 일으킬 수 있다. 그러므로 가슴에 생긴 방사선 궤양, 방사선 골괴사 등은 생명을 위협하는 심각한 문제임을 알고, 조기에 손상된 조직을 충분히 절제하고, 혈액순환이 좋은

큰 연조직 피판으로 재건해야 한다(그림 6-1-9).

재건하는 데는 등배근(latissimus dorsi muscle), 대흉근(pectoralis major muscle), 복직근(rectus abdominis muscle) 등의 근육피부피판(myocutaneous flap) 또는 근육피판(muscle flap)을 가장 많이 사용한다. 그리고 미세수술(microvascular anastomosis)을 통한 유리피판술(free flap)을 사용하기도 한다.

(4) 외상성 흉벽 변형

흉벽은 관통상 및 좌상에 의해, 뼈와 연조직이 손상되기 쉬우며, 흉강 내의 중요한 기관이나, 큰 혈관의 손상을 동반하기도 한다. 흉벽의 손상 시, 모순운동이 발생할 수 있으며, 두 군데 이상의 인접한 여러 개의 늑골골절이 일어난 경우, 요동가슴(flail chest) 증상이 나타날 수 있다.

이러한 환자에서는 우선 생체징후를 안정화시킨 다음, 가슴관 삽입술 및 양압환기를 시행하여야 하며, 요동가슴이 관찰되는 경우에는 골절 부위에 금속판 등을 이용한 견고한 고정이 필요하며, 흉벽의 안정성이 확보된 후에 연조직 손상에 대하여, 피판술을 이용한 재건 수술이 필요하다.

2. 복부 재건

1) 개요

복부에서는 복부 탈장 수술 및 복부에 위치한 종양절제 후 대부분의 결손이 발생한다. 이로 인해 발생하는 복부 결손에 대하여, 근막을 포함하여, 피부 등의 재건수술이 필요하다. 복부재건의 목적은 안정적인 연조직 재건 및 근막의 유

지, 탈장의 재발방지, 복강 내 내장의 보호 등이 있다. 복부재건수술 후 창상관련 합병증을 최소화하기 위해서는 환자의 전반적인 상태를 잘 파악하여, 수술 계획을 세워야 한다.

복부재건수술은 여러 전문 분야의 전문의들의 다각적인 접근이 필요하며, 근막과 피부, 2가지 요소로 구분하여 재건하게 된다. 재건수술 시, 사강(dead space)은 반드시 제거되어야 하며, 과도한 피부하 박리는 피해야 한다. 재건수술은 내장의 유착, 누공, 천공 등의 위험성을 최소화할 수 있도록 시행되어야 한다. 근막 봉합 시, 과도한 장력은 피해야 하며, 창상이 벌어지거나, 탈장이 재발되지 않도록 유의해야한다. 만약 근막의 결손이 발생하였다면, 합성매쉬(prosthetic mesh) 또는 생물학적 매쉬(biologic mesh)를 이용하는 것도 좋은 방법이다. 결손부를 덮기 위해서 결손부의 위치, 크기, 깊이 등을 고려하여, 일차봉합술, 국소피판술, 유리피판술, 피부이식술, 조직 확장기를 이용한 재건수술 등 적절한 재건방법을 선택하여야 한다.

(1) 하부 복부 결손

하부 복부 결손을 재건하기 위해서는 일차봉합술 또는 허벅지에 위치한 피판을 이용하는 것이 좋다. 정중근막결손이 있어서, 장력없이 근막의 일차봉합이 불가능한 경우에는 합성매쉬(prosthetic mesh)를 이용하여, 근막을 재건하게 된다. 만약 합성매쉬을 고정할 근막의 견고한 부위가 남아있지 않다면, 주변의 늑골이나, 척추, 골반뼈 등에 구멍을 뚫어 폴리프로필렌 봉합사를 이용하여 고정해볼 수 있다.

근막의 결손 시, 자가 조직을 이용하여 재건하는 경우, 봉합이 느슨해지면서 탈장 등의 재발 위험성이 있어 자가 조직보다는 합성매쉬를 이용한 재건을 흔히 시행하고 있다.

(2) 상부 복부 결손

위쪽, 가쪽 복부 결손을 재건하기 위해서는 일차봉합술 또는 흉벽 쪽에 위치한 피판을 이용하는 것이 좋다. 근막의 재건은 아래 복부 결손과 같이 합성매쉬를 사용하는 것이 일반적이다.

위쪽 가운데 복부 결손에서 국소피판을 이용하기에 어려운 경우 유리피판을 이용하여 재건할 수 있으며, 혈관경이 짧은 경우 정맥이식을 병행할 수 있다.

2) 수술 전 계획

탈장의 재발 위험인자로는 신체질량지수(body mass index, BMI), 흡연력, 영양상태, 동반질환(당뇨, 만성폐쇄성폐질환 등) 등이 있으며, 재발의 위험성이 높을수록 감염, 창상 벌어짐 등의 합병증이 발생할 가능성이 높아진다. 오염된 창상(스토마, 이전의 감염 과거력, 장루 등)도 재발의 위험을 높이는 요인 중의 하나이다. 복수를 가지고 있는 환자도 수술 후 합병증의 가능성이 높으므로, 수술 전에 간경변 등의 간의 질병에 대하여 미리 치료를 받아야 한다. 간 또는 다른 장기로부터 복부로의 전이성 병변이 있는 경우도 수술의 금기가 될 수 있다. 또한, 체중감량, 영양실조, 금연, 혈당조절 등에 있어서 순응도가 좋지 않은 환자의 경우도 상대적으로 수술의 금기가 될 수 있으며, 수술 전 행동치료, 사회적 지지, 상담 등을 통해서 적절한 치료가 필요하다.

흡연은 복부 재건환자에서 매우 중요한 인자 중의 하나로, 니코틴의 혈관수축효과로 인해 혈소판 응집, 혈관의 직접적인 손상을 일으켜 혈액 순환과 상처 치유에 있어서 조직으로의 산소 운반능력을 감소시켜 악영향을 줄 수 있다. 따라서, 수술 전 적어도 4~6주간 금연하는 것이 필요하며, 수술 후에도 금연을 유지하는 것이 좋다.

3) 수술법

복부결손을 재건하는 원칙은 (1) 생균수(bioburden)을 감소시켜 주어야 하며, (2) 복부 근육을 재배열하고, (3) 약화된 복벽의 결손부를 강화시키고, (4) 수술 시 이물질의 삽입을 최소화시키고, (5) 장액종 등의 혈관재형성을 방해하는 사강을 줄이는 것이 중요하다.

(1) 생균수(Bioburden) 감소

수술적 치료를 통해 생균수를 감소시켜줄 수 있다. 이미 오염되어 있거나, 섬유화가 진행된 무혈관성의 조직을 제거하고, 이전에 사용한 합성물질이나 매쉬 등의 이물질을 제거해야 한다. 괴사조직제거술을 시행하면서 필요하다면 배꼽을 제거할 수 있고, 주변의 피부 등을 이용하여 추후 재건해 줄 수 있다.

누공(fistula)이 존재한다면, 수술적 배액술을 시행하며, 항생제치료를 병행해야 한다. 비수술적 치료 이후, 수술적으로 누공을 제거해야 하고, 제거된 조직은 조직검사를 시행해 볼 수 있다.

(2) 음압 상처 치료

괴사조직제거술을 시행한 뒤, 창상을 바로 봉합하기에 적합하지 않다면, 적절한 드레싱을 통해, 세균수를 줄여 볼 수 있다. 근막의 결손이 없이 연조직의 결손이 보이는 경우, 음압 상처 치료를 통해, 감염을 예방하고, 상처 치유에 좋은 환경을 만들어 줄 수 있다.

음압치료를 통해, ① 조직을 압박하여, 저산소증(hypoxia)을 유도하여, 혈관형성(neovascularization) 및 육아조직(granulation)형성을 촉진시킬 수 있으며, ② 조직의 저산소증은 산화질소(nitric oxide)를 분비하여, 혈관확장(vasodilation)을 유도하며, ③ 제3의 공간으로의 삼출액(exudate)의 분비를 감소시켜준다. 또한, ④ 혈관을 압박하고 혈류를 증가시켜 삼출액을 감소시키며, ⑤ 증가된 혈류에 의해 주변의 삼출액을 흡수할 수 있으며, ⑥ 창상을 물리적으로 고정시키는 역할을 한다.

(3) 일차 봉합술

비교적 작은 결손의 경우, 일차 봉합술을 시행할 수 있다. 복직근이 분리 되어 있는 부분(rectus diastasis)을 잘 봉합하고 층별로 봉합하면 대부분 성공적인 결과를 얻을 수 있다. 한 연구에 따르면 6 cm^3 이상의 결손의 경우에서 일차 봉합술을 시행한 경우, 10년 재발율이 약 63%에 이르므로 가급적 작은 결손에서만 적용해야 한다.

(4) 구성요소 분리법

component separation method는 양측복직근을 각각의 유경 및 신경을 포함한 근육근막피판으로 이용하는 것이다. 즉, 양측의 복직근과 외사근, 내사근, 배가로근막(transversalis fascia)을 이용하여, 정중부의 결손을 재건하는 것이다(그림 6-1-10,11). 가쪽 근육의 박리는 상부복부에서는 4 cm, 중간부분은 8 cm, 하부복부에서는 3 cm 연장이 가능하며, 뒤쪽 복직근 근집을 박리할 경우 각각 2 cm씩 더 연장하여 당겨올 수 있다(그림 6-1-12). 위쪽으로는 갈비뼈 가장자

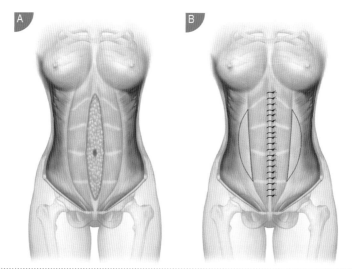

▷그림 6-1-10. **구성요소분리법 (Component seperation method).** A. 수술 전 B. 수술 후

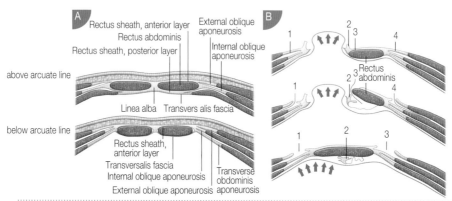

▷그림 6-1-11. **A. 활꼴선(Arcuate line) 위아래의 복직근의 정상 해부구조. B. 구성요소분리법(Component seperation method)의 방법.** 외사근이 인대로 변하면서 얇아지는 부분과 복직근의 앞쪽 근막부위가 붙는 부분에서 탈장이 관찰됨. 1,4번을 따라, 반달선(linea semilunaris)로 10~20 mm 바깥쪽으로, 근막절개술 시행하여, 복직근에서 외사근을 박리함. 외사근과 내사근 사이는 무혈성 부위이며, 신경혈관다발이 손상되지 않도록 주의해야 함. 3번을 따라, 백색선(linea alba) 가장자리에 절개하여, 복직근과 후방 복직근 근집(posterior rectus sheath)사이로 박리한 후 전방 복직근 근집(anterior rectus sheath)을 봉합한다.

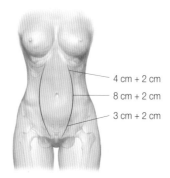

▷그림 6-1-12. **구성요소 분리법(Component separation method)을 통해 상부, 중간, 하부 복부에서 복직근의 박리 시, 중앙부 결손의 피복가능한 거리**

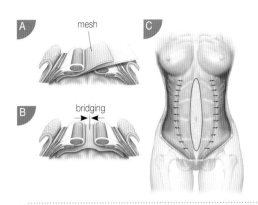

▷그림 6-1-13. Underlay 방법을 통한 mesh를 이용한 수술법 A. Mesh를 복벽안으로 한쪽 외사근 아래에 위치하며, U자형으로 봉합하여 복벽까지 깊게 고정한다 B. 가능하다면 underlay 시행 후, 양쪽 복직근을 정중선까지 가져와 봉합하는 것이 좋으나, 불가능하다면 다리를 놓듯이(bridging) 그림과 같이 둘 수도 있다. 합성매쉬를 제위치에 고정시킨 다음에는 앞쪽 복직근 근집과 뒤쪽 복직근 근집을 함께 봉합하여 준다. C. underlay 방법을 시행한 뒤 전면 모습

리까지도 움직일 수 있으나 근육의 박리는 갈비뼈를 넘어서 복직근과 연결된 대흉근까지도 시행할 수 있다. 아래쪽으로는 골반뼈 부위까지 움직일 수 있고, 추가적인 이동이 필요할 경우, 두덩결합(symphysis pubis)의 뼈막아래부위를 박리하여 피판을 더 이동시킬 수 있다.

Component separation method법만을 통해, 결손부위를 봉합할 경우, 재발확률이 높다는 연구결과가 많아 underlay 또는 onlay 방법을 이용하여 복벽을 강화하는 수술을 병행하게 된다. Underlay 의 경우, 합성매쉬를 복벽안으로 외사근 아래에 위치하며, U자형으로 봉합하여 복벽 아래까지 깊게 고정한다. 양쪽의 근육이 정중선에서 만날 수 없는 경우에는 다리(bridging) 형태로 복벽 아래에 합성매쉬를 고정할 수 있다. 합성매쉬를 제 위치에 고정시킨 다음에는 전방 복직근 근집(anterior rectus sheath)과 후방 복직근 근집(posterior rectus sheath)을 함께 봉합하여 준다(그림 6-1-13). underlay 방법은 합성매쉬를 대 준 부위의 근막과 근육은 강력하게 지지

하지만, 가쪽의 근육을 박리하여 약화된 부분을 통해 탈장이 재발할 가능성이 있다는 단점이 있다.

Onlay 방법은 한쪽 외사근에서 반대쪽 외사근 위쪽으로 합성매쉬을 덧대는 방법으로 전반적인 복벽을 덮어줄 수 있고, 가운데는 물론 근육의 가장자리의 박리한 부분까지도 복벽이 강화되어 탈장의 위험성을 감소시킬 수 있다. 또한, underlay 방법에서 시행한 U자형 봉합을 하지 않아도 되어 근막의 조임(strangulation), 신경종의 발생 위험성을 줄여준다. 하지만, 창상이 벌어져 감염이 발생할 경우 합성매쉬로 퍼질 수 있는 단점이 있다.

비만, 당뇨, 흡연력, 만성폐쇄성폐질환 등을 동반하는 고위험군 환자에서는 복직근 위로 주행하는 피부지방으로의 천공지를 보존하여 재건 수술을 시행하여, 추후에 발생가능한 피부의 괴사, 감염의 위험성을 줄일 수 있다.

(5) 피판을 이용한 복부 재건술(표 6-1-3)

복부 재건에는 대퇴피판(anterolateral thigh flap), 대퇴근막장근피판(tensor fascia lata flap) 등의 국소피판을 이용하여 하복부를 재건할 수 있다. 대퇴근막은 수술 후 혈관재형성에 유리하며, 복부의 근막보다 단단하여 재건에 유리하다. 필요한 경우, 대퇴직근(rectus femoris muscle)을 같이 이용하여, 근육근막피판, 근육피부피판을 이용할 수도 있으며, 가쪽 대퇴회전동맥(lateral circumflex femoral artery)의 천공지를 혈관경으로 하는 앞가쪽 대퇴피판(ALT flap)을 이용하여 복부를 재건할 수도 있다. 심한 탈장, 복부종양을 제거하고 난 뒤, 큰 결손에 대하여 복직근 피판이나 등배근 피판을 사용할 수 있으며 유리피판술(free flap)을 통해 결손부위를 재건해 볼 수

▷표 6-1-3. 복부 재건을 위해 사용할 수 있는 피판의 종류와 특징

피판	피판의 특성
앞가쪽 대퇴피판(ALT flap)	● 넓은 크기의 피판 디자인이 가능 ● 공여부 이환율이 적은 편 ● 배꼽주변까지 재건이 가능함. ● 근막재건에는 적합하지 않음.
대퇴근막 피판(TFL flap)	● 큰 피부피판이 가능(15 x 40 cm) ● 배꼽주변까지 피판이 도달하지만, 피판의 먼쪽 피부의 괴사가 오기 쉬움. ● 대퇴직근과 함께 근막 재건에 사용해 볼 수 있음.
대퇴직근 피판(Rectus femoris flap)	● 근육피판, 근육피부피판, 복합피판으로 디자인 가능 ● 가쪽대퇴회선동맥(lateral circumflex femoral vessel)을 혈관경으로 가짐 ● 비교적 길고 넓은근육으로, 12 x 20 cm 의 피부피판 디자인이 가능
복합 피판(Combined thigh flap)	● 대퇴직근, 대퇴근막, 가쪽넓은근 등 허벅지에서 가능한 피판을 복합적으로 사용하여, 복부 재건이 가능
복직근 피판(Rectus abdominis flap)	● 피부피판을 가로형 또는 세로형으로 디자인할 수 있음. ● 복부 근처의 결손부위 재건에 유용
등배근 피판(Latissimus dorsi flap)	● 위쪽가쪽 복부재건에 이용할 수 있음. ● 근육피판 또는 피부근육피판으로 이용가능.

*ALT; anterolateral thigh, *TFL; tensor fascia lata

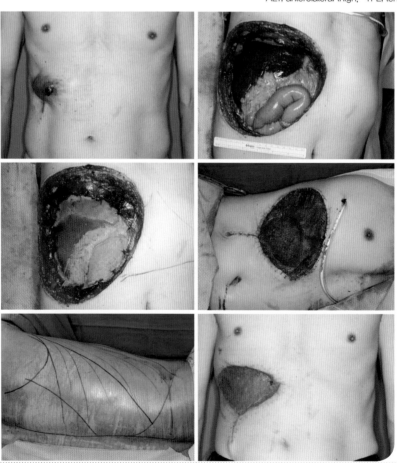

▷그림 6-1-14. 악성종양 절제술 후 등배근 피판 및 합성매쉬를 이용한 복벽 재건수술

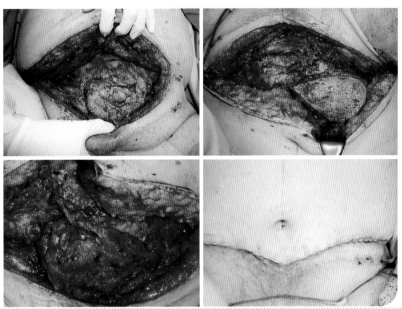

▷그림 6-1-15. 반복적 하복부 탈장에 대해 하복벽동맥 천공지 피판(Deep inferior epigastric artery perforator flap, DIEP)을 이용한 복벽 재건수술

도 있다(그림 6-1-14,15). 복막 및 근막의 결손 시에는 자가 조직을 이용하여 재건할 수도 있으나 합성매쉬을 이용한 재건을 흔히 시행하고 있다. 최근에는 무세포진피기질(acellular dermal matrix)를 이용하여 복막 및 근막 재건을 시행하기도 한다.

3. 수술 후 관리

흉벽 및 복벽 재건 수술 시에는 심부정맥혈전증 (deep vein thrombosis)의 예방이 필요하다. 탄력스타킹을 이용하거나, 수술 후 조기 보행을 장려한다. 필요시, 저분자량헤파린을 피하주사하거나, 쿠마린(coumarin)을 복용할 수 있다. 또한 폐색전증 여부 확인을 위해 폐방사선사진 촬영 등의 철저한 감시가 필요하다.

1) 영양 관리

정맥영양 또는 조기의 장관영양을 통해, 영양 관리를 할 수 있다. 정상적인 기능을 빨리 회복할수록 세균에 의한 감염 또는 패혈증 확률을 줄일 수 있다. 아르기닌, 글루타민, 오메가 3지방산 등의 충분한 영양분 섭취가 중요하며, 단백질 섭취도 중요하다.

하지만, 너무 이른 장관영양은 복부 통증, 구토, 흡인성 폐렴 등을 일으킬 수 있으므로 주의해야하며, 정맥영양의 경우, 카테터를 통한 패혈증, 무기질 불균형, 고혈당 등을 일으킬 수 있어 주의해야 한다.

2) 항생제 치료

항생제치료에 대해서는 아직 논란이 많다. 청결한 환자의 경우, 예방적 항생제로 수술 전

30~60분 전에 정맥으로 주사한다. 탈장이 재발한 경우, 이전에 수술 감염력이 있거나, 감염의 가능성이 높은 경우, 합성매쉬를 사용하여, 복벽재건을 하는 경우, 골수염이 있는 경우, 창상이 오염된 경우에는 수술 전 예방적 항생제주사는 물론, 수술 후에도 일정기간 동안 치료목적으로 항생제를 이용한다. 복벽 재건 후에는 혐기성균과 그람 음성 균에 대한 항생제도 쓰도록 한다. 흡연력이 있거나, 만성폐쇄성폐질환, 당뇨, 비만 등 고위험군 환자에서도 수술 후 일정기간 동안 항생제 치료를 유지하는 것이 좋다.

3) 배액관 관리

장액종, 혈종의 발생을 줄이고, 깊은 조직 내 조직액이 고이는 것을 막기 위해, 배액관은 삽입해야 하며 배액관은 적어도 1주일간 유지하며, 2주 내에는 제거하는 것이 좋다.

배액관을 제거한 뒤 장액종이 발생하였다면, 주기적으로 흡인하여 제거하고 필요시 경화제(sclerosant)를 주입하거나, 피부를 통해 배액관을 다시 삽입할 수 있다. 비만인 환자에서 장액종의 발생율이 높다.

4) 그 외(수술 후 활동, 근육이완법 등)

대흉근이나 등배근으로 재건을 한 경우 동측 어깨, 팔 움직임을 최소화하는 것이 필요하며 필요할 경우 억제대를 사용해 볼 수도 있다. 복부 재건이나 복직근 피판을 사용한 경우 복대(abdominal binder)를 사용하는 것이 좋다. 이것은 수술 후 복부에 압력을 가해 장액종의 발생 가능성을 줄여주며, 재건한 복부 근막 부위를 지지해주는 역할을 한다. 하지만 너무 심한 압력이 가해질 경우, 창상 가장자리의 허혈성 괴사 등이 발생할 수 있어 주의해야 한다.

수술 후 약 4~6주간은 활동을 제한하는 것이 좋다. 과한 운동은 수개월간 하지 않는 것이 좋으며, 특히, 수차례 탈장이 재발한 환자에서는 오랫동안 과한 운동을 제한하는 것이 좋다.

References

1. Song DH, Roughton MC. Reconstruction of the chest. Vol 4. p239-255 ,Philadelphia: Elsevier-Saunders; 2013
2. Deschamps C, et al. Early and long-term results of prosthetic chest wall reconstruction. *J Thorac Cardiovasc Surg.* 1999;117(3):588—592.
3. Mathes SJ, Nahai F. Reconstructive surgery. Principles, Anatomy, and Technique. Edinburgh: Churchill Livingstone; 1997
4. Arnold PG, Pairolero PC. lntrathoracic muscle flaps. An account of their use in the management of 100 in consecutive patients. *Ann Surg.* 1990;211(6):656—660.
5. Dickie SR, Dorafshar AH, Song DH. Definitive closure of the infected median sternotomy wound: A treatment algorithm utilizing vacuum-assisted closure followed by rigid plate fixation. *Ann Plast Surg.* 2006;56(6):680-685
6. Song DH, Lohman RF, Renucci JD, et al. Primary sternal transposition into the chest of high risk patients. plating in high-risk patients prevents mediastinitis. *Eur J Cardiothorac Surg.* 2004;26:367—372.
7. Singh NK, Khalifeh MR, Bank J. Abdominal wall reconstruction. Vol 4. p277-296,Philadelphia: Elsevier-Saunders; 2013

8. Ramirez OM, Ruas E, Dellon AL. "Components separation" method for closure of abdominal-wall defects: an anatomic and clinical study. *Plast Reconstr Surg.* 1990;86:519—526.

9. Luijendijk RW, Hop WC, Van Den Tol MP, et al. A comparison of suture repair with mesh repair for incisional hernia. *N Engl J Med.* 2000;343:392—398.

10. Gibson CL. Post-operative intestinal obstruction. *Ann Surg.* 1916;63:442—451.

11. Dixon CF. Repair of incisional hernia. *Surg Gynecol Obstet.* 1929;48:700.

12. Disa JJ, Goldberg NH, Carlton JM, et al. Restoring abdominal wall integrity in contaminated tissue-deficient wounds using autologous fascia grafts. *Plast Reconstr Surg.* 1998;101:979—986.

13. Saulis AS, Dumanian GA. Periumbilical rectus abdominis perforator preservation significantly reduces superficial wound complications in "separation of parts" hernia repairs. *Plast Reconstr Surg.* 2002;109:2275—2280; discussion 2281~2.

14. Hershey FB, Butcher HR Jr. Repair of defects after partial resection of the abdominal wall. *Am J Surg.* 1964;107:586—590.

15. Rohrich RJ, Lowe IB, Hackney FL, et al. An algorithm for abdominal wall reconstruction. *Plast Reconstr Surg* 2000;105:202—216

생식기 재건
Reconstruction of Genitalia

김석권 동아의대

1. 생식기 발생학 및 해부학

1) 생식기 발생학

(1) 유전성

태아의 성은 수정될 때 결정되는 성염색체에 의해 결정된다. XY를 가진 정자세포가 22개의 상염색체와 X 염색체를 가지고 있는 난자와 결합할 때 반반의 X 또는 Y 염색체를 난자에 제공함으로써 성이 결정된다.

임신 6주 동안 남성 또는 여성의 태아는 동일하게 발달하는데, 이 시기를 미분화기(indifferent stage)라고 한다. 이 시기 동안 태아는 배설강막(cloacal membrane)으로 종결되는 원시 장관으로서 관이 형성된다. 6주 때 비뇨곧창자 사이막(urorectal septum)은 양쪽으로부터 아래쪽 면과 안쪽면이 자라서 배설강(cloacal cavity)이 되며 이것은 방광과 곧창자로 분리된다.

중앙고랑을 가진 중배엽의 능은 배설강 막까지 신체장축(cephalocaudal axis)방향으로 발달하는데 이것을 미분화 생식결절이라 한다. 가운데의 중간엽은 배꼽으로부터 머리쪽 방향으로 점진적으로 융합됨으로써 생식원기(genital primordia)는 생식융기(genital eminence)를 형성하게 된다.

(2) 생식샘 성

성샘의 성 결정은 임신 7주째부터 시작된다. Y 염색체의 유전자(H-Y antigen)는 정세관(seminiferous tubule)으로 분화함으로써 고환 발달을 유도한다. 남성으로의 분화하는 데 있어서 3종류의 내분비 호르몬이 생성된다. 그 중에 첫 번째는 정세관에 있는 세르톨리 세포(sertoli cell)에서 생성되는 뮬레리안 억제인자(mullerian inhibiting factor)이다.

이것은 뮬레리안 관(duct system)의 퇴화를 유발한다(9~11주). 동시에 정세관의 레이디히 세포(laydig cell)에서는 테스토스테론 유사호르몬을 생성한다. 테스토스테론의 두 가지 역할은 ①정세관(seminiferous tubule), 부고환(epididimis), 사정관(spermiduct) 및 정낭(seminal vesicle)의 성숙을 완성시키며, ②5a-환원효소(5a-reductase)에 의해 만들어지는 디히드로테스토스테론(dihydrotestosterone)을 불가역적으로 감소시켜 고환외적 남성을 발육시킨다.

(3) 표현형 성(phenotypic sex)

표현형 성은 남성 또는 여성의 생식 결절이 형

태학적 발달에 따라 정해지는 성을 말한다.

남성에서는 비뇨생식팽대(urogenital swelling)가 음낭을 형성하기 위해 등쪽과 앞쪽으로 이동한다. 생식 결절은 중대와 원통형의 정장을 통해 발달한다. 동시에 요도주름은 요도고랑을 덮어 요도와 중간선솔기를 만든다. 중간엽조직(mesenchymal tissue)은 요도를 둘러싸기 위해 유합되며 해면체를 형성한다. 이 과정은 전적으로 테스토스테론과 테스토스테론 유도체(dihydrotestosterone), 5a-환원효소의 영향으로 발달되는데, 임신 6주에서 13주 사이에 일어난다(그림 6-2-1). 음경의 음경꺼풀(prepuce)는 음경귀두(glans penis)를 덮기위해 자라지만 테스토스테론 유도체에 의한 것은 아니다.

여성의 태아는 테스토스테론의 영향에 의한 남성화가 부족하여 비뇨생식굴(urogenital sinus)과 고정된 샅부위 내에서 생식결절이 유지된다. 요도고랑은 닫히지 않은 상태로 유지되고 주름은 소음순(labium minor)으로 발육된다. 크기도 변함없지만 등쪽으로 구부러진다.

대음순은 커지고 뒤쪽으로 이동하여 합쳐져서 뒤쪽 음순주름띠(lahial fold)를 형성한다. 등쪽 요도가 닫히지 않아 여성의 샅부위가 더 짧고 입구가 더욱 뒤쪽으로 위치하게 된다.

(4) 음경의 해부학

남성 생식기 구조는 외상과 질병으로부터의 보호를 목적으로 계통발생학적으로 진화해왔다. 이러한 진화는 종족 유지에 필수적이며 "해부가 운명이다"는 표현은 어느 다른 해부학적 체계보다 생식기 계통을 설명하는 데 있어 적합할 것이다.

음경 피부 밑에는 느슨한 결합조직층인 육양근근막(dartos fascia)이 있어서 피부가 상당히 움직일 수 있게 되어 있다. 육양근근막에는 피부의 주된 혈관과 얕은 림프관(superficial lymphatics)이 들어있다. 그러므로 섬음경꺼풀피판(island preputial flap)이나 Z성형술을 시행할 때는 피판에 육양근근막을 포함시켜야 안전하다. Buck근막은 두 개의 음경해면체(corpus cavernosum)를 둘러싸서 요도해면체(corpus spongio-

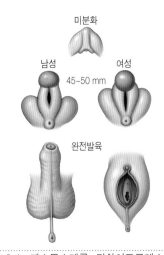

▷그림 6-2-1. 테스토스테론, 디하이드로테스토스테론, 5-b환원 효소의 영향(또는 부재)에 의해 자궁 내에서 발생하는 명백한 바깥 생식기관(external genitalia) 표현형 (*stephen J. mathes, Vincent RH: Reconstruction of male genifaldefect:Congenital and acquired, In: Mathes SJ(ed): Plastic Surgery. philadelphia, WB Saunders*)

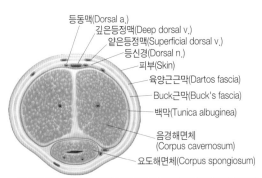

등동맥(Dorsal a.)
깊은등정맥(Deep dorsal v.)
얕은등정맥(Superficial dorsal v.)
등신경(Dorsal n.)
피부(Skin)
육양근근막(Dartos fascia)
Buck근막(Buck's fascia)
백막(Tunica albuginea)
음경해면체(Corpus cavernosum)
요도해면체(Corpus spongiosum)

▷그림 6-2-2. 테스토스테론, 디하이드로테스토스테론, 5-a환원 효소의 영향(또는 부재)에 의해 자궁 내에서 발생하는 명백한 바깥 생식기관(external genitalia) 표현형 (*stephen J. mathes, Vincent RH: Reconstruction of male genifaldefect:Congenital and acquired, In: Mathes SJ(ed): Plastic Surgery. philadelphia, WB Saunders*) sum)와 구분하고 있다.

음경의 중요한 감각신경은 이 Buck근막에 들어있다(그림 6-2-2).

음경은 발기될 수 있는 두 개의 음경해면체(corpus cavernosum)와 이들 사이의 배쪽(ventral side) 홈에 놓여 있는 한 개의 요도해면체(corpus spongiosum)로 이루어져 있다.

백색막(tunica albuginea)이 이들 각 해면체를 둘러싸고 있다. 페이로니병(Peyronie's disease)의 경우에는 이 백색막에 섬유구축(fibrous contracture)이 원인이다. 이 섬유구축을 제거하고 거기에 진피이식술을 할 때는 이 층 바로 위에 있는 신경이나 이 층 밑에 있는 얼기혈관구조(plexiform vascular structure)를 손상하지 않도록 조심해야 한다.

중심동맥(Central artery)은 음경해면체에 들어 있다. 요도는 요도해면체를 관통하여 음경귀도 끝에 가서 열려있다.

두 개의 음부속신경혈관다발(Internal pudendal neurovascular bundle)이 음경과 음낭의 주된 혈관과 신경이다. 음경을 재건할 때 이 신경혈관다발의 위치, 분포 및 생리적 기능에 대한 지식이 필수적이다.

2. 요도하열, 요도상열, 방광외반증(Hypospadia, epispadia, extrophy of the bladder)

1) 요도하열(Hypospadia)

요도하열은 요도(urethra)가 음경체(penile shaft)의 복측면(ventral surface)이나 회음부

(perineum)에 개구해 있는 선천성 기형이다.

원인은 고환(testis)의 간질세포(interstitial cell)의 조숙한 쇠퇴로 인하여 남성호르몬(androgen)의 생성이 중단되어 남성화(masculinization)가 완전히 이루어지지 못한 것이다. 발생빈도는 미국에서 남아출산의 1/350의 확률로 나타난다. 요도하열의 분류는 외요도구의 위치에 따라 ①귀두형(granular), ②음경원위부형(distal penile), ③음경형(penile), ④음낭형(scrotal), ⑤회음형(perineal)으로 분류하며 90% 이상이 귀두형이나 음경원위부형이다(그림 6-2-3).

요도하열이 있는 대부분의 환자에서 요도가 없는 부위에 비정상적인 섬유조직인 음경굽음(chordee)이 있어서 음경을 아래쪽으로 구부러지게 하고 있으며 발기 시에는 더욱 심해진다. 드물게는 요도하열이 없어도 삭이 있는 경우가 있다.

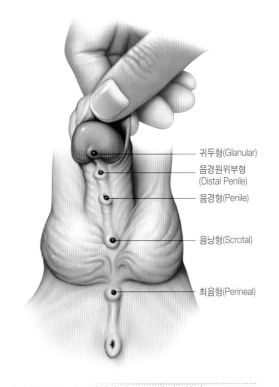

귀두형(Glanular)
음경원위부형(Distal Penile)
음경형(Penile)
음낭형(Scrotal)
최음형(Perineal)

▷ 그림 6-2-3. 요도하열시 외요도구의 개구부위

정류고환(undes-cended testicle),신장기형(kid-ney abnomalties), 탈장 등의 기형이 동반될 수도 있다.

(1) 진단

요도하열이 심한 경우에는 외형에서 성을 구별하기가 쉽지 않아 협부점막도말검사(buccal smear), 성염색체 검사(sex chromosome study) 등으로 진단할 수 있으며 때로는 복강경검사(laparoscope)나 개복술(laoarotomy)로 확진할 수 있다.

(2) 수술 전 고려사항

수술하기 전에 성감별을 잘못했거나 동반된 기형을 발견하지 못하고 수술하게 되면 회복할 수 없는 문제가 생길 수도 있다. 성이 모호할 경우에는 염색체 검사, 부신의 이상유무를 판별하기 위한 17a-hydroxy progesterone (17a-OH-pg) 검사가 필요하다.

또한 요도하열이 경하더라도 요도를 만들어주기 전에는 절대 포경수술(circumcision)을 해서는 안 된다. 처음에는 수술이 불필요한 것 같이 보이던 음경굽음이 음경이 성장함에 따라 점점 뚜렷해져 수술을 해주어야 할 경우도 있다. 이러한 문제는 4세때까지는 해결해 주어야 한다.

(3) 수술

요즘에는 음경이 충분한 크기로 자라는 1세경에 수술하는 것이 보통이다. 요도하열의 치료원칙은 음경을 굴곡시키는 음경굽음을 완전히 제거하여 음경을 바로 잡은 후 요도를 재건하는 것이다. 과거에는 음경굽음을 형성하는 섬유조직은 다시 재발될 가능성이 있다고 생각했기 때문에 요도재건술은 음경굽음을 제거한 후 오랫

동안 음경을 관찰하는 2단계 수술법이 많이 시도되었으나 최근에는 음경굽음이 재발하지 않고 한 번 제거하면 지속적으로 음경 굴곡이 교정되며 재발된 경우는 섬유조직의 불완전한 제거나 수술 후 혈종이나 감염에 의하여 새로운 섬유조직이 침착되는 것이라고 생각하여 음경굽음 제거와 요도재건을 동시에 실시하는 1단계 수술법이 보편화되어 있다.

① 2단계 수술법

첫째 단계로 음경굽음을 교정하여 음경이 구부러지지않고 바로된 다음 적어도 6개월 후에 식피술이나 국소피판으로 요도를 만들어주는 2단계 수술을 시행한다.

i) **음경굽음제거술(chordectomy)**: 음경굽음의 섬유조직을 제거하기 위하여 요도구 주위에 피부절개를 가하고 이 절개선을 음경의 복측면의 정중선을 거쳐 원위부로 연장하여 관상구(coronal sulcus)에 이르도록 한다.

음경 양편의 피부판을 거상하고 정상적인 백막층(tunica albuginea)에 이르기 까지 탄력이 없는 섬유조직을 제거한다.

ii) **요도재건술(urethroplasty)**: 음경굽음 제거 후에 요도를 재건해 준다.

② 1단계 수술법

1단계 수술법이 2단계 수술법보다 입원 기간이 짧고 육체적, 정신적 손상이 적으며, 기억할 만한 나이 이전에 수술을 끝낼 수 있는 장점이 있어 보편적으로 시행된다.

i) **요도구 전진술과 귀두 성형술(meatal advancement and glansplasty)**: 외요도구가 귀두에 있고 음경굽음이 없는 경우에 시행할 수 있는 이상적인 방법이다(그림 6-2-4).

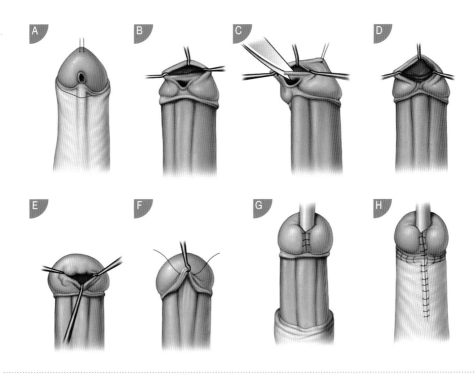

▷그림 6-2-4. 요도구 전진술과 귀두성형술

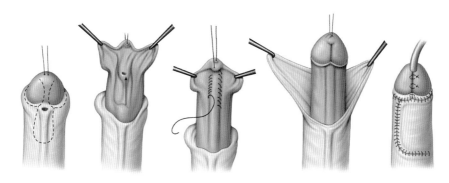

▷그림 6-2-5. 음경굽음이 없는 요도하열에서 피판띠로 요도재건

ii) 음경굽음이 없는 요도하열에서 음경 피판띠로 요도를 만들어 주는 방법(flip-flap hypospadia repair without chordee): 음경굽음이 없고 적당한 크기의 요도구가 음경 원위부에 있는 경우에 적합한 방법이다(그림 6-2-5).

iii) 음경굽음이 있는 요도하열에서 음경피판띠로 요도를 만들어 주는 방법(flip-flap asso-

ciated with distal shaft chordee): 음경원위부에 외요도구가 있고 음경굽음이 있는 경우에 적합한 방법이다(그림 6-2-6).

iv) 전층식피술로 요도를 만들어 주는 방법(horton-Devine법): 음경근위부, 음낭부 또는 회음부에 요도하열이 있는 경우에 전술한 음경피판띠로 요도를 만들어 줄 수가 없으므로

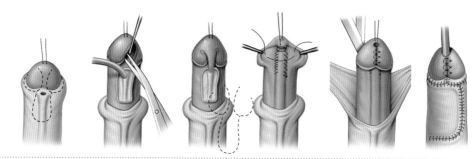

▷그림 6-2-6. 삭이 있는 요도하열에서 피판띠로 요도재건

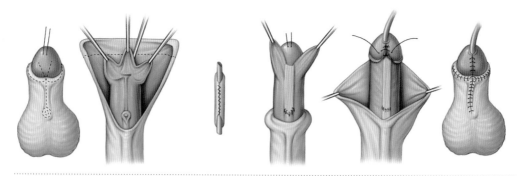

▷그림 6-2-7. 전층식피술법

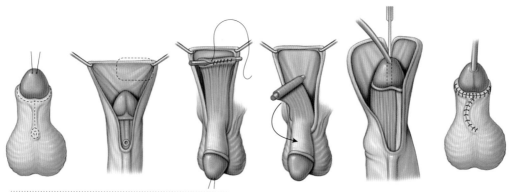

▷그림 6-2-8. 도상포피 피판법

전층식피편을 튜브처럼 말아 요도를 만들어
준다(그림 6-2-7).

v) **도상포피피판법(vascularized preputial is-
land flap):** 이 방법은 음경근위부에 요도하열
이 있으면서 포피가 크고 포피의 도상피판의
회전이 비틀리지 않는 경우에 적당한 방법이
다(그림 6-2-8).

(4) 수술 후 처치

수술 후 수술부위를 이틀 동안 차게 압박하여
부종과 통증을 감소시키고 상처를 깨끗하게 유
지시킨다. 음경피판띠로 요도재건을 한 환자에서
는 작은 실라스틱관을 사용하여 요로전환(uri-
nary diversion)을 해주며 보통 이 관은 술 후 5
일째 제거하고 배뇨를 시행한다.

추가로 수술이 필요하면 염증이 사라지고 조직이 안정되고 부드러워지는 6개월이 지나 수술하는 것이 좋으며 대개의 경우 작은 누공(fistula)은 저절로 막힐 수도 있다. 수술 후 발기가 창상의 파열 및 출혈 때문에 성인환자에서는 문제가 되므로 amylnitrate pearls을 침상옆에 두고 필요시 흡입하면 도움이 되며, 수면 중 발기를 예방하기 위하여 diazepam을 경구투여한다.

(5) 합병증

요도하열을 수술한 후에 발생할 수 있는 합병증은 두 가지로 나눌 수 있다.

①초기합병증

i) 누공(fistula): 술 후 누공이 발견되면 약 2주 동안 요로전환을 하는 것이 좋다. 1 mm 이하의 작은 누공은 이 기간 동안 저절로 치유될 수 있다. 누공이 계속 존재하면 6개월 정도 기다렸다가 수술하는 것이 좋다. 누공은 수술하기 전에 먼저 누공보다 원위부에 있는 요도가 막혀 있지 않은지 확인해 보아야 한다. 만약 원위부 요도가 막혀 있으면 누공을 수술하기 전에 이것부터 먼저 교정해야 한다.

ii) 게실(diverticulum): 요도의 원위부가 막혀 있으면 요도의 근위부가 확장되어 게실이 생기게 되는데 요도의 원위부가 막힌 것을 먼저 교정하고 나서 게실을 제거하고 남은 요도를 문합해준다.

iii) 요도협착(urethral stricture): 요도에 협착이 있으면 확장기를 이용해 확장해보고 이로써 효과가 없으면 협착된 부위에 전층식피술이나 피판술로 넓혀 준다.

iv) 외요도구협착(meatal stenosis): 귀두에서 삼각피판을 V-Y형태로 필요한 만큼 전진시켜 교정한다. 그 외에도 요도에 털이 자라거나 새 요도가 똑바르지 않아 오줌 줄기가 일정하지 않거나 외요도구의 후퇴 등이 나타날 수 있다.

2) 요도상열(Epispadia)과 방광외반증 (Extrophy of the bladder)

요도상열과 방광외반증은 음경의 배부, 복부 그리고 방광 앞벽의 정상발육의 실패 또는 중단에 의하여 발생하는 성기와 방광의 선천성 기형이다. 방광외반증과 요도상열이 동반된 경우가 가장 흔하며 가족 중에 한 사람 이상 발생하는 경우는 극히 드물다. 약 1/30,000의 확률로 나타나며 남자에서 3~4배 많다.

(1) 요도상열의 교정

방광경 원위부의 요도상열에서 배뇨자제(urinary continence)는 큰 문제가 되지 않아 외형상 만족스럽고 기능적으로도 만족스런 재건이 가능하다. 원위부의 요도상열은 같은 부위의 요도하열과 같은 방법으로 교정할 수 있다. 근위부의 요도상열은 귀두 복측에 있는 큰 포피를 이용하여 재건한다(그림 6-2-9).

(2) 방광외반증의 교정

방광 외반증은 치골결합의 분리, 복벽결손 등의 심각한 문제를 내포하고 있으며 방광의 전벽이 없어 방광이 외반되어 있다. 따라서 교정이 되지 않으면 감염, 요도확장, 신장 손상이 올 수 있다. 교정되지 않은 경우에서 성인까지 생존한 경우는 매우 드물며, 방광암이 자주 발생한다.

신생아 시기에 가장 좋은 치료는 단계적,기능적 재건이다. 즉, 방광은 신생아 시기에 따악주

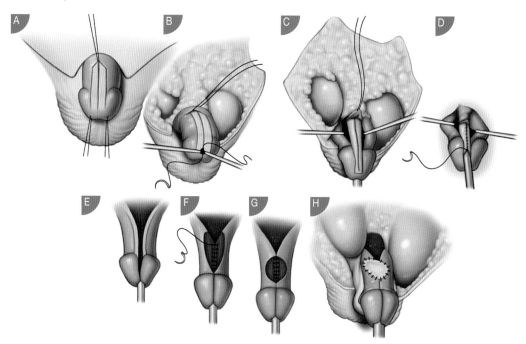

▷그림 6-2-9. **요도상열의 교정**

고,요도상열은 1~2세 경에 재건한다. 그 후 3~4세 경에 방광경을 재건한다.

3. 음경재건 (Reconstruction of penis)

외상성 절단, 화상, 감염, 형벌, 악성 음경종양 제거술, 혈관성 장해 등으로 음경이 손상받은 경우 음경의 재건이 필요하다. 그 외에도 확실치 않은 외생식기를 갖고 있거나 성전환 수술 시에도 음경 재건 수술이 필요하다. 음경 재건의 목적은 성교와 배뇨가 가능하도록 하는 것이다.

이상적인 음경을 만들기 위해서는 ①재건되는 음경은 모양이 미용적으로 용인될 수 있어야 하고 성교가 가능한 직경과 길이를 가지고 있어야 한다. ②음경체에는 원위부까지 요도구가 있어야

하며 서서 배뇨가 가능해야 한다. ③재건된 음경은 충분한 보호감각 기능이 있어야 하며, 성교를 하기 위한 영구삽입물(permanent implant)을 넣을 수 있어야 한다. ④재건된 음경은 촉각(tactile sensation)과 발기감각을 가지고 있어야 한다. ⑤재건은 가능하면 한 단계로 행해져야 한다. 과거에는 음경을 재건하기 위하여 음낭을 이용한 피판술, 근피판술, 복부피판술과 대퇴피판술 등을 사용하였으나 최근에는 위의 조건들을 충족시킬 수 있는 유리피판술이 주로 사용된다. 음경재건에 가능한 유리피판의 공여부는 얇고, 부드럽고, 털이 없는 피부가 있는 곳이어야 한다. 요로에 털이 있을 경우는 요로감염, 협착의 원인이 될 수 있다. 사용할 수 있는 피판은 다음과 같다.

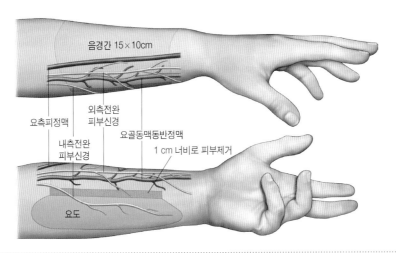

음경간 15×10cm

요측피정맥
외측전완
피부신경
내측전완
피부신경
요골동맥동반정맥
1 cm 너비로 피부제거

요도

▷그림 6-2-10. **요측 전완부 유리 피판의 디자인**

1) 요측 전완부 유리 피판술
(Redial forearm free flap)

1984년 Chang과 Hwang이 처음으로 발표한 이래 가장 많이 쓰이는 피판이며 전완부에 털이 없는 환자에서 특히 유용하다. 신경문합으로 감각피판을 만들 수 있고 요골의 일부를 골피판술

로 사용할 수 있는 장점이 있어 가장 추천할 만한 수술이다(그림 6-2-10~12).

2) 척골측 전완부 유리 피판술
(Ulnar forearm free flap)

이상의 전완부를 이용한 피판은 서양인에게서

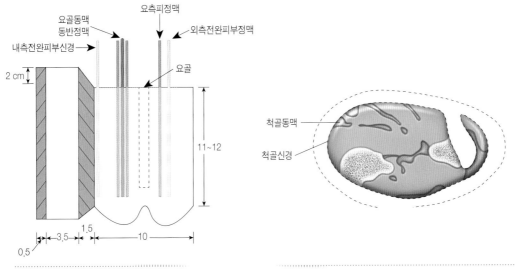

요골동맥
동반정맥
요측피정맥
외측전완피부정맥
내측전완피부신경
요골
2 cm
11~12
1.5
3.5
10
0.5

척골동맥
척골신경

▷그림 6-2-11. **요측 전완부 유리 피판의 도식적 디자인**

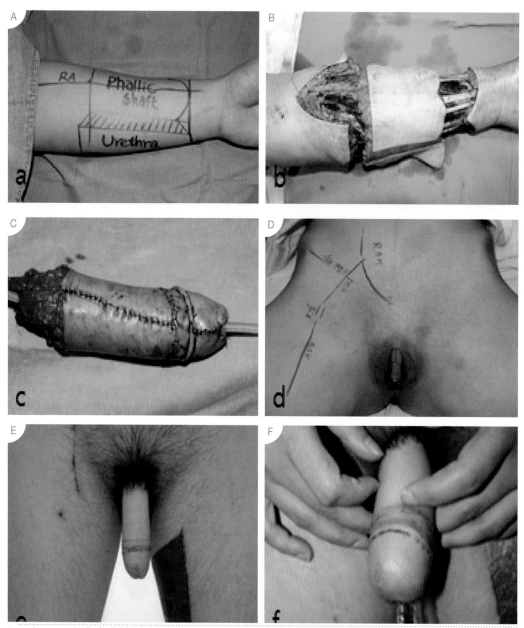

▷그림 6-2-12. A. 유리 피판을 디자인한 모습, B. 요측 전완부 유리피판을 거상한 모습, C. 음경이 완성된 모습 D. 수혜부 혈관의 술 전 디자인, E. 완성된 음경을 수혜부의 혈관에 문합한 모습, F. 술 후 배뇨하는 모습

는 털이 많이 있는 부위이므로 음경재건에 적합하지 않다.

3) 외측 상완부 유리 피판술 (Lateral arm free flap)

전완부에 비해 훨씬 털이 적으며 요골동맥이나

척골동맥을 희생하지 않아도 되는 장점이 있다.

4) 내측 대퇴부 유리 피판술
(Medial thigh free flap)

음경재건에 이용 가능하나, 대체로 두터우며 털이 많은 경우에는 적합하지 않다.

5) 합병증

(1) 요도관련 합병증

요도 문합부위의 허혈이나 상처 치유가 잘 안 됐을 때 요도누공이나 협착이 오게 된다. 따라서 피판중 가장 관류(perfusion)가 잘 되는 부분이 요도가 되도록 디자인되어야 한다.

요도를 만들 때 털이있는 부위가 포함되면 반복되는 감염, 협착, 누공이 생길 수 있으므로 공여부를 잘 선택하는 것이 중요하다.

(2) 음경삽입물 관련 합병증

음경재건술에서 성교가 가능한 음경을 만드는 것이 항상 문제가 되어왔다. 딱딱한 음경삽입물이나 골이식은 항상 발기된 상태로 있으므로 부상의 위험이 크고, 보호감각이 없는 경우에는 돌출의 위험이 크고 발기된 상태를 감출 수가 없어 불편하다. 또한 혈관화되지 않은 골이식이나 연골이식은 1~2년 후에 흡수될 수 있다. 따라서 음경삽입물이 돌출되거나 침식(erosion)을 예방하기 위하여 보호감각이 있는 음경 재건이 필수적이다.

4. 남성 성기의 손상 (Injury to the male external genitalia)

전쟁중 지뢰폭발, 고문, 공장기계에 의한 사고, 자해 등이 남성 성기 손상의 주요 원인들이다.

1) 음경손상(Injuries to the penis)

음경손상 시 지혈은 어려우며 변연절제는 보존적으로 하여 확실히 죽은 조직만 제거해야 한다.

불필요하게 많이 제거하게 되면 출혈이 심해진다. Buck 근막(buck's fascia)과 백색막(tunica albuginea)을 잘 재건해 주어야 음경의 변형이나 발기부전 등을 예방할 수 있다.

(1) 음경골절(Penile fracture)

통증을 동반한 부종, 반상출혈(ecchymosis), 음경편위(penile deviation) 등이 나타나며 요도 파열도 1/3에서 동반된다. 치료는 혈종을 배출시키고, 지혈 후 음경해면체와 요도를 재건해준다.

(2) 지퍼손상(Zipper injury)

소아환자에서 주로 발생하며 음경꺼풀(preputce)가 손상받는다. 치료는 부분적으로 포피환상절제술을 해 주는 것이다.

(3) 허혈

음경의 감돈손상(strangulation injury)은 털이나 고리(ring), 고무밴드 등이 원인이며 치료는 원인을 제거하고 손상받은 조직을 회복시키는 것이다.

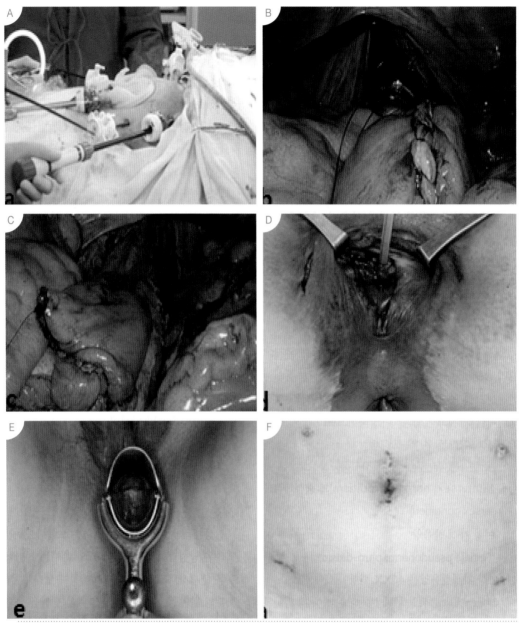

▷ 그림 6-2-13. **복강경 도움으로 직장S상결장 피판을 만들어 질성형한 모습**

을 위한 가장 중요한 요소였으며, 대부분의 환자들은 24시간 안에 진단을 받았다. 그러나 간성의 조기수술에 대해서는 확정되지 않고 있다.

3) 진단

첫 번째 단계로 과거력이 중요하며 임신 중 투약, 가족력을 조사하고 외부성기, 체모, 이차성징, 복부나 서혜부에 혹 등이 있는지 살펴본다.

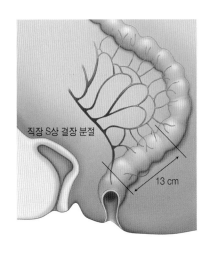
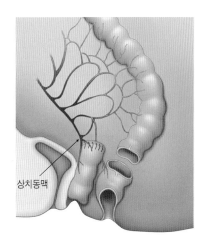
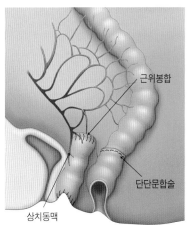
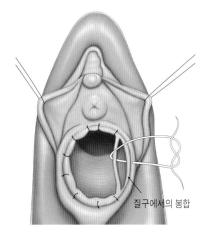

▷그림 6-2-14. **직장 S상 결장 피판을 이용한 질재건술의 도식적 도안(저자)**

구강점막 도말을 실시하여 핵형을 확인하고 선천성 무질증인지 고환 여성화 증후군인지 감별진단을 할 수 있다.

호르몬 분석도 유용하다.신장의 기형이 많으므로 정맥 요로조영술(intravenous urography)이 필수적이며 그 외에도 MRI,초음파 등 필요한 검사를 시행하여 복부내 성기관을 확인해야 한다. 아주 심한 경우에는 진단적 개복술을 시행할 수도 있다.

4) 치료

(1) 비수술적 교정(Frank technique)

실리콘 확장기를 이용하여 요도와 항문사이를 지속적으로 압력을 가하여 질을 확장하는 방법이다.

(2) 부분층 식피술을 이용한 재건(McIndoe method)

질이 위치한 부위를 박리하여 공간을 만든 후 부분층 식피술로써 재건해 주는 방법이며 약 6개월간 스텐트(stent)를 넣어 반흔구축을 방지하

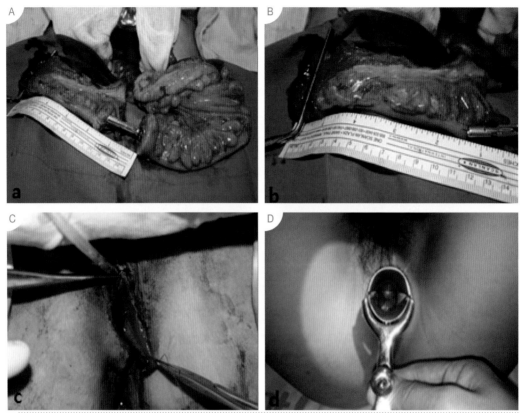

▷그림 6-2-15. A, B. 직장 S상결장 피판을 거상한 모습, C. 직장 S상결장 피판을 질의 위치에 봉합, D. 직장S상 결장 피판을 이용해 이상적인 질이 재건된 모습.

도록 한다.

(3) 전층 식피술을 이용한 재건보다 반흔구축으로 인해서 실패하는 경우가 적어 효과적이다.

(4) 장(Bowel)을 이용한 재건

회장(ileum), 결장(colon) 등도 이용되지만, 직장 S장결장(rectosigmoid)이 가장 이상적이며 다른 방법보다 자연스럽고, 스텐트를 사용할 필요가 없으며, 반흔구축이 발생하지 않는 장점이 있으나, 개복수술을 시행하여야 하며, 점액분비가 과다하다는 것이 하나의 단점이다. 현재는 복강경 수술로도 직장 S상결장피판으로 질 성형술이 가능하게 되었다(그림 6-2-14, 15).

(5) 회음 대퇴피판(Pudendal thigh flap)으로 재건할 수 있으나 선천성 무질증의 재건에는 피판의 부피가 크고, 암 제거 술 후의 질재건에는 매우 유용하다.

6. 성전환증(Transsexualism, transgender, gender identity disorder)

사람은 자신의 타고난 성에 대한 성정체성(gender identity)을 가지고 있어야 하지만, 성전환증이란 성정체성의 장애로 반대되는 성의 일원으로 살고 싶어 하는 지속적인 신념을 가진 상태를 말한다. 생물학적 또는 해부학적으로 결정되는 신체적 성과 자신이 주관적으로 인식하는 정신적 성이 일치하지 않는 것을 성전환증(트랜스 젠더)이라고 하며 자신의 해부학적 성에 해당하는 복장을 불편하게 생각하며 행동과 활동을 반대되는 성에 해당하는 것을 택하고 자신의 성기에 대하여 불편, 부당하게 느끼며 호르몬 치료와 외과적 수술로써 문제를 해결하려고 한다. 이러한 단계에 이르면 성전환술이 최선의 치료라고 할 수 있다.

성전환증의 원인은 확실하지 않으며 따라서 그 예방법 및 치료법도 잘 알려져 있지 않다. 적절히 선택된 환자가 잘 계획된 성전환증 재활 프로그램에 참여하면 생활양식, 사회관계, 자존심, 신체이미지, 직장 및 성생활에 뚜렷한 향상을 보일 수 있다. 따라서 다각적인 접근이 필요하며 수술하기 전에 환자선택에 엄격한 기준이 적용되어야 한다.

1) 원인

성전환증의 원인은 확실하지 않지만 유전적이나 태아의 내분비적 문제 또는 후천적인 소아기의 가족환경 또는 심리학적인 면이 영향을 미친다고 한다.

2) 수술

정신과적인 치료를 우선 실시하지만 대부분의 환자들에서 효과가 없었다고 하며 대부분은 수술을 시행한다. 성전환 수술은 돌이킬 수 없는 변화를 초래하므로 수술 대상자를 선정하는 데는 엄격한 조건이 필요하게 되며 그 조건은 다음과 같다.

① 적어도 2년 이상 성전환 수술을 받기를 원해야 한다.

② 적어도 12개월 이상 바꾸고자 하는 성에 대한 정신적 사회적 적응이 이루어져 있어야 한다.

③ 19세 이상의 성인이 수술대상이지만 부모의 동의하에 사춘기 이후 수술이 가능하다.

④ 정신병이 없어야 한다.

⑤ 정신과에서 성전환증의 진단을 받고, 6개월 이상 정신과적 치료를 받아도 성과가 없는 환자여야 한다

⑥ 수술 전에 6개월 이상 성이 뚜렷하게 발현되도록 성호르몬 치료를 받은 환자여야 한다.

⑦ 친가족의 승낙이 필요하다.

(1) 여성의 남성화 수술

이 수술의 목적은 여성의 유방과 자궁, 난소를 제거하여 상징적인 이차적 성징을 없애고, 체모, 근육, 음경같은 남성의 특징을 재건하는 것이다

① 호르몬치료

testosterone (Jenasterone®) 250 mg을 1~2주마다 근육주사하며 수술 후에도 계속한다. 피부가 거칠어지고 체모가 증가하며 목소리가 저음으로 변하고 음핵이 커지고 근육이 발달된다.

② 음경 재건술

음경을 재건하는 데는 주변의 조직을 이용하는 방법과 새로운 조직을 이용해서 재건해주는 방법이 있다. 주변의 조직을 이용하는 방법에는 복벽피판(abdominal flap),

음낭피판(scrotal flap), 서혜부 피판(groin flap), 박근피판(gracilis flap) 등으로 재건할 수 있으며 stiffener로는 늑연골이나 장골이 사용되었다. 그러나 국소피판을 이용한 음경재건은 결과가 만족스럽지 못한 경우가 많아 최근에는 유리피판술로 재건하는 것이 보편적이다. 유리 피판술을 이용한 음경재건은 전완부 피판이 가장 많이 사용되며, 요골의 일부를 골피판술로 이용한다. 이때 전완 피부신경(antebrachial cutaneous nerve)을 장골서혜 신경(ilioinguinal nerve), 음경배부 신경(penile dorsal nerve), 음부 신경(pudendal nerve)등에 이어주어서 음경에 감각을 회복시켜야 한다.

(2) 남성의 여성화 수술

① 호르몬 치료

estrogen (Estradiol-Depo®) 10 mg을 투여하면 유방이 커지고 체모가 감소하고 음성이 변하며 안면 골격과 신체 피하지방의 분포에 변화가 온다. 필요시 항 남성호르몬(Androcur)을 투여한다.

② 질 성형술(Vaginoplasty)

음경과 고환을 제거하고 질 성형술을 시행한다. 질은 음경음낭 피판술, 음경반전 피판술, 직장 S상결장 피판술이 널리 이용되며 그 외 여러 가지 방법이 있으며 이에 대해서는 선천성 무질증에서 설명하였다.

③ 부가수술

질 성형술 외에도 유방 성형술, 비 성형술, 턱 성형술, 갑상선 연골 축소술, 음성교정, 모근 제거술 등을 병행하여 실시한다.

References

1. 김석권, 배용찬, 정성훈, 김성수. 성전환증 환자의 질성형술 대한성형외과학회지 1991;18:1114
2. 김석권, 정영하. 여성성기의 재건 대한성형외과학회지 1996;23:804
3. Kim SK, Park JH,Lee KC, et al: Long -term result in patient after rectosigmoid vaginoplasty. J plast reconstr surg, 2003;112:143
4. Kim SK, Lee KC, Kwon YS, et al: Phalloplasty using radialforearm osteocutaneous free flaps in female to male transsexuals. J plast reconstr & aesthetic sur 2009;62:309-317
5. Kim SK, Jung JW, Kwon YS et al: Laparoscopic rectosigmoid flap vaginoplasty. J plast surg hand surg 2011;45:226
6. Kim sk, Moon JB, Ywon YS, et al: A new method of urethroplasty for prevention of fistula in female to male gender reassignment surgery, ann plast surg 2010;64:759
7. Gilbert Da,Winslow B,Gilbert DM, et al;Transsexual in the genetic female.Clin Plast Surg 1988:15;471-487
8. Neligan peter C ed:plastic surgery vol 4. Philadelphia:WB Sounders 2017

3

욕창
Pressure Injury

허찬영 서울의대

1. 개요

욕창은 압력 그리고 전단력의 조합으로 발생되며, 일반적으로 뼈 돌기 위에 피부 또는 하부 조직의 국소적인 손상으로 정의된다.

"욕창(decubitus ulcer)", "욕창(bed sore)" 및 "압력 상처(pressure injury)"라는 용어는 종종 같은 의미로 사용되며, 최근 NPUAP (National Pressure Ulcer Adivisory Panel)에서 Pressure sore라는 용어를 Pressure injury라는 용어로 통일 하였다. 예를 들어 천골, 전두근, 발 뒤꿈치 등 환자가 기대어 앉을 때 뼈 돌출부가 있는 부위에서 욕창(decubitus)이 생긴다. 욕창은 신체의 뼈의 돌출부에 만성적 혹은 반복적인 압력으로 인하여 해당부위 혈액순환에 문제가 발생하게 되고 이로 인하여 피부 조직의 손상 및 괴사로 인하여 발생된 궤양으로 정의될 수 있다. 체중 및 여러 상태에 따라 다르지만 약 40 mmHg 이상의 압력은 조직으로의 혈액공급을 저하시키고, 그 상태가 2시간 이상 지속 시에 조직은 영구손상을 받게 된다. 이때 해당조직의 조직학적 변화를 허혈(ischemia)이라 부르고 이로 인하여 궤양, 즉, 욕창이 발생하게 된다. 평소 피부에 공급되는 혈액은 일반적으로 대사요구량 이상으로

과공급 되고 있기 때문에 상당량의 혈액공급이 감소하여도 피부의 대사 요구량은 충족될 수 있다. 피부에서의 혈액 공급은 외부의 압력이 가해져도 어느 정도 유지되는 특성을 보이는데, 대개 15 mmHg에서 30 mmHg 압력에서는 혈류량의 큰 변화는 없지만 압력이 30 mmHg 이상이 가해지게 되면 혈류량의 현저한 저하를 초래하게 된다.

2. 욕창의 역학

국내에서의 자세한 자료는 없지만, 미국에서 매년 3백만 명 이상의 환자들이 욕창으로 인하여 영향받는 것으로 추정된다. 미국에서의 유병률은 급성기 치료 병원에서 0.4~38%, 장기 요양 병원에서는 2~24% 정도이고, 일반 가정, 즉 홈케어 상태에서는 0~17% 정도로 추정된다. 또한 1990~2001년까지 총 115,000명의 환자가 욕창으로 사망하였고, 총 110억 달러의 비용이 욕창을 치료하기 위해 매년 지출되고 있다. 성형외과 영역에서 욕창은 비교적 장기간의 입원을 필요하며 일단 치유되어도 재발률이 높아, 많은 경우에서 두 번 이상의 수술이 필요한 실정이다. 최

근 교통사고 및 산업재해의 증가로 인해 척추 손상 및 지체 마비 환자가 늘어나고, 또한 노령층 인구의 급격한 증가로 인해 뇌혈관질환과 중추신경 질환의 유병률이 높아지면서 욕창의 발생 빈도도 높아지고 있다. 욕창은 일단 한번 발생하면 의학적인 치료가 필요한 것은 물론이고, 환자 개인이나 사회 전체로 보아 많은 경제적, 심리적 손실을 가져온다. 욕창으로 인해 소요되는 비용은 우리나라에서는 통계적인 보고가 없으나 영국의 경우를 보면 년간 6,000만~2억 파운드가 소요되는 것으로 보고 되고있으며 미국에서는 매해 170만 명의 욕창 환자가 발생하고 1년 동안의 욕창 치료비용으로 약 13억 달러가 지출되는 것으로 추정하고 있다. 이러한 욕창은 특히, 척추손상 환자에서 높은 비율로 발생한다. 여러 연구결과에 따르면 척추 손상 수상 후 1년 안에 약 15%, 20년 안에 약 26% 정도의 환자들이 크고 작은 욕창을 경험한다. 2017년 1월 발표된 논문에 의하면, 척수장애인 욕창환자의 초기, 중기, 후기 3가지 시기로 나누어 분석을 한 결과, 초기 약 65% 환자가 욕창이 있는 경우, 이들중 약 48%의 환자가 사망을 한다는 결론을 보고하였고, 초기 5년간 욕창이 없었던 환자의 69%가 10년 뒤에도 욕창이 없었다고 보고하는 것을 보면 욕창의 존재가 환자에게 지대한 영향을 미친다는 것을 볼 수 있다.

3. 욕창의 해부학적 분포

1964년 Dansereau와 Conway는 Bronx 재향 군인 병원(Bronx Veterans Administration Hospital)의 환자 649명을 대상으로 1,604건의 욕창 평가한 결과를 발표했다. 저자들은 체표면의 하부에 발생된 욕창이 가장 많았고, 이 중 가장 흔한 부위는 천골부위이며 모든 궤양 중 28%를 차지한다고 한다. Meehan이 1994년에 보고한 6,078건의 욕창 환자 3,487명 중 가장 흔한 발생 부위는 천골(36%), 뒤꿈치(30%)이다. 최근 VanGilder 등은 욕창 발생의 가장 흔한 부위는 천골(28.3%)과 발 뒤꿈치(23.6%), 엉덩이(17.2%) 순서였다. 대개 척추손상 후 급성기에는 주로 천골부위에 욕창이 발생하는 반면, 척추손상이 안정화되어 만성단계가 되면, 휠체어 이동을 시작하면서, 대개 좌골부위 욕창이 주를 이루게 된다.

4. 욕창의 발생

1) 압력

Paget은 19세기 초에 압력과 욕창 사이의 관계를 중요시 하였다. 1930년에 Landis는 고전적인 일련의 실험을 수행했으며 평균 모세 혈관 폐쇄 압력은 약 32 mmHg인 것으로 보고하였다. Fronek와 Zweifach 역시 20~30 mmHg 사이의 관류 압력을 지적하면서 연구에서 비슷한 결과를 보고했다.

그러나, 단순히 이러한 수준을 초과하는 압력을 가하는 것이 반드시 조직 허혈을 가져 오는 것은 아니다. 조직에 가해지는 압력은 균등하게 혈관 주위 조직에 전해지고, 이를 일정시간 지속할때 조직의 괴사 및 허혈이 일어나게 된다. 특히 Dinsdale은 2시간 동안 모세혈관 폐쇄압력의 약 2배 정도가 적용된다면 돌이킬 수 없는 불가역적인 조직 허혈 손상이 발생한다는 것을 보고하였다. 또한 Kosiak는 동물실험에서 유사한 결과를 보고하였는데, 이 중 압력이 5분마다 해제되면 조직에 변화가 거의 없다는 사실에 주목했다.

2) 마찰력

마찰은 두 표면 사이의 상대 운동에 저항하는 힘이며 전단력의 전구체이다. 이 제품은 환자의 침구, 시트, 롤러 또는 슬라이드 보드와 같은 이동 장치, 다양한 기구 및 교정 장치, 휠체어 쿠션과 같은 외래 장치를 포함하여 환자의 피부와 여러 접촉면 사이에서 발생한다. 과도한 마찰은 연약한 피부를 가진 환자의 찰과상, 수포, 심지어는 피부 눈물과 같은 표면 부상을 초래할 수 있다. 상대적으로 소량이지만, 그러한 부상은 추가 손상을 가중시킬 수 있다. 피부의 보전성이 손상되면, 피부의 수분 손실이 증가하고 수분이 누적될 수 있다. 습기는 차례로 마찰 계수를 증가시키고 시트 및 기타 접촉면에 대한 접착을 촉진한다.

3) 전단력

Reichel은 침대 머리가 올라갔을 때 환자가 더 압력 염증을 앓았음을 지적하면서, 욕창이 욕창 발생 위험 요소라고 묘사한 최초의 저자 중 한 명이다. 전단력은 마찰이 피부와 표재성 조직을 시트나 침구에 붙었을 때 더 심해지는 구조에 단단히 펴질 때 발생한다. 기저 혈관은 스트레칭 되고, 각을 이루며, 이 스트레스로 부상을 입을 수 있다. 피하 조직은 특히 인장 강도가 부족하고 전단 응력에 특히 민감하다. Dinsdale은 전단력의 추가가 돼지 모델에서 궤양을 유발하는 데 필요한 압력의 양을 크게 감소 시켰으며 "a shear force is more disastrous than a verti-cal force"고 결론지었다. Goossens은 작은 전단 성분의 첨가가 천추에 대한 중대한 허혈을 유발하는 데 필요한 압력 수준을 대폭 감소시킨다는 사실을 발견했다.

환자가 침대에서 환자를 미끄러지듯 움직이거나 침대에서 환자를 "부양"시키거나 환자가 팔꿈치와 발 뒤꿈치를 밀면서 침대에서 몸을 들어올리는 것을 허용하는 것은 모두 중요한 전단을 유발한다. 어떤 자세는 또한 높은 전단력을 유발한다. 세미 파울러의 위치에 있는 환자나 휠체어에서 미끄러지는 환자 모두 허리와 엉덩이에 상당한 전단력을 경험한다. 이것은 이론상으로는 무릎 결절이 체중의 대부분을 차지해야 한다는 사실에도 불구하고 휠체어에 묶인 환자가 왜 의자에 똑바로 앉아 있지 않으면 천골에 압박감이 생길 수 있는지 설명할 수 있다.

4) 습윤

과도한 수분은 압력 염증의 위험 인자일 뿐만 아니라 요실금 피부염, perineal 피부염 및 습기 병변을 포함하는 별도의 병리학을 유발할 수 있다. 압력과는 반대로 수분과 자극에 주로 기인하는 피부 붕괴의 원인이 되는 분리된 개체가 정당하고 유용한 구별인지는 몇 가지 논쟁 거리이다.

그러나 습기는 압력 염증을 평가할 때 고려해야 할 중요한 요소이며, 병변이 주로 습기로 인한 것이라고 생각되는 경우에도 압력 경감을 무시해서는 안 된다. 촉촉한 피부는 마찰 계수가 높고 침용과 탈곡 현상이 발생하기 쉽다.

과도한 수분이 많은 원인을 가질 수는 있지만, 요실금과 대변 실금은 압력 염증의 원인에 특히 중요하다. 요실금은 노인들에게 흔하며, 그리고

VI. 체간 및 생식기관

요율에 대해서는 20%에서 77%로, 대변 실금으로는 17%에서 50%로 제도화된 인구에서 비율이 훨씬 높다. 과잉 수분을 유발하는 것 외에도 소변은 질소 유도체의 도입을 통해 피부의 산성 pH를 무효화 한다. 대변 오염은 큰 세균 부하를 유발한다. Lowthian은 요실금과 대변 실금을 구별하지는 않았지만 실금 환자의 압력 염증이 5배나 증가했다고 언급했다. 일부 연구 결과에 따르면 요실금과 요실금의 관련성을 발견한 반면 다른 사람들은 대변 실금과의 상관 관계를 지적하면서 상관 관계를 찾지 못했다.

과도한 수분이 분명히 해로운 동안, 그 반대도 마찬가지이다. 과도하게 건조한 피부는 균열이 생기기 쉽고, 인장 강도 및 지질 함량이 감소하고 장벽 기능이 손상되며 궤양의 독립적인 위험 인자로 보인다.

5) 영양부족

만성적으로 아프고 쇠약해지는 환자는 낮은 혈청 알부민, 프리 알부민 또는 트랜스페린 수준으로 나타나는 영양 결핍을 수반한다. 유병률은 집에서 사는 고령 환자의 경우 1%에서 4%이며 입원 환자의 경우 20%이며 제도화 된 환자의 경우 37%이다. 가난한 영양의 해로운 영향으로는 체중 감소, 음성 질소 균형, 가난한 상처 치료 및 면역 억제 등이 있다. 몇몇 연구들은 단백질 영양 실조와 상처 치유 사이의 명확한 연관성을 보여주었고 심하게 영양 실조를 겪은 환자들은 패혈증, 감염, 병원 내 사망률, 그리고 더 긴 병원 체류의 위험이 증가했다. 그러나 치료와는 달리 영양 실조와 압박감 예방과의 관계는 명확하지 않다. 영양 실조와 압력 염증 사이에는 확실한 상관 관계가 있지만 확실한 인과 관계는 아직

파악하기 어렵다.

6) 신경학적 손상

이 문제를 해결하기 위한 광범위한 권고에도 불구하고, 압력 염증은 가장 흔한 합병증이며 SCI 인구의 병원 입원 중 두 번째로 흔한 원인이다. 침대 또는 휠체어에서의 부동성은 모든 압력 염증의 원인이 되는 압력, 마찰 및 전단력을 증가시킨다. 그러나 SCI는 장기간의 압력, 특히 수면에 대한 반응으로 자신의 위치를 바꾸도록 자극하는 보호 감각을 제거한다. 간헐적인 완화로 무해한 압력은 압박감을 유발한다.

움직이지 못하고 감각이 저하되는 명백한 문제 외에도 요실금, 경련 및 심리 사회적 문제가 이 집단의 일반적인 문제이다. 흔히 발생하지만 피할 수 없는 SCI의 후유증인 SCI는 SCI 집단에 고유한 문제로, 재발 1년 후 65~78%의 환자에게 영향을 미친다. 경련은 과다 반점, 클로 너스(clonus) 및 증가 된 근육 톤이 특징이다. 대부분의 압력 상실 위험 척도에는 포함되지 않지만 기계적 스트레스의 직접적인 증가 및 체중 분포의 변화뿐 아니라 환자 배치, 피부 검사 및 위생이 복잡하여 효과가 있다.

5. 욕창의 평가

욕창의 분류는 욕창의 심각성의 정도를 결정하기 위한 방법이다. 분류체계는 단계 또는 등급에 따른 숫자로 나타내며, 각각은 다른 정도의 조직손상을 의미한다. 표 6-3-1에서 보는 것처럼 궤양이 깊고, 조직손상이 넓을수록 더 높은 숫자를 나타내게 된다. 욕창의 분류는 유병

▷ 표 6-3-1. EPUAP 욕창 분류 체제

Grade	Definition
1	Nonblanchable erythema of intact skin. This may be difficult to identify in darkly pigmented skins
2	Partial thickness skin loss involving epidermis and/or dermis: the pressure ulcer is superficial and presents clinically as anabrasion, blister or shallow crater
3	Full-thickness skin loss involving damage or necrosis of subcutaneous tissue that may extend down to, but not through, underlying fascia: the pressure ulcer presents clinically as a deep crater with or without undermining of adjacent tissue
4	Extensive destruction tissue necrosis, or damage to muscle, bone or supporting structures with or without full-thickness skinloss

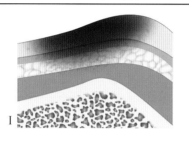
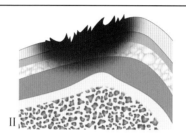
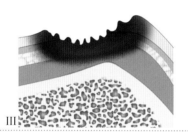

▷ 그림 6-3-1. **욕창의 분류**

률 및 발생률의 조사에서뿐 아니라, 임상과 연구에도 중요한 툴이다. 현재 가장 널리 사용되고 있는 분류체계는 국립욕창고문패널(National Pressure Ulcer Advisory Panel, NPUAP)에 의해 고안된 것이고, 이후 여기에서 약간 변형된 유럽욕창자문위원단(European Pressure Ulcer Advisory Panel, EPUAP)도 도입하였고 현재까지 널리 이용되고 있다(표 6-3-1).

욕창의 단계를 나누는 것은 욕창의 심각한 정도를 알아보는 데 유용하지만 단계가 제대로 측정되어야 하고, 요실금 부위가 욕창으로 오인되고 있지 않는지를 확실하게 하기 위한 교육을

하는 것이 필요하다. 욕창은 보이는 조직의 손상정도에 따라 분류된다(그림 6-3-1). EPUAP와 NPUAP 욕창 분류체계는 가장 널리 사용되고 확실히 입증된 체제이다. 이러한 지침서의 개발 과정의 일부분으로서 EPUAP와 NPUAP는 공통의 NPUAP-EPUAP 욕창 분류체계에 합의하였고, 현재 널리 쓰이고 있다. 욕창은 그 깊이가 해부학적인 위치에 따라 다르고, 분류, 단계 III/IV가 깊이 자체에 의해 결정되기 때문에 오해의 소지가 있다. 콧등, 뒤통수, 귀뒷면, 천골, 복사뼈와 같은 지방조직이 거의 없는 체표면에서 얕은 욕창은 분류 stage IV일 수도 있고, 이와 반

대로 지방조직이 많은 둔부와 좌골은 욕창이 깊다 하더라고 근육이나 뼈에 도달하지 않을 수 있어 stage III일 수 있다. 욕창이 뼈의 돌출된 부위 위에 존재하는 경우 그 뼈의 돌출된 부분을 명확하게 언급하여야 하고, 궤양이 발생한 상황, 과거 치료력, 그리고 치유와 치유되지 않는 경위를 만약 안다면 치료제공자에게 알려야 한다. 이러한 정보는 제공자가 추후에 치료효과를 평가하는 데 도움을 준다. 특히 계속적인 실금은 피부 위 홍반, 짓무름, 찰과상 등을 유발할 수 있고, 그것이 욕창으로 오인될 수 있으며 숙련되지 않은 관찰자들이 실금에 의한 상처들을 1단계의 욕창이라고 간주할 수도 있다. 실금에 의한 상처는 대개 뼈의 돌출 부위 위에 거의 생기지 않고, 빨갛기보다는 보라색의 특징을 보이고 피부가 부풀어 올라 부종이 있고, 짓무르고 벗겨져 있으며, 대개 과거력상 요실금 및 설사로 고생한 기왕력이 있어 상기와 같은 사실들은 의료진들에게 요실금에 의한 상처와 표면상의 욕창을 구별하도록 교육하는 것은 매우 중요하다.

6. 욕창의 예방

욕창의 예방은 중요하지만 쉽지는 않다. 예방에 가장 효과적인 방법은 압력과 엇갈림 힘의 강도와 지속시간을 줄이는 것이다. 예를 들어, 압력의 강도는 탄력 있는 메트리스나 공기가 잘 빠지지 않는 기구를 이용하여 줄일 수 있다. 이와 대조적으로 엇갈림 힘과 압력의 지속시간은 자세의 변화와 메트리스를 바꿔줌으로써 줄일 수 있다.

1) 자세변화

자세변화(체위 변경)는 욕창을 예방하는 가장 중요하고, 가장 효과적인 방법 중 하나로 알려져 있다. 환자의 자세를 변화시키면 몸을 지탱하는 압박부위를 바꿔줄 수 있다. 자세를 지속적으로 바꿔주고 조직에 산소가 공급되는 기간이 오래 지속되지 않을수록 욕창이 생길 가능성은 적어진다. 자세 변화의 빈도는 이 예방법이 효과적인지 여부를 결정해주며, 욕창의 발생률을 줄여주는 중요한 인자이다. 전통적으로 2, 3시간마다 자세를 바꿔주는 것이 권장되었다.

누워있는 자세의 경우, 평평하게 바로 누워있거나 30도의 Semi-Fowler 자세에 있을 때 압력이 가장 낮으며, 따라서 욕창이 생길 위험도 가장 작다. 30도 Semi-Fowler 자세에서는, 머리 끝과 발끝이 30도 정도로 들려 있어야 한다. 옆으로 누워있을 경우에는 가장 적은 압력을 받기 위해서는 30도 기울이고 있어야 한다. 이 경우, 90도를 유지하는 전형적인 옆으로 누워있는 자세보다 골반 부위에서 접촉하는 면적이 더 넓다. 접촉하는 부위의 조직의 두께도 더 두꺼워서 압력이 흡수되고 분산되기 쉽다. 쿠션을 이용하여 메트리스와의 각도를 30도를 유지하여 30도 옆으로 누워있는 자세를 취할 수 있다. 아래에 있는 다리는 엉덩이와 무릎의 높이에서 최소한으로 구부리고, 무릎은 35도, 엉덩 관절은 30도로 약간 굽힌 상태를 유지하며, 위에 다리가 아래 있는 다리보다 약간 뒤에 있는 자세를 취하도록 한다. 머리가 올라갈수록 접촉면적은 더 작아지게 되며, 압력은 더 증가하게 된다. 90도로 곧게 앉아 있을때, 눌리는 부분의 면적이 가장 작아지게 되므로 압력은 가장 커지게 된다. 따라서 욕창의 발생 가능성은 더커지게 된다. 엎드린 자세는 가끔 대안으로 사용할 수 있으며, 이 자세에서 압력은 매우 낮아서 Semi-Fowler 자세 와 대략적으로만 비교할 수 있다. 편안함이 가끔 문제가 될 수 있으며, 특히 딱딱한 메트리스에서 더 문제가 된다. 엎드린 자세는 30도 옆으로 누운 자세의 외복측 형태와 겸하여 쓸 수 있다. 작은 쿠션 등을 흉곽 아래에 놓도록 한다. 그럼 엉덩이 능선은 압력이 없는 위치를 취할 수 있다. 또한 앉아 있을 수밖에 없는 환자들의 경우, 같은 정도의 도움을 필요로 하는 누워서만 지내는 환자에 비해 더 빈번하게 욕창이 생기게 된다. 이는 누워있는 자세보다 앉아있는 자세에 작용하는 압력이 훨씬 크기 때문이다. 더욱이 환자는 매우 긴 기간 동안 앉아있게 된다. 따라서 앉아있을 때는 누워있을 때보다 훨씬 더 자주 자세를 바꿔주어야 한다. 따라서 앉아있는 자세에서도 욕창의 위험을 줄이기 위해서는 적합한 앉는 자세를 취하거나 감압 쿠션을 이용함으로써 압력의 크기를 줄이도록 해야 한다. 특히 의자에 똑바로 앉아있는 것은 안락의자에 비스듬히 기울여서 앉는 것에 비해 더 높은 압력이 작용한다. 환자의 자세 재배치는 욕창을 예방하는 효과적 방법이지만, 가능한 낮은 압력을 유지할 수 있도록 앉은 자세와 누운 자세가 병합되어야 한다. 자세를 바꿔주는 빈도에 대해서는 많은 의견이 있지만 실제 연구는 매우 미미한 상황이다.

2) 피부관리

노화는 정상적인 과정으로 인간은 몸의 조직과 기능이 서서히 퇴화되는 것을 경험하게 된다. 나이가 들면, 진피와 표피는 서서히 얇아지게 된다. 정상적인 노화과정에서 표피 접합부는 평평해지고 진피 유두와 표피능성이 파괴되어, 표피

가 다른 층과 쉽게 분리될 가능성이 높아 피부가 물리적인 손상을 받기 쉽게 된다. 동시에 피하지방 및 지방 조직의 감소가 생겨 뼈에 완충역할을 해줄 수 없다. 이런 변화는 얼굴, 정강이, 손, 그리고 발에 먼저 일어나며, 피부는 점점 건조해지게 된다. 결과적으로 피부는 얇고, 건조하고, 탄력이 줄어들어 손상에 더 민감해지게 된다. 삼출물 관리의 목표는 상처 환경에서 적절한 습도 유지와 주위 피부의 손상을 막는 것이다. 드레싱 재료 선택과 상처 주위의 보호는 환자의 안락함에 큰 부분을 차지한다. 드레싱이 습기를 조절하는 정도의 차이와 상처에 알맞은 드레싱, 그리고 착용 시간에 대한 이해는 굉장히 중요하다. 특히 테두리에 접착성이 있는 드레싱의 경우 부종이 있는 조직, 취약한 피부, 젖은 피부, 그리고 상처 주위 국소 염증 환자에서 사용을 주의하여야 한다. 건강한 피부가 상처 삼출물에 지속적인 노출되면 짓무름과 상피의 더 많은 손실이 초래된다. 짓무른 피부는 하얗고, 두꺼우면 단단하게 보일 것이다. 상처 주위에 적절한 피부보호제를 사용하게 되면, 상처 삼출물로부터 피부손상을 막아 상피의 손실 위험을 줄일 수 있다. 짓무름과 염증이 있을 경우, 피부는 홍반성으로 보이고 습하며 늘어질 것이다. 환자는 해당 부분이 타는 듯하고, 따갑고 가렵다고 호소할 것이다. 홍반성 짓무름의 치료는 국소 염증을 줄이기 위해 장벽 제제보다는 국소 스테로이드제제를 써야 할 것이다. 젖은 피부에는 연고보다 크림이 더 바르기 쉽다. 효능있는 국소 스테로이드는 하루나 이틀만 써야 하며, 그 후 며칠 동안 점차 감소시킨다. 이후 장벽 제제를 피부보호제로 상처 주위에 적용한다. 연고, 크림, 보호 필름을 피부표면에 놓는 장벽 필름과 같은 다양한 피부보호제제를 쓸 수 있다. 보호필름은 스프레이나 막

대기에 잘 바른 거품의 형태도 있다. 보호 필름은 접착성 드레싱의 부착을 돕고 제거시 외망을 예방하기 위해 손상받기 쉬운 피부에 붙인 접착성 드레싱 밑에 쓸 수 있다.

3) 영양관리

EPUAP의 영양관리에 대한 지침은 욕창을 가지고 있거나 생길 위험이 높은 모든 환자들은, 욕창에 대한 모든 관리와 상응하는 다른 모든 적절한 중재와 평가를 포함한 영양적 선별을 해야 한다는 것이다. 영양적 선별(유효한 영양 평가 방법에 의한 결과를 포함하고 있는)은 만약 개인이 영양부족 상태일 경우 영양사나 기타 영양팀의 일원으로부터 영양 평가가 이루어져야 한다는 것을 의미한다. 만약 규칙적 감시의 선별과정에서 환자가 영양 결핍의 위험성이 없다면 영양상태를 변화시키지 않고, 주기적으로 감시를 해야 하지만, 영양결핍이 있다고 판단이 된다면, 환자의 선택과 치료의 예상 결과에 따른 중재가 이루어져야 한다. 영양적 중재의 일차적 목표는 이상적으로 입을 통한 단백-열량 영양 불균형을 교정하는 것이다. 만약 구강 섭취가 불가능하다면, 단백-열량이 높은 영양 보충물을 고려해야 하며, 정상적인 식사 및 구강 섭취를 함에도 불구하고, 영양결핍이 해소되지 않는다면, 관을 통한 음식섭취를 조심스레 시도할 수 있다. 만일 환자가 욕창이 이미 발생한 환자라면, 영양 요구량은 더 많을 수 있고, 여러 연구에 의하면 단백과 열량의 보충을 아르기닌, 항산화 효과를 가진 비타민과 미세 영양소와 같이 섭취하였을 때 욕창의 치료에 긍정적 효과를 보였다는 보고가 있다. 환자관리에서 영양 계획과 기준의 성공여부를 보기 위한 감시는 환경에 상관없이 환자,

보호자, 그리고 의료 전문의에게 명백해야만 한다. 영양적 중재가 환자에게 설정된 목표를 이루지 못할 경우, 다른 진단적 검사가 요구되고, 좀 더 세밀한 영양적 중재가 필요하거나 중재의 목표가 재설정 되어야 할 것이다.

7. 욕창의 치료

1) 효과적 변연절제

욕창은 신체의 특정 부위에 지속적 또는 반복적 압력이나 마찰에 의하여 혈액순환이 차단되어 피부에 상처가 나거나 그 밑에 있는 조직에 괴사가 일어난 상태로 피부에서의 일차적 방어능력이 파괴되어 세균감염의 기회를 만들어 주고 더 나아가 근육과 뼈의 감염을 초래하여 회복을 지연시킬 뿐 아니라 생명을 위협하는 결과를 가져오고 있다. 따라서 욕창과 같은 만성 상처관리에 있어서 괴사조직의 제거는 상처치유를 촉진시키고, 육아조직 형성의 촉진과 감염의 위험성을 줄이기 때문에 상처관리의 기본적이고 본질적인 요소라고 할 수 있다.

괴사조직 제거술에는 다양한 방법(수술적, 자가분해, 효소, 생물학적, 기계적 등)이 있지만 이러한 방법은 모두 장단점을 가지고 있어서 상처에 정확한 방법을 사용하지 않으면 상처 회복을 지연시키고, 환자의 고통 및 불필요한 의료비용을 증가시킬 수가 있다. 죽은 조직은 세균이 만성적인 욕창에서 자랄 수 있게 하는 좋은 배지이다. 이 죽은 조직은 또한 이물질로 작용하여 염증반응을 유도할 수 있다. 적절한 죽은 조직 제거의 선택은 여러 기준을 통해 적용할 수 있다. 통상적으로 조직 제거를 효과적으로 할 수

있다. 수술적 처치가 좋고, 그렇지 못한 경우 여러 자가분해적인 방법을 이용하고나 국소 효소를 적용할 수도 있고, 구더기 역시 죽은 조직 제거에 효과적으로 사용될 수 있다. 또한 식염수를 이용한 기계적인 세척, 초음파 기계를 이용한 방법등 최근 많은 방법들이 고안되어 소개되고 있다.

2) 욕창의 비수술적 치료

환자의 전신상태가 좋지 않아 수술이 불가능한 경우 상처의 소독, 감염 방지, 2차 치유의 목적을 위해 드레싱의 여러 방법이 이용되어 왔다. 최근 다양한 dressing material들이 개발되면서 욕창의 드레싱 방법에도 새로운 기법이 쓰이고 있다. 특히, silver를 이용한 dressing material(예: aquacell ag, acticoat) 등은 dirty wound, 특히, 욕창의 개방된 상처에 쓰일 수 있다. 이러한 dressing material의 원리는 이온 상태의 은이 상처 삼출액과 만나 삼출액 안의 세균을 fiber에 가두게 되고, dressing material로부터 은이 온이 방출되면 광범위한 항균작용을 하게 된다. 이러한 새로운 dressing material들의 장점은 높은 흡수력, 드레싱 교환 횟수의 감소, 처치 시간의 단축 등으로 환자 및 의료진들의 고통이나 수고를 덜어줄 수 있고, 또한, 상처 치유에 가장 적합한 습윤 환경을 조성하여 주고, 상처와 주변 피부의 maceration을 감소시킬 수 있어, 앞으로 욕창의 치료에 널리 쓰일 것이 기대되고 있다. 또한 vacuum assisted closure (VAC)이 사용될 수도 있는데, VAC이란 음압을 이용한 각종 피부궤양 및 욕창 dressing 방법으로 환부를 진공상태로 만들어 신체가 스스로 상처를 치료하도록 돕는 비침습적 치료법이다. 상처 부위에 골고루 일정하게 세팅된 음압을 이용하여 간질액 등의 불순물과 혈액등을 흡입하고 부종을 줄이고 세균감염의 기회를 줄인다. 또한 창상 치유를 위한 혈관생성을 촉진시키고 혈액 공급을 원활하게 하여 상처 부위의 백혈구량을 늘리고 산소를 공급하여 새로운 조직을 재생 하게 하는 드레싱 방법이다. 특히, VAC의 장점은 부종의 감소, 혈류 및 산소 공급의 증가, 박테리아의 감소, 치료 기간의 단축을 들 수 있다. 또한, 전신 마취 수술의 고위험환자에서 2차수술의 빈도를 낮출 수 있고, 수술 시 신선하고 청결한 창상 상태를 확보할 수 있으며, 치료시간이나 빈도 면에서 경제적이고, 환자나 의료진의 수고를 덜어줄 수 있는 장점이 있다.

3) 욕창의 수술적 치료

욕창의 수술적 치료는 보통 여러 피판으로 재건하게 되는데, 대개는 환부 주위에서 가져올 수 있는 피판의 종류가 제한되어 있고, 차후 욕창이 재발되는 경우도 드물지 않기 때문에, 가급적이면 일차 수술을 완전하게 시행하여 수술 후 피판이 괴사되거나 창상의 치유 지연 등을 예방하여야 한다. 그러므로 비록 수술 전 입원기간이 길어지더라도 수술을 서두르지 말고, 전신상태 및 환부의 상태가 충분히 좋아질 때까지 기다리는 것이 중요하다.

일반적으로 욕창을 수술할 경우 욕창 자체보다는 환자를 전체적으로 보고 파악하는 것이 중요하다. 깊은 욕창(3, 4단계)을 가지고 있는 모든 환자들은 수술적 치료를 고려할 수 있으나, 환자들 대부분 욕창 이외에 다른 내과적 질환으로 인하여 수술여부를 결정하기 위해서는 이런 점들을 충분히 평가하여야 한다. 협조할 능력이 없는 쇠약환 환자들이나 완전한 치유가 가능할 것으로 예상되는 환자들은 교정술 하나로만 치료해도 충분하지만, 말기환자들은 재건시술의 후보군이 아니다. 욕창 수술의 첫 단계는 항상 죽은 조직의 제거술에서 시작한다. 또한 연부조직 아래 부분을 균일하게 압력을 분산시키기 위하여 노출된 뼈는 평탄하게 만들어주는것이 중요하다. 만일 욕창의 공동(cavity)이 깨끗하고 살아있다면, 공동을 남겨 시간이 걸리는 자발적인 치유를 할 것인지, 빠르지만 어느 정도 복잡한 재건술을 할 것인지를 결정해야 한다. 작은 표재성 욕창의 경우 2차적인 치유를 위해 남겨두지만, 큰 표재성 욕창의 경우 대개 수술을 해야 하고, 크기가 작지만 깊이가 깊은 욕창 역시 재건술을 통해 효과적으로 치료될 수 있다. 부분층 피부이식(split-thickness skin grafting)은 수술적 관점에서 볼 때 간단하고 빠른 시술이다. 욕창환자에서의 공여 부위는 풍부하다. 수여부분은 상태가 깨끗하고 혈관이 잘 발달되어야 한다. 부분층 피부이식의 경우 기계적 부하를 덜받고, 새살이 잘 형성되며, 크고, 얕은 욕창에 효과적으로 적용될 수 있다. 이와 비슷하게 전층피부이식(full-thickness skin grafting)은 진피 모두를 포함하여 더 두껍고 기계적 마모나 찢어짐에 더욱 저항성을 가지도록 하지만 수여면의 혈관성에 대한 요구는 더 커지게 된다. 전층 피부이식은 공여면의 치유를 위해 상피요소들이 남지 않도록, 공여부분의 직접적인 봉합이 가능할 정도로 피부가 느슨한 경우 채취 가능하다. 수여부분은 혈액공급이 좋아야 하며, 이식편은 단단히 고정되어야 한다. 직접봉합의 경우는 결손을 없애는 가장 외과적 방법이지만 욕창에는 예외적으로 적용된다. 적용될 경우, 흡입 배액을 시행한 부분의 위쪽 층에서 봉합하도록 하고, 남아있는

공동의 경우 피해야 한다. 욕창의 조직이 너무 적을 경우는 오히려 재발할 위험이 높아지게 된다. 피판 수술의 경우 사용할 피판의 선택은 술자의 경험과 필요한 조직의 요구에 따라 달라질 수 있 다. 국소 회전 또는 전진 피판이 주로 사용되는 방법이나 근래에 들어 많이 쓰이게된 근육피판 또는 근판수술은 몇가지의 장점을 가지고 있다. 우선, 피판의 혈액공급이 믿을만하여 회적축을 넓게 잡을 수 있으며, 세균 감염을 통제하기 쉽다. 또한 봉합선을 골돌출부를 피하여 잡을 수 있으며 부피가 크고 탄력성이 좋다. 특히 피부의 혈액공급의 일부가 근육으로부터의 천공지에 의하므로 근육피판은 최근 그 사용 빈도가 높아지고 있다. 욕창에 흔히 쓸수 있는 근피판에는 천골부 욕창의 경우, 대둔근 및 대퇴 근막장근, 대전자부 욕창에는 대퇴근막장근피판, 대퇴직근, 대퇴이두근, 외광근을 이용하는 방법이 있으며, 좌골부 욕창에는 고둔근, 외광근, 대퇴이두근, 대퇴근막장근, 대둔근을 이용하는 근피판법이 선택된다. 최근에는 천공지 피판술을 이용하는 방법이 대두되었다. 즉 욕창의 외과적 치료법 중 상대둔근동맥 천공지피판술(superior gluteal artery perforator flap)은 종전의 방법보다 덜 invasive하기 때문에 공여부의 손실이 적고, 욕창 재발 시 같은 공여부를 또 사용할 수 있는 가능성을 확보할 수 있다. 또한 피판 혈관경 박리 후 얻을 수 있는 피판의 회전반경은 기존의 어느 방법보다 높고, 디자인의 방법에 따라 더욱 광범위한 결손부의 피복도 가능하다. 이와 같은 천공지 피판은 다양한 크기의 천골부 욕창의 치료에 있어 첫 번째 선택이 될 수 있고 앞으로도 그 적용범위를 넓힐 수 있을 것 이다. 넓고 다발성의 욕창은 시간, 자원의 이용, 그리고 치료된 것부터 치료되지 않은 욕창의 교차감염을

줄이기 위해 가능한 적은 기간 동안 치료한다. 일단 재건술을 선택하였다면, 넓은 궤양들은 골반부위에 놓이고, 전체 넓적다리판은 동측 골반에 있는 큰 욕창마저 덮을 수 있는 좋은 연부 조직을 제공한다. 재발은 불행하게도 욕창 수술에서 꽤 흔한 문제이다. 일차성 또는 재발성 욕창의 치료에는 주요한 차이점은 없다. 동일한 재건 방법이 이용되게 되며, 처음 계획에서는 피부피판을 나중에 쓸 때 방해되지 않도록 재건을 계획하는 것이 중요하다.

4) 욕창의 다른 측면

욕창 환자 중 나이가 비교적 젊은 환자들은 사고로 인한 척추 손상 등이 많으며 급격한 환경적 변화를 겪어 사회활동에 대한 위축, 대인관계 단절 등으로 사회적 고립을 경험하게 된다. 이런 환경을 벗어나 다른 사람과 접촉하고 의사 소통할 수 있는 인터넷은 급격하게 일상생활의 일부분이 되었고 특히 인터넷 게임의 이용률이 높은 젊은 욕창환자들에게는 심각한 중독으로 발전될 가능성이 크다. 인터넷중독이 중요한 사회적 문제로 부각된 것은 어제 오늘의 일이 아니지만 특히 욕창환자들에게는 인터넷의 중독은 부동의 자세로 오래 있게 되는 점에서 욕창뿐 아니라 신체 전반에 악재로 작용하게 된다. 활동의 제한으로 사회적 고립이 심화되는 욕창환자들에게서 인터넷, 스마트폰은 안전하고 간편한 의사

소통 수단이 되어 삶의 질을 향상시킬 수 있는 긍정적 측면이 있으나 욕창의 위치가 인터넷 사용으로 압력이 가해지는 부위에 있는 경우 압력 부위의 혈류 감소로 욕창의 회복에 악영향을 미친다. 스마트폰의 보급으로 인터넷을 과거에 비해 비교적 자유로운 체위로 할 수 있게 되었지만 오히려 컴퓨터로 인터넷을 할 때보다 다양한 부위에 압력을 오래 가할 수 있어 보다 주의하고 중독이 의심되는 경우 과도한 인터넷 사용에 대한 심리적, 정신적인 지지가 필요하다.

8. 요약

인구 노령화로 인하여 욕창인구가 늘어나고 있고, 이로 인한 사회적 비용 역시 크게 증가하고 있다. 욕창 치료에 필요한 의료 기반이 부족한 상황, 그리고 일단 발생한 욕창의 정상화에는 오랜 시간과, 비용이 소요된다는 점에서, 욕창의 발생 그리고 예방을 위한 1차의료의 중요성이 부각되고 있다. 현재도 많은 연구가 진행되고, 수많은 치료재료, 수술 방법들이 현재도 개발되고 사용되지만, 최선의 치료는 욕창의 예방이다. 또한 인터넷, 스마트폰의 보급이 크게 늘어나면 서, 과거에는 경험할 수 없었던 인터넷 게임 중독 및 스마트 폰 중독등의 여러 사회적 현상 또한 욕창 환자들에게 있어 경계해야 할 사항이다.

References

1. Park MS. The Influence of Aging on Wound Healing and Risk Factors of Pressure Ulcer in Elderly. J Korean Wound Management Soc 2008;4:88-91
2. Park KH. Dressing for Pressure Ulcers. J Korean Wound Management Soc 2008;4:24-27

3. Kim JY, Heo CY, Minn KW. Clinical Application of Maggots in Pressure Ucler. J Korean Wound Care Soc 2007;3:78-82

4. Park KH. Factors Affecting the Healing of Pressure Ulcers. J Korean Wound Management Soc 2008;4:92-95

5. Kim KR. Nutrition Management for Pressure Sore. J Korean Wound Management Soc 2010;6:33-36

6. Park JM, Kim YS, Kim HS, Kim JT, Kim SK. Clinical Consideration of the Pressure Sore. J Korean Soc Plast Reconstr Surg Vol. 24, No. 5

7. Park MS. Pressure Ulcer Risk Assessment Tools. J Korean Wound Care Soc 2007;3:58-62

8. Amir Qaseem, Tanveer P. Mir, Thomas D. Denberg. Risk Assessment and Prevention of Pressure Ulcers: A Clinical Guideline from the American College of Physicians. Ann Intern Med 2015;162:359-369

집필에 도움을 주신 분   박창식   서울의대 분당서울대학교병원 조교수

찾아보기

찾아보기

찾아보기

찾아보기

영문

A

B

찾아보기

찾아보기

찾아보기